Second Edition

역동정신의학 진단 매뉴얼 청소년편

정신의학신문

Vittorio Lingiardi • Nancy McWilliams

Psychodynamic Diagnostic Manual

PDM-2

역동정신의학 진단매뉴얼 청소년편

첫째판 1쇄 인쇄 | 2020년 2월 29일
첫째판 1쇄 발행 | 2020년 3월 15일

지 은 이 Vittorio Lingiardi, Nancy Mcwilliams
역 자 정신의학신문
발 행 인 장주연
출 판 기 획 장희성
편 집 박미애
편집디자인 조원배
표지디자인 김재욱
제 작 담 당 신상현
발 행 처 군자출판사(주)
등록 제4-139호(1991. 6. 24)
본사 (10881) **파주출판단지** 경기도 파주시 회동길 338(서패동 474-1)
전화 (031) 943-1888 팩스 (031) 955-9545
홈페이지 | www.koonja.co.kr

* 파본은 교환하여 드립니다.
* 검인은 저자와의 합의 하에 생략합니다.

ISBN 979-11-5955-530-5
979-11-5955-528-2 (set)

정가 40,000원

Second Edition

역동정신의학 진단 매뉴얼 청소년편

정신의학신문

About the Editors

Vittorio Lingiardi, MD, is Full Professor of Dynamic Psychology and past Director (2006–2013) of the Clinical Psychology Specialization Program in the Department of Dynamic and Clinical Psychology of the Faculty of Medicine and Psychology, Sapienza University of Rome, Rome, Italy. His research interests include diagnostic assessment and treatment of personality disorders, process–outcome research in psychoanalysis and psychotherapy, and gender identity and sexual orientation. He has published widely on these topics, including articles in *The American Journal of Psychiatry, Contemporary Psychoanalysis, The International Journal of Psychoanalysis, Psychoanalytic Dialogues, Psychoanalytic Psychology, Psychotherapy, Psychotherapy Research, and World Psychiatry.* Dr. Lingiardi is a recipient of the Ralph Roughton Paper Award from the American Psychoanalytic Asso- ciation. From 2013 to 2016, he served on the technical committee for the eligibility of the training programs of the psychotherapy private schools of the Italian Ministry of Educa- tion, University and Research.

Nancy McWilliams, PhD, ABPP, is Visiting Professor in the Graduate School of Applied and Professional Psychology at Rutgers, The State University of New Jersey, and has a private practice in Flemington, New Jersey. She is on the editorial board of *Psychoanalytic Psychology* and has authored three classic books on psychotherapy, including the award- winning *Psychoanalytic Diagnosis, Second Edition: Understanding Personality Struc- ture in the Clinical Process.* Dr. McWilliams is an Honorary Member of the American Psychoanalytic Association and a former Erikson Scholar at the Austen Riggs Center in Stockbridge, Massachusetts. She is a recipient of the Leadership and Scholarship Awards from Division 39 (Psychoanalysis) of the American Psychological Association (APA) and the Hans H. Strupp Award from the Appalachian Psychoanalytic Society, and delivered the Dr. Rosalee G. Weiss Lecture for Outstanding Leaders in Psychology for APA Division

42 (Psychologists in Independent Practice). She has demonstrated psychodynamic psychotherapy in three APA educational videos and has spoken at the commencement ceremonies of the Yale University School of Medicine and the Smith College School for Social Work.

Chapter Editors

Robert F. Bornstein, PhD, Derner Institute of Advanced Psychological Studies, Adelphi University, Garden City, New York

Franco Del Corno, MPhyl, DPsych, President, Society for Psychotherapy Research— Italy Area Group, Italy

Francesco Gazzillo, PhD, Department of Dynamic and Clinical Psychology, Faculty of Medicine and Psychology, Sapienza University of Rome, Rome, Italy

Robert M. Gordon, PhD, ABPP, Institute for Advanced Psychological Training, Allentown, Pennsylvania

Vittorio Lingiardi, MD, Department of Dynamic and Clinical Psychology, Faculty of Medicine and Psychology, Sapienza University of Rome, Rome, Italy

Norka Malberg, PsyD, Yale Child Study Center, New Haven, Connecticut

Johanna C. Malone, PhD, Department of Psychiatry, Massachusetts General Hospital and Harvard Medical School, Cambridge, Massachusetts

Linda Mayes, MD, Yale Child Study Center and Office of the Dean, Yale School of Medicine, New Haven, Connecticut

Nancy McWilliams, PhD, Graduate School of Applied and Professional Psychology, Rutgers, The State University of New Jersey, Piscataway, New Jersey

Nick Midgley, PhD, Research Department of Clinical Education and Health Psychology, University College London, London, United Kingdom

Emanuela Mundo, MD, Residency Program in Clinical Psychology,
Faculty of Medicine and Psychology, Sapienza University of Rome, Rome, Italy

John Allison O'Neil, MD, Department of Psychiatry, McGill University and St. Mary's Hospital, Montréal, Québec, Canada

Daniel Plotkin, MD, Department of Psychiatry and Biobehavioral Sciences, David Geffen School of Medicine, University of California at Los Angeles, Los Angeles, California

Larry Rosenberg, PhD, Child Guidance Center of Southern Connecticut, Stamford, Connecticut

Jonathan Shedler, PhD, University of Colorado School of Medicine, Denver, Colorado

Anna Maria Speranza, PhD, Department of Dynamic and Clinical Psychology, Faculty of Medicine and Psychology, Sapienza University of Rome, Rome, Italy

Mario Speranza, MD, PhD, Department of Psychiatry,
Versailles General Hospital, and Faculty of Medicine and Health Sciences, University of Versailles Saint Quentin en Yvelines, Versailles, France

Sherwood Waldron, MD, Psychoanalytic Research Consortium, New York, New York

Consultants

Consultants who are also Chapter Editors appear in the "Chapter Editors" list.

Allan Abbass, MD, Halifax, Nova Scotia, Canada
John S. Auerbach, PhD, Gainesville, Florida
Fabia E. Banella, MA, Rome, Italy
Tessa Baradon, MA, London, United Kingdom
Jacques Barber, PhD, Garden City, New York
Kenneth Barish, PhD, Hartsdale, New York
Thomas Barrett, PhD, Chicago, Illinois
Mark Blais, PsyD, Boston, Massachusetts
Corinne Blanchet-Collet, MD, Paris, France
Anthony Bram, PhD, ABAP, Lexington, Massachusetts
Line Brotnow, MSc, Paris, France
Emanuela Brusadelli, PhD, Milan, Italy
Giuseppe Cafforio, DPsych, Aosta, Italy
Mark Carter, MA, MSc, London, United Kingdom
Irene Chatoor, MD, Washington, D.C.
Richard Chefetz, MD, Washington, D.C.
Manfred Cierpka, MD, Heidelberg, Germany
John F. Clarkin, PhD, White Plains, New York
Antonello Colli, PhD, Urbino, Italy
Christine A. Courtois, PhD, Washington, D.C.
Jacques Dayan, MD, PhD, Rennes, France
Martin Debbané, PhD, Geneva, Switzerland
Ferhan Dereboy, MD, Aydin, Turkey
Kathryn DeWitt, PhD, Stanford, California
Diana Diamond, PhD, New York, New York
Jack Drescher, MD, New York, New York
Karin Ensink, PhD, Québec City, Québec, Canada
Janet Etzi, PsyD, Philadelphia, Pennsylvania
Giovanni Foresti, MD, PhD, Pavia, Italy
Sara Francavilla, DPsych, Milan, Italy
Glen O. Gabbard, MD, Houston, Texas
Michael Garrett, MD, Brooklyn, New York
Federica Genova, PhD, Rome, Italy
Carol George, PhD, Oakland, California
William H. Gottdiener, PhD, New York, New York
Brin Grenyer, PhD, Sydney, Australia
Salvatore Gullo, PhD, Rome, Italy
George Halasz, MS, MRCPsych, Melbourne, Australia
Nakia Hamlett, PhD, New Haven, Connecticu
Alexandra Harrison, MD, Cambridge, Massachusetts
Mark J. Hilsenroth, PhD, Garden City, New York
Leon Hoffman, MD, New York, New York
Per Høglend, MD, Oslo, Norway
Steven K. Huprich, PhD, Wichita, Kansas
Marvin Hurvich, PhD, New York, New York
Lawrence Josephs, PhD, Garden City, New York

Horst Kächele, MD, PhD, Berlin, Germany
Richard Kluft, MD, Bala Cynwyd, Pennsylvania
Guenther Klug, MD, Munich, Germany
Brian Koehler, PhD, New York, New York
Melinda Kulish, PhD, Boston, Massachusetts
Jonathan Lachal, MD, PhD, Paris, France
Michael J. Lambert, PhD, Provo, Utah
Douglas W. Lane, PhD, Seattle, Washington
Alessandra Lemma, MA, MPhil, DClinPsych, London, United Kingdom
Howard Lerner, PhD, Ann Arbor, Michigan
Marianne Leuzinger-Bohleber, PhD, Frankfurt, Germany
Karin Lindqvist, MSc, Stockholm, Sweden
Henriette Loeffler-Stastka, MD, Vienna, Austria
Loredana Lucarelli, PhD, Cagliari, Italy
Patrick Luyten, PhD, Brussels, Belgium
Eirini Lympinaki, MSc, Athens, Greece
Janet A. Madigan, MD, New Haven, Connecticut
Sandra Maestro, MD, Pisa, Italy
Steven Marans, PhD, New Haven, Connecticut
Matthias Michal, MD, Mainz, Germany
Robert Michels, MD, Ithaca, New York
Hun Millard, MD, New Haven, Connecticut
Kevin Moore, PsyD, Philadelphia, Pennsylvania
Seymour Moscovitz, PhD, New York, New York
Filippo Muratori, MD, Pisa, Italy
Laura Muzi, PhD, Rome, Italy
Ronald Naso, PhD, Stamford, Connecticut
John C. Norcross, PhD, Clarks Summit, Pennsylvania
Massimiliano Orri, PhD, Paris, France
J. Christopher Perry, MPH, MD, Montréal, Québec, Canada
Humberto Persano, MD, PhD, Buenos Aires, Argentina
Eleonora Piacentini, PhD, Rome, Italy
Piero Porcelli, PhD, Castellana Grotte (Bari), Italy
John H. Porcerelli, PhD, Bloomfield Hills, Michigan
Timothy Rice, MD, New York, New York
Judith Rosenberger, PhD, LCSW, New York, New York
Babak Roshanaei-Moghaddam, MD, Tehran, Iran
Jeremy D. Safran, PhD, New York, New York
Ionas Sapountzis, PhD, Garden City, New York
Lea Setton, PhD, Panama City, Panama
Golan Shahar, PhD, Beersheba, Israel
Theodore Shapiro, MD, New York, New York
Caleb Siefert, PhD, Dearborn, Michigan
George Silberschatz, PhD, San Francisco, California
Gabrielle H. Silver, MD, New York, New York
Steven Spitz, PhD, New York, New York
Miriam Steele, PhD, New York, New York
Michelle Stein, PhD, Boston, Massachusetts
Matthew Steinfeld, PhD, New Haven, Connecticut
William Stiles, PhD, Miami, Ohio
Danijela Stojanac, MD, New Haven, Connecticut
John Stokes, PhD, New York, New York
Annette Streeck-Fischer, MD, PhD, Berlin, Germany
Karl Stukenberg, PhD, Cincinnati, Ohio
Guido Taidelli, MD, Milan, Italy
Annalisa Tanzilli, PhD, Rome, Italy
Pratyusha Tummala-Narra, PhD, Boston, Massachusetts
Kirkland Vaughans, PhD, Garden City, New York
Fred Volkmar, MD, New Haven, Connecticut
Charles H. Zeanah, MD, New Orleans, Louisiana
Alessandro Zennaro, PhD, Turin, Italy
Alessia Zoppi, PhD, Urbino, Italy

PDM-2 Honorary Scientific Committee

John S. Auerbach, PhD
Anthony W. Bateman, MA, FRCPsych
Sidney J. Blatt, PhD (deceased)
Eve Caligor, MD
Richard A. Chefetz, MD
Marco Chiesa, MD, FRCPsych
John F. Clarkin, PhD
Reiner W. Dahlbender, MD
Jared DeFife, PhD
Diana Diamond, PhD
Jack Drescher, MD
Peter Fonagy, PhD, FBA
Glen O. Gabbard, MD
John G. Gunderson, MD
Mark J. Hilsenroth, PhD
Mardi J. Horowitz, MD
Steven K. Huprich, PhD
Elliot L. Jurist, PhD
Horst Kächele, MD, PhD
Otto F. Kernberg, MD
Alessandra Lemma, MA, MPhil, DClinPsych
Marianne Leuzinger-Bohleber, PhD
Henriette Loeffler-Stastka, MD
Karlen Lyons-Ruth, PhD
Patrick Luyten, PhD
William A. MacGillivray, PhD
Robert Michels, MD
Joseph Palombo, MA
J. Christopher Perry, MPH, MD
John H. Porcerelli, PhD
Jeremy D. Safran, PhD
Allan N. Schore, PhD
Arietta Slade, PhD
Mary Target, PhD
Robert J. Waldinger, MD
Robert S. Wallerstein, MD (deceased)
Drew Westen, PhD

PDM-2 Sponsoring Organizations

American Academy of Psychoanalysis and Dynamic Psychiatry

American Association for Psychoanalysis in Clinical Social Work

American Psychoanalytic Association

Association Européenne de Psychopathologie de l'Enfant et de l'Adolescent

Confederation of Independent Psychoanalytic Societies

Division of Psychoanalysis (39), American Psychological Association

International Association for Relational Psychoanalysis & Psychotherapy

International Psychoanalytical Association

International Society of Adolescent Psychiatry and Psychology

Italian Group for the Advancement of Psychodynamic Diagnosis

역자소개

역자명단 (가나다 순)

강동우 분당 강동우 정신건강의학과의원
김성화 마마라 정신건강의학과의원
김정민 정신건강의학과 전문의
려원기 노재원 려원기 정신치료연구소
반유화 연세필 정신건강의학과
이정한 정신건강의학과 전문의
정자현 정신건강의학과 전문의
조진우 정신건강의학과 전문의

(번역 총괄)
조장원 정신건강의학과 전문의

목차

PART I. Adolescence

PART II. Childhood

PART III. Infancy and Early Childhood

PART IV. Assessment and Clinical Illustrations

PART I

Adolescence

CHAPTER 1

PSYCHODYNAMIC DIAGNOSTIC MANUAL

청소년의 정신 기능 프로파일, MA축

| 반유화 |

서론

정신 기능에 대한 평가는 진단 구성, 치료 계획, 실행에 필수적이다. 청소년 정신 기능 평가는 정신 기능의 발달적 진행을 포함해야 하므로 성인 평가보다 더 복잡하다. 이 장은 각 청소년의 발현(presentation)에 대한 분명한 임상적 기술(description)을 제시하고 이를 적절한 발달적 맥락 안에 놓는 데 필요한 도구를 임상가에게 제공하는 것을 목표로, 12-19세 청소년의 기본 정신 기능 범주를 서술한다.

청소년기는 신체, 인지, 사회-감정, 그리고 대인관계 수준에서 엄청난 변화가 일어나는 시기이다. 각 청소년은 독특한(unique) 인격을 가진 개인이며, 초기(early), 중기(middle), 후기(late)에 수많은 발달적 주제(issue)를 마주한다. 이는 크게 네 가지의 범주로 나눌 수 있다: 인지 변화, 독립으로의 이동, 정체성(및 도덕성) 형성, 성(sexuality). 연대기적으로는 세 가지의 시기로 분류 가능하다: 초기 청소년기(대략 12-14세), 중기 청소년기(대략 15-16세), 후기 청소년기(대략 17-19세, 후기 청소년기의 주제들은 20대 초반까지 연장될 수 있다.) 이 장에서는 가능한 한 위의 발달적 주제 및 시기에 입각하여 정신 기능을 서술한다.

MA-축 영역은 다양한 정신역동적, 인지적, 발달적 모델을 기반으로 만들어졌다. 성인의 A 축처럼, 청소년의 정신 기능은 더 손상된(compromised) 수준에서부터 더 기능적인 수준에 이르는 범위의 서로 다른 심리적 적응 수준을 참조한 12개의 구별된(distinct) 능력들(capacities)로 구성된다. 이 능력들은 개념적으로는 구별되지만, 서로 완전히 별개인(separate) 것은 아니다; 정신 기능은 통일되고 통합된 과정의 틀로 개념화되어야 한다. 교류적(transactional)

모델에 따르면, 인격과 정신 기능은 구성적 특성들(기질, 유전적 소인들)과 환경(학습, 경험, 애착 방식, 문화 및 사회적 맥락)의 통합으로 결정된다. 개인은 유전적으로 영향받은 발달적 연속선 안에서 각기 다른 속도(rates)로 발달한다.

MA-축은 다양한 영역을 다룬다. 각 섹션에는 능력에 대한 일반적 기술과 함께, 이와 관련한 중요(principal) 발달 과제에 대한 내용이 있다. 각 능력 별로 알맞은 평가 도구의 해설 목록을 제시한다. 또한 임상가가 특정 환자의 각 정신 기능을 5점 척도로 매길 수 있는 평가 방법(표 1.1, pp. 50~51)을 소개했다(각 정신 기능 별로 기능 수준 5, 3, 1의 주요 특징에 대한 설명이 있음). 마지막으로, 능력의 근본적 구성에 대한 더 나은 이해를 제공하기 위해, 각 섹션에서 적절한 임상적 및 경험적 문헌을 알려준다.

청소년기는 아동기 및 성인기와 연속성(continuities) 및 불연속성을 가지기 때문에, PDM-2의 해당 섹션과 관련 지어서 보기를 제안한다. 어떤 프로파일도 모든 정신적 삶을 다 포괄할 수는 없지만, 성인에 대해 요약된 M 축의 범주들(성인편 2장, pp. 71~73)은 개인 정신 기능의 복잡성과 개별성을 이해할 수 있는 많은 중요한 영역을 보여준다. 우리는 청소년기에 강조점을 두고 이 범주들에 대해 아래에 상세히 설명하였다.

MA-축의 능력에 대한 경험 기반 평가(Empirically Grounded Assessment of MA-Axis Capacities)

청소년의 정신 기능 평가에는 몇 가지의 특별한 주제(issues)가 있다. 청소년 평가는 아동에서처럼, 각 출처가 청소년 기능에 대해 특유의 정보를 제공하므로 다양한 출처를 통합해야 한다. 이는 청소년과 부모의 인터뷰기반 평가, 청소년의 수행 기반 측정, 부모와 교사의 보고, 청소년의 자기보고 척도를 포함한다. 청소년이 자신의 내적 경험을 잘 서술할 수 있는 위치에 있으면, 부모와 교사는 밖으로 드러나는 증상들을 더 쉽게 확인할 수 있다.

수집된 정보는 청소년의 현재 기능 수준, 발달력, 가족의 정신 건강 배경에 초점을 맞추어야 한다. 마지막으로, 학교, 가정, 활동의 다양한 맥락에서 임상적 관찰이 이루어져야 하며, 이는 해당 청소년을 정기적으로 접하는 성인의 비공식적 보고로 완성된다. 해당 청소년의 정신역동적 진단 프로파일을 만들기 위해 모든 퍼즐조각을 모으는 것이 목표인 것이다.

다음의 섹션에서, 청소년의 정신 기능 능력을 자세히 설명하였다. 각 능력 별로, 평가를 도울 수 있는 타당성 있는 임상 도구의 목록을 함께 제시하였다. 더 폭넓은 평가 수단과 거기서 통합적 정보를 끌어내는 전략에 대해, 8장의 평가 도구를 참고하라. 또한, PDM-2를 참고한 정신역동 진단 차트-2 (Psychodiagnostic Chart-2, PDC-2)와 그 청소년편 (PDC-A)이 부록에 있다.

1. 조절, 주의, 학습 능력(Capacity for Regulation, Attention, and Learning)

첫 번째 능력의 넓은 정의에 대해서는 성인편 2장(pp. 71)을 보라.

청소년에서 이 능력에 해당하는 기능들은 '자기 조절(self-regulation)' 이라는 넓은 개념 아래 통합된다. 자기 조절은 감정, 인지, 행동을 관리하는 내적 그리고/또는 상호작용적 과정이다. 행동을 억누르고, 실수를 알아차리고, 계획을 수립하는 능력을 포괄한다; 주의를 관리하고, 맥락적 요구에 적응하기 위해 행동을 시작 (능동적 조절) 및 억제 (억제적 조절)하는 능력을 포함한다. 자기 조절은 다양한 측면의 기능 발달에 중요한 역할을 한다. 사회적 능숙함(social competence)의 증가, 우수한 대응 능력, 학문적 성공과 관련이 있다. 반면, 불량한 조절 능력은 다양한 형태의 정신병리(외재화 및 내재화 유형 모두)의 기저를 이룬다고 생각된다. 발달 중에 일어나는 자기 조절의 변화는 인지적 자원, 성인이나 또래의 규제(regulation) 또는 틀(scaffolding)에 대한 적응에 달려있다. 자기 조절 능력의 의미 있는 향상은 청소년기의 특징이다. 인지 및 감정조절 과제 수행의 향상은 전전두엽의 고차원 연합 피질의 성숙과 더불어 청소년기 및 초기 성인기를 거쳐 일어난다.

자기 조절 능력은 개인적 요인(유전적 소인, 기질, 발달적 위험)에 따라 달라지며, 환경적 요인(초기 아동-양육자 상호작용으로부터 시작함) 및 상황적 맥락(과 연관된 감정)에 강하게 영향받아, 상황과 환경에 따라 수행의 차이를 보인다. 따라서 이 능력에 대한 평가는 몇 가지 출처의 정보를 통합해야 한다: 직접적인 임상 및 신경심리 평가, 자기보고, 청소년을 알 만한 정보제공자들의 보고.

평가 척도(Rating Scale)

표 1.1 (pp. 50-51)에는 각 MA-축 능력에 대해 5에서 1점까지 정신 기능을 평가할 수 있는 5점 평가 척도를 제시하였다. 각 능력의 5,3,1 수준 기준점에 대한 설명은 아래에 있다.

5. 이 수준에서, 청소년들은 스트레스 하에서도 집중력 있고, 체계적이며, 경험으로부터 학습하고 적응할 수 있다. 생각, 정서, 다른 내적 경험을 언어 및 비언어적으로 표현할 수 있다. 기억, 주의, 실행 기능은 높은 수준이며 잘 통합되어 있다.
3. 이 청소년들은 동기가 부여된 경우에 집중력 있고, 체계적이며, 적응과 학습이 가능하다. 완전히 열중하지 않은(not fully engaged) 경우, 중등도의 저하(moderate decline)를 보일 수 있다. 최적으로(optimally) 기능하는 경우에도, 이 수준의 사람들은 상대적으로 짧은 기간과 제한된(limited) 정도만큼 집중할 수 있다. 학습 능력은 외부의 지지에 매우 좌우되며, 감정적 방해로부터 주의 과정을 보호하는 것이 상당히 어렵다. 스트레스 하에서는, 언어, 정보 처리, 그리고/또는 실행 기능 문제의 출현과 함께 상당한(significant) 저하가 나타날 수 있다.

1. 이 청소년들은 짧은(fleeting) 주의를 보이며, 집중력 있게, 체계적으로 주의를 유지하기가 어렵다. 그들은 환경에 적응하고 경험으로부터 학습하는 데 어려움을 겪을 수 있으며, 자신에게만 몰두해 있거나, 무기력하거나, 수동적일 수 있다. 학습 능력은 하나 이상의 정보처리 어려움으로 인해 심각하게 제한되어 있다. 언어적 표현은 손상되어 있거나(compromised), 빈곤하거나(impoverished), 기이할(peculiar) 수 있다.

가장 적절한 평가 도구들(Most Relevant Assessment Tools)

청소년의 조절, 주의, 학습을 평가할 수 있는 많은 도구들이 있다. 자가 질문과 정보제공자 기반 체크리스트는 이 능력에 대해 중요한 정보를 제공한다. 그러나 복잡한 인지 과정에 대한 평가는 신경심리 검사를 필요로 할 수 있다. 이때 임상가는 청소년을 적절히 훈련된 신경심리학자에게 의뢰해야 한다. 아래 섹션에 지능, 주의, 실행 기능, 학습 평가에 유용한 평가를 나열하였다. 감정 및 인지 조절의 특이적 평가에 대한 것은 이 장의 다른 섹션들, 특히 "정서 범위, 의사소통, 이해 능력(Capacity for Affective Range, Communication, and Understanding)"에 있다.

웩슬러 아동지능검사(Wechsler Intelligence Scale for Children)

가장 널리 쓰이는 아동지능검사인 웩슬러 아동지능검사 제4판(WISC-IV; Wechsler, 2005)은 6세 0개월부터 16세 11개월까지의 아동을 대상으로 한다. 다양한 언어로 이용 가능하다. 실시에는 60-90분이 소요되며 종합 지능지수(full scale IQ, FSIQ), 아동의 전체적 지적 능력에 대한 포괄적 평가, 각 영역에 대한 능력을 알 수 있는 네 가지의 종합 점수를 산출한다: 언어 이해 지표(verbal comprehension index, VCI), 지각 추론 지표(perceptual reasoning index, PRI), 정보처리 속도 지표(processing speed index, PSI), 작업기억 지표(working memory index, WMI). FSIQ에 대해 동일한 가중치를 부여한 10개의 핵심 소검사가 있다. Crawford, Anderson, Rankin, MacDonald (2010)는 종합 점수에 가장 높은 비중을 가지는 소검사를 선택함으로써, 전체 WISC-IV 검사 실시가 어려운 경우 사용 가능한 단축형을 개발했다: VCI에서 어휘(vocabulary) 및 유사성(similarities), PRI에서 토막 짜기(block design) 및 행렬 추론(matrix reasoning), WMI에서 숫자 외우기(digit span), PSI에서 기호쓰기(coding) 및 상징 찾기(symbol search). 단축형 지표는 높은 신뢰도(reliability)와 기준타당도(criterion validity)를 보인다(Carword et al., 2010; Hrabok, Brooks, Fay-McClymont, & Sherman, 2014).

WISC 제5판(WISC-V; Wechsler, 2014)이 최근 출시되었다. 시공간 능력, 유동적 추론, 시각 작업 기억에 대한 새로운 평가와, 학습 문제 평가 및 확인에 적합한 인지 능력 종합점수 몇 가지에서 주요한 개선이 있었다. 규준 표본이 갱신되었고, 새로운 상호작용적 디지털 포맷이 결과 코딩 및 요약을 위한 전산화된 방식과 함께 소개되었다. 16세가 넘는 청소년들에게는 웩슬러 성인 지능 검사- 제4판(WAIS-IV; Wechsler, 2008)이 더 적합하다.

수정된 라이터 국제동작척도(Leiter International Performance Scale- Revised)

수정된 라이터 국제동작척도(Leiter-R; Roid & Miller, 1997)는 2-18세 아동의 비언어적 지능 평가이다. 듣기 및 말하기 문제가 있는 아동 및 청소년을 위한 이 '황금 기준' 평가 도구는 인지기능 시각 주사(scanning)/식별, 시각 통합, 시각 추상 추론을 포함한 더 전통적인 평가에서 찾아볼 수 있는 것과 유사한 범위의 인지 기능을 설명해준다. 검사 실행 중 언어 안내에 대한 필요가 없이, 비언어 및 팬터마임 지시를 우선으로 한다는 것이 특징이다. 이러한 특징은 다양한 수준의 청각 상실 청소년에 대해 공정한 평가를 함으로써 검사의 타당성(validity)을 지원한다. 비언어적 인지 평가 Leiter-R은 시각화 및 추론 소검사에서 .75-.90, 주의 및 기억 소검사에서 .67-.85의 내적일관성신뢰도 계수(internal consistency reliability coefficients)를 보이는 등 높은 신뢰도와 타당도를 가진다. 이 배터리는 1,719명의 규준 표본으로 규준 참조되었다(norm-referenced) (Roid & Miller, 1997).

종합 실행기능검사(Comprehensive Executive Function Inventory)

종합 실행기능검사(CEFI; Neglieri & Goldstein, 2013)는 5-19세 아동을 대상으로, 실행기능으로 조절되는 목표지향적 행동을 평가하는 척도이다. 이는 개인 실행기능의 강점과 약점을 국가의 대표 집단의 점수와 비교하여 결정한다. 평가, 진단, 치료 계획 등을 안내하고 개입 프로그램을 평가하는 데 사용된다. 90개 질문에 대한 반응으로 계산된 전체 척도 점수 외에도, 개입할 목표를 정확히 찾아내기 위해 아홉 개의 합리적으로 파생된 척도(rationally derived scale)를 사용한다: 주의(attention), 감정 조절(emotional regulation), 융통성(flexibility), 억제적 조절(inhibitory control), 개시(initiation), 조직화(organization), 계획(planning), 자기 관찰(self-monitoring), 작업 기억(working memory). 신뢰도와 타당도는 우수하다. CEFI는 부모, 교사, 및 자기보고(12-18세)의 형태가 제공되어, 다양한 평가자 관점 반영이 가능하다.

불행성 증후군 아동 행동평가(Behavioural Assessment of the Dysexecutive Syndrome in Children)

불행성 증후군 아동 행동평가(BADS-C; Emslie, Wilson, Burden, Nimmo-Smith, & Wilson, 2003)는8-16세 아동의 생태학적으로 타당한 실행 기능 측정을 위해 개발된 배터리이다. 여섯 개의 검사로 구성된다: 규칙 전환카드(rule shift cards), 행동 프로그램(action program), 열쇠 찾기(key search), 시간적 판단(temporal judgement), 동물원 지도(zoo map), 수정된 여섯 요소(modified six elements). 각각에서 얻는 프로파일 점수(범위=0-4)를 합치면 총 점수가 된다(최대=24). 규준 데이터는 영국의 265명의 건강한 아동, 발달/신경학적 장애 아동 114명으로부터 얻어졌다. 구성 타당도(construct validity)는 8-15세 아동 208명 표본을 세 집단(8세에서 9세 11개월, 10세에서 11세 11개월, 12세에서 15세)으로 나눈 연령 관련 프로파일을 통해 입증했다(Engel-Yeger, Josman, & Rosenblum, 2009).

실행기능 행동평가 검사(Behavior Rating Inventory of Executive Function)

실행기능 행동평가 검사(BRIEF; Gioia, Isquith, Guy, Kenworthy, 2000)는 집과 학교의 5-18세 아동 청소년의 실행기능을 평가한다. 부모 및 교사용의 86개 질문이 있으며, 실행에 10-15분, 점수 평가에 15-20분이 소요된다. 11-18세 청소년용 자기보고판(BRIEF-SR)도 사용 가능하다. 여덟 개의 하위척도를 계산하여 두 지표 점수를 산출한다: 세 하위척도(억제(inhibit), 전환(shift), 감정 조절(emotional control))에 기반한 행동 조절 지표(behavioral regulation index, BRI), 다섯 하위척도(개시(initiation), 작업 기억(working memory), 계획/조직화(plan/organize), 자료 조직화(organization of materials), 주시(monitor))에 기반한 메타 인지 지표(metacognition index, MI). BRIEF는 장애 특이적이지 않으므로 학습, 주의, 뇌손상, 발달장애, 다양한 정신의학적 상태, 의학적 문제 등 광범위한 어려움을 가진 아동 및 청소년의 실행기능 평가에 사용된다. 대표성 있는 사회경제적 분포의 부모 1,419명, 교사 720명의 데이터로 규준되었다. 높은 검사-재검사 신뢰도(test-retest reliability)(교사 γ's= .88, 부모 .82) 및 내적 일관도(internal consistency) (Chronbach's alphas= .80-.98), 부모 교사 평가의 중간 정도의 상관관계(γ's= .32-.34)를 보여 신뢰도가 좋은 편이다. 수렴 및 확산 타당도(convergent and divergent validity)는 감정 및 행동 기능에 대한 다른 평가들을 통해 알 수 있다. BRIEF는 아동 청소년의 주의력 결핍 과잉행동 장애(ADHD)와 읽기 장애를 감별하는 데 유용하다(Mc-Candless & O'Laughilin 2007).

청소년 브라운 주의력 결핍 장애 척도(Brown Attention-Deficit Disorder Scale for Adolescents)

청소년 브라운 주의력 결핍 장애 척도(BADDS-A; Brown, 2001)는 주의 문제와 관련한 실행기능 손상 평가를 위한 40 문항의 자기보고 척도이다. 문항은 0(전혀 없다)점에서 3(거의 매일)점으로 평가하며 각각 ADD/ADHD의 기저 측면을 대표하는 여섯 군으로 분류된다: (1) 조직화(organizing), 우선순위 매기기(prioritizing), 작업으로의 활성화(activating to work), (2) 집중(focusing), 유지(sustaining), 과제에 대한 주의 전환(shifting attention to tasks), (3) 각성 조절(regulation alertness), 노력 유지(sustaining effort), 정보처리 속도(processing speed), (4) 좌절 관리(managing frustration) 및 감정 조절(modulating emotions), (5) 작업기억 이용(utilizing working memory) 및 회상 접근(accessing recall), (6) 감시(monitoring) 및 자기 조절적 행동(self-regulating action). 이 분류는 청소년 기능에 대해 임상적으로 유용한 관찰을 제공한다. 총점은 0에서 120점까지이며, 높은 점수는 심한 손상을 의미한다. 50점은 청소년의 임상적 절단점이다. BADDS-A는 위음성 4% 및 위양성 6%의 좋은 민감도와 특이도를 보인다.

코너스-웰스 청소년 자기보고 검사(Conners-Wells Adolescent Self-Report Scale)

코너스-웰스 청소년 자기보고 검사(CASS; Conners et al., 1997)는 수정된 코너스 평가 검사(Conners Rating Scales-Revised) (Conners, 1997)의 청소년 용이며, 12에서 17세 청소년의 행동 문제를 자기보고로 평가하며, 두 가지 양식이 있다. 원형 (long form, CASS:L 87 문항)은 완성에 20분이 걸린다; 단축형(short form, CASS:S, 27 문항)은 대략 5분이 걸린다. 두 양식 모두 타당도가 검증되었다(Conners et al,. 1997; Steer, Kumar, & Beck, 2001). CASS는 선별, 치료 모니터링, 연구 도구, 임상 진단 수단으로 사용될 수 있다.

다차원적 청소년 기능 척도(Multidimensional Adolescent Functioning Scale)

다차원적 청소년 기능 척도(MAFS; Wardenaar et al,. 2013)는 23개의 자기보고 문항으로 구성되며 세 하위척도가 있다: 일반 기능(general functioning), 가족관련 기능(family-related functioning), 또래관련 기능(peer-related functioning). 임상적 합의를 통해 개발되었으며, 청소년 842명(평균 나이 15.0±0.4세)의 일반인구 표본으로 타당도가 검증되었다. 확인적 요인분석(confirmatory factor analysis)은 가정된 세 요인 구조에 좋은 적합도(fit)를 보여준다. 모든 척도는 적합한 내적 일관도(하한: .75-.91) 및 충분한 감별 능력(discriminative ability)(척도 상호관련도(scale intercorrelations): rho= .15-.52)을 보인다. 일반 기능 하위척도는 일반 건강 설문지(General Health Questionnaire)와 가장 강한 상관관계를 가진다. MAFS는 좋은 심리측정적 특성을 지닌 쉬운 도구이다. 향후의 광범위한 연구에 적용 가능하며, 특히 정상 청소년 기능의 다면적 및 비편향적 지표가 필요한 경우 적합하다.

2. 정서 범위, 의사 소통, 이해 능력(Capacity for Affective Range, Communication, Understanding)

두 번째 능력은 자기 조절의 핵심 요소인, 감정을 조절하고 경험하는 청소년의 능력을 나타낸다. 감정 조절(emotion regulation)은 특정 상황에 적합하면서도 문화의 규범 및 기대와 일치하고자 하는 경험적 요구에 대응하기 위한 감정 반응을 감시, 평가, 수정하는 복잡한 과정이다. 이는 주관적 경험(느낌(feeling)), 인지 반응(생각(thoughts)), 감정 관련 생리적 반응(예: 심박수 또는 호르몬 작용), 또는 감정 관련 행동(신체 활동 또는 표현)의 조절을 포함한다. 감정 조절은 다른 사람들의 느낌에 대한 반응의 조절뿐 아니라, 자기 자신의 느낌에 대한 조절도 포괄한다.

청소년기에는 신체, 정신, 감정적 자원에 대한 부담이 증가하는 더 넓은 범위의 낯선 상황들에 그때그때 잘 대응하는 법을 배워야 한다. 이런 도전은 감정의 급격한 변동(fluctuating)으로 이어질 수도 있다. 그러면서 감정조절 능력은 뚜렷하게 증가하고, 감정 조절과 관련한 의사결정은 다양한 요소에 따라 복잡해진다. 청소년기에는 대인관계 및 사회적 맥락의 중요성이 증가한다. 예를 들어, 또래의 동조적인(sympathetic) 반응을 기대하는 경우에는 감정을 더 많이 드러낸다. 또래 관계에 초점을 맞추면서 타인의 평가에 대한 예민도가 높아지는데, 이는 자존심(pride)과 수치심(shame)같은 자기 의식적인(self-conscious) 감정의 강도를 증가하게 한다. 청소년은 또한 감정을 내적으로 관리하는 방법, 자신의 느낌의 주인이 자신이라는 점, 감정이 객관적인 사실을 반영하는 것은 아니라는 점을 배운다.

임상 및 조사 연구들은 자극에 대한 청소년의 감정적 반응이 시기에 따라 다름을 보여준다. '정서적 시간측정(affective chronometry)'이라고도 불리는 이러한 시간적 역동은 부분적으로는 유전적으로 결정되지만 가족, 또래, 교사로부터의 사회 및 감정적 지지에도 영향을 받는다. 감정을 조절하고 감정표현을 관리하는 능력은, 상대가 또래든 잠재적 연애 상대든 긍정적 사회관계의 확립과 유지에 중요하다. 따라서, 자신의 감정을 인식하고, 이름 붙이고, 조절하고, 다른 사람들의 감정을 정확하게 알고, 감정을 보여주었을 때의 반응을 예상하는 능력은 이 시기의 성공적 발달의 핵심이자 성인기로의 이행을 위한 중요한 준비이다.

평가 척도(Rating Scale)

5. 이 수준에서, 청소년들은 넓은 범위의 미세한 감정을 효과적으로 사용, 표현, 이해할 수 있다. 스트레스 하에서도 대부분의 감정적 신호에 대한 유연하고 정확한 판독과 대응이 가능하다(예: 안전 vs 위험, 승인 vs 거부, 수용 vs 거절, 존중 vs 무시에 대한 이해). 경험하고 있는 상황에 비추었을 때 적절한 질과 강도로 정서적 소통이 이루어진다.
3. 이 수준에서, 청소년들은 제한된(constricted) 범위의 감정에 대한 경험과 소통이 가능하거나/가능하고, 특정 정서(예: 분노) 경험에서 약간의(some) 어려움을 보인다. 다른 이들의 감정상태 판독에 어려움을 겪고, 특히 부담스럽거나 스트레스를 받는 경우 감정적 신호에 대해 비조절적(dysregulated), 비동조적(asynchronous)반응을 보일 수 있다. 상황과 사회적 기대에 벗어나는 불량하거나(poor) 부적절한(inappropriate) 방식의 감정적 표현과 소통을 한다.
1. 이 청소년들은 매우 분절적이고(fragmented) 혼란스러운(chaotic) 감정 표현을 보이거나, 감정 소통을 거의 하지 않는다(적절한 얼굴 표정을 보여주지 못하거나, 목소리 톤을 적절히 조절하지 못하거나, 상황에 맞는 자세를 취하지 못함). 다른 이들의 감정적 신호를 자주(often) 왜곡하고(따라서 의심하는 느낌, 학대당하고, 사랑받지 못하고, 분노하는 느낌 등을 갖는다), 느낌을 알고(identify) 그것을 감정의 신체 감각과 구분하는 데 어려움을 겪는다. 따라서 정서적 반응이 다른 이들에게 이상하거나(odd), 부적절하거나, 어울리지 않게(incongruous) 받아들여질 수 있다.

가장 적절한 평가 도구들(Most Relevant Assessment Tools)

성인편 2장 능력 2 중 "가장 적절한 평가 도구들" 섹션 (pp. 79-83)에 해당 척도(또는 그것의 성인편)에 대한 논의가 있는 경우, 아래에 이를 언급하였다.

주제통각검사(Thematic Apperception Test)

주제통각검사(TAT; Murray, 1943)는 모호한 검사 내용에 대한 개인의 사고, 태도, 관찰 능력, 감정 반응을 평가하는 행위기반 척도이다. 대상자들은 다양한 상황과 설정에 놓인 사람들이 그려진 카드 묶음을 보고 검사자에게 각각에 대해 그림에서 무슨 일이 일어난 것인지, 어떻게 발생한 것인지, 등장인물의 느낌과 생각은 무엇인지, 결과가 어떻게 될지 등에 대해 이야기 하도록 요청받는다. TAT는 성인을 위해 개발되었으나 청소년들에게 폭넓게 쓰이고 있다(Archer, Maruish, Imhof, & Piotrowski 1991; Kroon, Goudena, & Rispens, 1998). 여러 가지 채점방법 중에서, Westen (1991)이 개발한 사회인지 및 대상관계 척도(the Social Cognition and Object Relations Scales, SCORS)는 좋은 평가자간 신뢰도(interrater reliatibility) 및 변별 타당도(discriminant validity)를 지닌, 청소년 표본에서 타당도가 잘 검증된 방법 중 하나이다(Westen, Ludolph, Block, Wixom, & Wiss, 1990).

셰들러-웨스텐 청소년용 평가도구, 2판(Shedler- Westen Assessment Procedure for Adolescents, Version II)

셰들러-웨스텐 청소년용 평가도구, 2판(SWAP-II-A; Westen, Shedler, Durrett, Glass, & Martens, 2003)은 정서경험, 표현, 소통 능력을 몇 가지 문항으로 측정하며, 성인편 2장에서 성인의 해당 능력에 대해 논의한 SWAP-200과 일치한다(자세한 내용은 해당 논의를 볼 것).

감정 조절 체크리스트(Emotion Regulation Checklist)

감정 조절 체크리스트(ERC; Shields & Cicchetti, 1997)는 학령기 아동의 정서 행동을 평가하는 도구이다. 두 하위척도는 감정적 능숙도(emotional competence) 평가에 유용하다: 부정적 정서성(liability/negativity) 및 감정 조절(emotion regulation). 부정적 정서성 하위척도는 기분 변동(mood swings), 분노 반응성(angry reactivity), 정서 강도(affective intensity), 비조절적 긍정적 감정(dysregulated positive emotions)을 평가한다. 감정 조절 하위척도는 감정 이해(emotional understanding), 공감(empathy), 평정(equanimity)을 평가한다. 이 하위척도들의 내적 일관도(internal consistency)는 부정적 정서성에서는 .96, 감정조절에서는 .83이다. 감정조절 Q 분류 (Emotion Regulation Q-Sort)는 ERC와 연관되어 있다; 둘 다 감정조절을 측정한다. Q 분류는 반응성, 공감, 적합한 사회적 표현을 평가한다. 실행자가 다소 다루기 힘들기는 하지만, 넓은 연령대에 사용 가능하며 종적 연구에 유용하다.

행동 및 감정 평가척도(Behavioral and Emotional Rating Scale)

행동 및 감정 평가척도(BERS; Epstein & Sharma, 1998)는 청소년의 감정 및 행동의 강도(strength)를 평가하는 표준화된, 규준-기반 척도이다. 52문항으로 청소년의 다섯 영역의 강도를 평가한다: 대인관계 강도(interpersonal strength), 가족 관여(family involvement), 개인 내 강도(intrapersonal strength), 학교 기능(school function), 정서 강도(affective strength). 해당 청소년과 친숙한 어떤 성인도 작성 가능하다. 성인은 각 문항을 4점 척도로 매긴다(0= 해당 아동과 전혀 같지 않다, 1= 해당 아동과 같지 않다, 2= 해당 아동과 같다, 3= 해당 아동과 매우 같다). 몇 연구는 BERS가 .95 (Epstein & Sharma, 1998)의 내적 일관도, .87- .93의 평가-재평가 신뢰도, .60-.80의 변별 타당도, .55- .80의 수렴 타당도(Epstein, Mooney, Ryser, &Pierce, 2004)를 갖는 강한 심리평가적 특성을 가진다고 보고한다.

다요인 감정지능 척도, 청소년용(Multifactor Emotional Intelligence Scale, Adolescent Version)

다요인 감정지능 척도, 청소년용(MEIS-AV; Mayer, Salovey, & Caruso, 1997)는 청소년과 젊은 성인(young adult)에서 감정지능 측면을 평가하는 능숙함 기반 척도이다. 청소년용은 네 영역을 평가하는 일곱 개의 하위검사로 구성된다: (1) 감정 확인(identifying emotions), (2) 감정 사용(using emotions), (3) 감정 이해(understanding emotions), (4) 감정 관리(managing emotions). 이 자가보고 도구의 타당도 및 신뢰도는 몇 개의 연구에서 긍정적으로 평가되었다(Trinidad, unger, Chou, Azen, & Johnson, 2004; Woitaszewski & Aalsma, 2004).

바-온 감정지수 척도, 청소년용(Bar-On Emotional Quotient Inventory, Youth Version)

바-온 감정지수 척도, 청소년용(EQ-i:YV; Bar-on & Parker, 2000)은 감정지수(EQ; Bar-On & Parker, 2000; Pfeffeir, 2001)의 바-온 모델로부터 나온 것이며, 청소년 및 젊은 성인의 감정 지능을 평가하는 자기보고 척도이다. 다섯 개의 일차 차원(primary dimension)(개인 내적, 대인관계적, 적응성, 스트레스 관리, 일반적 기분)에 대한 점수 및 아동의 전체적 감정 및 사회 지능을 가리키는 전체 감정지수 점수로 채점한다. 4점 리커트 척도로 평가하는 60개의 자기보고 문항으로 구성된다. EQ-i:YV는 북미의 9,172명의 7에서 18세 사이의 아동 및 청소년 표본으로 규준되었다. 좋은 내적 일관도(Chronbach's alpha= .84) 및 재평가 타당도를 보인다. 요인 구조(factor structure)는 주요 EQ 척도들과 부합한다. 구성 타당도는 102명의 청소년 표본을 대상으로 한 네오 다섯 요인 검사(NEO Five-Factor Inventory)의 척도들, 그리고 내적 및 외적 문제 행동에 대한 몇 개의 척도들과 예상되는 패턴의 연관성을 가짐으로써 지지된다(Bar-On & Parker, 2000). 30 문항의 단축형은 시간제한적 상황에서 사용가능하다.

청소년용 정서 강도 및 반응성 척도(Affect Intensity and Reactivity Scale for Youth)

청소년용 정서 강도 및 반응성 척도(AIR-Y; Jones, Leen-Feldner, Olatunji, Reardon, & Hawks,

2009)는 27문항의 자기보고 척도이며, Bryant, Yarnold, Grimm(1996)의 세 요인 개념과 관련한 정서 강도를 평가한다: 긍정적 정서성(positive affectivity)(15 문항; 예: "기쁠 때의 느낌이 강한 편이다") 부정적 강도(negative intensity) (6 문항; 예: "불안할 때 온몸이 떨린다"), 부정적 반응성(negative reactivity) (6 문항; 예: "다친 사람을 보면 내게 강하게 나쁜 영향을 미친다"). 미성년의 정서 강도 측정에 있어서 심리 평가적으로 양호한 도구이다(Jones et al., 2009; Tsang, Wong, & Lo, 2012).

정서강도 척도(Affect Intensity Measure)

정서강도 척도(AIM)는 긍정적 및 부정적 정서를 얼마나 강하게 경험하는지에 대한 40 문항의 자기보고(20 문항의 단축형도 가능) 척도이다. '정서 강도'는 정서가(valence)와는 무관하게, 개인이 감정을 경험하는 강도에 있어서의 개인별 차이로 정의된다(Larsen, 2009). 각 문항은 개인의 일상 생활 사건에서의 전형적인 감정 반응을 묻는다. 6점 문항들은 '전혀 없다(never)'와 '항상(always)' 사이에서 정서 강도를 측정한다. Larsen 과 Diener (1987)는 AIM의 내적 일관도, 평가-재평가 신뢰도, 타당도와 관련한 근거를 제시했다.

감정강도 척도(Emotional Intensity Scale)

감정강도 척도(EIS; Bachorowski & Braaten, 1994)는 긍정적 및 부정적 감정 상태의 감정 강도에 대한 12 문항의 질문들이다. 상대적으로 상세하거나 비맥락적인 시나리오에 대한 감정 반응을 묻는다. 응답자들은 각 문항에서 다섯 개 중 하나의 선택지를 고른다. 총점과 긍정 및 부정적 감정에 대한 하위 점수가 있다. EIS는 감정 반응성과 기간이 아닌, 오로지 감정의 강도에만 초점을 맞춘다.

감정반응성 척도(Emotional Reactivity Scale)

감정반응성 척도(ERS; Nock, Wedig, Holmberg, & Hooley, 2008)는 청소년 감정 반응성의 세 가지 측면을 평가하는 21문항의 자기보고 척도이다: 민감성(sensitivity) (8문항; 예: "나는 매우 쉽게 감정적으로 변하는 편이다"), 각성도/강도(arousal/intensity) (10문항; 예: "내가 감정을 경험할 때, 매우 강하게 느낀다"), 지속성(persistence) (3 문항; 예: "내가 화날 때, 대부분의 사람들에 비해 가라앉기 까지 시간이 훨씬 많이 걸린다"). 각각은 0-4점 척도(0= 나와 전혀 같지 않다; 4= 나와 완전히 같다)로 구성된다. ERS의 요인들은 Linehan (1993)의 활성도(activity), 강도(intensity), 기간(duration)의 차원과 대응한다. 기분, 불안, 또는 식이 장애를 가진 청소년들은 대조군 또는 물질 사용 문제가 있는 군보다 매우 높은 반응성을 보고하며, 이러한 감정 반응성은 특정한 형태의 심리 장애와 연관성을 가진다(Nock et al., 2008). 저자들의 요인분석에서 단 하나의 요인만 나왔으며, 척도는 좋은 내적 신뢰도를 보여주었다 (Chronbach's alpha= .94). 민감성, 각성도/강도, 지속성 하위척도는 강한 내적 일관도를 보이며, 이는 전체 ERS 점수 및 하위척도 점수가 감정 반응성의 신뢰할만한 지표임을 나타낸다. ERS는 유사(compatible) 및 비유사적(unlike) 구성과 각각 좋은 연관성을 보였다. 감정 반응성에 대한 유용한 평가에도 불구하고, ERS는 감정적 자극의 정서가를 고려하지 않았다는 점에서 제한적이다. 모든 문항은 부정적 정서가를 가진다.

감정적 의식 수준 척도(Levels of Emotional Awareness Scale)

감정적 의식 수준 척도(LEAS; Lane, Quinlan, Schwartz, & Walker, 1990)는 여러 언어로 사용 가능하며, 청소년 표본에서 널리 사용되어 왔다(Nandrino et al., 2013). 성인편 2장의 추가 논의를 보라.

긍정적 및 부정적 정서 척도- 확장판(Positive and Negative Affect Scale- Expanded Version)

긍정적 및 부정적 정서 척도- 확장판(PANAS-X; Watson & Clark, 1994)은 청소년 및 젊은 성인에게 사용되어 왔으며, 모든 하위척도 점수에 대해 괜찮은(acceptable) 심리평가적 특성 및 신뢰도(예: Chronbach's alpas >.80)를 가진다(Sheeber et al., 2009). 성인편 2장의 추가 논의를 보라.

아동 및 청소년용 감정조절 질문지(Emotion Regulation Questionnaire for Children and Adolescents)

아동 및 청소년용 감정조절 질문지(ERQ-CA; Gullone & Taffe, 2012), 즉 성인 ERQ (Gross & John, 2003)의 수정판은 감정조절 전략에 있어서 습관적 표현 억제(habitual expression suppression) (4문항) 및 재평가(reappraisal) (6문항)를 평가하는 10 문항의 자기보고 척도이다. 문항의 단어를 단순하게 만들고(예: "나는 감정(emotions)을 표현하지 않고 통제한다"는 "나는 느낌(feelings)을 보여주지 않고 통제한다"로 바뀌었음), 반응 척도 길이를 5점으로(1= 강하게 비동의에서 5= 강하게 동의까지) 줄이는 수정이 이루어졌다. 각 척도의 점수 범위는 재평가에서 6-30점, 표현 억제에서 4-20점이다. 10에서 18세의 참여자 827명 표본으로 평가가 이루어졌다. 결과는 양호한 내적 일관도 및 12개월의 안정성(stability)을 보였다. 양호한 구성 및 수렴 타당도가 보고되었다(Gullone & Taffe, 2012). ERQ-CA는 아동기와 청소년기에서의 감정조절의 두 전략을 평가하는 데 있어 타당한, 연령에 맞는 척도이다.

인지 감정조절 질문지(Cognitive Emotion Regulation Questionnaire)

인지 감정조절 질문지(CERQ; Garnefski, Kraakj, & Spinhoven, 2001, 2002)는 부정적 사건 또는 상황 후의 인지적 대응 전략을 확인하기 위해 구성된 36 문항의 질문지이다. 대응 질문지와 달리 사고와 행동을 분리하지 않으며, 오로지 개인의 사고만 참조한다. 네 개의 문항으로 이루어진 아홉 개의 다른 하위 척도로 구성되며, 각각은 위협이나 스트레스 생활 사건 후에 무슨 생각을 하는지를 알아본다: 자기 비난(self-blame), 타인 비난(other-blame), 반추(rumination), 파국화(catastrophizing), 균형 있게 바라보기(putting into perspective), 긍정적 재초점화(positive refocusing), 긍정적 재평가(positive reappraisal), 수용(acceptance), 계획(planning). 개인의 인지적 감정조절 전략은 1점(거의 전혀)에서 5점(거의 항상) 사이의 리커트 5점 척도로 측정한다. 하위척도 점수는 문항의 점수를 합하여 얻어진다(4에서 20점). CERQ는 인지적 감정조절 전략과 부적응 사이의 관계를 탐색하는 몇몇의 청소년 연구에 사용되어 왔다. 심리평가적 특성은 청소년 표본에서 좋은 편이다: 주성분 분석(principal component analysis)은 경험적 문항과 하위척도의 연관에 대한 실증적 지지를 제공한다. 내적 일관도는 .68 에서 .83 사이에 있으며, 대부분의 Chronbach's alpha는 .80을 넘는다. 평가-재평과 관련도는 .40 과 .60 사이에 존재하며, 중등도의 안정적 스타일을 반영한다(D'Acremont & Van der Linden, 2007; Garnefski et al., 2001).

감정조절 어려움 척도(Difficulties in Emotion Regulation Scale)

감정조절 어려움 척도(DERS; Gratz & Roemer, 2004)의 심리평가적 특성은 13-17세의 428명의 청소년 표본 군집을 대상으로 평가되었다(Weinberg & Klonsky, 2009). 탐색적 요인분석(exploratory factor analysis)은 여섯 하위척도와 일치하는 여섯 요인구조를 지지한다. 하위척도의 내적 일관도는 좋은 정도에서 훌륭한 정도(excellent)에 이른다(.76에서 .89 범위의 Chronbach's alpha). 감정의 비조절, 특히 우울, 불안, 자살사고, 식이 장애, 알코올 및 약물 사용과 관련한 문제에서 강한 상관관계가 나타났다. 청소년의 감정 비조절 평가에 대한 DERS의 일반적 신뢰도 및 타당도는 좋다(Neumann, van Lier, Gratz, & Koot, 2010). 나머지 논의는 성인편 2장을 보라.

3. 정신화 및 성찰기능 능력(Capacity for Mentalization and Reflective Functioning)

세 번째 능력에 대한 더 넓은 정의는, 성인편 2장(pp. 71)을 보라.

정신화 능력은 생애를 걸쳐 변화하지만, 이론적 및 경험적 연구는 아동기 정신화의 초기 구성 및 성인기 정신화의 평가에 초점을 맞추어왔다; 그 결과 청소년의 정신화에 대해서는 거의 알려진 것이 없다. 이 기간의 인지 발달 변화 때문에, 청소년이 정신상태에 대한 지식을 통합하기 시작할 때와 정신상태 언어를 밖으로 표현할 수 있을 때, 청소년은 그들 자신 및 그들 주변인들의 정신 상태에 대해 과민하다. 이 통합이 너무 부담스러울 때, 정신화의 손상이 뚜렷할 수 있다. 이러한 통합의 어려움은 자신과 타인의 정신상태와 관련한 인지의 복잡성 증가에서 기인하며, 외현적 정신화에 필요한 언어 능력의 부족이 이를 두드러지게 한다. 청소년은 또한 초기에 변연 정서계가 성숙하고 나중에 인지 관련 전전두 피질(사회 인지 및 정신화와 연관된 부위)이 20대 초반까지 성숙하는 것이 특징이다. 그러므로, 외현적 정신화에 중요한 피질 부위는 청소년기에 덜 발달하고, 따라서 정신상태의 지식과 언어의 통합에 어려움을 겪는 것으로 보인다. 이 능력의 손상은 현재와 미래의 정신병리 형성의 기초에 기여하므로, 정신화의 발달에 대해 더 아는 것은 규범적(normative) 이해를 넘어선 중요성을 가진다.

평가 척도(Rating Scale)

5. 이 수준의 청소년들은 부담스럽거나 스트레스를 받을 때도 그들의 내적 정신상태(감정, 생각, 욕망, 필요)를 성찰하고 다른 사람들의 행동 뒤의 내적 경험을 이해할 수 있다. 그들은 내부와 외부의 현실을 잘 구별할 수 있고, 그들 자신의 동기와 행동에 대한 통찰을 가지며, 자신과 타인에 대해 미세하고(subtle) 세련된(sophisticated) 방식으로 생각할 수 있다. 감정은 사회 감정적 관계 및 행동 패턴의 맥락에서, 복잡하고(complex) 미묘한(nuanced) 방식으로 경험되고 표상된다(represented). 이러한 내적 표상들은 충동(impulses)을 조율하고 억제하는 데 사용되며, 적절한 경우에는 충동의 적응적 표현을 가능하게 한다.
3. 이 수준의 청소년들은 일반적으로 정신 상태와 관련한 그들 자신의 행동과 반응을 이해 및 성찰할 수 있고, 행동 및 맥락적 단서로부터 다른 이들의 내적 경험을 추론할 수 있으며, 자신과 다른 이들에 대한 응집된(cohesive) 감각을 경험하기 위해 내적 표상을 사용할 수 있다. 그러나 갈등 또는 감정적으로 강렬한 상황은 예외로서, 그들 자신과 다른 이들의 정신 상태에 대한 각성과 이해가 평소보다 눈에 띄게 감소하며, 경험에서 감정을 지각하고 표상하는 것이 어려워진다. 그들 자신의 느낌을 상술하는 데 있어서의 제한된 능력 및 외부적 정당화의 경향이 나타날 수 있다. 소망과 느낌은 행동화 또는 신체화로 표현될 수 있다.
1. 이 청소년들은 타인의 정신 상태 및 그들 자신의 정서 경험을 추론, 이해, 성찰, 상징화하지 못한다. 그들은 내적 및 외적 현실 사이의 구분, 그리고 정신 및 감정적 정보처리와 실제 세계의 상호작용 사이의 구분에 있어서 심각한 어려움을 겪는다; 마음 안에 존재하는 것은 "밖"에도 존재해야 하며, 반대 경우 역시 마찬가지이다. 그들은 다른 이들의 행동을 오해하거나 잘못 해석할 수 있으며, 일반적으로 경험에서 감정을 표상하지 못한다. 그들은 감정 자체에 파묻힌 채로, 단어로 표현하지 못한다. 행동과 반응은 대체로 이해 또는 언어로 매개되지 못하여, 정서 상태를 효과적으로 조절하지 못하는 것으로 이어진다. 이 능력이 극단적으로 낮으면, 특히 스트레스 상황에서는, 내적 경험과 자기 관찰이 연결되어 있다는 감각이 없다; 자기는 비일관적이거나(incoherent), 고갈되었거나(depleted), 완전히 없는 것으로 경험된다.

가장 적절한 평가 도구들(Most Relevant Assessment Tools)

청소년의 정신화를 평가하기 위한 도구들은, 마음이론 정밀 평가, 자기보고, 사례기반 평가, 투사검사에서 기인한 척도를 포함한다. 사회 인지에 대한 일상 생활에서의 요구에 비슷하게 맞추기 위한 노력으로, 영상 장면을 활용한 정밀 검사들이 개발되었다. 각 유형의 예들이 아래에 있다.

청소년용 성찰기능 질문지(Reflective Function Questionnaire for Youths)

청소년용 성찰기능 질문지(RFQY; Sharp et al., 2009)는 46 문항의 자기보고 척도로서, 성인 애착 인터뷰(the Adult Attachment Interview, AAI)의 성찰기능 척도(Reflective Functioning Scale, RFS; Fonagy, Target, Steele, & Steele, 1998)에 제시된 원칙을 따른다. 원래 성인을 위해 개발되었으며, 발달적으로 더 적합하게 문항을 단순화하여 청소년에게 적용하였다. 응답은 "강하게 비동의(strongly disagree)" 부터 "강하게 동의(strongly agree)"까지의 리커트 6점 척도로 매겨진다. 극성 문항들(polar items)(예: "나는 다른 이들의 행동 너머의 의미가 자주 궁금하다") 및 중심 문항들(central items), 즉 균형 잡힌 정신화 관점을 드러내는 문항들(예: "나는 누군가의 눈을 보고 그 사람이 어떻게 느끼는지 알 수 있다")을 포함한다. 모든 문항 점수를 합하여 총점을 산출하며, 점수가 높을수록 성찰기능이 높음을 나타낸다. 최적 성찰기능의 최고 점수는 12점이다. RFQY의 심리평가적 특성은 12에서 17세 사이의 입원한 청소년 146명을 대상으로 조사되었다(Ha, Sharp, Ensink, Fonagy, & Cirino, 2013). 좋은 내적 일관도(Cronbach's alpha= .71) 및 다른 정신화 평가와의 좋은 수렴 타당도를 보인다. 구성 타당도는 경계성 특성 수준과 낮은 성찰기능 사이의 강한 연관성으로 뒷받침 된다. 이러한 결과는 청소년 사회 인지(정신화)에 대한 적절한 검사 및 임상가의 입원 청소년 정신화 평가의 유용한 도구로서의 RFQY의 신뢰도와 구성 타당도를 보여준다.

성찰기능 질문지, 단축형(Reflective Functioning Questionnaire, Short Version)

성찰기능 질문지(RFQ), 단축형(Badoud, Luyten, Fonagy, Eliez, & DEbbanè., 2015; Luyten, Fonagy, Lowyck, & Vermote, 2012)은 자기 자신과 다른 이의 행동을 인지 및 정서적 정신 상태의 측면에서 이해하는 능력으로 정의되는 성찰기능에 대한 검사이다. 여덟 문항이 7점 척도로 매겨지며, 여기서 세 개의 점수가 얻어진다. 두 하위척도 점수는 행동이 본질적으로 의도적이라는(예: 정신 상태에서 기인한다는) 것에 대해 얼마나 자신하거나 의심하지를 측정한다. 총점은 하나의 연속선에서 확실함과 불확실함의 두 극 사이의 차이 점수이다. 따라서 총점은 두 극 사이에 분산된다: 부정적 점수는 자신과 타인의 행동이 정신 상태에서 기인했다는 인식이 불량하다는 것을 보여준다. 긍정적 점수는 행동이 의도에서 기원한다고 강하게 확신하는 사람들을 나타낸다. 저자들 (Luyten et al., 2012)이 제공하는 요인 구조에 기반하면, 네 개의 원 자료문항이 이원으로 사전에 재집계되어야 한다. 즉, (1 = 0) (2 = 0) (3 = 0) (4 = 0) (5 = 1) (6 = 2), 또는 (1 = 2) (2 = 1) (3 = 0) (4 = 0) (5 = 0) (6 = 0). RFQ의 프랑스어판은 프랑스어 사용 청소년 및 젊은 성인에서 좋은 심리평가적 특성을 보여왔다. 일반 인구의 123명의 청소년(여성 61명, Mage = 15.72 세, SDage = 1.74) 및 253명의 성인(여성 168명, Mage = 23.10 세, SDage = 2.56) 집단이 임상(감정표현불능, 경계성 특성, 내현-외현 증상) 및 심리학적(공감, 마음 챙김, 애착)변수에 대해 배터리 평가를 마쳤다. 자료는 두 요인구조의 불변성에 대한 측정 및 하위척도에 대한 만족스러운 구성 타당도 및 신뢰도를 보여주었으며, 이는 임상가의 지역사회 청소년 및 젊은 성인의 정신화 평가에 있어 유용한 도구임을 뒷받침한다.

사회인지 및 대상관계 척도(Social Cognition and Object Relation Scale)

사회인지 및 대상관계 척도(SCORS; Westen, Lohr, Silk, & Kerber, 1985, 1990)는 TAT 내러티브 분석을 위해 개발된 행위 기반 척도이다. 응답자는 선으로 그린 일련의 그림들에 대한 개인적 반응에 기반하여 이야기를 만든다. 두 하위척도가 정신화 평가에 사용되어왔다(Rothschild-Yaker, Levy-Schiff, Fridman-Balaban, Gur, & Stein, 2010): 표상의 복잡성, 즉 자기와 타인들에 대한 성찰의 구별 및 자기와 타인들의 긍정적 및 부정적 귀인에 대한 통합 정도에 대한 측정; 사회적 인과관계에 대한 이해, 즉 이야기 속 사람들 행동의 귀인이 논리적인지, 정확한지, 심리학적 마음가짐이 있는지 그 정도에 대한 측정.

청소년용 정신화 이야기(Mentalization Stories for Adolescents)

청소년용 정신화 이야기, 2판(MSA-v.2; Rutherford et al., 2012; Vrouva & Fonagy, 2009)은 복잡하고 문어적 소통에 지나치게 의존적이었던 초기의 개방형 판으로부터, 12-18세를 대상으로 정신화 능력 측정을 위해 최근 개발된 다지 선다 질문지이다. 청소년의 일상적 상황을 보여주는 21개의 문항으로 구성된 시나리오 기반 검사이다. 각각에서 주인공은 다른 등장인물과 부정적 상호작용 또는 대화를 한다. 주인공의 슬픔, 죄책감, 질투, 실망, 부끄러움의 느낌을 암시하고자 하며, 주인공은 그 결과로서 무언가를 하거나 말한다. 참여자는 세 가지 반응 중 주인공의 행위의 이유에 대해 자신의 의견을 가장 잘 반영하는 한 가지를 골라야 한다. 응답은 정신화 수준에 따라 채점된다: 정확한(accurate), 과도한(excessive), 또는 왜곡된(distorted) 귀인. 응답치는 정신화 전문 임상가와 연구자 집단이 독립적으로 0-9점 척도로 매긴 점수의 중앙(median) 점수를 참고로 한다. 종합 점수는 참여자 각 문항에 대한 참여자의 점수를 합산하여 매겨지며, 최소 24.5점에서 최고 136.5점까지이다. 사용 가능한 규준 점수는 없으나, 종합점수가 중앙값 81보다 높으면 정신화 능력이 상위 범위에 있고, 81보다 낮으면 하위 범위에 있는 것으로 고려된다. MSA-v.2는 청소년(N = 116) 및 젊은 성인(N = 58) 집단에서 시행되었다. 두 집단 모두에서, 여성은 남성보다 점수가 높았다. –이 결과는 여성이 사회인지에 유리하다고 주장하는 연구들과 일치한다. 나이가 많은 여성 청소년의 결과가 더 우수했다. 젊은 성인의 집단 점수는 청소년보다 높았다. 심리평가적 특성은 강건하였으며, 도시 내의 매우 빈곤한 북미 청소년 49명을 대상으로 시행한 연구에서 재현되었다(Rutherford et al., 2012).

청소년 수준의 감정 의식 척도(Adolescent Levels of Emotional Awareness Scale)

청소년 수준의 감정 의식 척도(ALEAS; Pratt, 2006)는 정신화 측면을 검사하는 시나리오 기반 척도이며, 참여자가 자신과 다른 이들의 감정 경험을 복잡하고 분화적으로 묘사하는 능력을 평가한다. 각 상황은, 감정적 반응을 드러내도록 구성되어 있고, 피검자들은 그들이 어떻게 느끼는지, 다른 사람이 어떻게 느낄지에 대해 작성하도록 질문을 받으며, 이는 복잡성에 있어 다양한 수준으로 표현된다.

사회인지 평가 영화(Movie for Assessment of Social Cognition)

사회인지 평가 영화(MASC; Dziobek et al., 2006)는 전형적인 또래 및 연애 관계에서의 내재적(implicit) 정신화를 평가하는 짧은 장면의 영상을 사용한다. 틀린 믿음, 실수, 은유, 빈정댐 같은 고전적 사회인지 개념을 사용하여 넓은 번위의 언어적 및 비언어적 정신 상태를 보여준다. 줄거리에서 네 명의 등장인물은 함께 어울리고, 저녁을 준비하고, 보드게임을 한다. 청소년들은 46개의 짧은 영상을 보고, 마지막에 등장인물들이 무엇을 생각하거나 느꼈을지에 대한 질문을 받는다. 답변은 4개의 반응이 제시되는 선다형식이다. 각각은 과정신화(hypermentalizing)(예: "화난, 그녀의 친구는 그녀가 정어리를 좋아하지 않는다는 것을 잊었다"), 저정신화(undermentalizing)(예: "놀란, 그녀는 정어리를 예상하지 못했다"), 무정신화(no mentalizing)(예: "정어리는 짜고 미끈거린다"), 또는 정확한(accurate) 정신화(예: "혐오감을 느끼는, 그녀는 정어리를 좋아하지 않는다")로 부호화 된다. 총 정신화 점수는 전체 정답 반응의 합에서 도출된다. 또한, 과정신화, 저정신화, 무정신화를 포함한 틀린 정신화의 정도가 세 개의 척도로 계산된다. 심리평가적 특성은 적절하다(Dziobek et al., 2006). MASC는 경계성 인격장애(BPD)가 없는 사람들과 있는 사람들을 구분하는 데 예민하다(Preißler, Dziobek, Ritter, Heekeren, & Roepke, 2010; Sharp et al., 2011).

기본 공감 척도(Basic Empathy Scale)

기본 공감 척도(BES; Jolliffe & Farrington, 2006)는 청소년의 공감적 반응을 다차원적 측면으로 평가하는 20 문항의 자기보고 척도로서, 두 개의 하위척도를 가진다: 다른 사람의 감정과의 조화를 측정하는 정서적 공감 (11 문항), 다른 사람의 감정을 이해하는 능력을 측정하는 인지적 공감 (9 문항). 각 문항은 1 (강하게 비동의)에서 5 (강하게 동의)까지, 동의하는 정도에 따른 리커트 5점 척도로 질문을 한다. 15세 영국인 720명 표본을 대상으로 타당도 검증이 되었다(Jolliffe & Farrington, 2006). BES는 충분한 구성 타당도(예측한 방향성 및 정도에 있어서 남녀 간 유의한 차이)와 좋은 수렴 및 확산 타당도를 보여주었다. 청소년에서의 공감적 반응을 평가하는 타당한 도구로 고려 가능하다.

메타인지 질문지- 청소년용(Meta-Cognitions Questionnaire- Adolescent)

메타인지 질문지- 청소년용(MCQ-A; Cartwright-Hatton et al., 2004)은 성인용 MCQ (Cartwright-Hatton & Wells, 1997)를 청소년 메타인지 믿음 측정에 적용한 30 문항 척도이다. '메

타인지'는 생각과 걱정의 처리과정에 대한 믿음을 뜻한다. MCQ-A 문항은 '동의하지 않음'부터 '매우 많이 동의함'까지의 리커트 4점 척도로 매겨진다. 다섯 개의 하위척도로 메타인지의 다섯 분류를 평가한다: (1) 걱정에 대한 긍정 믿음(예: "나는 잘 하기 위해 걱정할 필요가 있다"), (2) 생각의 조절불가능성과 그 위험에 대한 믿음(예: "내가 걱정을 시작하면 멈출 수가 없다"), (3) 인지적 자신감(예: "나는 기억력이 별로다"), (4) 미신, 처벌, 책임에 대한 믿음(예: "나는 특정 생각을 조절하지 못해서 벌을 받을 것이다"), (5) 인지적 자의식(예: "나는 내 생각을 감시한다"). 문항 내용 및 채점은 성인편과 매우 유사하나, 언어는 어린 사람에게 맞도록 약간 수정되었다. MCQ-A는 13에서 17세 학령기 아동 177명 표본으로, 감정적 안녕에 대한 다른 자기보고 척도를 통해 타당도가 검증되었다. 요인 분석 결과는 성인편에서처럼 다섯 요인 해(solution)를 지지한다. 내적 일관도와 타당도 지표는 좋으며, MCQ-A가 청소년의 메타인지 믿음 측정에 있어 신뢰할 만하고 타당한 도구임을 시사한다.

4. 분화 및 통합 능력(정체성)(Capacity for Differentiation and Integration [Identity])

네 번째 능력에 대한 넓은 정의는 성인편 2장(pp. 71)을 보라.

청소년의 핵심 과업은 일관적이고 안정된 정체감을 개발하는 것이다. '정체성'이라는 용어는 목표, 가치, 믿음, 소속, 사회에서의 역할을 포함한 다양한 현상을 의미한다. 그러나 심리학적 용어로서의 정체성은 자기성찰(self-reflection) 및 자기인식(awareness of self)뿐 아니라 자기상(self-image), 자존감(self-esteem), 개성(individuality)으로 구성된다. 이는 지속성(continuity) ('주관적 자기(subjective self)') 및 개인 경험의 일관성(coherence)('정의적 자기(definitory self)')모두를 내포한다. 정체성의 구성은 초기의 동일시를 새로운 형태, 특히 자신만의 것으로 통합하는 자아의 능력과 관련한 과정이며, 현실적이고, 본질적으로 긍정적이고, 통합적인 자기정의(self-definition)로 점차 합쳐지는 과정이다. 이는 형식적 조작 사고 및 추상적 사고의 출현으로 뒷받침되며, 청소년이 미래에 대해 상상하고 미래를 그들이 되기를(또는 피하기를) 바라는 '가능한 정체성'으로 생각하는 것을 가능하게 한다. 행위감(feeling of agency)에 대한 평가는 청소년의 정체성 평가의 중요한 측면이다.

정체성의 역설은 그것이 중요한 타인(주로 부모, 전기적 경험에서의 다른 인물들, 그리고 접하는 '집단들')과의 동일시를 통해 일어난다는 것이다. 친밀한 관계 등 사회적 역할에서의 동일시는 인격 성숙 및 정체성 형성의 동력으로 작용할 수 있다. 청소년의 관계적 능력에 대한 관찰은 정체성 상태의 중요한 정보를 제공해준다.

이 능력에서 높은 수준을 지닌 청소년들은 정체성 부여 목표(identity-giving goals), 능력, 책무, 역할, 관계에 있어서 안정성을 보여주며, 감정을 안정적으로 잘 접한다. 자기 성찰적 인식의 결과로 분명한 자기 정의(sefl-definition)를 보이며, 일관적 자기상, 자율성/자아 강도, 분화적 정신 표상을 동반한다. 반면에, 이 능력에서 낮은 수준을 지닌 청소년들은 분명한 자기 관련 관점(self-related perspective)이 부족하며, 속해 있다는 느낌을 경험하지 못한다. 그들은 인지와 동기는 불량하며, 표면적이고(superficial) 분산된(diffuse) 정신표상을 동반한다. 괴로움(distress)을 경험하고, 다른 이들과의 건강한 관계 유지에 어려움을 겪으며, 자기파괴적인 행동을 할 수 있다.

이어지는 내용은 James Marcia (1996)의 자기 정체성 상태 이론에 기반하는, 청소년과 젊은 성인의 정체성 형성 능력에 있어서 나이에 맞는 성취에 대한 발달적 가이드라인이다.

발달적 가이드라인: 청소년/젊은 성인에서의 정체성 형성 능력
(Developmental Guideline: Capacity for Identify Formation in Adolescence/Young Adulthood)

상태(Status)	설명(Description)
정체성 혼돈 (Identity diffusion)	<u>초기 청소년기(12-14세)</u> 특정 발달 과업에 전념하지 못하며, 이 영역에서 대안을 탐색하거나 탐색하지 못해왔을 것이다. 이 시기의 청소년들은 낮은 수준의 자율성, 자존감, 정체성을 보인다. 인격 통합 감각이 낮으며 새로운 상황에의 적응이 어렵다. 또래 압력에의 순응에 가장 많이 영향 받으며, 일반적으로 자기 초점적이다. 인지적으로, 직관적이거나 의존적인 의사결정 방식에 의지하거나, 문제 해결에 대한 체계적 접근을 못한다. 낮은 수준의 도덕적 추론을 보인다. 가까운 관계가 없거나 표면적 주제에 초점을 맞춘 관계를 가진다.
폐쇄 (Foreclosure)	<u>중기 청소년기(15-16세)</u> 정체성 실험을 아직 하지 않았으며, 다른 이들의 선택과 가치에 기반하여 정체성이 형성된다. 이 시기의 청소년들은 순응도가 높으며, 그들의 포부는 빠르게 바뀐다. 의존적 의사결정에 의지하며, 일반적으로 새로운 경험에 개방되어 있지 않다. 그들은 외적 통제 소재(external locus of control)를 가지며 특히 더 먼 미래를 지향한다. 인지적으로, 생각을 통합하고 분석적으로 사고하기가 어렵다. 주의력 저하로 인해 판단 실수가 발생할 수 있다. 인습적(conventional) 또는 전인습적 수준의 도덕적 추론을 보인다. 그들이 돌볼 수 있는 능력 내에서만 다른 이들의 필요에 관심가질 수 있다. 대인관계적으로, 그들은 친밀함의 방식에서 매우 전형적인 편(관계의 표면적 특성에 더 신경 쓰는)이며, 친구들과 이런 비슷한 자아정체성 상태를 공유한다.
유예 (Moratorium)	<u>후기 청소년기(17-19세)</u> 이 시기의 청소년들은 다양한 선택지를 탐색하지만, 어느 것 하나에 분명히 전념하지는 못한다. 그러므로 그들의 적극적 탐색은 불안으로 가득할 수 있다. 그들은 일반적 불안을 멀리하기 위해 부인, 투사, 동일시를 사용할 수 있다. 자기 탐색을 더 할수록 그들은 다른 이들의 안심이나 감정적 지지를 바라지 않으면서 자기 주도적(self-directed) 방식의 과업을 수행할 준비가 된다. 그들은 적응적으로 퇴행할 수 있다. 인지적으로, 그들은 분석적 방식을 보이며 여러 관점으로부터 정보를 통합하고 분석할 수 있다. 대인관계적으로, 가장 빈번하게 친밀감의 전단계(pre-intimate state)에 존재한다. 그들은 다른 이들의 통합성에 대한 존중, 개방성, 비방어성을 특징으로 하는 가까운 친구관계를 확립하지만, 동반자(partner)에 전념하지는 않는다.

정체성 획득 (Identify achievement)	젊은 성인(20세+) 이 시기의 청소년과 젊은이들은 개인적 결정과 사전 결정에 기반한 일관적이고 열정적인 정체성을 획득한다. 동기 및 자존감 획득 수준이 높으며, 미성숙한 방어기제를 적게 사용하며, 내적 통제 소재를 보인다. 인지적 처리면에서, 스트레스하에서도 잘 기능할 수 있으며, 계획적, 이성적, 논리적인 의사결정 전략을 사용한다. 정의와 돌봄 모두에 대한 도덕적 추론 수준이 높다. 가까운 친구 및 동반자와 상호적 대인관계를 발달시킬 수 있으며, 진정으로 다른 이들에게 관심을 가진다.

평가 척도(Rating Scale)

5. 이 수준의 청소년들은 자기와 타인들의 다른 정서 상태, 동기, 소망들이 미묘하거나(nuanced) 모호할(ambiguous) 때조차도 그것들의 분리성과 연관성을 인식할 수 있다. 시간의 흐름 및 대립되는 역할 요구의 맥락을 넘어서 다양한 경험과 사회적 감정적 요구를 체계화할 수 있다. 그들은 감정에 대한 믿을 만한 접근이 가능하며 그들의 정서의 안정성을 신뢰한다. 목표, 책무, 역할에 있어서 자기상, 자율성, 자기행위성(self-agency)을 동반하는 분명한 자기정의를 보여준다. 친밀한 관계를 맺을 수 있으며, 점차 복잡해지고 요구적인 환경에서 자발적이고 유연하게 상호작용할 수 있다.
3. 이 수준의 청소년들은 경험을 분화하고 통합할 수 있으나, 약간의 위축성(constriction)과 지나친 단순화를 동반하며, 특히 스트레스 하에서 그러하다. 강렬한 감정은 내적 경험의 일시적인 분절(fragmentation)과 양극화(모 아니면 도의 극단)로 이어질 수 있다. 이 수준에서, 분화(differentiation)와 통합의 능력은 몇 영역으로 제한된다(예: 표면적 관계). 이들 구역 밖의 도전은 기능의 저하와 손상된 대처로 자주 이어진다.
1. 내적 경험은 대부분의 시간 동안 분절되거나 융통성 없이 구획화되고 지나치게 단순화된다. 극단적인 경우, 내적 경험은 외부 맥락과 단절될 수 있고, 자기와 다른 이의 표상에 혼란이 올 수 있다. 이 수준의 청소년들은 자기 관련 관점과 소속감이 부족하다. 현실에 대한 감정적 수준의 접근이 부족하고, 긍정적 감정의 내구성(durability)을 불신한다. 강렬한 불안(자주 죄책감 또는 수치심으로 표현되는), 행동화, 부적응적 방어(자기위로 전략)에 대한 의존 없이 자율적으로 또는 다른 이들과 일정 범위의 감정에서 행동하는 능력이 거의 없으며, 현실검증 능력의 손상을 수반한다(예: 심각한 분열 및 해리).

가장 적절한 평가 도구들(Most Relevant Assessment Tools)

아래의 척도들(또는 그것들의 성인편)은 성인편 2장 능력 4의 '가장 적절한 평가 도구들' 섹션에 논의되어 있다(pp. 88~90).

청소년 정체성 발달 평가(Assessment of Identity Development in Adolescence)

청소년 정체성 발달 평가(AIDA; Goth, Foelsch, Schlüter-Müller, & Schmeck, 2012b)는 12-18세 청소년들의 병리적 정체성 발달을 평가하는 자기보고 질문지로, 정신역동 및 사회인지 이론으로부터의 정체성 구성을 통합한다. 이 모델은 두 근본적 차원, 지속성(continuity)과 일관성(coherence)을 구분한다. AIDA는 스위스-독일-미국 연구 집단에 의해, 구성의 문화 독립적 양식과 포괄적 적용에 특별히 관심을 두고 개발되었다(Goth et al., 2012b). 총점이 정체성 통합(integration)부터 정체성 혼돈(diffusion)까지의 범위를 포함하고 두 하위척도는 불연속성과 비일관성을 포함하는 58개의 다섯 단계 형식 문항으로 구성된다. 심리평가적 특징은 305명의 학생, 52명의 정신의학과 입원 청소년, 인격 및 다른 정신적 장애를 가진 52명의 외래 환자의 혼합 표본을 토대로 조사되었다(Goth et al., 2012a). 총점(Cronbach's alpha = .94) 및 두 척도(불연속성 = .86; 비일관성 = .92)는 훌륭한 내적 일관도를 나타냈다. 높은 수준의 불연속성과 비일관성은 낮은 수준의 자기 주도성(self-directedness)과 관련되며, 이는 부적응적 인격 기능을 가리킨다. 두 척도는 인격장애 환자와 대조군을 유의하게 구별하며, 2.17에서 1.94 표준편차라는 두드러진 효과크기를(*d*) 가진다. 문항수준에 대한 비제한적 탐색적 요인분석은 공동의 고차원 요인인 정체성 통합을 보여주었으며, 이는 변수의 24.3%를 설명하고 따라서 검사 구성을 뒷받침한다. 추가적 타당도 확인이 필요하지만, AIDA는 청소년 정체성 발달의 적절한 측면에 대한 통찰을 제공하는 신뢰할 만하고 타당한 도구로 보인다(Jung, Pick, Schlüter-Müller, Schmeck, & Goth, 2013; Kassin, De Castro, Arango, & Goth, 2013).

사회인지 및 대상관계 척도- 전반적 평가 방법(Social Cognition and Object Relations Scale- Global Rating method)

사회인지 및 대상관계 척도- 전반적 평가 방법(SCORS-G; Stein, Hilsenroth, Slavin-Mulford, & Pinsker, 2011; Westen, 1985)은 성인편 2장에서 더 완전히 논의되어 있다. 두 하위척도(자기에 대한 정체성과 일관성 및 사람들에 대한 표상의 복잡성)는 분화와 통합(정체성) 능력 평가에 유용하다. SCORS-G는 정상 청소년으로부터 인격장애 청소년을 믿을 만하게 구별하고(DeFife, Goldberg, & Westen, 2015), 전반적 기능 평가(Global Assessment of Functioning) 점수가 설명하는 것보다 청소년의 치료 및 전반적 기능의 예측을 더 향상시킨다(Haggerty et al., 2015).

청소년용 정체성 혼란 질문지(Identity Disturbance Questionnaire for Adolescents)

청소년용 정체성 혼란 질문지(IDQ-A; Westen, Betan, & DeFife, 2011)는 성인용 IDQ (Wilkinson-Ryan & Westen, 2000)를 35문항으로 각색한 것이며, 청소년 정체성 혼란의 잠재적 징후를 7점 척도(1 = 전혀 진실이 아님, 4 =어느 정도 진실, 7= 매우 진실)로 평가한다. 청소년 및 성인 양식은 유사하나, 몇 가지 문항은 청소년의 나이에 적절한 정체성 문제를 반영하기 위해 수정되었다. 두 판의 문항들은 모두 정체성에 대한 임상적, 이론적, 경험적 문헌의 광범위한 고찰에 기반하였다. 예를 들어, 부정적 정체성에 대한 Erikson (1968)의 개념에 기반하여, 청소년이 자신을 낙인된 집단, 부정적 표식, 또는 '나쁜' 정체성으로 정의하는 범위를 평가하였다. 다수의 문항들은 역할, 소속, 가치, 목표, 포부에 대한 생각을 포착한다. 정체성 혼란에 대한 주관적 느낌과 사고를 대표하는 문항들은 임상적 문헌과 관절에 기반했다(예: "사회적 페르소나가 내적 경험과 일치하지 않는 '거짓 자기' 라고 느끼는 경향이 있다", "그/녀가 누구와 함께 있느냐에 따라 마치 다른 사람인 것처럼 느껴진다"). IDQ-A는 임상적으로 훈련된 관찰자가 더 잘 관찰한 현상을 설명한다(예: "전체적으로 서로 모순되는 믿음을 가지고, 모순성을 신경 쓰지 않는 것처럼 보인다", "환자는 삶의 이야기를 하는 데 어려움을 겪는다. 이야기식 서술은 큰 간극 또는 모순을 가진다"). 질문들은 최소한의 용어를 사용하여 쉬운 언어로 쓰였다. IDQ-A는 139명의 경험 있는 국내 정신과의사들과 임상심리학자 무작위 표본들이, 그들이 돌보는 청소년들 중 무작위로 선택된 이들을 대상으로 배터리를 완성하여 타당도를 검증하였다. 35개 IDQ-A 문항들 중 33개는 임상가의 평가에 따른 DSM-IV 정체성 혼란 기준이 있거나 없는 환자들을 유의하게 구별하였다.

요인분석은 이전에 성인에게서 확인된 차원들과 유사한 네 개의 임상적 및 개념적으로 일관된 요인들을 보여준다: 규범적 몰입 부족(lack of normative commitment), 역할 흡수(role absorption), 괴로운 비일관성(painful inchorence), 일관성 부족(lack of consistency)

우울 경험 질문지-청소년편(Depressive Experiences Questionnaire-Adolescent Version)

우울 경험 질문지-청소년편(DEQ-A; Blatt, D'Afflitti, & Quinlan, 1976; Blatt Schaffer, Bers, & Quinlan, 1992)은 Blatt과 Zuroff (1992)가 가설로 제기한 내사적 및 의존적(introjective and anaclitic) 인격 차원을 평가하는 66문항의 자기보고 척도로서, 이들은 개인 인격의 발달은 두 근본적 및 상호작용적 과업을 중심으로 만들어진다고 보았다: 만족스러운 대인관계의 확립 및 긍적적이고 응집적인 자기감의 획득. 이 축들의 구체적 구성은 자기 및 타인 표상, 외부의 사건에 대한 개인의 대응방식, 그리고 특정 유형의 정신병리에의 취약성 등에 있어 중요한 함의를 가진다. 성인편에서 나온 DEQ-A의 문항들은 젊은 인구에 맞게 문구가 수정되었다(Blatt et al., 1992). 초기 요인 분석에서 두 주요 요인을 확인하였다: 내향 문항, 자기 정체성에 대한 염려 반영(자기-비판); 외향 문항, 대인관계에서의 어려움 가리킴(의존성). 이 요인들에서 유래한 척도는 청소년에서 높은 내적 일관성과 견고한 검사-재검사 신뢰도를 보였다(Blatt et al., 1992). 이후의 이론적 발전 및 요인분석에서는, 관계 및 자기정의의 미숙한 형태에서 성숙한 형태까지의 궤적에 이르는 다른 수준들을 판별할 수 있음을 제시했다. DEQ-A는 대인관계의 적응적 및 비적응적 차원들(McBride, Zuroff, Bacchiochi, & Bagby, 2006)과 자기정의의 적응적 및 비적응적 차원들(Blatt, 2004)을 평가할 수 있다. Fichman, Koestner, Zuroff (1994)는 DEQ-A 원본에서 의존성과 자기비판 요인에 가장 높은 가중치가 있는 여덟 개의 진술을 선택하여 축소하였다. Shahar와 Priel (2003)은 DEQ-A의 이 축소형의 두 척도 모두가 적절한 신뢰도를 가졌음을 밝혔다(.70, .82).

셰들러-웨스텐 청소년용 평가도구, 2판(Shedler- Westen Assessment Procedure for Adolescents, Version II)
SWAP-II-A (Western, Shedler, Durrett, Glass, & Martens, 2003)에서 정체성은 몇 가지 문항으로 다루어지고, SWAP-200의 문항들에 대응하며, 성인편 2장에서 성인의 이 능력에 대해 논의하였다 (자세한 내용은 해당 논의를 볼 것).

5. 관계 및 친밀함의 능력(Capacity for relationshipss and Intimacy)

다섯 번째 능력의 더 넓은 정의에 대해서는, 성인편 2장(pp.72)을 보라.

안정적이고 서로 만족스러운 관계에 임하는 능력은 발달 동안에 만들어지는 애착 유형의 질 및 내적 작업 모델의 일관성에 달려 있다. 조직화된 애착 유형은 건강한 대인관계를 촉진하고 다른 이들의 지지를 수용하거나 그들에게 지지를 제공하는 것을 가능하게 한다. 이 능력의 수준이 높은 청소년들은, 그들의 성장하는 정체성에 대한 지지로서 관계를 경험한다. 청소년 발달에서 개별화(individuation) 및 관계성(relatedness)은 상호배제적인 것이 아닌 상보적인 차원이다.

이 능력은 특정 관계에 대한 반응에서 대인관계적 멀어짐과 가까워짐을 조절하는 청소년의 능력을 반영한다. 이 능력에서 기능을 잘 하는 청소년은 대인관계적 및 개인내적 요구와 환경 (가족관계, 친구관계, 연애관계)에 따라 대인관계 행동 및 태도(가까움, 친밀함)를 유연하게 조절한다. 이는 청소년에게서 출현하는 성(sexuality)도 포함한다. 성의 통합은 청소년의 특이적 발달과업이다. 관계 및 친밀함의 긍정적 능력은 성에 대한 청소년의 탐색 및 성과 감정적 친밀함의 조화를 가능하게 한다.

아래의 내용은 관계와 친밀함의 능력에 있어서 청소년의 나이에 따라 기대되는 성취에 대한 발달적 가이드라인이다.

발달적 가이드라인: 청소년에서의 관계 및 친밀함의 능력
(Developmental Guideline: Capacity for Relationships and Intimacy in Adolescence)

설명(Description)
<u>초기 청소년기(12-14세)</u> 이 시기에, 청소년들은 프라이버시에 대단한 관심을 나타낸다. 관련된 감정이 빈번하게 나타난다; 수줍음, 홍조, 겸손이 일반적이다. 관계는 주로 표면적이나, 소녀들은 더 친밀한 관계들에서 소년보다 앞서 있다. 신체와 관련한 실험(자위를 포함한)을 하기 시작하며, 동시에 정상(normal)인지에 대해 걱정한다.

중기 청소년기(15-16세) 이 시기에, 청소년들은 성적인 대상에 대한 애정과 두려움의 감정(feelings)을 모두 보인다. 성적인 매력에 대한 관심을 가지며 관계를 자주 바꾼다. 이성애자 청소년들은 동성애 가능성에 대해 불안해할 수 있다. 동성애자 청소년들은 주변화되고 소원하다는 느낌을 가질 수 있다. 이 나이에서, 청소년들은 사랑과 열정에 대한 감정을 보이기 시작하나, 친밀함의 방식에 있어 전형적인 경향이 있다(관계의 표면적 양상에 더 관심을 가진다).
후기 청소년기(17-19세) 이 시기에, 청소년들은 진지한 관계에 관심을 가진다. 명확한 성적 정체성을 보이기 시작하고 애정어리고 감각적인 사랑에 개방적이다. 가까운 친구 및 파트너와 상호적 대인관계 발달이 가능하고, 다른 이들에게 진정으로 관심을 가진다.

평가 척도

5. 이 수준의 청소년들은 친밀함, 돌봄, 공감에 있어 나이에 맞는 역량을 보이며, 예상되는 다양한 맥락(가족 구성, 또래, 연애적 관심의 대상)에서 강한 감정(feeling)을 느끼거나 스트레스를 받을 때도 그러하다. 그들은 관계에서 친밀에 대한 욕망(desire)과 능력을 보이며, 변화하는 사회-감정적 요구들에 대해 대인관계적 및 개인내적으로 유연하게 적응할 수 있다. 성은 감정적 친밀함과 연관된다. 청소년은 상황적 필요에 따라 다른 이들을 지지하고 다른 이들에게서 지지를 받을 수 있다.
3. 이 수준에서, 청소년들은 친밀함, 돌봄, 공감에 있어 나이에 맞는 역량을 보이나, 역량은 분노, 수치심, 분리불안 등의 강한 감정에 의해 방해될 수 있다. 그러한 상황에서, 그들은 철수하거나 행동화할 수 있다; 반대로, 그들은 과하게 요구적이고, 매달리고, 의존적일 수 있다. 성은 감정적 친밀함과 연관된다. 그들은 상황적 요구에 적응하기를 어려워하며 다른 이들의 지지를 수용하거나 다른 이들을 지지하는 능력에 어느 정도의(some) 결핍이 있다.
1. 이 청소년들은 친밀함과 돌봄에 있어서 표면적이고, 필요 지향적 능력을 보인다; 관계는 상호성과 공감이 부족하다. 다른 이들의 필요에 무관심하며 철수적이고, 사회적으로 고립되며, 무심해 보인다. 상호작용은 일방적이며, 상호성이 부족하고, 다른 이들의 지지를 받고 다른 이들을 지지하는 능력에서의 뚜렷한(marked) 결핍이 특징적이다.

가장 적절한 평가 도구들(Most Relevant Assessment Tools)

아래의 척도들(또는 그것들의 성인편)은 성인편 2장 능력 5의 '가장 적절한 평가 도구들' 섹션에 논의되어 있다(pp. 91-94).

관계망 척도(Network of Relationships Inventory)

관계망 척도(NRI; Furman & Buhrmester, 1985)는 부모, 형제자매, 교사, 또는 친구들과의 이자관계(dyadic relationships) 평가에 널리 쓰이는 척도로서, 세 가지 행동 체계-애착(attachment), 돌봄(caregiving), 소속(affiliation)의 기능을 충족하기 위해 여러 관계들이 얼마나 자주 사용되는지를 탐색한다. 관계의 성격을 평가하는 세 문항의 하위 척도 몇 가지가 있으며, 리커트 5점 척도 (1= 약간 또는 전혀 아님, 5= 더 이상은 불가능)로 매겨진다. 두 가지의 전체 점수가 계산된다: 사회적 지지(우정, 중요한 도움, 친밀성, 양육, 애정, 존경, 만족, 지지, 믿을만한 동맹) 및 부정적 상호교환(갈등, 적대감, 비판, 지배, 처벌). 저자들 (Furman & Buhrmester, 1985) 및 다른 이들(Split, Van Lier, Branje, Meeus, & Koot, 2014)에 의해 보고된 심리측정적 분석은 척도 점수들에서 만족스러운 내적 일관도 계수를 보였다(Cronbach's alpha= .80).

수정된 친밀관계 경험(Experiences in Close Relationships-Revised)

수정된 친밀관계 경험(ECR-R) 척도(Fraley, Waller, & Brennan, 2000; 성인편 2장의 ECR에 대한 논의를 보라)는 청소년 표본에서 좋은 심리측정적 특성을 보였다(Feddern Donbaek & Elklit, 2014). Wilkinson (2011)은 청소년에서의 일반적 관계 애착 불안 및 회피를 평가하기 위해 단축형의 수정된 도구(ECR-R-GSF)를 제공하였다. 청소년에게 적합하면서, 연애적 동반자 애착이 아닌 일반적 애착에 어울리게 단어를 수정할 수 있는 10개의 문항이 불안 척도와 회피 척도에서 각각 선택되었다. ECR-R-GSF의 타당성 검증은 11에서 22세 사이의 1,187명의 포본에서 진행되었다. 불안 및 회피 문항들은 신뢰할만한 척도를 생성하였고(둘 모두에서 Cronbach's alpha = .88) 서로 약한 상관관계를 가지며(r = .39), 이는 관계 특이적인 청소년 애착 구조의 평가에 대한 ECR-R-GSF 적용을 뒷받침한다.

대인관계문제검사 원형척도-단축형(Inventory of Interpersonal Problems-Circumplex-Short Form)

대인관계문제검사 원형척도-단축형(IIP-C-SF; Soldz, Budman, Demby, & Merry, 1995)은 관계 기능의 문제적 측면을 평가하는 32문항의 자기보고 척도로서, 64문항의 원본 검사(IIP-C; Horowitz, Alden, Wiggins, & Pincus, 2000; 성인편 2장의 논의를 보라)의 단축형이다. 원본처럼, IIP-C-SF는 0(전혀 아닌)에서 4(극단적으로)점까지의 문항으로 구성된 여덟 개의 하위척도를 제공한다: 지배적인(domineering), 보복하는(vindictive), 냉정한(cold), 사회적으로 회피적인(socially avoidant), 비주장적인(nonassertive), 피착취적인(exploitable), 과잉배려적인(overly nurturant), 참견하는(intrusive), 심리측정적 특질은 두 표본의 대학생들에서 타당성이 검증되어(평균 18세), IIP-C-SF가 청소년과 젊은 성인에게 효과적으로 사용 가능함을 의미한다.

청소년에서의 인격 구조 과정 인터뷰(Interview of Personality Organization Processes in Adolescence)

청소년에서의 인격 구조 과정 인터뷰(IPOP-A; Amanti, Fontana, Kernberg, Clarkin, & Clarkin, 2011)는 인격 발달 및 장애에 대한 Kernberg의 이론에서 정의한 인격 구조를 평가하는 반구조화된(semistructured) 인터뷰이다(Kernberg, 1998; Kernberg, Weiner, & Bardenstein, 2000). 이는 임상가가 점차 드러나는 인격 패턴을 평가하는 것을 돕기 위해 만들어졌으며, 청소년들의 고충과 자원을 고려한다(Ammantiti, Fontana, & Nicolais, 2015). IPOP-A는 신뢰할 만하며, 13-21세 청소년에 대해 정체성 형성, 대상관계의 질, 정서 조절, 위험 행동들의 핵심 차원을 평가하는 1시간 인터뷰로서 타당도가 입증되었다(Ammaniti et al., 2012). 현재의 판은 41문항이며 몇 가지 언어로 사용 가능하다. 임상 평가 및 연구 모두에 이용될 수 있다. 따라서, 점수 체계는 연구 및 임상 형식으로 나뉘어진다. 연구 체계는 자세하고, 문항 대 문항 부호화 절차를 거치지만, 임상 체계는 치료자들에게 각 영역의 점수를 안내한다. 타당도 검증에서는 높은 평가자 간 신뢰도; 밀론 청소년 임상 척도(the Millon Adolescent Clinical Inventory) (Millon, Millon, & Davies, 1993) 및 DERS (Gratz & Roemer, 2004) 같은 자기보고 척도를 통한 높은 수렴타당도; 그리고 탐색적 요인 분석에서 기저 모델과 일관성을 보이는 다섯 요인 ((1): 가족 내에서의 대상 관계의 질, (2): 정체성, (3) 전념(commitment), (4) 또래와 연애 상대에서의 대상관계의 질, (5) 정서 조절)을 보여주는 높은 구성타당도를 보인다.

셰들러-웨스텐 청소년용 평가도구, 2판(Shedler- Westen Assessment Procedure for Adolescents, Version II)

SWAP-II-A (Westen, Shedler, Durrett, Glass, & Martens, 2003)의 몇 가지 문항에서 관계 및 친밀함을 다룬다(자세한 내용은 성인편 2장의 SWAP-200에 대한 해당 논의를 볼 것).

사회인지 및 대상관계 척도- 전반적 평가 방법(Social Cognition and Object Relations Scale- Global Rating method)

SCORS-G (Stein, Hilsenroth, Slavin-Mulford, & Pinsker, 2011; Westen, 1985)에서, 표상의 정서적 질에 대한 척도는 청소년에게 특히 적절하다. 정서적 의사소통과 관련한 응답 내러티브의 정서적 요소를 부호화하는 데 사용될 수 있다. 또한 정서적 경험과 표현에 대한 통찰 제공에 유용할 수 있다. 성인편 2장의 추가 논의를 보라.

6. 자아존중감 조절 능력 및 내적 경험의 질(Capacity for Self-Esteem Regulation and Quality of Internal Experience)

여섯 번째 능력은 청소년의 내적 조절감, 자기효능감, 행위주체감의 정도를 포함한다. 자아존중감은 청소년 자신의 가치에 대한 전체적인 감정적 평가이다. 이는 자기에 대한 태도뿐 아니라 자기에 대한 평가이다. 개인이 욕망하는 자기와 비교한 실제적 자기에 대한 평가를 포함하며, 자의식(self-consciousness)과 긴밀하게 연결되어 있다.

청소년은 다양한 수준의 자아존중감을 가지며, 젠더, 민족, 사회경제적 상태 등의 요인에 영향받는다. 그들의 자아존중감은 변동할 수 있지만, 연구들에 따르면 자아존중감은 중기 및 후기 청소년기에서 초기 성인기 동안에 안정화되거나 높아진다고 한다. 아동기에 자아존중감이 높은 사람은 청소년기에도 높은 편이다. 자아존중감 수준은 영아들에게 그들이 가치있는 사람들이며, 그들의 삶은 의미 있고, 그들은 다른 이들에게 가치 있을 것이라고 알려주는 조화로운 양육자들과의 일차적 관계와 연관이 있다. 긍정적인 자아존중감은 청소년이 새로운 상황을 포함한 다양한 과업과 도전을 처리할 수 있도록 한다. 낮은 자아존중감은 적응과 회복을 약화시킬 수 있으며, 우울, 신경성 식욕부진, 비행, 자해, 심지어 자살의 문제들과 관련을 가진다. 비록 인과 관계의 방향은 불확실하나, 자아존중감은 학업 수행 및 비행과 관련이 있다.

평가 척도(Rating Scale)

5. 이 수준에서, 청소년들은 다양한 맥락 및 심지어 스트레스 상황 하에서조차 안정적인 안녕감, 자신감, 현실적 자아존중감을 유지하는 적절한 능력을 보인다. 자아존중감은 내적 및 외적 상황에 적절하게 균형을 이루며, 청소년들은 새로운 상황을 포함한 여러 과업과 도전을 처리하는 역량에 있어서 적당한 수준의 자신감을 가진다. 이런 특징들은 청소년이 생각하고, 느끼고, 다른 사람들 및 더 넓은 세계와 관계를 맺는 데 긍정적인 영향을 미친다.
3. 이 수준에서 청소년들의 안녕감, 자신감, 활력감, 그리고 자아존중감은 일반적으로 적당하나, 강렬한 감정 및 스트레스 받는 상황으로 인해 쉽게 방해받는다. 취약하고 부적당하다는 느낌은 어떤 과업들(학교 또는 여가 활동)을 처리하거나, 바랐던 결과를 이루거나, 세상에서 효과적으로 행동하는 그들의 능력에 대한 자신감을 약화시키는 결과를 낳을 수 있다.
1. 이 청소년들은 공허감, 불완전감, 또는 지나친 자기 몰두감을 가진다. 자아존중감은 불안정하고 극단(extremes)사이에서 빠르게 변동할 수 있다. 내적 경험과 외적 행동 사이의 불일치(예: 기저의 취약한 느낌에 대한 과보상이 있을 수 있음)와 내적 및 외적 자아존중감 사이의 불일치가 있을 수 있다; 두 불일치들은 적응과 회복의 약화와 관련을 가진다.

가장 적절한 평가 도구들(Most Relevant Assessment Tools)

아래의 척도들(또는 그것들의 성인편)은 성인편 2장 능력 6의 '가장 적절한 평가 도구들' 섹션에 논의되어 있다(pp. 95~96).

셰들러-웨스텐 청소년용 평가도구, 2판(Shedler- Westen Assessment Procedure for Adolescents, Version II)
SWAP-II-A (Westen, Shedler, Durrett, Glass, & Martens, 2003)의 몇 가지 문항에서 자아존중감 조절 능력 및 내적 경험의 질에 대해 다룬다 (자세한 내용은 성인편 2장의 SWAP-200에 대한 해당 논의를 볼 것).

로젠버그 자아존중감 척도(Rosenberg Self-Esteem Scale)
로젠버그 자아존중감 척도(RSES; Rosenberg, 1965)는 다양한 건강 및 비건강 청소년 표본에서 좋은 신뢰도와 타당도를 나타내왔다(Isomaa, Väänänen, Fröjd, Kaltiala-Heino, & Marttunen, 2013). RSES에 대한 추가 논의는 성인편 2장을 보라.

심리적 역량에 대한 척도들(Scales of Psychological Capacities)
Greenfield와 동료들(2013)은 최근 심리적 역량에 대한 척도들(SPC; Huber, Brandl, & Klug, 2004; 성인편 2장의 논의를 보라)을 청소년에서 사용하기 위해 질문의 단어를 바꾸고 잠재적으로 중요한 두 역량을 추가함으로써 수정했다(Ad-SPC): (1) 양가성에 대한 내성 및 (2) 자기 관심의 추구. 성에 대한 청소년의 정서가가 높으므로, 성적인 경험의 조절에 대한 부분은 조화(alliance)에 대한 질문들의 부정적 영향을 최소화하기 위해 마지막으로 옮겼다.

개별 척도 문항들에서 높은 평가자 간 신뢰도를 나타내었다. 구성타당도는 여러 문항들과, 정신병리에 대해 공동으로 타당도가 검증된 평가 사이의 Pearson 상관을 사용하여 결정되었다. 이 예비 심리측정적 특질들은 청소년 정신치료에 대한 Ad-SPC의 이용가능성을 뒷받침한다.

청소년의 자기지각 프로파일(Self-Perception Profile for Adolescents)
잘 알려진 자기개념 질문지 중 하나인 청소년의 자기지각 프로파일(SPPA; Harter, 1988)은 청소년에게 특이적인 몇 안 되는 질문지 중 하나이다. 처음에 연구 목적으로 구성되었으며, 교육 및 임상 영역에도 적용된다. 이 자기보고 척도는 청소년들이 다른 영역들에서 어떻게 그들의 '능숙도(competence)'와 '적절성(adequacy)'을 평가하고 전체적인 자기가치를 어떻게 매기는지를 본다. 45문항이고, 여덟 개의 영역 특이적 하위척도, 그리고 전체 및 특이적 자아존중감 평가를 제공하고 개인의 프로파일을 만드는 하나의 자아존중감 하위척도로 구성된다. SPPA 원판은 각 문항마다 반대의 특징을 가진 두 청소년을 기술하는, 개인 특이적이고(idiosyncratic) 시간을 소모하는 문항 형식을 지녔었다. Wichstrøm (1995)은 각 문항에 하나의 기술만을 사용하여, 11,315명의 큰 국가적 규모의 노르웨이 청소년 대표 표본을 위해 원판을 수정하였다. 이 판은 원판보다 신뢰도, 수렴타당도, 요인타당도가 훨씬 낫고, 변별타당도와 사회적 바람직성은 유사하다. 따라서 수정판은 청소년에서의 자아존중감 평가에 적절하다(Rudasil & Callahan, 2008).

자기기술척도-II (Self-Description Questionnaire-II)

자기기술척도-II (SDQ-II; Marsh, 1992; Marsh, Ellis, Parada, Richards, & Heubeck, 2005)는 Shavelson, Hubner, Stanton (1976)의 다차원적 자기개념 모델을 기반으로 한 자기보고 도구로서, 청소년에서의 자기개념의 영역을 평가한다. 12-18세 청소년의 자기 구조를 기술하기 위해 임상 및 연구 틀에서 활용 가능하다. 학문적 자기개념의 세 요소(수학, 언어, 일반 학업), 비학문적 자기개념의 일곱 요소(신체 능력, 신체 외양, 부모 관계, 이성과의 관계, 동성과 관계, 정직-신뢰가치, 감정적 안정성), 그리고 전체적 요소(일반적 자기)에 초점을 맞춘다. 각 척도는 4-5문항에 대한 대답에 기반한다(총 51문항). 문항들은 참여자들이 1(거짓)점에서 6(참)점의 리커트 6점 척도로 응답하는 간단한 서술형 문장이다. 호주에서 개발되었기 때문에(Marsh, 1992), 신뢰도 증거(내작 일관도 계수에 기반한) 및 타당도 증거(내적 구조에 기반한)는 미국 영어(Marsh, Plucker, & Stocking, 2001), 중국어(March, Hau, & Kong, 2002), 프랑스어(Guerin, Marsh, & Famose, 2003), 일본어(Nishikawa, Norlander, Fransson, & Sundbom, 2007), 스웨덴어(Nishikawa et al.. Marsh et al., 2001)를 포함한 다른 언어들에서 평가되었다. SDQ-II는 특정 인구(예: 영재; Marsh et al., 2001)에 일반화가 잘 된다. 903명의 프랑스어 사용 청소년(평균 나이 = 12.6 세) 표본 대상의 최근 연구에서 11개의 SDQ-II 요인들과 청소년 자기보고척도(Youth Self-Report) (YSR)의 정신건강 문제 7개 사이의 상관관계는 관계의 매우 분별된 다변량 패턴을 보였고(.11에서 -83까지; 평균 r = -.35), 따라서 청소년 자기개념의 다차원적 측면을 뒷받침한다(Marsh, Parada, & Ayotte, 2004).

다차원적 자아존중감 척도(Multidimensional Self-Esteem Inventory)

다차원적 자아존중감 척도(MSEI; O'Brien & Epstein, 1998)는 개인들의 전체적인 사회적 가치 지각에 대한 116문항의 자기보고 척도이다. 응답자들은 5점 척도에서 정도 또는 빈도와 관련하여 그들에게 해당한다고 생각되는 평가를 한다. 10개의 하위척도 및 사회적으로 바람직한 정답을 함으로써 자신을 낫게 보이려는 경향을 평가하는 타당도 척도로 구성된다. 내적 일관성 신뢰도는 각 하위척도에 대해 평가되었으며, Cronbach's alpha는 .80에서 .90이었다. 하위척도의 안정성은 1달 간격의 검사-재검사 상관관계로 검증되었다. 연구들은 MSEI 하위척도 점수들을 다른 인격 검사들, 학업 성취 평가들, 다른 지표들과 비교함으로써 수렴 및 변별타당도를 뒷받침하였다. MSEI는 지역사회 청소년 표본집단에 기반한 T점수를 제공한다.

다차원적 자아존중감 질문지(Multidimensional Self-Esteem Questionnaire)

다차원적 자아존중감 질문지(SEQ; Dubois, Felner, Brand, Phillips, &Lease, 1996)는 청소년에게서, 자신이 바라는 자기와 비교한 실제 자기에 대한 평가 또는 자기에 대해 만족하고 좋아하는 정도로 정의되는 자아존중감의 다양한 차원을 평가하는 42 문항의 자기보고 도구이다. 각 문항은 자기에 대해 묘사된 측면에 대해 만족 또는 불만족하는 정도를 묻고 있다(예: "나는 학교 시험에서 내가 원하는 만큼 잘 한다", "나는 내 몸 그대로를 좋아한다"). 문항들은 "강하게 비동의" 에서 "강하게 동의"까지의 4점 척도로 매겨진다. 자기평가는 삶의 다섯 가지 개별 영역과 관련한 점수를 산출한다: 또래 관계, 학업 성취, 가족, 신체상, 운동. 분리된 8 문항의 전체 자아존중감 척도는 자기 가치의 전체적 지각을 평가한다(예: "나는 한 사람으로서의 나 자신이 좋다"). SEQ는 신체적으로 건강한 청소년의 대규모(N=1,800)이면서 인구학적으로 다양한 표본을 대상으로 개발되고 타당도가 검증되었다. 하위 척도들의 강한 내적일관도 및 검사-재검사 신뢰도, 기저의 다차원, 위계적 구조의 요인타당도를 나타내었다(DuBois et al., 1996l DuBois, Tevendale, Burk-Braxton, Swenson, & Hardesty, 2000).

7. 충동조절 및 조율 능력(Capacity for Impulse Control and Regulation)

일곱 번째 능력에 대한 더 넓은 정의는, 성인편 2장(pp.72)을 보라.

축적되는 증거들은 아동기에서 성인기로 갈수록 충동성이 감소하고 및 자기조절이 증가하고, 청소년기에 중요한 변화를 동반함을 증명한다. 뇌신경영상 자료는 이 경향이 특히 억제적 조절에 관여하는 뇌영역(주로 우반구의 안와전두 피질 및 전대상회피질)의 성숙과 관련있다고 주장한다. 그러나 증거들은 또한, 위험감수 행동의 증가는 청소년기에 절정에 달한 뒤 젊은 성인기에 감소한다고 지적한다. 이 패턴은 청소년기의 상대적으로 느린, 하향식 조절 체계의 선형 발달과 보상 체계의 비선형적 발달 사이의 불일치로 설명될 수 있으며, 청소년기에는 보상에 자주 과잉반응한다. 불균형적으로 활성화된 보상회로 및 저개발되고 혹사된 신경조절 체계의 조합은 왜 청소년들이 조율적 조절 능력의 감소를 보이는 반면 위험 감수의 잠재적 보상 측면이 두드러지는 것처럼 나타나는지를 설명한다. 이는 또한 청소년기에서의 결정이 특히 감정과 사회적 요인에 의해 조절됨을 암시한다(예: 청소년들이 또래들과 있거나 다른 정서적으로 영향 받는 맥락에 놓일 때).

감정적 및 인지적 조율은 아동기의 일차 관계들과 직접적으로 연관이 있으며, 이는 아동의 자기조율 능력 형성을 돕는다. 외상 경험, 방임, 또는 불안정한 영아-양육자 관계는 청소년기에서 이 능력의 발달에 부정적 영향을 줄 수 있으며, 외부 지원에 대한 지나친 의존을 낳을 수 있다. 자기조절 및 조율 능력을 평가할 때, 임상가는 청소년의 전체적 발달 수준(초기, 중기, 후기 청소년기) 및 이 능력(환경적 요인, 또래 영향, 스트레스 상황, 강력한 감정적 보상)에 영향 줄 수 있는 멀고 가까운 사회-감정적 요인들에 주의를 기울여야 한다.

평가 척도(Rating Sale)

5. 이 수준의 청소년들은 가까운 상황 및 문화적 환경에 적절하게 어느 정도의 충동을 표현

한다. 충동 조절은 유연하고 효과적이며 욕구(urge)와 정서는 조정적이고(modulated) 적응적이며 대인관계의 유대를 강화하는 방식으로 표현된다.

3. 이 청소년들은 충동을 다소 조절하고 조율할 수 있으나, 특정 정서적 및 갈등적 부담 상황(예: 연애 상대, 교사, 또래, 또는 좌절을 마주했을 때)에서는 어려움을 겪는다. 이 수준의 청소년들은 많은 상황들에서 과잉조절 (경직성) 또는 과소조절 (비조율)의 특징적 패턴을 보인다.
1. 이 수준의 청소년들은 충동을 적절히 조절하고 조율할 수 없으며, 가족, 사회, 성적인 관계에서 심각한 어려움을 겪는다. 충동 조절이 약하여 분노 및 다른 부정적 정서들을 조정하지 못한다; 또는, 충동 조절이 매우 경직되어 충동이 거의 완전히 표현되지 못한 채로 남아 있을 수 있다.

가장 적절한 평가 도구들 (Most Relevant Assessment Tools)

아래의 척도들(또는 그것들의 성인편)은 성인편 2장 능력 7의 "가장 적절한 평가 도구들" 섹션에 논의되어 있다(pp. 97-99).

바렛 충동성 척도 11판- 청소년(Barratt Impulsiveness Scale-version11-Adolescent)

바렛 충동성 척도 11판-청소년(BIS-11-A: Fossati, Barratt, Acquarini, & Di Ceglie, 2002)은 청소년의 충동성을 평가하는 30 문항의 자기보고 척도이다. 문항은 4점 리커트 척도(1 = 거의 아닌/전혀 아닌 에서 4 = 거의 항상/항상)로 매겨지고 합산된다; 총점이 높을수록 충동성이 높다. BIS-11-A는 성인 BIS-11을 수정한 것으로서, (Patton, Stanford, & Barratt, 1995; 성인편 2장의 논의를 보라) 원래의 30 문항 중 15문항의 어구를 청소년 경험에 맞게 바꾸었다. 성인편에는 세 개의 하위요인들(운동 충동성, 무계획 충동성, 주의집중적 충동성)이 있었으나, 청소년에서는 하위요인들 간의 상호상관성(intercorrelation)이 높아서 이 나이대의 집단에서는 총점이 충동성의 가장 좋은 지표이다. 과거 연구는 청소년 표본에서 좋은 내적일관도를 보여주었다(Fossati et al., 2002; Hartmann, Reif, & Hilbert, 2011; von Diemen, Szobot, Kessler, & Pechansky 2007). 구성타당도는 BIS-11-A 점수와 다른 충동 관련 장애 평가들 사이의 관계에서 증명되었다(예: 주의력 결핍 과잉행동 장애, 공격성, 약물 소비; Fossati et al., 2002). 몇 가지 언어로 번역되었고, 3-4학년의 읽기 수준을 요구하며, 청소년에서의 충동성 평가의 신뢰할 만한 도구로 고려할 수 있다(Panwar et al., 2014; Reynolds, Penfold, & Patak, 2008).

처벌 민감성 및 보상 민감성 질문지(Sensitivity to Punishment and Sensitivity to Reward Questionnaire)

처벌 민감성 및 보상 민감성 질문지(SPSRQ; Franken & Muris, 2006; Torrubia, Avila, Molto, & Caseras, 2001)는 보상과 처벌 신호에 대한 민감성의 자기보고 평가로서 행동 활성화 체계 및 행동 억제 체계에 대한 Gray의 개념과 긴밀히 연결된다. SPSRQ의 원본은 처벌 민감성과 보상 민감성의 두 척도에서 예-아니오로 평가하는 48 문항 형식이었다; 둘은 적절한 수렴 및 변별타당도 뿐 아니라 내적일관도 및 검사-재검사 신뢰도에서 적절한 Cronbach's alpha를 나타내었다 (Torrubia et al., 2001). 중요 요소 분석은 이 두 요인 구조를 확증했다. 더 간략하고 신뢰할 만한 판(Aluja & Blanch, 2011; Caci, Deschaux, & Bayle, 2007; Cooper & Gomez, 2008; O'Connor, Colder, & Hawk, 2004) 및 아동(Luman, van Meel, Oosterlan, & Geurts, 2012)과 청소년 (Matton, Goossens, Braet, & Vervaet, 2013)에 맞는 수정본을 대상으로 추가적 분석이 이루어져, SPSRQ는 발달에 걸친 보상 및 처벌 민감성 탐색의 알맞은 도구가 되었다.

긴급성, 계획성, 지속성, 및 감각추구 충동적 행동 척도(Urgency, Premeditation, Perseverance, and Sensation-Seeking Impulsive Behavior Scale)

긴급성, 계획성, 지속성 및 감각추구(UPPS) 충동적 행동 척도(Whiteside & Lynam, 2001)는 성인편 2장에 논의되어 있다. UPPS의 네 가지 요인 모델은 탐색적 및 확인적 요인분석을 통해 청소년(소녀 314명 및 소년 314명) 표본에서 재현되었다. 소녀들은 긴급성, 소년들은 감각추구에서 높은 점수를 보였다. 모든 네 하위척도는 좋거나 매우 좋은 내적일관도를 나타냈으며, 이는 UPPS가 청소년에서의 충동성 연구의 유망한 도구임을 지지한다(D'Acremont & Van der Linden, 2005; Urben, Suter, Pihet, Straccia, & Stéphan, 2014).

단축형 자기조절 척도(Brief Self-Control Scale)

단축형 자기조절 척도(BSCS; Tangney, Baumeister, & Boone, 2004)는 성인편 2장에도 논의되어 있고, 청소년에게서 표면타당도가 검증되었으며, 몇 가지의 청소년 표본에서 사용되어 왔고, 내적 일관성, 검사-재검사 신뢰성, 수렴 및 변별타당성을 보여준다(Duckworth, Kim, & Tsukayama, 2012; Farley & Kim-Spoon, 2014).

행동 억제 체계 및 행동 활성화 체계 척도(Behavioral Inhibition System and Behavioral Activation System Scales)

행동 억제 체계 및 행동 활성화 체계(BIS/BAS) 척도(Carver & White, 1994)는, 4점 체계(1 = 강하게 비동의 에서 4 = 강하게 동의)의 두 하위척도 구성된 20 문항 질문지이며, 행동 억제 체계에 대한 성향 민감성 및 행동 활성화 체계에 대한 세 가지 유형의 반응성을 평가한다: 보상 반응성, 추동(drive), 재미 추구. 타당도는 청소년(Gruber et al., 2013; Yu, Branje, Keijsers, & Meeus, 2011) 및 젊은 성인(Franken, Muris, & Rassin, 2005; Heubeck, Wilkinson, & Cologon, 1998) 모두에서 충분함이 밝혀졌다.

8. 방어 기능 능력(Capacity for Defensive Functioning)

여덟 번째 능력의 더 넓은 정의에 대해서는, 성인편 2장(pp.72)을 보라.

방어기능은 발달적으로 살펴 보아야 하는데, 각기 다른 방어가 발달의 다른 시기에 등장하며, 더 성숙하고 복잡한 방어는 후기 청소년기와 젊은 성인기에 나타나기 때문이다. 초기에서 후기 청소년기로 가면서 부정(disavowal), 부인(denial), 투사, 억압처럼 미성숙하고 신경증적인 방어는 감소하고, 동일시, 지식화, 승화 같은 성숙한 방어는 증가한다. 이러한 나이 관련 효과는 인지 변화(형식적 조작 사고 및 추상적 추론의 공고화), 개별화의 발전, 정신화 능력의 증가와 함께 일어난다. 이러한 변화들은 나이가 많은 청소년들로 하여금 더 독립적인 동시에 더 공감적이고 다른 사람들과 어울릴 수 있게 해준다. 더 성숙한 방어로의 전환은 성인기를 통해 꾸준히 진행된다.

방어가 전체적 적응 수준에 따라 다르기는 하나, 방어기능은 적응적 측면에서도 살펴 보아야 한다. 청소년들은 비슷한 상황에서 비슷한 방어기제를 사용한다. 방어 방식에 대한 그들의 통찰의 정도는 다르다. 개인적 방식에 대한 더 나은 통찰은 적응 및 안녕과 연관되어 있다.

아래의 내용은 방어기능 능력에 있어서 청소년의 나이에 따라 기대되는 성취에 대한 발달적 가이드라인이다.

발달적 가이드라인: 청소년에서의 방어기능 능력(Developmental Guideline: Capacity for Defensive Functioning in Adolescence)

설명(Description)
초기 청소년기(12-14세) 초기 청소년기는 인지적 사고(형식적 조작 사고 및 추상적 추론)가 비약적으로 발전하는 것이 특징이며, 이는 정신 구조의 연화(softening)를 촉진한다. 그러나 호르몬적, 사춘기적, 사회적, 신체적 변화와 관련한 압력은 초기 청소년들을 마음의 변덕스러운 상태 및 자기파편감(a sense of self-fragmentation)에 취약하게 만든다. 부정, 부인, 투사, 분열(splitting)은 이 나이에서 여전히 흔하다. 이러한 격변들은 초기 청소년들을 자기중심적(self-centered)이게 하면서, 그들이 기대는 외부적 지지에 민감하게 한다.
중기 및 후기 청소년기(15-19세) 중기에서 후기 청소년기에 자기의 통합이 일어난다. 상대적 평온함 및 안정감을 동반한 형식적 조작사고의 공고화는 고기능의 나이 많은 청소년들이 내적 지지에 더 기댈 수 있게 해준다. 이렇게 확고한 기반이 있다는 느낌 덕분에 승화, 유머, 친화(affiliation), 자기주장, 지식화처럼 더 성숙하고 수준 높은 방어를 사용할 수 있다. 고기능의 나이 많은 청소년들은 더 공감적이고 다른 사람들, 특히 가족들에게 열중한다. 그들은 그들의 느낌과 행동을 훨씬 더 잘 조절한다.

평가 척도(Rating Scale)

5. 이 수준에서는, 적응적이며 발달적으로 적절한 방어가 두드러진다. 성숙한 방어를 사용

함으로써 청소년들은 더 넓은 범위의 정서를 경험하고, 지속적 성장, 관계 및 더 넓은 세상에 대한 탐색을 촉진하는 방식으로 생각과 느낌을 알아채고 관리한다. 어떤 상황에서는 신경증적 수준의 방어(고립, 지식화, 억압)가 사용될 수 있으나, 보통은 불안, 갈등, 스트레스가 약화되고 나면 더 적응적인 방어(승화, 유머)로 돌아감으로써 기능에 상당한(significantly) 손상이 일어나지는 않는다.

3. 이 수준의 청소년들은 내적 및 외적 스트레스에 대해 문제가 외부에서 왔다고 자주 반응하며, 내적 원인을 최소화하거나 무시한다. 따라서, 위협 또는 불안의 상황에서 현실에 대한 보통 정도의(modest) 왜곡이 일어날 수 있다. 청소년들은 방어적으로 보일 수 있고 부인과 투사를 통해 그들의 경험을 부정할 수 있다. 또는 자기와 다른 이들을 평가절하하거나 이상화함으로써, 또는 전능하다는 착각을 유지함으로써 부정적인 자기 상태(예: 부끄러움, 무력함, 실망)를 덮을 수 있다. 전체적으로, 미성숙한 방어(분열, 투사, 행동화)를 사용하며 방어전략은 예측 불가능하고 변동한다.

1. 이 청소년들은 불안, 자기 소멸에 대한 두려움, 그리고/또는 신체적 손상 및 죽음에 압도된다. 이 두려움들은 청소년들이 내적 갈등과 외적 요구를 다루기 어려워 발생한다. 외적 현실은 극도로(grossly) 왜곡되며, 불안을 거의 억제할 수가 없으며(poorly contained), 적응은 매우(highly) 손상된다. 분열, 왜곡, 파편화(fragmentation), 망상적 투사, 정신병적 부인 등의 낮은 수준의 방어가 두드러진다. 관계의 맥락에서 또는 스스로 기능하는 능력은 심각하게(severely) 제한되고(restricted) 손상되어(impaired) 있다.

가장 적절한 평가 도구들(Most Relevant Assessment Tools)

아래의 척도들(또는 그것들의 성인편)은 성인편 2장 능력 8의 '가장 적절한 평가 도구들' 섹션에 논의되어 있다(pp. 100~103).

셰들러-웨스텐 청소년용 평가도구, 2판(Shedler- Westen Assessment Procedure for Adolescents, Version II)

SWAP-II-A (Westen, Shedler, Durrett, Glass, & Martens, 2003)의 몇 가지 문항에서 방어기능 능력에 대하여 다룬다(SWAP-200의 해당 문항에 대한 논의는 성인편 2장 pp. 79~80 참조).

방어 방식 질문지(Defense Style Questionnaire)

방어 방식 질문지(DSQ; Andrews, Singh, & Bond, 1983)는 성인편 2장에 논의되어 있다. 단축형(DSQ-40)은 40 문항 (Andrews et al., 1993)으로 구성되어 있으며, 20가지 방어를 평가하고, 청소년에게 가장 적합하다고 여겨진다(Muris, Winands, & Horselenberg, 2003). 심리측정적 특질은 정상 및 임상 청소년 표본에서 평가되었으며, 좋은 내적일관도와 좋은 변별 및 공인타당도(concurrent validity)를 보인다(Ruuttu et al., 2006). 이는 청소년의 방어방식을 평가하는 데 신뢰할 만하고 타당한 도구로 생각된다.

방어기제 평가척도 및 방어기제 평가척도 Q 유형(Defense Mechanism Rating Scales and Defense Mechanism Rating Scales Q-Sort)

방어기제 평가척도(DMRS; Perry, 1990) 및 DMRS Q-유형(Di Giuseppe, Perry, Petraglia, Janzen, & Lingiardi, 2014)은 성인편 2장(pp.100~101)에도 논의되어 있다.

반응 평가척도-71(Response Evaluation Measure–71)

반응 평가척도-71 (REM-71; Araujo, Ryst, & Steiner, 1999; Steiner, Araujo, & Koopman. 2001)는 성인편 2장에서 논의된 것처럼, 정상 및 임상 청소년의 방어 평가의 좋은 선별 도구로 여겨진다(Plattner et al., 2003).

방어 방식 종합 평가(Comprehensive Assessment of Defense Style)

방어 방식 종합 평가(CADS; Laor, Wolmer, & Cicchetti, 2001)는 관찰자 보고에 기반하여 아동 및 청소년의 방어행동을 평가한다. CADS는 부모들에게 아동의 행동 경향에 대해 26개의 리커트 유형 질문을 한다. 정신건강 클리닉의 아동 및 청소년 124명 및 치료받지 않은 아동 104명을 대상으로 타당도를 검증하였다. 28가지 방어의 요인분석은 성숙 요인, 환경과의 관계에서 표현되는 미성숙 요인(타인-지향), 그리고 자기와의 관계에서 표현되는 미성숙 요인(자기-지향)으로 분류한다.

CADS는 환자와 비환자를 상당히 잘 변별하며, 환자는 대조군에 비해 미성숙한 방어를 더 사용하고 성숙한 방어를 덜 사용하고, 청소년은 아동에 비해 더 성숙한 방어를 사용하고 타인-지향 방어를 덜 사용한다(Wolmer, Laor, & Cicchetti, 2001). CADS의 예비 신뢰도 및 타당도 자료는 방어의 종적 평가, 정신병리 선별, 치료적 개선 영역에 적용할 수 있음을 뒷받침한다.

방어기제 척도(Defense Mechanisms Inventory)

방어기제 척도(DMI; Gleser & Ihilevich, 1969; Ihilevich & Gleser, 1986)는 방어의 다섯 군의 상대적 강도(intensity)에 대한 지필 검사이다: 대상에게서 등을 돌리기(turning against the object), 주요화(principalization), 자기에게서 등을 돌리기(turning against the self), 반전(reversal), 보호(protection). 참여자들은 10개의 가설적 딜레마에 대한 반응을 기술한다. 강제선택법이므로, 각 반응은 다섯 방어군 중 하나를 대표한다. 원래는 성인을 위해 개발되었으며, 청소년 자살 및 정신과 입원환자를 대상으로 한 연구들을 통해 청소년에 맞게 수정되었다(Noam & Recklitis, 1990; Recklitis, Noam, & Borst, 1992). 신뢰도, 타당도, 규준 연구는 이 나이에 대한 사용을 지지한다. 여섯 개짜리 단축형도 있다. 단축형 및 기본형 사이의 상관 관계는 다섯 척도에서 .90에서 .95까지였다. 따라서 단축형은 기본형을 적절히 대체할 수 있으며 임상 및 연구 틀에서 더 유용하게 사용 될 수 있다(Recklitis, Yap, & Noam, 1995).

9. 적응, 회복탄력성, 강점의 능력(Capacity for Adaptation, Resiliency, and Strength)

아홉 번 째 능력의 더 넓은 정의에 대해서는, 성인편 2장(pp.72)을 보라.

이 능력에서 '적응(Adaptation)'은 특정 맥락에 대한 중요하고 비관행적인 순응(adaptation)을 내포하며, 정신 기능의 제한이 일어나지 않는다. 이는 청소년이 장애물을 초월하고 성장과 긍정적 변화의 기회를 가질 수 있게 해준다. '회복탄력성(Resiliency)'은 개인적, 대인관계적, 맥락적 보호 기제의 복잡한 과정을 반영하며, 역경에 대해 이례적이고 긍정적인 결과를 낳는다. 개인적 수준에서, 학대, 방임, 폭력, 만성 질환, 차별, 또는 빈곤의 맥락에 역동적이고 적절하게(행동 및 감정적 수준에서) 자기 조절하는(self-regulate) 능력 및 변화하는 환경에 더 빨리 적응하는 능력을 의미한다. 회복탄력성은 생물정신사회적, 환경 내의 개인 발달 모델과 일치하는 역동적 과정이다. 회복탄력성의 위험 및 보호 요인들이 생애 주기의 시점과 궤적에 따라 다르게 작동할 수 있다고 점차 인정되고 있다. 청소년에서 회복탄력성은 도전과 위협에 대한 창조적 대응뿐 아니라 자기주장, 자기보호, 그리고 적절한 관점 유지 역량의 발전을 의미한다.

평가 척도(Rating Scale)

5. 이 수준에서, 청소년들은 예상 외의 스트레스에서 유연하고 나이에 적절하게 반응하며 전체적 기능 및 진행중인 성숙을 상당히 손상시키지는(significantly compromise) 않는다. 그들은 필요하면 지지와 도움을 요청한다. 스트레스 상황에서 유연한 반응을 보이고 그들의 힘(strengths)과 취약성(vulnerabilities)을 내적으로 알고 있는 것으로 보인다. 그들은 그들의 개인적 및 대인관계적 기능을 손상시키지 않으면서 감정 상태의 전환을 관리할 수 있다.
3. 이 청소년들은 대부분의(most) 예상 외의 상황 및 스트레스 상황에서 유연하고 나이에 적절하게 반응한다. 그들은 일반적으로 그들의 기능 내에서 힘(strengths)을 발휘할 수 있다. 그러나 더 복잡한 사회-감정적 맥락에서는 행동 조절을 일시적으로 방해할 수 있는 덜 적응적 전략을 사용할 수 있으며, 경도의(mild) 증상을 보일 수 있다. 이 경험들은 시간에 따른 그들의 성장과 전체적 기능을 상당히(significantly) 제한하지는(restrict) 않는다.
1. 이 청소년들은 극단적으로 취약하며(extremely vulnerable) 그들의 감정과 행동의 평형을 유지하기 위해 외부 세계에 의존한다. 조절(regulatory) 기제는 심각하게(severely) 부족하여, 예상 못한(unpredictable) 스트레스 상황을 마주할 때 부적응적 패턴의 반응 및 초기 방식으로의 퇴행(회피, 과잉통제, 해리)이 발생한다.

가장 적절한 평가 도구들(Most Relevant Assessment Tools)

아래의 척도들(또는 그것들의 성인편)은 성인편 2장 능력 9의 '가장 적절한 평가 도구들' 섹션에 논의되어 있다(pp. 105~107).

청소년용 회복탄력성 척도(Resilience Scale for Adolescents)

청소년용 회복탄력성 척도(READ; Hjemdal, Friborg, Stiles, Martinussen, & Rosenvinge, 2006)는 성인용 회복탄력성 척도(RSA; Hjemdal, Friborg, Martinussen, & Rosenving, 2001)에서 파생한, 5점 리커트 척도로 평가하는 28 문항의 검사이다. READ의 반응 틀은 RSA의 의미론적 판별방식이 청소년에서 어렵다고 밝혀져 리커트형으로 변경되었다. 노르웨이의 13-15세의 청소년 425명을 대상으로 타당도가 검증되었다(Hjemdal et al., 2006). 여기에는 다섯 요인들이 존재한다: (1) 개인적 능숙도(personal competence), (2) 사회적 능숙도(social competence), (3) 구조적 방식(structured style), (4) 가족 응집력(family cohesion), (5) 사회적 자원(social resources). 척도는 단축형 기분 및 느낌 질문지와 청소년용 사회공포 불안 지표와의 좋은 변별타당도 및 우울 증상에 대한 좋은 예측타당도를 보였다(Hjemdal, Aune, Reinfjell, Stiles, & Friborg, 2007). 다섯 요인의 Cronbach's alpha는 .85에서 .69까지였다. 젠더 차이가 있었는데, 소녀들은 사회적 자원에서, 소년들은 개인적 능숙함에서 더 높은 점수를 보였다. READ는 신뢰할 만하며 타당해 보인다. 부모/중요한 성인용 척도(READ-P) 역시 사용가능하다. 노르웨이에서 타당도가 검증된 단축형의 23문항 척도는 적절한 심리측정적 특질을 보여준다(von Soest, Mossige, Stefansen, & Hjemdal, 2010).

아동 및 청소년용 회복탄력성 척도(Resiliency Scale for Children and Adolescents)

아동 및 청소년용 회복탄력성 척도(RSCA; Prince-Embury, 2008)는 심리적 취약성에 대한 예방적 선별을 위해 개발되었다. 아동 및 청소년의 회복탄력성을 평가하는 세 척도로 구성되어 있다: 숙달감(a sense of mastery), 관계감(a sense of relatedness), 감정 반응성(emotional reactivity) (Prince-Embury & Courville, 2008a). 숙달감은, 20 문항의 5점 리커트 척도이며 세 영역으로 구성된다: 낙관성(optimism), 자기효능성(self-efficacy), 적응성(adaptability). 관계감은 24 문항으로, 다른 이들 안에서의 편안함과 신뢰, 다른 이들의 지지에 대해 감지된 접근, 다른 이들과의 차이를 견디는 역량으로 구성된다. 감정 반응성 척도는 20 문항으로, 반응의 강도 및 민감도/역치, 회복 시간의 길이, 분노했을 때의 손상으로 구성된다. RSCA의 타당도 검증은 9-11세 아동 226명, 12-14세 청소년 224명 및 15-18세 청소년 200명의 규준 표본과 (Prince-Embury & Courville, 2008b) 15-18세의 임상표본 청소년 169명을 통해 이루어졌다 (Prince-Embury, 2008). 세 평가 모두 강한 내적일관도 및 구성타당도를 나타내었다.

청소년 회복탄력성 척도(Adolescent Resilience Scale)

대학 연령을 위한 청소년 회복탄력성 척도(ARS; Oshio, Kaneko, Nagamine, & Nakaya, 2003)는 21 문항 척도로서 세 요인으로 구성된다: 새로움 추구(novelty seeking), 감정 조절, 긍정적 미래 지향. 구성타당도 검증은 일본의 19세에서 23세 사이의 젊은 성인으로 이루어졌다(Oshio et al., 2003). 이 척도는 취약한 군(높은 스트레스원, 높은 정신병리), 회복탄력적인 군(높은 스트레스원, 낮은 정신병리), 잘 적응한 군(낮은 스트레스원, 낮은 정신병리)을 판별한다. 초기 타당도 연구(Oshio, Nakaya, Kaneko, & Nagamine, 2002)에서는 적절한 내적 일관도를 보였다. 전체 척도(.85) 및 세 요인(새로움 추구 = .79; 감정 조절 = .77; 긍정적 미래 지향 = .81)에 대한 Cronbach's alpha는 적절하였다. 상관관계는 전체 및 하위척도에서 평균 .75였다. 주요 다섯 인격 척도와 좋은 수렴 및 변별타당도를 보였다(Nakaya, Oshio, & Kaneko, 2006).

회복탄력성 기술 및 능력 척도(Resilience Skills and Abilities Scale)

회복탄력성 기술 및 능력 척도(RSAS)는 원래 청소년 회복탄력성 믿음 체계 척도(Jew, 1997)로서, 5점 리커트 척도의 35 문항으로 구성된다(Jew, Green, & Kroger, 1999). 스트레스 맥락에서 개인의 특성을 사용하는 조작적 회복탄력성에 대한 Mrazek과 Mrazek's (1987)의 인지 평가 이론을 끌어온다. 타당도 검증은 14-15세 고등학생 408명에 대한 연구를 통해 이루어졌다. 현재의 판은 세 하위척도로 구성된다. 활동적 기술 습득, 미래 지향, 독립성/위험 감수. 적절한 분류내적 상관관계와 및 검사-재검사 신뢰도(.36-.70) 및 내적 일관도(Cronbach's alpha = .68-.95)를 보여 신뢰할 만하고 타당하다.

자아 회복탄력성 척도-89-수정판(Ego Resiliency Scale–89—Revised)

자아 회복탄력성 척도-89-수정판(ER89-R; Alessandri, Vecchio, Steca, Caprara, & Caprara, 2008; Vecchione, Alessandri, Barbaranelli, & Gerbino, 2010)은 리커트 4점 척도로 매기는 10 문항의 간단한 검사로서, Block 및 동료들의 ER89척도에 포함된 14 문항 원본에서 얻어졌다(Letzring, Block, & Funder, 2005). 후기 청소년기 및 성인 출현기(emerging adulthood)에서의 자아 회복탄력성의 발달 평가에 사용되어 왔으며, 연속성과 변화를 정의하는 다른 방식들에 초점을 맞춘다. 심리측정적 특질은 횡문화적 및 종적연구 모두를 통해 확인되었다(Alessandri et al., 2014; Vecchione et al., 2010). 척도는 외현화 및 내현화 문제의 현재 및 2년과 4년 후를 예측한다. 결과들은 다양한 발달 단계에서의 자아 회복탄력성 연구에 유용하게 사용될 수 있는 타당하고 신뢰할 만한 도구임을 말해준다 (Vecchione et al., 2010).

다차원적 청소년 기능 척도(Multidimensional Adolescent Functioning Scale)

MAFS (Wardenaar et al., 2013)는 이 장 능력 1의 평가 도구로서 초반에 기술되었으며, 정상 청소년 기능 평가의 임상적 합의로부터 개발된 23문항의 자기보고 질문지이다. 세 하위척도

로 구성되어 있다: 일반 기능, 가족관련 기능, 또래관련 기능. 더 자세한 내용에 대해서는 초반의 설명을 보라.

강점 및 난점 질문지(Strengths and Difficulties Questionnaire)

강점 및 난점 질문지(SDQ; Goodman, 1997)는 3에서 16세까지를 위한 간단한 선별도구이다. 연구자들, 임상가들, 교육자들의 필요에 부합하는 여러 판 및 언어가 존재한다. 각 판은 다음 중 한 개에서 세 개 사이를 포함한다: (1) 심리학적 속성에 대한 25문항; (2) 청소년에게 문제가 있다고 생각하는지에 대한 영향 진술 질문; (3) "지난 한 달 이내"에 대해 묻는 것으로 수정한 25문항을 포함한 추적 질문에, 중재의 효과에 대한 2개의 추가 추적 질문을 더한 것. 모든 판들은 몇 가지는 긍정적이고 나머지는 부정적인 25개의 속성들에 대해 질문한다. 문항들은 다섯 개의 척도로 나뉘어진다(각 다섯 문항씩): (1) 감정 문제(emotional problems), (2) 품행 문제(conduct problems), (3) 과잉행동/부주의(hyperactivity/inattention), (4) 또래 관계(peer social relationships), (5) 사회지향 행동(prosocial behavior). 2,3,4 척도는 합쳐서 "총난점(total difficulties)" 점수를 낸다. 10문항은 강점을 다룬다. 같은 문항들이 4에서 16세 사이의 소아청소년의 부모 및 교사에 대한 질문지에 포함되어 있다(Goodman, 1997). 자기보고 판은 이해 및 문해 정도에 따라 11-16세 아동에서 사용가능하다(Goodman, Meltzer, & Bailey, 1998). 이 평가는 전세계의 연구에서 널리 사용되어 왔으며, Achenbach 및 다른 저자들의 더 긴 문제 관련 척도와 비교하였을 때, 좋은 심리측정적 특성을 가진다. 간결성, 넓은 나이대를 다룬다는 것, 계량 심리학자가 아닌 전문가도 쉽게 다룰 수 있다는 것이 이점이다. 일차적으로는 문제에 초점을 맞추나, 회복탄력성 관련 강점도 포함한다.

행동 및 감정 평가 척도-2(Behavioral and Emotional Rating Scale–2)

행동 및 감정 평가 척도-2 (BERS-2; Epstein, 2004)는 능력 2의 평가도구로 설명했던 BERS의 최근 판이며, 강점기반 평가를 돕기 위해 만들어졌다. 리커트형 52문항으로 구성되며, 전체 강점 지표 및 기능의 핵심 영역을 평가하기 위해 다섯 요인에서 분석적으로 유래한 하위척도를 제공한다: (1) 대인관계 강도(interpersonal strength), (2) 가족 관여(family involvement), (3) 개인내적 강도(intrapersonal strength), (4) 학업 기능(school functioning), (5) 정서 강도(affective strength). 점수는 각 차원에서 계산된 다음 전체 강도 지표로 합쳐진다. 점수가 높을수록 지각된 강도도 높다. 연구들은 BERS-2가 심리측정적으로 좋은 도구라고 말해준다(Duppong Hurley, Lambert, Epstein, & Stevens, 2014; Epstein, Mooney, Ryser, & Pierce, 2004). 기술적(technical) 적절성은 내용타당도, 수렴타당도, 변별타당도, 평가자 간 신뢰도, 단축형 및 장형 검사 재검사 신뢰도로 설명된다.

10. 자기관찰 능력(Self-Observing Capacities)(심리적 마음가짐 [Psychological Mindedness])

이 능력에 대한 더 넓은 정의에 대해서는, 성인편 2장(pp. 72)을 보라.

자기관찰 능력(심리적 마음가짐)은 청소년의 감정경험 조직화 및 내적 정서전환 평가에 있어서 이들을 일관되게 바라봄으로써 핵심 역할을 수행한다. 아동기 및 청소년기에 발달하는 심리적 마음가짐은 추상화의 능력 및 동기, 태도, 자기와 타인의 특성에 대한 이해 등을 포함하는 복잡한 인지 능력이다. 이 능력은 발달 중에 필요한 인지 및 감정적 기술에 기반한다.

사회적 관점수용(social perspective taking)은 심리적 마음가짐의 발달적 진행에서 중요한 특징이다. 이는 3에서 5세 사이의 단순한 자기중심적 판단(egocentric judgment)(예: 자기의 관점이 다른 이들과 같다)에서 시작한다. 6에서 8세에는 자기성찰적 수준(self-reflective level)으로 넘어가면서, 자기를 다른 이들의 관점에서 알아차릴 수 있다. 9에서 15세 사이에는 상호관점(mutual perspective)이 발달하며, 이는 서로 관련 있는 사이가 아니어도 자기와 다른 이들의 관점을 알 수 있다는 점을 특징으로 한다. 청소년기에는 자신 및 다른 이들의 관점을 받아들이고 행동과 감정을 분석하는 능력이 발달한다. 이 기술들은 자기 관찰 능력의 기반을 제공한다. 마지막으로 젊은 성인으로 이행하면서는, 개인을 연결하는 관점의 그물을 사회적 체계로서 이해하게 된다.

청소년기에서의 낮은 수준의 심리적 마음가짐은 감정표현불능증과 연관이 있을 수 있다(심리적 마음가짐의 자세한 내용에 대해서는 성인편 2장의 논의를 보라).

평가 척도

5. 이 수준에서, 청소년들은 자신을 다른 이들과 연관지어 관찰하고 이해하는 것에 매우(highly) 의욕적이며(motivated) 또한 가능하고, 그들 자신 및 다른 이들의 느낌과 경험의 모든 범위를 성찰하는(reflect on) 능력을 보인다. 그들은 현재와 과거 모두 성찰할 수 있으며, 자신, 가치, 목표에 대해 장기적으로 바라볼 수 있다. 느낌과 경험 사이의 다양한 관계들을 성찰할 수 있으며, 이는 새로운 도전의 맥락에서 나이에 기대되는 범위를 아우른다.
3. 이 청소년들은 표면의 말과 행동 아래의 의미를 알고 성찰하는 것에 다소(somewhat) 의욕적이며 또한 가능하다. 그들은 자신과 다른 이들의 동기에 대한 어느 정도의(some) 통찰(insight)이 있고, 과거와 현재의 경험을 연결할 수 있다. 스트레스 하에서 그들의 자기인식(self-awareness), 자기성찰, 및 자기평가(self-examination)는 변동하거나(fluctuate) 악화될 수(deteriorate) 있으며, 이는 다른 이들의 주관적 경험에 대해서도 마찬가지다. 이러한 상황에서 그들은 정보를 부분적으로만 효율적으로 사용할 수 있다.
1. 이 청소년들은 현재 또는 과거의 느낌, 생각, 행동을 진실되게 성찰하지 못하며 거의 의욕적이지 않다(poorly). 그들은 심리적 구성에 가치를 두지 않는 것으로 보인다. 자기인식은

전형적으로 극화된(polarized) 정서 상태 또는 단순한 감정 반응에 제한되어 있다. 다른 이들의 주체성에 대해 부족한 인식을 가지며, 분절화의 경향을 자주 보인다. 특정 감정 경험 또는 정서 상태를 반영하지 못하며 원시적 방어, 즉 충동적인 행동화 또는 강한 정서 직면 시의 해리 등을 나타낼 수 있다.

가장 적절한 평가 도구들(Most Relevant Assessment Tools)

아래의 척도들(또는 그것들의 성인편)은 성인편 2장 능력 10의 '가장 적절한 평가 도구들' 섹션에 논의되어 있다(pp. 108~110).

심리적 마음가짐 척도 청소년편(Adolescent Version of the Psychological Mindedness Scale)

심리적 마음가짐 척도 청소년편(PMS-A; Boylan, 2006)은 Conte와 동료들이 자기이해(self-understanding) 및 타인의 동기와 행동에 대한 관심을 평가하고 정신역동적 정신치료의 적합성을 평가하기 위해 개발한 PMS의 수정판이다(Conte, Ratto, & Karusa, 1996; Shill & Lumley, 2002; 논의는 성인편 2장을 보라). 몇 연구들에서 청소년 인구 대상으로 PMS를 사용하였다(Cecero, Beitel, & Prout, 2008; Roxas & Glenwick, 2014). PMS는 13에서 18세 정상 지능 청소년 107명 표본을 대상으로 하여 수정되었으며, 청소년과 연관성이 부족한 12문항은 삭제되었다. 축소판은 33에서 132점까지를 산출한다. 성분요인분석을 통해 Conte와 동료들 연구(1996)의 다섯 요인 중 네 요인이 변이의 43%를 설명한다는 것을 알 수 있었다: (1) 개인과 타인들의 행동의 의미에 대한 관심, (2) 느낌(feelings)에 대한 접근, (3) 자신과 타인들에 대해 이해하려는 의지, (4) 새로운 생각에 대한 개방성과 변화에의 능력. 기저치(Cronbach's alpha = .84)와 측정 후 값(Cronbach's alpha = .81)은 좋은 내적 일관도를 보였으며, 각 요인은 중간에서 높은 alpha값을 나타냈다. 관심(.78), 접근(.67), 의지(.68), 개방성(.64). 청소년용 수정본은 이해하기 쉬워 청소년에게 적합하다(Parker, Eastabrook, Keefer, & Wood, 2010).

토론토 감정불능증 척도-20 (Toronto Alexithymia Scale-20)

토론토 감정불능증 척도-20 (TAS-20; Bagby, Parker, & Taylor, 1994; 논의는 성인편 2장을 보라)은 심리측정적 특질은 청소년에서 덜 신뢰할 만한 것으로 나타났지만, 청소년 응답자들에게 점차 사용되고 있다(Rieffe, Oosterveld, & Meerum Terwogt, 2006). Parker와 동료들 (2010)은 요인구조의 불변성, 내적신뢰도, 어린 청소년(13-14세), 중간 청소년(15-16세), 나이든 청소년(17-18세), 대조군인 젊은 성인(19-21세)의 평균 응답 수준에 대한 조사를 시행하였다. 형식적 가독성 분석도 시행하였다. 결과에서는 요인 구조와 심리측정적 특질에서 나이에 따른 체계적 차이가 나타났는데, 어린 나이로 갈수록 측정의 질이 점진적으로 저하되었다. 이런 효과는 척도를 읽기가 어려운 것에 주로 기인하는 듯하다. 저자들은 적절한 수정 없이는 어린 청소년 응답자들에 대한 TAS-20의 사용을 권하지 않는다고 결론지었다.

셰들러-웨스텐 청소년용 평가도구, 2판(Shedler- Westen Assessment Procedure for Adolescents, Version II)

SWAP-II-A (Westen, Shedler, Durrett, Glass, & Martens, 2003)의 몇 가지 문항에서 자기관찰 능력에 대하여 다룬다(SWAP-200의 해당 문항에 대한 논의는 성인편 2장의 85쪽을 볼 것).

11. 내적 기준과 이상에 대한 구성 및 사용 능력(Capacity to Construct and Use Internal Standards and Ideals)

11번째 능력은 청소년의 도덕에 대한 감각을 보여주는 지표이다. 내적 기준과 이상(초자아 구성과 관련된)은 생애 초기에 부모 및 다른 양육자들과의 상호작용을 통해 내면화되며, 뒤이어 청소년기에 또래나 모델(예: 교사, 멘토)과의 상호작용을 통해 정교해지고 세밀해진다. 도덕적 가치는 사회적 맥락안에서 학습되며, 청소년에서 도덕 발달의 성숙은 대인관계를 관리하고 부정적 또래 영향으로부터 보호하는 능력을 의미한다. 이 능력은 다른 정신기능들의 결과물이자 이들을 통합한 것이다. 공감 및 관점수용(perspective taking)은 청소년에서의 도덕발달과 윤리적 의사결정 과정의 필수적 역할을 수행한다.

아래의 내용은 내적 기준과 이상에 대한 구성 및 사용 능력에 있어서 청소년의 나이에 따라 기대되는 성취에 대한 발달적 가이드라인이다.

발달적 가이드라인: 청소년에서의 내적 기준과 이상에 대한 구성 및 사용 역량(Developmental Guideline: Capacity to Construct and Use Internal Standards and Ideals in Adolescence)

설명(Description)
초기 청소년기(12-14세) 추상적 추론(abstract reasoning) 능력이 발달하나, 여전히 도덕적 추론에 있어서는 전인습적 수준(preconventional level)이다. 행동의 도덕성은 결과에 따라 판단되며, 규칙과 한계가 시험된다. 어린 청소년들은 그들 자신을 위해(보상 또는 처벌) 그들 행동의 직접적 결과에 초점을 두며, 자신의 이익(자기이익(self-interest))에 부합할 때만 옳은 행동을 한다.
중기 청소년기(15-16세) 도덕적 추론에 대한 관심은 중기 청소년기에 이상의 발달 및 역할 모델의 선택과 함께 나타난다. 15세 부근의 청소년들은 자기양심(self-conscience)에 대한 더 일관된 증거 및 목표 설정에 대한 더 큰 능력을 보여준다. 도덕성은 옳고 그름에 대한 사회의 관습 수용으로 특징지어진다. 청소년들은 다른 이들의 승인과 거절이 인지된 역할(대인관계적 합의와 순응에서 기원한)과 부합하기 때문에 이를 수용하기 시작한다. 더 나중 시기에, 그들은 순종의 법이 기능적 사회(권위 및 사회 질서에 대한 복종) 유지에 중요하기 때문에 이에 대한 원리를 통합한다. 그러나 이러한 점에서, 도덕성은 주로 외부의 힘으로 지배된다.

후기 청소년기(17-19세)
더 성숙한 자기 성찰(introspection), 인간 존엄 및 자존에 대한 감각, 그리고 목표를 설정하고 따르는 능력과 함께, 후기 청소년들은 사회적 제도 및 문화적 전통을 받아들일 수 있게 된다. 20세까지 청소년 및 젊은 성인은 도덕발달의 후인습적 수준에 도달하여, 자기 자신의 관점이 사회적 관점에 우선할 수 있다는 것을 안다. 후인습적 도덕성을 지닌 사람들은 규칙이라는 것이 유용하지만 변화할 수 있다고 본다. 먼저, 법은 사회적 계약으로 여겨진다. 그런 뒤에, 보편윤리적 원리를 사용한 추상적 추론에 기반하여 도덕적 추론이 형성된다. 법은 정의에 기반할 때만 타당하며, 정의에 헌신하기 위해 부정의한 법에 불복종할 의무를 가지기도 한다.

평가 척도

5. 이 수준의 청소년들은 그들 능력, 가치, 이상, 사회 맥락에 대한 현실적 감각을 통한 유연하고 통합된 내적 기준을 가진다. 내적 기준은 진정성과 자존감에 대한 의미 있는 열정과 느낌의 기회를 제공한다. 죄책감은 자신의 행동을 재평가하는 신호로 작용한다. 다른 이들을 연민(compassion), 공감, 객관적 비판(criticism)의 관점에서 바라볼 수 있다.
3. 이 수준에서, 내적 기준과 이상은 중등도(moderately)로 경직되고(rigid) 유연하지 못하거나, 맥락과 상반되고(inconsistent), 도덕 지침보다는 필요, 욕망, 느낌에 의해 이끌어진다. 내적 기준과 이상은 자신의 능력, 가치, 이상에 대한 현실 감각과 사회적 맥락 모두에 통합되어 있지 못하다. 자존감은 또래 영향에 매우 의존적이다. 죄책감은 자신의 행동을 재평가하는 신호로서보다는 자기비판으로 더 경험된다.
1. 내적 기준과 이상은 경직되고 유연하지 못하다; 가혹하고 처벌적인 기대에 기반한다; 개인의 능력, 가치, 이상에 대한 현실감각에 거의 통합되지 못한다(poorly); 사회 및 문화적 맥락과 상반된다. 죄책감은 부인되고 내현 및 외현 행동과 연관된다. 도덕적 감각은 자기경험의 조직화 및 자기와 타인 행동 해석에 있어서 압제적이거나 또는 중요하지 않은 역할을 수행한다. 죄책감은 연민과 대상 비판과 조화를 이루지 못한다; 자기와 타인들을 자주 "다 나쁘거나" "다 좋게" 본다. 내적 기준, 이상, 도덕 감각은 대체로(for the most part) 없다.

가장 적절한 평가 도구들(Most Relevant Assessment Tools)

아래의 척도들(또는 그것들의 성인편)은 성인편 2장을 능력 11의 '가장 적절한 평가 도구들' 섹션에 논의되어 있다(pp. 112~113).

셰들러-웨스텐 청소년용 평가도구, 2판(Shedler- Westen Assessment Procedure for Adolescents, Version II)
SWAP-II-A (Westen, Shedler, Durrett, Glass, & Martens, 2003)의 몇 가지 문항에서 내적 기준과 이상에 대한 구성 및 사용 능력에 대하여 다룬다(SWAP-200의 해당 문항에 대한 논의는 2장을 볼 것).

친사회적 추론 객관 척도(Prosocial Reasoning Objective Measure)

친사회적 추론 객관 척도(PROM; Carlo, Eisenberg, & Knight, 1992)는 성인편 2장에 논의되어 있다. 심리측정적 특질은 중기 아동기 및 초기 성인기 학생들 대상 연구에서 보고되었다(Carlo et al., 1992; Roskam & Marchal, 2003).

도덕판단력 검사 2판(Defining Issues Test, Version 2)

도덕 판단력 검사 2판(DIT2; Rest, Narvaez, Bebeau, & Thoma, 1999)은 Kohberg(1984)의 도덕발달, 즉 시기에 따라 발달하는 보편적이고 연속적인 인지과정에 대한 이론에 기반한 도덕적 판단력 척도이다. 다섯 개의 딜레마적 이야기 및 그에 따른 각 12개의 진술로 구성되어 있다. 피검자는 이야기를 읽고 도덕적 중요도에 따라 진술의 순위를 매기는데, 피검자가 Kohlberg의 모델의 개인적 관심(단계 2 및 3), 규범 유지(단계 4), 후인습적(단계 5 및 6) 도식을 사용한 정도에 따라 점수가 달라진다. DIT2는 도덕적 판단의 평가에 널리 사용되어 왔으며 청소년에서의 도덕적 판단의 특징에 대한 신뢰할 만하고 타당한 척도임을 보여왔다(Thoma & Dond, 2014).

정신병질 체크리스트: 청소년편(Psychopathy Checklist: Youth Version)

정신병질 체크리스트: 청소년편(PCL:YV; Forth, Kosson, & Hare, 2003)은 Hare의 정신병질 체크리스트의 수정판으로서 (PCL-R; Hare, 2003; 성인편 2장을 보라), 청소년들의 정신병질적 특질을 임상가가 20문항으로 평가한다. 저자들은 청소년의 대인관계 방식 평가, 과거 및 현재의 기능에 대한 정보 획득, 진술의 신뢰성 평가를 위해 60에서 90분의 반구조화 면담을 하도록 제안한다. 문항은 3점 척도(0 = 없음(not present), 1 = 다소 존재함(somewhat present), 2 =분명하게 존재함(definitely present))로 매겨진다. 성인에서와 같이, 지역사회 및 감금 청소년 표본 대상 요인분석에서 네 요인을 확인하였다: 기만적이고 조종적인(대인관계적 요인), 감정적이고 무심한(정서 요인), 무모하고, 충동적이며 무책임한(생활방식 요인), 사회규범 훼손의 경향(반사회적 요인)(Jones, Cauffman, Miller, & Mulvey, 2006; Vitacco, Neumann, Caldwell, Leistico, & Van Rybroek, 2006). 문항 반응 이론 모델을 사용한 연구에서는, 청소년들에게서 존재하는 잠재적 특성(trait)에 대한 가장 변별력 있는(또는 가장 변화에 민감한) 문항은 "말 뿐이고 피상적인 매력(glibness/superficial charm)", "뉘우침 없음(lack of remorse)", "자극 필요(need for stimulation)"임을 보였다(Tsang, Piquero, & Cauffman, 2014). PCL:YV는 좋은 신뢰도와 타당도를 보여왔으며, 청소년과 젊은 성인의 정신병질적 인격 특성 평가에 널리 사용되어 왔다 (Sevecke, Pukrop, Kosson, & Krischer, 2009).

12. 의미와 목적에 대한 능력(Capacity for Meaning and Purpose)

이 능력은 청소년의 정체성 구성, 도덕 발달, 개인의 잠재성과 한계에 대한 현실적 지식과 강한 연관을 가진다. 청소년이 다른 이들의 태도, 가치, 사고, 느낌에 민감하게 하고, 공유와 참여의 느낌을 경험하게 해주는 정신화 역량의 발달도 여기에 영향을 준다. 이 역량은 창조성과 친화성도 고려한다. 이 역량의 지연된 성숙은 억제(inhibition), 자기파괴(self-sabotage), 부모와 또래로 인한 이념에 대한 무비판적 부착(adhesion)과 연관 있을 수 있다.

평가 척도(Rating Scale)

5. 이 수준의 청소년들은 목적과 의미에 대한 분명하고(clear) 확고한(unwavering) 감각을 보이며, 내재된 행위주체감 및 자기주도적 감각, 자기 밖을 둘러보고 당면한 상황적 염려를 초월하는 능력을 동반한다. 주관성 및 상호주관성은 이 청소년들의 삶에서 주된 역할을 하며, 개인적이고 일반적인 작업에 비판적으로 개입할 수 있다.
3. 이 수준의 청소년들은 목적과 의미에 대한 어느 정도의(some) 감각을 보이며, 불확실성과 의심(doubt)의 시기를 동반한다. 노력하면 자기 밖을 둘러볼 수 있으며, 다른 사람들 및 세계와의 연결감을 어느 정도 가진다. 특정한 갈등이 없는 영역에 한해서는 태도와 믿음의 더 넓은 의미를 파악할 수 있으며, 대안적 관점을 수용할 수 있다.
1. 이 청소년들은 주도성 및 목표성이 없으며, 목적이 없거나 거의 없다. 질문을 받았을 때, 그들은 응집된 개인적 철학 또는 삶의 목표를 표현하지 못하는 것으로 보인다. 주관성 및 상호주관성은 중요하지 않거나 거의 중요하지 않다. 주도성 없음에 대한 인식이 없을 수 있으며, 고립과 의미 없음의 광범위한 감각을 경험하거나 표현할 수 있으며, 작업이나 이념에 무비판적으로 개입될 수 있다.

가장 적절한 평가 도구들(Most Relevant Assessment Tools)

아래의 척도들(또는 그것들의 성인편)은 성인편 2장의 능력 12의 '가장 적절한 평가 도구들' 섹션에 논의되어 있다(pp. 114~116).

셰들러-웨스텐 청소년용 평가도구, 2판 (Shedler- Westen Assessment Procedure for Adolescents, Version II)
SWAP-II-A (Westen, Shedler, Durrett, Glass, & Martens, 2003)의 몇 가지 문항에서 의미와 목적의 능력에 대하여 다룬다 (SWAP-200의 해당 문항에 대한 논의는 성인편 2장을 볼 것).

기질적 몰입척도-2 (Dispositional Flow Scale–2)

기질적 몰입척도-2 (DFS-2; Jackson & Ecklund, 2002; see Chapter 2 for discussion)는 청소년 표본 대상 연구에서 사용되어 왔으며 수용할만한 신뢰도 및 수렴 타당도를 나타내었다 (Moreno Murcia, Cervellò Gimeno, & Gonzàlez-Cutre Coll, 2008). 확인적 요인분석은 아홉 개의 일차 요인 및 고차 몰입에 대한 좋은 신뢰도 및 타당도를 보여주었다(Wang, Liu, & Khoo, 2009). 청소년에서 몰입은 집중도, 즐거움, 행복, 힘, 동기, 자존감, 낙천성, 미래지향성의 증가 같은 이로운 결과와 관련을 가진다(Hektner & Asakawa, 2000). 이는 또한 청소년의 내재적 동기 및 즐거움과 연관되어 있다(Hektner & Csikszentmihalyi, 1996).

미래지향 척도(Future Orientation Scale)

미래지향 척도(FOS; Steinberg et al., 2009)는 청소년 및 젊은 성인의 미래지향을 파악하기 위한 비교적 새로운 15문항의 자기보고 척도이다. 문항은 청소년 정신사회발달에 전문성을 가진 발달 심리학자가 만들었다. 응답자는 '그러나(BUT)' 로 나뉘어지는 10쌍의 진술을 보고 더 나은 설명에 해당하는 것을 고른 뒤, 그 설명이 "정말로 진실인지" 또는 "어느 정도 진실인지"를 답한다. 응답은 하나의 설명에 "정말로 진실"이라고 답하는 것에서부터 다른 설명에 "정말로 진실"이라고 답하는 것까지의 4점 척도로 부호화된다. 점수가 높을수록 더 미래지향적이다. 문항들은 세 개의 다섯 문항 척도로 구분된다: 시간 관점(예: "어떤 사람들은 미래에 일어날 기회를 잡는 것보다 오늘 더 행복할 것이다. **그러나** 다른 사람들은 지금의 행복을 포기하고 미래에 그들이 원하는 것을 얻을 것이다"), 미래의 결과에 대한 예상(예: "어떤 사람들은 결정을 내리기 전에 그들에게 일어날 수 있는 모든 좋은 가능성과 나쁜 생각한다. **그러나** 다른 사람들은 결정을 내리기 전에 모든 희박한 가능성까지 생각할 필요는 없다고 생각한다"), 미리 계획하기(예: "어떤 사람들은 미리 계획하는 것은 시간낭비라고 생각한다. **그러나** 다른 사람들은 미리 계획하는 것이 더 낫다고 생각한다"). 하위척도 간의 상호연관성은 미래지향의 이런 측면들이 서로 관련은 있으나 동일하지는 않다고 말한다. 확인적 요인분석은 일 요인 모델 보다 세 요인 모델이 만족스럽고 데이터에 더 잘 들어맞는다는 것을 보여준다. FOS는 다른 자기보고 도구와도 연관성을 가진다. 변별타당도는 IQ 및 다른 실행기능 척도와의 약한 연관성으로 뒷받침된다(Steinberg et al., 2009).

소아청소년 기질 및 성격 검사(Junior Temperament and Character Inventory)

소아청소년 기질 및 성격 검사(JTCI; Luby, Svrakic, McCallum, Przybeck, & Cloninger, 1999)는 Cloninger의 TCI (Cloninger, Przybeck, Svrakic, & Wetzel, 1994)의 수정본으로서, 아동 및 청소년의 기질 및 점차 드러나는(emerging) 인격 특성에 대한 자기보고 척도이다(TCI-R에 대한 설명은 성인편 2장의 p. 115를 보라). 문항들은 기저의 기질 및 인격 특징을 포착하기 위해 아동 및 청소년에게 적절한 예제를 사용하여 수정되었다. 심리측정적 특질은 322명의 비

연관 아동을 대상으로 검증되었다(평균 나이 =12.0세, SD =1.3). 적합도 및 내적일관성 모두 만족스러웠다. Schmeck and Poustka (2001)는 나이가 더 많은 독일 청소년들(12-18세의 정신의학적 연관 청소년 188 및 비연관 청소년 706명) 표본을 대상으로 심리측정적 특질을 조사하였으며, Cloninger의 모델을 잘 지지하였다. 적합도 지표는 기질과 성격 차원 모두에서 현저히(remarkably) 높았으며, 9-13세의 아동보다는 청소년에게 더 적합하였고(Luby et al., 1999), 이는 인격 구조는 나이가 더 많은 집단에서 발달되고 안정화되며 성인의 인격구조와 비슷해진다는 것을 의미한다. JTCI는 몇 가지 언어(한국어: Lyoo et al., 2004; 프랑스어: Asch et al., 2009; 스웨덴어: Kerekes et al., 2010; 이탈리아어: Andriola et al., 2012)로 번역되었으며 아동 및 청소년에게서 널리 검증된 도구이다(Kim et al., 2006).

자기 기술의 질적 및 구조적 차원(Qualitative and Structural Dimensions of Self-Descriptions)

자기 기술의 질적 및 구조적 차원(QSDSD; Blatt, Bers, & Schaffer, 1993)은 성인편 2장에 설명되어 있다. 자기에 대한 개방형 기술을 사용한 Blatt과 동료들의 점수 체계는 임상가들이 자기 귀인 및 자기표상의 복잡성에 대해 평가하고 이러한 영역의 시간에 따른 변화를 추적할 수 있게 한다 (예: 정신치료 동안에; Bers, Blatt, Sayward, & Johnston, 1993; Blatt, Auerbach, & Levy, 1997를 보라). QSDSD는 임상가들이 청소년의 목표, 포부 및 과거, 현재, 미래의 사건과 관련한 느낌을 즉각적으로 논의하는 데 사용될 수 있다.

청소년 삶의 목표 프로파일 척도(Adolescent Life Goal Profile Scale)

청소년 삶의 목표 프로파일 척도(ALGPS; Gabrielsen, Ulleberg, & Watten, 2012)는 리커트 5점 척도로 구성된 16문항의 자기 질문지로서, 네 종류의 삶의 목표에 대해 인지된 중요성(perceived importance) 및 지각된 달성가능성(attainability)을 평가한다: 관계(relation), 종교(religion), 생산성(generativity), 성취(achievement). 일반 청소년 연구 및 개인 정신건강 돌봄에 유용할 수 있다. 탐색적 요인 분석은 삶의 목표 및 달성가능성 평가의 두 차원적 구조를 밝혔다. 데이터는 ALGPS의 신뢰도와 수렴타당도를 지지한다(Gabrielsen, Watten, & Ulleberg, 2013).

기본 정신기능 요약(Summary of Basic Mental Functioning)

M 축에 대해 성인편 2장에 소개된 것과 같은 접근을 따라, 우리는 임상가들이 청소년의 기본 정신기능을 양적으로 요약하기를 권고한다(표 1.1).

■ 표 1.1. 기본 정신기능 요약: MA 축(Summary of Basic Mental Functioning: MA Axis)

청소년 환자의 종합적 정신기능을 평가하기 위해, 임상가는 각 능력에 대해 5-1점까지 평가하여(표 1.1a), 종합적 기능에 대해 12에서 60점까지의 단일한 숫자 지표를 산출한다. 이 지표를 통해 환자를 표 1.1b에 요약된 분류 중 하나에 임시로(provisionally) 배정할 수 있으며, 이로써 정신 기능의 일곱 가지 수준에 대한 간략한 질적 설명이 가능하다. 대략적으로, *건강한(healthy)* 정신기능은 M01; *신경증적(neurotic)* 정신기능은 M02 및 M03; *경계성(borderline)* 정신기능은 M04, M05, M06(높은 수준에서 낮은 수준 순서로; 중등도의 손상에서 심각한 손상 순서로); *정신증적(psychotic)* 정신기능은 M07에 해당한다.

표 1.1a. MA-축 기능: 총점(MA-Axis functioning: Total Score)

MA-축 능력 (MA-Axis capacities)	평가 점수 (Rating Scale)
1. 조절, 주의, 학습 능력(Capacity for regulation, attention, and learning)	5 4 3 2 1
2. 정서 범위, 의사 소통, 이해 능력(Capacity for affective range, communication, and understanding)	5 4 3 2 1
3. 정신화 및 성찰기능 능력(Capacity for mentalization and reflective functioning_	5 4 3 2 1
4. 분화 및 통합 능력(정체성)(Capacity for differentiation and integration (identity))	5 4 3 2 1
5. 관계 및 친밀함의 능력(Capacity for relationships and intimacy)	5 4 3 2 1
6. 자아존중감 조절 능력 및 내적 경험의 질(Capacity for self-esteem regulation and quality of internal experience)	5 4 3 2 1
7. 충동조절 및 조율 능력(Capacity for impulse control and regulation)	5 4 3 2 1
8. 방어 기능 능력(Capacity for defensive functioning)	5 4 3 2 1
9. 적응, 회복탄력성, 강점의 능력(Capacity for adaptation, resiliency, and strength)	5 4 3 2 1
10. 자기관찰 능력(심리적 마음가짐)(Self-observing capacities (psychological minded-ness))	5 4 3 2 1
11. 내적 기준과 이상에 대한 구성 및 사용 능력(Capacity to construct and use internal standards and ideals)	5 4 3 2 1
12. 의미와 목적에 대한 능력(Capacity for meaning and purpose)	5 4 3 2 1
	총점 =

표 1.1b. 정신 기능의 수준(Levels of Mental Functioning)

수준; 범위 (Level; Range)	제목(Heading)	설명(Description)
M01; 54-60	건강한/최적의 정신기능	건강한 이 청소년은 모든 또는 대부분의 정신 역량에서 최적의 또는 매우 좋은 기능을 보이며, 맥락에 따른 융통성(flexibility)과 적응에 있어서 적당하고 예상가능한 변형(variation)을 나타낸다.
M02; 47-53	일부(some) 영역의 어려움을 동반한 좋은/적절한 정신기능	신경증적 이 청소년은 적절한(appropriate) 수준의 정신기능과 함께, 특정 삶의 상황 및 사건과 관련한 갈등 또는 도전을 반영하는 일부 특정 영역(예: 서너 개의 정신 능력)에서의 어려움을 보인다 .

M03; 40-46	경도의 정신기능 손상 (impairment)	이 청소년은 정신기능의 일부 영역에서 경도의 위축(constriction)과 경직성(inflexibility)을 보이며, 이는 자존감 조절, 충동 및 정서 조절, 방어 기능, 자기관찰 능력 같은 영역의 손상을 암시한다.
M04; 33-39	중등도의 정신기능 손상	경계성 이 청소년은 정신기능의 대부분(most) 또는 거의 모든(almost all) 영역에서 중등도의 위축 및 경직성을 보이며, 이는 관계의 안정성과 질, 견딜 수 있는 정서 범위에 영향을 준다. 이 수준에서의 기능은 많은 정신분석적 글에서 '경계성 수준'으로 기록되는 현저히(sifgnificantly) 손상된 적응을 반영한다.
M05; 26-32	정신기능의 중요한(major) 손상	이 청소년은 정신기능의 거의 모든 영역에서 중요한(major) 위축 및 변화(alteration)를 보이며(예: 파편화의 경향 및 자기대상 분화의 어려움), 중요한 삶의 영역(예: 사랑, 일, 놀이)에서 느낌 및/또는 사고의 제한된(limited) 경험을 동반한다.
M06; 19-25	기본(basic) 정신기능의 현저한 결함(significant defects)	이 청소년은 정신기능의 대부분의 영역에서 현저한 결함을 보이며, 자기와 대상을 조직화하고/하거나 통합-분화하는 것에 문제를 동반한다.
M07; 12-18	기본 정신기능의 중요한/심각한 결함(major/severe defects)	정신증적 이 청소년은 정신기능의 거의 모든 영역에서 중요하고 심각한 결함을 보이며, 현실검증 손상, 파편화 또는 자기-대상 분화; 정서 및 사고의 지각, 통합, 조절에서의 교란(disturbance); 하나 이상의 기본 정신기능의 결함(지각, 통합, 운동, 기억, 조절, 판단 등)을 동반한다.

참고문헌

General Bibliography

Adams, G. R., & Berzonsky, M. D. (2003). *Blackwell handbook of adolescence*. Malden, MA: Blackwell.

Ammaniti, M., Fontana, A., Clarkin, A., Clarkin, J.F., Nicolais, G., & Kernberg, O. F. (2012). Assessment of adolescent personality disorders through the Interview of Personality Organization Processes in Adolescence (IPOP-A): Clinical and theoretical implications. *Adolescent Psychiatry, 2*(1),36-45.

Amsel, E ., & Smetana, J. G. (2011). *Adolescent vulnerabilities and opportunities: Developmental and constructivist perspectives*. New York: Cambridge University Press.

Atzil-Slonim, D., Tishby, O., & Shefler, G. (2015). Internal representations of the therapeutic relationship among adolescents in psychodynamic psychotherapy. *Clinical Psychology and Psychotherapy, 22*(6), 502-512.

Atzil-Slonim, D., Wiseman, H., & Tishby, O. (2016). Relationship representations and change in adolescents and emerging adults during psychodynamic psychotherapy. *Psychotherapy Research, 26*(3), 279-296.

Bychkova, T., Hillman, S., Midgley, N., & Schneider, C. (2011). The psychotherapy process with adolescents: A first pilot study and preliminary comparisons between different therapeutic modalities using the Adolescent Psychotherapy Q-Set. *Journal of Child Psychotherapy, 37*(3), 327-348.

Haggerty, G., Zodan, J., Mehra, A., Zubair, A., Ghosh, K., Siefert, C. J., . . . DeFife, J. (2016). Reliability and validity of prototype diagnosis for adolescent psychopathology. *Journal of Nervous and Mental Disease, 20 4*(4), 287-290.

Lanyado, M., & Horne, A. (Eds.). (2009). *The handbook of child and adolescent psychotherapy: Psychoanalytic approaches* (2nd ed.). New York: Routledge.

Lerner, R. M., & Steinberg, L. (Vol. Eds.). (2009). *Handbook of adolescent psychology: Vol 1. Individual bases of adolescent development* (3rd ed.). Hoboken, NJ: Wiley.

Midgley, N., & Kennedy, E. (2011). Psychodynamic psychotherapy for children and adolescents: A critical review of the evidence base. *Journal of Child Psychotherapy, 37*, 232–260.

Nakashi-Eisikovits, O., Dutra, L., & Westen, D. (2002). Relationship between attachment patterns and personality pathology in adolescents. *Journal of the American Academy of Child and Adolescent Psychiatry, 41*(9), 1111–1123.

Porcerelli, J. H., Cogan, R., & Bambery, M. (2011). The Mental Functioning axis of the *Psychodynamic Diagnostic Manual*: An adolescent case study. *Journal of Personality Assessment, 93*(2), 177–184.

Schwartz, S. J., Donnellan, M. B., Ravert, R. D., Luyckx, K., & Zamboanga, B. L. (2013). Identity development, personality, and well-being in adolescence and emerging adulthood: Theory, research, and recent advances. In I. B. Weiner (Series Ed.) & R. M. Lerner, M. A. Easterbrooks, & J. Mistry (Vol. Eds.), *Handbook of psychology: Vol. 6. Developmental psychology* (2nd ed., pp. 339–364). Hoboken, NJ: Wiley.

Tibon Czopp, S. (2012). Invited commentary: Applying psychodynamic developmental assessment to explore mental functioning in adolescents. *Journal of Youth and Adolescence, 41*(10), 1259–1266.

Westen, D., Shedler, J., Durrett, C., Glass, S., & Martens, A. (2003). Personality diagnoses in adolescence: DSM-I V Axis II diagnoses and an empirically derived alternative. *American Journal of Psychiatry, 160*, 952–966.

1. Capacity for Regulation, Attention, and Learning

Beaver, K. M., Ratchford, M., & Ferguson, C. J. (2009). Evidence of genetic and environmental effects on the development of low self-control. *Criminal Justice and Behavior, 36*, 1158–1172.

Blakemore, S. J., & Choudhury, S. (2006). Development of the adolescent brain: Implications for executive function and social cognition. *Journal of Child Psychology and Psychiatry, 47*(3–4), 296–312.

Boelema, S. R., Harakeh, Z., Ormel, J., Hartman, C. A., Vollebergh, W. A., & van Zandvoort, M. J. (2014). Executive functioning shows differential maturation from early to late adolescence: Longitudinal findings from a TR AILS study. *Neuropsychology, 28*(2), 177–187.

Brown, T. E. (2001). *Brown Attention-Deficit Disorder Scales for Children and Adolescents: Manual*. San Antonio, TX: Psychological Corporation.

Brydges, C. R., Anderson, M., Reid, C. L., & Fox, A. M. (2013). Maturation of cognitive control: Delineating response inhibition and interference suppression. *PLoS ONE, 8*(7), e69826.

Carver, C. S., & Scheier, M. F. (1998). *On the selfregulation of behavior*. New York: Cambridge University Press.

Casey, B. J., Getz, S., & Galvan, A. (2008) The adolescent brain. *Developmental Review, 28*(1), 62–77.

Clarebout, G., Horz, H., & Schnotz, W. (2010). The relations between self-regulation and the embedding of support in learning environments. *Educational Technology Research and Development, 58*(5), 573–587.

Conners, C. K. (1997). *Conners Rating Scales— Revised: Technical manual*. North Tonawanda, N Y: Multi-Health Systems.

Conners, C. K., Wells, K. C., Parker, J. D., Sitarenios, G., Diamond, J. M., & Powell, J. W. (1997). A new self-report scale for assessment of adolescent psychopathology: Factor structure, reliability, validity, and diagnostic sensitivity. *Journal of Abnormal Child Psychology, 25*(6), 487–497.

Crawford, J. R., Anderson, V., Rankin, P. M., & MacDonald J. (2010). An index-based short-form of the W ISC-I V with accompanying analysis of the reliability and abnormality of differences. *British Journal of Clinical Psychology, 49*, 235–58.

DeThorne, L. S., & Schaefer, B. A. (2004). A guide to child nonverbal IQ measures. *American Journal of Speech–Language Pathology, 13*(4), 275–290.

Emslie, H., Wilson, F., Burden, V., Nimmo-Smith, I., & Wilson, B. A. (2003). *Behavioural Assessment of the Dysexecutive Syndrome for Children (BA DSC)*. London: Harcourt Assessment/ Psychological Corporation.

Engel-Yeger, B., Josman, N., & Rosenblum, S. (2009). Behavioural assessment of the Dysexecutive Syndrome for Children (BADS-C): An examination of construct validity. *Neuropsychological Rehabilitation, 19*(5), 662–676.

Fan, J., McCandliss, B. D., Fossella, J., Flombaum, J.I., & Posner, M. I. (2005). The activation of attentional networks. *NeuroImage, 26*, 471–479.

Farley, J. P., & Kim-Spoon, J. (2014). The development of adolescent self-regulation: Reviewing the role of parent, peer,

friend, and romantic relationships. *Journal of Adolescence, 37*(4), 433－440.
Gioia, G., Isquith, P. K., Guy, S. C., & Kenworthy, L . (2000). Test review: Behavior Rating Inventory of Executive Function. *Child Neuropsychology, 6*(3),235－238.
Hrabok, M., Brooks, B. L., Fay-McClymont, T. B., & Sherman, E . M. (2014). Wechsler Intelligence Scale for Children—Fourth Edition (W ISC-I V) shortform validity: A comparison study in pediatric epilepsy. *Child Neuropsychology, 20*(1), 49－59.
Luna, B. (2009). Developmental changes in cognitive control through adolescence. *Advances in Child Development and Behavior, 37,* 233－278.
McCandless, S., & O' Laughlin, L . (2007). The clinical utility of the Behavior Rating Inventory of Executive Function (BRIEF) in the diagnosis of ADHD. *Journal of Attention Disorders* 10(4),381－389.
Montalvo, F. T., & Torres, M. C. (2008). Self-regulated learning: Current and future directions. *Electronic Journal of Research in Educational Psychology,2*(1), 1－34.
Naglieri, J. A., & Goldstein, S. (2013). *Comprehensive Executive Function Inventory.* Toronto, ON, Canada: Multi-Health Systems.
Roid, G., & Miller, L. (1997). *Leiter International Performance Scale — Revised.* Wood Dale, IL: Stoelting.
Sawyer, S. M., Afifi, R. A., Bearinger L . H., Blakemore, S. J., Dick, B., Ezeh, A. C., & Patton, G. C. (2012). Adolescence: A foundation for future health. *Lancet, 379*(9826), 1630－1640.
Steer, R. A., Kumar, G., & Beck, A. T. (2001). Use of the Conners－Wells' Adolescent Self-Report Scale: Short Form with psychiatric outpatients. *Journal of Psychopathology and Behavioral Assessment,23*(4), 231－239.
Vijayakumar, N., Whittle, S., Dennison, M., Yücel, M., Simmons, J., & Allen, N. B. (2014). Development of temperamental effortful control mediates the relationship between maturation of the prefrontal cortex and psychopathology during adolescence: A 4-year longitudinal study. *Developmental Cognitive Neuroscience, 9,* 30－43.
Vohs, K. D., & Baumeister, R. F. (Eds.). (2016). *Handbook of self-regulation: Research, theory, and applications* (3rd ed.). New York: Guilford Press.
Wardenaar, K. J., Wigman, J. T., Lin, A., Killackey,E ., Collip, D., Wood, S. J., . . . Yung, A. R. (2013). Development and validation of a new measure of everyday adolescent functioning: The Multidimensional Adolescent Functioning Scale. *Journal of Adolescent Health, 52*(2), 195－200.
Wechsler, D. (2005). *Wechsler Intelligence Scale for Children — Fourth Édition: Canadian (W ISC -IV).* Toronto ON, Canada: Psychological Corporation. Wechsler, D. (2008). *Wechsler Adult Intelligence Scale — Fourth Edition: Technical and interpretive manual.* San Antonio, TX: Pearson.
Wechsler, D. (2014). *Wechsler Intelligence Scale for Children — Fifth Édition (W ISC -V).* San Antonio, TX: Pearson.

2. Capacity for Affective Range, Communication, and Understanding

Adrian, M., Zeman, J., & Veits, G. (2011). Methodological implications of the affect revolution: A 35-year review of emotion regulation assessment in children. *Journal of Experimental Child Psychology, 110*(2), 171－197.
Archer, R. P., Maruish, M., Imhof, E . A., & Piotrowski, C. (1991). Psychological test usage with adolescent clients: 1990 survey findings. *Professional Psychology: Research and Practice, 22,*247－252.
Bachorowski, J., & Braaten, E . B. (1994). Emotional intensity: Measurement and theoretical implications. *Personality and Individual Differences,17*(2), 191－199.
Bar-On, R., & Parker, J. (2000). *The Emotional Quotient Inventory: Youth Version: Technical manual.* Toronto, ON, Canada: Multi-Health Systems.
Barchard, K. A., Bajgar, J., Leaf, D. E ., & Lane, R.D. (2010). Computer scoring of the Levels of Emotional Awareness Scale. *Behavior Research Methods, 42*(2), 586－595.
Bryant, F. B., Yarnold, P. R., & Grimm, L . G. (1996). Toward a measurement model of the Affect Intensity Measure: A three-factor structure. *Journal of Research in Personality, 30,* 223－247.
D'Acremont, M., & Van der Linden, M. (2007). How is impulsivity related to depression in adolescence?: Evidence from a French validation of the Cognitive Emotion Regulation Questionnaire. *Journal of Adolescence, 30*(2), 271－282.
Davidson, R. J., Jackson, D. C., & Kalin, N.H. (2000). Emotion, plasticity, context, and regulation: Perspectives from affective neuroscience. *Psychological Bulletin, 126*(6), 890－909.
Epstein, M. H., Mooney, P., Ryser, G., & Pierce, C. D. (2004). Validity and Reliability of the Behavioral and Emotional Rating Scale (2nd Edition): Youth Rating Scale. *Research on Social Work Practice,14*(5), 358－367.
Epstein, M. H., & Sharma, H. M. (1998). *Behavioral and Emotional Rating Scale: A strength-based approach to assess-*

ment. Austin, TX: PRO-ED.

Farley, J. P., & Kim-Spoon, J. (2014). The development of adolescent self-regulation: Reviewing the role of parent, peer, friend, and romantic relationships. *Journal of Adolescence*, *37*(4), 433−440.

Fonagy, P., Gergely, G., Jurist, E. L., & Target, M. (2004). *Affect regulation, mentalization and the development of the self.* London: Karnac.

Garnefski, N., Kraaij, V., & Spinhoven, P. (2001). Negative life events, cognitive emotion regulation and depression. *Personality and Individual Differences*, *30*, 1311−1327.

Garnefski, N., Kraaij, V., & Spinhoven, P. (2002). *Manual for the use of the Cognitive Emotion Regulation Questionnaire.* Leiderdorp, The Netherlands: DATEC.

Gratz, K. L., & Roemer, L. (2004). Multidimensional assessment of emotion regulation and dysregulation: Development, factor structure, and initial validation of the Difficulties in Emotion Regulation Scale. *Journal of Psychopathology and Behavioral Assessment*, *36*, 41−54.

Gross, J. J., & John, O. P. (2003). Individual differences in two emotion regulation processes: Implications for affect, relationships, and wellbeing. *Journal of Personality and Social Psychology, 85*, 348−362.

Gullone, E., & Taffe, J. (2012). The Emotion Regulation Questionnaire for Children and Adolescents (ERQ-CA): A psychometric evaluation. *Psychological Assessment*, *24*(2), 409−417.

Hussong, A. M., & Hicks, R. E. (2003). Affect and peer context interactively impact adolescent substance use. *Journal of Abnormal Child Psychology, 31*, 413−426.

Jones, R. E., Leen-Feldner, E. W., Olatunji, B. O., Reardon, L. E., & Hawks, E. (2009). Psychometric properties of the Affect Intensity and Reactivity Measure adapted for Youth (AIR-Y). *Psychological Assessment*, *21*(2), 162−175.

Kroon, N., Goudena, P. P., & Rispens, J. (1998). Thematic apperception tests for child and adolescent assessment: A practitioner's consumer guide. *Journal of Psychoeducational Assessment*, *16*(2),99−117.

Lane, R. D., & Garfield, D. A. S. (2005). Becoming aware of feelings: Integration of cognitivedevelopmental, neuroscientific, and psychoanalytic perspectives. *Neuro-Psychoanalysis*, *7*, 5−30. Lane, R. D., Quinlan, D. M., Schwartz, G. E., & Walker, P. A. (1990). The Levels of Emotional Awareness Scale: A cognitive-developmental measure of emotion. *Journal of Personality Assessment*, *55*(1−2), 124−134.

Lane, R. D., & Schwartz, G. E. (1987). Levels of emotional awareness: A cognitive-developmental theory and its application to psychopathology. *American Journal of Psychiatry, 14 4*(2), 133−143. Larsen, R. J. (2009). Affect intensity. In M. R. Leary & R. H. Hoyle (Eds.), *Handbook of individual differences in social behavior* (pp. 241−254). New York: Guilford Press.

Larsen, R. J., & Diener, E. (1987). Affect intensity as an individual difference characteristic: A review. *Journal of Research in Personality, 21*, 1−39.

Linehan, M. M. (1993). *Cognitive-behavioral treatment of borderline personality disorder.* New York: Guilford Press.

Mayer, J. D., Salovey, P., & Caruso, D. R. (1997). *Multifactor Emotional Intelligence Scale, Student Version*. Unpublished manuscript, Durham, NH. Murray, H. A. (1943). *Thematic Apperception Test:Manual*. Cambridge, MA: Harvard University Press.

Nandrino, J. L., Baracca, M., Antoine, P., Paget, V., Bydlowski, S., & Carton, S. (2013). Level of emotional awareness in the general French population: Effects of gender, age, and education level. *International Journal of Psychology, 48*(6), 1072−1079. Neumann, A., van Lier, P. A. C., Gratz, K. L., & Koot, H. M. (2010). Multidimensional assessment of emotion regulation difficulties in adolescents using the Difficulties in Emotion Regulation Scale. *Assessment*, *17*(1), 138−149.

Nock, M. K., Wedig, M. M., Holmberg, E. B., & Hooley, J. M. (2008). The Emotion Reactivity Scale: Development, evaluation, and relation to self-injurious thoughts and behaviors. *Behavior Therapy, 39*(2), 107−116.

Pfeffier, S. I. (2001). Emotional intelligence: Popular but elusive construct. *Roeper Review, 23*(3),138−149.

Schore, A. N. (2003). *Affect dysregulation and disorders of the self.* New York: Norton.

Sheeber, L. B., Allen, N. B., Leve, C., Davis, B., Shortt, J. W., & Katz, L. F. (2009). Dynamics of affective experience and behavior in depressed adolescents. *Journal of Child Psychology and Psychiatry, 50*(11), 1419−1427.

Shields, A. M., & Cicchetti, D. (1997). Emotion regulation and autonomy: The development and validation of two new criterion Q-sort scales. *Developmental Psychology, 33*, 906−916.

Subic-Wrana, C., Beutel, M. E., Brähler, E., Stöbel-Richter, Y., Knebel, A., Lane, R. D., & Wiltink, J. (2014). How is emotional awareness related to emotion regulation strategies and self-reported negative affect in the general population? *PLoS ONE*, *9*(3), e91846.

Trinidad, D. R., Unger, J. B., Chou, C. P., Azen, S. P.,& Johnson, C. A. (2004). Emotional intelligence and smoking risk factors in adolescents: Interactions on smoking intentions. *Journal of Adolescent Health*, *34*(1), 46–55.

Tsang, K. L., Wong, P. Y., & Lo, S. K. (2012). Assessing psychosocial well-being of adolescents: A systematic review of measuring instruments. *Child: Care, Health and Development*, *38*(5), 629–646.

Watson, D., & Clark, L. A. (1994). *The PA NA S X: Manual for the Positive and Negative Affect Schedule — Expanded Form*. Iowa City: University of Iowa.

Weinberg, A., & Klonsky, E. D. (2009). Measurement of emotion dysregulation in adolescents. *Psychological Assessment*, *21*(4), 616–621.

Westen, D. (1991). Social cognition and object relations. *Psychological Bulletin*, *109*, 429–455.

Westen, D., Ludolph, P., Block, J., Wixom, J., & Wiss, C. (1990). Developmental history and object relations in psychiatrically disturbed adolescent girls. *American Journal of Psychiatry*, *147*, 1061–1068.

Woitaszewski, S. A., & Aalsma, M. C. (2004). The contribution of emotional intelligence to the social and academic success of gifted adolescents as measured by the Multifactor Emotional Intelligence Scale—Adolescent Version. *Roeper Review*, *27*,25–30.

Yurgelun-Todd, D. (2007). Emotional and cognitive changes during adolescence. *Current Opinion in Neurobiology*, *17*(2), 251–257.

Zeman, J., Cassano, M., Perry-Parrish, C., & Stegall, S. (2006). Emotion regulation in children and adolescents. *Journal of Developmental and Behavioral Pediatrics*, *27*(2), 155–168.

3. Capacity for Mentalization and Reflective Functioning

Allen, J. G., Fonagy, P., & Bateman, A. W. (2008). *Mentalizing in clinical practice*. Washington, DC: American Psychiatric Publishing.

Badoud, D., Luyten, P., Fonagy, P., Eliez, S., & Debbané, M. (2015). The French version of the Reflective Functioning Questionnaire: Validity data for adolescents and adults and its association with non-suicidal self-injury. *PLoS ONE*, *10*(12), e0145892.

Barchard, K. A., Bajgar, J., Leaf, D. E., & Lane, R.D. (2010). Computer scoring of the Levels of Emotional Awareness Scale. *Behavior Research Methods*, *42*(2), 586–595.

Bateman, A. W., & Fonagy, P. (2012). *Handbook of mentalizing in mental health practice*. Arlington, VA: American Psychiatric Publishing.

Blakemore, S. J. (2012). Development of the social brain in adolescence. *Journal of the Royal Society of Medicine*, *105*(3), 111–116.

Carlson, S. M., Moses, L. J., & Brenton, C. (2002). How specific is the relationship between executive functioning and theory of mind?: Contributions of inhibitory control and working memory. *Infant and Child Development*, *11*, 73–92.

Cartwright-Hatton, S., Mather, A., Illingworth, C., Brocki, J., Harrington, R., & Wells, A. (2004). Development and preliminary validation of the Meta-Cognitions Questionnaire—Adolescent Version. *Journal of Anxiety Disorders*, *18*, 411–422.

Cartwright-Hatton, S., & Wells, A. (1997). Beliefs about worry and intrusions: The Meta-Cognitions Questionnaire and its correlates. *Journal of Anxiety Disorders*, *11*(3), 279–296.

Casey, B. J., Getz, S., & Galvan, A. (2008). The adolescent brain. *Developmental Review*, *28*(1),62–77.

Dziobek, I., Fleck, S., Kalbe, E., Rogers, K., Hassenstab, J., Brand, M., . . . Convit, A. (2006). Introducing MASC: A movie for the assessment of social cognition. *Journal of Autism and Developmental Disorders*, *36*, 623–636.

Fonagy, P., & Target, M. (2006). The mentalizationfocused approach to self-pathology. *Journal of Personality Disorders*, *20*(6), 544–76.

Fonagy, P., Target, M., Steele, H., & Steele, M. (1998). *Reflective Functioning Scale manual*. Unpublished manuscript.

Ha, C., Sharp, C., Ensink, K., Fonagy, P., & Cirino, P. (2013). The measurement of reflective function in adolescents with and without borderline traits. *Journal of Adolescence*, *36*(6), 1215–1223.

Jolliffe, D., & Farrington, D. P. (2006). Development and validation of the Basic Empathy Scale. *Journal of Adolescence*, *29*(4), 589 611.

Lane, R. D., Quinlan, D. M., Schwartz, G. E., Walker, P. A., & Zeilin, S. B. (1990). The Levels of Emotional Awareness Scale: A cognitive-developmental measure of emotion. *Journal of Personality Assessment*, *55*, 124–134.

Lane, R. D., & Schwartz, G. E. (1987). Levels of emotional awareness: A cognitive-developmental theory and its application to psychopathology. *American Journal of Psychiatry*, *144*, 113–143.

Luyten, P., Fonagy, P., Lowyck, B., & Vermote, R. (2012). Assessment of mentalization. In A. W. Bateman & P. Fonagy (Eds.), *Handbook of mentalizing in mental health practice* (pp. 43–66). Washington, DC: American Psychiatric Press.

Nandrino, J. L., Baracca, M., Antoine, P., Paget, V., Bydlowski, S., & Carton, S. (2013). Level of emotional awareness in the general French population: Effects of gender, age, and education level. *International Journal of Psychology, 48*(6), 1072–1079. Parling, T., Mortazavi, M., & Ghaderi, A. (2010). Alexithymia and emotional awareness in anorexia nervosa: Time for a shift in the measurement of the concept? *Eating Behaviors, 11*(4), 205–120.

Pratt, B. M. (2006). *Emotional intelligence and the emotional brain: A battery of tests of ability applied with high school students and adolescents with high-functioning autistic spectrum disorders.* Unpublished doctoral dissertation, University of Sydney, Sydney, Australia.

Preißler, S., Dziobek, I., Ritter, K., Heekeren, H. R.,& Roepke, S. (2010). Social cognition in borderline personality disorder: Evidence for disturbed recognition of the emotions, thoughts, and intentions of others. *Frontiers in Behavioral Neuroscience, 4*,1–8.

Rothschild-Yakar, L., Levy-Shiff, R., Fridman-Balaban, R., Gur, E., & Stein, D. (2010). Mentalization and relationships with parents as predictors of eating disordered behavior. *Journal of Nervous and Mental Disease, 198*(7), 501–507.

Rutherford, H. J., Wareham, J. D., Vrouva, I., Mayes, L. C., Fonagy, P., & Potenza, M. N. (2012). Sex differences moderate the relationship between adolescent language and mentalization. *Personality Disorders, 3*(4), 393–405.

Sharp, C., Pane, H., Ha, C., Venta, A., Patel, B., Sturek, J., & Fonagy, P. (2011). Theory of mind and emotion regulation difficulties in adolescents with borderline traits. *Journal of the American Academy of Child and Adolescent Psychiatry, 50*,563–573.

Sharp, C., Williams, L., Ha, C., Baumgardner, J., Michonski, J., Seals, R., . . . Fonagy, P. (2009). The development of a mentalization-based outcomes and research protocol for an adolescent in-patient unit. *Bulletin of the Menninger Clinic, 73*, 311–338.

Siegel, D. J. (2012). *The developing mind: How relationships and the brain interact to shape who we are* (2nd ed.). New York: Guilford Press.

Sterck, E., & Begeer, S. (2010). Theory of mind: Specialized capacity or emergent property? *European Journal of Developmental Psychology, 7*, 1–16. Subic-Wrana, C., Beutel, M. E., Brähler, E., Stöbel-Richter, Y., Knebel, A., Lane, R. D., & Wiltink, J. (2014). How is emotional awareness related to emotion regulation strategies and self-reported negative affect in the general population? *PLoS ONE*, *9*(3), e91846.

Vrouva, I., & Fonagy, P. (2009). Development of the Mentalizing Stories for Adolescents (MSA). *Journal of the American Psychoanalytic Association,57*(5), 1174–1179.

Vrouvra, I., Target, M., & Ensink, K. (2012) Measuring mentalization in children and young people. In N. Midgley & I. Vrouvra (Eds.), *Minding the child: Mentalization-based interventions with children, young people and their families* (pp. 54–76). London: Routledge.

Westen, D., Lohr, N., Silk, K. R., & Kerber, K. (1985). *Measuring object relations and social cognition using the TAT: Scoring manual*. Unpublished manuscript, University of Michigan, Ann Arbor, MI.

Westen, D., Lohr, N., Silk, K. R., & Kerber, K. (1990). Object relations and social cognition in borderlines, major depressives, and normals: A Thematic Apperception Test analysis. *Psychological Assessment, 2*(4), 355–364.

4. Capacity for Differentiation and Integration

Blatt, S. J. (2004). *Experiences of depression: Theoretical, clinical, and research perspectives*. Washington, DC: American Psychological Association.

Blatt, S. J., & Blass, R. B. (1996). Relatedness and selfdefinition: A dialectic model of personality development. In G. G. Noam & K. W. Fischer (Eds.), *Development and vulnerabilities in close relationships* (pp. 309–338). Hillsdale, NJ: Erlbaum.

Blatt, S. J., D'Afflitti, J. P., & Quinlan, D. M. (1976). *Depressive Experiences Questionnaire.* New Haven, CT: Yale University Press.

Blatt, S. J., Schaffer, C. E., Bers, S. A., & Quinlan, D.M. (1992). Psychometric properties of the Depressive Experiences Questionnaire for Adolescents. *Journal of Personality Assessment*, *59*(1), 82–98.

Blatt, S. J., Zohar, A. H., Quinlan, D. M., Zuroff, D.C., & Mongrain, M. (1995). Subscales within the dependency factor of the Depressive Experiences Questionnaire. *Journal of Personality Assessment,64*, 319–339.

Blatt, S. J., & Zuroff, D. C. (1992). Interpersonal relatedness and self-definition: Two prototypes for depression. *Clinical*

Psychology Review, 12,527－562.

DeFife, J. A., Goldberg, M., & Westen D. (2015). Dimensional assessment of selfand interpersonal functioning in adolescents: Implications for DSM-5's general definition of personality disorder. *Journal of Personality Disorders, 29*(2), 248－260.

Erikson, E. H. (1968). *Identity: Youth and crisis*. New York: Norton.

Eudell-Simmons, E. M., Stein, M. B., DeFife, J. A.,& Hilsenroth, M. J. (2005). Reliability and validity of the Social Cognition and Object Relations Scale (SCORS) in the assessment of dream narratives. *Journal of Personality Assessment, 85*(3),325－333.

Fichman, L., Koestner, R., & Zuroff, D. C. (1994). Depressive styles in adolescence: Assessment, relation to social functioning, and developmental trends. *Journal of Youth and Adolescence, 23*,315－330.

Goth, K., Foelsch, P., Schlüter-Müller, S., Birkhölzer, M., Jung, E., Pick, O., & Schmeck, K. (2012a). Assessment of identity development and identity diffusion in adolescence—Theoretical basis and psychometric properties of the self-report questionnaire AIDA. *Child and Adolescent Psychiatry and Mental Health, 6*(1), 27.

Goth, K., Foelsch, P., Schlüter-Müller, S., & Schmeck, K. (2012b). *A IDA: A self report questionnaire for measuring identity in adolescence — Short manual.* Basel, Switzerland: Child and Adolescent Psychiatric Hospital, Psychiatric University Hospitals Basel.

Haggerty, G., Blanchard, M., Baity, M. R., DeFife, J.A., Stein, M. B., Siefert, C. J., . . . Zodan, J. (2015). Clinical validity of a dimensional assessment of selfand interpersonal functioning in adolescent inpatients. *Journal of Personality Assessment,97*(1), 3－12.

Jung, E., Pick, O., Schlüter-Müller, S., Schmeck, K.,& Goth, K. (2013). Identity development in adolescents with mental problems. *Child and Adolescent Psychiatry and Mental Health, 7*, 26.

Kassin, M., De Castro, F., Arango, I., & Goth, K. (2013). Psychometric properties of a cultureadapted Spanish version of AIDA (Assessment of Identity Development in Adolescence) in Mexico. *Child and Adolescent Psychiatry and Mental Health, 7*, 25.

Klimstra, T. A., Luyckx, K., Branje, S., Teppers, E., Goossens, L., & Meeus, W. H. (2013). Personality traits, interpersonal identity, and relationship stability: Longitudinal linkages in late adolescence and young adulthood. *Journal of Youth and Adolescence, 42*(11), 1661－1673.

Kroger, J. (2004). *Identity in adolescence: The balance between selfand other.* London: Psychology Press.

Kroger, J., Martinussen, M., & Marcia, J. E. (2010). Identity status change during adolescence and young adulthood: A meta-analysis. *Journal of Adolescence, 33*, 683－698.

Leary, M. R., & Tangney, J. P. (Eds.). (2012). *Handbook of selfand identity* (2nd ed.). New York: Guilford Press.

Marcia, J. E., (1966). Development and validation of ego identity status, *Journal of Personality and Social Psychology, 3*, 551－558.

McBride, C., Zuroff, D., Bacchiochi, J., & Bagby, M.R. (2006). Depressive Experiences Questionnaire: Does it measure maladaptive and adaptive forms of dependency? *Social Behavior and Personality,34*(1), 1－16.

Meeus, W., van de Schoot, R., Keijsers, L., Schwartz, S. J., & Branje, S. (2010). On the progression and stability of adolescent identity formation: A fivewave longitudinal study in early-to-middle and middle-to-late adolescence. *Child Development,81*(5), 1565－1581.

Shahar, G., & Priel, B. (2003). Active vulnerability, adolescent distress, and the mediating－suppressing role of life events. *Personality and Individual Differences, 35*, 199－218.

Stein, M., Hilsenroth, M., Slavin-Mulford, J., & Pinsker, J. (2011). *Social Cognition and Object Relations Scale: Global Rating Method (SCOR S G)* (4th ed.). Unpublished manuscript, Massachusetts General Hospital and Harvard Medical School, Boston, MA.

Westen, D. (1985). *Social Cognition and Object Relations Scale: Original manual to use for training.* Ann Arbor: Department of Psychology, University of Michigan.

Westen, D., Betan, E., & DeFife, J. A. (2011). Identity disturbance in adolescence: Associations with borderline personality disorder. *Development and Psychopathology, 23*(1), 305－313.

Wilkinson-Ryan, T., & Westen, D. (2000). Identity disturbance in borderline personality disorder: An empirical investigation. *American Journal of Psychiatry, 157*, 528－541.

Zuroff, D. C., Quinland, D. M., & Blatt, S. J. (1990). Psychometric properties of the Depressive Experience Questionnaire in a college population. *Journal of Personality Assessment, 55*, 65－72.

5. Capacity for Relationships and Intimacy

Ammaniti, M., Fontana, A., Kernberg, O., Clarkin, A., & Clarkin, J. (2011). *Interview of Personality Organization Processes in Adolescence (IPOP-A).* Unpublished manuscript, Sapienza University of Rome and Weill Medical College of Cornell University, New York.

Ammaniti, M., Fontana, A., & Nicolais, G. (2015). Borderline personality disorder in adolescence through the lens of the Interview of Personality Organization Processes in Adolescence (IPOPA): Clinical use and implications. *Journal of Infant, Child, and Adolescent Psychotherapy, 14*, 1-15.

Brenning, K., Soenens, B., Braet, C., & Bosmans, G. (2011). An adaptation of the Experiences in Close Relationships Scale—Revised for use with children and adolescents. *Journal of Social and Personal Relationships, 28*(8), 1048-1072.

Chen, X., & Graham, S. (2012). Close relationships and attributions for peer victimization among late adolescents. *Journal of Adolescence, 35*(6), 1547-1556.

Cozolino, L. (2006). *The neuroscience of human relationships: Attachment and the developing social brain*. New York: Norton.

Feddern Donbaek, D., & Elklit, A. (2014). A validation of the Experiences in Close Relationships— Relationship Structures scale (ECR-RS) in adolescents. *Attachment and Human Development,16*(1), 58-76.

Fraley, R. C., Waller, N. G., & Brennan, K. A. (2000). An item-response theory analysis of self-report measures of adult attachment. *Journal of Personality and Social Psychology, 78*, 350-365.

Furman, W., & Buhrmester, D. (1985). Children's perceptions of the personal relationships in their social networks. *Developmental Psychology, 21*,1016-1024.

Gratz, K., & Roemer, L. (2004). Multidimensional assessment of emotion regulation and dysregulation: Development, factor structure, and initial validation of the Difficulties in Emotion Regulation Scale. *Journal of Psychopathology and Behavioral Assessment, 26*, 41-54.

Hopwood, C. J., Pincus, A. L., DeMoor, R. M., & Koonce, E. A. (2008). Psychometric characteristics of Inventory Problems— Short Circumplex (IIPSC) with college students. *Journal of Personality Assessment, 90*(6), 615-618.

Horowitz, L. M., Alden, L. E., Wiggins, J. S., & Pincus, A. L. (2000). *Inventory of Interpersonal Problems*. London: Psychological Corporation.

Hutman, H., Konieczna, K. A., Kerner, E., Armstrong, C. R., & Fitzpatrick, M. (2012). Indicators of relatedness in adolescent male groups: Toward a qualitative description. *The Qualitative Report,17*(30), 1-23.

Imamoglu, E. O. (2003). Individuation and relatedness: Not opposing but distinct and complementary. *Genetic, Social, and General Psychology Monographs, 129*(4), 367-402.

Kernberg, O. F. (1998). The diagnosis of narcissistic and antisocial pathology in adolescence. *Annals of the American Society of Adolescent Psychiatry,22*, 169-186.

Kernberg, P., Weiner, A., & Bardenstein, K. (2000). *Personality disorders in children and adolescence*. New York: Basic Books.

Millon, T., Millon, C., & Davis, R. (1993). *Millon Adolescent Clinical Inventory (M ACI) manual.* Minneapolis, MN: National Computer Systems.

Oudekerk, B. A., Allen, J. P., Hessel, E. T., & Molloy, L. E. (2015). The cascading development of autonomy and relatedness from adolescence to adulthood. *Child Development, 86*(2), 472-485.

Sibley, C. G., Fischer, R., & Liu, J. H. (2005). Reliability and validity of the Revised Experiences in Close Relationships (ECR-R) self-report measure of adult romantic attachment. *Personality and Social Psychology Bulletin, 31*(11), 1524-1536.

Soldz, S., Budman, S., Demby, A., & Merry, J. (1995). A short form of the Inventory of Interpersonal Problems Circumplex scales. *Assessment, 2*,53-63.

Spilt, J. L., Van Lier, P. A., Branje, S. J., Meeus, W., & Koot, H. M. (2015). Discrepancies in perceptions of close relationships of young adolescents: A risk for psychopathology? *Journal of Youth and Adolescence, 4 4*(4), 910-921.

Stein, M., Hilsenroth, M., Slavin-Mulford, J., & Pinsker, J. (2011). *Social Cognition and Object Relations Scale: Global Rating Method (SCOR S G)* (4th ed.). Unpublished manuscript, Massachusetts General Hospital and Harvard Medical School, Boston, MA.

Westen, D. (1985). *Social Cognition and Object Relations Scale: Original manual to use for training*. Ann Arbor: Department of Psychology, University of Michigan.

Wilkinson, R. B. (2011). Measuring attachment dimensions in adolescents: Development and validation of the Experiences In Close Relationships— Revised— General Short Form. *Journal of Relationships Research, 2*, 53-62.

6. Capacity for Self-Esteem Regulation and Quality of Internal Experience

Aasland, A., & Diseth, T. H. (1999). Can the SelfPerception Profile for Adolescents (SPPA) be used as an indicator of psychosocial outcome in adolescents with chronic physical disorders? *European Child and Adolescent Psychiatry, 8*(2), 78–85.

DuBois, D. L., Felner, R. D., Brand, S., Phillips, R. S.C., & Lease, A. M. (1996). Early adolescent selfesteem: A developmental-ecological framework and assessment strategy. *Journal of Research on Adolescence, 6*, 543–579.

DuBois, D. L., Tevendale, H. D., Burk-Braxton, C., Swenson, L. P., & Hardesty, J. L. (2000). Selfsystem influences during early adolescence: Investigation of an integrative model. *Journal of Early Adolescence, 20*, 12–43.

Finzi-Dottan, R., & Karu, T. (2006). From emotional abuse in childhood to psychopathology in adulthood: A path mediated by immature defense mechanisms and self-esteem. *Journal of Nervous and Mental Disease, 194*(8), 616–621.

Greenfield, B., Filip, C., Schiffrin, A., Bond, M., Amsel, R., & Zhang, X. (2013). The Scales of Psychological Capacities: Adaptation to an adolescent population. *Psychotherapy Research, 23*(2),232–246.

Guerin, F., Marsh, H. W., & Famose, J. P. (2003). Construct validation of the Self-Description Questionnaire II with a French sample. *European Journal of Psychological Assessment, 19*, 142–150.

Harter, S. (1988). *Manual for the Self-Perception Profile for Adolescents*. Denver, CO: University of Denver.

Horvath, S., & Morf, C. C. (2010). To be grandiose or not to be worthless: Different routes to selfenhancement for narcissism and self-esteem. *Journal of Research in Personality, 4 4*(5), 585–592.

Huber, D., Brandl, T., & Klug, G. (2004). The Scales of Psychological Capacities: Measuring beyond symptoms. *Psychotherapy Research, 14*(1), 89–106.

Huber, D., Henrich, G., & Klug, G. (2005). The Scales of Psychological Capacities: Measuring change in psychic structure. *Psychotherapy Research, 15*(4),445–456.

Hughes, A., Galbraith, D., & White, D. (2011). Perceived competence: A common core for selfefficacy and self-concept? *Journal of Personality Assessment, 93*(3), 278–289.

Isomaa, R., Väänänen, J. M., Fröjd, S., KaltialaHeino, R., & Marttunen, M. (2013). How low is low?: Low self-esteem as an indicator of internalizing psychopathology in adolescence. *Health Education and Behavior, 40*(4), 392–399.

Marsh, H. W., Ellis, L. A., Parada, R. H., Richards, G., & Heubeck, B. G. (2005). A short version of the Self Description Questionnaire II: Operationalizing criteria for short-form evaluation with new applications of confirmatory factor analyses. *Psychological Assessment, 17*(1), 81–102.

Marsh, H. W., Hau, K. T., & Kong, C. K. (2002). Multilevel causal ordering of academic self-concept and achievement: Influence of language of instruction (English compared with Chinese) for Hong Kong students. *American Educational Research Journal, 39*(3), 727–763.

Marsh, H. W., Parada, R. H., & Ayotte, V. (2004). A multidimensional perspective of relations between self-concept (Self Description Questionnaire II) and adolescent mental health (Youth Self-Report). *Psychological Assessment, 16*, 27–41.

Marsh, H. W., Plucker, J. A., & Stocking, V. B. (2001). The Self-Description Questionnaire II and gifted students: Another look at Plucker, Taylor, Callahan, and Tomchin's (1997) "Mirror, mirror on the wall." *Educational and Psychological Measurement, 61*, 976–996.

Marsh, H. W. (1992). *SDQ II: Manual*. Sydney, Australia: Self Research Centre, University of Western Sydney.

Molloy, L. E., Ram, N., & Gest, S. D. (2011). The storm and stress (or calm) of early adolescent selfconcepts: Withinand between-subjects variability. *Developmental Psychology, 47*(6), 1589–1607.

Nishikawa, S., Norlander, T., Fransson, P., & Sundbom, E. (2007). A cross-cultural validation of adolescent self-concept in two cultures: Japan and Sweden. *Social Behavior and Personality, 35*,269–286.

O'Brien, E. J., & Epstein, S. (1998). *M SEI: The Multidimensional Self-Esteem Inventory professional manual*. Odessa, FL: Psychological Assessment Resources.

Rosenberg, M. (1965). *Society and the adolescent self-image*. Princeton, NJ: Princeton University Press.

Rudasill, K. M., & Callahan, C. M. (2008). Psychometric characteristics of the Harter Self-Perception Profiles for Adolescents and Children for use with gifted populations. *Gifted Child Quarterly, 52*(1),70–86.

Shavelson, R. J., Hubner, J. J., & Stanton, G. C. (1976). Self-concept: Validation of construct interpretations. *Review of Educational Research,46*(3), 407–441.

Short, J. L., Sandler, I. N., & Roosa, M. W. (1996). Adolescents' perceptions of social support: The role of esteem enhancing and esteem threatening relationships. *Journal of Social and Clinical Psychology, 15*(4), 397–341.

Siegel, D. J. (2012). *The developing mind: How relationships and the brain interact to shape who we are* (2nd ed.). New

York: Guilford Press.
Tafarodi, R. W., & Milne, A. B. (2002). Decomposing global self-esteem. *Journal of Personality, 70*(4), 443–483.
Wichstrøm, L. (1995). Harter's Self-Perception Profile for Adolescents: Reliability, validity, and evaluation of the question format. *Journal of Personality Assessment, 65*(1), 100–116.

7. Capacity for Impulse Control and Regulation

Aluja, A., & Blanch, A. (2011). Neuropsychological Behavioral Inhibition System (BIS) and Behavioral Approach System (BAS) assessment: A shortened Sensitivity to Punishment and Sensitivity to Reward Questionnaire version (SPSRQ -20). *Journ al of Person alit y A ssessment, 93*(6), 628–636.
Blakemore, S. J. (2012). Imaging brain development: The adolescent brain. *NeuroImage, 61*, 397–406.
Blakemore, S. J., & Choudhury, S. (2006). Development of the adolescent brain: Implications for executive function and social cognition. *Journal of Child Psychology and Psychiatry, 47*, 296–312.
Blakemore, S. J., & Robbins, T. W. (2012). Decisionmaking in the adolescent brain. *Nature Neuroscience, 15*(9), 1184–1191.
Burrus, C. (2013). Developmental trajectories of abuse: An hypothesis for the effects of early childhood maltreatment on dorsolateral prefrontal cortical development. *Medical Hypotheses, 81*, 826–829.
Caci, H., Deschaux, O., & Bayle, F. J. (2007). Psychometric properties of the French versions of the BIS/ BAS scales and the SPSRQ. *Personality and Individual Differences, 42*, 987–998.
Carver, C. S., & White, T. L. (1994). Behavioral inhibition, behavioral activation, and affective responses to impending reward and punishment: The BIS/ BAS scales. *Journal of Personality and Social Psychology, 67*, 319–333.
Cooper, A., & Gomez, R. (2008). The development of a short form of the Sensitivity to Punishment and Sensitivity to Reward Questionnaire. *Journal of Individual Differences, 29*(2), 90–104.
D'Acremont, M., & Van der Linden, M. (2005). Adolescent impulsivity: Findings from a community sample. *Journal of Youth and Adolescence, 34*(5),427–435.
Dalley, J. W., Everitt, B. J., & Robbins, T. W. (2011). Impulsivity, compulsivity, and top-down cognitive control. *Neuron, 69*, 680–694.
Duckworth, A. L., Kim, B., & Tsukayama, E. (2012). Life stress impairs self-control in early adolescence. *Frontiers in Psychology, 3*, 608.
Farley, J. P., & Kim-Spoon, J. (2014). The development of adolescent self-regulation: Reviewing the role of parent, peer, friend, and romantic relationships. *Journal of Adolescence, 37*(4), 433–440.
Fonagy, P., Gergely, G., Jurist, E. L., & Target, M. (2002). *Affect regulation, mentalization, and the development of the self.* New York: Other Press.
Fossati, A., Barratt, E. S., Acquarini, E., & Di Ceglie, A. (2002). Psychometric properties of an adolescent version of the Barratt Impulsiveness Scale–11 for a sample of Italian high school students. *Perceptual and Motor Skills, 95*(2), 621–635.
Franken, I. H. A., & Muris, P. (2006). BIS/ BAS personality characteristics and college students' substance use. *Personality and Individual Differences, 40*, 1497–1503.
Franken, I. H. A., Muris, P., & Rassin, E. (2005). Psychometric properties of the Dutch BIS/ BAS Scales. *Journal of Psychopathology and Behavioral Assessment, 27*(1), 25–30.
Galvǎn, A. (2014). Insights about adolescent behavior, plasticity, and policy from neuroscience research. *Neuron, 83*(2), 262–265.
Giedd, J. N. (2008). The teen brain: Insights from neuroimaging. *Journal of Adolescent Health, 42*,335–343.
Gruber, J., Gilbert, K. E., Youngstrom, E., Youngstrom, J. K., Feeny, N. C., & Findling, R. L. (2013). Reward dysregulation and mood symptoms in an adolescent outpatient sample. *Journal of Abnormal Child Psychology, 41*(7), 1053–1065.
Hartmann, A. S., Rief, W., & Hilbert, A. (2011). Psychometric properties of the German version of the Barratt Impulsiveness Scale, Version 11 (BIS-11) for adolescents. *Perceptual and Motor Skills,112*(2), 353–368.
Heubeck, B. G., Wilkinson, R. B., & Cologon, J. (1998). A second look at Carver and White's (1994) BIS/ BAS scales. *Personality and Individual Differences, 2*(5), 785–800.
Luman, M., van Meel, C. S., Oosterlaan, J., & Geurts, H. M. (2012). Reward and punishment sensitivity in children with ADHD: Validating the Sensitivity to Punishment and Sensitivity to Reward Questionnaire for children (SPSRQ-C). *Journal of Abnormal Child Psychology, 40*(1), 145–157.

Matton, A., Goossens, L., Braet, C., & Vervaet, M. (2013). Punishment and reward sensitivity: Are naturally occurring clusters in these traits related to eating and weight problems in adolescents? *European Eating Disorders Review, 21*(3), 184–194.

O'Connor, R. M., Colder, C. R., & Hawk, L. W. (2004). Confirmatory factor analysis of the Sensitivity to Punishment and Sensitivity to Reward Questionnaire. *Personality and Individual Differences, 37*, 985–1002.

Ordaz, S. J., Foran, W., Velanova, K., & Luna, B. (2013). Longitudinal growth curves of brain function underlying inhibitory control through adolescence. *Journal of Neuroscience, 33*(46), 18109–18124.

Panwar, K., Rutherford, H. J., Mencl, W. E., Lacadie, C. M., Potenza, M. N., & Mayes L. C. (2014). Differential associations between impulsivity and risk-taking and brain activations underlying working memory in adolescents. *Addictive Behaviors,39*(11), 1606–1621.

Patton, J. H., Stanford, M. S., & Barratt, E. S. (1995). Factor structure of the Barratt Impulsiveness Scale. *Journal of Clinical Psychology, 51*, 768–774. Reynolds, B., Penfold, R. B., & Patak, M. (2008). Dimensions of impulsive behavior in adolescents: Laboratory behavioral assessments. *Experimental and Clinical Psychopharmacology, 16*(2), 124–131.

Richards, J. M., Plate, R. C., & Ernst, M. (2012). Neural systems underlying motivated behavior in adolescence: Implications for preventive medicine. *Preventive Medicine, 55*(Suppl.), S7–S16.

Schore, A. N. (2003). *Affect dysregulation and disorders of the self.* New York: Norton.

Steinberg, L. (2007). Risk taking in adolescence: New perspectives from brain and behavioral science. *Current Directions in Psychological Science, 15*(2), 55–59.

Steinberg, L. (2014). *Age of opportunity: Lessons from the new science of adolescence.* New York: Houghton Mifflin Harcourt.

Tangney, J. P., Baumeister, R. F., & Boone, A. L. (2004). High self-control predicts good adjustment, less pathology, better grades, and interpersonal success. *Journal of Personality, 72*(2),271–324.

Torrubia, R., Avila, C., Molto, J., & Caseras, X. (2001). The Sensitivity to Punishment and Sensitivity to Reward Questionnaire (SPSRQ) as a measure of Gray's anxiety and impulsivity dimensions. *Personality and Individual Differences, 3*,837–862.

Urben, S., Suter, M., Pihet, S., Straccia, C., & Stéphan, P. (2014). Constructive thinking skills and impulsivity dimensions in conduct and substance use disorders: Differences and relationships in an adolescents' sample. *Psychiatric Quarterly,86*(2), 207–218.

Van der Linden, M., d'Acremont, M., Zermatten, A., Jermann, F., Larøi, F., Willems, S., . . . Bechara, A. (2006). A French adaptation of the UPPS Impulsive Behavior Scale: Confirmatory factor analysis in a sample of undergraduate students. *European Journal of Psychological Assessment, 22*(1), 38–42.

von Diemen, L., Szobot, C. M., Kessler, F., & Pechansky, F. (2007). Adaptation and construct validation of the Barratt Impulsiveness Scale (BIS 11) to Brazilian Portuguese for use in adolescents. *Revista Brasileira de Psiquiatria, 29*(2), 153–156.

White, A. M. (2009). Understanding adolescent brain development and its implications for the clinician. *Adolescent Medicine: State of the Art Reviews, 20*,73–90.

Whiteside, S. P., & Lynam, D. R. (2001). The five factor model and impulsivity: Using a structural model of personality to understand impulsivity. *Personality and Individual Differences, 30*(4),669–689.

Whiteside, S. P., Lynam, D. R., Miller, J. D., & Reynolds, S. K. (2005). Validation of the UPPS Impulsive Behaviour Scale: A four-factor model of impulsivity. *European Journal of Personality, 19*, 559–574.

Yu, R., Branje, S. J., Keijsers, L., & Meeus, W. H. (2011). Psychometric characteristics of Carver and White's BIS/ BAS scales in Dutch adolescents and their mothers. *Journal of Personality Assessment,93*(5), 500–507.

8. Capacity for Defensive Functioning

Andrews, G., Singh, M., & Bond, M. (1993). The Defense Style Questionnaire. *Journal of Nervous and Mental Disease, 181*(4), 246–256.

Araujo, K., Ryst, E., & Steiner, H. (1999). Adolescent defense style and life stressors. *Child Psychiatry and Human Development, 30*(1), 19–28.

Cramer, P. (1987). The development of defense mechanisms. *Journal of Personality, 55*, 597–614.

Cramer, P. (2007). Longitudinal study of defense mechanisms: Late childhood to late adolescence. *Journal of Personality, 75*(1), 1–24.

Di Giuseppe, M. G., Perry, J. C., Petraglia, J., Janzen, J., & Lingiardi, V. (2014). Development of a Q-sort version of the

Defense Mechanism Rating Scales (DMRS-Q) for clinical use. *Journal of Clinical Psychology, 70*, 452–465.
Erickson, S., Feldman, S., & Steiner, H. (1997).
Defense reactions and coping strategies in normal adolescents. *Child Psychiatry and Human Development, 28*(1), 45–56.
Evans, D. W., & Seaman, J. L. (2000). Developmental aspects of psychological defenses: Their relation to self-complexity, self-perception and symptomatology in adolescents. *Child Psychiatry and Human Development, 30*, 237–254.
Feldman, S., Araujo, K., & Steiner, H. (1996). Defense mechanisms in adolescents as a function of age, sex, and mental health status. *Journal of the American Academy of Child and Adolescent Psychiatry, 35*, 1344–1354.
Gleser, G. C., & Ihilevich, D. (1969). An objective instrument for measuring dé fense mechanisms. *Journal of Consulting and Clinical Psychology,33*(1), 51–60.
Ihilevich, D., & Gleser, G. C. (1986). *Defense mechanisms*. Owosso, MI: DMI Associates.
Laor, N., Wolmer, L., & Cicchetti, D. V. (2001). The comprehensive assessment of defense style: Measuring defense mechanisms in children and adolescents. *Journal of Nervous and Mental Disease,189*(6), 360–368.
Muris, P., Winands, D., & Horselenberg, R. (2003). Defense styles, personality traits, and psychopathological symptoms in nonclinical adolescents. *Journal of Nervous and Mental Disease, 191*(12),771–780.
Noam, G. G., & Recklitis, C. J. (1990). The relationship between defenses and sympoms in adolescent psychopathology. *Journal of Personality Assessment, 54*, 311–327.
Perry, J. C. (1990). *The Defense Mechanism Rating Scale manual* (5th ed.). Cambridge, MA: Author. Plattner, B., Silvermann, M. A., Redlich, A. D., Carrion, V. G., Feucht M., . . . Steiner, H. (2003). Pathways to dissociation: Intrafamilial versus extrafamilial trauma in juvenile delinquents. *Journal of Nervous and Mental Disease, 191*, 781–788.
Prunas, A., Preti, E., Huemer, J., Shaw, R. J., & Steiner, H. (2014). Defensive functioning and psychopathology: A study with the REM-71. *Comprehensive Psychiatry, 55*(7), 1696–1702.
Recklitis, C. J., Noam, G. G., & Borst, S. R. (1992). Adolescent suicide and defensive style. *Suicide and Life-Threatening Behavior, 22*(3), 374–387. Recklitis, C. J., Yap, L., & Noam, G. G. (1995). Development of a short form of the adolescent version of the Defense Mechanisms Inventory. *Journal of Personality Assessment, 6 4*(2), 360–370.
Ruuttu, T., Pelkonen, M., Holi, M., Karlsson, L., Kiviruusu, O., Heilä, H., . . . Marttunen, M. (2006). Psychometric properties of the Defense Style Questionnaire (DSQ40) in adolescents. *Journal of Nervous and Mental Disease, 194*(2),98–105.
Schave, D., & Schave, B. (1989). *Early adolescence and the search for self: A developmental perspective*. New York: Praeger.
Steiner, H., Araujo, K., & Koopman, C. K. (2001). The Response Evaluation Measure (REM-71): A new instrument for the measurement of defenses in adults and adolescents. *American Journal of Psychiatry, 158*, 467–473.
Tuulio-Henriksson, A., Poikolainen, K., Aalto-Setala, T., & Lonnqvist, J. (1997). Psychological defense styles in late adolescence and young adulthood: A follow-up study. *Journal of the American Academy of Child and Adolescent Psychiatry, 36*(8),1148–1153.
Wolmer, L., Laor, N., & Cicchetti, D. V. (2001).
Validation of the Comprehensive Assessment of Defense Style (CADS): Mothers' and children's responses to the stresses of missile attacks. *Journal of Nervous and Mental Disease, 189*(6), 369–376.

9. Capacity for Adaptation, Resiliency, and Strength

Ahern, N. R., Kiehl, E. M., Sole, M. L., & Byers, J. (2006). A review of instruments measuring resilience. *Comprehensive Child and Adolescent Nursing, 29*(2), 103–125.
Alessandri, G., Luengo Kanacri, B. P., Eisenberg, N., Zuffianò, A., Milioni, M., Vecchione, M., & Caprara, G. V. (2014). Prosociality during the transition from late adolescence to young adulthood: The role of effortful control and ego-resiliency. *Personality and Social Psychology Bulletin, 40*(11),1451–1465.
Alessandri, G., Vecchio, G., Steca, P., Caprara, M. G.,& Caprara, G. V. (2008). A revised version of Kremen and Block's ego-resiliency scale in an Italian sample. *Testing, Psychometrics, Methodology in Applied Psychology, 14*, 1–19.
Charney, D. S. (2004). Psychobiological mechanisms of resilience and vulnerability: Implication for successful adaptation to extreme stress. *American Journal of Psychiatry, 161*, 195–216.
Deighton, J., Croudace, T., Fonagy, P., Brown, J., Patalay, P., & Wolpert, M. (2014). Measuring mental health and well-being outcomes for children and adolescents to inform practice and policy: A review of child self-report measures. *Child and Adolescent Psychiatry and Mental Health, 29*, 8–14.
Denckla, C. A., & Mancini, A. D. (2014). Multimethod assessment of resilience. In C. J. Hopwood & R. F. Bornstein

(Eds.), *Multimethod clinical assessment* (pp. 254–282). New York: Guilford Press.

Duppong Hurley, K., Lambert, M. C., Epstein, M. H.,& Stevens, A. (2014). Convergent validity of the Strength-Based Behavioral and Emotional Rating Scale with youth in a residential setting. *Journal of Behavioral Health Services and Research*, *42*(3),346–354.

Egeland, B., Carlson, E ., & Sroufe, L . A. (1993). Resilience as a process. *Development and Psychology, 5*, 517–528.

Epstein, M. H., Mooney, P., Ryser, G., & Pierce, C. D. (2004). Validity and Reliability of the Behavioral and Emotional Rating Scale (2nd Edition): Youth Rating Scale. *Research on Social Work Practice,14*(5), 358–367.

Epstein, M. (1999). The development and validation of a scale to assess the emotional and behavioral strengths of children and adolescents. *Remedial and Special Education*, *20*(5), 258–262.

Epstein, M. H. (2004). *Behavioral and Emotional Rating Scale — Second Edition*. Austin, TX: PROED.

Fraser, M., & Galinsky, M. (1997). *Toward a resilience-based model of practice*. Washington, DC: NASW Press.

Goodman, R. (1997). The Strengths and Difficulties Questionnaire: A research note. *Journal of Child Psychology and Psychiatry, 38*, 581–586.

Goodman, R., Meltzer, H., & Bailey, V. (1998). The Strengths and Difficulties Questionnaire: A pilot study on the validity of the self-report version. *European Child and Adolescent Psychiatry, 7*,125–130.

Hennighausen, K. H., Hauser, S. T., Billings, R. L ., Schultz, L . H., & Allen, J. P. (2004). Adolescent ego-development trajectories and young adult relationship outcomes. *Journal of Early Adolescence,24*(1), 29–44.

Hjemdal, O., Aune, T., Reinfjell, T., Stiles, T. C., & Friborg, O. (2007). Resilience as a predictor of depressive symptoms: A correlational study with young adolescents. *Clinical Child Psychology and Psychiatry, 12*, 91–104.

Hjemdal, O., Friborg, O., Martinussen, M., & Rosenvinge, J. H. (2001). Preliminary results from the development and validation of a Norwegian scale for measuring adult resilience. *Journal of the Norwegian Psychological Association*, *38*,310–317.

Hjemdal, O., Friborg, O., Stiles, T. C., Martinussen, M., & Rosenvinge, J. H. (2006). A new scale for adolescent resilience: Grasping the protective resources behind healthy development. *Measuring and Evaluation in Counseling and Development,39*, 84–96.

Jew, C. L . (1997). *Adolescent Resiliency Belief System Scale*. Thousand Oaks, CA: California Lutheran University.

Jew, C. L ., Green, K. E ., & Kroger, J. (1999). Development and validation of a resiliency measure. *Measurement and Validation in Counseling and Development*, *2*, 75–90.

Letzring, T. D., Block, J., & Funder, D. C. (2005). Ego-control and ego-resiliency: Generalization of self-report scales based on personality descriptions from self, acquaintances, and clinicians. *Journal of Research in Personality, 39*, 395–422.

Luthar, S. S. (2006). Resilience in development: A synthesis of research across five decades. In D. Cicchetti & D. J. Cohen (Eds.), *Developmental psychopathology: Vol. 3. Risk, disorder, and adaptation* (pp. 739–795). Hoboken, NJ: Wiley.

Mrazek, P. J., & Mrazek, D. (1987). Resilience in child maltreatment victims: A conceptual exploration. *Child Abuse and Neglect*, *11*, 357–365.

Nakaya, M., Oshio, A., & Kaneko, H. (2006). Correlations for Adolescent Resilience Scale with Big Five personality traits. *Psychological Reports,98*(3), 927–930.

Oshio, A., Kaneko, H., Nagamine, S., & Nakaya, M. (2003). Construct validity of the Adolescent Resilience Scale. *Psychological Reports*, *93*, 1217–1222. Oshio, A., Nakaya, M., Kaneko, H., & Nagamine, S. (2002). Development and validation of an Adolescent Resilience Scale. *Japanese Journal of Counseling Science*, *35*, 57–65.

Prince-Embury, S. (2008). The Resiliency Scale for Children and Adolescents, psychological symptoms, and clinical status in adolescents. *Canadian Journal of School Psychology, 23*, 41–56.

Prince-Embury, S., & Courville, T. (2008a). Comparison of one-, two-, and three-factor models of personal resiliency using the Resiliency Scales for Children and Adolescents. *Canadian Journal of School Psychology, 23*, 11–25.

Prince-Embury, S., & Courville, T. (2008b). Measurement invariance of the Resiliency Scales for Children and Adolescents with respect to sex and age cohorts. *Canadian Journal of School Psychology, 23*, 26–44.

Rutter, M. (2012). Resilience as a dynamic concept. *Development and Psychopathology, 24*, 335–344.

Smith-Osborne, A., & Whitehill Bolton, K. (2013). Assessing resilience: A review of measures across the life course. *Journal of Evidence-Based Social Work*, *10*, 111–126.

Southwick, S. M., Litz, B. T., Charney, D., & Friedman, M. J. (Eds.). (2011) *Resilience and mental health: Challenges across the lifespan*. New York: Cambridge University Press.

Vecchione, M., Alessandri, G., Barbaranelli, C., & Gerbino, M. (2010). Stability and change of ego resiliency from late adolescence to young adulthood: A multiperspective study using the ER89-R Scale. *Journal of Personality Assessment*, *92*(3),212-221.

von Soest, T., Mossige, S., Stefansen, K., & Hjemdal, O. (2010). A validation study of the Resilience Scale for Adolescents (READ). *Journal of Psychopathology and Behavioural Assessment*, *32*, 215-225.

Waaktaar, T., & Torgersen, S. (2009). How resilient are resilience scales?: The Big Five scales outperform resilience scales in predicting adjustment in adolescents. *Scandinavian Journal of Psychology*,*51*(2), 157-163.

Wagnild, G. M., & Young, H. M. (1993). Development and psychometric evaluation of the Resilience Scale. *Journal of Nursing Measurement*, *1*,165-178.

Wardenaar, K. J., Wigman, J. T., Lin, A., Killackey, E ., Collip, D., Wood, S. J., . . . Yung, A. R. (2013). Development and validation of a new measure of everyday adolescent functioning: The Multidimensional Adolescent Functioning Scale. *Journal of Adolescent Health*, *52*(2), 195-200.

Werner, E ., & Smith, R. (1992). *Overcoming the odds: High risk children from birth to adulthood.* Ithaca, NY: Cornell University Press.

10. Self-Observing Capacities (Psychological Mindedness)

Bagby, R. M., Parker, J. D. A., & Taylor, G. J. (1994). The twenty-item Toronto Alexithymia Scale: I. Item selection and cross validation of the factor structure. *Journal of Psychosomatic Research*, *38*,23-32.

Beitel, M., Ferrer, E ., & Cecero, J. J. (2005). Psychological mindedness and awareness of self and others. *Journal of Clinical Psychology, 61*, 739-750.

Boylan, M. B. (2006). Psychological mindedness as a predictor of treatment outcome with depressed adolescents. *Dissertation Abstracts International: Section B Sciences and Engineering*, *67*(6), 3479.

Cecero, J. J., Beitel, M., & Prout, T. (2008). Exploring the relationships among early maladaptive schemas, psychological mindedness and self-reported college adjustment. *Psychology and Psychotherapy, 81*(1), 105-118.

Cicchetti, D., Ackerman, B. P., & Izard, C. E . (1995). Emotions and emotion regulation in developmental psychopathology. *Development and Psychopathology. 7*, 1-10.

Conte, H. R., Ratto, R., & Karusa, T. B. (1996). The Psychological Mindedness Scale: Factor structure and relationship to outcome of psychotherapy. *Journal of Psychotherapy Practice and Research*,*5*(3), 250-259.

Eastabrook, J. M., Flynn, J. J., & Hollenstein, T. (2013). Internalizing symptoms in female adolescents: Associations with emotional awareness and emotion regulation. *Journal of Child and Family Studies*, *23*(3), 487-496.

Fonagy, P., Gergely, G., Jurist, E . L ., & Target, M. (2002). *Affect regulation, mentalization, and the development of the self.* New York: Other Press.

Hatcher, R. L ., & Hatcher, S. L . (1997). Assessing the psychological mindedness of children and adolescents. In M. McCallum & W. E . Piper (Eds.), *Psychological mindedness: A contemporary understanding* (pp. 59-75). Mahwah, NJ: Erlbaum.

Karukivi, M., Vahlberg, T., Pölönen, T., Filppu, T., & Saarijärvi, S. (2014). Does alexithymia expose to mental disorder symptoms in late adolescence?: A 4-year follow-up study. *General Hospital Psychiatry, 36*(6), 748-752.

Lane, R. D., Quinlan, D. M., Schwartz, G. E ., Walker, P. A., & Zeitlin, S. B. (1990). The Levels of Emotional Awareness Scale: A cognitive-developmental measure of emotion. *Journal of Personality Assessment, 55*, 124-134.

McCallum, M., & Piper, W. E . (Eds.). (1997). *Psychological mindedness: A contemporary understanding*. Mahwah, NJ: Erlbaum. Parker, J. D., Eastabrook, J. M., Keefer, K. V., & Wood, L . M. (2010). Can alexithymia be assessed in adolescents?: Psychometric properties of the 20 -Item Toronto Alexithymia Scale in younger, middle, and older adolescents. *Psychological Assessment*, *22*(4), 798-808.

Rieffe, C., Oosterveld, P., & Meerum Terwogt, M. (2006). An alexithymia questionnaire for children: Factorial and concurrent validation results. *Personality and Individual Differences, 40*(1),123-133.

Roxas, A. S., & Glenwick, D. S. (2014). The relationship of psychological mindedness and general coping to psychological adjustment and distress in high-school adolescents. *Individual Differences Research*, *12*(2), 38-49.

Shill, M. A., & Lumley, M. A. (2002). The Psychological Mindedness Scale: Factor structure, convergent validity and gender in a non-psychiatric sample. *Psychology and Psychotherapy, 75*, 131-150.

Speranza, M., Loas, G., Guilbaud, O., & Corcos, M. (2011). Are treatment options related to alexithymia in eating disorders?: Results from a three-year naturalistic longitudinal study. *Biomedicine and Pharmacotherapy, 65*(8), 585-589.

Taylor, G. J., & Taylor, H. S. (1997). Alexithymia. In M. McCallum & W. E . Piper (Eds.), *Psychological mindedness: A contemporary understanding* (pp. 77-104). Mahwah, NJ: Erlbaum.

11. Capacity to Construct and Use Internal Standards and Ideals

Burnett, S., & Blakemore, S. J. (2009). The development of adolescent social cognition. *Annals of the New York Academy of Sciences, 1167*, 51–56.

Caravita, S. C., Sijtsema, J. J., Rambaran, J. A., & Gini, G. (2014). Peer influences on moral disengagement in late childhood and early adolescence. *Journal of Youth and Adolescence, 43*(2), 193–207.

Carlo, G., Eisenberg, N., & Knight, G. P. (1992). An objective measure of adolescents' prosocial moral reasoning. *Journal of Research on Adolescence,2*(4), 331–349.

Daniel, E., Dys, S. P., Buchmann, M., & Malti, T. (2014). Developmental relations between sympathy, moral emotion attributions, moral reasoning, and social justice values from childhood to early adolescence. *Journal of Adolescence, 37*(7), 1201–1214.

De Caroli, M. E., Falanga, R., & Sagone, E. (2014). Prosocial behavior and moral reasoning in Italian adolescents and young adults. *Research in Psychology and Behavioral Sciences, 2*(2), 48–53.

Decety, J., & Howard, L. H. (2014). Emotion, morality, and the developing brain. In M. Mikulincer & P. R. Shaver (Eds.), *Mechanisms of social connection: From brain to group* (pp. 105–122). Washington, DC: American Psychological Association.

Eisenberg, N., Carlo, G., Murphy, B., & Van Court, P. (1995). Prosocial development in late adolescence: A longitudinal study. *Child Development,66*(4), 1179–1197.

Eisenberg-Berg, N., & Mussen, P. (1978). Empathy and moral development in adolescence. *Developmental Psychology, 14*(2), 185–186.

Eisenberg, N., Cumberland, A., Guthrie, I. K., Murphy, B. C., & Shepard, S. A. (2005). Age changes in prosocial responding and moral reasoning in adolescence and early adulthood. *Journal of Research on Adolescence, 15*(3), 235–260.

Forth, A., Kosson, D., & Hare, R. (2003). *The Hare Psychopathy Checklist: Youth Version, Technical Manual.* North Tonawanda, NY: Multi-Health Systems.

Gfellner, B. M. (1986a). Changes in ego and moral development in adolescents: A longitudinal study. *Journal of Adolescence, 9*(4), 281–302.

Gfellner, B. M. (1986b). Ego development and moral development in relation to age and grade level during adolescence. *Journal of Youth and Adolescence, 15*(2), 147–163.

Hardy, S. A., Walker, L. J., Olsen, J. A., Woodbury,R. D., & Hickman, J. R. (2014). Moral identity as moral ideal self: Links to adolescent outcomes. *Developmental Psychology, 50*(1), 45–57.

Hare, R. D. (2003). *Manual for the Revised Psychopathy Checklist* (2nd ed.). Toronto, ON, Canada: Multi-Health Systems.

Hart, D., & Carlo, G. (2005). Moral development in adolescence. *Journal of Research on Adolescence,15*(3), 223–233.

Jesperson, K., Kroger, J., & Martinussen, M. (2013). Identity status and moral reasoning: A metaanalysis. *Identity, 13*, 266–280.

Jones, S., Cauffman, E., Miller, J., & Mulvey, E. (2006). Investigating different factor structures of the Psychopathy Checklist—Youth Version: Confirmatory factor analytic findings. *Psychological Assessment, 18*, 33–48.

Kohlberg, L. (1984). *Essays on moral development: Vol. 2. The psychology of moral development*. San Francisco: Harper & Row.

Krettenauer, T., Colasante, T., Buchmann, M., & Malti, T. (2014). The development of moral emotions and decision-making from adolescence to early adulthood: A 6-year longitudinal study. *Journal of Youth and Adolescence. 43*(4), 583–596.

Lai, F. H., Siu, A. M., Chan, C. C., & Shek, D. T. (2012). Measurement of prosocial reasoning among Chinese adolescents. *Scientific World Journal, 2012*, 174845.

Rest, J., Narvaez, D., Bebeau, M., & Thoma, S. (1999). DIT-2: Devising and testing a new instrument of moral judgment. *Journal of Educational Psychology, 91*(4), 644–659.

Roskam, I., & Marchal, J. (2003). An objective measure of French-speaking adolescents' prosocial moral reasoning. *Archives de Psychologie, 70*,227–240.

Sevecke, K., Pukrop, R., Kosson, D. S., & Krischer, M. K. (2009). Factor structure of the Hare Psychopathy Checklist: Youth Version in German female and male detainees and community adolescents. *Psychological Assessment, 21*(1), 45–56.

Thoma, S. J., & Dond, Y. (2014). The defining issues test of moral judgment development. *Behavioral Development Bulletin, 19*(3), 55–61.
Tsang, S., Piquero, A. R., & Cauffman E . (2014). An examination of the Psychopathy Checklist: Youth Version (PCL:Y V) among male adolescent offenders: An item response theory analysis. *Psychological Assessment, 26*(4), 1333–1346.
Van der Graaff, J., Branje, S., De Wied, M., Hawk, S.,Van Lier, P., & Meeus, W. (2014). Perspective taking and empathic concern in adolescence: Gender differences in developmental changes. *Developmental Psychology, 50*(3), 881–888.
Vitacco, M. J., Neumann, C. S., Caldwell, M. F.,Leistico, A. M., & Van Rybroek, G. J. (2006). Testing factor models of the Psychopathy Checklist: Youth Version and their association with instrumental aggression. *Journal of Personality Assessment, 87*(1), 74–83.

12. Capacity for Meaning and Purpose

Andriola, E ., Donfrancesco, R., Zaninotto, S., Di Trani, M., Cruciani, A. C., Innocenzi, M., . . . Cloninger, C. R. (2012). The Junior Temperament and Character Inventory: Italian validation of a questionnaire for the measurement of personality from ages 6 to 16 years. *Comprehensive Psychiatry, 53*(6), 884–892.
Asch, M., Cortese, S., Perez Diaz, F., Pelissolo, A., Aubron, V., Orejarena, S., . . . Purper-Ouakil, D. (2009). Psychometric properties of a French version of the Junior Temperament and Character Inventory. *European Child and Adolescent Psychiatry, 18*(3), 144–153.
Blatt, S. J., Auerbach, J. S., & Levy, K. N. (1997). Mental representations in personality development, psychopathology, and the therapeutic process. *Review of General Psychology, 1*, 351–374.
Blatt, S. J., Bers, S. A., & Schaffer, C. E . (1993). *The assessment of self descriptions*. Unpublished manuscript, Yale University. Bers, S. A., Blatt, S. J., Sayward, H. K., & Johnston, R. S. (1993). Normal and pathological aspects of self-descriptions and their change over long-term treatment. *Psychoanalytic Psychology, 10*, 17–37.
Bronk, K. C. (2011). The role of purpose in life in healthy identity formation: A grounded model. *New Directions for Youth Development, 132*,31–44.
Cloninger, C. R., Przybeck, T. R., Svrakic, D. M., & Wetzel, R. D. (1994). *The Temperament and Character Inventory (TCI): A guide to its development and use.* St. Louis, MO: Center for Psychobiology of Personality, Washington University.
Csikszentmihalyi, M. (1990). *Flow: The psychology of optimal experience*. New York: Harper & Row.
Damon, W., Menon, J., & Bronk, K. C. (2003). The development of purpose during adolescence. *Applied Developmental Science, 7*(3), 119–128. Gabrielsen, L . E ., Ulleberg, P., & Watten, R. G.(2012). The Adolescent Life Goal Profile Scale: Development of a new scale for measurements of life goals among young people. *Journal of Happiness Studies, 13*(6), 1053–1072.
Gabrielsen, L. E ., Watten, R. G., & Ulleberg, P. (2013). Differences on Adolescent Life Goal Profile Scale between a clinical and non-clinical adolescent sample. *International Journal of Psychiatry in Clinical Practice, 17*(4), 244–252.
Habermas, T., & Bluck, S. (2000). Getting a life: The emergence of the life story in adolescence. *Psychological Bulletin, 126*, 748–769.
Hektner, J. M., & Asakawa, K. (2000). Learning to like challenges. In M. Csikszentmihalyi & B. Schneider (Eds.), *Becoming adult: How teenagers prepare for the world of work* (pp. 95–112). New York: Basic Books.
Hektner, J. M., & Csikszentmihalyi, M. (1996). *A longitudinal exploration of flow an intrinsic motivation in adolescents.* Paper presented at the annual meeting of the American Education Research Association, Alfred Sloan Foundation, New York.
Jackson, S. A., & Eklund, R. C. (2002). Assessing flow in physical activity: The Flow State Scale–2 and Dispositional Flow Scale–2. *Journal of Sport and Exercise Psychology, 24*, 133–150.
Kerekes, N., Brändström, S., Ståhlberg, O., Larson, T., Carlström, E ., Lichtenstein, P., . . . Nilsson, T. (2010). The Swedish version of the parent-rated Junior Temperament and Character Inventory (J-TCI). *Psychological Reports, 107*(3), 715–725.
Kim, S. J., Lee, S. J., Yune, S. K., Sung, Y. H., Bae, S. C., Chung, A., . . . Lyoo, I. K. (2006). The relationship between the biogenetic temperament and character and psychopathology in adolescents. *Psychopathology, 39*(2), 80–86.
Luby, J. L ., Svrakic, D. M., McCallum, K., Przybeck, T. R., & Cloninger, C. R. (1999). The Junior Temperament and Character Inventory: Preliminary validation of a child self-report measure. *Psychological Reports, 84*(3), 1127–1138.
Lyoo, I. K., Han, C. H., Lee, S. J., Yune, S. K., Ha, J.H., Chung, S. J., . . . Hong, K. E . (2004). The reliability and validity of the Junior Temperament and Character Inventory. *Comprehensive Psychiatry,45*(2), 121–128.

Mariano, J. M., & Going, J. (2011). Youth purpose and positive youth development. *Advances in Child Development and Behavior, 41*, 39–68.
McAdams, D. P. (2013). The psychological self as actor, agent, and author. *Perspectives on Psychological Science, 8*, 272–295.
McAdams, D. P., & Olson, B. D. (2010). Personality development: Continuity and change over the life course. *Annual Review of Psychology, 61*,517–542.
Moreno Murcia, J. A., Cervelló Gimeno, E ., & González-Cutre Coll, D. (2008). Relationships among goal orientations, motivational climate and flow in adolescent athletes: Differences by gender. *Spanish Journal of Psychology, 11*(1), 181–191. Pitzer, M., Esser, G., Schmidt, M. H., & Laucht, M.(2007). Temperament in the developmental course: A longitudinal comparison of New York Longitudinal Study-derived dimensions with the Junior Temperament and Character Inventory. *Comprehensive Psychiatry, 48*(6), 572–582.
Poustka, L ., Parzer, P., Brunner, R., & Resch, F. (2007). Basic symptoms, temperament and character in adolescent psychiatric disorders. *Psychopathology, 40*(5), 321–328.
Schmeck, K., & Poustka, F. (2001). Temperament and disruptive behavior disorders. *Psychopathology,34*(3), 159–163.
Steinberg, L ., Graham, S., O'Brien, L ., Woolard, J., Cauffman, E ., & Banich M. (2009). Age differences in future orientation and delay discounting. *Child Development, 80*(1), 28–44.
Wang, C. K. J., Liu, W. C., & Khoo, A. (2009). The psychometric properties of Dispositional Flow Scale–2 in internet gaming. *Current Psychology,28*, 194–201.

CHAPTER 2

PSYCHODYNAMIC DIAGNOSTIC MANUAL

청소년기의 조기 인격 패턴 및 증후군, PA축

| 반유화 |

서론

인격 패턴은 아동기에 형성되고 삶의 과정 전반에 걸쳐 지속적으로 발달한다. 청소년기에 이르면 대부분의 개인들은 그들의 생각, 느낌, 행동, 세계에 존재하는 방식에 있어서의 틀을 제공해주는, 상대적으로 안정된 조기 인격 양식(emerging personality style)을 가진다. 조기 인격은 한 개인의 맥락적 세계에 반응하는 강점과 약점을 포함한다. 청소년 인격을 개념화하기 위해 세 가지 영역을 고려한다. (1) 소망(wishes), 두려움, 가치, 갈등, (2) 심리적 또는 적응적 자원(resources), (3) 관계(relatedness)의 측면(예: 자기와 타인에 대한 경험). 예를 들어, Westen and Chang (2001)을 보라. Westen과 Chang은 정신분석적 측면에서 역사적으로 사고하여 첫 번째 영역을 고전적 관점에서의 갈등, 타협 형성, 동기와; 두 번째 영역을 방어기제를 포함한 자아심리적 관점과; 세 번째 영역을 대상 관계, 자기심리학적, 관계적 틀과 연결시켰다. 그러나 이 영역들은 정신분석 이론을 넘어 연구 분야와도 관련을 가진다. 또한 많은 요인들-생물학적 소인, 인지 역량, 나이 및 발달적 단계, 가족 및 더 넓은 문화적 영향, 생활 사건-에 따라 인격은 변화하거나 안정화될 수 있다.

PDM-2 PA축의 이 장을 읽는 독자들은 인격발달 및 병인적 요인과 관련한 주제들이 5장의 아동 인격 축(PC 축)에서 더 길게 논의됨을 알았으면 한다. 마찬가지로, 성인 인격 병리와 관련한 이론적 및 개념적 주제들은 청소년 인격의 해당 주제와 매우 겹치므로, 더 깊이 있는 배경지식을 위해 독자들은 성인편 1장의 성인 인격 축(P 축)을 참고하라. 이 장에서는 청소년 인격에 특이적으로 관련한 주제들에 초점을 맞출 것이다.

청소년의 정신건강 및 정신건강 장애를 설명하기 위해서는, 조기 인격 패턴과 상대적으로 형성된 인격 패턴 모두를 다루는 것이 중요하다. 인격 증후군들은 특정 나이에 완전히 고정되지 않는다; 충분히 형성된 인격 구조(structure)를 가진 채로, 청소년기 동안 점차 뚜렷해질 것이다. PA 축의 주요 구조화(organizing) 원리는 성인의 P축처럼, (1) 인격 구조 수준(level of personality organization) (2) 인격 양식(personality style)이다. 인격 구조의 수준은 인격 양식의 심각도 지수이며, 인격 양식 자체만으로 건강 또는 병리 여부를 직접적으로 알 수는 없고 개인이 세계에 존재하는 특징적 방식에 대해서는 알 수 있다.

먼저, 청소년 인격 평가의 중요성을 다루는 최근 연구를 간략히 살펴볼 것이다. 이어서, 임상가 및 연구자들이 청소년 인격을 평가할 때 고려해야 하는, 발달 단계 및 임상적 주제의 특별한 측면을 논의할 것이다. 그 다음 현재 임상가 및 연구자들이 사용할 수 있는 청소년 중심 평가 도구를 개관할 것이다. 이어서, 청소년 인구에서의 인격 조직화 수준 및 조기 인격 양식 진단에 대한 접근을 상세히 기술할 것이다. 또한 임상가가 PA 축을 적용하여 청소년 환자를 이해할 수 있도록 세 개의 간략한 임상적 예시를 제공할 것이다.

청소년과 조기 인격: 배경 및 중요성

(Adolescents and Emerging Personality: Background and Significance)

청소년에서의 인격 병리의 출현(emerging patterns)이 매우 흔하고 지속적임이 많은 증거들을 통해 뒷받침된다(Grilo & McGlashan,1998; Kongerslev, Chanen, & Simonsen, 2015; Levy, 2005; Nock & Kessler, 2006;Westen, Dutra, & Shedler, 2005). 그러나 정신 장애의 진단 및 통계 편람(가장 최근의 DSM-IV-TR 및 DSM-5; 미국 정신의학회, 2000, 2013) 및 국제 질병 분류(현재 ICD-10; 세계 보건 기구, 1992)는 청소년 인격을 진단하는 것을 경계하는데, 부분적 이유로는 장애가 오랫동안 지속되었다는 증거가 필요한데, 이는 젊은 나이에는 확정되기 어렵기 때문이다. ICD-10은 인격 장애 진단은 되도록 16 또는 17세 이전에는 하지 않도록 제안한다. DSM-5는 18세 미만에는 되도록 진단하지 않도록 하며, 특성(traits)의 경우 적어도 1년 이상 존재해야 한다고 말한다. 이러한 권고는 경험적 증거보다는 '질풍노도'로 특징지어지는 정상적 발달 단계를 지속적 병리와 구분하고(Grilo & McGlashan, 1998; Kongerslev, Chanen, & Simonsen, 2015; Levy, 2005; Nock & Kessler, 2006; Westen, Dutra, & Shedler, 2005), 청소년을 사회적 낙인으로부터 보호하려는(Catthoor, Feenstra, Hutsebaut, Schrijvers, & Sabbe, 2015; Chanen, Jovev, & Mcgorry, 2008; Laurensenn, Hutsebaut, Feenstra, Van Busschbach, & Luyten, 2013)노력에서 온다. 그러나, 임상적 증거 및 경험적 연구는 청소년 인격 병리가 정상 발달 및 비정상 정신병리 모두와 구별된다는 것을 보여준다. 이러한 발견은 임상가가 청소년 환자 치료를 진행하는데 있어서 막대한 중요성을 지닌다.

발달 단계 및 병리의 구분에 있어서, Kernberg (1998)는 정체성 위기(crisis)를 맞은 청소년과 정체성 혼돈(diffusion)을 맞은 청소년을 구분하였다(Erikson, 1956도 보라). 정체성 위기는 청소년기의 정상적 부분으로, 가족으로부터의 개별화 및 성적 욕구에 대한 갈등적 느낌 관리와 관련한 정체성 주제를 반영하지만, 정체성 혼란-자기와 타인들에 대한 표상 통합의 결여로 뒷받침되는-은 인격 병리를 의미한다(Chen, Cohen, Johnson, Kasen, & Crawford, 2004; Johnson, Chen, & Cohen, 2004; Wiley & Berman, 2013). 즉 정체성 혼돈이 있는 청소년은 자신이 누구인지에 대한 감각이 결여되어 있고, 파괴적 왜곡 없이는 다른 사람들을 이해하거나 그들과 관계 맺는 데 어려움을 겪는다. 청소년 인격 병리와 발달 단계로서의 속성 간의 차이에 대해서는 인격 발달에 대한 장기 연구들이 뒷받침하는데, 이 연구들에서 인격 병리는 다른 형태의 손상과 병발하여 성인 인격 병리뿐 아니라 다른 대인관계 기능 및 병리적 결과를 예측한다(Daley, Copeland, Wright, Roalfe, & Wales, 2006; Feenstra, Van Busschbach, Verheul, & Hutsebaut, 2011; Kasen et al., 2007).

청소년에서의 인격 병리에 주목하는 것이 중요한 여러 가지 이유가 있다. 첫째, 청소년 인격 병리를 평가함으로써, 임상가들은 더 효과적으로 정신장애 치료를 다듬을 수 있다. 인격 역동은 내재적(internalizing), 외현적(externalizing) 및 식이 병리의 발현과 심각도에 영향을 미친다. (Freeman & Reinecke, 2007; Johnson et al., 2000). 정신의학적 정신병리의 동반 패턴은 일반적 인격 특징과도 관련을 가진다(Allertz & van Voorst, 2007; Chen, Cohen, Kasen, & Johnson, 2006; Lavan & Johnson, 2002). 다음으로, 청소년기 이전에 시작되는 인격 병리조차 성인기까지 고정될 수 있다는 증거들이 점차 늘어나고 있다(Chanen et al., 2004; Cohen, Crawford, Johnson, & Kasen, 2005). 예를 들어, 비정서적(callous-unemotional) 특징의 파괴적 행동 장애를 진단받은 아동은 이제는 정신병질 또는 성인 반사회적 인격장애로 지속된다고 생각된다(Cohen et al., 2005; Rey, Morris-Yates, Singh, Andrews, & Stewart, 1995). 이 특징들은 고정적일(stable) 뿐 아니라, 물질사용장애 등 청소년기에 진단 가능한 장애와 동반이환되기도 한다(Biederman et al., 2008; Chanen et al., 2004; Cohen et al., 2005; DiLallo, Jones, & Westen, 2009; Frick, Stickle, Dandreaux, Farrell, & Kimonis, 2005; Jones & Westen, 2010; Rey et al., 1995). 이러한 연구들은 청소년들이 구조적인(structured) 환경과 다양한 지지 자원을 아직 가지고 있는 동안에, 조기 인격 병리에 특히 초점을 맞춘 조기 개입이 필요함을 강조한다. 그와 동시에, 발달 경로는 순차적이거나 결정론적이지 않다. '등결과성(equifinality)'이나 '다결과성(multifinality) 같은 발달적 정신병리의 개념틀은 인격 병리의 결과들이 다양한 기여 요인들을 가질 수 있으며, 인격 병리의 위험 요인들이 항상 인격장애 진단이라는 결과를 낳는 것은 아니라는 것을 의미한다.

청소년의 조기 인격 병리의 진단은 성인보다 어려운 편이다. 또한, 연구에 의하면 치료자들은 자신들이 청소년에게 낙인이 심한 장애로 꼬리표를 붙인다는 염려와, DSM이 청소년에게 인격장애 진단을 하지 말라고 한 점으로 인해 진단을 망설인다(Johnson et al., 2005; Kasen et al., 2007; Laurensenn et al., 2013). 그러나 청소년은 인격을 가지며, 이 인격은 적응적 및 부적응적 성질로 특징지어질 수 있다. 임상가들은 청소년의 나이와 발달단계를 고려해야 한다(예: 13세는 18세와 매우 다르다). 또한, 임상가들은 가족 및 환경요인에 대한 청소년의 민감도를 고려하고 이 요인들이 청소년에게서 보이는 인격 특성에 어떻게 영향을 주었는지 생각해야 한다. 결국 청소년의 인격 패턴이 인격병리라고 할 만큼 매우 경직되고 부적절한지에 대한 결정은 모든 요인을 개괄한 임상가의 숙고에 달려 있다. 인격 패턴이 이 장에서 이후에 언급되는 12가지의 정신 능력을 저해한다는 강력한 증거 없이도, 임상가는 청소년의 독특한 강점과 취약성에 따라 상대적으로 고정된(stable) 인격패턴을 특징지을 수 있다(성인에서 가능한 것처럼). 청소년 인격 발달과 발현(presentation)을 다룰 때, 임상가는 많은 요인들 간의 지속적인 상호작용으로부터 나타나는 특성을 고려해야 한다. 이 원인적 기제는 5장의 PC 축에서 깊게 논의하고 있으며, 아래는 간략한 내용이다.

- 개인은 활동 수준(activity level) 및 달래질 수 있는 능력(ability to be soothed)(예: 기질) 등 특정 생물학적 소인을 타고난다. 영아의 독특한 신경심리적 상태는 시간에 따라 환경과의 상호작용에 반응하여 발달한다.
- 일상 생활의 활동에 있어서, 독특한 양육자-영아 패턴은 이상적으로는 아동이 정서 반응을 숙달(master), 조절(modulate), 조율(regulate)하도록 발달한다. 성숙에 있어서, 핵심 관계의 범위가 넓어진다. 청소년기까지 상호작용의 초기 패턴이 반복되는 경향이 있을 수 있다(예: 애착 양식).
- 내적 경험 및 행동 패턴이 점차적으로 발달하며, 이는 대인관계적으로 확장된 환경-청소년이 만들어나가는 힘을 가질 수 있는 환경-의 사람들과 청소년 사이의 상호작용과 영향을 주고 받는다. 청소년의 자존감은 이러한 경험들의 의식적 및 무의식적 의미의 결과로 발달한다.
- 발달 중에, 드물거나 외상적인 경험 및 성장하면서의 정상적 좌절을 숙달하는 방법으로서 다양한 적응적 및 방어적 작업이 나타난다. 높은 수준의 공격성 및 흥분성(irritability)을 가진 청소년은 부모, 교사, 또래와 자주 만성적으로 갈등한다. 반면에, 더 내재적 패턴을 가지고 행동을 억제하는 청소년들은 과보호 반응 또는 무관심을 야기할 수 있으며, 결과적으로 억제(inhibition)가 증가하고 열등감을 느낀다.

청소년 조기인격 패턴의 발달적 측면(Developmental Aspects of Adolescent Emerging Personality Patterns)

사춘기(puberty)는 확장(expansion) 및 잠재적 내적 혼란(turmoil)의 시기를 시작하게 한다. 대부분의 청소년들은 이를 성공적으로(예: 과도한 폭풍우 없이) 관리하지만, 어떤 청소년들은 성인기의 장애로는 발달하지 않는 일시적인 어려움을 보이기도 하고, 다른 이들은 지속적인 병리적 기능을 경험할 수 있다.

청소년기 동안, 세 개의 주요 과업을 달성해야 한다. (1) 호르몬 및 다른 신체변화에의 적응(예: 신경생리); (2) 원가족으로부터의 애착을 다른 사랑 대상으로 전달하는 과정의 시작; (3) 자기감이 나타나고 점차 복잡해지는 맥락에서 현실적으로 경험을 비교하고 평가하는 더 미묘하고 능숙한 능력(capacity)의 구성

초기 청소년기(Early Adolescence)

초기 청소년기(대략 12-14세)의 특징은 중요한 신체 변화(체모 성장, 키와 체중 증가)이며, 그 중 가장 중요한 것은 소녀(생리 시작)와 소년(고환과 음경의 성장)의 성적 성숙이다. 청소년이 신체변화를 통합함에 따라, 신체관련 주제는 가벼운 정도에서 극단적인 정도로 나타날 수 있다. 어떤 소녀들은 헐렁한 바지로 자신을 가리거나 노출이 심한 옷을 입을 수 있다. 어떤 소년들은 남성성 드러내기에 집착하거나 더 지적인 상태로 철수한다. 신체변화에 대한 대응방식은 매우 다양하다. 또한 많은 청소년들은 그들의 정체감 때문에 고심하고, 그들 자신 및 신체에 대해 어색하다고 느끼고, '정상(normal)' 대해 매우 걱정할 수 있다.

호르몬 변화 및 성적 느낌에 따라 소년과 소녀들이 자위행위를 하는 것은 정상이며, 성적인 환상을 가질 수 있다. 이런 환상이 발달함에 따라 그들은 성적인 선호를 더 인식할 수 있게 된다(Adelson, 2012). 젠더 정체성은 이차 성징의 시작과 함께 더 분명해진다. 대부분의 아동 및 청소년들이 약간의 젠더 비순응(gender-nonconforming) 행동을 보일 수 있으나, 어떤 청소년들은 젠더와 표현적(phenotypic) 성적 특징 사이의 불일치(discordance)를 표현하기 시작한다. 인지적으로, 어린 청소년들은 추상적 사고 및 자기성찰 능력의 성장을 보이나, 관심은 일반적으로 미래보다 현재에 있다. 어떤 청소년들은 스트레스 하에서 변덕스러움(moodiness)과 아이 같은 행동으로 돌아가는 경향을 보인다. 그들은 규칙과 한계를 시험하는 성향이 증가할 수 있다.

중기 청소년기(Middle Adolescence)

중기 청소년기(대략 15-16세) 동안에, 소녀에서는 신체 성장이 느려지고 소년에서는 지속된다. 자기성찰(self-reflection)은 증가하여, 도덕적 추론에 대한 관심 및 삶의 의미에 대한 생각을 동반한 내적 경험을 탐색하고 성찰할 수 있게 된다. 부모와의 갈등이 증가하고 또래와의 상호작용에 대한 관심이 증가한다. 이 시기에, 청소년들은 또래 압력에 특히 취약하다. 자기감(sense of self)이 뚜렷하지 않기 때문에, 그들은 또래가 이끌어주기를 원한다. 중요한 정서적 대상으로서의 가족 구성원들로부터 벗어 나고 부모와의 동일시가 감소하는 가운데, 청소년들은 다양한 패턴을 보일 수 있다; 또래 및 다른 성인에 대한 동일시(및 모방); 성적 실험 및/또는 지나치친 도덕적 태도; 이상적 또는 지적인 추구에 대한 강박적 몰두; 및/또는 자아중

심적 쾌락주의. 청소년은 역공포적, 충동적 행동을 통해 취약성과 죽음가능성을 부정하거나, 행동을 철수할 수 있다. 경험적 연구는 위험 감수, 새로움 추구, 자극 갈구가 청소년기에 증가하고 청소년의 50%에서 나타난다는 것을 보여준다(Irwin, 1989; Kelley, Schochet, & Landry, 2004). 일반적으로 거부적(dismissive) 청소년은 최대한 빨리 부모와 거리를 두는 반면에, 몰입적(preoccupied) 청소년은 자율성을 높이려는 부모의 요구를 받아들이지 않으려 하거나 받아들일 수 없다. 가족들은 갈등의 증가와 따뜻함의 감소를 경험하지만, 이는 관계의 전체적 악화라기보다는 불안정(insecurity)의 새로운 흐름을 의미한다.

청소년이 성적 욕망을 더 인식하고 성적인 경험을 더 하게 됨에 따라, 성적 정체성 및 지향성의 측면에서 대개 확실성이 발달한다. 청소년에서의 성적 정체성의 발달은 성적 경험뿐 아니라 인구학적 요인(예: 나이, 문화)의 영향을 받는다(D'Augelli & Patterson, 2001; Mustanski, Kuper, & Greene, 2014). 젠더 정체성은 점차 뚜렷하게 발달할 수 있다. 어떤 트랜스젠더 청소년은 그들의 젠더 정체성과 생물학적 성별이 더 일치하기를 원할 수 있다. 다른 소수자 집단처럼, 젠더 및 성적 소수자들은 특정 사회 및 문화적 맥락에서 괴롭힘과 배제에 취약하다 (레즈비언, 게이, 양성애, 트랜스젠더 주제에 대해, 3장의 SA 축을 보라, pp. 204-206).

가족 관계와 역동은 청소년 인격 발달에서 중요한 역할을 한다. 부모-아동 관계는 청소년기 동안 재조정이 필요하며, 중년기의 재평가로 인해 자율성에 대한 청소년의 필요에 부합하는 부모의 능력이 약화될 수 있다. 부모의 사회화 행동은 청소년의 인지적 속성 및 감정 조절의 발달에 영향을 줄 수 있으며, 일반적으로 청소년이 이 시기의 발달과업을 어떻게 대면하는지에 영향을 미친다. 가족 및 또래 관계 모두의 중요성을 고려할 때, 부모 교육, 학교의 지원, 또래 프로그램 모두 청소년기 동안에 치료적 및 예방적 가치를 지닌다.

후기 청소년기(Late Adolescence)

후기 청소년기(대략 17-19세, 주제들은 20대 초반까지 연장될 수 있다)에, 젊은 여성은 일반적으로 완전히 발달하지만, 젊은 남성은 체중과 키가 계속해서 증가한다. 성인기가 막 나타나는 이 마지막 시기에, 청소년들은 더 견고한 정체감, 감정적 안정의 증가, 도덕적 추론에 대한 지속적 관심을 동반한, 만족의 지연 및 통찰(insight) 능력의 증가를 보인다. 후기 청소년기에, 성(sexualities) 젠더 정체성에 대한 더 미묘한(nuanced) 관점이 계속해서 발달한다.

청소년 치료에서의 중요한 맥락적 요인들(Significant Contextual Factors in the Treatment of Adolescents)

청소년기의 일련의 발달적 순서를 고려하는 것에 더해, 임상가들은 맥락적 요인의 복잡함에 주의를 기울여야 한다. 아래는 간략한 개요이다.

가족 관계(Family Relationships)

인격이 나타날 때 가족 스트레스가 하는 역할에 대한 많은 증거를 고려하여, 임상가들은 가족 관계가 인격 증상군의 출현 및/또는 유지에 어떻게 기여하는지를 평가해야 한다. 부정적 양육 행동(예: 학대, 방임, 부모의 부족한 애정과 양육)(Keinänen, Johnson, Richards, & Courtney, 2012); 부모 갈등; 부모의 정신의학적 질환(Cohen et al., 2005); 부모와의 초기, 특히 5세 이전의 분리(Lahti, Pesonen, Räikkönen, & Erikson, 2012); 부모의 자살시도 또는 자살사망; 부모의 투옥 이력; 가정 폭력(Afifi et al., 2011) 등의 위험 요인들이 평가 과정에서 고려되어야 한다.

청소년에서의 대인관계 과민감성, 감정 조절곤란(emotional dysregulation), 자해 같은 인격 문제는 경험적으로 부정적 양육(높은 수준의 갈등, 부정적 정서, 감정 관리에 대한 지지 결여, 감정 사회화 연습의 무력화)과 상관관계를 가지며, 양육자의 긍정적 정서행동은 경계성 인격의 심각도가 시간 흐름에 따라 빨리 낮아지는 것과 관련이 있다(Adrian, Zeman, Erdley, Lisa, & Sim, 2011; Crowell, Beauchaine, & Lenzenweger, 2008; Keenan et al., 2010; Yap et al., 2011; Zalewski et al., 2014). 가족 환경이 아동의 부정적 감정 관리 돕기에 실패한다면- 즉, 부모가 둔감하고, 처벌적이고, 혼란스럽고(chaotic), 적대적 환경을 조성한다면- 아동의 부정적 감정은 시간에 따라 점차 증가할 것이다(Bates, Schermerhorn, & Petersen, 2014; Lengua & Wachs, 2012). 초기에서 후기 청소년기에 가족 갈등의 수준이 높거나 점차 증가하는 것은 높은 수준의 반사회적 행동과 연관성을 가진다(Hofer et al., 2013; Lansford et al., 2009).

양육방식은 청소년의 감정조절 발달에 여러 방법으로 영향을 줄 수 있다. 부모의 높은 수준의 통제(control)와 요구(demandingness) 및 낮은 수준의 따뜻함과 수용(acceptance)을 특징으로 하는 권위주의적(authoritarian) 양육은 아동이 감정적으로 과하게 자극받게 만들고 부정적 감정을 억제하게 함으로써 자기 조절의 발달을 저해한다(Sroufe, 1996). 높은 수준의 따뜻함과 수용 및 매우 낮은 수준의 행동 통제가 특징인 허용적/방종적(permissive/indulgent) 양육의 경우, 청소년은 자기 조절을 언제 어떻게 하는지 배울 수 없으며, 충동적이고 비조절적(dysregulated) 행동을 더 보일 수 있다.

진단 및 치료과정의 촉진을 위해, 임상가는 청소년 환자의 부모를 치료에 포함시켜야 한다. 이는 청소년의 조기 인격에 대한 복합적이고 깊이 있는 구성을 도우며, 부모로 하여금 가족 역동이 환자의 인격 발달과 인격 증상의 지속에 어떻게 기여하는지에 대해 이해할 수 있도록 돕는다. 부모와의 작업은 특히 갈등과 스트레스에 상황에서 아동에게 지지적이고 긍정적인 방법으로 대응하는 능력을 증가시킨다. 응집된(cohesive) 정체감과 긍정적 대인관계 접촉 및 연결에 대한 느낌(feelings of positive interpersonal contact and connectedness) 사이의 연관성을 고려할 때, 이는 특히 경계성 기능 발달의 위험이 있는 청소년에게 중요하다(Stanley & Siever, 2009). 부모를 포함하는 것은 그들 참여의 강압적이고 비정신화적 순환으로부터, 신뢰, 안전함, 애착, 효과적 의사소통을 촉진할 수 있는 정신화적 논의로의 전환을 돕는다 (Bleiberg, 2004). 따라서 임상가는 청소년뿐 아니라 양육 체계의 역량을 평가함으로써, 치료 과정을 지지하고 치료 과정에 참여하도록 해야 한다.

또래 관계(Peer Relationships)

자신의 부모가 완벽무결하지 않다는 것을 알게 됨에 따라, 청소년은 자신에게 영향을 미치거나 가르치려는 부모의 시도에 점차 의문을 가지고 저항한다. 이러한 관계의 틈새는 또래로 채워지는 경향을 보인다. 비록 청소년 시기에 부모의 영향이 사라지지는 않지만, 또래의 영향에 비하면 상대적으로 감소한다. 또래 영향은 보호적일 수 있다. 예를 들어, 친구들이 있고 높은 수준의 우정을 유지하는 사춘기 전 아동은 낮은 수준의 우정을 유지하는 청소년에 비해 우울 증상을 더 적게 보이며, 높은 자존감을 가지며, 내재적(internalized) 문제를 덜 경험한다(Rubin et al., 2004; Updegraff & Obeidallah, 1999). 또래와의 긍정적 관계는 부정적 양육 및 외현적 행동문제 사이의 연관성을 완화해줄(moderate) 수 있다(Lansford, Criss, Pettit, Dodge, & Bates, 2003); 가족에서의 만성적 학대(maltreatment)의 부정적 효과를 완충한다(Bolger, Patterson, & Kupersmidt, 1998); 경제적으로 어려운 가족에서, 생활 만족과 관련한 경제적 스트레스의 부정적 효과로부터 보호해준다(Raboteg-Šari, Šaki, & Brajša-Žganec, 2009). 이와 유사하게, 학교 환경은 인격문제의 출현과 지속에 영향을 줄 수 있다; 학습에 집중하는 학교에서, 학생들은 경계성, 자기애성, 반사회성, 연극성 인격 특징의 감소를 보인다 (Kasen et al., 2007).

그러나 또래 관계가 청소년을 부적응적 인격 발달의 위험에 놓이게 할 수도 있다. 또래 관계의 맥락에서 위험행동이 발생하는 경향이 있다(Wolfe, Jaffe,& Crooks, 2006). 또래 집단 내에서 청소년은 그러한 행동에 대한 태도를 형성하는 다수의 상호작용을 경험한다(Dishion, Spracklen, Andrews, & Patterson, 1996; Patterson, Dishion, & Yoerger, 2000). 또래 집단 구성원은 물질 사용 (Urberg, DeÈirmencioÈlu, & Pilgrim, 1997), 일반적 비행행동(Kiesner, Cadinu, Poulin,& Bucci, 2002), 학교 중퇴(Cairns, Cairns, & Neckerman, 1989), 위험한 성적 행동(Henry, Schoeny, Deptula, & Slavick, 2007)의 영역에 있어서 시간에 따라 유사한 태도와 행동을 보이는 경향을 가진다. 또래 압력은 물질 사용과 일탈 행동의 위험 요인으로 알려져 왔다(예: Claesen, Brown, & Eicher, 1986; Santor, Messervey, & Kusumakar, 2000). 평가 과정에서, 임상가는 청소년이 놓인 사회적 분위기를 고려해야 한다. 높은 갈등 및 얕은 대인관계는 인격 문제의 출현을 예측하게 한다(Kasen, Cohen, Chen, Johnson, & Crawford, 2009).

사회경제 및 문화적 요인(Socioeconomic and Cultural Factors)

낮은 사회경제적 지위(SES)는 몇 가지 유형의 인격 증후군의 요인으로 알려져 왔으며, 이는 연구자들이 외상, 스트레스적인 일상사건, IQ, 양육, 동반 증상을 통제한 후에도 마찬가지였다 (Cohen et al., 2005; Johnson, Cohen, Dohrenwend, Link, & Brook, 1999). 이웃의 특성 역시 인격 문제에 영향을 줄 수 있다(Hart & Marmorstein, 2009). 인격 패턴의 발생과 발현에 대한 문화적 영향의 증거들이 있다; 한 진단 분류 내에서 어떤 증상이 두드러지는지는 문화적 배경에 따라 다를 수 있다(Newhill, Eack, & Conner, 2009). 문화적 요인은 서구 문화에 반사회성 및 경계성 인격이 더 많다는 사실을 설명해준다(Mulder, 2012). 임상가는 특정 문화 집단에서 무엇이 규범적인(normative) 청소년 행동으로 보일지에 대해 문화적 가치와 믿음이 어떻게 영향을 주는지 알 필요가 있으며, 특히 부모의 보고를 취합하고 분리개별화 관련 주제를 탐색할 때 더욱 그러해야 한다. 임상가는 진정한 호기심을 가진 정신화적 입장으로 문화적 주제에 접근해야 하며, 이러한 태도는 문화 역동이 어떻게 청소년과 가족에게 영향을 주었는지에 대해 탐색할 수 있도록 하는 존중, 신뢰, 안전의 분위기를 조성할 수 있다(SA 축에 대해 3장을 보라).

청소년 치료에서 나타나는 임상적 주제들(Clinical Issues Arising in the Treatment of Adolescents)

위에서 개괄한 신체, 감정, 인지 발달 변화는 청소년 환자의 작업이 아동 또는 성인과의 작업과는 다르다는 것을 보여준다. 청소년 환자와의 정신역동적 작업에 대한 Loughran (2004)의 글을 보라. Fonagy, Gergely, Jurist, 및 Target (2002)은 염두에 두어야 할 중요한 두 가지 발달적 도전을 강조한다: 첫째는, 청소년환자의 최근의 형식적 조작(formal operations) 발달이며, 이는 대인관계 이해의 강화로 이어진다- 자기와 타인에 대한 새로운 정서 경험이 범람하는 잠재적으로 압도적인 과정이다; 둘째는, 외부의 양육자 및 양육자에 대한 내적 표상 모두와의 분리이다. 이 개별화 과정에서 어떤 청소년들은 이 시기까지 가려져 있던, 초기 양육 문제로 인한 어려움을 겪는다.

성인과의 작업과 달리, 청소년에서는 현재의(current) 애착 관계가 더 직접적으로 다루어져야 한다. 이는 청소년 및 가족 모두를 고려하는 것을 의미하며, 개인 회기에 더해 가족 만남, 교사와의 상의, 청소년 없이 부모와의 개별적 의사소통이 있어야 한다. 양육자들이 함께할 때는, 아동 및 아동의 인격에 대해 그들이 더 반영적이고 일관적으로 생각할 수 있도록 도와야 한다. 어느 가족구성원을 처음 만날지 결정할 때는, 미리 정해진 규칙에 입각하기보다 임상가가 문제의 성질과, 만남이 가족 체계와 치료 동맹에 어떤 영향을 줄 지를 고려해야 한다. 비밀보장 관련한 주제는 이 나이 집단에서 특히 중요하다. 임상가는 청소년 및 가족과 비밀보장의 한계를 논의하고 성, 약물/알코올 사용, 및 다른 위험 행동과 관련한 의사소통을 어떻게 할지를 고려해야 한다.

청소년의 말을 듣고 인격을 이해하기 위해, 임상가는 모든 의사소통 수단을 고려해야 한다. 여기에는 정서의 비언어적 단서, 신체 언어, 옷/신체 특징에 주의를 기울이는 것을 포함한다. 청소년이 다양한 수준의 문화적 환경들(집, 학교, 또래 집단, 이웃, 출생지의 문화, 종교적 배경 등)에 어떻게 적응했는지에 대해 생각해야 한다. 이는 청소년이 이런 각각의 틀 안에서 어떻게 자기와 타인을 지각하는지를 파악하고 그것이 적절한지 또는 갈등적인지를 알아차리는 데 유용하다. 예를 들어, 각 틀에서 정체성과 관계에 대한 서로 다른 기대들이 존재하는가? 만일 그렇다면, 그 청소년은 이러한 차이를 어떻게 이해하고 이러한 도전을 다루었는가? 임상가가 청소년 환자, 가족, 지역사회의 강점을 적극적으로 고려하는 것은 성장 촉진에 필수적이다.

참여적이며 인정적인 태도는 치료동맹의 형성에 필수적이며 청소년이 자신에게 호기심을 가질 수 있도록 돕는다. 임상가의 치료 접근은 청소년 인격 구조(organization) 및 인격 양식 평가에 의거해야 한다. 예를 들어, 우울성 인격 양식 및 신경증적 구조 수준을 가진 환자의 개입 및 전이-역전이 역동은 반사회성 인격 양식 및 정신증적 구조 수준을 가진 청소년에 대한 것과 매우 다를 수 있다. 두 환자 모두 DSM-5의 주요우울장애 진단을 받았더라도 이 차이는 확실히 중요하다.

임상가가 청소년 인격을 평가하고 효과적 치료를 계획할 때, *인격 강점(personality strengths)*과 가족 및 광범위한 사회 체계의 *보호 요인(protective factors)*을 고려하는 것이 필수적이다. 격동의 시기를 통과하지만 인격장애로 발전하지는 않는 청소년과 인격장애로 발전하는 청소년을 구별해 줄 수 있는 중요한 일반적 보호 요인은 '정신화 능력(mentalizing capacities)'이다. 임상가는 세 가지 중요 보호요인을 고려해야 한다. (1) '성찰 기능(reflective function)', 또는 개인의 생각, 느낌, 동기를 인식, 경험, 성찰하는 능력과 의지 (2) '행위주체성(agency)', 또는 자신의 행위에 효과가 발생하며 책임을 져야 한다고 여기는 감각 (3) '연결성(relatedness)', 또 타인의 관점에 개방적인 관계 및 타인과 어울리는 데 가치를 두는 것(Bleiberg, 2004; Hauser, Allen, & Golden, 2006). 정신화는 청소년이 삶의 어려운 경험들에서 유래하는 감정들을 지각하고 이름 붙일 수 있게 해주며, 이 경험들에 대한 성찰 과정을 통해 그 경험들의 부정적 영향을 줄일 수 있게 해준다 (Fonagy et al., 2002). 또한, 정신화 능력은 초기애 학대 및 방임을 경험한 개인에게서 정신병리가 발달하는 것을 방어해주는 것으로 보이며, 이러한 능력은 남자 청소년의 정신병리와 공격적 행동 사이의 관련성을 완화해준다(Taubner, White, Zimmermann, Fonagy, & Nolte, 2012). 발달이 이 측면에 대한 자세한 설명에 대해서는, 1장의 MA 축을 보라.

다른 맥락적 및 대인관계적 요인들은 평가, 임상 구조화(formulation), 치료 계획 동안 추가적인 정보를 제공한다. 예를 들어, 높은 IQ, 재능, 긍정적 자기지각은 다양한 난관과 역경을 극복해온 아동들의 좋은 발달적 결과와 연관성을 가진다(Sapienza & Masten, 2011). 청소년의 회복탄력성을 증진시키는 맥락적 요인들로는 긍정적 양육, 효과적 교육, 예배장소 같은 사회적 조직과의 연결 등이 확인되었다(Masten, 2007). 청소년기의 중요한 삶의 과업들(학교 및 또래 관계)에서의 능숙한 기능은 회복탄력성의 다른 원천이다(Skodol et al., 2007). 이 측면들에 대한 고려는 진단적 프로파일의 발전, 치료 계획수립, 임상적 권고 작성에 필수적이다.

청소년기에서의 인격 평가(Personality Assessment in Adolescence)

일반적으로, 임상적 검사는 진단/주요문제 및 치료 계획과 관련한 정보를 전달하고 결정을 돕고 치료 동안의 변화를 보여줄 수 있는 자료를 제공해야 한다. 표준화된 평가의 임상적 사용과 관련한 많은 문제들이 고려되어야 하며, 그중에서 정보제공자를 선택하는 것은 중요한 일이다. 실제로, 아동기 및 청소년기의 임상적 평가에 대한 평가자 간 신뢰도 연구에서 정보제공자들 사이의 일관적으로 낮거나 중간 정도인 상관관계를 보여왔으며(예: De Los Reyes & Kazdin, 2005), 그 요인들로는 아동의 나이, 환경, 아동 문제 영향 일치 유형(type of child problem influence agreement) 등이 있었다. 청소년기에서 청소년, 부모, 다른 정보제공자들(주로 교사) 사이의 일치는 아동기에 비해 낮다(임상 기반 문헌은 Smith, 2007을 보라). 이러한 경향은 부분적으로는 청소년들의 사회적 바람직성(social desirability) 및 그들의 괴로움을 정직하게 나타냈을 때의 원치 않는 결과에 대한 이해가 높기 때문으로 생각된다. 부모와 교사의 부정확성에 대해서는, 청소년의 높아진 자율성으로 인해 권위적 인물이 믿을만한 사람이 되기 어렵고, 정보제공자의 관찰이 매우 맥락 특이적인 청소년 행동/자기표현을 반영하기 때문으로 생각된다. 후자의 이유로, 청소년의 삶에서 비슷한 역할을 맡은 정보제공자(부모 두 명 같은)들은 각기 다른 환경에서 청소년을 접하는 정보제공자들(예: 부모와 교사)에 비해 더 높은 평가자 간 신뢰도를 보인다(Shiner & Allen, 2013). 다른 정보제공자들(및 평가 방법들)의 특이적 편향 및 기여는 청소년 환자에 대해 다양한 출처에서 정보를 수집하는 것의 중요성을 보여준다. 임상적으로, 청소년, 부모, 다른 보고자들 간의 일치는 임상적 구조화에 대한 정보를 제공하며, 치료 결과의 독립적 목표와 척도가 되기도 한다.

청소년기에서의 인격 기능에 대한 자기보고 평가(Self-Report Measures of Personality Functioning in Adolescence)

인격 평가 척도- 청소년용(Personality Assessment Inventory—Adolescent)

인격 평가 척도- 청소년용(PAI-A)은 264 문항의 자기보고 척도로서, 인격기능 및 정신병리에 대한 다차원적 평가이다. 청소년들은 각 진술이 그들에게 얼마나 맞는지에 대해 4점 리커트 척도로 평가하며, 12-18세까지 시행 가능하다(Morey, 2007). 타당도가 잘 검증된 성인 PAI를 4학년 읽기 수준으로 단축시키고 단어를 바꾼 PAI-A는 성인편의 기본구조를 유지하고 있다. 첫 경험적 분석은 적절한 심리측정적 특질을 보여준다(Morey, 2007; Rios & Morey, 2013). 성인 PAI처럼, PAI-A는 다양하고 서로 겹치지 않는 척도를 포함한다: 4개의 검사 타당도 척도(증상의 과잉 또는 축소보고, 방어성, 무관심의 경향 확인), 11개의 임상 척도, 5개의 치료적 고려 척도(자살경향성, 공격성, 치료 거부 포함), 2개의 대인관계 척도(지배 및 따뜻함). PAI-A는 척도끼리 겹치지 않는다는 특징이 있어, 다른 평가도구들에서 관건인 변별타당도(discriminant validity)가 좋다.

미네소타 다면적 인격 검사- 청소년용(Minnesota Multiphasic Personality Inventory—Adolescent)

미네소타 다면적 인격 검사- 청소년용(MMPI-A)은 다양한 민족 표본의 14에서 18세를 대상으로 규준되었으며 이 나이 집단의 인격 및 정신병리에 있어서 가장 많이 쓰이는 평가에 속한다(Butcher et al.,1992; Sellbom & Jarrett, 2014). MMPI-2처럼 광범위한 경험적 평가에 사용되었으며, 많은 언어로 번역되었다. MMPI-A는 3개의 타당도 척도 및 10개의 경험 유래 임상 척도를 포함한 478개의 참-거짓 문항으로 구성되어 있다. 임상 진료 및 치료 계획수립에 있어서 연구들은 일관적으로 좋은 공인 및 예측타당도(concurrent and predictive validity)를 나타냈으며, 특히 진단적 심각도와 관련하여 그러했다(예: Archer, 2004). 비록 더 단축되고 문항 내용의 큰 변화가 있었으나, 질문을 적절히 답할 수 있는 읽기 수준은 유사한 척도 보다 높은 편이며(7학년에서 9학년), 척도의 길이로 보아 주의 능력을 꽤 요구한다.

다섯 요인 척도- 청소년용(Big Five Inventory—Adolescent)

다섯 요인 척도- 청소년용은 5분 분량의 44문항 척도로서, 인격의 '다섯 요인(Big Five)' 모델의 신경성(neuroticism), 외향성(extraversion), 개방성(openness), 우호성(agreeableness), 성실성(conscientiousness)의 원형적 정의에 대한 평가로 구성되어 있다(John, Donahue, & Kentle, 1991). 이러한 이론적 접근은 청소년 인격 묘사의 유용한 틀이라는 것과(John, Caspi, Robins, Moffit, & Stouthamer-Loeber,1994; Lynam et al., 2005), 문화들에 걸쳐 인격 기능 및 정신병리에 대한 예측이 가능함이 증명되었다(Vazsonyi, Ksinan, Mikuška, & Jiskrova, 2015). 특히, 기능의 적응적 요소를 포착하는 이 인격평가 배터리는 임상 구조화의 중요 부분이며(Cicchetti, 1993; Rashid & Ostermann, 2009; Rawana & Brownlee, 2009; Shiner, 2009; Tedeschi & Kilmer, 2005; Westen & Shedler, 2007), 이는 치료계획 수립에 대한 정보를 제공한다. BFI-A의 문장은 쉬운 언어로 구성되어 있으며(6학년의 읽기 이해 수준), 청소년이 자

신의 기능의 필수적 특징에 부합한다고 느끼는 정도에 따라 5점 리커트 척도에서 표시를 한다. BFI-A의 심리측정적 특질은 적절하다고(adequate) 밝혀졌으며(Hahn, Gottschling, & Spinath, 2012), 척도는 히스패닉 인구에 대한 사용에 있어서 타당도가 검증되었다(Benet-Martinez& John, 1998). 이 척도는 타당도를 평가하는 척도를 포함하고 있지 않다.

밀론 청소년 임상 척도(Millon Adolescent Clinical Inventory)

밀론 청소년 임상 척도(MACI)는 165문항으로 구성된 31개의 자가보고 척도로서, 청소년의 광범위한 임상증후군 및 인격 병리 차원들을 평가하기 위해 만들어졌다(Millon & Davis, 1993; Millon, Millon, Davis, & Grossman, 2006). 인격에 대한 Milon의 이론에 기반하여, MACI는 임상 표본을 통해 개발되고 규준되었고 각 임상적 환경에서 심각도와 기능을 잘 예측하는 것으로 증명되었다(McCann, 1999). 임상 진료의 청소년 인격평가에서 가장 흔하게 사용되는 척도에 속하며, 강한 경험타당도를 보였다(Murrie & Cornell, 2002; Romm, Bockian, & Harvey, 1999). MACI는 직교적(상호 배제적)으로 만들어지지 않았고, 최근의 요인분석은 세 가지의 주요 기저 인격 요인을 구분할 수 있다고 제시한다('원형(prototypes)'): 탈도덕화(demoralization) (자기에 대한 핵심 감각의 결여, 경계성 경향); 행동화(acting out)(조종, 지배, 냉담-비감정적 경향); 무심함(detachment)(낮은 자존감, 거절에 대한 두려움, 억제적 경향) (Adkisson, Burdsal, Dorr, & Morgan, 2012). 최근 연구는 이 척도들이 특정 방어기제를 예측할 수 있다고 제안한다 (Rachão & Campos, 2015). 임상적 척도에 더해, MACI는 자기노출(self-disclosure), 바람직성(desirability), 타락(debasement)에 대한 태도를 발견하는 타당도 척도를 포함한다. MACI는 작성에 20-30분이 걸리며, 6학년의 읽기 수준의 단어로 구성되어있다.

청소년 인격 기능에 대한 인터뷰 기반 또는 임상 보고 평가(Interview-Based or Clinician-Reported Measures of Adolescent Personality Functioning)

청소년 및 성인 인격 기능 평가(Adolescent to Adult Personality Functioning Assessment)

청소년 및 성인 인격기능 평가(AD-ADFA)는 임상가가 청소년에게 2에서 5년에 걸친 기간 동안의 기능에 대해 질문하여 작성하는 인터뷰이다(Naughton, Oppenheim, & Hill, 1996). 여섯 영역을 포함한다: 교육/일; 사랑관계(동거 또는 비동거 성적 관계); 우정; 비특이적 사회 접촉(낯선 이들 또는 아는 사람들과의 사회적 교류); 협상(목표를 이루기 위한 적극적 상호작용) ; 실질적, 일상적 일들에 대한 대처. 질문자는 적절한 정보를 얻기 위해 비고정적 질문을 사용한다; 채점은 청소년들의 행동에 대한 기술에 기반한다; 기능에 대한 그들 자신의 평가는 고려하지 않는다. 척도는 18세 이상의 청소년에게만 사용 가능하며, 16-20 및 21-25세의 시기에 대해 다룬다. 이 척도의 성인 부모판처럼, AD-ADFA는 좋은 평가자 간 신뢰도를 가진다(Naughton et al., 1996).

셰들러-웨스텐 청소년용 평가도구, 2판(Shedler- Westen Assessment Procedure for Adolescents, Version II)

셰들러-웨스텐 청소년용 평가도구, 2판(SWAP-II-A)은 14-18세 청소년의 인격병리에 대한 임상가 보고 척도이다(Westen, Shedler, Durrett, Glass, & Martens, 2003). 청소년 인격의 다양한 측면과 관련한 200개의 진술을 포함하며, 다른 이론적 성향을 가진 임상가들에게 보편적인, 전문용어를 배제한 언어로 기술되어 있다. 각 진술문은 별도의 카드에 인쇄되어 있으며, 이를 임상가가 환자에 대한 적용가능성에 따라 여러 범주로 분류한다(예: Q-범주 방법론). 분류는 심층 임상면담 또는 환자에 대한 종적인(longitudinal) 지식습득 이후에 이루어지며, 이전 문헌에 의하면 경험있는 임상가들은 적절한 평가를 위해 6시간을 필요로 한다고 한다(Shedler & Westen, 2007). 임상적 적절성(relevance)을 높이기 위해, 다양한 출처(DSM-IV-TR 포함)로부터 문항을 도입하였고 많은 문항들이 임상적 피드백에 따라 수정되었다(Shedler & Westen, 2007). 점수 프로파일은 (1) DSM-IV-TR 및 DSM-5 인격장애의 차원적 점수, (2) SWAP 연구에서 경험적으로 확인된 대안적 인격 증후군 묶음의 차원적 점수, (3) SWAP 문항 묶음의 요인분석에서 유래한 차원적 특성 점수를 제공한다. 이 차원적 점수들은 DSM과 호환가능한 진단적 범주를 제공하기 위해 절단점(cutoff)을 함께 제안하고, 높은 점수의 문항들은 서사적 사례 구조화의 기초 형성을 위해 묶여지며, 분류 카드에 적힌 묘사를 사용하여 평가의 윤곽을 만든다(Shedler & Westen, 2007). SWAP-II-A에서 심리건강지표 (Psychological Health Index, PHI) 또한 만들 수 있는데, 이것은 적응적 심리 자원 및 능력, 자아강도를 평가한다. RADIO 지표는 SWAP-200의 문항 내용을 사용하여 인격 기능을 다섯 영역으로 분류한다: 현실 검증 및 사고 과정; 정저 조절 및 내성; 방어 조직화; 정체성 통합; 대상 관계(Waldron et al., 2011, p. 363). 초기의 경험적 연구는 SWAP의 성인편(Blagov, Bi, Shedler, & Westen, 2012)과 청소년편(DeFife, Malone, DiLallo, & Westen, 2013; Westen et al., 2005) 모두의 타당도를 지지한다. 추가적 정보는 1장 및 8장에 있다.

인격구조에 대한 구조적 면담-청소년편(Structured Interview of Personality Organization—Adolescent Version)

인격구조에 대한 구조적 면담-청소년편(STIPO-A)은 인격조직에 대한 Kernberg 이론의 핵심 개념, 즉 정체성 공고화(consolidation), 대상관계의 질, 원시적 방어의 사용, 공격성의 질, 적응적 대응 대 성격적 경직성, 도덕적 가치 등에 대한 차원적 평가를 위해 사용된다.

성인에 대한 STIPO에 비해, STIPO-A는 문항 단어가 단순하며 점수 도식을 재구조화하였다 (Ammaniti et al., 2012). 초기 경험적 검증은 적절한 신뢰도와 타당도를 보여준다(Fontana & Ammaniti, 2010; Stern et al., 2010). 그러나 상당한 수행 시간 (2시간 초과)으로 인해, 제한적 주의 역량을 가진 환자들은 시행하기 어렵다. STIPO에는 자기보고 및 수행기반/임상가 평가 방법론이 혼합되어 있어, 면접자 또는 평가자가 면담의 내용과 과정에 기반하여 점수를 판정한다(Bram & Yalof, 2015).

청소년에서의 인격구조 과정 면담(Interview of Personality Organization Processes in Adolescence)

청소년에서의 인격조직화 과정 면담(IPOP-A)은 13-21세 청소년에 대한 41문항의 반구조화 면담이다 (Ammaniti, Fontana, Kernberg, Clarkin, & Clarkin, 2011). 이 척도는 STIPO-A를 모델로 하여 구성되었으나 시행에 한 시간만 걸린다. IPOP-A는 알려진 구조(purported structure)보다는 인격의 발달 과정을 강조하며, 청소년 발달 단계뿐 아니라 젠더를 고려한다. 직접적 질문보다는, 정서적 경험을 알아내기 위해 일상생활 장면에 대한 청소년의 반응을 끌어낸다. 이 평가는 세 영역의 점수를 산출한다: 정체성 형성(정상 정체성 위기와 정체성 혼돈 구별), 대상 관계(대인관계 기능의 질), 정서 조절(정서에 대해 통찰하고 이를 조정하는 능력) (Ammaniti et al., 2012).

정체성 혼란 질문지(Identity Disturbance Questionnaire)

청소년용 정체성 혼란 질문지(IDQ-A)는 간단한 35문항의 도구이다; 각 문항은 임상가가 환자에 대한 적용가능성을 포착하기 위한 7점 척도로 평가한다(Wilkinson-Ryan & Westen, 2000). 이 평가는 임상 면담에 이어서 진행할 수 있으며 또는 진행중인 임상적 관찰의 일부가 될 수도 있다. IDQ는 네 개의 정체성 장애 요인(역할 흡수(role absorption), 괴로운 비일관성(painful incoherence), 비일관도(inconsistency), 규범적 몰입 부족(a lack of normative commitment)) 에 대한 점수를 산출하고 특히 경계성 기능의 성인과 청소년 표본에서 예측가능성이 있다 (Westen, Betan, & DeFife, 2011).

청소년의 인격기능에 평가에 대한 수행기반 방법(Performance-Based Methods of Measuring Personality Functioning in Adolescence)

투사적 또는 구성적 검사의 기저 가정은 모호하고 불명확한 자료를 직면했을 때, 해당 이미지를 재구성하거나 거기에 의미를 부여하는 시도로부터 개인의 욕망 및 갈등을 알 수 있다는 것이다(Obrzut& Boliek, 2003).

로르샤흐 잉크반점 검사(Rorschach Inkblot Test)

로르샤흐 잉크반점 검사는 의도적으로 불명확하게 만든 10개의 이미지에 대해 응답자가 자유롭게 묘사하도록 한다. 로르샤흐 검사는 첫 출판 후부터 청소년들에게 사용되어오고 있으며(예: Gorlow, Zimet, & Fine, 1952), Exner의 포괄적 체계(Exner's Comprehensive System)(Exner, 2003) 또는 로르샤흐 수행 평가 체계(Rorschach Performance Assessment System) (Meyer, Viglione, Mihura, Erard, & Erdberg, 2011)를 사용하여 점수를 매기고 해석한다. 포괄적 체계는 어떤 변수에 대해서는 다른 절단 점수를 사용하는데, 해당 규준 자료가 중요한 발달적 변화를 설명하기 때문이다(예: 자아중심성 지표(Egocentricity Index), WSUM6, 정서비(Affective Ratio)). 16세 미만에서는 자살군집(Suicide Constellation, SCON)은 제외한다. 로르샤흐 검사는 수용할 만한 신뢰도를 보였으며, 메타분석 연구에 의하면 청소년 및 성인인구의 타당도 효과크기는 MMPI-A(예: Hiller, Rosenthal, Bornstein, Berry, & Brunell-Neuleib 1999; Mihura, Meyer, Dumitrascu, & Bombel, 2013) 등의 자기보고 평가에서 보이는 범위 내에 있었다.

로르샤흐 연구는 현실검증 및 사고에서의 어려움, 과잉각성(hypervigilance), 자기상 또는 관계에서의 어려움, 정서적 스트레스의 높은 경험 수준, 통제(control) 및 스트레스 내성의 어려움, 정서 조절의 어려움을 평가하는 변수의 군집을 규명해왔다. 이러한 구성에 기반한 타당도 연구는 사고와 현실검증 관련 군집(예: SCZI 및 PTI) 내의 요소들은 아동(Stokes & Pogge, 2001)과 청소년 (Hilsenroth, Eudell-Simmons, DeFife, & Charnas, 2007)에서 정신병적 장애가 있는 이들과 없는 이들을 감별할 수 있음을 확인했다. 자아손상지표(Ego Impairment Index, EII)는 손상된 적응에 대한 광범위한 평가로서, 기능 손상의 전반적 지표를 제공하기 위해 현실검증, 사고 문제, 대상관계, 비판적 사고내용의 발생 등의 요소를 측정한다. 이 지표는 특히 증상 상태와는 동떨어진 인격구조를 평가하는 것으로 보이며, 사고문제를 포함한 다양한 정신병리를 가진 정신의학적 입원환자의 불량한 장기 예후를 예측할 수 있는 것으로 알려졌다. 로르샤흐 검사의 시행에는 최소 1시간이 걸리며, 점수매기기와 해석에는 추가적으로 대략 2시간이 걸린다. 검사 시행, 채점, 해석은 복잡하며 상당한 훈련과 경험이 필요하다.

이야기하기 기술(Storytelling Techniques)

주제통각검사(Thematic Apperception Test)

주제통각검사(TAT)는 암시적 행동과 상호작용을 하는 사람들이 그려진 31개의 카드로 구성되며(Bellak, 1993; Murray, 1943, 1971), 환자 반응의 지배적 감정, 추동(drive), 특성(trait), 갈등을 끌어낸다. 일반적으로 환자 나이에 맞게 의미 있는 반응을 끌어낼 수 있는 10개의 카드를 임상가가 선택한다. 청소년의 경우, 1, 2, 5, 7GF, 12F, 12M, 15, 17BM, 18BM, 18GF가 주로 선택된다. 50년 이상의 임상적 적용에도 불구하고, TAT는 잘 개발된 규준 자료가 없으며, 또한 다양한 문화에 대한 적절한 대표성이 결여된 측면에 대해 우려가 제기되어 왔다. 이는 TAT에 적용되는 다양하고 매우 다른 점수 도식에 비추어 부분적으로 이해할 수 있다. 특히 Cramer 와 Blatt (1990)는 TAT 방어(부인, 투사, 동일시)의 점수 체계를 개발하였고; 방어의 발달 이론을 제안하였으며; 외상 노출 아동 중 방어, 특히 나이에 맞는 방어를 가장 많이 사용한 아동은 가장 적은 감정적 손상을 보였음을 발견하였다(Dollinger & Cramer, 1990). Kelly (1997)와 다른 이들은 아동과 청소년의 TAT결과의 용이한 해석을 위해 사회 인지 및 대상관계 척도(SCORS; Westen, Lohr, Silk, Gold, & Kerber, 1985)를 사용하도록 권고한다(Bram, 2014; Kelly, 2007을 보라).

이야기를 해줘요(Tell-Me-A-Story)

이야기를 해줘요(TEMAS)는 다양한 문화에 민감하도록 만들어진 검사도구이며 18세 미만 청소년을 대상으로 한다(Costantino, Malgady, & Rogler, 1988). 23장의 카드(소수자 및 비소수자 청소년을 위한 대응적 묶음)에 대해 아동 또는 청소년이 이야기를 만들어간다. 18개의 인지 기능, 9개의 인격 기능(대인 관계, 공격성, 불안/우울, 성취 동기, 만족 지연, 자기 개념, 성 정체성, 도덕적 판단, 현실 검증), 7개의 정서 기능(기쁜, 슬픈, 화난, 두려운, 중립적인, 양가적인, 부적절한(inappropriate) 정서) 을 평가하는 양적 체계가 개발되었다.

로버츠 통각검사 아동용-2 (Roberts Apperception Test for Children–2)

로버츠 통각검사 아동용(RATC-2)은 6에서 18세 사이의 표준화 표본에서 개발되었으며, 이들의 인구학적 특성은 2004년 미국의 인구조사에서의 특성과 대략적으로 부합된다(Roberts, 2005). RATC-2는 인간관계 상황에 대한 청소년의 해석을 평가하며, 27개의 자극 카드가 소수자와 비소수자 인구의 대응 묶음으로 구성되어 있고, 그 중 11개는 남성용과 여성용으로 대응된다. 이 평가도구는 분명하고 표준화된 점수체계를 가진 몇 안 되는 주제적 도구(thematic procedures) 중 하나이며, 제공되는 척도들에 걸쳐 좋음에서 훌륭함(excellent) 사이의 평가자 간 신뢰도를 가진다. 이 척도들은 다음을 포함한다: 문제 해결(다섯 수준); 감정(emotions)(불안, 공격성, 우울, 거절); 결과 척도(outcome scales)(미해결의(unresolved), 비적응적인(nonadaptive), 부적응적인(maladaptive), 비현실적인(unrealistic)); 특이하고(unique) 비전형적인(atypical) 반응(아홉 분류). 타당도는 발달적 차이를 기술하고 의뢰 및 비의뢰 표본을 구별하는 도구의 능력을 검증함으로써 확인되었다. 비록 모든 변수들이 응답자들을 나이 및 임상 집단에 따라 구별하는 통계적으로 중요한 능력을 보였으나, 변수들이 다양한 임상 표본끼리 구별할 수 있는지에 대한 결과는 제한적이다.

사회인지 및 대상관계 척도(Social Cognition and Object Relations Scale)

사회인지 및 대상관계 척도(SCORS)는 대상관계의 인지 및 정서적 차원에 대한 다양한 척도로 구성되며, 서사적 자료에 기반하여 평가한다(Stein, Hilsenroth, Slavin-Mulford, & Pinsker, 2011; Westen et al., 1985). SCORS 전반적 평가 방법(SCORS-G; Stein et al., 2011)은 가장 최근의 형식이며 여덟 개의 척도를 산출한다: 사람들에 대한 표상의 복잡성; 표상의 정서적 질; 가치와 도덕 기준에 대한 감정적 투자; 사회적 인과관계에 대한 이해; 자존감; 자기의 정체성과 일관성(coherence); 공격적 충동에 대한 경험과 관리. SCORS-G는 성인과 청소년 모두에서 타당도가 잘 검증되었다(Haggerty et al., 2015; 개괄을 위해서는 Stein et al., 2011을 보라).

PA-축 진단적 접근(The PA-Axis Diagnostic Approach)

*조기 인격 구조 수준(emerging level of personality organization)*의 심각도에 대해 고려한 후 *조기 인격 양식(emerging personality style)*을 평가하는 두 단계의 과정을 개괄하였다.

인격 구조 수준(Level of Personality Organization)

인격 구조 수준은 상대적으로 건강한 수준에서 손상된(compromised) 수준까지의 연속선상에 존재한다. 연속선은 건강한, 신경증적, 경계성, 정신증적 수준으로 기술될 수 있다. PC 축의 아동 인격 평가에서와 같이, 청소년에서의 인격 문제 심각도는 MA 축의 12 정신기능 능력과 관련하여 평가된다. 이 능력들은 다음과 같다.

- 인지 및 정서 과정(Cognitive and affective processes)
  1. 조절, 주의, 학습 능력(Capacity for regulation, attention, and learning)
  2. 정서 범위, 의사 소통, 이해 능력(Capacity for affective range, communication, and understanding)
  3. 정신화 및 성찰기능 능력(Capacity for mentalization and reflective functioning)
- 정체성 및 관계(Identity and relationships)
  4. 분화 및 통합 능력(정체성)(Capacity for differentiation and integration (identity))

5. 관계 및 친밀함의 능력(Capacity for relationships and intimacy)
6. 자아존중감 조절 능력 및 내적 경험의 질(Capacity for self-esteem regulation and quality of internal experience)

- 방어 및 대응(Defense and coping)
  7. 충동조절 및 조율 능력(Capacity for impulse control and regulation)
  8. 방어 기능 능력(Capacity for defensive functioning)
  9. 적응, 회복탄력성, 강점의 능력(Capacity for adaptation, resiliency, and strength)
- 자기인식 및 자기주도성(Self-awareness and self-direction)
  10. 자기관찰 능력(심리적 마음가짐)(Self-observing capacities (psychological mindedness))
  11. 내적 기준과 이상에 대한 구성 및 사용 능력(Capacity to construct and use internal standards and ideals)
  12. 의미와 목적에 대한 능력(Capacity for meaning and purpose)

5장의 PC 축에 개괄된 것처럼, 인격 연속선의 건강한 말단에서 이 모든 능력들은 건강하고, 유연하며, 나이에 기대되는 태도로 기능하며, 청소년은 건강한 기능을 지지하는 하나 또는 여러 인격 특성 또는 패턴을 지닌다. 예를 들어, 어떤 청소년은 어려운 학교 과제를 달성해야 하는 상황에 직면할 때 조금 더 강박적일 수 있다. 동시에 그 청소년은 친구들 또는 연애감정을 가진 사람과 있을 때 긴장을 풀고 장난칠 수 있다.

연속선의 다른 말단에 있는 청소년의 인격패턴은 관계, 감정 범위, 상상 등에서 경직되고 제한된 능력을 보이는 특징을 지닌다. 이런 패턴은 조기 인격장애로 자주 보여질 수 있다. 만성적으로 반사회적 행동을 하고 다른 이들의 느낌에 대한 인식이나 걱정이 거의 없는 청소년은 MA축의 모든 정신 기능에서 상당한 한계를 보일 수 있으며 공식적으로 정신병질 또는 반사회성 인격 병리를 가진 것으로 고려할 수 있다.

아래에 인격 구조의 네 가지 일반적 패턴을 기술하였다. 이는 세계와 관계하는 일반적 패턴으로 생각할 수 있으며, 가장 건강한 쪽에서부터 가장 부적응적인 쪽까지 나열할 수 있다.

'정상' 조기 인격 패턴(건강한)('Normal' Emerging Personality Patterns (Healthy))

건강한 패턴의 청소년은 기질적 취약성을 포함한 생물학적 자질 안에서 응집된 조기 인격구조를 보이며, 가족, 또래, 다른 이들과의 발달적으로 적절한 관계 안에서 적응적으로 관리된다. 청소년 발달 단계와 관련하여 그들은 점차 조직적인(organized) 자기감을 갖는데, 여기에는 나이에 적절한 대응 기술, 자기와 다른 이들의 느낌에 공감적이고 성실하게 대처하는 방법이 포함된다. 예측하지 못하거나 다룰 수 없는 역경을 제외하면, 이런 청소년들은 건강한 성격(characters)의 풍부한 집합체로 자랄 것이다.

경도의 역기능적 조기 인격 패턴(신경증적)(Mildly Dysfunctional Emerging Personality Patterns (Neurotic))

신경증적 패턴의 청소년은 기질적 취약성을 포함한 생물학적 자질 안에서 덜 응집된 조기 인격구조를 보이며, 덜 적응적으로 관리된다. 삶의 초기에, 일차 양육자들은 아이가 이러한 체질적 성향을 다루는 것을 돕는 데 어려움을 겪었을 것이다. 따라서 그들의 가족, 또래, 다른 이들과의 관계에는 문제가 많았을 것이다. 이 청소년들은 앞서 덜 문제적 자질과/또는 더 반응적 양육자를 가진 이들에 대해 기술된 것 같은 성공적인 발달 수준을 가지지는 못한다. 그러나 그들의 자기감 및 현실감은 꽤 굳건하다. 발달 진행과 더불어 그들의 적응 기제(adaptive mechanisms)는 중등도로 경직된(rigid) 방어 패턴으로 나타날 수 있고, 역경에 대한 그들의 반응은 다소(somewhat) 역기능적일 수 있다.

역기능적 조기 인격 패턴(경계성)(Dysfunctional Emerging Personality Patterns (Borderline))

경계성의 조기 인격 패턴을 가진 청소년들은 현실 검증 및 자기감에서 취약성을 보인다. 이러한 문제들은 그들 자신과 타인들에의 느낌을 부적응적 방식으로 다루는 것으로 드러난다. 그들의 방어 작업은 현실을 왜곡시킬 수 있다(예: 그들 자신의 느낌이 그들이 아닌 타인들에게서 온 것으로 지각하는 것, 타인들의 의도가 오인될 수 있는 것 등).

심각하게 역기능적인 조기 인격 패턴(정신증적)(Severely Dysfunctional Emerging Personality Patterns (Psychotic))

정신증적 조기 인격 패턴의 청소년들은 현실검증 및 자기감 형성에 있어서 상당한(significant) 결핍을 보이며, 그들 자신과 타인들에의 느낌을 지속적으로(consistently) 부적응적인 방식으로 다루는 것으로 드러난다. 그들의 방어 작업은 타인들과 관계 맺는 것과, 그들 자신의 느낌과 소망을 타인의 것들과 분리하는 기본 능력을 방해한다.

청소년의 조기 인격 양식(Emerging Adolescent Personality Styles)

임상가들은 청소년 환자의 조기 인격 구조 수준을 고려하는 것에 더해, 인격 양식을 고려해야 한다. 이 양식을 범주적 진단으로 생각하는 것보다는, 각 환자가 특정 임상적 서술 및 원형에 상대적으로 부합하는 정도를 생각하는 것이 더 유용하다(DeFife et al., 2015b; Haggerty et al., 2016; Westen, Shedler, & Bradley, 2006; Westen, Shedler, Bradley, & DeFife, 2012를 보라).

PDM-2의 P 및 PC 축과 마찬가지로, PA축 분류 체계는 경험적 연구뿐 아니라 이론 및 관찰의 임상적 전문지식에서 얻어졌다. 성인편 1장의 P축에서 논의한 대로, 인격양식은 경험적으로 확인된, '내재적(internalizing)' 및 '외현적(externalizing)' 상위개념 범주 또는 스펙트럼 아래에서 구성될 수 있다(Markon, Krueger, & Watson, 2005; Westen et al., 2012). 그러나 청소년 표본을 이용한 최근의 초기 연구에서는 경험적 연구에 기반하여, 청소년 표본에서 이 스펙트럼을 넓혀서 '외현적', '내재적', '경계성-비조절성(borderline-dysregulated)' 스펙트럼 및 '강박성(obsessional)' 성격 양식을 고려한다(Westen, DeFife, Malone, & DiLallo, 2014). 그림 2.1

을 보라. 스펙트럼/성격 양식의 매우 중요한 틀은 임상가들이 구조화를 하고 치료를 개발하는 것을 돕는 임상적 유용성을 지닌다.

아래에는 각 스펙트럼과 관련된 인격 양식이 제시되어 있으며, 이는 임상관찰, 이론, 연구에 기반하였다. 이 양식은 청소년 인격에 대해 Westen 및 동료들(2014)에 의해 최근 규명되었으며 성인 및 청소년의 다른 표본들(예: Westen et al., 2003, 2012를 보라)의 결과 및 첫 번째 PDM에 개괄된 양식과도 매우 일치한다(PDM Task Force, 2006). 향후의 연구에서 세부 양식들의 타당도 검증은 필요하나, 여기서는 임상가들이 인격 진단 분류에 있어서 최종 이해가 아닌 출발점으로 삼을 수 있는 틀을 제시하고자 한다.

각 양식과 연관된 이론 및 연구에 더하여, 각 양식과 관련한 SWAP-II-A 문항의 요약에 기반한 원형을 제공함으로써, 이 인격양식의 환자들이 나타낼 모습에 대한 경험적 서술(empirical description)을 만들고자 한다(세부 SWAP-II-A 문항 및 문항 척도 상관성에 대해, 임상가

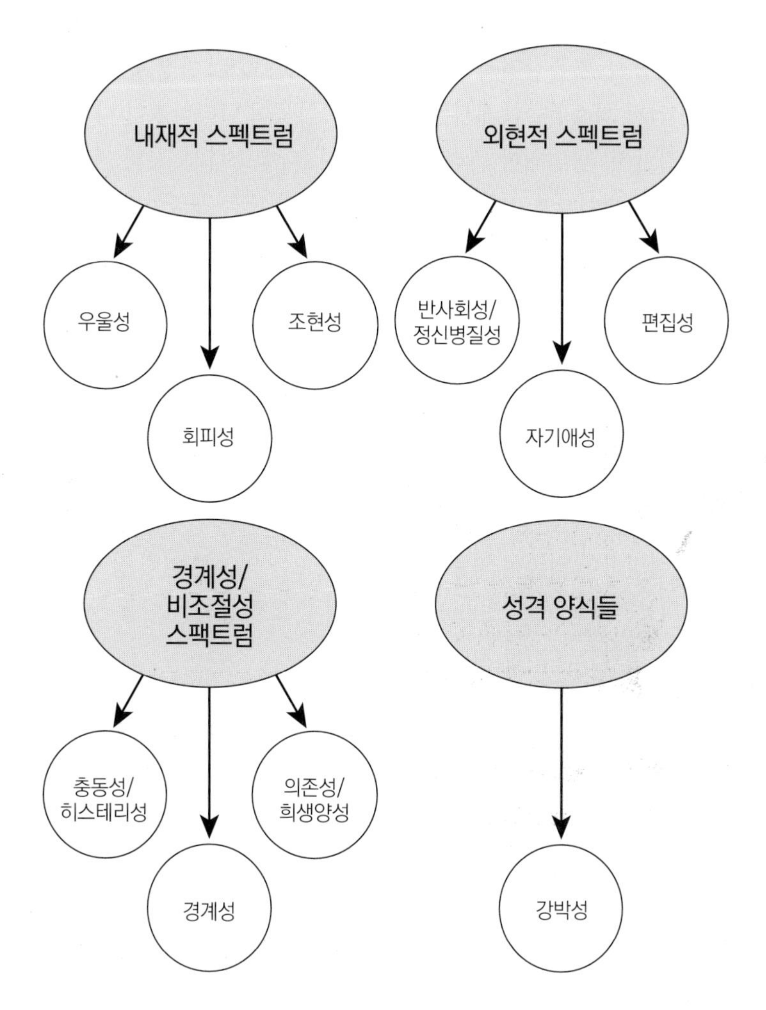

■ 그림 2-1. 청소년에서 경험적으로 유도된 인격 스펙트럼 및 양식. 출처는 Westen,DeFife, Malone, and DiLallo (2014).

는 Westen et al., 2014 을 참고하라). 임상가의 생각을 돕기 위해 각 원형에 대해 '서술 일치도(Match to Description)'도 제시하여, 임상가들이 각 청소년 환자들에 대해 느끼는 것과 특정 원형이 일치하는 정도를 맞추어 볼 수 있도록 하였다(DeFife, Goldberg, & Westen, 2015a; Westen et al., 2006, 2012을 보라).

PA-축 인격 증후군(PA-Axis Personality Syndrome)

내재적 스펙트럼(Internalizing Spectrum)

우울성 인격(Depressive Personalities)

우울성 인격의 청소년들은 독특한 치료적 필요를 가진 것처럼 보인다. 임상적 우울상태의 청소년들은 생리적, 행동적, 자율신경적 증상(예: 식욕 저하, 피로, 만성 통증, 무쾌감증)을 나타내는 반면, 우울성 인격 청소년들에게서는 이러한 증상들이 나타나거나 나타나지 않는다; 그들은 덜 구체적이지만 더 광범위한 어려움을 보인다. 다행스럽게도, 몇 가지 중요한 이론적 틀이 우울성 인격과 그 변이들을 이해하기 위한 관점과 뼈대를 제공한다. Blatt (2004)의 모델은 가장 널리 참조되고 있으며, 우울성 성격론의 두 가지 주요 형태를 상세히 기술하고 있다: '내사형(introjective)' 및 '의존형(anaclitic)'. 내사형 우울은 내적 결함, 낮은 자기가치, 자기비판적 경향에 초점을 맞추며, 내적 '나쁨(badness)', '사악한', 또는 비가역적 손상에 대한 광범위한 감각을 가진다. 의존형 우울은 대인관계에 명시적인 초점을 맞추며, 의존, 유기에 대한 두려움, 공허함, 외로움, 무력감과 관련한 주제에 집중한다. Blatt의 초기 작업은 수십 년간 이어졌고, 이 아형들이 치료자와 치료 요인들에 대해 다르게 반응하며 초기 애착관계에서의 역할 차이와 관련이 있다는 강력한 증거들이 제시되었다. 또한 이후의 작업에서, 내사형 우울은 우울성 인격을 더 잘 설명하며 의존형 역동은 자기애성 또는 의존성 인격 장애에도 들어맞을 수 있음이 밝혀졌다(PDM Task Force, 2006). Blatt의 이 중요한 체계는 아동 청소년의 우울성 인격 발달 이해에 있어 명확한 의미를 지닌다.

경험적 서술(Empirical Description)

우울성 인격 특성을 지닌 청소년들은 자주 슬프고(unhappy), 우울하며, 낙담해 있다(despondent). 그들은 부적당하고(inadequate), 열등하고, 무가치하고, "실패"했다는 느낌을 꾸준하게(regularly) 갖는다. 자기비판적이며, 그들 자신에 비현실적으로 높은 기준을 가지며, 높은 수준의 죄책감을 경험한다. 다른 이들에 대한 분노를 깨닫게 하거나 그것을 표현하도록 하는 일은 어려울 수 있다. 피곤하거나 활력이 없다고 꾸준하게 느낄 수 있다. '비어 있다(empty)'는 느낌을 갖기 쉬우며, 삶이 의미 없다고 믿고, 그들의 활동에서 즐거움이나 만족을 거의 느끼지 못한다. 즐거운 감정과 성취에 대해 갈등하는 마음을 가지며, 실망하는 것으로부터 자신을 보호하기 위해 때로는 현실적인 꿈을 부정하거나 억누른다. 어떤 경우에, 이 청소년들은 '내적인 나쁨(inner badness)'에 대한 깊은 마음을 가지고 자기를 벌하고 싶어하거나 자신의 기쁨을 부인하는 모습을 보일 수 있다. 그들은 또한 죽음에 대한 생각에 몰두할 수 있다. 관계에서, 그들은 거절과 유기에 대한 두려움을 경험할 수 있다.

서술과의 일치도(Match to Description)				
5	4	3	2	1
매우 잘 일치함 (Very good match)	잘 일치함 (Good match)	상당히 일치함 (Significant match) 양상(features))	약간 일치함 (Slight match)	거의 또는 전혀 일치하지 않음(Little or no match)

주요 양상(KEY FEATURES)

구성적-성숙적 기여 패턴(Contributing constitutional-maturational patterns): 우울의 가능한 유전적 소인; 환경(가족/양육, 외상, 학교/지역사회 포함), 기질, 애착 양식, 각 영역(예: 사회적, 생물학적, 정신성적 인지적)의 발달단계에서의 성장 사이의 복잡한 상호작용을 통한 우울성 인격 특성(trait)의 공고화; 청소년의 감정적 및 사회적 성장에 대한 규범적 '질풍노도'로부터의 일탈

중심적 긴장/몰두(Central tension/preoccupation): 좋음/나쁨(자기에 대한 공격 동반); 외로움(aloneness)/관계(relatedness)(상실 경험 동반)

중심 정서(Central affects): 슬픔, 죄책감, 수치심, 부정적 자기평가, 억압된 분노

자기에 대한 특유의 병적 믿음(Characteristic pathogenic belief about self): "나에게는 무언가 근본적으로 나쁘거나 부적당한 것이 있어," "잘 지내기 위해 필요한 사람 또는 무언가를 돌이킬 수 없게 잃었어."

타인들에 대한 특유의 병적 믿음(Characteristic pathogenic belief about others): "사람들이 나를 제대로 알게 되면 나를 거부할 거야."

중심적 방어 방식(Central ways of defending): 내사, 역할반전, 타인들에 대한 이상화, 자기에 대한 평가절하, 부인, 억압

역전이와 전이 반응(Contertransference and Transference Reactions)

역전이(Countertransference)

임상가는 자기에 대한 환자의 병적 믿음을 확인해주는 상연(enactment)으로 끌려갈 수 있다; 병적 자기믿음을 온전히 탐색하도록 돕기보다는, 환자의 긍정적 측면에 대해 '설득'하는 시도를 함으로써 환자를 '구원'해야겠다고 느낄 수 있다; 더 미묘하고 균형잡인 자기 및 타인 상(image)의 발달을 도우려는 노력에도 불구하고 병적 자기믿음 및 사회에 대한 부정적 믿음에 융통성없고 경직되게 '매달리는' 환자를 보며 무심함(detachment)과 짜증(irritation)을 경험할

수 있다; 우울성 인격양식에 심한 우울이 동반된 맥락에서 발생하는 자살경향성을 관리하는 데 있어서 고통스러운 느낌이 발생할 수 있다.

전이(TRANSFERENCE)

환자는 무력감과 낮은 자기효능감에 압도되므로, 자아 강도의 면에 있어서 점차 임상가에게 의존적인 상태가 된다; 환자는 특히 자신에 대한 부정적 자기평가와 비교하여 임상가를 이상화할 수 있다; 환자는 강한 부정적 자기믿음에 도전하는 치료자에게 점차 편집적이고, 화가 나고, 믿지 못하는 마음을 가지거나, 임상가의 무조건적인 긍정적 배려에 대해 '가짜'이거나 임상가를 지적인 전문가로서 신뢰할 수 없다는 단서로 여긴다(예: "내가 이렇게 끔찍한 사람인데도 Smith 박사는 어떻게 나에게 친절할 수 있지? 진심이 아니라 거짓일 거야," 또는 "Smith 박사는 내가 얼마나 결함이 많은지 볼 수 있는 기술이 부족해").

아래의 예시는 임상가가 진단 과정에서 나타나는 임상적 양상과 관련하여 생각할 수 있도록 하기 위해 제시하였으며, 치료 계획, 중재, 평가의 과정에 있어서 초기 임상 구조화의 중요성을 보여준다.

임상적 예시(Clinical Illustration)

17세의 매력적인 Doris는 어머니를 암으로 잃은 지 1년 후에 주치의로부터 심리 평가 및 정신치료를 위해 의뢰되었다. Doris는 비통함(grief)을 처리하는 데 있어서 어려움을 겪는 것으로 보였다. 계속 울었으며, 대학입학이라는 목표를 버렸고, 집에 혼자 있는 것을 힘들어했다. 그녀는 가장 좋아하는 취미였던 비치발리볼에서도 즐거움을 느끼지 못했고, 팀을 그만두기를 원했다. 그녀의 아버지는 Doris가 조용하고 요구가 많지 않았으며, 가까운 친구관계는 잘 맺지 않았으나 항상 호감 가는 아이였다고 하였다. 그녀는 발달적 이정표에 제때 도달하였으며, 아기와 걸음마기 때 느긋한(easygoing) 편이었으나, 쉽게 피로해 하고 감기와 귀 감염으로 자주 아팠다. 학령기 때, Doris는 시험을 잘 보았음에도 학업 수행에서 자신감을 느끼지 못하고 교실에서 적극적으로 참여하기를 망설였다. 그녀는 부모나 또래에게 화를 거의 표현하지 않았다. 그녀는 갈등에 처했을 때 자신을 쉽게 연민하고 비난했으며, 슬픔과 수치심을 느꼈다. 그녀는 '잘 웃는(smiley)' 아이였으나, 아버지에 의하면 자주 우울한(melancholic) 눈빛을 보였고, 어떤 때는 부모에게 자기 가치에 대한 의심을 표현하고 그들의 지지를 바랐다. Doris에게는 5살 많은 언니가 있는데, 항상 매우 역동적인 아이였으며 Doris는 언니의 그늘 아래 있었다. 그러나 Doris는 불평하거나 언니와 싸우지 않았다. 그녀는 언니와 있을 때 즐거워 보였으며 언니에게 조언과 지지를 구했다.

Doris의 어머니는 일을 많이 하는 커리어 우먼이었으며 아이를 원하지 않았다. Doris의 아버지는 친할머니와 고모가 Doris의 양육을 도울 것이라는 약속하에 둘째를 원했다. Doris는 어머니를 하루에 단 몇 시간만 보았으나(그녀가 치료 회기에 언급한 바에 의하면), 엄마는 부재를 보상해 줄만큼 에너지가 넘치고 감정적으로 항상 닿을 수 있었다. Doris의 아버지가 일차 양육자였으나 그는 자신의 아내만큼 Doris에게 감정적으로 접근하기 어렵다고 느꼈다. 그의 느낌대로, Doris 자신도 엄마에게 자신의 문제를 이야기하는 것이 항상 더 쉬웠다고 하였다. 부모들은 따뜻하고 서로 사랑하는 관계였다.

어머니는 Doris가 13살 반일 때 처음 아팠다. 부모와 자녀들은 모두 충격을 받았고, 가족의 삶은 극적으로 변했다. Doris는 처음에는 그것에 대해 생각하지 않으려 하고 어머니가 괜찮아질 거라고 생각하며 스스로를 위로 했다. 그러나 치료 2년 후의 갑작스러운 전이로 인해 Doris의 삶에 현실이 무자비하게 치고 들어왔으며, 몇 달 뒤 어머니는 세상을 떠났다. 어머니가 투병하는 동안, Doris는 더 우울해졌다. 그녀는 집에 있지 않고 남자친구와 친구들에게 붙어 있으려고 하고, 방과후부터 밤늦게까지 그들을 매일 만나려고 했다. 치료하는 동안, 그녀는 자신이 아버지의 부탁대로 집에서 어머니와 함께 있지 못했던 것에 대해 큰 죄책감을 느낀다고 고백했다. 그녀는 비통함과 슬픔 앞에 충격을 받고 무력한 느낌을 가졌다. 어머니의 죽음 후 Doris 집의 삶은 변화하여, 언니와 아버지는 어머니의 사업을 이어가는 것에 몰두하였다. 언니는 한 주에 약간의 시간 동안 Doris가 일을 돕기를 원했으나, Doris 자신은 너무 약해졌다는 느낌을 받았다. 그녀는 이에 대해 스스로를 비난하였으며, 자신이 가족을 도울 수 있을 만큼 강했어야 한다고 계속 생각했다. 어머니의 죽음 몇 달 후, Doris가 매우 가깝다고 느끼고 Doris에게 주된 감정적인 지지를 해주었던 남자친구는 다른 여자가 생겨 그녀를 떠났다. Doris는 자신이 매우 충격을 받았고 몹시 외롭다고 울면서 말했다. 2달 후 남자친구는 다시 만나자고 말했고, 그녀는 그를 매우 사랑하며 그가 오랫동안 자신을 지지해준 것에 대해 고마운 마음이 있으므로 그를 용서했다. 그러나 그녀는 그가 재결합에 대해 다소 양가적일지 모른다며 걱정했고, 그가 만났던 여자에 대해 매우 질투심을 느꼈다. 그녀는 이런 질투하는 생각이 마음을 지배하고 있다고 하면서, 이 여자 때문에 다시 자신을 버릴지 모른다며 매우 두려워하였다(그가 이 여자를 떠나서 Doris에게 왔으므로, 이것이 비이성적 사고라는 것을 스스로 알았지만). Doris의 지속적인 슬픔의 느낌은 친구들과 남자친구에게 스트레스로 작용하였고, 그녀는 그들 앞에서 울거나 비통함을 표현하는 것을 자제하려고 노력했다. 의뢰 2달 전, Doris는 자신이 잘하는 것이 아무것도 없다고 점차 느끼면서, 영양학 공부에 대한 꿈과 비치발리볼 모두를 그만두고 싶어했다. 그녀는 자신의 문제로 아버지를 화나게 할까봐 매우 신경썼으며 죄책감을 느꼈다. 정신건강 전문가에게 도움을 청해볼까도 생각했지만, 아버지를 더 곤란하게 할까봐 이에 대해 도움을 구하는 것에 대해 망설였다. 그래서 아버지가 먼저 제안을 했을 때 그녀는 매우 안심하였다.

치료 회기 동안, Doris는 치료자와 바로 감정적인 연결을 이루었고 자신의 감정 경험에 대해 개방적으로 정확하게 소통하였다. 그녀는 때로 자신이 너무 나약하여 치료과정에서 자신의 고통을 풀어가는 것을 견디지 못할 것이라고 두려워하였으나, 자신의 내적 세계를 탐구하는 것에 매우 관심이 있었다. 치료자는 Doris에게 연민(sympathy)을 느꼈으며 따뜻한 애착과 좋은 치료 동맹을 잘 형성할 수 있었다.

사례 평가하기(Evaluating the Case)

Doris의 사례 평가에서, 먼저 각 MA-A축 능력에 대한 임상적 관찰을 이용하여 정신 기능의 수준을 평가한다. 그 다음 주요 조기 인격 양식을 확인한다.

인지 및 정서 과정(COGNITIVE AND AFFECTIVE PROCESSES)

1. *조절, 주의, 학습 능력:* 대운동 및 미세운동 기술이 좋음; 스트레스 없는 가운데서 집중할 수 있는 능력이 좋음.
2. *정서 범위, 의사 소통, 이해 능력:* 감정의 범위가 넓음, 그러나 분노의 느낌은 거의 언급 안 함. 감정표현 및 소통의 능력이 풍부함.
3. *정신화 및 성찰기능 능력:* 성찰 기능 및 공감 능력이 강함.

정체성 및 관계(IDENTITY AND RELATIONSHIPS)

4. *분화 및 통합 능력(정체성):* 자기와 타인에 대한 정신적 표상 능력 및 이 표상들을 구분할 수 있는 능력이 좋음. 그녀 어머니의 질환과 관련한 경우에 비추어, 스트레스 하에서는 소망충족 환상과 현실 사이의 혼란이 발생함(어머니가 괜찮아질 것이라는 믿음).
5. *관계 및 친밀함의 능력:* 부모 및 언니(특히 돌아가신 어머니)와 가까운 관계임. 또래와 가까운 관계이며, 그들에게서 지지받고 자신이 가치 있음을 느낌. 어머니의 죽음 이후, 스트레스 환경 하에서는 연애 관계에서 버림받을까봐 두려워함.
6. *자아존중감 조절 능력 및 내적 경험의 질:* 자아존중감 조절이 자주 무너지며, 이때 자신의 가치에 대한 의심 및 나약하다는 느낌을 동반함. 주변 환경에서 자아존중감 조절 위한 도움을 구함.

방어 및 대응(DEFENSE AND COPING)

7. *충동조절 및 조율 능력:* 자신의 감정을 엄격히 조절하려 하며, 특히 공격적 충동과 관련해서 그러함. 슬픔과 절망의 느낌이 조율의 능력 발휘를 어렵게 함.
8. *방어 기능 능력:* 분노가 내부를 향하며, 억압, 회피, 타인에 대한 이상화가 있음. 극도의 스트레스 환경에서는(어머니의 병 같은) 현실 검증이 약간 어려움에 처함.
9. *적응, 회복탄력성, 강점의 능력:* Doris는 성찰기능이 좋고 안정된 내적 표상을 가지고 있으나, 스트레스 상황을 직면하기 어렵다는 느낌과 무력감이 자주 있음.

자기인식 및 자기주도성(SELF-AWARENESS AND SELF-DIRECTION)

10. *자기관찰 능력(심리적 마음가짐):* 자신의 외적 및 내적 세계에 대한 호기심이 있음. 그

녀 자신과 타인들의 감정 및 대인관계에 대한 성찰 능력이 좋음.

11. *내적 기준과 이상에 대한 구성 및 사용 능력:* 그녀 자신에 대한 요구(demand)가 엄격하며, 지각된 나약함과 필요를 참기 힘들어함을 드러냄.
12. *의미와 목적에 대한 능력:* 의미와 목적에 대한 감각이 발달하였고, 이는 그녀의 우울 경험과 상실로 인해 어느 정도(some) 혼란을 겪었음.

기능 수준(Level of functioning): 신경증적
일차 조기 인격 양식(Primary emerging personality style): 우울성

불안-회피 인격(Anxious-Avoidant Personalities)

불안-회피 인격 조직의 뿌리는 초기의 돌봄 환경 및 기질의 개인적 차이와 긴밀히 관련되어 있다. 특히, 수줍음, 두려움, 지나친 놀람 반응, 눈물, 사회적 철수 등의 기질적 특성은 회피 또는 불안 인격 양식의 초기 전조(precursor)이다. 당연히, 이러한 인격 특성들은 한 명 또는 두 명의 부모가 불안-회피 인격 특성과 비슷한 모습을 보이는 맥락에서 자주 발달한다. 따라서 Thomas, Chess, and Birch (1968)가 "늦게 발동이 걸린다고(slow to warm up)" 분류한 아이는 (1) 영아와 어머니가 공유하는 대인관계 불안과 억제를 담아두며 관리하고, (2) 가족이 아닌 사람과 사회적 거리를 두고, (3) 두려움을 유발하는 상호작용 또는 사회적 어색함에 대한 노출을 제한하고, (4) 분리 및 개별화에 대한 걱정을 관리 하려는 노력을 통해, 가족의 구조화된 환경 안에서 더 지내는 편이다. 이러한 가족 환경 안에서, 아동은 자기와 타인들에 대한 작업모델 또는 표상을 발달 및 내재화하거나(Bowlby, 1969, 1988), 자기와 세계에 대해 자라나는 감각 및 다양한 차원에 걸친 발달 궤적에 영향을 주는 '내재화된 관계(internalized relationships)' (Loewald, 1962)를 시작한다. 구체적으로, 이 내적 작업모델은 (1) 견딜 만 하거나 또는 수용할 수 없는 타인과의 멀고 가까운 정도(degree), (2) 타인들이 압도적이고 무섭게, 또는 안전하고 평온하게 경험되는 정도, (3) 결핍(deficiency)과 무능함(incompetence)에 대한 내적 감각의 정도, (4) 당황스러움(embarrassment)에 대한 두려움으로 인해 사회적 상황이나 상호작용을 피하는 정도를 예측한다. 또한 내적 작업모델은, 해당 개인이 타인에게 어떻게 지각되는지와, 자신을 괴롭힘과 조롱의 대상으로 오인하는 정도에 영향을 미친다. 무력하고, 매우 두렵고, 사회적으로 고립되고, 완전히 비효과적이라는 느낌과 관련을 가지는 압도적인 성격적 불안은, 심각한 불안이 완전히 압도적이지 못하도록 하기 위한 원시적 방어전략의 발달과 사용으로 이어질 수 있다. 안타깝게도, 이러한 방어들은 보통 효과적이지 못하며, 이 인격의 핵심을 형성하는 '부유 불안(free-floating anxiety)'의 경험으로 이어진다.

소멸에 대한 두려움, 대인관계적 위험 신호, 분리 불안(예: 대인관계적 대상의 상실과 관련한 공포), 해체(disintegration) 및 파편화에 대한 두려움은 발달하는 인격을 지배한다. 불안-회피 특성을 가진 대부분의 아동과 청소년들은, 자신들의 불안과 공포를 다루지 못하는 부모에 의해 주로 길러지며, 이 부모들은 아이의 감정을 적절히 수용하거나 발달을 위한 안전 기지를 적절히 제공하지 못한다. 보통, 불안-회피 인격 특성의 소유자는 심각하게 부족한 대응 역량으로 힘들어하며, 이는 심각한 정서 조절 어려움 및 신체와 생리적 고통으로 이어진다. 이러한 특성은 빠르게는 유치원 때, 등교 거부, 또래들로부터의 무시, 사회적 고립, 환경자극에 대한 과민감성, 사회적 회피, 뚜렷한 억제로 이어진다. 발달과정을 거치면서 이러한 기질적 소인의 핵심이 공고화됨에 따라, 개인은 점차 사람들과 사회 상황을 피하게 되고, 자신이 창조한 대인관계적 세계에 반드시 고립된다. 뿐만 아니라, 악순환이 이어진다. 사회적으로 회피하는 행동은 부정적 강화가 되어 회피는 더 늘어나고, 새로운 대상 관계 및 표상을 형성할 기회는 더 적어진다. 이런 종류로 발달하는 인격 구조를 가진 아동은, 자기자신은 무능하고(incompetent) 취약하며(fragile), 세계는 위험하고 안전하지 않다는 감각을 반박할 기회를 거의 가지지 못하여, 사회적 공포와 불안이 고정적인(stabilizing) 성격 구조를 구성하는 요소가 된다.

회피적 아동은 자기집이나 친척집 등, 안전하고, 편안하고, 잘 아는 환경에서는 자기 표현 및 상호작용을 잘 할 수 있다. 연속선의 적응적 말단에서, 이 패턴의 청소년은 매우 민감하고, 다정하고, 공감적이고, 사려 깊고, 창조적이면서, 몇몇의 가까운 친구들이 있고, 관심사를 깊이 있게 추구할 수 있다. 연속체의 부적응적 말단에서, 아동은 감정적 및 지적으로 자신을 제한하며, 나이에 맞는 또래나 학교활동을 피한다.

경험적 서술(Empirical Description)

불안-회피 인격 방식을 가진 청소년들은 높은 수준의 불안을 경험하며 사회적 상황에서 수줍고 자기의식적인 편이다. 결과적으로, 창피함(humiliation) 및 당황스러움에 대한 두려움으로 인해 사회적 상황을 자주 피하며, 그들의 욕망을 좇기보다 두려움과 위험을 피하는 데 초점을 맞춘다. 일부는 불안을 피하는 틀(routine)에 매우 완고하게 집착하며, 부모 또는 양육자와의 분리는 그들에게 특히 힘든 일이다. 대인관계적으로, 그들은 수동적이고 내성적이고(unassertive), 권위에 지나치게 순응적인 편이다. 사회적 기술이 부족하여 때로는 어색하고 부적절하게 보일 수 있다. 이러한 청소년들은 소망 또는 충동을 표현하기를 억제하거나 거북해 할 수 있다. 결정하는 것에 어려움을 겪고, 반추하고, 반복적으로 강박적인 사고를 할 수 있다. 어떤 청소년들은 공황발작, 스트레스에 대한 신체 증상을 겪거나, 질병에 대해 심한 두려움을 가질 수 있다. 마지막으로, 어떤 청소년들은 성적인 것을 위험과 연관 짓고 지나치게 두려워한다.

서술과의 일치도(Match to Description)				
5	4	3	2	1
매우 잘 일치함 (Very good match)	잘 일치함 (Good match)	상당히 일치함 (Significant match) (양상(features))	약간 일치함 (Slight match)	거의 또는 전혀 일치하지 않음(Little or no match)

주요 양상(KEY FEATURES)

구성적-성숙적 기여 패턴(Contributing constitutional-maturational patterns): 불안 또는 소심한(timid) 소인(disposition)/기질(temperament)을 가질 가능성(possible)(예: 늦게 발동이 걸림); 불안 및 소심의 소인에 대한 유전적 기여(liability)

중심적 긴장/몰두(Central tension/preoccupation): 안전(safety)/위험(danger)

중심 정서(Central affects): 두려움, 불안, 수치심, 당황스러움, 죄책감, 혼란(confusion)

자기에 대한 특유의 병적 믿음(Characteristic pathogenic belief about self): "나는 어떻게든 피해야 하는 지속적인 위험에 처해 있어", "뭔가 비극적인 일이 언제든 일어날 수 있어", "나는 내 양육자와 분리되면 안 돼."

타인들에 대한 특유의 병적 믿음(Characteristic pathogenic belief about others): "다른 사람들은 상상할 수 없는 위험이나 마술적 보호의 원천이야", "다른 사람들은 나를 창피하게 하거나, 부끄럽게 하거나, 곤란하게 하는 상황을 만들 수 있어."

중심적 방어 방식(Central ways of defending): 상징화, 전치, 회피, 합리화; 자신을 더 힘들게 하는 특정 불안을 감추는 일반적 불안(예: 불안이 방어 기능을 수행할 수 있음)

역전이와 전이 반응(Contertransference and Transference Reactions)

역전이(COUNTERTRANSFERENCE)

임상가들은 그들의 불안과 두려움이 실제 생활 사건에 비추어 불균형적이라고 설득함으로써 환자를 구출하기 위한 시도를 무심코 할 수 있다. 치료자들은 환자들의 왜곡된 사고 과정에 대항하려 할 수 있다. 환자의 예상, 편집적 두려움, 불안으로 인해 치료자들은 자신도 모르게 환자를 실제로 더 당황스럽고, 수치스럽고, 걱정하는 상태로(또는 자신을 그렇게 지각하는 상태로) 상연하는 결과를 낳을 수 있다. 임상가들은 환자에 대해 점차 책임을 느끼고 환자의 불안을 악화시키거나 불안의 원인으로 작용하는 것을 피하려는 무의식적인 행동을 할 수 있다.

전이(TRANSFERENCE)

임상가는 이상화될 수 있고 '구조자' 또는 안전의 원천으로 여겨질 수 있다. 의존 문제 치료에서 두드러지게 나타나기 시작할 수 있다; 반대로, 편집적 두려움이 임상가에게 투사되어 임상가를 불신하고 더 억제하거나 저항하는 결과를 낳을 수도 있다; 환자는 치료자와의 상호작용이 가진 사회적 성질로 인해 당황하거나, 수치러워하거나, 그밖의 불편한 느낌을 가질 수 있다; 환자는 분리불안 때문에, 치료자와의 분리와 관련하여 불안을 느낄 수 있다(회기 말, 휴가 중 등).

조현성 인격(Schizoid Personalities)

조현성 청소년들 역시 관계를 갈망할 수 있으나, 사회 관계에서 광범위한 무심함(detachment)을 가지며 대인관계에서의 감정 표현 범위가 제한적이다. 사회적 상호작용을 매우 적극적으로 피하는 것처럼 보이며, 다른 사람들은 '혼자 있기를 더 좋아하는 사람(loner)'이라고 생각한다. 회피적이고 위축된 아동들의 경우 호감이 가거나 인기 있을 수 있으나, 반대로 조현성의 아동들은 친구가 없거나 거의 없다. 그들은 철수(withdrawal)에 대해 질문 받으면, 타인들이 자신에게 못된 짓을 해서 그렇다고 주장할 수 있다. 임상 경험에 의하면 그들은 사랑에 대한 그들의 필요가 낳을 부정적 결과에 대한 두려움을 학습했을 수 있다고 한다.

조현성 패턴은 다른 인격 조직과 비교했을 때, 경도 또는 신경증적 손상에서부터 심각한 정신병적 장애에 걸친 연속체를 더 구성한다. 쉽게 과자극적이고 과잉행동적으로 된다는 면에서 기질적으로 구별되므로(McWilliams, 2011), 이 인격 방식의 아동청소년들은 그들이 타인들과 구별되거나 '다르다는' 것을 일찍 깨닫고 결과적으로 점차 스스로를 타인들로부터 고립시킨다. 경도의 연속체 말단에서 그들은, 타인에게 무관심하고, 무심하고, 관계를 형성하고 유지하는 것에 매우 흥미가 없다. 극단적 말단에서, 세계에 대한 그들의 무심함은 무관심보다는 그들의 적극적인 환상의 삶, 현실과의 접촉 상실, 이상한(odd) 행동과 지각에서 기인한다. 후자의 경우 내적 통합과 응집을 유지하는 방어 역량이 부족한 경향이 있어서 그들 자신과 타인들 사이에 장벽이 없는 것처럼 거의 보이며, 외부 자극에 의해 조절력을 잃는 것으로부터 벗어나지 못한다. 이들은 타인들과 긴밀히 접촉할 때, 잡아먹히는 것과 소멸에 대한 두려움 및 그들의 존재를 침범하는 다른 형태의 취약함에 대한 두려움으로 인해 더 혼란스러워질(disorganized) 수 있다. 스펙트럼의 다른 말단에서, 홀로 있는 것(aloneness)은 개인이 "대상에 대한 갈구(object hunger)" 또는 "갈구하게 하는 사랑(love made hungry)"의 참기 힘든 감정을 "저 너머(out there)" 타인들에게 투사할 수 있게 하는 일차 방어 전략으로 귀중하게 여겨진다(Fairbairn, 1952; McWilliams, 2011). 이 인격방식의 개인들이 혼자 있는 상태를 좋아하고 타인들과의 관계에 흥미가 없는 것처럼 보인다는 점에 비추어, 그들이 전형적인 인간의 욕망과 친밀한 애착이 없을 것이라고 오랫동안 인식되어 왔다. 그러나, 현대의 문헌에서는 어떤 조현성의 사람들은 대부분의 사람들처럼 친밀함과 사회적 연결성을 갈망한다고 주장한다(Shedler & Westen, 2004).

타인들과의 물리적 고립 이외에도, 이들은 사고, 발상, 세계에 대한 인식의 독특함으로 인해서도 고립되어 있다. 사회적 자극에 매우 민감하고 반응적이어서, 그들은 사회적 계기에 반응하여 스스로 철수하거나 자신만의 세계를 창조한다. 문헌들에서는 덜 따뜻하고, 감정을 드러내지 않고, 무심한 양육 방식과, 고압적이고 억누르는 양육 방식 모두 조현성 인격 특성의 발달과 관련있다고 주장한다. 중요한 것은, 두 방식 모두 가능한 만큼 절대적으로 타인과 거리를 두려 하는 압도적인 내적 필요로 이어진다는 것이다. 그러나, 서로 다른 초기 양육 경험을 거친 조현성의 개인들의 목표는 다를 수 있다. 고압적 양육자의 아동은 잡아먹히거나 조종당할 것 같은 두려움에 소모되는 반면, 무심한 어머니의 아동은 양육과 친밀함에 대한 자신의 강력한 욕망과 정신적으로 마주하는 것을 피하려고 한다. 또한 후자의 경우, 충족되지 못한 의존에의 필요에 대한 강한 거절은 투사와 부인 같은 방어 전략의 사용으로 이어질 수 있으며, 그럼으로써 이 강렬한 느낌을 자기 바깥에 두게 된다. 일차적 전략으로서, 이 사람들이 두려움이나 압도됨을 느낄 때, 그들은 숨는다- 은둔하거나 자신들의 상상을 추구함으로써(McWilliams, 2011). 또한 특히 아동기에서, 조현성 인격 특성을 자폐 스펙트럼 장애와 구별하기가 어렵다는 점 역시 염두에 두어야 한다. 두 병리 모두 사회적 다름, 이상한 행동, 고립, 대인관계에 대한 흥미의 명백한 결여라는 특성을 지닌다는 점에서, 조현성 인격 특성의 아동 청소년들은, '고기능' 자폐일 것으로 생각되는 사람들과 극심하게 다르게 '보이지는' 않을 것이다.

경험적 서술(Empirical Description)

분열성 인격 방식의 청소년들은 사회적 기술이 부족하며 사회적으로 어색하다. 가까운 친구가 없고 또래들이 무시하거나 피한다. 그들의 외양과 태도는 이상하거나 독특하다(예: 차림새, 눈맞춤). 제한된 감정 범위를 가진 것처럼 보이며 다른 사람들에게 감정적으로 무심하거나 무관심하다. 그들은 자신들이 따돌림당하는 외부인이라는 느낌을 받으며, 괴롭힘과 놀림을 당할 수 있다. 이 청소년들은 나이에 비해 어린 것처럼 보이고 매우 구체적인(concrete) 방식으로 생각한다. 그들의 삶에서 중요한 사람들에 대한 묘사는 이차원적이고, 다른 사람들의 행동을 이해하는 데 어려움을 겪는다. 이들 중 일부는 이상하고 기이한(idiosyncratic) 추론 과정(예: 임의 추론)을 사용할 수 있고, 다른 사람들이 이들에게 지루함을 느낄 수 있다(예: 중요하지 않은 것에 대해 멈추지 않고 느낌 없이 말함으로써).

서술과의 일치도(Match to Description)				
5	4	3	2	1
매우 잘 일치함 (Very good match)	잘 일치함 (Good match)	상당히 일치함 (Significant match) (양상(features))	약간 일치함 (Slight match)	거의 또는 전혀 일치하지 않음(Little or no match)

주요 양상(KEY FEATURES)

구성적-성숙적 기여 패턴(Contributing constitutional-maturational patterns): 매우 예민한, 수줍은, 쉽게 과자극되는, 이상한 생각과 낯선 행동을 하는, 정신증의 잠재적 위험이 있는

중심적 긴장/몰두(Central tension/preoccupation): 친밀함에 대한 두려움/친밀함에 대한 갈망

중심 정서(Central affects): 과자극시의 전반적인 감정적 고통; 억제(be suppressed)되어 있는 압도적 정서와 소멸에 대한 두려움.

자기에 대한 특유의 병적 믿음(Characteristic pathogenic belief about self): "의존과 사랑은

위험한 거야."

타인들에 대한 특유의 병적 믿음(Characteristic pathogenic belief about others): "세상은 위험하고 나의 경계를 침범해", "세상은 위태롭게 집어삼킬 거야."

중심적 방어 방식(Central ways of defending): 신체적 철수 및 환상과 기이한 몰두로의 철수

역전이와 전이 반응(Contertransference and Transference Reactions)

역전이(COUNTERTRANSFERENCE)

임상가는 환자들을 '보호하고' 심한 불안 및 일상생활에서의 사회적 손상으로 인한 영향을 줄이려고 함으로써 부모처럼 행동할 수 있다; 임상가는 관계의 발달과 신뢰의 구축을 가능하게 하면서도, 빨려들거나 침투당할 것이라는 환자들의 두려움을 자극하거나 악화시키지 않도록 하기 위해, 치료에서 적절한 정도의 친밀함과 거리 두기를 이루는 데 고심할 것이다; 임상가는 환자들이 아직 준비되기 전에 그들이 '마음을 터놓고' 정신내적 세계로 들여보내 주도록 만들고 싶어할 것이다; 환자의 성격 구조로 인해, 임상가는 환자들을 그저 사람으로 바라보기보다, 무의식적으로 '흥미로운 종(species)'의 구성원으로 바라보게 될 수 있다(McWilliams, 2011, p. 207).

전이(TRANSFERENCE)

환자들은 자신들의 행동 뿐 아니라 임상가의 행동을 이해하려 애쓸 것이다; 그들은 치료에서 임상가와 어떻게 의미 있는 방식의 관계를 맺는지를 모를 수 있다; 환자들은 자신들의 이상하고 도발적인 의사소통 및 행동에 대해 그들 삶에서 타인들이 반응했던 것과 같은 방식으로 임상가가 반응할지를 '시험'할 수 있다; 그들은 자신들이 이상하고, 예측불가능하고, 색다른 방식으로 존재하고 상호작용하더라도 임상가가 돕는 노력을 지속하기를 계속해서 희망한다; 환자들이 치료 초기에 두렵고, 방황하고, 공허하고, 단절된 느낌을 가지기 때문에 임상가에게 어떻게 말해야 하는지 '배우는 데' 매우 많은 시간이 걸릴 수 있다(McWilliams, 2011).

외현적 스펙트럼(Externalizing Spectrum)

정신병질성/반사회성 인격(Psychopathic/Antisocial Personalities)

심각한 정신병질성 또는 반사회성 경향을 가진 청소년들은 타인의 권리를 어느 정도 무시하고, 침범하며, 속임수의 사용과 후회의 결여가 특징적이다. 영아기 및 초기 아동기에 과도한 공격성을 특징으로 하는 기질의 개인은 반사회성 또는 정신병질성 인격 경향을 갖는다고 믿어진다. 반사회성 경향의 사람 또는 정신병질자는 스릴 추구 및 감각적 자극에의 역치가 다른 사람들보다 높으며, 아동기 동안 박탈, 방임, 또는 학대에 자주 노출된다. 자기애성 인격이 발

달하는 아동들과 유사하게(상당히 겹쳐짐), 정신병질성 경향의 아동들은 자주 응석받이로 길러지며, 흔히 물질적인 것들은 주어지나 감정적 돌봄은 박탈된다(McWilliams, 2011).

전능 통제감이 정신병질자들의 일차 방어 전략이므로(McWilliams, 2011), 이들은 다른 이들을 통제하거나 그들에게서 이득을 얻는 전략을 만들거나 사용할 때 가장 강력하고 능수능란하다는 느낌을 갖는 경향이 있다. 이러한 행동은 빠르면 초등학교 때부터 두드러지며, 공감 및 다른 이들에 대한 배려가 얼마나 결여될 지 결정될 수 있다. 애착, 자기-타인 연관 및 성찰 능력이 선천적으로 부족하다.

다른 대부분의 인격 패턴과 마찬가지로, 정신병질자는 연속선상에 존재하여, 저기능의 개인이 사고 문제, 빈곤한 현실검증, 부족한 내적 통합을 보이고, 심각하고, 위험하고, 공격적인 행동을 더 많이 보인다(무장 강도, 강간, 살인, 그밖에 다른 이들의 권리와 감정을 침해하는 행동들). 스펙트럼의 고기능 말단에서 정신병질적 특성을 가진 사람들은 그들의 잔인하고 강압적인 의도를 자기애적 냉담함 뒤에 숨기는 경향을 가지며, 지적 능력을 사용하여 다른 이들을 조종한다. 흔히, 고기능의 정신병질자들은 "우정"을 쌓고 학문적, 사회적, 직업 또는 경제적 성취를 이룰 수 있다.

역사적으로, 정신병질자는 치료불가능하다는 임상적 믿음이 있어왔다. 그러나 최근에는, 정신병질자들이 보이는 관계 문제, 공감적 감성, 행동 패턴을 변화시킬 수 있는 치료적 접근들이 있다는 증거가 늘어나고 있다. Bateman 과 Fonagy(2004, 2008, 2013) 및 동료들은 반사회성 인격에 대한 정신화 기반 치료의 효과를 조사하기 시작했다. 이 모델은 이들에게 자신들의 내적 세계를 이해하는 능력이 결여되어 있다고 가정한다; 또한 그들은 힘겹게 "다른 사람의 입장"이 되며, 따라서 다른 사람들의 내적 상태를 이해하거나 그들의 특정한 감정(가장 심각하게는 두려움)을 지각하는 능력이 결여되어 있다. 대신에, 이들은 다른 이들의 감정 상태를 인지적(감정적으로는 아님) 수준에서 이해할 수 있으며 이 지식을 바탕으로 자주 다른 이들을 조종하거나 통제한다. 보통 반사회성 인격을 위한 정신화 기반 치료는 정신화 능력, 즉 공감 및 정확한 관점 수용을 증가시키는 데 초점을 맞춘다. 정신병질자들은 하나의 감정적 감각('조증적 흥분 또는 맹목적 분노'; McWilliams, 2011, p. 160)을 경험하는 것으로 보이므로, 정신화 기반 치료는 그들이 넓은 범위의 감정상태를 확인하고 분명하게 표현할 수 있도록 돕는 것에 초점을 맞춘다.

경험적 서술(Empirical Description)

이 원형에 들어맞는 청소년들은 다른 이들의 권리, 재산, 안전을 신중치 못하게 묵살하는 경향을 보인다. 다른 이들에게 해를 끼치거나 다치게 해도 후회가 거의 없으며, 일상적으로 다른 이들에게서 이득을 취한다. 이 청소년들은 권위상에 대해 반항적인 편이다. 남을 잘 속이고, 조종적이고, 공감을 거의 못하며, 다른 이들의 느낌에 반응을 못하거나 하지 않으려는 것으로 보인다. 그들은 충동적으로 행동하면서 결과에 신경 쓰지 않으며, 신뢰할 수 없고, 자신들의 결점이나 환경에 대해 다른 사람을 탓한다. 스릴을 추구하고, 범죄나 비행에 가담하고, 알코올 및 약물 남용의 경향을 지닌다. 이 청소년들의 일부는 폭력적이며, '나쁘거나' '거칠게' 보이는 식으로 공격적으로 행동함으로써 기쁨을 느낄 수 있다. 그들은 중요한 타인들을 지배하거나 위협할 수 있다. 다른 이들에게 자신은 변화할 것이라고 반복적으로 말하지만, 다시 부적응적행동으로 돌아간다.

서술과의 일치도(Match to Description)				
5	4	3	2	1
매우 잘 일치함 (Very good match)	잘 일치함 (Good match)	상당히 일치함 (Significant match) (양상(features))	약간 일치함 (Slight match)	거의 또는 전혀 일치하지 않음(Little or no match)

주요 양상(KEY FEATURES)

구성적-성숙적 기여 패턴(Contributing constitutional-maturational patterns): 유전적 취약성, 선천적으로 공격적일 가능성, 폭력과 외상에의 초기 노출, 감정적 자극에 대한 높은 역치.

중심적 긴장/몰두(Central tension/preoccupation) : 도구적 관계 및 신체적 공격성, 통제당하는 것에 대한 두려움.

중심 정서(Central affects): 분노(rage), 시기(envy).

자기에 대한 특유의 병적 믿음(Characteristic pathogenic belief about self): "나는 내가 원하는 무엇이든 할 수 있어."

타인들에 대한 특유의 병적 믿음(Characteristic pathogenic belief about others): "아무도 믿을 수 없어", "모든 사람은 이기적이고, 조종적이고, 비열하고/또는 나약해."

중심적 방어 방식(Central ways of defending): 전능적 통제에 대한 시도.

역전이와 전이 반응(Contertransference and Transference Reactions)

역전이(COUNTERTRANSFERENCE)

임상가는 환자들의 매력적인 태도로 인해 긍정적으로 반응할 수 있으며(또한 유혹될 수 있음), 그들을 위해 '규칙을 바꾸거나', 비전형적 방식으로 환자를 옹호하거나, 경계를 흐리는 등의 상연으로 빠질 수 있다; 임상가가 환자의 목적과 전략을 알아채면 무력감을 느끼고, 두려워하고, 관계에서의 상이한 역동에 저항할 수 있다; 환자의 진정성, 감정, 공감의 결여 정도에 따라 임상가에게서 일반적으로 경멸, 도덕적 격분, 증오, 적대감의 반응이 나타날 수 있다(McWilliams, 2011); 환자에게 치료자를 염려하는(그리고 공감하는) 능력이 없음으로 인해, 임상가에게서 반직관적인 부정적 느낌이 발달할 수 있다; 임상가는 그들의 성격병리의 영향으로 인해 무장해제되고 통제되는 느낌 및 두려움을 가질 수 있다(예: 냉담, 비감정적 특성).

전이(TRANSFERENCE)

환자들은 치료자에게 포식적 경향을 투사하여, 치료자가 개인적 이득이나 이기적 목적과 관련이 있을 것이라고 볼 수 있다; 환자들은 임상가에게 분명하게 보이거나 보이지 않는 이차 이득을 위해 그들에게 지나치게 매력적으로 행동할 수 있다. 감정과 사랑의 경험이 없는 환자들은 임상가를 '천사'로 보거나 임상가의 관점과 행동(예: 친절, 무조건적인 긍정적 배려)에 의미를 만들기 위해 애쓸 수 있다.

아래의 예시는 임상가가 진단 과정에서 나타나는 임상적 양상과 관련하여 생각할 수 있도록 하기 위한 목적에서 제시하였으며, 치료 계획, 중재, 평가의 과정에 있어서 초기 임상 구조화의 중요성을 보여준다.

임상적 예시(Clinical Illustration)

Tom은 13살 때 어머니와 의붓아버지에 의해 몇 가지 비행 및 지난 2년간의 불량한 학업 수행에 대한 진단 및 치료를 위해 의뢰되었다. 12살 때, Tom은 나이가 약물을 거래하고 무기를 가진 나이 많은 청소년들과 어울리기 시작했다. 의뢰 당시 Tom은 학교 기물파손 및 흡연을 했다. 또한, 그는 의붓아버지, 어머니, 누나의 돈을 반복적으로 훔쳐왔다. 도둑질에서 붙잡히면 그는 항상 후회하는 모습을 보이고 사과를 하였다. 그러나 어머니와 의붓아버지 모두 그가 분노와 처벌을 피하기 위해 사과를 하는 것이며, 진심으로 반성하지 않는다고 믿었다. 그는 절도에 대한 죄책감을 보이지 않았으며 자신이 원하는 것을 살 돈이 없으면 다시 절도를 반복했다. 자신의 행동의 결과에 대해 신경 쓰지 않는 것처럼 보였고, 도둑질 후 그의 누나와 엄마가 울어도 연민을 거의 보이지 않았다. 어머니가 그를 혼내면 벌 받을 까봐 두렵지 않다고 말하며 감정적으로 단조롭고 거친 태도를 보였다. 그러나 가끔은, 의붓아버지가 배를 고치는 것(의붓아버지의 주된 취미)을 돕거나 집을 청소해서 퇴근한 어머니를 놀라게 하는 등의 사랑스러운 태도를 보이기도 했다. 가족과 외출할 때, Tom은 항상 깔끔하게 잘 차려입기를 원했고 가족 아닌 이들에게 예의 바르게 행동했다. 그는 상류층인 의붓아버지에게 확실히 동일시했다. 그의 인격의 두 모순된 면은 가족들이 그를 이해하고 그와 어떻게 관계할지에 대해 헷갈리게 만들었다.

Tom의 아동기는 매우 외상적이었다. 그의 어머니는 어리고 미성숙하였으며, 딸을 (Tom보다 3살 많음) 낳은 뒤 이미 스트레스를 많이 받아, 다른 아이를 원하지 않았다. 정부에서 일하던 Tom의 아버지는 까다로운 성미와 중독(알코올 및 도박) 성향을 가졌다. 또한, 그는 아이들을 돌보는 것에 관심이 없었다. 부모는 Tom이 태어난 것에 대한 부담이 있기 전부터 이미 어려움을 겪고 있었다. 그가 태어난 뒤, 부모의 관계는 더 악화되어 항상 다투었다. 어머니에 의하면 Tom은 매우 조용하고, 요구하는 게 없는 태평한(easygoing) 아이였다. 반면, 어머니는 그에게 까다로웠으며, 이른 나이부터 걷도록 시키고 15개월에 배변훈련을 하였다. 그녀는 아이들이 독립적이고 강해야 한다고 믿어서, 그들이 울어도 안아주지 않았다. Tom이 20개월이었을 때, 외할머니가 갑자기 사망하였다. Tom의 어머니는 오랜 기간 슬픔에 빠져 아이들을 감정적으로 돌보지 못했다. 마찬가지로, Tom의 아버지는 집 밖에서 시간을 보내기 시작했다; 몇 달 후, Tom이 2세일 때, 아버지는 가족을 버렸다. 그는 아이들과 단절되어 지냈다. 슬퍼하던 중에, Tom의 어머니는 남편이 도박에 필요한 큰 돈을 마련하기 위해 그녀의 신용카드를 썼다는 것을 발견하였고, 그녀에게는 큰 빚이 남게 되었다. 가족은 매우 가난해졌고, 안정적으로 살 장소와 음식이 부족해졌다. Tom의 어머니는 아이들을 장애가 있는 외할아버지가 불충분하게 돌보도록 몇 시간씩 맡겨놓은 채로 두 개의 직장을 다니기로 하였다. Tom은 2세부터 9세까지, 어머니는 부재하고 누나(그를 주로 돌보던 사람)는 밤에 그를 겁주는 상태에서 큰 감정적 박탈을 경험하였다. Tom은 치료 회기에서, 어머니가 집에 돌아올 때까지 몇 시간씩 이불 속에서 무서움에 떨었다고 웃으며 말하였다. 나중에 그는 두려움을 스스로 극복하기 위해, 과거에 무서워했던, <쏘우(Saw)> 같은 영화들을 다시 보면서 자신을 '강하게' 만들려고 하였다.

Tom이 9살일 때 가족의 많은 것이 변하였다. 어머니가 재혼하여, 그들은 부유한 남편의 집으로 이사하였다. 가족은 더 이상 재정적 어려움을 겪지 않았고, Tom의 어머니는 더 이상 많은 일을 하지 않고 Tom과 누나와 시간을 보내기 시작했다. Tom이 새로 간 학교의 반 친구들은 그를 괴롭혔다. 몇 달 후, 수줍고 조용하던 Tom은 수업 때 말썽을 부리고 싸우기 시작했다. 그는 더 나이 많은 아이들과 자전거로 위험한 행동을 하면서 경쟁하고, 무단결석하기 시작했다. 절도 사건 후, 그의 어머니는 Tom이 아버지와 매우 비슷하다고 믿기 시작했다. Tom이 어머니의 말을 듣고 있을 때는 짜증이 난 것 같으면서도 어떤 면에서는 거만해 보이기도 했다.

Tom은 마지못해 진단 회기에 왔으며, 자신이 '잘 하기로' 약속했다고 하였고 부모들이 자신에 대한 처벌 및 정신건강 전문가에게 보내는 것을 철회하기를 기대했다. 그는 검사에는 협조적이었으나 멍하고 표정이 없는 얼굴이었으며 감정적 소통에 관심이 없었다; 그는 자신과 가족에 대해 감정적으로 무덤덤하게 피상적으로 말하였다. 심리 검사에서 박탈, 상실, 외로움에 대한 두려움 및 슬픔과 고통의 경험 및 그에 대항한 회피, 무심함, 투사, 행동화의 방어가 드러났다. 이로 미루어 볼 때, 적절하고 강하다고 느끼고자 하는 Tom의 필요로 인해 그는 고통스러운 내적 세계에서 스스로를 소외시켰고, 따라서 박탈감과 내적 공허감이 강화되었을 것이다. 학교 심리학자의 사전 평가에서 지능은 평균이었고 특별한 학습 어려움은 없었다. 그러나, 긴 시간 집중하는 것에 어려움을 보였고, 이는 특히 문제 해결 과제에서 나타났다; 그는 노력을 요구하는 어려운 과제에 직면하면 동기를 잃고 쉽게 포기하였다.

치료 회기에서, Tom은 학교에서 모두가 존경하고 무서워하는 '강한 자'로 인기를 얻고 싶다고 하였다. 또래와의 관계는 피상적이고, 장난치거나 거칠게 구는 식으로 타인의 주의를 끌려고 하였다. 그는 수업에서 또는 반 친구들과 토론하는 것을 '지겹다는' 이유로 싫어하였다. 그는 치료자에게 어렸을 때 재정적으로 어려웠으며 현재는 원하는 물건을 사고 싶은 충동적인 바람이 있다고 말하였다.

치료에서, Tom의 태도는 회기마다 급격히 달라졌다. 어떤 때 그는 치료자와 함께 해서 기쁘다고 하였고, 스포츠와 자전거묘기에서의 자신의 신체적 능력에 대해 말하거나, 힘을 보여주려고 하거나, 처벌이나 위험을 신경쓰지 않는다고 하면서 그녀의 호감을 사려고 하였다. 그는 그와 부모가 자랑스러워할 뭔가 특별한 것이 되고 싶다고 하였으나, 그것에 대한 명확한 그림은 없었다. 이럴 때, Tom이 과거의 사건들(예: 무서운 꿈 또는 그를 무섭게 했던 영화들)을 말하면서 고통스러운 느낌을 드러내어 치료자는 Tom과 감정적으로 소통한다고 느꼈다. 다른 때, 특히 어머니와 싸운 후에 그는 냉정하고 감정적으로 무심하였으며, 자신은 괜찮고 아무것도 바뀔 필요가 없다면서 치료 중단을 요구하였다. 그 순간에는 Tom에게 다가갈 수 없는 것처럼 느껴졌다. 치료자는 그들이 "벽돌로 된 벽을 때리는" 것처럼 느꼈으며, 실망과 슬픔의 역전이를 경험하였다.

사례 평가하기(Evaluating the Case)

Tom의 사례 평가에서, 먼저 각 MA-A축 능력에 대한 임상적 관찰을 이용하여 정신 기능의 수준을 평가한다. 그 다음 주요 조기 인격 양식을 확인한다.

인지 및 정서 과정(COGNITIVE AND AFFECTIVE PROCESSES)

1. *조절, 주의, 학습 능력:* 대운동 및 미세운동 기술이 좋음; 행동 조절이 불량함(poor); 충동적으로 행동하며, 학습 활동에 주의 집중하는 동기가 제한됨.
2. *정서 범위, 의사 소통, 이해 능력:* 감정의 범위가 제한됨; 두려움에 대해 말하거나 이해하는 것이 가능하나, 두려움을 전달하기 위해 자신의 느낌과 접촉하지는 않음. 감정이 급격히 고조되고 폭발하거나 행동화할 수 있음.
3. *정신화 및 성찰기능 능력:* 타인에 대한 자기 행동의 감정적 기능의 결과를 이해하는데 실패함. 공감 능력이 불량함.

정체성 및 관계(IDENTITY AND RELATIONSHIPS)

4. *분화 및 통합 능력(정체성):* 자기에 대한 감각이 비일관적임; 의식적으로 갈등을 경험하지 않으면서 자신에 대한 모순된 면을 드러냄. 내적 소망과 외적 세계를 구분하지 못하며, 타인들의 의지와 관계없이 자신의 소망을 이룰 수 있다고 느낌.
5. *관계 및 친밀함의 능력:* 친구를 갖길 원하나, 관계는 피상적임. 어머니의 초기 행동이 회피적 애착 패턴을 조성하였음. 아버지의 유기에 대한 애착 외상이 있었으며 아동기 대부분에서 적절한 부모 양육이 부족하였음. 현재 누나, 어머니, 의붓아버지와 갈등함.
6. *자아존중감 조절 능력 및 내적 경험의 질:* 자아존중감이 불안정해 보이며 타인들의 승

인에 기반을 두고 있음. 자기이미지는 친절하고 유복한 젊은 사람과, 강하고, 반항적이고, 겁없는 사람 사이를 왔다갔다 함.

방어 및 대응(DEFENSE AND COPING)

7. *충동조절 및 조율 능력:* 감정 및 행동조절이 불량함. 행동의 충동성이 있고 좌절에 대한 내성이 제한적임. 주로 어머니 및 또래에게 자주 공격적 폭발이 이루어짐.
8. *방어 기능 능력:* 감정적 무심함과 회피, 공격자와의 동일시, 투사. 행동화.
9. *적응, 회복탄력성, 강점의 능력:* 그가 경험한 관계의 역경에도 불구하고, 치료자와 함께 한 짧은 순간에서 아마도 다른 이들과 연결되고 싶다는 바람이 있는 것을 보임.

자기인식 및 자기주도성(SELF-AWARENESS AND SELF-DIRECTION)

10. *자기관찰 능력(심리적 마음가짐):* 세계에 대한 호기심이 제한적이며 자기 성찰 능력에 한계가 있음. 자신의 소망과 가치에 대해 매우 혼란이 있음.
11. *내적 기준과 이상에 대한 구성 및 사용 능력:* 후회의 능력이 부족하며, 자기 행동의 결과를 신경쓰지 않고, 잡히지 않는 것에만 신경쓰면 무엇이든 가능하다고 믿음.
12. *의미와 목적에 대한 능력:* 나이에 맞는 의미에 대한 감각이 부족하여, 개인적 선택을 조직하는 데 어려움을 겪음. 현재 순간 너머를 보는 데 어려움이 있음.

기능 수준(Level of functioning): 경계성
일차 조기 인격 양식(Primary emerging personality style): 정신병질-반사회성

자기애성 인격(Narcissistic Personalities)

모든 범위의 자기애성 패턴이 청소년에게 존재한다. 자기애성 스펙트럼의 건강한 말단에서는, 청소년이 성취에 있어서 현실적 자부심에 매우 초점을 맞춘다. 더 역기능적인 말단에서는, 자기애적 동기가 있는 청소년들은 광범위한 패턴의 과대한 환상과/또는 행동을 보인다. 그들은 거만함, 특권의식, 인정 욕구를 보이며, 타인에 대한 공감이 결여되어 있다. 또는 자신의 과대한 열망의 좌절로 인해 우울하고, 짜증스러우며, 불평에 가득 차 있을 것이다. 어떤 자기애적 청소년들은 '버릇이 없고' 특권의식을 가진 것처럼 보이나, 대부분은 낮은 자존감을 방어하며 수치와 굴욕감을 피하려고 한다.

자기애성 인격의 사람들은 흠모, 감탄, 칭찬받고자 하는 만족할 줄 모르는 바람으로 움직인다. 남을 속이고 불쾌함을 느끼는 경직된 감각이 핵심에 있기 때문에(McWilliams, 2011), 평가절하와 이상화를 오간다. 자기애의 뿌리는 아동기의 좋은 양육이 지지하고 반영하는 자연스럽고 필수적인 전능감과 과대감에서 시작한다. Kohut (1968)에 의하면, 건강한 인격구조의 뿌리인 부풀려진 자기감-개인의 주인으로서 우주의 중심에 존재하고 있다는-은 타고나는 것이다. 더 정확하게는, 자기의 발달이 공감적이고 사랑해주는 부모의 반영(mirroring)에서 시작한다. 이 반영은 존재감이 내재화될 때까지 개인의 본질을 비춘다. 이러한 맥락에서는, 처음에는 자신이 과대하고, 특별하고, 우수하다고 느꼈다가, 결과적으로 자기와 타인에 대한 더 조화로운 관점을 가지게 된다. 반면에, 냉정하고 무반응적 양육의 맥락에서는 발달적 정지가 일어나 '자기의 장애(disorder of the self)' 가 발생할 수 있다(Kohut & Wolf, 1978).

현재의 이론가들은 자기의 장애가 지배적 인격특성의 다양한 범위 내의 많은 아형에서 발생할 수 있다고 주장한다. 그 핵심에서, 모든 자기애성 인격의 사람들은 결핍되고 무너졌다는(broken), 무시무시하고 견딜 수 없게 고통스러운 감각을 가진다. 아동일 때, 이 사람들은 아이들을 그들과의 관련성에 있어서만 가치를 두는, 자신만 아는 부모의 자기애적 연장선이 된다. 이렇게 혼란스럽고 유대가 없는 가족 환경에서, 아동기의 과대성은 분리된 자기로서 보여지거나 인식되거나, 가치 있게 여겨지지 못했던 고통스러운 현실에 대한 방어가 된다. Winnicott (1960)이 쓴 것처럼, 이 경험에서 '거짓 자기'-자신의 참 자기에 기반하지 않고 인정될 만한 것에 기반한 정체성-가 발달한다. 다른 극단에서, 좌절 또는 인간적 한계의 진정한 감각을 경험한 적이 없는 경우에도 자기애성 인격 발달의 위험이 존재한다. McWilliams (2011)가 언급했듯이, 지속적으로 판단되는 경우, 그것이 긍정적인 판단이어도, 지나치게 이상화된 아동은 특권의식(끊임없이 주목받는) 을 느끼는 동시에 자신이 무조건적 칭찬과 감탄을 받을 자격이 전혀 없다는 걱정을 비밀스럽게 하게 된다. 어느 경우든(예: 아동이 과대평가 또는 평가절하되는 경우, 즉 끊임없이 지켜봐지고 평가되는 분위기), 완벽주의, 사회적 지위, 타인들의 의견에 대한 걱정이 개인의 정체성의 핵심에 자리잡는다.

초기 발달 경험의 심리적 취약함은 다른 사람을 끝까지 수단으로만 바라보는 자기 몰두를 유발할 위험을 가진다. 자신과 타인들에 대한 평가절하와 이상화를 오가면서, 자기애성 인격의 사람들은 자존감을 다른 사람에게만 두고, 자신들을 남과 비교하며 우월하거나 열등하다고 느낀다. 외부의 잣대가 정체성과 자존감의 내적 핵심에 자리잡아서, '자기애적 공급'이 제한되거나 불가능해지면 내적으로 공허하고 완전히 고갈되었다는 감각에 압도된다. 자기애적 특성을 가진 사람의 취약한 방어막, 자기애적 완벽성의 장막, 그리고 결핍과 열등함의 타인에 대한 투사는 질투, 분노, 수치의 강력한 감정과 긴밀히 연결되어 있다. 이 감정들은 놀림, 모욕, 또는 다른 형태로 당혹스럽게 공적으로 '벗겨지는(undressing)' 경우 표면으로 올라온다. 자기애적 특성의 사람들이 경험하는 감정적 취약성과 고통은 다른 것에 견줄 수 없다. 일관성과 존중을 유지할 내적 기제가 거의 없으며, 자신을 환경의 희생양이라고 생각한다; 그들은 내적 평형과 조직을 유지하기 위해 예측할 수 없는 외부 세계에 전적으로 의존한다.

경험적 서술(Empirical Description)

조기 자기애성 인격 양식을 지닌 청소년들은 특권을 가졌다고 느끼며 자신을 편애하는 치료를 기대한다. 자기의 중요성에 대한 과장된 감각을 지녔으며, 무시하고, 거만하고, 통제적이다. 이 청소년들은 관심의 중심에 있기를 바라며, 다른 사람을 자신의 중요성에 대한 청중으로 취급한다. 그들은 자신들이 환영받아야 하며, 높은 지위에 있거나 우월한 사람들과 관계를 맺어야 한다고 믿는다. 그들의 상호작용은 비판적이고, 조종적이며, 공감이 부족하다. 다른 이들과 경쟁적이고 그들을 질투하면서, 스스로가 '완벽'하기를 기대하면서 부적절하고 열등하다는 은연중의 감각을 가진다. 동시에, 그들은 자신들을 감정적으로 강하고 흔들리지 않는 모습으로 보이는 것에 집중한다.

서술과의 일치도(Match to Description)				
5	4	3	2	1
매우 잘 일치함 (Very good match)	잘 일치함 (Good match)	상당히 일치함 (Significant match) (양상(features))	약간 일치함 (Slight match)	거의 또는 전혀 일치하지 않음(Little or no match)

주요 양상(KEY FEATURES)

구성적-성숙적 기여 패턴(Contributing constitutional-maturational patterns): 확실한 자료가 없음(몇 가지 제안에 대해서는 Kohut, 1968을 보라).

중심적 긴장/몰두(Central tension/preoccupation): 자존감의 팽창-수축.

중심 정서(Central affects): 수치, 굴욕, 경멸, 시기.

자기에 대한 특유의 병적 믿음(Characteristic pathogenic belief about self): "괜찮다는 느낌을 가지려면 나는 완벽해야 해", "괜찮다는 느낌을 가지려면 나는 남보다 낫다고 느껴야 해."

타인들에 대한 특유의 병적 믿음(Characteristic pathogenic belief about others): "다른 사람들은 부유함, 아름다움, 힘, 명성을 즐겨; 내가 이것들을 더 가질수록 기분이 더 좋을 거야; 다른 사람들이 나를 시기할 거야."

중심적 방어 방식(Central ways of defending): 이상화, 평가절하, 부인.

역전이와 전이 반응(Contertransference and Transference Reactions)

역전이(COUNTERTRANSFERENCE)

임상가는 환자의 이상화에 긍정적으로 반응할 수 (있고 매혹될 수) 있다. 임상가는 평가절하된다고 느끼거나 환자의 거짓자기(예: 과대함, 자만, 다른 이들에 대한 심한 평가절하)와 상호작용할 때 부정적 역전이 반응(예: 분노, 증오, 지루함)을 경험할 수 있다. "'진짜'가 아무것도 없다"는 감각이 임상가를 지배하여 회기 중 지루하고, 짜증나고, 졸릴 수 있다. 임상가는 치료관계 탐색에 대한 관심의 결여에 대해 놀라거나 '허를 찔릴 수' 있다. 임상가는 '보이지 않거나'

환자에게서 사라졌고 진정한 사람으로 보여지지 않는다고 느낄 수 있다(McWilliams, 2011).

전이(TRANSFERENCE)

임상가는 번갈아가며 이상화되거나 평가절하될 수 있다; 환자들은 그들의 일부를 치료자에게 투사하여(예: 평가절하 또는 이상화된 부분), 진짜의 개별적 사람이 아니라 자기대상으로서의 전이가 임상가에게 이루어진다. 임상가는 자존감 유지의 전략으로서 환자의 떨어져나간 일부를 담는 '그릇(container)'으로 사용된다(McWilliams, 2011)' 치료과정에서 반영(mirroring), 쌍둥이, 제2 자아(alter-ego) 패턴을 포함한 다양한 자기대상 전이가 일어날 수 있다(Kohut, 1968).

편집성 인격(Paranoid Personalities)

광범위한 패턴의 불신과 의심이 아동기에서는 상대적으로 드물다. 청소년기에서는 덜 드물지만, 이것은 반사회성 또는 다차원의 손상된(경계성) 임상 형태 등, 다른 조기 인격패턴의 일부이기도 하다. 이 청소년들은 다른 이들에 대한 경도, 중등도, 또는 광범위한 불신 및 의심을 지니며, 그들의 동기에 악의가 있다고 해석한다. 수치와 굴욕은 이 조기 인격패턴의 중요한 결정인자이다. 또래 및 성인과의 상호작용에서 이러한 아동들은 수치와 굴욕이 발생할 것을 예상한다. 따라서 선제적으로 말과/또는 행동을 통한 투사, 회피, 공격을 한다.

청소년에서 성인으로 발달하는 때는 불확실성이 매우 큰 시기 중 하나이다. 신체, 가족관계, 우정에 대한 그들의 관점과 인격은 끊임없이 변화하여, 사회적 조망의 전환 속에서 불안의 증가를 경험한다. 연구에 의하면 장기적인 불확실성의 조건하에서는 불안 및 두려움이 증가하고, 관계의 불공평함, 세상이 작동하는 방식의 불확실성, 조심하지 않으면 위험할 가능성을 가정하는 믿음이 발달한다. 이러한 믿음이 일상에 작용되는 가족체계 또는 사회적 조건하에서 성장하는 청소년들은 관계적 우연들을 그런 방식으로 심리적으로 조직하며, 나중에 위협과 위험을 가정할 필요가 없는 관계 및 사회 환경에 놓이더라도 계속 같은 방식으로 지각하고 경험할 것이다.

예를 들어, 부모가 문화적 규준과 다른 마술적 믿음, 불안정하고 예측하기 어려운 기분, 손상된 현실검증을 가지고 아동의 심리적 사생활에 감정적으로 침투하는 집에서 자란 아이를 상상해보라. 부모는 밤중에 말이 안되고 합의된 현실과 무관한 것에 대해 큰 소리로 이야기를 하며 습관적으로 아이의 방에 들어온다. 이 아동이 두려움과 혼란을 느끼고, 일관된 방식으로 마음에 두기 어려운 상호작용을 개념적으로 정리하는 방식을 찾아야 할 필요가 있다고 가정하는 것은 합당할 것이다. 시간이 흘러, 아이는 부모의 대인관계 양식에 순응하고(부모가 아무리 제 기능을 못해도, 아이는 생존을 위해 부모가 필요하다는 작지 않은 이유 때문) 부모의 상호작용 방식이 말이 되도록 하기 위해 자신이 지각하는 현실을 왜곡한다. 그렇게 함으로써, 아이는 부모와의 연결과 유대를 유지하지만, 아이는 가장 가까운 관계에서 학대와 착취가 항상 발생할 가능성에 대항하여 의심과 경계를 필요로 하는 사람으로 만들어진다. 이런 자기구성은 모든 관계는 아무리 가까워도 예상하기 어려운 위협과 조종의 가능성을 품는다는 믿음을 작동시킨다.

청소년기의 편집성 인격 패턴이 기질적 관점으로 관찰 및 이해가능하기는 하나, 이 시기는 또한 정신병적 스펙트럼 질환의 증상적 표현이 처음 분명해지는 시기이기도 하다는 것을 염두에 두어야 한다. 조현병, 조현정동 장애, 정신병적 특징을 동반한 기분장애의 유전적 부하(loading)를 가진 사람을 볼 때, 임상가는 편집증(parania)(원인의 많은 부분이 성격병리에 기인함)과, 정신병적 스펙트럼 질환의 시작 또는 전조기로서의 편집증을 섬세하게 구분해야 한다. 이 둘을 감별하는 것은 부분적으로는 편집적 사고가 얼마나 허술한지, 또는 100% 믿어서 망상적 사고를 구성하는지 등을 평가함으로써 가능하다.

경험적 서술(Empirical Description)

편집성 인격양식의 청소년들은 실제 상황에 맞지 않게 강한 분노를 가진다. 그들의 실패와 결점에 대해 다른 이들을 탓하고 원한을 가지며 사소한 것이나 비판에 대해 극단적인 반응을 한다. 그들은 자주 적대적이고 의심이 많으며, 다른 사람들은 자신을 해치고, 속이고, 배신할 것이라고 가정한다. 이 청소년들에게는 일반적으로 가까운 우정이 결여되어 있으며, 다른 이들에게 오해 받고, 미움 받고/받거나, 무시당한다는 느낌을 가진다. 그들 자신이 아닌 다른 사람들에게서, 자신들의 수용하기 어려운 느낌과 충동을 발견한다. 화가 났을 때, 그들은 같은 사람에게서 긍정적인 면과 부정적인 면을 동시에 보는 데 어려움을 가진다. 강렬한 감정이 그들을 비이성적이게 할 수 있으며, 때로는 현실에 대한 지각이 손상된 것처럼 보이기도 한다. 이 청소년들에게는 보통 심리적 통찰이 결여되어 있으며 자신이나 타인들의 행동에 대한 이해에 어려움을 겪는다. 그들은 반추하고, 곱씹으며, 때로는 공격적 사고/환상에 집착할 수 있다.

서술과의 일치도(Match to Description)				
5	4	3	2	1
매우 잘 일치함 (Very good match)	잘 일치함 (Good match)	상당히 일치함 (Significant match) (양상(features))	약간 일치함 (Slight match)	거의 또는 전혀 일치하지 않음(Little or no match)

주요 양상(KEY FEATURES)

구성적-성숙적 기여 패턴(Contributing constitutional-maturational patterns): 발달에 걸쳐 흥분하게 하는(irritating)/공격적인 상호작용의 대상으로 존재; 발달에 걸쳐 설명할 수 없는 괴이한(bizarre) 경험의 대상으로 존재; 두려움에 대한 민감도가 높을 가능성.

중심적 긴장/몰두(Central tension/preoccupation): 공격하거나 다른 이들에게 굴욕당함으로써

공격받는 것.

중심 정서(Central affects): 두려움, 분노, 수치, 경멸

자기에 대한 특유의 병적 믿음(Characteristic pathogenic belief about self): "나는 끊임없는 위험에 놓여 있어."

타인들에 대한 특유의 병적 믿음(Characteristic pathogenic belief about others): "세상은 잠재적 위험과, 나를 해칠 수 있는 사람들로 가득해."

중심적 방어 방식(Central ways of defending): 투사, 투사적 동일시, 부인, 반동 형성.

역전이와 전이 반응(Contertransference and Transference Reactions)

역전이(COUNTERTRANSFERENCE)

임상가는 "자아기능을 빌려주고" 환자의 사고 과정을 조직해주고 싶다는 느낌과 함께, 모든 것이 괜찮을 거라는 논리적 설득을 하고 싶어할 수 있다. 환자의 지속적이고 강박적인 비이성적 사고에 대한 좌절과 못참겠다는 느낌이 흔하다.

전이(TRANSFERENCE)

보통 두려움, 의심, 분노, 적대감이 임상가에게 투사된다. 그 결과, 신뢰와 진실한 연결에 기반한 치료동맹 확립이 극도로 어렵다. 전이 안에서, 임상가는 조종적인 주제, 숨겨진 욕망, 예상치 못한 반응의 상대가 된다. 이로 인해, 임상가와 환자 모두에게 무력감과 좌절로 가득한 극도로 도전적인 치료환경이 자주 만들어진다.

경계성-비조절성 스펙트럼(Borderline-Dysregulated Spectrum)

충동성-연극성 인격(Impulsive-Histrionic Personalities)

충동성-연극성 청소년들은 자기연출적이고, 관심을 추구하고, 도발적인 행동 패턴을 보이며, 이러한 행동은 자주 성적이면서 공격적이다. 청소년기는 전전두엽의 억제성 조절이 진행중인 시기이다. 충동조절, 시간할인(temporal discounting), 스트레스에 대한 내성, 공유하는 방법은 모두 아동기에 시작하는 발달과업이지만, 청소년기에 흔히 더 많은 연습이 필요하다-더 큰 복잡성과 결과가 주어지는 환경이기는 하다. 또한 이 시기는 청소년들이 그들 정체성의 여러 측면을 실험해보거나, 각종 행위에 참여하면서 다양한 모습을 시도해보는 시기이기도 하다. 이는 모두 청소년 또래 집단 및 학교와 지역 관련 사회 집단을 조정하는 복잡한 움직임의 일부이며, 이는 어떤 중요한 행동들을 격려한다(다른 행동에 대한 의욕은 꺾기도 한다). 옷 입는 것과 말하기를 통한 관심 추구는 청소년 자신들을 따로 구분 지을 수 있게 해주고, 사회적 자본을 얻게 해주며, 긍정적인 자존감(a sense of self–regard)을 고취시키고, 행위주체자

로서의 행동을 연습할 수 있게 한다. 가족 체계 내에서 자신이 주목받지 못한다고 느끼는(또는 실제로 그렇지 못한) 청소년들에게, 연극적이고 충동적인 행동은 그들이 일차 양육자에게서, 다른 방법으로는 얻지 못하는 관심을 끌기 위함일 수 있다. 또한, 어떤 청소년들은 기질적으로 감각추구자의 소인을 가질 수 있으며, 따라서 스릴을 위해 위험한 행동을 추구한다.

그러나, 앞서 언급한 모든 인격 속성들이 사회적으로 합의된 기준의 경계를 마련하려는 실험과/또는 행위로 고려될 수 있지만, 이 경계를 일상적으로 넘는(부정적인 사회적, 직업적, 대인관계적, 의학적, 법적인 결과를 경험) 청소년들은 더 융통성이 없는 연극성 및 충동성 인격 특성임을 시사한다. '자기'의 핵심적 측면과 처음에는 대치되지 않았던 발달적 역치라는 점에서 더 진단적이다. 이 사람들은 관심 및 자존감을 위한 '해결 방법'으로서 연극적 특성을 사용하며, 다른 이들과 팽팽한 긴장감이 도는 관계를 일으키기 위해 충동적 결정을 한다. 여기서 위험 감수는 청소년이 '두려움 없고', '걱정 없고', '쿨하다'는 것을 다른 이들에게 보여주지만, 역설적으로 청소년이 보상하려고 하는 감정적인 상태를 떠올리게 한다.

경험적 서술(Empirical Description)

조기 충동성-연극성 인격 양식의 청소년들은 관계에서 자신들이 불안정하고, 혼란스럽고, 급격히 변화한다고 느낀다. 그들은 나이에 비해 성적으로 문란하며 유혹적이고 도발적이다. 그들의 성적 또는 연애 상대자는 나이와/또는 지위 면에서 '부적절'하게 보일 수 있다. 감정적 또는 신체적으로 학대당하거나 불필요하게 위험한 상황으로 스스로를 몰아넣는 가족외 관계에 말려들 수 있다. 이 청소년들은 충동적으로 행동하고, 스릴이나 높은 수준의 자극을 추구하고, 약물 또는 알코올을 남용하는 경향을 가진다. 관계에서, 그들은 가능하지 않은 사람에게도 빠르고 강하게 부착한다; 관계의 과거 또는 맥락으로 봤을 때 보장할 수 없는 사람에게 감정과 기대를 발달시킨다; 또는 자주 연애 또는 성적 '삼각관계'에 빠진다. 어떤 사람들은 이상적이고 완벽한 사랑에 대한 환상을 가진다. 그들의 감정은 급격하고 예측불가능하게 변하며, 자주 과장되고 연극적이며, 통제 불가능해지는 경향을 지닌다. 그들은 두려운 상황에 돌진함으로써 두려움이나 불안의 느낌을 떨치려고 한다. 이 청소년들은 비행하거나 소외된 또래들을 자신들 주변에 두거나 또래들이 소외감이나 낯선 느낌을 갖는 상황으로 끌어들인다(예: 막무가내로 무감각하거나 잔인하게 굴어서, 자신이 세상에서 유일하게 도울 수 있는 사람인 것처럼 느끼도록 하기). 그들은 자신들이 누구인지에 대한 명확한 감각이 부족하며, 모순된 느낌과 믿음의 비일관성에 동요하지 않는 것처럼 보인다.

서술 과의 일치도(Match to Description)				
5	4	3	2	1
매우 잘 일치함 (Very good match)	잘 일치함 (Good match)	상당히 일치함 (Significant match) (양상(features))	약간 일치함 (Slight match)	거의 또는 전혀 일치하지 않음(Little or no match)

주요 양상(KEY FEATURES)

구성적-성숙적 기여 패턴(Contributing constitutional-maturational patterns): 발달에 걸쳐 흥분하게 하는/공격적인 상호작용의 대상으로 존재; 민감도가 높을 가능성, 사회성애자(sociophilia)

중심적 긴장/몰두(Central tension/preoccupation): 다른 이들에 대한 권력

중심 정서(Central affects): 두려움, 수치, 죄책감(경쟁에 대한)

자기에 대한 특유의 병적 믿음(Characteristic pathogenic belief about self): "과하게 보상받으려는 걸로 봐서 나는 뭔가 문제가 있거나 부족해."

타인들에 대한 특유의 병적 믿음(Characteristic pathogenic belief about others): "다른 사람들은 나를 좋아하지 않을 거야/내가 그들의 관심을 끌기 위해 뭔가를 빨리 하지 않으면 나를 거부할 거야."

중심적 방어 방식(Central ways of defending): 억압, 퇴행, 성애화, 행동화; 과보상

역전이와 전이 반응(Contertransference and Transference Reactions)

역전이(COUNTERTRANSFERENCE)

임상가는 이 환자들을 기쁘게 하고, 칭찬해주고, 그들에게 반응해주어야 한다고 느낀다는 것을 알아챈다. 그러나, 치료가 진행될수록 임상가들은 그들과 단절되어 있다고 느끼고 환자가 요구하는 높은 수준의 관심에 질렸다는 것을 발견하고, 높은 강도의 상호작용을 '유지해야' 할 것 같은 압력을 느낀다.

전이(TRANSFERENCE)

임상가는 흔히 환자의 관심 추구 및 충동적 행동의 표적이 된다. 전이 내에서, 임상가는 환자를 잠재적으로 만족시켜주는 사람, 즉 관심과 사랑의 제공자로 자주 여겨진다. 이러한 시도에 대해 기대 만큼의 화답이 없으면, 환자들은 수동 공격적 태도에서부터 매우 과장된 감정표현에 이르는 다양한 전략들로 반응하면서, 어떻게 해서든 임상가가 실패했다고 주장한다. 이상화와 폄하는 전이 맥락 내에서 이 환자들이 사용하는 흔한 방식이다.

경계성 인격(Borderline Personalities)

아기(infant)와 양육자 사이의 스트레스 조절을 담당하는, 수반관계(contingencies)의 힘과 속도는 나중에 출현하는 각기 다른 종류의 인격 조직을 예견하는 다양한 초기 애착 패턴과 함께 인격 형성에 직접적 영향을 준다고 믿어진다. 아기와 양육자 사이의 혼란한(disorganized) 초기 애착 패턴은 나중에 경계성 인격 양식으로 성장하는 씨앗으로 여겨진다(Fonagy, Target, Gergely, Allen, & Bateman, 2003; Liotti, 2004). 안정, 회피, 불안 초기 애착 패턴(아

기의 관점에서, 위로행동 vs 아기가 스트레스 받을 만한 행동을 양육자로부터 받을지에 대한 신뢰도를 평가하게 됨)과 달리, 혼란한 초기 애착은 양육자의 혼란한 관여로 인해 아기에게 안정되고, 믿을 만하고, 예측 가능한 대인관계적 상호작용의 기회를 제공해주지 않는다. 아기는 자기 자신을 위치시킬 믿을 만한 참조점과, 발달적으로 적절한 시기에 관계에서의 스트레스 조절이 가능하다는 것을 알 기회를 갖지 못한다(자기조절은 커녕). 그 결과, 성인에서 자기감에 대한 기회를 잃은 채로 경계성 구조가 발달한다(Fineberg, Steinfeld, Brewer, & Corlett, 2014).

쉽게 자기조절을 하지 못하는 가운데, 경계성 인격 구조의 개인들은 내적 상태의 변화를 위한 대인관계적인 '차선책'을 배치하기 위해 많은 노력을 하게 된다. 예를 들어, 그들이 만일 슬픔을 느끼고 이런 내적 슬픔의 상태를 변화시키기 위해 어떻게 할지를 모를 때, 그들은 다른 사람으로 하여금 자신의 '헤어나올 수 없는' 느낌을 누그러뜨리도록 유도할 것이다. 유연한 자기조절 기술로는 달리기, 코미디 영화 보기, 친구와 대화하기, 다른 즐거운 활동 하기 등이 있으나, 경계성 인격 구조의 사람들에게는 이것이 어렵다. 자기조절을 하는 대신에, 그들은 자신들의 필요를 위해 다른 사람들을 조절한다. 이는 흔히 투사적 동일시를 통해 이루어진다(Klein, 1946; Ogden, 1979; Spillius & O'Shaughnessy, 2013).

청소년기에서, 어린 사람들이 성인의 사회적 관계를 움직이는 암묵적인 규준들을 배워가면서 가까운 성인에게 요구를 하고 경계를 시험하는 것은 정상일 수 있다. 그러나, 경계성 인격 병리에서는 대인관계 양상이 광범위하고 불변하며, 상대가 혼란스럽다고 느낄 수 있다. 조기 경계성 구조의 청소년들은, 자기 조절 기술의 부재 속에서 투사적 동일시에 더해, 긋기(cutting), 물질오용, 내적 상태 변화를 위한 수단으로서 모든 종류의 관계를 이용하는 등의 자해행동을 할 수 있다.

경험적 서술(Empirical Description)

조기 경계성 인격 양식의 청소년들은 급격하고 예측 불가능하게 변하며 통제되지 않는 감정을 경험하는 편이다. 고통스러운 공허감을 느끼며 다른 사람의 도움 없이는 스스로를 위로하거나 편안하게 할 수 없다. 강한 감정이 밀려오면 그들은 비이성적인 상태가 될 수 있다. 이 들은 '도움 요청'을 하거나 다른 사람들을 조종하기 위해 자살 위협 및 제스처를 반복하며, 자해행동도 할 수 있다. 어떤 경우 그들은 진심으로 자살하고 싶은 소망과 싸운다. 이 청소년들의 관계는 불안정하고 혼란스럽다. 빠르게 애착을 보이지만, 화가 나면 그들은 한 사람에게서 긍정적인 면과 부정적인 면을 동시에 보는 것에 어려움을 겪는다. 그들은 혼자인 것, 거절당하거나 버려지는 것에 대한 두려움으로 다른 사람에게 매달리면서 동시에 그들을 거절할 수 있다. 이 청소년들은 자신들이 누구인지에 대한 안정된 감각이 결여된 채, 깊은 곳에서 내적으로 '나쁘다고' 여길 수 있다. 그들은 불행하고, 우울하고, 오해 받았다고 느끼는 편이며, 삶이 의미 없다고 믿을 수 있다. 스트레스를 받을 때는, 현실감이 손상되어 변동 및 해리 상태가 될 수 있다.

기술과의 일치도(Match to Description)				
5	4	3	2	1
매우 잘 일치함 (Very good match)	잘 일치함 (Good match)	상당히 일치함 (Significant match) (양상(features))	약간 일치함 (Slight match)	거의 또는 전혀 일치하지 않음(Little or no match)

주요 양상(KEY FEATURES)

구성적-성숙적 기여 패턴(Contributing constitutional-maturational patterns): 혼란한 초기 애착 관계; 초기 발달 동안의 오랜 기간의 신체, 감정 및/또는 성적 학대.

중심적 긴장/몰두(Central tension/preoccupation) : 자기조절의 어려움; 분산된(diffuse) 자기감; 자기조절을 혼자 할 수 없어서 다른 사람들을 이용함.

중심 정서(Central affects): 공허감, 혼란(confusion), 상실, 절망(desperation), 배신감, 편집적 사고

자기에 대한 특유의 병적 믿음(Characteristic pathogenic belief about self): "나는 사랑 받을 만하지 못해", "나는 혼자 있으면 무력해", "사람들은 내가 극단적으로 행동해야만 관심을 가질 거야."

타인들에 대한 특유의 병적 믿음(Characteristic pathogenic belief about others): "다른 사람들은 완전히 좋거나 완전히 나빠."

중심적 방어 방식(Central ways of defending): 분열, 투사적 동일시, 행동화.

역전이와 전이 반응(Contertransference and Transference Reactions)

역전이(COUNTERTRANSFERENCE)

임상가는 무언가 잘못했다는 느낌과 함께 감정적 강렬함을 경험하고, 메타인지적인 인식을 상실한다. 이 환자들을 대할 때 강하게 긍정적인 느낌과 부정적인 느낌 사이에서 정서적 전환이 발생하며, '밀쳐지거나' '끌려가는' 느낌, 조종당하는 느낌을 자주 경험한다.

전이(TRANSFERENCE)

전이에서, 임상가에 대한 환자의 지각은 투사적 동일시와 분열 등의 원시적 방어기제에 의해 왜곡되어 있다. 임상가에 대한 이런 지각에 반응하여, 환자들은 극단적 정서들 및 이상화와 평가 절하 사이를 빠르게 오가며, 자살의 제스처를 보이기도 한다.

아래의 예시는 임상가가 진단 과정에서 나타나는 임상적 양상과 관련하여 생각할 수 있도록 하기 위한 목적에서 제시하였으며, 치료 계획, 중재, 평가의 과정에 있어서 초기 임상 구조

화의 중요성을 보여준다.

임상적 예시(Clinical Illustration)

15세의 Linda는 수줍고 머뭇거리는 것처럼 보였다. 부모들은 지난 2년 동안에 특히 두드러진 그녀의 심각한 행동 문제로 심리학적 평가를 의뢰하였다. 그녀는 뚜렷한 이유 없이 울었으며, 부모에게 갑자기 심하게 화를 내고, 가끔은 3살 어린 여동생을 신체적으로 공격하였다. 그녀는 14살 때 담배를 피우기 시작하였고, 친구들과 대마도 가끔 피웠다. Linda는 또래 관계에서 많은 어려움을 겪었으며, 괴롭힘 및 상급생과의 일상적 싸움을 피하기 위해 학교를 바꿔야 했다. 또한 그녀는 위험이나 뜻밖의 결과에 신경 쓰지 않고 친구들과 위험한 행동을 하는 편이었다. 의뢰되기 전 해에, 그녀의 학업 수행은 상당히 저하되었으며, 어머니는 Linda가 반복적으로 자해 행동 (긋기)을 한다는 것을 발견하였다.

Linda의 어머니는 매우 아름다운 여성이었으며 그녀 인생에서 오랫동안 불안 발작 및 우울을 경험하였다. Linda의 아버지는 성공한 경영인이었다; 그는 매우 잘 생겼으며, 외모에 많은 투자를 하는 것으로 보였고 많은 자기애적 특성이 드러났다. 부모들은 Linda 출생 이후, 지속적인 싸움과 별거를 동반한 격렬한 관계에 놓였으며, Linda의 아버지가 몇 달간 집을 떠나 있을 때는 다른 여성을 만났다. Linda의 어머니가 헤어짐의 슬픔을 다 극복하지 못하고 재결합에 대한 희망을 가지고 있었지만, 그들은 2년 전 공식적으로 이혼하였다.

Linda는 고통스러운 양육을 겪었다. 태어날 때 심각한 심장질환이 있었으며, 20개월의 반복된 검진과 약물 변경 후에, 의사는 수술이 필요하다고 하였다. Linda의 건강 문제는 부모에게 충격을 주었다. 그들은 이를 자기애적 상처로 경험한 듯했으며, 그녀의 건강문제가 완전히 해결되었지만 여전히 그들을 힘들게 하였다. 아버지는 공격적으로 반응하여, 어머니가 아기를 제대로 돌보지 못한다고 질책하였다. 어머니는 매우 불안해하였고, 자신이 화가 날 때는 아기를 달랠 수 없다고 느꼈다. 건강 검진 및 수술을 진행할 때, 걸음마기의 Linda는 두려움을 드러내고 부모들에게 곁을 떠나지 말아달라고 하였다. 여동생이 태어난 후, Linda는 매우 질투하였으며 여동생의 유모를 물리적으로 자주 공격하였다. Linda의 건강문제 때문에 부모들은 그녀의 행동 반경을 제한해왔다. 처음 어린이집에 갔을 때, (3 1/2세) 그녀는 일 년 가까이 분리불안으로 힘들어하여 적응이 어려웠다. 학교 간 첫 해에, 그녀는 항상 숙제를 미덥지 않게 하였으나, 그 외에는 의뢰된 해에 성적을 망치기 전까지 학업적으로 준수한 편이었다.

진단 회기 및 이어진 다섯 예비 회기 동안-청소년 및 가족을 위한 특수 치료실에서의 정신치료에 의뢰되기 전- Linda는 회기에 오는 것과 임상가에게 협조하는 것에 대해 매우 양가적이었다. 치료자에 대한 그녀의 기분과 태도는 한 회기와 그 다음 회기 사이에 극단을 오갔다. 어떤 때 그녀는 따뜻하고 개방적이었다. 다음 회기에 그녀는 공격적이고, 감정적 접촉을 위한 치료자의 모든 시도를 무너뜨리면서 자신은 도움이 필요 없다고 화를 내었다.

Linda는 감정적인 또래에게 괴롭힘 당했던 초기 학교 생활에 대해 감정적으로 무덤덤하게 말하였다. 자신은 그것에 대해 신경쓰지 않았다고 했으며, 그녀가 좋아하는 음악 때문에 반 친구가 '인종차별주의자'처럼 굴었다고 하였다. 그녀는 남자친구 말고는 친구가 없었다고 하였다. Linda는 친구를 만들려는 목적으로 자신과 사귀자는 모든 요청을 받아들였으나, 결과는 별로 좋지 못했다고 말하였다. 그녀는 학교를 바꾸어서 좋고 벌써 아주 가까운 친구들이 생겼다고 말했으며, 처음 만난 날에 새 친구들과 끈끈해졌다고 하였다. 그들은 그녀의 옷과 음악 스타일을 좋아하였고, 남학생 한 명은 그녀에게 거의 매일, 그녀의 모든 것을 칭찬하기까지 했다. Linda는 사람들이 자신에게 지루해하지 않고 긴장을 가질 수 있도록 자신에 대해 천천히 보여준다고 말했다. 그러나, 그 이후 회기에서 그녀는 이 친구들 중 몇몇에게 크게 실망했다고 말했다. 그들은 자신이 어떻게 느끼는지에 대해 진짜로 신경 쓰지는 않으며 잠시 동안만 공감하는 척한 뒤에 다시 웃고 즐거워한다고 하였다. 그녀는 그들이 자신을 '속인다고' 느꼈고, 치료자에게서 이에 대해 질문 받을 때, 그들의 행동을 설명할 만한 다른 관점을 떠올리지 못하였다.

자해행동에 대해 물었을 때, Linda는 제일 친한 친구와 싸운 뒤 자기 자신을 벌하기 위해 처음 시작했다고 말했다. 처음에는 매우 아팠으나, 점차 가라앉으면서 흥분되었고 '진정한 스릴'을 느꼈다고 하였다. Linda는 슬플 때마다 자신에게 상처를 낸다고 하였다. 울고 싶을 때, 그녀는 쭈그리고 앉아서 몸이 차가워지는 느낌을 받았다. 그런 뒤 자신의 몸을 그어, 피부에 따뜻한 피의 감촉이 닿을 때 그녀는 자신이 살아 있다고 느꼈다. 그녀는 주로 노래 가사를 손목에 새겼다; 그렇게 하면 가사가 영혼에 들어와서 더 강해지는 것처럼 느껴졌다. Linda는 스스로 상처를 내는 것은 걱정할 만한 일이 아니며 그만두고 싶지 않다고 하였다. 다른 위험한 행동들(반쯤 벗은 채로 재미를 위해 달리는 행동 또는 높은 쓰레기더미에서 모르는 사람 집으로 뛰어내리는 것 등)에 대해서도 그러했다. 이런 것들은 그녀에게 살아있음과 삶이 살아갈 가치가 있음을 느끼게 해주었다.

Linda는 죽음에 대해 아이 같고 예술적인 생각을 보여주었다. 8살일 때, 반 친구가 죽어서 모든 반에서 장례식에 참석하는 일이 있었다. 그녀는 관에 누워있는 반 친구를 보며, 그녀는 그가 자고 있다고 생각했다. 그런 뒤 그녀는 죽음을 영원한 잠이라고 생각하였으며, 그 후로 죽음이 두렵지 않다고 말하였다.

Linda와 부모와의 관계는 불안정하였다. 그녀는 그들이 그녀처럼 생각할 수 있는 능력이 부족하여 자신을 결코 진정으로 이해할 수 없다고 하였다. 그래서 그녀는 그들이 있을 때도 항상 외로웠다. 그녀는 아버지가 매우 실망할까봐 자신의 자해행동을 숨겼다. 심리학적 평가에서 그녀에게 우울 장애가 있고, 경계성 인격장애의 요소가 있음이 나타났다. 치료자는 어떤 때는 낮은 자존감, 외로움, 죽음에 대한 두려움의 고통스러운 감정들로부터 자신을 지키기 위해 모든 방법을 시도한 Linda에게 연민을 느꼈다. 그러나 다른 때 Linda의 공격성을 경험하면, 치료자는 뚜렷한 이유 없이도 표적이 된 느낌을 받았다. 이러한 느낌은 각 회기의 후반부에 강렬한 감정을 동반하였으며, 그럴 때는 치료자의 명확하게 사고하는 능력이 저하되었다.

사례 평가하기(Evaluating the Case)

Linda의 사례 평가에서, 먼저 각 MA-A축 역량에 대한 임상적 관찰을 이용하여 정신 기능의 수준을 평가한다. 그 다음 주요 조기 인격 양식을 확인한다.

인지 및 정서 과정(COGNITIVE AND AFFECTIVE PROCESSES)

1. *조절, 주의, 학습 능력:* 운동 및 언어 기술이 좋음. 정서조절이 어려운 시기에는 정서 학습 능력이 방해받음.
2. *정서 범위, 의사 소통, 이해 능력:* 정서적 의사소통의 범위가 제한됨. 감정적인 폭발이 발생함. 신체를 조절의 수단으로 자주 사용함. 극단적인 정서 전환을 보임.
3. *정신화 및 성찰기능 능력:* 그녀 자신 및 다른 사람들의 내적 상태에 대한 정신화에 실패함. 대안적 관점에 대해 생각하는 능력이 제한되어, 그녀 자신의 믿음이 마치 사실처럼 표상됨.

정체성 및 관계(IDENTITY AND RELATIONSHIPS)

4. *분화 및 통합 능력(정체성):* 외적 사건과 경험으로부터 내적 상태를 구별하는 데 큰 어려움이 있음. 정서 조절이 어려움에 처하면 대인관계에서 경직된 반응을 보임.
5. *관계 및 친밀함의 능력:* 관계는 불안정하며 극단을 오감: 강한 감정적 유대에 대한 환상으로 관계에 갑자기 과잉투자를 하다가, 갑자기 다른 사람들이 '속인다'는 느낌을 받음. 친밀함을 강하게 원하지만, 자신과 다른 사람들의 정신적 상태의 차이에서 오는 좌절을 견디는 능력이 부족함. 따라서 관계는 보통 피상적임.
6. *자아존중감 조절 능력 및 내적 경험의 질:* 위태로운 자존감을 지님. 자신의 자존감 보존을 위해 다른 사람들을 평가절하함. 칭찬받기를 원함. 내적으로 살아있다고 느끼기 위해 자해 또는 위험한 행동을 함.

방어 및 대응(DEFENSE AND COPING)

7. *충동조절 및 조율 능력:* 쉽게 비조절적 상태가 되며, 극단을 오감. 행동 통제 역량이 불량함. 폭발적 행동 및 행동화가 자주 일어남.
8. *방어 기능 능력:* 투사, 합리화, 환상으로의 도피, 행동화, 자신을 향한 분노, 타인에 대한 평가절하. 가끔 현실검증이 불량해짐.
9. *적응, 회복탄력성, 강점의 능력:* 스트레스 또는 고통스러운 상황에 대항하는 능력이 매우 불량함. 어떤 환경적인 도전에서도 쉽게 비조절적 상태가 됨.

자기인식 및 자기주도성(SELF-AWARENESS AND SELF-DIRECTION)

10. *자기관찰 능력(심리적 마음가짐):* 내적 세계를 탐색하는 능력에 한계가 있으며, 다른

사람들의 정신적 상태 및 관점을 이해하고자 하는 대인관계적 호기심이 제한적임.

11. *내적 기준과 이상에 대한 구성 및 사용 능력:* 도덕적 가치가 매우 느슨함. 초자아는 극단을 오감: 때로 심각한 신체적 처벌(스스로 굿기)을 하고 다른 때는 가족 구성원을 공격하는 것에 거리낌이 없음(의식적 죄책감 없음).
12. *의미와 목적에 대한 능력:* 현재 순간 너머를 생각하는 데 어려움이 있으며, 그녀의 태도, 행동, 믿음의 의미와 목적에 대한 감각이 제한적임.

기능 수준(Level of functioning): 경계성
일차 조기 인격 양식(Primary emerging personality style): 경계성

의존성-희생양성 인격(Dependent-Victimized Personalities)

과도하게 의존적인 인격의 청소년들은 돌봄을 받고자 하는 강력한 필요를 경험한다. 반복적으로 또는 광범위하게 분리를 두려워하며, 보통 복종적이고 매달리는 행동을 보인다. 그들은 새로운 상황에서 불안함을 잘 느끼고, 위험을 감수하거나 새로운 단계로 나아가는 데서 위축된다. 청소년기는 청소년에서 젊은 성인이 되는 시기로, 가족 체계 밖을 모험하고 사회 관계를 지배하는 다른 종류의 규칙들을 마주한다. 이는 특히 두 종류의 가족 환경에서 자라는 젊은 성인에게 더욱 도전적이다:

1. 높은 정도의 타인 지향(vs 자기 지향)을 가지면서 각 구성원이 타인을 조심하는 가족 체계 내에서, 청소년들은 다른 사람들의 필요에 부응하고, 다른 사람들도 자신에게 똑같이 해주기를 기대한다. 그렇지 않은 사회적 상황에서, 청소년들은 자신이 지지하고 돌보는 것처럼 다른 이들도 그렇게 해주기를 바랐다가, 결국 기대대로 받지 못하면 실망할 수 있다.
2. 모든 필요가 만족되고 그것을 돌아볼 필요가 없이 자라거나, 반대로 자기 자신을 돌보지 못하는 양육자에게서 자란 청소년들의 경우, 의존성 인격 양식으로 이어져 그들이 가까운 이들에게서 대인관계적 기대를 충족하지 못하여 실망하거나 혼란을 느낄 수 있다.

실제의 또는 지각된 외상과/또는 무시를 겪은 청소년들은 다른 이들에 대한 불분명한 분노와 비판을 간직하며 이러한 관점의 변화에 저항할 수 있다. 관점의 변화에 저항하는 반응. 실제 삶의 경험에 뿌리를 두고 있을 수도 있는 희생당한다는 느낌은, 이 나이 범위에서는 소외, 놀림, 청소년에 대한 사회적 압력, 외로움, 서툰 학업수행, 괴롭힘, 그 밖의 부정적 경험 또는 학대에서 기인한다. 이에 대한 보상적 행동으로 사회적 승인을 절박하게 추구하거나, 또래들에게 가치 있게 여겨지기 위해 위험한 행동에 참여할 수 있으며, 다른 이들의 인정과 칭찬에 따라 기분이 좌우된다.

경험적 서술(Empirical Description)

의존성-희생양성 인격 양식의 청소년들은 다른 이들에게 분노를 알리거나 표현하는 데 어려움을 겪고 우울하거나, 자기비판적이거나, 자기처벌적으로 될 수 있다. 분노는 수동적이고 간접적인 방식으로 표현된다. 이 청소년들은 또래들에게 복종하거나 환심을 사려는 식으로 행동하는 편이다. 그들은 수동적이고 내성적이며(unassertive), 애정에 굶주리고, 의존적이며, 거절당하거나 버림받는 것에 대한 두려움을 가진다. 그들은 혼자가 되는 것을 두려워한다. 그들은 영향 받기 쉬우며 그들 자신의 필요를 충족하는 것에는 불충분한 관심을 갖는다. 그들은 다른 사람들과 함께 있을 때 '진짜 자기'가 아니라고 느끼며, 자신들이 다른 이들을 돌보거나, 구원하거나, 보호하는 역할을 맡기를 추구하는 경향이 있다. 다른 이들을 이상화하며, 이상적이고 완벽한 사랑에 대한 환상을 가질 수 있다. 손에 넣을 수 없는 사람에게 애착과 흥미를 가지는 편이며, 부적절해 보이는 성적 또는 연애 상대를 고른다(나이, 지위 등에서). 그들은 감정적으로 또는 신체적으로 학대당한 가족 밖의 관계에 빠져들기 쉬우며 자신들을 불필요하게 위험한 상황으로 몰아넣는다. 그들은 무력하거나, 힘없거나, 그들의 통제하지 못하는 힘에 휘둘리는 편이다.

기술과의 일치도(Match to Description)				
5	4	3	2	1
매우 잘 일치함 (Very good match)	잘 일치함 (Good match)	상당히 일치함 (Significant match) (양상(features))	약간 일치함 (Slight match)	거의 또는 전혀 일치하지 않음(Little or no match)

주요 양상(KEY FEATURES)

구성적-성숙적 기여 패턴(Contributing constitutional-maturational patterns): 초기 발달, 특히 가까운 관계에서 실제의 또는 지각된 상실을 경험함.

중심적 긴장/몰두(Central tension/preoccupation): 유기: 안전과 돌봄을 확인해줄 다른 사람에 대한 광범위한 필요를 느낌. 자신의 감정적 안정을 위해 다른 이들에게 기댐. 대인관계 단절이라는 두려운 결과를 피하기 위해 관계 갈등을 최소화시킴.

중심 정서(Central affects): 우울과 자기비판.

자기에 대한 특유의 병적 믿음(Characteristic pathogenic belief about self): "내가 나의 불만이나 필요를 얘기하면 사람들은 나를 떠날 거야."

타인들에 대한 특유의 병적 믿음(Characteristic pathogenic belief about others): "내가 잘못하면 사람들은 나를 버릴 거야."

중심적 방어 방식(Central ways of defending): 두려움과 분노를 승화; 자신의 필요에 부합하지 않아도, 부정적 정서를 피하기 위해 관계의 연결과 가까움을 유지함.

역전이와 전이 반응(Contertransference and Transference Reactions)

역전이(COUNTERTRANSFERENCE)

치료 초기에, 임상가는 환자가 전지적인 권위의 존재로 투사하는 것에 동일시하여 느끼는 긍정적 감정과, 부정적 정서를 피하는 데 공모하려는 압력, 경계를 넘어 도움을 제공하고 싶은 충동을 포함하는 정서들을 경험한다. 치료의 후반에, 이 느낌들은 짜증 및 도망가고 싶은 느낌, 그리고/또는 부담되고 구속되는 느낌으로 변할 수 있다.

전이(TRANSFERENCE)

환자들은 그들이 표현한 의존에 대한 필요를 임상가가 거부했다고 지각하면서 버려졌다는 느낌과 분노를 경험할 수 있다. 전이 내에서, 환자들은 임상가를 민감하지 않고 잘 대응하지 못하며, 거절하는 애착 인물처럼 지각할 수 있다.

성격 양식(Character Style)

강박성 인격(Obsessive-Compulsive Personalities)

강박성 인격의 청소년들은 융통성, 개방성, 효율성을 희생하여 질서, 완벽주의, 정신적 및 대인관계적 통제에 집착한다. 그들은 무의식 또는 전의식적 공격성에 대해 반대로 행동할 수 있다. 이 스펙트럼의 더 손상된 말단에서, 그들은 압도적 불안, 퇴행에의 소망, 현실검증력 상실로부터 방어하려 할 수 있다. 강박성 스펙트럼의 건강한 말단에서, 그들은 순종적이고, 규칙을 잘 지키고, 학업과 집안일 등의 의무에 매우 성실하다. 가장 부적응적인 말단의 청소년들은 통제를 매우 고집스럽게 필요로 하여 가족 구성원이나 환경을 억압한다.

청소년기는 성인으로 이행하는 과정에서 삶의 계획, 학업 성취, 진로, 다른 이들의 기대(가족구성원, 학교 체계, 또래 등)로 인한 많은 압력에 놓이는 시기이다. 대체로, 또는 극단적인 경우, 이러한 압력들은 방어가 필요할 만큼의 매우 강렬한 실존적 불안을 일으킨다. 어떤 청소년들은 이러한 정서상태에 대해 매우 조직화되고 완벽주의적인 태도로 반응한다. – 지각된 나약함, 불완전함, 실수에 대해 끊임없이 자신을 판단하고, 외부 세계에 반대의 이미지를 드러내려고 고군분투한다. 다른 청소년들에게는 반추, 자신보다 '완벽하게' 느껴지는 이들에 대한 분개가 만연하게 일어난다. 좋은 성적, 사회적 지위, 다른 이들의 애정을 유지하기 위해 맹렬히 노력하는 중학생 및 고등학생들을 드물지 않게 볼 수 있으나, 아무리 노력해도 다른 사람들을 만족시킬 수 없다고 느낀다. 불확실하면서 불안을 유발한다고('실패'가 심하게 부정적인 결과임을 암시하는) 느껴지는 환경을 통제하려는 시도에서, 이 청소년들은 가장 일상적인 활동에서조차 중대한 것이 달려있다는 오인과 불안을 역설적으로 증가시킨다.

이 강박들은 대체로 신체의 인지 및 정서적 사건이나, 때로는 행동 조절로도 이어진다. 폭식과 구토, 운동, 손톱 물어뜯기, 스스로 긋기, 또는 그밖의 반복적이고 강박적인 행동들이 강박 사고를 줄이는데 기여할 수 있다. 청소년기의 이러한 보상 행동들은 '정상'으로 보이기 위해 흔히 양육자, 교사, 또래들 모르게 숨겨진다. 따라서 임상가들은 증상의 존재를 평가할 때 더 면밀히 조사해야 한다.

경험적 서술(Empirical Description)

강박성 인격양식의 청소년들은 자신들이 '완벽'하기를 기대하며 규칙, 절차, 질서, 구조를 몹시 신경 쓰는 편이다. 그들은 일상의 틀에 완고하게 집착하며 학업, 일, 또는 생산성에 지나치게 헌신적이어서, 결국 즐거움, 기쁨, 또는 우정을 해친다. 그들은 스스로가 논리적이고, 이성적이며, 감정에 영향 받지 않으며, 추상적, 합리적으로 사고한다고 여긴다. 그러나 또한 그들은 위축되고(constricted), 억제되어 있으며, 감정의 범위가 제한되어 있다. 이 청소년들은 무엇이 중요한지를 놓치고 세부적인 것들에 열중하는 편이다. 그들은 비현실적으로 높은 기준을 가진 채로 자기비판적이면서 독선적일 수 있다. 그들은 양육, 돌봄, 위로에 대한 필요를 부정하며, 자신들이 감정적으로 강하고 흐트러지지 않게 보이는 것에 몰두한다. 관계에서, 그들은 경쟁적이고, 통제적이고, 인색하며, 억제적이다(withholding).

서술과의 일치도(Match to Description)				
5	4	3	2	1
매우 잘 일치함 (Very good match)	잘 일치함 (Good match)	상당히 일치함 (Significant match) (양상(features))	약간 일치함 (Slight match)	거의 또는 전혀 일치하지 않음(Little or no match)

주요 양상(KEY FEATURES)

구성적-성숙적 기여 패턴(Contributing constitutional-maturational patterns): 통제 상실에 대한 두려움; 공격성에 대한 갈등; 발달 중 자율성의 제한 경험.

중심적 긴장/몰두(Central tension/preoccupation): 개인의 감정 및 충동을 통제하기를 소망함.

중심 정서(Central affects): 분노 및 불안.

자기에 대한 특유의 병적 믿음(Characteristic pathogenic belief about self): "나는 완벽해야 해, 그렇지 않으면 나쁜 일이 일어날 거야."

타인들에 대한 특유의 병적 믿음(Characteristic pathogenic belief about others): "다른 사람들을 나를 판단하고 조종하려 해", "다른 사람들은 나보다 나아."

중심적 방어 방식(Central ways of defending): 불안을 관리하기 위해 강박적으로 사고함; 지식화; 정서의 고립; 반동 형성; 감정보다 사고에 더 가치를 둠.

역전이와 전이 반응(Contertransference and Transference Reactions)

역전이(COUNTERTRANSFERENCE)

임상가는 좌절 및 통제당하는 느낌을 경험한다. 이는 자주 환자에 대한 복수 환상으로 이어진다.

전이(TRANSFERENCE)

임상가가 통제적이라고 인식할 수 있다. 통제당한다는 불안, 자유와 자율성에 대한 지속적인 투쟁으로 인해 분노와 적대감이 나타날 수 있다.

참고문헌

Adelson, S. L . (2012). Practice parameter on gay, lesbian, or bisexual sexual orientation, gender nonconformity, and gender discordance in children and adolescents. *Journal of the American Academy of Child and Adolescent Psychiatry, 51*, 957 – 974.

Adkisson, R., Burdsal, C., Dorr, D., & Morgan, C. (2012). Factor structure of the Millon Adolescent Clinical Inventory scales in psychiatric inpatients. *Personality and Individual Differences, 53*(4),501 – 506.

Adrian, M., Zeman, J., Erdley, C., Lisa, L ., & Sim, L . (2011). Emotional dysregulation and interpersonal difficulties as risk factors for nonsuicidal selfinjury in adolescent girls. *Journal of Child Psychology and Psychiatry, 39*(3), 389 – 400.

Aelterman, N., Decuyper, M., & De Fruyt, F. (2010). Understanding obsessive – compulsive personality disorder in adolescence: A dimensional personality perspective. *Journal of Psychopathology and Behavioral Assessment, 32*(4), 467 – 478.

Afifi, T. O., Mather, A., Boman, J., Fleisher, W., Enns, M. W., Macmillan, H., & Sareen J. (2011). Childhood adversity and personality disorders: Results from a nationally representative population-based study. *Journal of Psychiatric Research, 45*(6), 814 – 822.

Ahktar, S. (1990). Paranoid personality disorder: A synthesis of developmental, dynamic and descriptive features. *American Journal of Psychotherapy,44*, 5 – 25.

Alden, L . E ., Laposa, J. M., Taylor, C. T., & Ryder, A.G. (2002). Avoidant personality disorder: Current status and future directions. *Journal of Personality Disorders, 16*, 1 – 29.

Allertz, A., & van Voorst, G. (2007). Personality disorders from the perspective of child and adolescent psychiatry. In B. van Luyn, S. Akhtar, & W. J. Livesley (Eds.), *Severe personality disorders: Everyday issues in clinical practice* (pp. 79 – 92). New York: Cambridge University Press.

American Psychiatric Association. (2000). *Diagnostic and statistical manual of mental disorders* (4th ed., text rev.). Washington, DC: Author.

American Psychiatric Association. (2013). *Diagnostic and statistical manual of mental disorders* (5th ed.). Arlington, VA: Author.

Ammaniti, M., Fontana, A., Clarkin, A. F., Clarkin, J., Nicolais, G. F., & Kernberg, O. (2012). Assessment of adolescent personality disorders through the Interview of Personality Organization Processes in Adolescence (IPOP-A): Clinical and theoretical implications. *Adolescent Psychiatry, 2*(1),36 – 45.

Ammaniti, M., Fontana, A., Kernberg, O., Clarkin, J., & Clarkin, A. (2011). *Interview of Personality Organization Processes in Adolescence (IPOP-A).* Unpublished manuscript, Sapienza University of Rome and Weill Medical College of Cornell University, New York.

Ammaniti, M., Fontana, A., & Nicolais, G. (2015). Borderline personality disorder in adolescence through the lens of the Interview of Personality Organization Processes in Adolescence (IPOP-A): Clinical use and implications. *Journal of Infant, Child, and Adolescent Psychotherapy, 14*, 82 – 97.

Anastasopoulos, D. (2007). The narcissism of depression or the depression of narcissism and adolescence. *Journal of Child Psychotherapy, 33*(3),345 – 362.

Archer, R. P. (2004). Overview and update on the Minnesota Multiphasic Personality Inventory— Adolescent. In M. E. Marushin (Ed.), *The use of psychological testing for treatment planning and outcomes assessment: Vol. 2. Instruments for children and adolescents* (pp. 81-122). London: Routledge.

Bagby, R. M., & Farvolden, P. (2004). The Personality Diagnostic Questionnaire, PDQ4. In M. Hersen (Ed.), *Comprehensive handbook of psychological assessment: Vol. 2. Personality assessment* (pp. 122-133). Hoboken, NJ: Wiley.

Barry, C. T., & Kauten, R. L. (2014). Nonpathological and pathological narcissism: Which selfreported characteristics are most problematic in adolescents? *Journal of Personality Assessment,96*(2), 212-219.

Bateman, A. W., & Fonagy, P. (2004). *Psychotherapy of borderline personality disorder: Mentalisation based treatment.* New York: Oxford University Press.

Bateman, A., & Fonagy, P. (2008). Comorbid antisocial and borderline personality disorders: Mentalization-based treatment. *Journal of Clinical Psychology, 64*(2), 181-194.

Bateman, A., & Fonagy, P. (2013). Mentalizationbased treatment. *Psychoanalytic Inquiry, 33*(6),595-613.

Bates, J. E., Schermerhorn, A. C., & Petersen, I. T. (2014). Temperament concepts in developmental psychopathology. In K. Rudolph & M. Lewis (Eds.), *Handbook of developmental psychopathology* (3rd ed., pp. 311-329). New York: Springer.

Baumrind, D. (1991). The influence of parenting style on adolescent competence and substance use. *Journal of Early Adolescence, 11*(1), 56-95.

Bellak, L. (1993). *The T. A .T., C. A .T., and S. A .T. in clinical use* (5th ed.). Boston: Allyn & Bacon.

Bemporad, J. R., Smith, H. F., Hanson, G., & Cicchetti, D. (1982). Borderline syndromes in childhood: Criteria for diagnosis. *American Journal of Psychiatry, 139,* 596-602.

Bene, A. (1979). The question of narcissistic personality disorders: Self pathology in children. *Bulletin of the Hampstead Clinic, 2*, 209-218.

Benet-Martinez, V., & John, O. P. (1998). Los Cinco Grandes across cultures and ethnic groups: Multitrait multimethod analyses of the Big Five in Spanish and English. *Journal of Personality and Social Psychology*, 75, 729-750.

Biederman, J., Ball, S. W., Monuteaux, M. C., Mick, E., Spencer, T. J., McCreary, M., . . . Faraone, S. V. (2008). New insights into the co-morbidity between ADHD and major depression in adolescent and young adult females. *Journal of the American Academy of Child and Adolescent Psychiatry,47,* 426-434.

Blagov, P. S., Bi, W., Shedler, J., & Westen, D. (2012). The Shedler-Westen Assessment Procedure (SWAP): Evaluating psychometric questions about its reliability, validity, and impact of its fixed score distribution. *Assessment, 19*(3), 270-282.

Blagov, P. S., & Westen, D. (2008). Questioning the coherence of histrionic personality disorder: Borderline and hysterical personality subtypes in adults and adolescents. *Journal of Nervous and Mental Disease, 196,* 785-797.

Blair, R. J., Budhani, S., Colledge, E., & Scott, S. (2005). Deafness to fear in boys with psychopathic tendencies. *Journal of Child Psychology and Psychiatry, 46,* 327-336.

Blatt, S. (2004). *Experiences of depression: Theoretical, clinical, and research perspectives.* Washington, DC: American Psychological Association.

Bleiberg, E. (1984). Narcissistic disorders in children. *Bulletin of the Menninger Clinic, 48,* 501-517. Bleiberg, E. (2000). Borderline personality disorder in children and adolescents. In T. Lubbe (Ed.), *The borderline psychotic child: A selective integration* (pp. 39-68). London: Routledge.

Bleiberg, E. (2004). Treatment of dramatic personality disorders in children and adolescents. In J. J. Magnavita (Ed.), *Handbook of personality disorders: Theory and practice* (pp. 467-497). New York: Wiley.

Bleiberg, E., & Markowitz, J. C. (2012). IPT for borderline personality disorder. In J. C. Markowitz & M. M. Weissman (Eds.), *Casebook of interpersonal psychotherapy.* New York: Oxford University Press.

Blos, P. (1979). *The adolescent passage: Developmental issues.* New York: International Universities Press.

Blum, H. P. (1974). The borderline childhood of the Wolf Man. *Journal of the American Psychoanalytic Association, 22,* 721-742.

Bolger, K. E., Patterson, C. J., & Kupersmidt, J. B. (1998). Peer relationships and self-esteem among children who have been maltreated. *Child Development, 69,* 1171-1197.

Bornstein, R. F. (1996). Beyond orality: Toward an object relations/interactionist reconceptualization of the etiology and dynamics of dependency. *Psychoanalytic Psychology, 13,* 177-203.

Bornstein, R. F. (2005). *Dependent patient: A practitioner's guide.* Washington, DC: American Psychological Association.

Bornstein, R. F. (2012). From dysfunction to adaptation: An interactionist model of dependency. *Annual Review of Clinical Psychology, 8*, 291–316. Bowlby, J. (1969). *Attachment and loss: Vol. 1: Attachment*. London: Hogarth Press.

Bowlby, J. (1988). *A secure base*. London: Routledge. Bram, A. D. (2014). Object relations, interpersonal functioning, and health in a nonclinical sample: Construct validation and norms for the TAT SCORS-G. *Psychoanalytic Psychology, 31*(3),314–342.

Bram, A. D., & Yalof, J. (2015). Quantifying complexity: Personality assessment and its relationship with psychoanalysis. *Psychoanalytic Inquiry, 35*,74–97.

Bullard, D. M. (1960). Psychotherapy of paranoid patients. *Archives of General Psychiatry, 2*, 137. Butcher, J. N., Williams, C. L., Graham, J. R., Archer,R. P., Tellegen, A., Ben-Porath, Y. S., & Kaemmer, B. (1992). *Minnesota Multiphasic Personality Inventory —Adolescent (M M PI-A): Manual for administration, scoring, and interpretation*. Minneapolis: University of Minnesota Press.

Cairns, R. B., Cairns, B. D., & Neckerman, H. J. (1989). Early school dropout: Configurations and determinants. *Child Development, 60*, 1437–1452.

Calvo, N., Gutiérrez, F., Andión, O., Caseras, X., Torrubia, R., & Casas, M. (2012). Psychometric properties of the Spanish version of the self-report Personality Diagnostic Questionnaire–4+ (PDQ-
4+) in psychiatric outpatients. *Psicothema, 24*,156–160.

Campos, R. C. (2013). Conceptualization and preliminary validation of a depressive personality concept. *Psychoanalytic Psychology, 30*, 601–620. Carroll, A. (2009). Are you looking at me?: Understanding and managing paranoid personality disorder. *Advances in Psychiatric Treatment, 15*,40–48.

Carstairs, K. (1992). Paranoid–schizoid or symbiotic? *International Journal of Psychoanalysis, 73*,71–85.

Casey, B. J., Jones, R. M., & Levita, L. (2010). The storm and stress of adolescence: Insights from human imaging and mouse genetics. *Developmental Psychobiology, 52*(3), 225–235.

Catthoor, K., Feenstra, D. J., Hutsebaut, J., Schrijvers, D., & Sabbe, B. (2015). Adolescents with personality disorders suffer from severe psychiatric stigma: Evidence from a sample of 131 patients. *Adolescent Health, Medicine and Therapeutics, 6*, 81–89.

Chanen, A. M., Jackson, H. J., McGorry, P. D., Allot, K. A., Clarkson, V., & Yuen, H. P. (2004). Two-year stability of personality disorder in older adolescent outpatients. *Journal of Personality Disorders, 18*(6), 526–541.

Chanen, A. M., Jovev, M., & Mcgorry, P. D. (2008). Borderline personality disorder in young people and the prospects for prevention and early intervention. *Current Psychiatry Reviews, 4*(1), 48–57. Chen, H., Cohen, P., Johnson, J. G., Kasen, S., & Crawford, T. N. (2004). Adolescent personality disorders and conflict with romantic partners during the transition to adulthood. *Journal of Personality Disorders, 18*(6), 507–525.

Chen, H., Cohen, P., Kasen, S., & Johnson, J. G. (2006). Adolescent Axis I and personality disorders predict quality of life during young adulthood. *Journal of Adolescent Health, 39*(1), 14–19.

Chess, S., & Thomas, A. (1977). Temperamental individuality: From childhood to adolescence. *Journal of the American Academy of Child Psychiatry, 16*,218–226.

Chess, S., & Thomas, A. (1986). *Temperament in clinical practice*. New York: Guilford Press.

Chused, J. (1999). Obsessional manifestations in children. *Psychoanalytic Study of the Child, 54*,219–232.

Cicchetti, D. (1993). Developmental psychopathology: Reactions, reflections, projections. *Developmental Review, 13*, 471–502.

Claesen, D. R., Brown, B. B., & Eicher, S. A. (1986). Perceptions of peer pressure, peer conformity dispositions, and self-reported behavior among adolescents. *Developmental Psychology, 22*(4),521–530.

Clark, D., & Bolton, D. (1985). Obsessive–compulsive adolescents and their parents: A psychometric study. *Journal of Child Psychology and Psychiatry, 26*, 267–276.

Cohen, P., Crawford, T. N., Johnson, J. G., & Kasen, S. (2005). The children in the community: Study of developmental course of personality disorder. *Journal of Personality Disorders, 19*(5), 466–486.

Coker, L. A., & Widiger, T. A. (2005). Personality disorders. In J. E. Maddux & B. A. Winstead (Eds.), *Psychopathology: Foundations for a contemporary understanding* (pp. 201–228). Mahwah, NJ: Erlbaum.

Conklin, C. Z., & Westen, D. (2005). Borderline personality disorder in clinical practice. *American Journal of Psychiatry, 162*, 867–875.

Costantino, G., Malgady, R. G., & Rogler, I. H. (1988). *T EM A S (Tell-Me-AStory) manual.* Los Angeles: Western Psychological Services.

Cramer, P. (1982). *Defense mechanism manual*. Unpublished manuscript, Williams College. Cramer, P., & Blatt, S. J.

(1990). Use of the TAT to measure change in defense mechanisms following intensive psychotherapy. *Journal of Personality Assessment, 54*, 236–251.

Crowell, S. E., Beauchaine, T. P., & Lenzenweger, M. F. (2008). The development of borderline personality and self-injurious behavior. In T. P. Beauchaine & S. P. Hinshaw (Eds.), *Child and adolescent psychopathology* (pp. 510–539). Hoboken, NJ: Wiley.

Dahl, E. K. (1995). Daughters and mothers: Aspects of the representation world during adolescence. *Psychoanalytic Study of the Child, 50*, 187–204.

Daley, A. J., Copeland, R. J., Wright, N. P., Roalfe, A., & Wales, J. K. (2006). Exercise therapy as a treatment for psychopathologic conditions in obese and morbidly obese adolescents: A randomized, controlled trial. *Pediatrics, 118*, 2126–2134.

da Silva, D. R., Rijo, D., & Salekin, R. T. (2013). Child and adolescent psychopathy: Assessment issues and treatment needs. *Aggression and Violent Behavior, 18*, 71–78.

D'Augelli, A. R., & Patterson, C. J. (Eds.). (2001). *Lesbian, gay, and bisexual identities and youth: Psychological perspectives*. New York: Oxford University Press.

DeFife, J. A., Goldberg, M., & Westen, D. (2015a).

Dimensional assessment of self-and interpersonal functioning in adolescents: Implications for DSM-5's general definition of personality disorder. *Journal of Personality Disorders, 29*(2), 248–260.

DeFife, J. A., Haggerty, G., Smith, S. W., Betancourt, L., Ahmed, Z., & Ditkowsky, K. (2015b). Clinical validity of prototype personality disorder ratings in adolescents. *Journal of Personality Assessment,97*(3), 271–277.

DeFife, J. A., Malone, J. C., DiLallo, J., & Westen, J. (2013). Assessing adolescent personality disorders with the Shedler–Westen Assessment Procedure for Adolescents. *Clinical Psychology: Science and Practice, 20*(4), 393–407.

De Los Reyes, A., & Kazdin, A. E. (2005). Informant discrepancies in the assessment of childhood psychopathology: A critical review, theoretical framework, and recommendations for further study. *Psychological Bulletin, 131*(4), 483–509.

de Reus, R. J., & Emmelkamp, P. M. (2012). Obsessive–compulsive personality disorder: A review of current empirical findings. *Personality and Mental Health, 6*, 1–21.

DiLallo, J. J., Jones, M., & Westen, D. (2009). Personality subtypes in disruptive adolescent males. *Journal of Nervous and Mental Disease, 197*(1),15–23.

Dishion, T. J., Spracklen, K. M., Andrews, D. W.,& Patterson, G. R. (1996). Deviancy training in male adolescent friendships. *Behavior Therapy, 27*,373–390.

Disney, K. L. (2013). Dependent personality disorder: A critical review. *Clinical Psychology Review, 33*,1184–1196.

Dollinger, S., & Cramer, P. (1990). Children's defensive responses and emotional upset following a disaster: A projective assessment. *Journal of Personality Assessment, 54*, 55–62.

Dowling, S. (1989). The significance of infant observations for psychoanalysis in later states of life: A discussion. In S. Dowling & A. Rothstein (Eds.), *The significance of infant observational research for clinical work with children, adolescents and adults* (pp. 213–226). Madison, CT: International Universities Press.

Edens, J. F., Marcus, D. K., & Morey, L. C. (2009). Paranoid personality has a dimensional latent structure: Taxometric analyses of community and clinical samples. *Journal of Abnormal Psychology,118*, 545–553.

Egan, J., & Kernberg, P. F. (1984). Pathological narcissism in childhood. *Journal of the American Psychoanalytic Association, 32*, 39–62.

Eggum, N. D., Eisenberg, N., Spinrad, T. L., Valiente, C., Edwards, A., Kupfer, A. S., & Reiser, M. (2009). Predictors of withdrawal: Possible precursors of avoidant personality disorder. *Development and Psychopathology, 21*, 815–838.

Ensink, K., Biberdzic, M., Normandin, L., & Clarkin, J. (2015). A developmental psychopathology and neurobiological model of borderline personality disorder in adolescence. *Journal of Infant, Child, and Adolescent Psychotherapy, 14*, 46–69.

Erikson, E. H. (1956). The problem of ego identity. *Journal of the American Psychoanalytic Association, 4*, 56–121.

Erikson, E. H. (1959). *Identity and the life cycle: Selected papers*. New York: International Universities Press.

Esterberg, M. L., Goulding, S. M., & Walker, E. F. (2010). Cluster A personality disorders: Schizotypal, schizoid and paranoid personality disorders in childhood and adolescence. *Journal of Psychopathology and Behavioral Assessment, 32*, 515–528.

Evans, M. (2011). Pinned against the ropes: Understanding anti-social personality-disordered patients through use of the counter-transference. *Psychoanalytic Psychotherapy, 25*(2), 143–156.

Exner, J. E. (2003). *The Rorschach: A comprehensive system: Vol. 1. Basic foundations and principles of interpretation* (4th ed.). New York: Wiley.

Fairbairn, W. R. D. (1952). *An object-relations theory of the personality*. New York: Basic Books. Feenstra, D. J., Van Busschbach, J. J., Verheul, R., & Hutsebaut, J. (2011). Prevalence and comorbidity of Axis I and Axis II disorders among treatment refractory adolescents admitted for specialized psychotherapy. *Journal of Personality Disorders, 25*(6), 842–850.

Fineberg, S., Steinfeld, M., Brewer, J., & Corlett, P. (2014). A computational account of borderline personality disorder: Impaired predictive learning about self and others through bodily simulation. *Frontiers in Psychiatry, 5*, 111.

Fischer, N., & Fischer, R. (1991). Adolescence, sex, and neurogenesis: A clinical perspective. In S. Akhtar & H. Parens (Eds.), *Beyond the symbiotic orbit: Advances in separation-individuation theory: Essays in honor of Selma Kramer, M.D.* (pp. 209–226). Hillsdale, NJ: Analytic Press.

Flament, M. F., Koby, E., Rapoport, J. L., Berg, C. J.,Zahn, T., Cox, C., . . . Lenane, M. (1990). Childhood obsessive–compulsive disorder: A prospective follow-up study. *Journal of Child Psychology and Psychiatry, 31*, 363–380.

Flynn, D., & Skogstad, H. (2006). Facing towards or turning away from destructive narcissism. *Journal of Child Psychotherapy, 32*, 35–48.

Fonagy, P., & Bateman, A. (2008). The development of borderline personality disorder-a mentalizing model. *Journal of Personality Disorders, 22*, 4–21. Fonagy, P., Gergely, G., Jurist, E. L., & Target, M. (2002). *Affect regulation, mentalization, and the development of the self*. New York: Other Press. Fonagy, P., Target, M., Gergely, G., Allen, J. G., & Bateman, A. W. (2003). The developmental roots of borderline personality disorder in early attachment relationships: A theory and some evidence. *Psychoanalytic Inquiry, 23*, 412–459.

Fonseca-Pedrero, E., Paino, M., & Lemos-Giráldez, S. (2013). Maladaptive personality traits in adolescence: Psychometric properties of the Personality Diagnostic Questionnaire–4+. *International Journal of Clinical and Health Psychology,13*(3), 207–215.

Fontana, A., & Ammaniti, M. (2010). *Adolescent ST IPO: Psychometric properties, convergent validity and comparison with normal adolescents*. White Plains, N Y: Weill Medical College of Cornell University.

Fournier, J. C., DeRubeis, R. J., & Beck, A. T. (2012). Dysfunctional cognitions in personality pathology: The structure and validity of the Personality Belief Questionnaire. *Psychological Medicine, 42*, 795–805.

Francis, G., & D'Elia, F. (1994). Avoidant disorder. In M. C. Roberts (Series Ed.) & T. H. Ollendick, N. J. King, & W. Yules (Vol. Eds.), *Issues in clinical child psychology: International handbook of phobic and anxiety disorders in children and adolescents* (pp. 131–143). New York: Plenum Press.

Francis, G., & Gragg, R. A. (1996). *Developmental clinical psychology and psychiatry: Vol. 35. Childhood obsessive compulsive disorder*. Thousand Oaks, CA: SAGE.

Francis, G., Last, C., & Strauss, C. (1992). Avoidant disorder and social phobia in children and adolescents. *Journal of the American Academy of Child and Adolescent Psychiatry, 31*, 1086–1089.

Freeman, A., & Reinecke, M. A. (Eds.). (2007). *Personality disorders in childhood and adolescence*. Hoboken, NJ: Wiley.

Freud, A. (1963). The concept of developmental lines. *Psychoanalytic Study of the Child, 18*, 245–265. Freud, A. (1965). *Normality and pathology in childhood: Assessments of development*. New York: International Universities Press.

Freud, A. (1981). The concept of developmental lines: Their diagnostic significance. *Psychoanalytic Study of the Child, 36*, 129–136.

Friborg, O., Martinussen, M., Kaiser, S., Øvergård, K. T., & Rosenvinge, J. H. (2013). Comorbidity of personality disorders in anxiety disorders: A metaanalysis of 30 years of research. *Journal of Affective Disorders, 145*, 143–155.

Frick, P. J., Stickle, T. R., Dandreaux, D. M., Farrell, J. M., & Kimonis, E. R. (2005). Callousunemotional traits in predicting the severity and stability of conduct problems and delinquency. *Journal of Abnormal Child Psychology, 33*(4),471–487.

Gabbard, G. O. (2005). Mind, brain, and personality disorders. *American Journal of Psychiatry, 162*,648–655.

Gabbard, G. O., Gunderson, J. G., & Fonagy, P. (2002). The place of psychoanalytic treatments within psychiatry. *Archives of General Psychiatry,59*(6), 505–510.

Gibson, P. R. (2004). Histrionic personality. In P. G. Caplan & L. Cosgrove (Eds.), *Bias in psychiatric diagnosis* (pp. 201–206). Northvale, NJ: Aronson. Gorlow, L., Zimet, C. N., & Fine, H. J. (1952). The validity of anxiety and hostility Rorschach content scores among adolescents. *Journal of Consulting Psychology, 16*(1), 73–75.

Greenman, D. A., Gunderson, J. G., Cane, M., & Saltzman, P. R. (1986). An examination of the borderline diagnosis in

children. *American Journal of Psychiatry, 143*, 998–1003.
Greenspan, S. I. (1989a). The development of the ego: Biological and environmental specificity in the psychopathological developmental process and the selection and construction of ego defenses. *Journal of the American Psychoanalytic Association, 37*,605–638.
Greenspan, S. I. (1989b). *The development of the ego: Implications for personality theory, psychopathology, and the psychotherapeutic process*. Madison, CT: International Universities Press.
Greenspan, S. I., & Pollock, G. H. (Eds.). (1991). *The course of life: Vol. 4. Adolescence*. Madison, CT: International Universities Press.
Grilo, C. M., & McGlashan, T. H. (1998). Frequency of personality disorders in two age cohorts of psychiatric inpatients. *American Journal of Psychiatry, 155*(1), 140–142.
Grigsby, J., & Stevens, D. (2000). *Neurodynamics of personality*. New York: Guilford Press.
Haggerty, G., Blanchard, M., Baity, M. R., Defife, J.A., Stein, M. B., Siefert, C. J., . . . & Zodan, J. (2015). Clinical validity of a dimensional assessment of self-and interpersonal functioning in adolescent inpatients. *Journal of Personality Assessment, 97*(1), 3–12.
Haggerty, G., Zodan, J., Mehra, A., Zubair, A., Ghosh, K., Siefert, C. J., . . . DeFife, J. (2016). Reliability and validity of prototype diagnosis for adolescent psychopathology. *Journal of Nervous and Mental Disease, 20 4*(4), 287–290.
Hahn, E., Gottschling, J., & Spinath, F. M. (2012). Short measurements of personality: Validity and reliability of the GSOEP Big Five Inventory (BFIS). *Journal of Research in Personality, 46*(3), 355–359.
Hart, D., & Marmorstein, N. R. (2009). Neighborhoods and genes and everything in between: Understanding adolescent aggression in social and biological contexts. *Development and Psychopathology, 21*, 961–973.
Hauser, S. T., Allen, J. P., & Golden, E. (2006). *Out of the woods: Tales of resilient teens*. Cambridge, MA: Harvard University Press.
Henry, D. B., Schoeny, M. E., Deptula, D. P., & Slavick, J. T. (2007). Peer selection and socialization effects on adolescent intercourse without a condom and attitudes about the costs of sex. *Child Development, 78*, 825–838.
Hiller, J. B., Rosenthal, R., Bornstein, R. F., Berry, D. T., & Brunell-Neuleib, S. (1999). Comparative meta-analysis of Rorschach and MMPI validity. *Psychological Assessment, 11*(3), 278–296.
Hilsenroth, M. J., Eudell-Simmons, E. M., DeFife, J.A., & Charnas, J. W. (2007). The Rorschach Perceptual and Thinking Index (PTI): An examination of reliability, validity and diagnostic efficiency. *International Journal of Testing, 7*(3), 269–291.
Hofer, C., Eisenberg, N., Spinrad, T. L., Morris, A.S., Gershoff, E., Valiente, C., . . . Eggum, N. D. (2013). Mother–adolescent conflict: Stability, change, and relations with externalizing and internalizing behavior problems. *Social Development,22*(2), 259–279.
Horowitz, K., Gorfinkle, K., Lewis, O., & Phillips, K. (2002). Body dysmorphic disorder in an adolescent girl. *Journal of the American Academy of Child and Adolescent Psychiatry, 14*, 1503–1509.
Horowitz, L. M. (2004). *Interpersonal foundations of psychopathology*. Washington, DC: American Psychological Association.
Horvath, S., & Morf, C. C. (2009). Narcissistic defensiveness: Hypervigilance and avoidance of worthlessness. *Journal of Experimental Social Psychology, 45*(6), 1252–1258.
Houghton, S., West, J., & Tan, C. (2005). The nature and prevalence of psychopathic tendencies among mainstream school children and adolescents: Traditional and latent-trait approaches. In R. F. Waugh (Ed.), *Frontiers in educational psychology* (pp. 259–280). Hauppague, NY: Nova Science.
Huprich, S., Rosen, A., & Kiss, A. (2013). Manifestations of interpersonal dependency and depressive subtypes in outpatient psychotherapy patients. *Personality and Mental Health, 7*, 223–232.
Huprich, S. K., & Frisch, M. B. (2004). The Depressive Personality Disorder Inventory and its relationship to quality of life, hopefulness, and optimism. *Journal of Personality Assessment, 83*, 22–28.
Hyler, S. E. (1994). *Personality Diagnostic Questionnaire, PDQ 4+*. New York: New York State Psychiatric Institute.
Irwin, C. E., Jr. (1989). Risk-taking behavior in the adolescent patient: Are they impulsive? *Pediatric Annals, 18*, 122–134.
John, O. P., Caspi, A., Robins, R. W., Moffitt, T.E., & Stouthamer-Loeber, M. (1994). The "Little Five": Exploring the nomological network of the five factor model of personality in adolescent boys. *Child Development, 65*(1), 160–178.
John, O. P., Donahue, E. M., & Kentle, R. L. (1991). *The Big Five Inventory, Versions 4a and 54*. Berkeley: University of California, Institute of Personality and Social Research.
Johnson, J. G., Chen, H., & Cohen, P. (2004). Personality disorder traits during adolescence and relationships with family

members during the transition to adulthood. *Journal of Consulting and Clinical Psychology, 72*, 923–932.
Johnson, J. G., Cohen, P., Dohrenwend, B. P., Link, B.G., & Brook, J. S. (2009). A longitudinal investigation of social causation and social selection processes involved in the association between socioeconomic status and psychiatric disorders. *Journal of Abnormal Child Psychology, 108*, 490–499.
Johnson, J. G., Cohen, P., Smailes, E ., Kasen, S., Oldham, J., & Brook, J. S. (2000). Adolescent personality disorders associated with violence and criminal behavior during adolescence and early adulthood. *American Journal of Psychiatry, 157*,1406–1412.
Johnson, J. G., First, M. B., Cohen, P., Skodol, A.E ., Kasen, S., & Brooks, J. S. (2005). Adverse outcomes associated with personality disorder not otherwise specified in a community sample. *American Journal of Psychiatry, 162*(10), 1926–1932.
Jones, M., & Westen, D. (2010). Diagnosis and subtypes of adolescent antisocial personality disorder. *Journal of Personality Disorders, 24*(2),217–243.
Juni, S. (1979). Theoretical foundations of projection as a defence mechanism. *International Review of Psychoanalysis, 6*, 115–121.
Kasen, S., Cohen, P., Chen, H., Johnson, J. G., & Crawford, T. N. (2009). School climate and continuity of adolescent personality disorder symptoms. *Journal of Child Psychology and Psychiatry*, 50(12), 1504–1512.
Kasen, S., Cohen, P., Skodol, A. E ., First, M. B., Johnson, J. G., Brook, J. S., & Oldham, J. M. (2007). Comorbid personality disorder and treatment use in a community sample of youths: A 20 -year follow up. *Acta Psychiatrica Scandinavica, 115*, 56–65.
Kaser-Boyd, N. (2006). Rorschach assessment of paranoid personality disorder. In S. K. Huprich (Ed.), *Rorschach assessment of personality disorder* (pp. 57–84). Mahwah, NJ: Erlbaum.
Keenan, K., Hipwell, A. E ., Chung, T., Stepp, S., Loeber, R., Stouthamer-Loeber, M., . . . McTigue, K. (2010). The Pittsburgh Girls Study: Overview and initial findings. *Journal of Clinical Child and Adolescent Psychology, 39*(4), 506–521.
Keinänen, M. T., Johnson, J. G., Richards, E . S., & Courtney, E . A. (2012). A systematic review of the evidence-based psychosocial risk factors for understanding of borderline personality disorder. *Psychoanalytic Psychotherapy, 26*, 65–91.
Kelley, A. E ., Schochet, T., & Landry, C. F. (2004).
Risk taking and novelty seeking in adolescence: Introduction to Part I. *Annals of the New York Academy of Sciences, 1021*, 27–32.
Kelly, F. D. (1997). *The assessment of object relations phenomena in adolescents: TAT and Rorschach Measures*. Mahwah, NJ: Erlbaum.
Kelly, F. D. (2007). The clinical application of the social cognition and object relations scale with children and adolescents. In S. Smith & L . Handler (Eds.), *The clinical assessment of children and adolescents: A practitioner's handbook*. Mahwah, NJ: Erlbaum.
Kendler, K. S. (1993). Twin studies of psychiatric illness: Current status and future directions. *Archives of General Psychiatry, 50*, 905–915.
Kendler, K. S., & Eaves, L . J. (1986). Models for the joint effect of genotype and environment on liability to psychiatric illness. *American Journal of Psychiatry, 143*, 279–289.
Kernberg, O. F. (1987). Projection and projective identification: Developmental and clinical aspects. *Journal of the American Psychoanalytic Association, 35*, 795–819.
Kernberg, O. F. (1998). The diagnosis of narcissistic and antisocial pathology in adolescence. In A. H. Esman (Ed.), *Adolescent psychiatry: Developmental and clinical studies* (Vol. 22, pp. 169–186). Hillsdale, NJ: Analytic Press.
Kernberg, O. F. (1999). A severe sexual inhibition in the course of the psychoanalytic treatment of a patient with a narcissistic personality disorder. *International Journal of Psychoanalysis, 80*, 899–908.
Kernberg, O. F. (2010). Narcissistic personality disorder. In J. Clarkin, P. Fonagy, & G. Gabbard (Eds.), *Psychodynamic psychotherapy for personality disorders: A clinical handbook*. (pp. 257–287). Arlington, VA: American Psychiatric Publishing.
Kernberg, P. F. (1983). Borderline conditions: Childhood and adolescent aspects. In K. S. Robson (Ed.), *The borderline child: Etiology, diagnosis, and treatment* (pp. 101–119). New York: McGraw-Hill.
Kernberg, P. F. (1988). Children with borderline personality organization. In C. J. Kestenbaum & D. T. Williams (Eds.), *Handbook of clinical assessment of children and adolescents* (pp. 604–625). New York: New York University Press.

Kernberg, P. F. (1989). Narcissistic personality disorder in childhood. *Psychiatric Clinics of North America, 112*, 671－693.

Kernberg, P. F., & Chazan, S. E. (1998). The Children's Play Therapy Instrument (CPTI): Description, development, and reliability studies. *Journal of Psychotherapy Practice and Research, 7*(3),196－207.

Kernberg, P. F., Weiner, A. S., & Bardenstein, K. K. (2000). *Personality disorders in children and adolescents*. New York: Basic Books.

Kiesner, J., Cadinu, M., Poulin, F., & Bucci, M. (2002). Group identification in early adolescence: Its relation with peer adjustment and its moderator effect on peer influence. *Child Development,73*(1), 196－208.

Klein, D. N., Kotov, R., & Bufferd, S. J. (2011). Personality and depression: Explanatory models and review of the evidence. *Annual Review of Clinical Psychology, 7*, 269－295.

Klein, D. N., Schatzberg, A. F., McCullough, J. P., Dowling, F., Goodman, D., Howland, R. H., . . . Keller, M. B. (1999). Age of onset in chronic major depression: Relation to demographic and clinical variables, family history, and treatment response. *Journal of Affective Disorders, 55*, 149－157.

Klein, M. (1946). Some notes on schizoid mechanisms. *International Journal of Psychoanalysis,27*, 99－110.

Kohut, H. (1968). The psychoanalytic treatment of narcissistic personality disorders: Outline of a systematic approach. *Psychoanalytic Study of the Child, 23*, 86－113.

Kohut, H., & Wolf, E . (1978). The disorders of the self and their treatment: An outline. *International Journal of Psycho-Analysis, 59*, 413－425.

Kongerslev, M. T., Chanen, A. M., & Simonsen, E . (2015). Personality disorder in childhood and adolescence comes of age: A review of the current evidence and prospects for future research. *Scandinavian Journal of Child and Adolescent Psychiatry and Psychology, 3*(1), 31－48.

Lahey, B. B., Loeber, R., Burke, J. D., & Applegate, B. (2005). Predicting future antisocial personality disorder in males from a clinical assessment in childhood. *Journal of Consulting and Clinical Psychology, 73*, 389－399.

Lahti, M., Pesonen, A. K., Räikkönen, K., & Erikson, J. G. (2012). Temporary separation from parents in early childhood and serious personality disorders in adult life. *Journal of Personality Disorders,26*(5), 751－762.

Lansford, J. E ., Criss, M. M., Dodge, K. A., Shaw, D.S., Pettit, G. S., & Bates, J. E . (2009). Trajectories of physical discipline: Early antecedents and developmental outcomes. *Child Development, 80*(5),1385－1402.

Lansford, J. E ., Criss, M. M., Pettit, G. S., Dodge, K.A., & Bates, J. E . (2003). Friendship quality, peer group affiliation, and peer antisocial behavior as moderators of the link between negative parenting and adolescent externalizing behavior. *Journal of Research on Adolescence, 13*, 161－184.

Laurenssen, E . M. P., Hutsebaut, J., Feenstra, D. J., Van Busschbach, J. J., & Luyten, P. (2013). Diagnosis of personality disorders in adolescents: A study among psychologists. *Child and Adolescent Psychiatry and Mental Health, 7*(1), 3.

Lavan, H., & Johnson, J. G. (2002). The association between Axis I and Axis II psychiatric symptoms and high-risk sexual behavior during adolescence. *Journal of Personality Disorders, 16*, 73－94.

Leckman, J. F., & Mayes, L. C. (1998). Understanding developmental psychopathology: How useful are evolutionary accounts? *Journal of the American Academy of Child and Adolescent Psychiatry, 37*,1011－1021.

Lengua, L. J., & Wachs, T. D. (2012). Temperament and risk: Resilient and vulnerable responses to adversity. In M. Zentner & R. L. Shiner (Eds.), *Handbook of temperament* (pp. 519－540). New York: Guilford Press.

Lenzenweger, M. F. (2010). A source, a cascade, a schizoid: A heuristic proposal from the Longitudinal Study of Personality Disorders. *Development and Psychopathology, 22*, 867－881.

Levy, K. N. (2005). The implications of attachment theory and research for understanding borderline personality disorder. *Development and Psychopathology, 4*, 959－986.

Liotti, G. (2004). Trauma, dissociation, and disorganized attachment: Three strands of a single braid. *Psychotherapy: Theory, Research, Practice, Training, 41*, 472－487.

Loas, G., Baelde, O., & Verrier, A. (2015). Relationship between alexithymia and dependent personality disorder: A dimensional analysis. *Psychiatry Research, 225*, 484－488.

Loeber, R., & Schmaling, K. B. (1985). The utility of differentiating between mixed and pure forms of antisocial child behavior. *Journal of Abnormal Child Psychology, 73*, 315－335.

Loewald, H. W. (1962). Internalization, separation, mourning, and the super-ego. *Psychoanalytic Quarterly, 31*(4), 483－504.

Loughran, M. J. (2004). Psychodynamic therapy with adolescents. In H. Steiner (Ed.), *Handbook of mental health interventions in children and adolescents: An integrated developmental perspective* (pp. 586－620). San Francisco: Jossey-Bass.

Lubbe, T. (2000). The borderline concept in childhood: Common origins and developments in clinical theory and practice in the USA and the U K. In T. Lubbe (Ed.), *The borderline psychotic child: A selective integration* (pp. 3-38). London: Routledge.

Lubbe, T. (2003). Diagnosing a male hysteric: Don Juan-type. *International Journal of Psychoanalysis*, *84*, 1043-1059.

Lynam, D. R., Caspi, A., Moffitt, T. E ., Raine, A., Loeber, R., & Stouthamer-Loeber, M. (2005). Adolescent psychopathy and the Big Five: Results from two samples. *Journal of Abnormal Child Psychology, 33*(4), 431-443.

Mahler, M. S. (1971). A study of the separation-individuation process and its possible application to borderline phenomena in the psychoanalytic situation. *Psychoanalytic Study of the Child*, *26*,403-424.

Mahler, M. S., & Kaplan, L . (1977). Developmental aspects in the assessment of narcissistic and so-called borderline personalities. In P. Hartocollis (Ed.), *Borderline personality disorders: The concept, the syndrome, the patient* (pp. 71-89). New York: International Universities Press.

Mancebo, M. C., Eisen, J. L ., Grant, J. E ., & Rasmussen, S. A. (2005). Obsessive compulsive personality disorder and obsessive compulsive disorder: Clinical characteristics, diagnostic difficulties, and treatment. *Annals of Clinical Psychiatry, 17*,197-204.

March, J. S., & Leonard, H. L . (1996). Obsessive-compulsive disorder in children and adolescents: A review of the past 10 years. *Journal of the American Academy of Child and Adolescent Psychiatry*,*34*, 1265-1273.

Markon, K. E ., Krueger, R. F., & Watson, D. (2005). Delineating the structure of normal and abnormal personality: An integrative hierarchical approach. *Journal of Personality And Social Psychology*,*88*(1), 139-157.

Markowitz, J. C., Skodol, A. E ., Petkova, E ., Xie, H., Cheng, J., Hellerstein, D. J., . . . McGlashan, T. H. (2005). Longitudinal comparison of depressive personality disorder and dysthymic disorder. *Comprehensive Psychiatry, 46*, 239-245.

Masten, A. S. (2007). Resilience in developing systems: Progress and promise as the fourth wave rises. *Development and Psychopathology, 19*(3),921-930.

Masterson, J. F. (1980). *From borderline adolescent to functioning adult*. New York: Brunner/Mazel. Masterson, J. F. (2013). *Treatment of the borderline adolescent: A developmental approach*. London: Routledge.

McCann, J. T. (1999). *Assessing adolescents with the M ACI: Using the Millon Adolescent Clinical Inventory.* New York: Wiley.

McLean, P. D., & McLean, C. P. (2004). Family therapy of avoidant personality disorder. In M. M. MacFarlane (Ed.), *Family treatment of personality disorders: Advances in clinical practice* (pp. 273-303). Binghamton, NY: Haworth Clinical Practice Press.

McWilliams, N. (1994). *Psychoanalytic diagnosis*. New York: Guilford Press.

McWilliams, N. (2006). Some thoughts about schizoid dynamics. *Psychoanalytic Review, 93*, 1-24. McWilliams, N. (2011). *Psychoanalytic diagnosis: Understanding personality structure in the clinical process* (2nd ed.). New York: Guilford Press.

Meyer, G. J., Viglione, D. J., Mihura, J. L ., Erard, R.E ., & Erdberg, P. (2011). *Rorschach Performance Assessment System: Administration coding, interpretation and technical manual*. Toledo, OH: Rorschach Performance Assessment System.

Mihura, J. L ., Meyer, G. J., Dumitrascu, N., & Bombel, G. (2013). The validity of the individual Rorschach variables: Systematic reviews and metaanalyses of the comprehensive system. *Psychological Bulletin*, *136*, 548-605.

Millon, T., & Davis, R. D. (1993). The Millon Adolescent Personality Inventory and the Millon Adolescent Clinical Inventory. *Journal of Counseling and Development*, *71*(5), 570-574.

Millon, T., Millon, C., Davis, R., & Grossman, S. (2006). *Millon Adolescent Clinical Inventory manual* (2nd ed.). Minneapolis, MN: National Computer Systems.

Minne, C. (2011). The secluded minds of violent patients. *Psychoanalytic Psychotherapy, 25*,38-51.

Moffitt, T. E . (1993). Adolescence-limited and life course-persistent antisocial behavior: A developmental view. *Psychological Review, 10* 0, 674-701. Moffitt, T., Caspi, A., Dickson, N., Silva, P., & Stanton, W. (1996). Childhood-onset versus adolescentonset antisocial conduct problems in males: Natural history from ages 3 to 18 years. *Development and Psychopathology, 8*, 399-425.

Moffitt, T. E ., Caspi, A., Harrington, H., & Milne, B. J. (2002). Males on the life-course-persistent and adolescence-limited antisocial pathways: Followup at age 26 years. *Development and Psychopathology, 14*(1), 179-207.

Morey, L . (2007). *Personality Assessment Inventory —Adolescent professional manual.* Lutz, FL: Psychological Assessment Resources.

Morgan, T. A., & Clark, L. A. (2010). Passive-submissive and active-emotional trait dependency: Evidence for a two-factor model. *Journal of Personality, 78,* 1325–1352.

Mulder, R. T. (2012). Cultural aspects of personality disorder. In T. Widiger (Ed.), *The Oxford handbook of personality disorders* (pp. 260–274). New York: Oxford University Press.

Murray, H. A. (1943). *Thematic Apperception Test: Manual.* Cambridge, MA: Harvard University Press.

Murray, H. A. (1971). *Thematic Apperception Test: Manual* (rev. ed.). Cambridge, MA: Harvard University Press.

Murrie, D. C., & Cornell, D. G. (2002). Psychopathy screening of incarcerated juveniles: A comparison of measures. *Psychological Assessment, 14,* 390–396.

Mustanski, B., Kuper, L., & Greene, G. J. (2014). Development of sexual orientation and identity. In D. L. Tolman, L. M. Diamond, J. A. Bauermeister, W. H. George, J. G. Pfaus, L. M. Ward, . . . L. M. Ward (Eds.), *A PA handbook of sexuality and psychology: Vol. 1. Person-based approaches* (pp. 597–628). Washington, DC: American Psychological Association.

Naughton, M., Oppenheim, A., & Hill, J. (1996). Assessment of personality functioning in the transition from adolescent to adult life: Preliminary findings. *British Journal of Psychiatry, 168,* 33–37. Newhill, C. E., Eack, S. M., & Conner, K. O. (2009). Racial differences between African and White Americans in the presentation of borderline personality disorder. *Race and Social Problems, 1,*87–96.

Nock, M. K., & Kessler, R. C. (2006). Prevalence of and risk factors for suicide attempts versus suicide gestures: Analysis of the National Comorbidity Survey. *Journal of Abnormal Psychology, 115,*616–623.

Normandin, L., Ensink, K., & Kernberg, O. F. (2015). Transference-focused psychotherapy for borderline adolescents: A neurobiologically informed psychodynamic psychotherapy. *Journal of Infant, Child, and Adolescent Psychotherapy, 14,* 98–110.

Obrzut, J. E., & Boliek. C. A. (2003). Thematic approaches to personality assessment with children and adolescents. In H. M. Knoff (Ed.), *The assessment of child and adolescent personality* (pp. 173–198). New York: Guilford Press.

Offer, D., Ostrow, E., & Howard, K. I. (1981). *The adolescent: A psychological self-portrait.* New York: Basic Books.

Ogden, T. H. (1979). On projective identification. *International Journal of Psycho-Analysis, 60*(2),357–373.

Ørstavik, R. E., Kendler, K. S., Czajkowski, N., Tambs, K., & Reichborn-Kjennerud, T. (2007). The relationship between depressive personality disorder and major depressive disorder: A population-based twin study. *American Journal of Psychiatry, 164,* 1866–1872.

Pajer, K. A. (1998). What happens to "bad" girls?: A review of the adult outcome of antisocial adolescent girls. *American Journal of Psychiatry, 155,*862–870.

Palombo, J. (1982). Critical review of the concept of the borderline child. *Clinical Social Work Journal,10,* 246–264.

Palombo, J. (1983). Borderline conditions: A perspective from self psychology. *Clinical Social Work Journal, 11,* 323–338.

Palombo, J. (1985). The treatment of borderline neurocognitively impaired children: A perspective from self psychology. *Clinical Social Work Journal, 13,* 117–128.

Palombo, J. (1987). Self-object transferences in the treatment of borderline neurocognitively impaired children. In J. S. Grotstein, M. F. Solomon, & J. A. Lang (Eds.), *The borderline patient: Emerging concepts in diagnosis, psychodynamics, and treatment* (Vol. 2, pp. 317–345). Hillsdale, NJ: Analytic Press.

Palombo, J. (1988). Adolescent development: A view from self psychology. *Child and Adolescent Social Work Journal, 5,* 171–186.

Palombo, J. (1990). The cohesive self, the nuclear self, and development in late adolescence. *Adolescent Psychiatry, 17,* 338–359.

Patalay, P., Fonagy, P., Deighton, J., Belsky, J., Vostanis, P., & Wolpert, M. (2015). A general psychopathology factor in early adolescence. *British Journal of Psychiatry, 207,* 15–22.

Patterson, G. R., Dishion, T. J., & Yoerger, K. (2000). Adolescent growth in new forms of problem behavior: Macroand micro-peer dynamics. *Prevention Science, 1,* 3–13.

Paul, R., Cohen, D. J., Klin, A., & Volkmar, E. (1999). Multiplex developmental disorders: The role of communication in the construction of a self. *Child and Adolescent Psychiatric Clinics of North America, 8,* 189–202.

Petti, T. A., & Vela, R. M. (1990). Borderline disorders in childhood: An overview. *Journal of the American Academy of Child and Adolescent Psychiatry, 29,* 327–337.

Pine, F. (1974). On the concept "borderline" in children: A clinical essay. *Psychoanalytic Study of the Child, 29,* 341–368.

PDM Task Force. (2006). *Psychodynamic diagnostic manual.* Silver Spring, MD: Alliance of Psychoanalytic Organiza-

tions.
Raboteg-Šarić, Z., Šakić, M., & Brajša-Žganec, A.(2009). Quality of school life in primary schools: Relations with academic achievement, motivation and students' behavior. *Društvena Istraživanja,18*(4－5), 697－716.
Rachão, I., & Campos, R. C. (2015). Personality styles and defense mechanisms in a community sample of adolescents: An exploratory study. *Bulletin of the Menninger Clinic, 79*(1), 14－40.
Rashid, T., & Ostermann, R. F. (2009). Strengthbased assessment in clinical practice. *Journal of Clinical Psychology, 65*(5), 488－498.
Rawana, E. P., & Brownlee, K. (2009). Making the possible probable: A strength-based assessment and intervention framework for clinical work with parents, children and adolescents. *Families in Society: Journal of Contemporary Social Services, 90*,255－260.
Rettew, D. C., Zanarini, M. C., Yen, S., Grilo, C. M., Skodol, A. E., Shea, M. T., . . . Gunderson, J. G. (2003). Childhood antecedents of avoidant personality disorder: A retrospective study. *Journal of the American Academy of Child and Adolescent Psychiatry, 42*, 1122－1130.
Reus, R., Berg, J. F., & Emmelkamp, P. M. (2013). Personality Diagnostic Questionnaire 4+ is not useful as a screener in clinical practice. *Clinical Psychology and Psychotherapy, 20*(1), 49－54.
Rey, J. M., Morris-Yates, A., Singh, M., Andrews, G., & Stewart, G. W. (1995). Continuities between psychiatric disorders in adolescents and personality disorders in young adults. *American Journal of Psychiatry, 152*(6), 895－900.
Rinsley, D. B. (1980). Diagnosis and treatment of borderline and narcissistic children and adolescents. *Bulletin of the Menninger Clinic, 44*, 147－170.
Rios, J., & Morey, L. C. (2013). Detecting feigned ADHD in later adolescence: An examination of three PAI-A negative distortion indicators. *Journal of Personality Assessment, 95*(6), 594－599.
Robbins, M. (1982). Narcissistic personality as a symbiotic character disorder. *International Journal of Psycho-Analysis, 63*, 457－473.
Roberts, G. E. (2005). *Roberts-2 manual*. Los Angeles: Western Psychological Services.
Robson, K. S. (Ed.). (1983). *The borderline child: Etiology, diagnosis, and treatment*. New York: McGraw-Hill.
Romm, S., Bockian, N., & Harvey, M. M. (1999). Factor-based prototypes of the Millon Adolescent Clinical Inventory in adolescents referred for residential treatment. *Journal of Personality Assessment, 72*, 125－143.
Rossouw, T. I. (2015). The use of mentalization-based treatment for adolescents (MBT-A) with a young woman with mixed personality disorder and tendencies to self-harm. *Journal of Clinical Psychology, 71*, 178－187.
Rubin, K. H., Dwyer, K. M., Booth-LaForce, C., Kim, A. H., Burgess, K. B., & Rose-Krasnor, L. (2004). Attachment, friendship, and psychosocial functioning in early adolescence. *Journal of Early Adolescence, 24*(4), 326－356.
Russ, E., Shedler, J., Bradley, R., & Westen, D. (2008). Refining the construct of narcissistic personality disorder: Diagnostic criteria and subtypes. *American Journal of Psychiatry, 165*, 1473－1481. Rygaard, N. P. (1998). Psychopathic children: Indicators of organic dysfunction. In T. Millon, E. Simonsen, M. Birket-Smith, & R. D. Davis (Eds.), *Psychopathy: Antisocial, criminal, and violent behavior* (pp. 247－259). New York: Guilford Press. Salekin, R. T., & Frick, P. J. (2005). Psychopathy in children and adolescents: The need for a developmental perspective. *Journal of Abnormal Child Psychology, 33*(4), 403－409.
Salihovic, S., Kerr, M., & Stattin, H. (2014). Under the surface of adolescent psychopathic traits: Highanxious and lowanxious subgroups in a community sample of youths. *Journal of Adolescence, 37*(5), 681－689.
Sander, L. W. (1985). Toward a logic of organization in psychobiological development. In H. Klar & L. Siever (Eds.), *Biologic response styles: Clinical implications* (pp. 20－36). Washington, DC: American Psychiatric Association.
Sander, L. W. (1987). A 25-year follow-up: Some reflections on personality development over the long term. *Infant Mental Health Journal, 8*(3),210－220.
Sandler, J. (1972). The role of affects in psychoanalytic theory. *Ciba Foundation Symposium, 8*,31－46.
Sanislow, C. A., da Cruz, K., Gianoli, M. O., & Reagan, E. R. (2012). Avoidant personality disorder, traits, and type. In T. A. Widiger (Ed.), *The Oxford handbook of personality disorders* (pp. 549－565). New York: Oxford University Press.
Santor, D. A., Messervey, D., & Kusumakar, V. (2000). Measuring peer pressure, popularity, and conformity in adolescent boys and girls: Predicting school performance, sexual attitudes, and substance abuse. *Journal of Youth and Adolescence,29*(2), 163－182.
Sapienza, J. K., & Masten, A. S. (2011). Understanding and promoting resilience in children and youth. *Current Opinion in Psychiatry, 24*(4), 267－273.
Sellbom, M., & Jarrett, M. A. (2014). Conceptualizing youth BPD within an MMPI-A framework. In C. Sharp & J. L.

Tackett (Eds.), *Handbook of borderline personality disorder in children and adolescents* (pp. 65-79). New York: Springer.

Sharp, C., & Fonagy, P. (2015). Practitioner review: Borderline personality disorder in adolescence: Recent conceptualization, intervention, and implications for clinical practice. *Journal of Child Psychology and Psychiatry, 56*(12), 1266-1288.

Sharp, C., & Vanwoerden, S. (2015). Hypermentalizing in borderline personality disorder: A model and data. *Journal of Infant, Child, and Adolescent Psychotherapy, 14*, 33-45.

Shedler, J., & Westen, D. (2004). Dimensions of personality pathology: An alternative to the fivefactor model. *American Journal of Psychiatry,161*(10), 1743-1754.

Shedler, J., & Westen, D. (2007). The Shedler-Westen Assessment Procedure (SWAP): Making personality diagnosis clinically meaningful. *Journal of Personality Assessment, 89*(1), 41-55.

Sheets, E. S., & Craighead, W. E. (2007). Toward an empirically based classification of personality pathology. *Clinical Psychology: Science and Practice, 14*, 77-93.

Shiner, R. L. (2009). The development of personality disorders: Perspectives from normal personality development in childhood and adolescence. *Development and Psychopathology, 21*(3), 715-734.

Shiner, R. L., & Allen, T. A. (2013). Assessing personality disorders in adolescents: Seven guiding principles. *Clinical Psychology: Science and Practice,20*(4), 361-377.

Shiner, R. L., & Tackett, J. L. (2014). Personality disorders in children and adolescents. In E. J. Mash & R. A. Barkley (Eds.), *Child psychopathology* (3rd ed., pp. 848-896). New York: Guilford Press.

Sigmund, D., Barnett, E., & Mundt, C. (1998). The hysterical personality disorder: A phenomenological approach. *Psychopathology, 31*, 318-330.

Skodol, A. E., Bender, D. S., Pagano, M. E., Shea, M.T., Yen, S., Sanislow, C. A., . . . Gunderson, J. G. (2007). Positive childhood experiences: Resilience and recovery from personality disorder in early adulthood. *Journal of Clinical Psychiatry, 68*(7),1102-1108.

Smith, S. R. (2007). Making sense of multiple informants in child and adolescent psychopathology: A guide for clinicians. *Journal of Psychoeducational Assessment, 25*(2), 139-149.

Spillius, E., & O'Shaughnessy, E. (2013). *Projective identification: The fate of a concept*. London: Routledge.

Sroufe, L. A. (1996). *Emotional development: The organization of emotional life in the early years.* New York: Cambridge University Press.

Stanley, B., & Siever, L. J. (2009). The interpersonal dimension of borderline personality disorder: Toward a neuropeptide model. *American Journal of Psychiatry, 167*(1), 24-39.

Stein, M., Hilsenroth, M., Slavin-Mulford, J., & Pinsker, J. (2011). *Social Cognition and Object Relations Scale: Global Rating Method (SCOR S G).* Unpublished manuscript, Massachusetts General Hospital and Harvard Medical School.

Stern, B. L., Caligor, E., Clarkin, J. F., Critchfield, K. L., Hörz, S., MacCornack, V., . . . Kernberg, O. (2010). Structured Interview of Personality Organization (STIPO): Preliminary psychometrics in a clinical sample. *Journal of Personality Assessment, 92*(1), 35-44.

Stokes, J. M., & Pogge, D. L. (2001). The relationship of the Rorschach SCZI to psychotic features in a child psychiatric sample. *Journal of Personality Assessment, 76*(2), 209-228.

Syed, M., & Seiffge-Krenke, I. (2013). Personality development from adolescence to emerging adulthood: Linking trajectories of ego development to the family context and identity formation. *Journal of Personality and Social Psychology, 10 4*(2),371-384.

Taubner, S., White, L. O., Zimmermann, J., Fonagy, P., & Nolte, T. (2013). Attachment-related mentalization moderates the relationship between psychopathic traits and proactive aggression in adolescence. *Journal of Abnormal Child Psychology,41*, 929-938.

Taylor, C. T., Laposa, J. M., & Alden, E. (2004). Is avoidant personality disorder more than just social avoidance? *Journal of Personality Disorders, 18*,571-594.

Tedeschi, R., & Kilmer, R. (2005). Assessing strengths, resilience, and growth to guide clinical interventions. *Professional Psychology: Research and Practice, 36*(3), 230-237.

Thomas, A., Chess, S., & Birch, H. (1968). *Temperament and behavior disorders in children.* New York: New York University Press.

Tillfors, M., Furmark, T., Ekselius, L., & Fredrikson, M. (2004). Social phobia and avoidant personality disorder: One spectrum disorder? *Nordic Journal of Psychiatry, 58*, 147-152.

Tuvblad, C., Wang, P., Bezdjian, S., Raine, A., & Baker, L. A. (2016). Psychopathic personality development from ages 9 to 18: Genes and environment. *Development and Psychopathology,28*(1), 27–44.

Tyson, P., & Tyson, R. L. (1990). *Psychoanalytic theories of development: An integration*. New Haven, CT: Yale University Press.

Updegraff, K., & Obeidallah, D. A. (1999). Young adolescents' patterns of involvement with siblings and friends. *Social Development, 8*, 52–69.

Urberg, K. A., Değirmencioğlu, S. M., & Pilgrim, C. (1997). Close friend and group influence on adolescent cigarette smoking and alcohol use. *Developmental Psychology, 33*(5), 834.

Vazsonyi, A. T., Ksinan, A., Mikuška, J., & Jiskrova, G. (2015). The Big Five and adolescent adjustment: An empirical test across six cultures. *Personality and Individual Differences, 83*, 234–244.

Waldron, S., Moscovitz, S., Lundin, J., Helm, F., Jemerin, J., & Gorman, B. (2011). Evaluating the outcomes of psychotherapies: The Personality Health Index. *Psychoanalytic Psychology, 28*,363–388.

Weise, K. L ., & Tuber, S. (2004). The self and object representations of narcissistically disturbed children: An empirical investigation. *Psychoanalytic Psychology, 21*, 244–258.

Westen, D. (1990). The relations among narcissism, egocentrism, self-concept, and self-esteem: Experimental, clinical, and theoretical considerations. *Psychoanalysis and Contemporary Thought,13*(2),183–239.

Westen, D., Betan, E ., & DeFife, J. A. (2011). Identity disturbance in adolescence: Associations with borderline personality disorder. *Development and Psychopathology, 23*(1), 305–313.

Westen, D., & Chang, C. (2001). Personality pathology in adolescence: A review. *Adolescent Psychiatry, 25*, 61–100.

Westen, D., DeFife, J. A., Malone, J. C., & DiLallo, J. (2014). An empirically derived classification of adolescent personality disorders. *Journal of the American Academy of Child and Adolescent Psychiatry, 53*(5), 528–549.

Westen, D., Dutra, L., & Shedler, J. (2005). Assessing adolescent personality pathology. *British Journal of Psychiatry, 186*, 227–238.

Westen, D., Lohr, N., Silk, K., Gold, L ., & Kerber, K. (1985). Object relations and social cognition in borderline personality disorder and depression: A TAT analysis. *Psychological Assessment, 2*, 355–364.

Westen, D., & Shedler, J. (2007). Personality diagnosis with the Shedler–Westen Assessment Procedure (SWAP): Integrating clinical and statistical measurement and prediction. *Journal of Abnormal Psychology, 116*, 810–822.

Westen, D., Shedler, J., & Bradley, R. (2006). A prototype approach to personality disorder diagnosis. *American Journal of Psychiatry, 163*(5), 846–856. Westen, D., Shedler, J., Bradley, B., & DeFife, J. A.(2012). An empirically derived taxonomy for personality diagnosis: Bridging science and practice in conceptualizing personality. *American Journal of Psychiatry, 169*(3), 273–284.

Westen, D., Shedler, J., Durrett, C., Glass, S., & Martens, A. (2003). Personality diagnoses in adolescence: DSM-I V Axis II diagnoses and an empirically derived alternative. *American Journal of Psychiatry, 160*, 952–966.

Wheeler, Z. (2013). *Treatment of schizoid personality: An analytic psychotherapy handbook*. Unpublished doctoral dissertation, Pepperdine University. Widiger, T. A., & Bornstein, R. F. (2001). Histrionics, dependent, and narcissistic personality disorders. In P. B. Sutker & H. E . Adams (Eds.), *Comprehensive handbook of psychopathology* (3rd ed., pp. 509–531). New York: Plenum Press.

Wiley, R. E ., & Berman, S. L . (2013). Adolescent identity development and distress in a clinical sample. *Journal of Clinical Psychology, 69*(12),1299–1304.

Wilkinson-Ryan, T., & Westen, D. (2000). Identity disturbance in borderline personality disorder: An empirical investigation. *American Journal of Psychiatry, 157*(4), 528–541.

Willock, B. (1987). The devalued (unloved, repugnant) self: A second facet of narcissistic vulnerability in the aggressive, conduct-disordered child. *Psychoanalytic Psychology, 3*, 219–240.

Winarick, D. J., & Bornstein, R. F. (2015). Toward resolution of a longstanding controversy in personality disorder diagnosis: Contrasting correlates of schizoid and avoidant traits. *Personality and Individual Differences, 79*, 25–29.

Winnicott, D. W. (1953). Transitional objects and transitional phenomena: A study of the firstnotme possession. *International Journal of Psycho-Analysis, 34*, 89–97.

Winnicott, D. W. (1960). Ego distortion in terms of true and false self. In D. W. Winnicott (Ed.), *The maturational processes and the facilitating environment* (pp. 140–152). New York: International Universities Press.

Winnicott, D. W. (1965). *The maturational processes and the facilitating environment: Studies in the theory of emotional development* (J. D. Sutherland, Ed.). New York: International Universities Press.

Wolfe, D. A., Jaffe, P. G., & Crooks, C. V. (2006). *Adolescent risk behaviors: Why teens experiment and strategies to keep them safe.* New Haven, CT: Yale University Press.

Wolff, S. (1991). "Schizoid" personality in childhood and adult life: III. The childhood picture. *British Journal of Psychiatry, 159*, 629–635.

Wolff, S., & Barlow, A. (1979). Schizoid personality in childhood: A comparative study of schizoid, autistic and normal children. *Journal of Child Psychology and Psychiatry, 20*, 29–46.

Wolff, S., Townshend, R., McGuire, R. J., & Weeks, D. J. (1991). "Schizoid" personality in childhood and adult life: II. Adult adjustment and the continuity with schizotypal personality disorder. *British Journal of Psychiatry, 159*, 620–629.

World Health Organization. (1992). *The ICD -10 classification of mental and behavioural disorders: Clinical descriptions and diagnostic guidelines*. Geneva: Author.

Yap, M. B. H., Allen, N. B., O'Shea, M., di Parsia, P., Simmons, J. G., & Sheeber, L. (2011). Early adolescents' temperament, emotion regulation during mother–child interactions, and depressive symptomatology. *Development and Psychopathology,23*(1), 267–282.

Zalewski, M., Stepp, S. D., Scott, L. N., Whalen, D.J., Beeney, J. E., & Hipwell, A. E. (2014). Maternal borderline personality disorder symptoms and parenting of adolescent daughters. *Journal of Personality Disorders, 28*(4), 541–554.

Zanarini, M. C., Gunderson, J. G., Marino, M. F., Schwartz, E. O., & Frankenberg, E. R. (1989). Childhood experiences of borderline patients. *Comprehensive Psychiatry, 30*, 18–25.

CHAPTER 3

PSYCHODYNAMIC DIAGNOSTIC MANUAL

청소년의 증상 패턴: 주관적 경험, SA축

| 김정민 |

서론

이 장에서는 DSM-5 (2013), ICD-10 (1992)에 기반하여 청소년이 보고하는 주관적 증상패턴에 주목하여 이야기할 것이다. 청소년은 같은 진단을 받았더라도 그들이 경험하는 주관적 증상의 범위는 매우 다르고 다양하다(Fonagy & Target, 2002). 진단을 위한 평가과정 중 청소년들이 경험하는 주관적 느낌과 증상에 대해 충분히 질문하고 탐색하는 것은 중요하다. 왜냐하면 증상변화에 대한 환자의 주관적 보고가 치료반응을 예측할 수 있는 효과적인 임상적 잣대이기 때문이다(Blatt, Quinlan, Pilkonis, & Shea, 1995; McCallum, Piper, Ogrodniczuk, & Joyce, 2003). PDM-2의 환자중심적 접근이 치료결과에 중요한 기여를 할 수 있을 것이다.

청소년의 증상패턴을 면밀히 살핀다면 환경적 요인을 포함하여 발달학적 측면과 역동학적 측면의 특징까지 알 수 있다. 임상의사는 각기 다른 증상패턴에 영향을 미칠 수 있는 수많은 요인들을 고려하면서 동시에 현재 상태에 이르게 한 개인의 발달학적 경과에 주의를 기울여야 한다. 청소년기는 성장하는 동안 수많은 도전과 만나게 되는 시기로 학교환경, 자율성, 또래관계, 사회적 역할 등의 영역에서 자신의 적응능력을 시험하며 전반적인 유연성과 대처능력을 계발하게 된다. 급격히 성장하는 시기이므로 청소년 개개인은 그들의 감정, 생각, 행동, 환상, 증상패턴의 영역에서 상대적으로 더 갑작스러운 변화와 전환을 경험한다.

청소년이 호소하는 증상은 그들이 현재 머물고 있는 개인의 발달단계에 따라 다르게 해석될 수 있다. 청소년 개인의 정신능력 성숙도는 그들이 호소하는 주관적 증상표현에 영향을 미치기 때문에 이를 반영하여 증상의 정도를 평가하는 것이 옳다. 특히, 정체성과 관계형성능력, 정신화, 자기효능감, 적절한 방어기제의 활용능력 측면에서 섬세하게 살펴볼 필요가 있다. 이를 잘 알아보기 위해 병력청취 중 전형적인 발달과정에서 벗어나는 신경발달학적 질환을 배제해야 한다. 기본적으로 청소년의 진단적 평가에 임하는 임상의사는 특정 연령대의 청소년에게 어떤 진단명을 붙이기 전에 청소년 증상패턴의 다양한 표현을 이해하고 폭 넓은 시각으로 현재 머물고 있는 발달단계와 그 과정에 대한 관심이 필요하다.

이 장에서는 청소년이 호소하고 또 관찰된 가장 흔한 증상패턴에 한정하여 기술하였다. 이해를 돕기 위하여 '성인'과 '소아'에 대해 기술한 PDM-2의 성인편 3장과 청소년편 6장, 일부의 경우 DSM-5 (APA, 2013)의 증상설명에 대한 부분을 참고하기 바란다. 이 장의 마지막에는 PDM-2, DSM-5, ICD-10에 따른 증상패턴의 차이를 비교하는 표를 제시하였다(**표 3.2**).

소아청소년 환자를 진료하는 임상의사의 역전이는 보호본능을 불러일으키는 환자에서부터 매우 화나게 만드는 환자까지 그 범위가 넓고 다양할 것이며 개인마다 독특한 방식으로 경험할 것이다. 이러한 감정반응 역시 넓은 의미에서 증상패턴과 연계된 성격적 특징이 기여한 부분이 있다는 것을 기억해야 하며(2장, PA축 참조) 이러한 역전이 반응을 통해 청소년의 증상과 연관된 특징적인 패턴을 추론할 수 있다. 성인과 달리 청소년과 가족 간의 상호작용 안에서 생겨나는 독특하고 혼란스러운 감정이 임상의사에게 감지되기도 하며 혹은 임상의사가 의식하지 못하게 하면서 진단적 평가와 결정에 상당한 영향을 미칠 수도 있다. 그러므로, 임상의사는 다음 세 가지 영역에서 기인한 역전이를 알아차리고 청소년 환자의 평가에 반영할 수 있어야 한다. 첫째로 환자인 청소년, 둘째로 그들의 부모/주양육자, 셋째로 치료자 자신에게서 기인하는 감정을 자세히 살펴야 한다. 방임과 학대를 경험한 청소년은 임상의사에게 평소와 다른 강력한 감정적 반응을 불러 일으킬 수 있다. 예를 들어, 그들의 부모에 대해 적대감을 느끼도록 하거나 청소년의 생활에 간섭하고 싶어지거나 또는 과잉보호하고 싶은 감정이 일어나게 만들기도 한다. 혹은 무의식적으로 이러한 감정적 반응이 임상의사를 환자의 보호자인 부모와 어색하게 만들고 환자의 부모에게 숨겨져 있는 죄책감과 후회, 창피한 정서를 알아차리지 못하도록 이끌기도 한다(Rasic, 2010). 청소년을 치료하는 동안 임상의사 자신의 청소년기 갈등, 정체성 문제 혹은 역정체성(counteridentification) 문제가 촉발될 수 있으며 이는 환자의 역동과 임상의사의 전문가적 견해를 왜곡시킬 수 있다.

표 3.1에서 SA축에 대한 전반적인 내용과 이 장에서 언급했던 세부항목들에 대해 정리하였다.

표 3.1. SA축-청소년의 증상패턴: 주관적 경험

SA0	**정상반응** SA01 발달학적 위기와 상황적 위기	SA5	**신체증상 및 관련 장애** SA51 신체증상장애 SA52 질병불안장애(건강염려증) SA53 인위성장애
SA1	**뚜렷한 정신병적 장애** SA11 단기정신병적장애 SA14 조현병과 조현정동장애	SA8	**정신신체장애** SA81 급식 및 섭식장애
SA2	**기분장애** SA22 우울장애 SA24 양극성 장애 SA26 파괴적 기분조절장애 SA27 자살성 SA28 비자살 자해	SA9	**파괴적 행동장애** SA91 품행장애 SA92 적대적 반항장애 SA93 물질관련장애 SA94 인터넷중독장애
SA3	**불안 관련 장애** SA31 불안장애 SA31.1 특정공포증 SA31.2 사회공포증 SA31.3 광장공포증과 공황장애 SA31.4 범불안장애	SA10	**유소아발병질환이 청소년환자에게 나타나는 패턴** SA101 자폐스펙트럼장애 SA102 주의력결핍/과다행동장애 SA103 특정학습장애
SA32	**강박 및 관련 장애** SA32.1 강박장애 SA32.2 신체변형장애	SAApp	**부록: 임상적 주의를 요하는 심리적 경험** SAApp1 인구통계학적 소수집단 (인종, 문화, 언어, 종교, 정치) SAApp2 레즈비언, 게이, 양성애자집단 SAApp3 젠더부조화
SA4	**사건 및 스트레스 관련 장애** SA41 외상 및 스트레스 관련 장애 SA41.1 적응장애 SA41.2 급성스트레스장애 및 외상후 스트레스장애 SA41.3 복합 외상후 스트레스장애 SA42 해리장애 SA43 전환장애		

SA0 정상반응

SA01 발달학적 위기와 상황적 위기

청소년기는 신체적, 인지적, 사회적, 정서적 측면에서 주요한 변화를 겪게 되는 시기이다. 이 시기에 십대 청소년들은 자율성과 독립에 대한 압박을 받으며 정체성을 확립하고 사회적으로 자신의 위치를 찾아야 한다. 큰 어려움 없이 이 단계의 목표에 닿는 것이 쉬운 일이 아니기 때문에 겉으로 보기에 청소년들은 성숙과 퇴행을 동시에 드러내는 것처럼 보인다. 친구와 친척들은 이들의 모순된 태도에 혼란스러움을 느끼고 양가적인 행동을 문제 삼기도 한다.

이 과정을 잘 거치고 성숙한 단계에 이른 청소년에서 드러나는 공격성은 발달학적 과정에서 자연스럽고 정상적으로 새롭게 갖추게 된 성격(공격성)에 대한 한계점이 설정되어 있다(Winnicott, 1969). 성장하면서 어떤 식으로든 위기를 경험하는 것은 청소년의 발달과정에 필연적이다. 위기는 일시적 불균형의 순간으로 설명하기도 하며 익숙했던 체계에서 벗어나 새로운 균형을 찾아가는 현상으로 이해하기도 한다. 이는 발달학적으로 청소년 내면세계의 평정을 깨뜨리는 외부요인에 의해 진행된 결과도 포함된다. 슬픔, 트라우마, 학업적 갈등 등 수많은 상황 속에서 청소년들은 스스로 생각하고 결정해야 하는 순간과 마주하면서 새로운 형태의 인지적 혹은 정서적 관계를 경험한다.

위기는 그 자체로는 질환이 아니다. 즉, 위기를 겪고 있는 상태를 병적 상태로 보지는 않는다. 어떤 위기의 순간들은 청소년 시기에 경험해야 하는 건강한 발달과정의 일부이며 이 과정은 정체성 확립에 필요하다. 오히려 위기를 정상적으로 경험하지 못했을 때 병리적인 문제가 생기기도 한다. 위기는 내부 요인뿐만 아니라 외부요인의 영향을 받으며 경우에 따라 좋은 결과를 가지고 오기도 하고 예상치 못한 결과를 초래하기도 한다. 위기가 순조롭게 해결되면 잠재력과 역량을 가진 새로운 능력을 획득할 수 있는 토대를 마련할 수 있다. 그러나, 잘 해결되지 못했을 경우 퇴행행동을 특징적으로 보이는 행동문제로 나타나기도 한다. 이 문제를 단순하게 청소년 개인의 방어체계기능이 불안정하기 때문인 것으로 단정지어서는 안 되며 환자가 활용하고 동원할 수 있는 지지체계의 기능과 영향을 함께 고려해야 한다. 이처럼 위기는 현재까지 획득한 기능과 능력에 위험이 될 수 있으며 동시에 새로운 성장과 변화를 위한 기회가 될 수도 있다. 즉, 양극의 결과를 동시에 내포하고 있는 것이 위기의 특징이다.

발달과정에서 유연하게 대응하여 변화에 순탄하게 적응하면 불안은 잦아든다. 만약, 변화에 적응하기 위한 새로운 해결책을 찾는 데 실패하면 상황을 통제하기 위해 엄격한 방식을 고수하게 되고 급성기 증상 혹은 병리적 행동문제가 발생할 수 있다. 행동문제로 드러날 때, 청소년 개인의 전체 시스템이 잘못된 것처럼 보일 수 있다. 이런 모습으로 나타나는 위기현상은 응급상황으로 간주되기도 하지만 이러한 행동 그 자체를 질환으로 보지는 않는다. 그러나, 이러한 관점에서 바라본다 하더라도 정신병리가 청소년에게 존재할 수 있다는 것을 배제하지 못한다. 이것은 단지 증상을 발현시키고 증상이 지속되게끔 하는 환경적 요인이 존재한다는 것을 시사할 뿐이다.

위기를 구성하는 주요한 두 가지 요인이 있다. 하나는 단기정신병적 증상, 조증-우울증상, 분노폭발, 공황발작, 자살시도와 같이 응급상황으로 나타나는 요소이다. 다른 한 가지는 가족 혹은 사회적인 환경에서 드러나는 반항적 반응이다. 이들 두 가지 구성요소는 종종 서로 교차

될 수 있으며 청소년의 사회적 환경 즉, 가족, 동료, 선생님들을 못 견디게 만들기도 한다. 유연하게 대응하여 변화에 순탄하게 적응하는 데 실패했을 때 불안은 점차적으로 청소년의 정신기능을 망가뜨린다. 불안을 유발한 원인(이인화, 분리, 상실, 분열화)을 떠나 불안은 그 자체로 청소년들이 경험하는 모든 응급상황에서 흔히 나타나는 증상이다. 행동화는 정신적 측면에서 견딜 수 없이 강력한 분노 아래 잠재된 통합되지 못한 감정과 직면하는 것을 피하고 자신들의 강렬한 감정을 표현하는 유일한 방식이기도 하다.

이런 맥락에서 임상의사가 청소년의 불안에 대해 적절히 반응하고 그 행동화의 의미를 스스로 이해할 수 있도록 도와주는 것은 치료과정에서 필수적이다. 가족과 지인들은 대부분의 경우 어떤 질환 때문에 이런 상황이 된 것인지 빨리 알고 싶어하며 환자의 분노감이 얼른 사라지게 해 달라고 요청한다. 하지만, 전문가인 임상의사는 여러 가지 관점에서 상황을 객관적이고 통합적으로 살펴 다양한 가능성을 열어두고 평가에 임해야 한다. 임상의사는 행동화로 이어질 수 있는 환자의 불안을 해소하는 것뿐만 아니라 그 내면에 잠재된 분노감을 수용하고 이를 적절하게 드러내고 표현할 수 있도록 도와야 한다. 역설적으로 행동화가 벌어진 후에 더 솔직하게 이야기할 수 있게 되기도 한다. 즉, 청소년이 처한 위기상황과 이런 상황이 벌어지게 된 정신역동에 대해 함께 이야기할 수 있게 된다. 위기를 겪고 있는 청소년을 위한 올바른 해법은 그들이 점진적으로 상황에 적응할 수 있게 도우면서 이들과 안전한 관계를 형성하여 치료에 머물 수 있도록 지속적으로 노력하는 데 있다. 이 때 가족들이 적극적으로 참여할수록 좋은 예후를 기대할 수 있다(Tompson, Boger, & Asarnow, 2012).

SA1 뚜렷한 정신병적 장애

정신증에 대한 내용은 3장에도 기술되어 있다(pp. 140~143). 정신증은 현실검증력 손상으로 인해 심각한 이상행동과 사고장애를 보이는 것으로 정의된다. 정신증의 진단은 사고장애를 수반하며 개인의 전반적인 행동과 기능의 큰 변화를 일으킨 상태에 기반한다. 비록 정신병적 증상은 조현병의 특징과 결을 같이 하지만 이는 기분장애, 급성중독, 신경병증 등과 같은 질환에서도 나타날 수 있다. 정신증은 진단적 측면 보다 증상의 한 종류로 고려할 필요가 있다.

일반적으로 청소년기에 정신질환 유병률이 급격히 높아진다는 것에 대부분 동의한다. 정신병적 증상은 18-24세 사이에 뚜렷하게 발현되지만 증상발병은 이른 10대부터 경한 양상으로 나타날 수 있다. Kelleher 등이 발표한 2012년 논문에 따르면 13-18세 청소년의 유병률은 7.5%였다(Kelleher et al., 2012). 성인 조현병 환자의 5%는 대개 15세 이전에 정신병적 증상이 시작된다. 장애가 분명해지면 청소년 정신증 환자의 증상은 성인에서 나타나는 증상과 유사한 양상을 보인다. 정신장애는 청소년의 일상생활기능을 심각하게 방해하고 심신을 쇠약하게 한다.

정신질환 초기에 이를 발견하고 빨리 치료를 시작할수록 전반적 기능회복의 가능성은 높아진다(Thompson et al, 2015). 이러한 흐름에 따라 정신장애를 가능한 조기에 진단하고 정신장애로 발전될 위험이 높은 어린이를 선별하는 움직임이 힘을 얻고 있는 추세이다. 임상적 고위험군에 속하는 청소년을 잘 보살핌으로써 질환으로 이행하는 것을 예방하고 그들의 삶이 받게 되는 충격을 최소화하기 위한 여러 연구가 진행 중이다.

이 장에서는 단기정신병적장애의 임상적 특징과 청소년기 발병한 조현병의 전구기 증상에 초점을 맞추어 기술하였다.

SA11 단기정신병적장애

단기정신병적장애는 성인에서와 같이 청소년기에 발병하는 경우에도 임상적 증상이 유사하다. 망상, 환각, 사고장애, 긴장증을 포함한 전반적인 행동이상 등의 양성증상이 급작스럽게 나타나는 것이 특징적이다. 청소년의 정신병적 증상은 흔히 이인증, 이인화, 극단적인 정동가 변성, 혼돈증상이 없는 의식의 몽양상태를 경험하는 것과 주로 연관된다. 불면, 초조와 같은 신체증상이 지속될 경우 보호환경이 필요한 응급상황일 가능성이 높다. 이런 양상은 Valentin Magnan (1893)이 처음 기술한 'bouee delirante polymorphe aigue(급성 다형성 망상증)' 와 유사하다. 이는 급성의 현란하고 다형성의 정신병적 증상을 특징으로 하며 상대적으로 짧은 기간 내에 완전히 회복되는 경과를 갖는다. 비정신병적 상태에서 명백하게 정신병적 증상기로 변화되기까지 매우 짧은 시간(수 시간~2주) 내에 진행되며 대부분의 경우 전구기를 거치지 않는다. 사회적 스트레스 요인이 증상의 발병에 영향을 미쳤을 수 있으나 증상기는 앞서 설명한 대로 일과성으로 국한된다. 증상기는 1개월 이내 완전히 사라지며 증상이 없을 때와 같은 상태로 회복될 수 있다. 증상기가 1개월 이상 지속된다면 다른 배제진단을 반드시 고려해야 한다. 진단적 측면에서 'bouee delirante polymorphe aigue(급성 다형성 망상증)'는 증상기에서 회복된 후에도 장기적으로 다른 결과의 가능성을 확실히 열어두기 위한 임시적 진단으로써의 관점을 잘 담고 있는 듯 하다.

소아청소년 정신건강의학과 전문의들은 단기정신병적장애의 낙관적 관점에서 한발 물러서면서 최근 발표되고 있는 유병학적 연구결과를 근거로 청소년기의 단기정신병적 삽화는 장기적으로 양호한 예후를 보장하는 것이 아니며 인격형성에 부정적인 영향을 미치고 성격발달에 좋지 않은 결과를 초래할 수 있다고 보고하였다(Lachman, 2014). DSM-5의 단기정신병적장애는 궁극적으로 조현병이나 정신병적 증상을 동반한 양극성기분장애로 진단되기 전, 일시적으로 활용할 수 있는 진단이다. 또한, 성격장애 환자에서 나타날 수 있는 짧고 약하게 지속되는 정신병적 증상에도 사용할 수 있다. 단기정신병적장애로 진단된 청소년 중 장기적 추적관찰 후 30% 미만에서 단기정신병적장애로 확진되며 많은 경우에서 조현병과 양극성 기분장애에 이르게 된다. 단기정신병적장애가 양극성장애 혹은 다른 정신병적 질환으로 진단되는 것과 비교하여 조현병으로 진행될 예후를 시사하는 요인에는 긴장증 증상, 긴 증상기, 지속되는 잔재증상, 병전 성격적 문제, 회복이 더딘 경우가 포함된다(Cohen et al., 2005).

1장과 5장에서 정신병적 증상의 정도를 반영한 P축과 PA축에서 살펴본 바와 같이 취약한 인격구조를 가진 청소년과 젊은 성인은 단기정신병적장애로 진단되는 경우가 더 빈번하다. 외상적 스트레스 요인은 사랑에 빠진다거나 예술작품에서 큰 감동을 느끼는 것(예: 스탈당신드롬)과 같이 그것이 좋은 감정적 경험이라 하더라도 자아경계를 희미하게 만들 수 있다. 감수성이 매우 섬세하거나 강한 의존성향 등의 취약한 성격특성을 가진 청소년은 강렬한 감정을 경험하는 순간에 자아경계가 없어지는 느낌이 든다고 말한다. 이는 대인관계에서 상당한 스트레스를 경험하는 경계성 인격장애 청소년에서 나타날 수 있다. 여기에 피해성향이 강할수록 불안정한 애착패턴이 활성화되고 정신병적 증상을 겪게 되는 것과도 관련된다.

임상사례

정신과적 과거력이 없는 15세 소년은 최근에 생긴 행동문제로 부모와 함께 응급실로 내원하였다. 수일 전부터 낯선 사람이 자신에게 마약을 탄 음식을 먹여 마약에 중독되었다는 이야기를 하기 시작했고 매우 기괴한 생각에 사로잡혀 있었다. 이러한 생각은 존재에 관한 철학적인 질문이 연달아 이어지고 갑작스러운 흥분을 경험한 후 떠올랐다고 했다. 그는 몇 주 전부터 이전에는 어울리지 않던 친구들과 다니며 대마초를 많이 피웠고 그 후 행동문제가 생겼다. 또, 자신이 동성애자인 것 같다며 불안하다고 말했다. 심한 불면증에 시달렸으며 한 달 동안 5kg 정도 체중이 빠졌다. 면담 시 소년은 당혹스러워 했고 혼돈에 빠진 듯 보였다. 피해적인 생각을 말하면서 '이상한' 느낌이 든다고 했다. 비록 환각에 대한 보고는 없었지만 불안해 보였고 기분은 안정적이지 않았으며 의기소침했다가 흥분하는 등 종잡을 수 없는 기분변화를 보였다. 그는 어제 자신이 학생시위에 참석했기 때문에 정치적인 이유로 자신의 부모가 살해될지 모른다며 두렵다고 했다. 그리고, 이 이야기를 하던 도중 갑자기 말을 멈추고 멍하니 벽을 주시하거나 "인생은 아름다워" 같은 혼잣말을 중얼거렸다.

SA14 조현병과 조현정동장애

조기발병 조현병(Early-onset schizophrenia, EOS)은 18세 이전에 발병하는 경우를 말한다. 13

세 이전에 증상이 시작되었다면 '소아기 발병 조현병(childhood-onset schizophrenia, COS)'으로 진단된다. EOS와 COS는 상당히 심각한 경우로 간주된다. 양성증상은 환각, 망상, 사고장애를 포함하며 음성증상은 사회적 위축, 정동둔마, 언어와 사고의 결핍이 특징적이다. 이상행동증상에는 주의집중력 저하, 기이한 행동, 와해된 언어가 여기에 속한다(McClellan, Stock, & American Academy of Child and Adolescent Psychiatry Committee on Quality Issues, 2013). 이 진단기준을 소아청소년에게 적용할 때 신경써야 하는 부분은 성인에서 병전기능의 심각한 손상을 반영하는 것이 중요한 것처럼 소아청소년에서 이를 반영할 수 있는 또래관계, 학업성취도, 직업적 실패 정도를 고려해야 한다는 점이다.

환각, 사고장애, 정동둔마 증상은 EOS환자에게서 사라지지 않고 지속되는 반면 망상과 긴장증은 덜 나타난다. 언어영역과 인지기능영역은 발달상에서 변화가 크기 때문에 질환에 의한 전반적인 증상의 양상과 범위에도 영향을 미칠 수 있다. 소아청소년 환자의 많은 수에서 증상발현 전부터 상당한 기능적 이상이 있었다고 보고된다. 진단되기 전, 가장 흔한 증상은 사회적 위축과 고립, 행동문제, 주의력 결핍, 언어적 문제, 인지기능의 기민성 저하, 자폐증상과 유사해 보이는 모습 등이 있다. 신경병증이 동반된 소아환자에서는 정신질환을 초기에 알아내기가 더 힘들다. 만발성으로 진행하고 음성증상이 우세할 경우, 급성기 발병 정신질환에 비해 상대적으로 나쁜 경과를 거친다. 증상기를 서서히 지나는 동안 청소년 환자는 증상을 자아친화적으로 느끼기 때문에 결과에 개의치 않고 기괴하고 상상적인 혹은 망상적 사고내용을 이야기 한다. 조기발병 조현병(EOS)의 급성기 상태에서는 진단적 접근이 상대적으로 더 명료하며 일반적으로 유리한 임상경과를 거친다. 그러나, 환시, 착란, 긴장병성 증상, 증상의 변동성, 전형적 항정신병 약물에 대한 역설반응(paradoxical reactions)과 같은 비전형적인 임상양상이 관찰될 때, 임상의사는 치료 가능한 기질성 질환에 의해 조현병양 증상이 유발되었을 가능성을 반드시 고려해야 한다(Sedel et al., 2007).

조현병 전구기

정신증의 첫 삽화가 진행되면서 기능저하가 일어나고 약한 양성증상이 점진적으로 출현하는 시기를 '정신증의 전구기(psychosis prodrome)'라고 하며 이 기간은 수개월에서 수년이 될 수 있다. 전구기 증상은 대체로 청소년기에 이르러 분명해진다. 양성증상과 음성증상은 잠재된 상태로 대인관계 위축이나 성적저하 같은 비특이적인 증상을 보이는 것이 특징이다(Yung & McGorry, 2007).

전구기를 거치는 동안 청소년 환자들은 기괴한 믿음, 특이하고 강렬한 아이디어, 낯설고 새로운 감정과 같이 비특이적 정신병적 증상을 경험하며 집중을 못하고 혼란스러운 생각에 빠지거나 주변 사람들을 믿지 못하고 감각자극과잉 상태와 같이 시각적, 청각적으로 심상치 않은 지각적 경험에 대해 이야기 하거나 소음을 말소리로 듣기도 한다. 또, 이인증과 비현실감에 대해 흔히 보고한다. 증상이 점차 진행하면서 환자는 자신과 현실세계, 대인관계에 대한 주관적 느낌의 변화를 감지한다. 이 변화는 대체로 불쾌한 기분, 부적절한 정동과 같은 부정적 감정과 연관되며 엉뚱한 행동, 사회적 위축, 학업성적의 급격한 저하, 개인위생관리에 대한 무관심 등의 행동변화로 나타날 수 있다.

임상의사 및 연구자들은 예방적 처치를 시작하기에 가장 중요한 시점이 '전구기'라는 데 주목하여 연구를 진행하였다. 그러나, 전구기를 지나는 동안 환자가 겪는 문제와 환자에게서 관찰되는 특정 증상군이 중증정신질환의 전구기 증상인 것인지 규명하기 어렵고 또 이 특정 증상군이 정신질환을 예견하는 증상으로 단정짓기에는 인과관계가 불명확하다는 결론을 얻었다(Compton, McGlashan, & McGorry, 2007). 정신병적 증상이 발병한 후 12개월 이내에 진성 정신증으로 진단된 환자는 많아야 40%에 불과하므로 전구기에 대한 개념은 사실상, 후향적 결과로 보아야 할 것이다. 전구기에서 정신증으로 진행하는 경과는 단순하지 않다. 어떤 경우 전구기 증상의 강도가 약할 수 있고 또 반드시 전형적인 정신증으로 이행하는 것도 아니다. Huber, Gross, Schuttler, Linz(1980) 등과 같은 독일 임상가들은 전구기 증상을 '증상군'의 일종으로 이해하였다. 이는 정신증의 위험을 높이는 정신적 취약성을 반영할 수 있지만 필연적으로 정신증의 발병을 예견하지는 못한다는 개념으로 설명했다. 그러므로 전구기 증상은 정신증의 위험요인일 뿐 전조(precursor)로 간주할 수 없다. 정신증에 대한 현실적인 두려움으로 인한 전구기에 대한 오해를 줄이기 위해 Yung과 McGorry (1996)는 항정신병 약물치료 없이 7일 이내 저절로 사라지는 즉, 불충분 정신병적 증상(subthreshold psychotic symptoms)을 보이는 청소년 환자군에 대해 '발병위험이 있는 정신적 상태(at-risk mental state,ARMS)'의 개념으로 소개했다. 그리고, 항정신병 약물치료 없이 7일 이내 저절로 사라졌지만 매우 분명한 정신병적 증상을 경험한 경우는 '초고위험(ultra-high risk, UHR)'로 정의하였다.

그러므로, ARMS와 UHR은 전향적 개념으로 청소년과 젊은 성인에서 진성 정신증으로 진단되기 전, 초기단계에서 처치가 필요한 경우를 구분하기 위한 개념으로 활용할 수 있다. 조기에 개입할 경우 정신증으로 이환되는 것을 줄일 수 있고 기능적 퇴보를 예방할 수 있기 때문이다. UHR 기준을 만족한 청소년과 젊은 성인에서 1-2년 이내 30-35%에서 정신증으로 진단되었다는 연구결과가 있다(Cannon, Cornblatt & McGorry, 2007). 이는 일반인구 대비 정신증 유병률과 비교했을 때 상당히 높은 결과이지만, 정상군의 10%에서도 환각, 망상 등의 약한 정신병양 증상을 경험한다는 결과가 있으며 조현형인격장애에서도 유사한 증상이 동반될 수 있다. 혹은 심각한 질환으로 이행되지 않고 두드러지지 않는 양상으로 머물러 있기도 한다.

현재까지는 전구기 증상을 완벽하게 사라지도록 하는 치료는 없으며 조기에 항정신병 약물치료를 시도하더라도 장기적 효과를 단언하기는 어렵다. 그러나, 앞서 언급한 고위험군을 대상으로 지역사회치료, 사회기술훈련, 정신건강교육과 같은 통합적 치료모델을 적용하였을 때 전형적 정신증으로의 이환률은 15% 감소하였다는 연구보고가 있다(Nordentoft, Rasmussen, Melau, Hjorthøj, & Thorup, 2006).

조현병 청소년의 주관적 경험

정동상태

조현병을 앓고 있는 청소년의 감정상태는 주로 불안과 우울이 뒤섞여 있는 양상을 띤다. 정동상태는 질환의 경과 및 주요 임상양상에 따라 매우 다양하게 드러날 수 있다. 강렬한 불안감과 공포감에 초조함이 겹쳐질 수 있고 이는 환각과 망상 그리고 외부의 힘에 의해 조종당하는 느낌과 연관되기도 한다. 이인증과 비현실감은 일상생활을 크게 방해한다. 우울증은 조현병 진단을 받은 청소년에서 초기에 흔히 병합되는 질환으로 둔마된 정동, 부적절한 정서반응, 일상생활에서 즐거운 기분을 느끼지 못하는 무쾌감증의 양상으로 나타난다. 또한, 항정신병 약물의 효과로 양성증상이 줄어든 후에 병식과 관련된 우울증상이 나타나는 경우가 많다. 이 기간 동안 청소년 조현병 환자의 자해위험과 자살위험은 높아진다. 청소년 환자에서 조현병 증상과 기분증상은 상호영향을 미치며 조현정동장애의 진단에 이르기도 한다. 이 진단을 받은 청소년은 괴이한 망상, 피해망상, 기분가변성이 동반된 기분불일치 환각, 심각한 기능퇴보 등의 증상을 보인다.

인지패턴

미국정신건강보건센터의 자료에 따르면 조기발병 조현병(EOS)을 진단받은 소아청소년에서 모든 감각에 대한 환각증상이 높은 비율로 보고되었다. 입원 치료기간 동안 거의 대부분의 환자들이 심각한 환청을 보고했고 약 80%의 환자에서 환시가 있었다. 소아환자에서는 60%에서 환촉, 30%에서 환취가 관찰되었다. 청소년 환자는 환청을 매우 실감나게 느끼기 때문에 현실의 주변 사람들에 대해 혼란을 겪는다. 비난하거나 위협하고 정체를 알 수 없는 사람의 목소리가 들린다고 보고한다. 성인의 경우, 환각은 망상을 야기할 수 있다. 공감각은 이물질 침범망상을 불러오기도 하며, 환취는 신체부패망상과 연관될 수 있다. 급성기 증상을 겪는 청소년에서 가장 흔히 나타나는 망상의 주제는 성인과 유사하며 주로 피해망상, 조종망상, 관계망상, 신체망상이 관찰된다. 서서히 발병하는 증상을 겪는 청소년에서 망상의 주제는 불명확하고 기분과 불일치되는 내용이며 알아내기가 더 어렵다.

사고과정과 행동양상은 환각과 망상에 의해 손상되어 있다. 정신증을 경험하는 청소년은 자신의 생각을 정리하는 데 어려움을 느끼며 자신의 감각을 믿지 못하고 자신이 지각한 것을 끊임없이 의심한다. 그들의 세계가 순식간에 이해할 수 없는 곳으로 변해버렸다고 느끼게 된다. 환각은 외부자극을 처리하는 데 필요한 주의집중력을 매우 떨어뜨리고 정보를 처리하고 기억하는 것을 방해하며 작업의 우선순위를 정하고 결정을 내리고 앞으로의 일을 계획하는 등 전두엽의 전반적인 기능을 저하시킨다. 일부에서는 강렬한 불안을 경험하고 빠져나올 수 없는 수치감을 느끼거나 '제정신이 아닌(crazy)' 상태로 보여지는 것이 두려워 부모님이나 선생님들에게 이야기 하지 못하는 경우도 있다.

신체상태

조현병을 앓는 청소년은 신체와 관련된 망상(신체를 통제하는 능력을 잃어버리거나 벌레나 기생충이 몸 안에 침입하고-피부기생충 망상, 자신에게서 썩는 냄새가 난다거나 신체 일부가 훼손되었다는 망상)에 대한 내용과 공감각과 연관된 특이한 경험에 대해 다양한 양상으로 이야기 한다.

환자들은 겁을 먹고 반복하여 확인하거나 거울을 뚫어져라 쳐다보는 등과 같은 의식절차적 행동을 하거나 자해행동을 보이기도 한다. 외부자극에 반응하지 못하고 몸이 뻣뻣해지는 긴장증적 현상도 나타날 수 있다. 수면패턴과 식사패턴이 달라지는 모습은 조현병 환자에서 흔히 있는데 이는 약물에 의해 두드러져 보이는 것일 가능성도 있다. 비록 항정신병 약물이 정신병적 증상을 조절하는 데 큰 역할을 하지만 이로 인해 몇 가지 곤란을 겪기도 한다. 환자들은 멍한 느낌이 들고 다른 사람들과 어울리는 것이 힘들다고 호소한다. 체중이 느는 등 이미지가 완전히 달라지는 문제는 약물치료를 유지하는 데 장애물로 작용할 수 있으며 약물을 중단하게 만드는 이유가 되기도 하다(Vandyk & Baker, 2012).

관계패턴

청소년 조현병 환자들의 사회적응력을 탐색한 연구를 보면 이들은 대인관계를 형성하고 사회에 적응하는 데 상당한 어려움을 겪는다(Byrne & Morrison, 2010). 대인관계 어려움은 그들의 보호자에게 심적으로 큰 부담이 될 수 있다(Knock, Kline, Schiffman, Maynard, & Reeves, 2011).

사회적 위축 및 또래 청소년들과 잘 어울리지 못하는 데에는 몇 가지 이유가 있다. 예를 들어, 둔마된 감정표현, 세상과 사람에 대한 관심과 흥미의 결여, 엉뚱한 행동, 의심 많은 행동, 청결하지 않은 모습 등이 여기에 속한다. 게다가 성인에서와 마찬가지로 청소년 조현병 환자들 역시 사회적 관계를 이해하고 적절한 정보를 조합하여 통합적으로 사고하는 정신화 능력이 약화되어 있거나 손상되어 있을 수 있다. 이런 문제는 환자들이 적절한 심리적 경험을 하고 성장/발달하는 과정을 직접적으로 방해하며 다른 사람들이 환자들과 어울리고 소통하는 것을 꺼려하게 만들 수 있다. 또한, 낙인에 대한 두려움(fear of stigma)은 치료에 진입하는 것을 늦어지게 하고 질환을 숨기게끔 한다(Byrne & Morrison, 2010). 정신증을 앓고 있는 환자에 대한 사회적 이해를 개선하고 그들 자신이 겪는 특이한 경험을 표현하고 드러내는 것이 이상하게 여겨지지 않도록 질환의 특성에 대한 이해와 사회적 인식을 변화시키는 노력이 환자들의 정서적 안녕과 회복에 매우 중요하다.

SA2 기분장애

이 섹션에서는 청소년에게 가장 흔한 기분장애를 중심으로 DSM-5에서 제시한 내용뿐 아니라 앞으로의 연구에 기여할 수 있는 내용(자살성과 비자살 자해)을 포함하여 기술하였다. 자살성(suicidality)과 비자살 자해(nonsuicidal self-injury)는 거의 대부분의 진료현장에서 볼 수 있으며 이는 흔히 기분장애와 관련된다. 청소년 환자의 자살성과 비자살적 자해행동을 알게 되었을 때 빠뜨리는 항목 없이 충분히 평가하는 것이 중요하며 반드시 우울증에 대한 평가적 접근도 이루어져야 한다.

SA22 우울장애

청소년 환자의 우울장애를 진단하고 치료하는 것은 상당히 어려운 일이다. 청소년들은 슬픔을 동반한 깊은 우울감에 쉽게 빠진다. 이러한 내면의 고통을 가장 먼저 알아차리는 사람은 가족 또는 학교에서 가깝게 지내는 사람이다. DSM-5의 소아청소년질환 담당그룹이 가장 고민했던 부분은 DSM-IV 증후군(Pine, 2009)의 발달학적 측면을 반영하는 증상을 선별하는 것이었다. 소아청소년의 주요우울장애를 특징적으로 설명할 수 있는 증상으로 연령에 부합하는 충분한 체중증가의 실패와 이자극성이 해당되었으며 일반적인 주요우울장애에 대한 기술은 성인의 특징을 설명하는 데 더 적합했다.

우울증의 현상학적 측면 중 전생애에 걸쳐 공통적으로 드러나는 부분이 있다면 청소년 우울증 환자의 특이적 양상을 알아보기 위한 연구를 통해 찾아낼 수 있을 것이다. 이 연구주제는 대인관계 정신병리학적 연구(Lachal et al., 2012)와 우울증의 각기 다른 경험에 대한 연구(Blatt & Homann, 1992; Blatt & Zuroff, 1992)에서 강조된 바 있다.

우울증 청소년의 주관적 경험

청소년에서 우울증은 진단이 어렵고 치료 또한 쉽지 않다. 그 이유는 이 연령대에서 호소하는 증상이 우울증에서 기인한 것인지 단정할 수 없고 정상발달과정 중에도 이와 유사한 모습이 나타날 수 있기 때문이다.

정신분석의 고전적 가설에서는 성인 우울증을 상실 및 양가감정이 있던 애착대상(상실한 대상)에 대한 공격성/상처입힌 것에 대한 죄책감과 관련지어 '죄책우울증(guilty depression)'이라는 용어를 사용하여 설명하였다. 점차 자기의 발달에 관심을 가지면서 정신분석가들 사이에 '자기애적 취약성'과 '자기애적 우울증'에 대한 논의가 활발해졌다. Blatt (1998)의 연구결과에 따르면 위의 두 가지 우울증은 서로 다른 형태의 우울증 아형이라는 가설이 힘을 얻고 있는데 이들 우울증은 호소하는 증상, 취약성 측면, 잠재적인 치료반응에서 차이가 있었다. 타인과 관계단절 문제로 대표되는 첫 번째 아형은 상실감, 버림받은 듯한 기분, 외로움의 주제가 두드러지며 두 번째 아형에는 정체성 문제가 그 중심에 자리한다. 정체성 문제는 낮은 자존감, 실패감, 좌절감, 자신감 고갈, 자책감과 관련된다. Blatt와 Zuroff (1992)는 이 두 종류의 우울 경험은 발달선상에서 뚜렷하게 다른 노선에서 기인한 성격적 구성을 갖지만 발달과정 중에 상호작용이 있었을 것으로 추정하였다. 성격의 발달선상에서 의존적 축(anaclitic or dependent)은 대인관계에서 오는 만족감을 매우 중요하게 여기고, 내재적 축(introjective or self-critical)은 통합적 자아와 정체성, 긍정적인 성취를 중요한 가치로 생각한다.

Blatt과 동료(Blatt & Homann, 1992)는 우울증이 임상적 질환 그 이상의 의미를 가질 수 있다고 부연했다. 그들은 우울증이 정상범위에서 병적 상태까지 넓은 범위의 정동상태를 가지며 약하거나 일시적인 혹은 삶의 불운한 상황에 대한 일반적 불쾌감에서부터 심각하고 지속되며 생활을 망가뜨리거나 부적절하게 강렬한 반응까지 다양하게 나타난다는 새로운 관점을 제시하였다. 청소년 환자를 치료하는 임상의사는 이런 측면을 기억하고 청소년 우울의 정신역동을 이해하기 위해 노력해야 하며 특히, 발달학적인 위기와 갈등에서 유발된 분노를 다루는 주제에 대해 통합적으로 접근해야 한다고 강조하였다(Midgley, Cregeen, Hughes, & Rustin, 2013). 청소년 우울증의 의존적 아형에서는 의존과 관련된 대인관계문제에 집중할 필요가 있으며 환자의 자율성과 정체성의 통합정도를 확인해야 한다. 이 기간의 자기애적 취약성은 사소한 일에 크게 상심하거나 비탄에 빠질 정도로 매우 약한 상태이다.

분노를 삭히는 것은 청소년 우울증의 내재적 아형에서 중요한 주제로 이 아형의 특징적 임상양상은 잦은 분노폭발이다. 인정받지 못할 것 같다는 불안감, 중요한 대상에게 받아들여지지 않을지도 모른다는 두려움이 너무나 강렬하여 쉽게 분노감에 휩싸이게 된다. 우울감에 맞서기 위한 충동적 행동과 내면적 갈등은 주의력결핍 과다활동장애(ADHD), 적대적 반항장애(ODD), 인격장애, 기타 충동조절장애와 같은 다른 정신과적 질환으로 오진될 소지가 있다(Blatt & Zuroff, 1992).

정동상태

청소년 우울증의 핵심증상은 지속적이고 압도되는 슬픔/비애, 절망감, 나락으로 떨어지는 듯한 혼란스런 기분이다(Dundon, 2006; see also Midgley et al., 2015). 의존적 아형에서는 수치심, 모욕감, 낮은 자존감, 만성화된 불안전감, 버림받을 것에 대한 두려움, 보호받지 못하고 내팽개쳐질 것이라는 불안감이 특징적이다. 내재적 아형에서는 실패감, 죄책감이 더 우세하다. 우울한 청소년들은 완벽을 기하려고 노력하며 자신들의 괴로움을 설명하기 위해 외부사건을 만들기도 한다. 이런 구분은 청소년의 내적 경험을 더 잘 이해하기 위한 시도를 반영한 것이며 인지적 왜곡과 일상생활의 평범한 대처에 어려움을 겪는 문제에 대해 전문적인 시각으로 접근할 수 있도록 한다. 훨씬 심한 우울증을 앓는 환자들은 정서적 공허함을 더 자주 표현한다(Lachal et al., 2012).

인지패턴

우울증을 진단받은 청소년은 주의집중력이 떨어져 있고 인지기능의 속도가 느려져 있기 때문에 대부분 성적저하를 경험하게 된다. 스스로를 끊임없이 의심하고 비판하는 인지패턴은 삶에 대한 의욕을 잃게 하며 때로 자살을 결심하게 만들기도 한다.

신체상태

많은 연구에서 체중감소를 의미있는 우울증상의 하나로 거듭 보고하고 있다. 성적으로 성숙되는 시기를 거치며 신체적 변화가 일어나는 점을 감안할 때 외모 및 위생관리가 안되고 잦은 피로감을 호소하는 것은 청소년 우울증의 대표적인 신체증상에 해당된다. 또한, 수면습관의 변화가 흔히 동반되는데 수면과다보다 불면증이 더 많다.

관계패턴

우울한 청소년은 나락으로 떨어지는 듯한 혼란스런 느낌으로부터 벗어날 수 없는 기분으로 괴로워하며 이로 인해 일상적인 학교 생활이 어렵고 친구들과도 멀어지게 된다. 부모, 친구, 선생님을 향한 강렬한 분노감이 지속되며 충동적인 행동을 저지르기도 한다. 여러 연구에서 청소년 환자들의 학업 외 활동에 대한 참여 저조, 동기상실, 심한 스트레스가 있을 경우에 더 많은 관심을 가질 필요가 있음을 강조하였다. 임상의사의 다양한 임상적 경험과 역전이에 대한 섬세한 인식은 정확한 진단과 치료적인 변화를 위해 매우 중요하다. 억누를 수 없는 슬픔/비애와 무거운 침묵은 더 심각한 상태를 시사하며 이는 그들 내면의 고통을 말보다 더 잘 드러내는 증상일 수 있다.

임상사례

15세 소녀가 부모님과 함께 정신건강의학과로 내원하였다. 그녀는 수업 중에 분노폭발을 하거나 갑작스럽게 눈물을 흘리는 등의 문제가 지속되자 학교선생님이 정신과적인 진료를 권유하였다. 이 행동문제는 처음에 집에서 시작되었다. 그녀는 잠을 잘 못 자는 것뿐이라고 했지만 최근 들어 혼자서 지내려는 경향이 많고 의심이 많아졌다고 했다. 그리고, 연말에 있을 합창발표회를 위해 성실하게 참여했던 성악수업을 빠지고 있다고 하였다. 자신을 도와줄 수 있는 사람은 아무도 없기 때문에 담당의사에게 쓸데없이 시간 낭비하지 말라고 했다. 담당의사는 그녀의 의기소침한 태도를 알아차렸고 부모님에게서 느끼는 스트레스가 많을 것 같다는 인상을 받았다. 그는 내재적 우울증(introjective depression)으로 진단하고 정신치료를 권하였다.

SA24 양극성장애

양극성장애는 성인편 3장 S축(pp. 163~165)과 6장 SC축(pp. 326~329)에 대한 설명에서 상세하게 기술하였다.

양극성장애는 기분장애그룹에 속하며 기분, 에너지, 기능의 측면에서 보통(사람들)의 정도를 벗어나는 특이적 전환을 특징적으로 보인다. 양극성장애의 가장 흔한 형태는 조증삽화와 우울증상/삽화를 반복적으로 경험하는 '조울병'이다.

소아청소년에서 양극성장애를 진단하는 문제는 논란이 많은 주제이다. 미국에서 양극성장애로 진단받은 소아청소년 환자는 1994년 0.42%에서 2003년 6.7%로 급격히 늘어나는 추세이며 덩달아 항정신병 약물의 처방도 증가하였다. 이에 대해 몇몇 연구에서는 '진단기준'의 변화 같은 방법론적 규정의 영향을 받은 문제라고 언급하기도 했다. Carlson과 Klein (2014)은 동의를 이끌어내기 가장 어려운 부분이 청소년 환자의 '조증'에 대한 진단범위를 더 좁은 범위로 특정할 필요가 있는 것인지 아니면 진단범위를 더 넓혀야 할 것인지에 대한 문제라고 언급하였다. 삽화 이전의 안정적인 기능을 유지하던 상태에서 벗어난 뚜렷한 기분증상이 드러난 시점을 반영한 삽화 및 성인진단기준에 부합하는 조증증상삽화를 진단에 반영하는 협의적 진단관점과 유아기부터 지속된 만성적 감정조절문제, 주의력결핍과다행동장애(ADHD), 적대적 반항장애(ODD), 다른 병합질환의 증상까지 포함하는 확장적 진단관점 사이의 그 진단적 범위를 어느 지점에서 적용할지에 대한 문제는 논의가 더 필요한 부분이다. 후자와 같은 확장적 특징을 가진 환자군(broader phenotype)에서는 분노폭발이 더 강렬하고 뚜렷하며 더 심한 이자극성을 보였다.

DSM-5에서는 소아청소년 양극성장애의 진단에 대해 성인과 유사한 협의적 관점(narrow phenotype)을 반영하여 진단범위를 설정하였다. 이러한 판단은 비삽화적으로 만성화된 이자극성(nonepisodic chronic irritability)이 단극성 우울증과 불안장애를 예견한다는 추적조사 연구결과를 근거로 이루어졌다. 그리고, DSM-5에서 확장적 특징을 가진 환자군(broader phenotype)의 진단적 정확싱을 위하여 '파괴적 기분조절장애(disruptive mood dysregulation disorder, DMDD)'의 새로운 진단적 범주를 제시하였다.

그러나, 여러 중요한 측면에서 소아청소년 양극성장애 증상과 성인에서의 증상을 비교하였을 때 분명한 차이가 있었다. 성인기에 나타나는 고양된 기분이나 도취감과 달리 청소년에서 드러나는 '조증'은 이자극성, 파괴적인 분노폭발, 타인에 대한 부정적 반응과 극단적 과민함, 매우 공격적인 행동문제, 그리고 이로 인해 대인관계가 심각한 곤란에 처하는 것이 특징적이다. 이러한 증상적 특징은 소아청소년의 진단에 있어 양극성장애와 경계성 인격장애를 감별하는데 어려움으로 작용한다. 게다가 청소년 환자들은 우울상태와 조증상태가 더 급격하고 더 연속적으로 순환하는 증상과 혼합된 증상을 더 많이 보고한다. 이에 비해 성인의 증상은 수

주에서 수개월간 지속되는 우울삽화와 조증삽화의 경계가 분명한 편이다. 조증삽화에 동반되는 망상은 조현형장애로 오진될 수 있으며 이는 성인에서보다 청소년에서 더 흔하다.

양극성장애로 진단된 청소년 환자들은 우울증, ADHD, 파괴적 행동문제, 물질사용장애와 같은 공존질환의 병합 위험이 더 높고 이는 감별진단을 어렵게 만든다. 삽화의 명확한 정의를 기억하고 양극성장애의 장기적 경과를 살펴보는 것이 다른 진단과 감별하는 중요한 포인트이다.

DSM-5에서는 청소년 양극성장애의 몇 가지 유형을 열거하였다. 제I 형 양극성장애, 제II 형 양극성장애, 순환성장애의 진단을 적용할 수 있다고 제안하였다. 그럼에도 앞서 언급한 진단기준을 충족시키지 않지만 임상적으로 심각한 기능손상과 일상생활의 어려움 등 양극성장애와 유사한 현상을 겪는 많은 청소년이 있으며 이들은 DSM-5의 달리 명시된 양극성 및 관련장애 혹은 명시되지 않은 양극성 및 관련 장애 로 진단될 수 있다.

양극성장애 청소년의 주관적 경험

정동상태 및 인지패턴

양극성장애 청소년의 감정상태는 또래에 비해 강렬하며 더 드라마틱하다. 기분, 에너지, 활동, 수면, 행동의 변화가 극단을 오가거나 예측하기 어렵고 통제 불가능한 양상을 띠며 대부분은 이 모두가 뒤섞인 상태로 드러난다. 조증삽화 동안 강한 에너지에 휩싸이는 느낌을 받으며 주체하기 힘든 즐거운 기분과 수면욕구의 감소를 경험한다. 이때, 환자들은 비현실적인 자신감, 천하무적이 된 듯한 과대환상, 세상 유일한 존재가 된 것 같은 특별함을 느끼기도 한다. 또한, 판단력 손상 및 행동억제가 안되고 알코올 및 약물남용, 난폭운전, 무차별적인 성관계 같은 위험을 수반하는 행동으로 쉽게 이어진다. 양극성장애를 진단받은 청소년은 내적 긴장, 과민함, 분노폭발을 일으킬 수 있는 심각한 강도의 예민함을 내재하고 있다. 사고는 비논리적이고 혼란스러운 상태이며 한 가지 주제에 집중하는 일이 불가능한 것처럼 보인다. 전반적인 내적 경험은 온전함과 불완전함 사이를 오락가락하는 통제에서 벗어나 버린 불안정한 자기 상태로 드러난다.

신체상태

생물학적 리듬은 질환의 경과 중 모든 단계에서 매우 흐트러져 있다. 양극성장애를 겪는 청소년의 신체상태는 에너지가 높아져 있고 한 순간도 가만히 있지 못하며 수면욕구도 없다. 이자극성 및 불안과 관련될 때 과다각성을 경험하기도 한다.

관계패턴

대인관계패턴은 예측할 수 없고 돌발적이며 혼란스러운 특징을 보인다. 특히, 심리사회적 측면, 기능적 측면에서 매우 큰 어려움을 겪는다. 가족관계는 망가져 있고 치료적 관계 역시 기분변화로 인해 불안정해질 수 있다. 자살, 물질남용, 위험한 성적 행동, 경계성 인격장애와 같은 불리한 상황에 빠질 위험이 크다.

SA26 파괴적 기분조절장애(Disruptive Mood Dysregulation Disorder, DMDD)

파괴적 기분조절장애(disruptive mood dysregulation disorder, DMDD)의 핵심증상은 만성적이고 심각하며 지속적인 이자극성이다. DMDD의 이자극성은 2가지의 특징적 임상양상을 보이는데 (1) 상황에 적절하지 않고 발달단계에 맞지 않는 극심하고 반복적인 감정표출(temper outbursts)과 (2) 이 분노표출 사이에 존재하는 만성적이고 지속적인 짜증스러운 기분/화가 난 기분(irritable or angry mood)이다. DMDD를 진단할 때는 헷갈릴 수 있는 많은 다른 진단 특히, 소아양극성장애와 같은 질환에 대해 주의 깊은 평가가 필요하다. 이 진단적 범주는 만성적으로 지속되는 이자극성을 특징으로 하는 양극성장애 소아청소년 환자의 적절한 진단적 분류를 고민하는 과정에서 등장하였으며 DSM-5에서 정식 병명이 되었다.

DMDD의 몇 가지 증상은 우울장애, 양극성장애, 적대적 반항장애(ODD)등의 다른 소아정신과적 질환에서도 나타날 수 있다. DSM-5에서 이들 증상과 DMDD를 구분하기 위해 일차적으로 비삽화성의 짜증스러운 기분(irritable nonepisodic mood)과 매우 자주 반복되며 오래 지속되는 극심한 분노표출을 DMDD 이자극성의 핵심적 특징으로 보았다. 이 진단기준을 충족시키는 많은 수의 청소년 환자에서 주의력결핍 과잉행동장애(ADHD)와 불안장애의 진단기준 역시 만족시키는 것으로 나타났으며 이 경우 과각성 관련 증상을 더 많이 가지고 있었다.

파괴적 기분조절장애 청소년의 주관적 경험

정동상태

DMDD를 겪고 있는 청소년의 주요 감정은 분노감이 동반된 만성적 이자극성(chronic irritability with angry mood)으로 이는 반복되는 분노폭발로 표현된다. 이와 같은 감정조절의 어려움은 위험을 무릅쓰는 행동문제, 자살시도, 심각한 공격성과 연관되어 입원치료로 이어질 수 있다.

인지패턴

반복되는 분노표출로 인한 조절불능의 내적 상태를 경험한다. 통제불능의 주관적인 느낌은 부정적 자기자각과 불안정한 자기감에서 기인하는 것으로 생각되며 행동에 대한 적절한 판단을 저해하며 여러 상황에서 상당한 곤란을 야기할 수 있다.

신체상태

과각성은 DMS-5의 DMDD진단기준에 포함된 항목은 아니지만 청소년 환자들은 주의산만, 주제넘게 참견하는 일, 불면과 같은 과각성과 관련된 증상을 흔히 이야기 한다.

관계패턴

DMDD의 핵심증상인 만성적이고 심각한 이자극성은 학교활동뿐 아니라 가족관계, 또래관계에 있어 심각한 곤란을 야기한다. 일반적으로 학업성취도가 낮고 보통의 또래 아이들과 자연스럽게 어울리지 못하는 등 집단활동에 참여하는 것이 상당히 어렵다. 가족들은 환자의 이자극성과 극도의 분노표출로 인해 함께 생활하는 데 지쳐 있다. 이는 환자들의 좌절에 대한 역치가 매우 낮은 상태로 설정되어 있기 때문으로 생각되며 양극성장애 소아환자들과 DMDD 환자들의 기능손상 정도는 유사하다.

SA27 자살성(Suicidality)

자살행동을 특정하는 핵심개념은 최소한 일지라도 죽으려는 의도가 있는지를 시사하는 '자살의도성'이다. 이 행동의 결과는 (허술한 계획, 치명적인 방법을 모르는 것과 같은 지식부족, 자살의지부족, 행동으로 옮기기 전 마음을 바꾸는 양가적 감정, 자살시도 중에 타인이 개입할 여지를 남기는 상황과 같은) 자살시도의 결과에 영향을 미칠 수 있는 요인에 따라 부상 혹은 의학적인 후유증을 남길 수 있다. 게다가 자살시도자의 주관적 자살의도가 얼마나 강한지 그 정도를 실제로 평가하는 것은 쉽지 않다.

자살행동장애 위험표지자에는 자살을 계획함에 있어 낮은 구출 가능성, 타인의 개입 가능성이 적은 시간 및 장소의 선택, 자살시도 당시의 정신상태가 포함된다. 자살행동은 다양한 정신과적 증상 안에 잠재되어 있으며 가장 흔하게는 양극성장애, 우울장애, 조현병, 조현정동장애, 불안장애(특히, 파국화 반응과 연관된 공황장애), 외상후 스트레스장애(PTSD), 물질사용장애(특히, 알코올 사용장애), 경계성 성격장애, 반사회적 성격장애, 섭식장애, 적응장애 등에서 주로 나타난다.

자살행동은 DSM-5에서 제시한 비자살 자해(NSSI, nonsuicidal self-injury)의 진단기준을 충족시키지 않아야 한다. 즉, 불쾌한 기분을 해소하기 위해, 부정적 인지상태에서 벗어나기 위해, 기분 좋은 상태로 전환하기 위해서 약하게 깊지 않은 정도로 신체표면에 해를 가하는('자살의도가 없는') 신체적 상해에 해당되지 않아야 한다. 비자살 자해의 특정형으로 현재형(current)은 가장 최근의 시도가 12개월을 넘지 않은 경우에 적용되고, 조기관해형(early remission)은 가장 최근의 시도가 12-24개월 된 경우에 붙일 수 있다.

자살성을 보이는 청소년의 주관적 경험

청소년 자살은 서구사회 공공의료의 주요 관심사이다. 통계적으로 29세 이하 인구의 사망원인 중 자살이 두 번째를 차지한다. 자살시도는 전세계적으로 일어나는 현상이며 통계적으로 보고된 자살률은 8-10%에 이른다. 자살시도율은 15-24세 연령군에서 가장 높고 자살시도자 중 자살로 사망한 비율은 50:1-100:1로 추정된다. 이런 이유로 자살을 예방하는 문제에 전세계가 많은 관심을 가지고 있다. 심리적, 정신과적, 사회적 관점을 반영한 연구에서 '자살시도 과거력(prior attempt)'이 가장 큰 영향을 미치는 위험요인에 해당되었다.

정신과적 질환을 가진 청소년과 젊은 성인에서 자살시도는 빈번하다. 그럼에도 이들이 가진 정신병리를 식별하는 것은 간단치 않으며 때로 국가적, 문화적 영향(인도, 중국 등)에 따라 더 어려울 때도 있다. 거의 모든 자살시도자들의 공통적인 부분은 삶의 전부가 엉망진창이 된 것 같은 기분과 이와 연관된 극도의 정신적 고통이 있었다는 것이다. 그러므로 자살행동과 관련된 감정상태를 자살시도 전과 후로 구분하여 조사함으로써 효과적인 예방전략과 치료적 접근계획을 개발하는 데 참고할 수 있을 것으로 생각된다.

현상학적 분석에서는 청소년과 젊은 성인의 자살행동 특징을 찾기 위해 개인적 경험(individual experience), 연관된 경험(relational experience), 사회문화적 경험(sociocultural experience)의 주요한 3가지 차원의 주제로 구체화하여 연구하였다.

정동상태 및 인지패턴

자살을 생각하는 청소년이 흔히 말하는 정동상태는 주로 슬픔, 자신에 대한 부정적 감정, 그들의 삶을 통제하고 도와줄 수 있는 주변의 관심을 원한다는 것이다(Lachal et al., 2015). 이들은 슬픔, 비탄, 정신적 고통, 절망, 분노, 예민하고 불안정한 기분, 동떨어진 느낌에 대해 많이 이야기한다. 실패한 경험에 집착하여 자존감이 저하된 상태로 스스로를 쓸모없는 존재로 여긴다. 불완전함 투성이의 무가치한 존재라고 믿으며 심할 때는 스스로를 증오한다고 말하기도 한다. 그들에게는 스스로 이 문제를 다루고 해결하는 것이 불가능하게 느껴진다. 스스로의 삶에 대한 통제력을 상실하여 더 이상 적절한 결정과 판단을 할 수 없는 것 같다는 인상을 풍긴다. 대부분 삶의 의미를 잃어버린 상태로 고통스러운 현재에 갇혀 있는 내적 경험을 하며 스스로를 이해할 만한 여력이 고갈된 듯 보인다. 자살행위는 통제력을 상실한 압도되는 삶으로부터 도망치기 위한 노력의 일환이라는 점에서 능동적 감정(positive emotion)과 연관된다. 자살시도는 그 자체로 그들이 잃어버린 '살아있다'는 감각과 신체에 대한 '통제력'을 복구시키는 의미를 가질지도 모른다. 이와 같은 측면에서 봤을 때 흔히 자살시도와 연관된 자해 '행동' 자체는 어떤 면에서는 통제력을 다시 되돌려 놓는 의미가 있다고 바꾸어 말할 수 있을 것이다. 그러나, 또 다른 측면에서 자살실패는 자신의 능력부족을 다시금 확인하는 것으로써 자신에 대한 또 하나의 실패가 되며 부정적 감정을 더 강화시키는 방향으로 작용할 수 있다.

신체상태

신체적으로 불안도가 높은 상태를 경험하며 이러한 불안은 자살행위의 위험요인으로 작용할 수 있다. 고위험 청소년의 경우, 주의 깊은 관찰이 필요하다.

관계패턴

청소년들은 의사소통의 어려움을 흔히 겪는다. 가족관계에서 평행선을 그리는 듯한 기분을 느끼고 개인적으로는 부정적 감정에 압도되어 있다. 가족역동은 신뢰가 결여되어 있고 경직되어 보인다. 환자들은 사람들과 어울리는 것이 어렵고 혼자 동떨어져 보호받지 못하는 듯한 기분을 느끼는데 이러한 감정상태는 자살사고를 불러일으킬 수 있다. 갈등, 분리, 상실, 부재는 자살사고를 실행으로 옮기게 하는 기여요인으로 작용한다. 친구, 연인과의 관계에서는 의존적 특성이 강하게 드러나며 가족들에게서 느끼는 정서적 결핍을 친구나 애인을 통해 보상받고 싶어하기 때문에 이들에게 조차 이해받지 못했다고 느끼게 될 때 더 큰 외로움과 고독감을 경험한다. 자신들의 이야기에 그 누구도 관심 없고 아무도 들어주지 않는 것 같은 기분을 경험하는 것은 자살과정(suicidal process)에서 핵심적인 역할을 한다.

침습적으로 괴롭히는 또 다른 감정은 '다르다'는 인식과 '거절당했다'는 기분이다. 자살성향의 청소년은 자신이 속한 현실(학교, 성별, 종교, 출신 등)에서 고립되어 있고 거부되며 경계에서 이탈하기 직전의 아슬아슬한 상태라고 느낀다. 또, 타인의 평가에 대해 엄청난 두려움을 느끼고 이를 매우 민감하게 받아들이는 경향이 있으며 이 때문에 스스로를 더 고통스러운 고립감 속으로 밀어 넣는다.

자살시도 청소년에서 의사소통문제는 항상 존재한다. 자살행위는 일차적으로 자신뿐만 아니라 주변의 중요한 사람들과의 대인관계적 행위이기 때문에 '자살'을 소통할 수 있는 다른 모든 수단이 차단되었다고 느끼는 순간에 선택할 수 있는 유일한 방법으로 보기도 한다. 때로, 자살시도는 타인에게 자신의 고통스러움을 표현하고 전달하는 의미와 친구나 가족과 같은 중요한 대상에게 '복수'하는 의미를 내포한다. 자살위기를 적절하게 해소하기 위한 신속하고 신중한 접근은 중요하다. 자살위기에서 성공적으로 빠져 나온 청소년들은 다른 사람들과 대화하기 위한 첫 한마디에서 모든 변화의 과정이 시작되었으며 이는 고착된 가족관계의 어려움에서 벗어날 수 있게 하는 발판이 되었다고 하였다. 가족과 화해하고 다시 연결되어 관계가 개선되고 의사소통이 원활해지는 것은 위기에서 회복하기 위한 필요조건이자 동시에 나아지고 있다는 증거이기도 하다. 즉, 위기에서 벗어나기 위해서는 이들 스스로에 대한 감정을 표현하고 그 이해를 함께 나눌 수 있도록 공감하고 지지해 주는 심리치료전문가들을 포함한 주변 사람들을 필요로 한다.

자살을 생각하는 십대를 이해하기 위해서 공감적인 관계를 잘 유지하는 것이 관건이다. 반복적 자살시도 같은 중대한 위험에 처한 청소년과 대화를 해보았을 때 자살시도 전과 별반 차이 없이 여전히 답답하다고 표현한다. 이는 자살시도에 이르게 한 문제는 여전히 존재하며 오히려 그와 연관된 불편한 감정만 더 강화되기 때문이다. 관계의 측면에서 자살시도는 삶에서 중요한 대상에 대한 복수심과 이들로 하여금 죄책감을 느끼게 하려는 의도를 동시에 포함하는 공격적인 감정의 표출이며 적어도 자신들의 고통을 알아달라는 호소로 간주할 수 있다 (Orri et al., 2014).

SA28 비자살 자해(Nonsuicidal Self-Injury, NSSI)

비자살 자해(NSSI)는 자신의 신체표면에 통증을 유발하지만 깊지 않은/얕은 정도의 상처를 반복적으로 내는 행위를 뜻한다. 이 행동은 자살행동과는 구분되며 어떤 경우, 공존하기도 한다. 대부분의 경우, 자해의 목적은 긴장, 불안, 자책, 대인관계에서 오는 불편감과 같은 부정적인 감정을 해소하기 위함이지만 때로 자기처벌의 목적을 가지기도 한다. 자해를 경험한 청소년들은 즉각적으로 나쁜 감정이 사라지고 안정되는 느낌을 받는다고 이야기 한다. 자해는 때로 갈망 및 다급함과 관련되며 중독의 결과로 생긴 행동패턴과 비슷해 보일 수 있다.

최근 연구에서 비자살 자해(NSSI)는 일차적으로 발달과정의 장애, 섭식장애, 경계성 인격장애와 관련 있었다. 그러나, 자해하는 청소년과 젊은 성인들 중 우울증, 불안, 섭식, 물질사용 혹은 다른 주요 정신질환의 진단이 없는 경우도 상당히 많다. 사실, 비자살 자해(NSSI)는 비교적 흔하게 일어나며 비특이적 증상으로 다양한 질환군에서 관찰되고 특정 진단이 없는 청소년들에서도 나타난다. 이런 행동적 증상을 특정 진단의 구분에 활용하기 보다 기능적 측면을 반영하는 의미로 이해하는 편이 더 유용하다. 최근 한 연구에 따르면 미국의 청소년 중 약 30%에서 비자살 자해를 행한 적이 있다고 보고되었으며 특히, 13-14세에 전형적으로 발생하며 여자 청소년들이 더 많았다.

비자살 자해 청소년의 주관적 경험

정동상태

자해행동은 대인관계기능, 자기내적기능 모두에 영향을 받는다. 자해행동의 주요 작용은 감정을 조절하고 괴로운 생각에서 벗어나기 위한 것으로 생각된다. Zetterqvist, Lundh, Dahlstrom, & Svedin (2013) 등이 연구한 자료는 NSSI의 진단적 측면을 잘 반영한다. 자해하는 청소년이 느끼는 비자살 자해(NSSI)의 가장 큰 효과는 일시적으로 강력하게 압도하는 부정적인 감정(예: 불안, 우울, 분노, 좌절, 모욕감, 죄책감, 무감각)에서 벗어나게 해 준다는 것이다.

강렬한 부정적 감정은 자해행동보다 먼저 일어나며 이를 완화시키고 없애기 위해서 혹은 안도하는 기분을 느끼기 위해 자해를 한다. 자해행동은 자기 통제감을 획득하는 기분이 들게 하고 자살사고와 괴로운 생각을 전환시키며 흐트러진 느낌에서 벗어나게 하는 작용도 있는 듯하다. 어떤 연구에서는 자신에게 향하는 분노(self-directed anger)를 해소하거나 자기처벌의 수단으로써의 기능에 대해 보고하였다. 비자살 자해(NSSI)는 여러 다른 기능적 측면 예를 들어, 다른 사람에게 영향을 미치고 싶은 욕구, 관심을 받거나 괴로운 심정을 신체적 징후로 표출하기 위한 것과 같은 상태를 반영하기도 하지만 이 경우는 자해를 하는 청소년들에서 상대적으로 비중이 낮은 편이다.

인지패턴

자해행동을 하기 직전에 청소년들은 부정적 감정과 생각으로 인해 괴로운 경험을 한다. 이들은 매우 자기 비판적이다. 자해를 하기 전, 이들은 통제할 수 없는 자해에 대한 생각에 강박적으로 사로잡혀 있으며 충동성이 줄어들 때조차 자해에 대한 생각은 강해진다. 자살사고는 자해를 하는 일부 청소년들에서 동반된다. 몇몇 청소년들은 자해행동을 통해 자살시도충동을 억제하고 자살사고를 멈추게 된다고 말하기도 한다. 앞서 설명한 것처럼 일반적으로 '자해'는 자살의도를 포함하지 않으며 자살을 목적하는 의도가 담겨 있는지의 여부가 자살행동과 비자살 행동을 판가름하는 기준이 된다. 비자살 자해(NSSI)는 '병적인 형태의 자구책'으로 개념화 할 수 있다.

신체상태

자해를 행하는 청소년은 대체로 감정 반응성, 감정의 강도, 신체적 각성도가 높고 특히, 스트레스 상황에서 더 심해지며 불안장애에 준하는 신체증상을 경험한다. 청소년들에게 자해행동은 신체적, 감정적 과각성을 해소하기 위한 방편이자 감정적으로 무뎌진 상태(psychic numbing)로 전환시켜 긴장상태에서 벗어나게 하는 작용을 하는 것으로 생각된다.

관계패턴

자해는 청소년의 대인관계능력에 큰 영향을 미친다. 비록 자해를 하는 청소년 대부분이 이를 숨기지만 이 행동을 통해서 다른 이들로부터 받게 되는 관심이 '긍정 강화'로 작용하는 측면이 있다. 자해는 십대들이 견디기 힘든 상황을 회피할 수 있게 한다. 또, 자해를 하겠다고 위협하는 것은 다른 사람들이 자신에게 숙제를 하라거나 의무를 다 하라거나 혹은 집안일을 돕도록 요구하기 어렵게 만들며 대인관계 압박에서 벗어나게 하는 방편으로 이용할 수 있다.

이러한 관계형성패턴은 치료적 관계가 견고해 지는 것을 방해한다. 임상의사는 자해 청소년 환자의 치료과정 중에 부정적 반응(negative reactions)을 흔히 경험하게 된다. 예를 들어, 단지 관심을 받기 위해서 치료에 온다거나 교묘하게 조종하려 들고 혹은 게임을 하는 것처럼 대한다는 느낌을 받을 수 있다. 이 경우, 충동적 자해행동이 악의적인 의도에서 기인했다기보다 청소년에게 견뎌내기 힘든 감정적 고통이 있었다는 것을 상기시켜 보는 것은 도움이 된다. 임상의사는 비자살 자해(NSSI)를 이해하기 위해 환자의 대인관계기능과 자기내적기능을 동시에 고려해야 한다. 환자와 신뢰관계를 형성하기 위해 존중이 담긴 진심어린 태도를 일관되게 유지하여 협업할 수 있는 바탕을 구축해야 한다. 평가는 자해의 경력에 초점을 맞추어서 진행되어야 하며 현재의 임상양상을 포함한 환자의 현재기능을 특히 중점적으로 파악할 필요가 있다.

자해행동을 줄이기 위한 몇 가지 전략을 제안한다; 마음챙김명상, 손목에 얼음대기, 심호흡 운동, 현재의 기분에 대해 친구와 이야기하기. 청소년의 감정상태에 대한 언어적 표현을 향상시키고 의사소통 기술을 키움으로써 자해행동을 줄일 수 있다. 대체로 자해행동 경험이 있는 청소년은 문제해결능력이 부족하므로 이를 향상시키는 것도 좋은 대안이 될 수 있다. 가족과 같은 지지체계를 치료에 참여하도록 독려하는 것도 한 가지 방법이다. 자해행동을 하는 청소년의 가족이 환자의 성격적 특성을 이해하고 그 행동의 의미에 대해 같이 이야기해봄으로써 갈등 자체를 줄이는 작업은 환자와 가족에게 직접적인 도움이 된다.

SA3 불안 관련 장애

높은 불안을 특징으로 하는 질환에 대해 성인편 3장의 S축(pp. 169~185)과 청소년편 6장의 SC축(pp. 336~343)에서 자세하게 설명하였다. DSM-5에는 특정공포증, 사회불안장애(사회공포증), 공황장애, 광장공포증, 범불안장애(GAD), 강박장애(OCD), 신체변형장애(BDD)와 같은 불안장애를 강박 및 관련장애(obsessive–compulsive and related disorders)의 범주로 분류하여 그 특징을 기술하고 있다.

불안 관련 질환을 평가하는 데 어려운 점은 위에서 제시한 질환의 특징이 성인에 비해 덜 분명하고 증상의 패턴이 자주 겹쳐져 보일 수 있다는 것이다. 또한, 이들 질환과의 발병시점에 있어서 전반적으로 불안장애는 남자 청소년보다 여자 청소년에서 더 흔하며 유병률의 성별 차이는 성장함에 따라 2-3:1까지 벌어진다.

SA31 불안장애

청소년에서 나타나는 불안의 임상적 양상은 두려움에 압도되는 느낌, 신체증상을 동반한 공황상태, 등교거부, 급성 불안 등이 있다. 하지만 청소년은 성장과정 중에 불가피하게 변화를 맞이해야 한다. 예를 들어, 학교에 가는 것, 새로운 반으로 배정받는 것, 새로운 친구들과 어울리는 것, 학교생활 동안 부모님과 떨어져 지내게 되는 것과 같은 상황에서는 일시적인 불안이 나타날 수 있다. 불안장애는 지속되는 불안을 특징으로 하며 해당 발달연령에서 기대되는 전반적인 성장에 방해를 받을 때 진단할 수 있다. 불안은 위험에 반응하는 정서적인 신호이다. 무엇이 위험한지에 대한 내용은 아마도 의식적이거나 무의식적인 것, 현실적이거나 혹은 비현실적인 것 모두를 포함할 수 있다. 청소년에게 이 위험은 기본적인 안전에 대한 문제나 관계의 문제와 연관된다. 예를 들어, 질병에 대한 두려움, 상처를 입거나 다칠지도 모른다는 두려움, 부모님이나 사랑하는 사람을 잃거나 떠날지도 모른다는 두려움, 혹은 성공에 대한 상상을 할 때도 두려움을 느낄 수 있다. 불안은 초기 유아기부터 나타나며 정신심리적 발달이 진행됨에 따라 불안을 조절하고 해소하는 능력을 갖추게 된다. 불안은 초기 유아기부터 등장하지만 이를 다루고 조절하는 능력은 정신심리적 발달이 이루어져야 가능해진다. 정상발달과정을 거치는 유아는 상당한 정도의 불안을 다룰 수 있게 된다. 불안장애의 경과는 청소년과 그 가족에 따라 매우 다양하다. 어떤 경우에는 일시적, 삽화적이지만 어떤 경우에는 매우 심각하여 청소년의 발달과정에 영향을 미치기도 한다. 가족패턴, 또래관계, 학교환경, 그리고 청소년 자신의 내적 안정성은 불안장애의 경과에 막대한 영향을 미칠 수 있다. 불안의 신호는 청소년의 연령과 그가 머무는 발달단계에 따라 상당히 다양한 양상으로 나타날 수 있다.

불안장애 청소년의 주관적 경험

정동상태 및 인지패턴

불안에 대한 주관적 경험에는 높은 경계상태에 있거나 위험을 느끼며 혹은 공포감이 엄습해 오는 기분 등이 포함된다. 가장 극심한 형태는 죽음이 임박해 오는 듯한 굉장한 두려움에 압도되는 기분상태이다. 이보다 덜한 경우는 막막하고 불분명하지만 매 순간 스며나오는 걱정과 긴장감이다. 만성화될수록 청소년들은 주로 '스트레스'라든지 '긴장'이라는 단어를 사용한다. 이를 방어기전의 측면에서 본다면, '부인'에서 '승화'까지 넓은 범위에 걸쳐져 간신히 버티고 있는 상태일 수 있다. 방어기능이 불안을 진정시킬 만큼 충분히 작동하지 않은 경우, 불안이 중화되고 머릿속에서 시작된 위협이 해결되었다고 느낄 때까지 불안을 만들어 내는 상황과 사건은 강박적으로 되감기고 반복 재생된다. 경도에서 중등도의 불안증은 인지적 활동에 의해 오히려 자극될 수 있는 반면, 중등도에서 중증의 불안 상태에서는 이 자체로 인지기능의 작동이 방해를 받을 수 있고 일반적인 '생각하는 기능'에 영향을 미친다.

과도한 불안은 때로 청소년이 의사소통 하는 것을 방해하기도 한다. 이들 스스로는 자신이 느끼는 불안을 알아차리고 불안을 느끼는 그 자체를 '나약함'의 증거로 여겨 '실패한 인생'으로 간주한다. 이 때문에 자신이 느끼는 감정을 솔직하게 표현하고 이야기하는 것을 창피하게 생각하며 타인에게 오해를 받거나 나쁘게 평가 받을지도 모른다는 두려움을 크게 가지고 있다. 또한, 불안은 청소년의 자신감에 손상을 주며 집중력을 떨어뜨리고 미래에 대한 가능성을 제한한다. 결국에는 수면의 질을 떨어뜨리고 식사와 학습, 또래와의 어울림 등과 같은 평상시의 전반적인 활동에 부정적인 영향을 미친다. 예를 들어, 수행불안은 레포트를 제출하는 것에 어려움을 느끼는 가벼운 정도에서부터 무대 위에서 얼어붙어버리는 무대공포증의 상태까지 다양하다. 공황발작, 특정공포증, 사회불안과 같은 몇 가지 특징적인 증상패턴을 보이기도 한다. 사회불안은 사회기술능력이 부족하고 자존감이 낮은 청소년에게 특히 흔하다. 이들은 또래들의 거절과 비판에 매우 취약하며 당혹감을 과도하게 느끼기도 한다.

신체상태

불안은 신체증상으로 드러날 수 있다. 신체상태에는 운동의 증가나 감소, 자세변화도 포함된다. 또한, 심박수 증가, 호흡수의 변화, 동공 확장, 근긴장이 높아지거나, 갈바닉 피부반응이 커지는 등의 신체적 반응을 보일 수 있다. 불안이 만성화된 상태일 경우, 심한 습진, 신경피부염과 같은 신체적 문제를 야기하기도 한다. 다루지 못한 불안은 피부질환, 근질환, 관절의 문제로 나타나거나 혹은 소화기 계통의 이상반응이나 배변문제로 나타날 수 있다. 불안을 해소하기 위해 전반적인 신체활동이 늘어나 보일 수 있으나 이는 단지 일시적인 완화에 국한될 뿐 불안을 사라지게 하지는 못한다. 악몽, 불면증, 식이문제, 퇴행행동은 높은 불안을 겪는 어린이에서 흔히 관찰되는 양상이다.

관계패턴

불안장애로 인해 관계를 형성하는 것이 쉽지 않으며 이를 큰 부담으로 느낀다. 이로 인해 사회활동과 학습활동은 상당한 어려움에 처하게 된다. 청소년이 현실적으로 두려움을 다루는 기술이 부족하거나 결핍된 경우, 정신기능의 손상/신경쇠약을 야기할 수 있다. 불안의 여러 단계 중에서 이를 해결하는 노력이 실패로 돌아갈 경우, 이 시스템의 고장으로 인해 불안이 걷잡을 수 없이 악화될 수 있고 불안증상이 더 심각한 단계로 넘어가거나 심리정서적인 부분에서 불안을 다루는 전반적 기능의 더 큰 손상으로 이어지기도 한다. 불안이 높은 청소년은 관계를 형성하거나 유지하는 데 정서적인 에너지를 분배하고 사용하기보다 불안 자체를 줄이기 위한 에너지로 소진하여 다른 데 신경 쓸 여력이 없는 상태에 처한다. 임상적 면담은 불안의 정도를 평가하고 일상생활 및 다양한 방면에서 환자가 겪는 어려움을 이해하는 데 가장 중요한 평가도구이다. 다양한 정보제공자를 통해서 환자에 대한 이야기를 들어 보는 것이 이상적이다. 부모는 자신의 자녀가 어린 시절에 집과 학교에서 어떻게 생활해 왔는지를 가장 잘 알려줄 수 있는 정보제공자임에 틀림 없다. 그러나, 십대들은 자신의 부모에게도 솔직하게 이야기 하지 않는 경우가 상당히 있으며 오히려 그들 자신이 자신의 내적 경험과 감정에 대해 가장 잘 알고 있을 것으로 짐작된다. 십대의 특성을 고려하였을 때, 자가보고설문지는 의사와의 면담에서 부인했거나 축소했던 증상에 대해서 숫자로 표시하게 함으로써 청소년의 불안증상을 균형되게 평가할 수 있도록 한다. 불안장애가 의심되는 청소년은 다른 정신질환의 범주에 속할 수 있는 핵심증상에 대한 평가도 필요하다. 특히, 우울한 기분, 최근 혹은 과거의 자살사고와 비자살 자해의 경력에 대해 질문하고 확인하는 것이 좋다.

임상사례

13세 소녀는 최근 심각한 공황발작을 겪었다. 임상의사는 항우울제와 항불안제를 처방했으며 불안을 일으키는 정신역동적 이유를 찾아보도록 권유하였다. 그녀의 학업성적은 최상위권이었고 친구들에게 인기가 많았으며 운동을 좋아했다. 그러나, 최근 들어 체중을 걱정하였고 남학생들에게 매력적으로 보이고 싶다는 고민이 생겼다고 말했다. 이 여학생은 체중에 아무런 문제가 없었음에도 체중을 줄이기 위해 몇 차례 노력했으나 다이어트에 실패하였다. 그녀의 어머니는 이를 염려하였으나 아버지는 오히려 '뚱보'라고 농담하듯 놀렸으며 그녀는 이런 아버지에게 화가 나 있었다. 또한, 아버지의 장난으로부터 자신을 적극적으로 보호해 주지 않고 보고만 있는 어머니에게 실망하고 있었다. 처음에 부모는 공황발작 때문에 그녀가 몹시 괴로워함에도 전혀 심각하게 여기지 않았다. 시간이 지나면서 증상이 더 악화되었고 이 상황에 이르자 부모가 관심을 보이며 걱정하기 시작했다. 그녀는 자신의 괴로움을 드디어 증명하게 되었다고 느꼈다. 치료가 진행되면서 환자는 독립과 자율성에 대한 주제에 점점 더 집중하여 말하였다. 점차 공황발작이 줄어들면서 스스로 조절할 수 있을 것 같다는 느낌이 들 무렵, 멈추어 있던 발달단계에서 벗어나 다음 단계로 진행할 수 있었다.

SA31.1 특정공포증

특정공포증에 대해서는 성인편 3장(pp. 175)과 6장(pp. 339~341)에서 더 자세하게 설명하였다.

공포증은 특정한 대상/상황에 의해 촉발된 부적절하고 과도하게 지속되는 두려움을 통칭한다. 한 가지 혹은 그 이상의 공포증을 가진 청소년들은 그 대상/상황에 노출되었을 때, 연속되는 불안을 경험한다. 두려움, 불안, 회피는 거의 항상 즉각적으로 일어난다. 흔한 특정공포증에는 동물, 곤충, 피, 높은 곳, 비행, 폐쇄된 공간이 포함된다. 일시적 또는 경미한 공포와 병적인 경우를 구분하기 위해 증상이 최소 6개월 이상 지속되는 경우로 한정한다.

청소년에서 특정공포증을 예방할 수 있는 특별한 방법은 없다. 그러나, 조기발견하여 적절하게 치료한다면 증상의 심각성은 줄일 수 있으며 청소년의 정상발달과 성장이 안정적으로 진행되도록 도울 수 있다. 불안장애가 병합된 경우, 치료를 통해 삶의 질을 향상시킬 수 있다.

SA31.2 사회공포증

사회공포증은 DSM-5에서 '사회불안장애'로 명칭이 바뀌었다. 자세한 내용은 3장(p. 175)에 설명하였다.

사회공포증을 진단받은 청소년이 두려워하고 피하고 싶어하는 사회적 관계나 상황이 어떤 것인지 면밀하게 알아보아야 한다. 이러한 사회적인 관계에는 타인의 앞에서 무엇인가를 수행해야 하거나 남의 시선을 받는 경우와 같이 낯선 사람들과 마주해야 하는 경우가 포함될 수 있다. 이는 타인들이 자신을 부정적으로 평가할 것이며 창피를 당하고 사람들이 싫어하게 될 것이라는 생각과도 연관되어 있다. 사회불안장애는 청소년과 젊은 성인에서 흔하며 이 연령대의 유병률은 약 28%까지 보고되고 있다. Dell'Osso (2014) 등의 연구에서 사회불안장애는 학업에 상당히 나쁜 영향을 미칠 수 있다고 하였다. 특히, 가족 간 감정의 골이 깊거나 또래 간 괴롭힘과 같은 대인관계에서 오는 스트레스가 결정적인 스트레스 요인일 가능성이 있으며 우울증상과 사회불안증상 모두를 일으킬 수 있는 것으로 나타났다(Hamilton et al., 2016).

SA31.3 광장공포증과 공황장애

광장공포증과 공황장애는 성인편 3장(pp. 175~177)에서 자세하게 설명하였다.

광장공포증의 주요증상은 도움받기 힘들거나 탈출하기 어려운 장소/상황에 대한 과도한 불안이며 공황발작 혹은 이와 유사한 증상이 왔을 때 도움을 요청할 수 없을 것 같고 그 상황에서 빠져 나올 수 없을 것 같은 두려움을 특징으로 한다. 광장공포증은 대체로 공황발작을 동반하는데, 두려움을 느끼는 대상이나 상황에 대한 반사적 반응으로 돌연 공포감이 극에 달하거나 강렬한 불편감이 엄습하며 신체증상이 함께 나타나기도 한다. 이 상황을 겪는 환자는 무언가 두려운 일이 벌어지고 있다는 모호한 느낌에 대해 말한다.

광장공포증과 공황장애는 청소년에서 매우 흔하며 어떤 경우는 생애 전반에 걸친 정신적 어려움과 연관된다(Creswell, Waite, & Cooper, 2014). DSM-5에서는 광장공포증의 주요증상 기준이 '여러 상황에서의 심한 공포와 불안'으로 수정되었다. 이는 상황에 따른 일시적 두려움이나 위험을 과도하게 감지하는 것처럼 병리적 증상으로 간주하기 어려운 상태마저 광장공포증으로 진단되는 것을 방지하기 위한 것이다. 그러나, 최근 연구는 청소년의 25% 정도에서 DSM-5의 광장공포증 기준을 적용했을 때 진단에서 배제되었지만, DSM-IV의 광장공포증 진단기준을 충족하면서 심각하게 지속되는 증상이 존재하고 대부분의 기능적 측면에서 손상을 보이는 그룹이 생긴다고 발표하였다(Cornacchio, Chou, Sacks, Pincus, & Comer, 2015). 게다가 DSM-5의 광장공포증 진단기준에 들어가는 청소년에 비해 이 그룹에 속하는 청소년은 더 높은 불안도를 보였으며 내면의 정신병리를 더 많이 가지고 있었다. 그러므로, 불안에 대한 예민함과 불안과 연관된 기능손상을 가지는 청소년이 적절한 치료를 받을 수 있는 가능성을 높이기 위해서 특별한 주의 관찰이 필요하다.

SA31.4 범불안 장애

범불안장애는 성인편 3장(pp. 177~178)에서 자세하게 설명하였다.

범불안장애는 거의 모든 것에 불안을 느끼는 상태로 불안한 느낌이 과도하고 광범위하며 다양한 양상으로 지속되어 이를 청소년 스스로 통제할 수 없는 상태를 말한다. 일상생활의 거의 모든 일에 대해 예를 들어, 학교에서 발표를 잘 못하여 창피를 당할 것 같다거나 약속시간에 지각하는 것, 실수하는 것, 사랑하는 사람이 병에 걸려 죽거나 부모님이 이혼하고 자신의 건강이 나빠지며 세계에 재난이 닥치거나 재앙이 일어날지도 모른다는 것과 같이 아주 다양한 나쁜 일들에 대해 근심한다. 범불안장애를 겪는 청소년은 안절부절, 벼랑 끝에 선 기분, 긴장감, 쉽게 지치는 느낌, 심한 피로감, 집중력 저하, 머릿속이 하얗게 되는 기분, 예민함, 수면불량, 근육긴장 등의 신체증상으로 고통받는다. 범불안장애를 진단받은 청소년은 대부분의 시간을 과각성 상태로 보내게 되며 일상의 문제를 다루는 데 지나치게 근심걱정하며 심적 에너지를 소진한다.

청소년기에 발병하는 불안장애는 성인기까지 지속될 수 있으며 기분장애나 물질사용장애와 같은 다른 종류의 정신질환이 동반이환될 위험도 높아진다. 지금까지 알려진 많은 연구결과에 따르면 소아기발병 불안장애의 관리와 회복을 위해 질환의 경과를 고려한 약물치료, 정신치료, 병합요법 등의 적절한 치료적 개입이 필요하다. 선택적 세로토닌 재흡수 억제제(SSRI)의 단독요법 혹은 복합요법과 인지행동치료(CBT)에 대한 강력한 치료적 근거가 확보되어 있다. 조기 발견과 조기 개입은 어린이의 발달이 방해받지 않고 정상적인 과정으로 진행되도록 하며 기능적 손상을 최소화시키고 실질적인 손해를 예방할 수 있게 한다(Mohatt, Bennett, & Walkup, 2014; Wehry, Beesdo-Baum, Hennelly, Connolly, & Strawn, 2015).

SA32 강박 및 관련 장애(Obsessive-Compulsive and Related Disorders)

SA32.1 강박장애

강박장애는 성인편 3장(pp. 179~182)에서 자세하게 설명하였다.

강박장애를 진단받은 청소년은 반복적, 침습적 사고(강박사고), 시간소모적 의식절차적 행동(강박행동)과 합쳐진 특정 구성을 갖춘 증상 때문에 힘들어한다. 증상은 4세부터 나타날 수 있으나 가장 흔하게는 6세에서 9세 사이에 첫 증상을 보인다. 초기 청소년기와 초기 성인기에도 새롭게 증상이 나타날 수 있고, 또 재발할 수 있는 시기이다. 이 시기가 아마도 발달과정 자체에 내재된 스트레스가 상당하기 때문인 것으로 추정한다. 젊은 성인에서 드물지만 소아청소년에서는 약 0.25-4%의 유병률을 보인다. 소아에서 관찰되는 증상은 청소년 증상패턴과 유사하다. 증상은 흔히 불안을 동반하며 부모에 의해 유발되거나 부모에 의해 쉽게 증폭된다. 부모와 아이 모두 불안을 누그러뜨리지 못하는데, 의식적인 행동(강박행동)을 즉각적으로 표출할 수 없는 경우에 불안은 돌발적으로 더 악화될 수 있다. 강박장애는 악화와 호전을 반복하는 경과를 거친다. 그러나 대체로 만성화되어 개인의 일상생활, 학업성취,사회생활 등의 여러 측면에서 기능적 장애를 유발한다. 소아강박장애의 원인에 대해 거의 알려진 바 없으나 유전적 소인이 상당히 존재하는 것으로 여겨진다. 신경심리적 모델에서 전두선조체 회로(frontostriatal circuitry)의 변화에 대한 가설을 제안하였다.

강박장애 청소년의 주관적 경험

정동상태

이 질환과 연관된 정동상태는 전반적으로 만연한 불안이다. 강박장애에서 불안의 근원이 어디인지는 분명히 알 수 없다. 부모와 아이 모두 대부분의 경우에 불안의 근원을 찾아내기보다 불안 그 자체에 관심을 두며 걱정한다. 다양한 강박사고와 강박행동 증상의 발병시점에 따른 특징적 패턴이 발달과정상의 수많은 과제와 맞물려 있다. 분노와 통제상실에 대한 막연한 두려움이 '불안' 아래에 깔려 있는 것으로 생각된다.

인지패턴

사고와 환상에는 불안과 맞서기 위한 방편으로 강박사고와 의식에 대한 집착이 포함되어 있다. 청소년은 그들의 강박사고와 강박행동에 대해 거의 인식하지 못 할 가능성이 많으며 그렇기 때문에 임상의사가 청소년의 나이와 수준을 고려하여 병식함량을 위해 적절하게 개입하는 것이 필요할 수 있다.

신체상태

강박장애 청소년 역시 범불안장애, 공포증과 유사한 신체증상을 호소한다. 강박적인 생각은 청소년이 복통, 두통 등의 감각에 더 집착하게 하며 이는 다른 1차성 불안장애에서의 신체증상보다 더 강하게 호소하기도 한다.

관계패턴

불안을 감당하기 위해 강박사고와 강박적인 의식행위에 과도하게 집착하는 것은 다른 사람들과 어울리며 평범하게 살아가는 것을 어렵게 한다. 강박적 불안이 일상활동을 망치지는 않더라도 정서상태 전반에 걸쳐 광범위하게 침투해 있을 수 있다. 강박장애를 가진 청소년은 자신이 불안을 조절할 수 있는 범위 안에서 다루기 위해 상황을 통제하려 들며 관계유지에 있어서도 통제권을 갖기 위한 시도를 한다. 이들의 대인관계는 경직된 성향을 보이며 통제적 모습과 함께 의식하지 못하지만 의존적인 부분도 존재한다.

임상사례

17세 소년은 하루 4시간씩 운동을 한다. 그는 자신이 먹었던 모든 음식을 강박적으로 기록하고 체중을 잰다. 하루의 남은 시간을 운동계획과 식사를 조절하는 데 보낸다. 작년까지는 학업성적이 괜찮았지만 점점 더 학교활동과 수업에 대한 관심이 줄어들었고 숙제를 빠뜨리기도 했다. 이렇게 4개월이 지나자 약 20kg의 체중이 빠졌다. 이전에 그는 약간 통통해 보였으며 머리는 좋지만 또래와 어울리지 않아 '괴짜'라는 병명으로 불렸다. 그의 운동과 식이요법에 대한 강박증상은 메일을 받으면서 시작되었다. 4개월 후에는 부모님의 차를 타고 나가 의도적으로 과속하여 자살시도를 했다. 정신치료를 받으면서 그는 강박증상이 마음 깊이 자리한 부모에 대한 분노감에서 기인한 것 같다고 말했다. 소년은 그의 부모가 스스로 세상을 살아갈 수 있도록 잘 준비시켜 주거나 도와주지 않는다고 느껴왔었다. 자신을 항상 붙잡아 두려고 하는 어머니에게 화가 나 있었고 자신에게 관심을 주지 않는 아버지에게 분노하고 있었다. 이에 대해 알고 난 후, 음식과 운동에 대한 집착은 사라졌다. 다시 친구들과 어울리고 자신의 감정을 충분히 느끼며 훨씬 더 건강한 방식으로 적응하였다. 이 소년의 사례는 체중조절과 음식문제에서 시작되었지만 그 자체가 가진 강박사고와 강박행동 등 강박장애에 대한 증상이 다양하게 드러나 있다.

SA32.2 신체변형장애(Body Dysmorphic Disorder, Dysmorphophobia)

신체변형장애는 성인편 3장(pp. 182~183)에서 자세하게 설명하였다.

신체변형장애(BDD)는 자신의 신체 외형 혹은 용모에 결손이나 이형이 있다는 생각에 집착하는 상태이다. 결함이 일시적이거나 없는 상태일지라도(Windheim, Veale, & Anson, 2011), BDD를 진단받은 청소년은 진심으로 자신의 몸이 추하고 변형되어 있다거나 부적절하고 타인들에게 나쁘게 평가될 것이라고 믿으며 압도되는 불안을 경험한다(Phillips, 2004). BDD의 핵심주제는 신체 및 외모에 대한 망상적 강박사고이다. 이러한 강박을 가진 청소년은 자신이 추형이며 망가져 있다고 표현하기도 한다. 대부분 주로 얼굴에 대한 걱정이지만 실제로 신체의 거의 모든 부분에 대해 망상적 집착을 가질 수 있다(Windheim et al., 2011). BDD에서의 망상적 집착은 상대적으로 더 억제하거나 조절하는 것이 어렵다. 청소년 환자는 자신의 외모를 다듬고 수정하느라 하루의 수 시간을 소비한다. 전형적인 발병시기는 초기 청소년기로 알려져 있지만 중기 혹은 후기 아동기에서도 나타날 수 있다(Phillips, 2004). 증상은 우울증, 사회공포증(사회불안장애), 강박장애, 섭식장애, 성격장애와 같은 다른 정신질환과 비슷한 양상을 보인다(Buhlmann & Winter, 2011). 증상의 유사성 때문에 다른 질환으로 오인되기 쉽고 BDD의 진단이 늦어지기도 한다.

BDD증상이 나타난 후, 호전없이 지속되는 것은 사회성 발달 및 사회적응문제, 사회적 성장에 대한 중요한 의미가 함축되어 있다(Phillips, 2004). 불행히도 이 문제는 학교선생님, 친구, 가족, 지역센터 전문가들조차 알아차리지 못하는 경우가 많다(Buhlmann & Winter, 2011). 지역사회를 대상으로 조사한 연구에서 일반적 유병률은 0.7-1.1%이었지만 임상군을 대상으로 하였을 때는 유병률이 2.2-6%로 매우 높게 나타났다(Grant, Won Kim, & Crow, 2001). 이 장애는 청소년의 사회정신적인 기능에 있어 상당히 부정적인 영향을 미친다(Brewster, 2011). 연구가 많지 않지만 항우울제와 같은 약물처방과 인지행동치료(CBT)가 가장 좋은 치료결과를 보였다(Phillips, 2004). 질환의 특성을 고려할 때, 이 질환의 기전을 이해하고 이 질환이 무엇인지를 알림으로써 낙인 효과를 줄여 더 많은 환자들이 치료에 진입할 수 있도록 돕는 것이 중요하다.

SA4 사건 및 스트레스 관련 장애

SA41 외상 및 스트레스 관련 장애

이 장애의 진단기준에는 정신적 충격을 일으킬 만한 사건이나 스트레스를 유발하는 사건에 노출되었다는 것이 명시되어 있다. 이는 적응장애, 급성스트레스장애, 외상후 스트레스장애(PTSD), 복합성 외상후 스트레스장애(CPTSD), 해리장애(dissociative disorders), 전환장애에도 포함되어 있다. 이전에는 사건 및 스트레스 관련 장애(Trauma- and stressor-related disorders)를 불안장애로 분류하였다. 그러나, 많은 환자들이 불안은 없지만 무쾌감증, 불쾌기분, 분노, 공격성, 해리의 증상을 보고하였고 지금은 이 질환들의 차이를 이해하고 범주를 구분하였다. SA4 그룹으로 분류된 질환에 대해서 3장의 SA그룹(p. 185) 부분에 소개한 '서문'을 참고하기 바란다.

SA41.1 적응장애

적응장애는 DSM-5의 새 범주인 외상 및 스트레스 관련 장애에 포함되었다. 주요양상은 확인가능한 스트레스에 대한 반응으로 일어나는 감정증상 혹은 행동증상이다. 개인이 경험하는 스트레스는 그 강도와 심각성이 다를 수 있는데, 이 스트레스가 몇 가지 측면의 기능적인 영역에서 심각한 손상을 야기한 경우, 스트레스 요인으로 간주한다. 스트레스가 시작된 후 3개월 이내 불안, 우울한 기분, 사람들과 멀어지고 범법행위를 하거나 이 증상들이 복합적으로 나타나는 특징을 보인다.

적응장애 청소년의 주관적 경험

청소년에게 나타나는 부적응에 대한 반응은 퇴행하는 모습부터 퇴행적 방어기제를 사용하여 억제하려는 것까지 다양하다. 이 두 가지 반응은 동시에 일어날 수 있다. 즉, 적응장애는 청소년에서 성인과 다른 패턴으로 드러날 수 있으며 성별의 차이도 존재한다. 청소년은 대체로 감정에 치우치거나 충동적으로 결정하는 경향이 더 크다. 때로, 슬픈 감정에서 벗어나기 위해 또는 불안한 생각을 떨치기 위해 물질을 오용하기도 한다. 자신의 감정을 공격적인 행동, 위험을 무릅쓰는 행동, 자살성, 자해, 타인을 자극하고 도발하는 행동으로 드러낸다. 이런 행동은 우울이나 불안의 영향을 숨기기 위한 것인데, 청소년은 자기내면의 상실감, 슬픔, 불안을 적절히 감지하지 못할 수 있다.

적응장애 청소년이 겪는 증상의 일반적 양상은 일정기간에 국한되며 불안정한 기분변화에 따라 행동에도 영향을 미친다. 사람들과 어울리는 것을 꺼려하여 외톨이로 고립된 생활을 하거나 반대로 무리를 지어 다니며 집단 내에서만 지내려는 모습을 보일 수 있다.

결과적으로 적응장애의 진단은 과대평가 되었을 가능성이 있으며 상호적인 측면에서 어떤 반응은 발달경과에 부정적인 영향을 끼치기도 한다. 적응장애에서 중요한 점은 주목할 만한 사건 즉, 가족갈등, 상실, 모욕, 적대감, 외도, 정신적인 충격을 줄 수 있는 잠재적인 모든 사건이 반응을 유발하며 지속되게 한다는 것이다.

사건에 대해서 통제력을 잃어버리는 경험은 자책이나 자기비난 여부와 무관하게 여러 스트레스 요인이 존재할 때 더 흔히 겪게 된다. 이성에 대한 공격성, 안절부절 양상의 불안은 남성에서 흔하고, 자신을 공격하는 행동은 여성에서 흔하게 나타나는데 이는 수동성에서 벗어나기 위한 특유의 방식일 수 있다.

임상사례

과거에 절도를 저지른 적 없는 14세 소년이 학교에서 물건을 훔치는 행동을 반복하여 의뢰되었다. 이 문제에 대해 소년은 그 누구에게 어떤 말도 하고 싶지 않다고 말하며 진료를 거절하였다. 그의 부모는 소년과 매우 경쟁적인 관계였던 남동생이 최근 백혈병을 진단받았으며 건강상태가 좋지 않다고 말하였다. 소년은 남동생에 대해서 이야기하는 것을 거부했다. 일주일 후, 소년은 선생님을 모욕하는 행동 때문에 퇴학당했다. 그 후에 이어진 세션에서 소년은 돌연 눈물을 흘렸고 자신의 노력에도 불구하고 남동생이 죽는 꿈을 꾸었다고 말했다. 소년의 꿈은 그의 불안과 슬픔에 대한 깊은 감정을 이야기할 수 있는 동기로 작용했다. 그 후 몇 세션이 더 진행되었고 소년의 우울한 기분은 줄어들었으며 그의 공격적이고 반사회적 행동문제도 더 이상 일어나지 않았다.

SA41.2 급성 및 외상후 스트레스장애

급성스트레스장애(ASD)와 외상후 스트레스장애(PTSD) 둘 다 정신적 충격을 유발할 수 있는 사건에 대해 공통적으로 불안을 보이지만 DSM-5에서 진단적으로 구분되는 질환이다. 급성스트레스장애가 외상후 스트레스장애로 진행할 수 있지만 정신적 외상사건에 노출되고 1개월 이내 일어난 일시적 스트레스 반응이라면 PTSD로 진단하지 않는다. PTSD로 진단된 환자의 약 50%는 처음에 급성스트레스장애를 지니고 있었다. 생활 속의 지속되는 스트레스 요인이나 더 오래된 과거의 사건으로 인해 증상이 처음 시작된 후 더 나빠지기도 한다.

PTSD의 진단과 치료에 있어 DSM-5는 청소년을 따로 분리하여 설명하지 않았다. 이는 최근 연구자료를 통해 성인의 진단기준을 청소년에게 적용하는 것이 적절하다고 확인되었기 때문이다. 실제의 죽음, 죽음에 대한 위협, 치명적 상해, 성적 학대, 가정폭력과 같은 심각한 충격에 노출되었을 때, 이로 인한 잠재적 피해와 정신외상 및 상실 사이의 유의미한 연관성은 이미 확인된 바 있다. 복통, 두통, 간헐적인 심계항진, 호흡곤란과 같은 신체적 반응 역시 청소년에서 나타날 수 있다. 여러 발달연구에서는 임상적 반응과 연관된 경험적 기억, 주의집중에 의한 바이어스가 생길 수 있다고 보고하기도 했다. 이를 고려하여 상당수의 연구에서는 단일 혹은 반복적 정신외상을 경험한 청소년의 PTSD 증상군에 대해 세 가지 증상군을 제안하였다. 이에 속하는 증상군은 (1) 불쑥 끼어드는 생각/적극적인 회피 (2) 과각성 (3) 마비된 느낌/수동적 회피이며 이 모델이 DSM 모델보다 청소년의 증상을 더 잘 설명할 수 있다고 주장하였다. PTSD의 유병률은 특히 후기 청소년기와 초기 성인기에 높다. 이 시기의 취약성은 발달과정의 요인(예: 쉽게 위험을 무릅쓰려 들고), 사회경제적 요인(예: 전 세계적으로 이 연령대에서 범죄조직에 가담하거나 전쟁에 자원하는 젊은이가 많으며 가해자도 피해자도 많다)에서 기인하는 것으로 생각된다. 개발도상국에서는 PTSD 증후군 전체(특히, 회피와 감정마비를 포함한 잠재적으로 정신적 충격을 주는 사건에 대한 반응)에 대한 유병률이 중기 청소년기 이전에는 더 낮게 나타났다. 프로이트(1895)는 청소년기에 관찰되는 특정양상을 'Nachtraglichkeit'라는 용어로 설명하였다. 영어로는 'deferred action(사후성)'으로 번역된다. 처음에 이 용어는 성적인 사건과 연계된 상황(감정적 강렬함이 동반되지 않더라도)에서 청소년기와 초기 성인기에 이르러 트라우마 반응을 재활성화 시킬 수 있는 즉, 과거의 충격적 사건과 관련된 트라우마를 떠올리게 하는 잠재된 에너지를 설명하기 위해 사용하였다.

특히, 초기 아동기에 성적 학대를 당했다면 처음에는 정신적 충격을 받았다고 느끼기보다 혼란스럽다고 경험한다. 그 후, 청소년기의 발달단계로 진행하는 과정에서 이 사건에 대한 새로운 의미와 심각성을 점차 인식하게 된다. 동시에 이에 대한 반응을 생물학적인 발달과정의 패턴으로 설명하거나 혹은 성적 충동이 격화되었기 때문이라고 부연했다. 발달은 과거의 충격적 사건(트라우마)을 되짚어 보고 재발견하는 과정을 거친다. 청소년기에 경험하는 세 번째 패턴은 자기의 발달에 대한 트라우마의 영향이다. 최초의 트라우마를 기억하지 못하거나 혼돈스럽고 모호한 기억일 경우(이인증이나 비현실감이 동반될 수도 혹은 없을 수도 있지만) 해리증상으로 경험할 수 있으며 이를 정신병리적 용어로 설명하기는 어려울 수 있지만 발달과정에 어떤 식으로든 영향을 미친다. 이는 현시점의 트라우마로 인한 새로운 증상일 수 있고 혹은 과거 트라우마의 기억으로부터 촉발된 해리상태의 연속선상에서 일어나는 양상일 수도 있다. 아동기 트라우마는 청소년기와 초기 성인기에 등장할 수 있는 다양하고 심각한 양상의 해리상태 즉, '히스테리'라는 고전적 단어로 묘사될 만한 증상의 토대를 마련해주는 것일지도 모른다. 최근 연구결과에서는 PTSD에서 나타나는 해리반응이 전두엽과 변연계의 구조적 변화와 관련된다고 보고하였다.

급성스트레스장애 및 외상후 스트레스장애 청소년의 주관적 경험

정동상태

정동상태는 성인에서와 유사하다. 자신의 존재에 대한 자포자기, 자신의 삶이 무가치하고 문제가 많다고 느낌, 주변의 그 누구도(부모, 친구) 자신을 도와줄 수 없다는 절망감을 가진 청소년의 경우, 증상은 더 심각하다. 집단재해에서 특히, 그들의 부모가 피해를 당했을 때더 심한 PTSD증상을 겪었고 청소년 보호를 담당하는 기관에 대한 복수심/원망감이 더 많았다. PTSD를 겪는 청소년에게 자살사고는 흔하며 주로 성적 학대나 심한 모욕감을 받은 경우와 같이 창피함과 수치심과 연관된 트라우마를 경험했을 때 두드러진다. 신체적으로 무능하고 온전하지 않다는 느낌과 부정적 신체상은 시간이 지날수록 더 뚜렷해 질 수 있다.

인지패턴

이들의 마음 속에 등장하는 전형적 사고내용에는 플레시백, 반복되는 회상(되새김), 악몽을 통한 충격적 사건의 재현이 포함되며 이는 매우 고통스럽다. 여기에 해리 혹은 비현실감이 같이 나타날 수도 있다. 이런 일은 충격적 사건의 잔재가 단서로 작용하여 유발되기도 하고 저절로 재현되기도 한다. 복수, 자살, 보상에 대한 환상이 등장할 수 있으며 부정확하고 모호하더라도 이 주제에 대한 개입이 이루어져야 한다. 또한, 이 주제를 피해자 위치에 안주하려는 수동성에 맞설 수 있게 기능하는 방어기제의 일환으로 이해하려는 노력도 필요하다. 인지패턴은 충격적 사건에 대한 선명한 기억, 시간적 연결성에 대한 혼돈, 잊으려는 노력과 무관하게 돌발적으로 떠오르는 (사건에 대한) 침범적 기억이 특징적이다. 반면, 사건과 무관한 개인적인 기억들을 과도하게 일반화시키는 패턴을 보인다. 개인과 연관된 정보와 추억은 특정 시공간적 문맥으로 저장되어 연속성과 일관된 정체성을 구축하고 유지할 수 있게 하는데 이러한 기억을 '자서전적 기억'으로 칭하며 PTSD 환자에서 이 기억은 손상되어 있을 수 있다. 부정적 정보에 대한 기억편향과 주의편향에 의해 기억의 오류가 생기기도 하며 회상하는 데 어려움을 호소하거나 학습능력이 떨어지고 판단력이 저하되기도 한다. 환자들이 환경에 대해 부정적이고 편중된 해석을 하는 것은 어떤 측면에서 그들의 공격적이고 우울한 감정을 설명할 수 있게 한다. 많은 연구에서 아동기 이후 겪은 트라우마로 인한 기억상실 증상은 드물다고 보고하였다.

*기억편향: 인지적 편향, 기억의 회상에 있어 양과 정도가 일관되지 않음을 뜻한다.

*주의편향: 특정한 대상 혹은 특정한 속성에 주의를 더 많이 주는 경향성. 몰두나 집착 같은 현상이 주의 기제의 편중(편향)으로 일어난다.

신체상태

신체상태는 성인에서 기술한 것과 비슷하다. 수면장애가 흔하며 성적 학대나 정서적 방임의 사례에서는 자해가 흔히 동반되고 자살성향 역시 높아진다(Scheeringa, Zeanah, & Cohen, 2011). 섭식장애와 물질사용장애도 공존질환으로 동반될 수 있다. 청소년을 대상으로 시행한 뇌영상학적 연구에서 성인과 유사한 결과가 도출되었다(Jackowski, de Araujo, de Lacerda, Mari Jde, & Kaufman, 2009).

SA41.3 복합성 외상후 스트레스장애(CPTSD)

복합성 외상 후 스트레스 장애(CPTSD)는 3장(p. 199)에서 자세하게 설명하였다.

정신적 충격을 주는 많은 사건들은 대체로 시간이 지나면 희미해진다. 그러나, 때로 청소년들은 수개월에서 수년 동안 충격적인 사건에 반복 노출되는 만성적인 경험을 하기도 한다. 현재 DSM-5 진단에서는 지속적으로 일어나는 정신적 외상에 의한 심각한 정신적 폐해를 완전하게 담아내지는 못했다. 복합성 외상후 스트레스장애(CPTSD)는 소아가 성장하는 동안 방임, 학대, 심각하게 부당한 대우를 만성적으로 겪으면서 나타나는 증상의 패턴에 집중하여 제안된 진단이다(National Center for PTSD, 2016). 이처럼 발달과정 중에 노출되는 정신적인 외상은 청소년의 자아정체성, 자기가치감, 인격형성, 자기조절감, 타인과의 관계형성, 친밀감 등에 영향을 끼친다(van der Kolk, 2005). 발달과정에서 일어나는 정신적 외상의 측면에서 본다면 근시안적이지만 '해리'는 아이들의 유일한 생존전략일 수도 있다(비록, 해리증상이 이인증, 비현실감으로 이어져 개인의 자기경험을 장기간 분절시킬 수 있지만). 청소년들은 성장하면서 친밀한 관계를 형성해야 하며 성적으로 친밀한 대상을 찾을 수 있어야 하는데 이 과정에서 어린 시절에 경험한 정신적 외상이 '해리' 증상을 불러일으키기도 한다. 복합성 외상후 스트레스장애에서의 회복은 청소년 스스로가 정신적인 충격에 대해서 조절하는 능력을 복구하고 힘을 회복하는 데 있다. 정신적 외상에서 살아남은 청소년은 평범하게 사람들과 어울리며 애도를 허용하고 일상의 삶에서 다시 사람들과 연결되려는 노력을 함으로써 삶을 변화시켜 나간다(Herman, 1997).

SA42 해리장애

해리장애는 성인편 3장(p. 204)에서 자세하게 설명하였다.

DSM-5 진단체계에 따르면 해리장애는 의식, 기억, 정체성, 감정, 지각, 신체표상, 운동통제, 행동 등의 정상적 통합이 와해되거나 부분적으로 단절된 상태를 보이는 질환이다. 해리증상은 심리정서적 기능의 모든 영역에 있어 잠재적인 손상을 입힐 수 있다. 해리연구국제협회(International Society for the Study of Dissociation, 2004)에서는 소아청소년 정신기능의 와해를 반영하는 해리증상의 특징으로 다음의 다섯 가지를 언급하였다; (1) 혼란스러운 의식상태: 주의집중력이 떨어져 기억을 떠올리고 추적하는 것의 어려움 (2) 자서전적 기억의 혼돈 및 상실: 발달과정 중의 기억에 대한 와해 (3) 기분의 변동성과 변덕스럽게 바뀌는 행동: 자기조절에 있어 곤란을 겪으며 퇴행된 상태 (4) 행동의 통제에 있어 상상 친구 혹은 여러 자아 사이를 오가고 있다고 믿는 상태: 통합된 자기의 발달에 있어 와해를 경험함 (5) 이인증과 비현실감: 자기감에서 기인한 정상적인 신체지각과 신체감각에서 해리되어 주관적으로 분리된 것 같은 느낌.

소아청소년에서의 해리는 아주 사소한 수준부터 심각한 정도에 이르기까지 매우 다양한 범위의 발달학적 과정에서 겪을 수 있는 현상들과 동반되어 나타날 수 있다. 외상후 스트레스장애(Putnam, Hornstein, & Peterson, 1996), 강박장애(Stien & Waters, 1999), 반응성 애착장애와 같은 정신질환을 가진 소아청소년뿐 아니라 정신적 충격을 겪거나 입원치료를 받는 청소년들(Atlas, Weissman, & Liebowitz, 1997), 그리고 일탈행동을 하는 청소년들(Carrion & Steiner, 2000)에서도 해리증상이 나타날 수 있다. 청소년에서의 해리증상은 심각한 성적 혹은 신체적 학대와 연관된 경우에 생길 수 있다(Macfie, Cicchetti, & Toth, 2001). 또한, 부모가 방임적이거나 거절적이고 혹은 일관되지 않은 훈육을 하는 경우도 해리증상의 발생과 연관된다(Brunner, Parzer, Schuld, & Resch, 2000; Sanders & Giolas, 1991). 청소년 개인마다 해리증상발현에 차이가 있는 것(취약성의 차이)은 가족력과 관련된 성격 감수성과 관련된다(Jang, Paris, Zweig-Frank, & Livesley, 1998). Siegel (2012)은 "사람들 사이에서 경험하는 '관계'의 작용을 통해 마음에서 독단적으로 처리하는 방식에 변화를 일으키고 이를 통해 '통합'을 촉진할 수 있다"고 하였다. 그러므로 치료적 개입은 자아를 통합하고 잘 적응하도록 돕는 것을 목표로 하는 것이 바람직하다. DSM-5의 해리장애 범주에는 이인증/비현실감 장애(자기 자신의 마음, 자기, 신체가 비현실적이거나 분리된 것 같이 느껴지는 상태), 해리성 기억상실(자전적 정보에 대한 회상불능상태), 해리성 정체성장애(두 가지 혹은 그 이상의 뚜렷하게 구분되는 인격이 존재하거나 인격주체가 서로 전환되면서 삽화적이고 반복적인 기억상실을 경험함)가 들어간다.

SA43 전환장애

전환장애는 성인편 3장(p. 217)에서 자세하게 설명하였다.

전환장애는 신경학적으로나 다른 의학적 상태로 설명되지 않는 수의적 운동기능의 이상 및 이와 연관된 증상이 있는 상태를 칭한다. 대부분의 경우, 증상 호소는 경미한 상처나 사소한 질환의 양상으로 시작한다(Leary, 2003). 젊은 층에서의 전환장애 유병률은 신경과적 문제로 의뢰되는 소아청소년의 약 1-3% 정도로 추정한다. 소아청소년에서의 전환장애는 사춘기 이전 시기에 가장 흔히 발병하며 남아에 비해 여아에서 약 2배 많다. 어린 환자의 경우 진단을 위한 신중하고 섬세한 접근이 필요하며 상당한 시간이 요구된다. 연구를 통해 밝혀진 기여요인에는 경직되고 강박적 성격경향, 불안하고 우울한 상태, 성적 학대가 포함된다(Pehlivanturk & Unal, 2002). 환경적 요인에는 가정 내 스트레스, 가족 내 대화단절, 부모로부터 느끼는 거절감, 해결되지 않은 슬픔 혹은 상실감, 학교에서 느끼는 불행감과 소외감이 있다(Leary, 2003). 많은 수의 증례에서 진단은 대부분의 경우 검진결과와 임상양상이 서로 일치하지 않고 일관되지 않는 주관적 증상표현을 확인함으로써 이루어진다. 전환장애를 진단할 때, 오진을 우려해 환자가 호소하는 증상을 배제할 수 있는 자세한 평가를 시행하는 경향이 있어 과잉진료의 소지도 있다. 진단이 지연되는 것은 부모의 거부와 연관되기도 하며 또는 실제로 신체적 질병이 없다는 것을 받아들이지 못하는 청소년 본인에 의해 일어나기도 한다. 전환장애 진단을 거부하는 것은 가족 내 갈등과 문제를 부인하는 것과 관련되며 이는 의료진에게 투사될 수 있다(Leary, 2003). 치료적 개입은 청소년 본인이 자신의 일상을 심각하게 흐트러 놓고 있다는 인식을 돕기 위해 시작된다. 현재 드러나는 증상은 환자의 무식적인 갈등을 반영한 것으로 이해하는 시도가 필요하다. 효과적인 치료전략은 보상 시스템과 연계된 단계별 프로그램을 적용하는 것으로 공감적 지지가 가능한 치료사가 시행하는 것을 권한다(Brazier & Venning, 1997). 이는 소아청소년전문병원 입원치료 세팅에서 소아정신과 전문의의 지도 감독하에 이루어지는 것이 좋다. 정적강화/부적강화를 적용한 행동요법, 정신치료, 최면치료도 도움이 된다고 알려져 있다(Campo & Negrini, 2000)

SA5 신체증상 및 관련 장애

신체증상 및 관련 장애는 신체적 현상에 대해 지나친 관심집중(과도하고 부적절한 생각이나 감정, 행동)을 특징으로 하는 질환으로 이로 인해 일상생활이 방해를 받거나 상당한 스트레스를 유발하는 경우를 칭한다. DSM-5에서 이 질환의 범주에는 신체증상장애(somatic symptom disorder), 질병불안장애(illness anxiety disorder, hypochondriasis), 그리고 인위성 장애(factitious disorders)가 속한다. 신체증상 및 관련장애에 대해서는 성인편 3장(pp. 219~226)에서 더 자세하게 기술하였다.

SA51 신체증상장애

신체증상장애는 정신적 갈등이 신체적 증상으로 표출되어 일상생활의 기능와해 및 이로 인해 상당한 심리적 스트레스를 겪는 것을 특징으로 하며 심리사회적 증상과 기능의 퇴화를 유발한다. DSM-5에서는 환자가 호소하는 신체증상이 의학적으로 설명되지 않는다는 것을 강조하기보다 심각한 고통을 야기하는 신체증상과 이에 반응하는 비정상적 사고/감정/행동 등의 양성증상 및 징후를 토대로 진단된다는 것을 제언하였다. 이런 증상은 다양한 강도로 존재하며 특히 전환장애에서 특징적으로 나타날 수 있지만 신체증상장애에서도 역시 동반될 수 있으며 실제로 의학적인 질환을 동반하고 있을 가능성도 있다. 신체증상장애를 보고하는 많은 청소년의 두드러진 특징은 실제로 그 자체는 신체증상이 아니며 오히려 신체증상은 그들 자신의 방식으로 의미부여하고 해석한 것이다. 신체증상장애를 진단받은 청소년들은 다양한 신체 증상을 호소한다. 복통, 두통, 메스꺼움, 절박뇨 혹은 이와 유사한 문제로 불평한다. 대부분의 경우, 특정 스트레스와 관련없지만 불안을 유발할 만한 상황과 연관될 수 있다. 신체증상장애는 신체감각, 감정/생각의 통합에 어려움을 겪는 경우, 가족갈등이 있는 가족에게서 흔히 일어나는 경향을 보인다. 의도적으로 이런 증상을 만드는 것은 아니지만 무의식적으로 어느 순간 시작되거나 혹은 경한 질병을 앓은 후에 시작되기도 한다. 청소년들은 질병이 분명하게 신체적 문제 때문이라고 확신한다. 점차적으로 어떤 것을 회피하기 위한 수단으로 이 증상을 이용하는 패턴을 보인다. 이 패턴은 청소년의 전반적 기능이 저해된 것처럼 보일 정도로 확대될 수 있다.

신체증상장애 청소년의 주관적 경험

정동상태

질병에 대해 큰 걱정을 하며 심각한 통증으로 괴로움을 호소하는 것이 특징적이다. 보호자가 환자의 질환에 대해 의심을 품는 것같이 느껴지면 통증과 괴로움을 더 심각하게 호소하기도 하며 보호자가 믿기 어려운 듯한 뉘앙스를 보이면 고통을 더 강하게 표현하며 매우 분노하기도 한다.

인지패턴

청소년의 사고는 특정 신체증상에 집중되며 이는 그 연령대의 주목을 끌 만한 증상으로 국한된다. 또, 이런 패턴을 보이는 일부 청소년들은 더 어린 유아들에게서 특징적으로 드러나는 양상의 두려움과 공포를 경험한다. 질병에 대한 부모님의 확언은 오히려 심각하고 끔찍한 질환이라는 걱정을 불러일으키며 이는 증상을 모호하고 헷갈리게 만들거나 역으로 아주 구체적이고 치밀하게 만들 수도 있다. 청소년들은 그들이 심각한 병에 걸렸으며 죽을 위험과 맞서고 있다고 느낄지도 모른다.

신체상태

중요한 것은 진단되지 않았을 뿐 실제 존재할 수 있는 신체적 질환에 대한 가능성을 무시하지 않는 것이다. 실제로 어떤 질환이 있다면 신체증상장애와 동반되어 있다 할지라도 다양한 평가를 통해 감별할 수 있다. 실제 질환의 유무와 상관없이 환자의 통증과 불안은 심각하게 받아들여야 하며 이런 태도는 어떤 경우에 무의식적으로 통증과 불편감이 더 악화되는 것을 막아 주기도 한다.

관계패턴

신체증상을 유발한 역동에 따라 대인관계는 적절하게 유지되기도 하고 혹은 아주 심각한 퇴행 양상으로 변모되기도 한다. 주양육자와 분리되는 것에 대해 지나치게 과도한 두려움을 가지거나 사회적 관계에서 위축되어 고립되는 모습을 보이기도 한다. 이들에서 관찰되는 대인관계의 특징은 과도한 의존성이며 새로운 관계 형성에 매우 소극적이다.

임상사례

이민자 출신의 12세 소녀는 걷지 못하고 움직이지 못하는 증상을 보였다. 신경학적 검사에서 그녀의 마비를 설명할 수 있는 적절한 소견을 찾지 못했기 때문에 정신건강의학과로 의뢰되었다. 치료가 이루어지면서 그녀의 내면에는 부모와 입장을 달리하여 새로운 문화에 적응할지 아니면 부모와 비슷한 전통 안에 머물면서 새로운 도전에 대한 불안을 차단하는 것이 좋을지에 대한 심각한 갈등이 있음을 알게 되었다. 6개월 후, 그녀는 진료실 안을 걸어다닐 수 있게 되었고 2년이 지나자 정상적으로 학교생활을 할 수 있었다.

또 다른 사례는 14세 소년이 삼키지 못하는 문제로 의뢰된 경우이다. 그는 아침 식사를 할 수 없었고 약을 삼킬 수도 없었지만 진료실에서는 햄버거를 먹는 데 아무런 어려움이 없었다. 소년의 어머니는 매우 엄격한 편으로 여러 규율을 강조했고 이 때문에 소년과 갈등이 지속되는 중이었다. 치료가 진행되면서 소년은 자신의 삼키기 어려운 증상이 그의 어머니가 제공하는 것(feeding)에 대해 받아들이기 힘든(difficulty 'swallowing') 심정 때문인 것 같다고 말하였다. 소년은 가혹한 규율을 강요하는 어머니에 대한 감정을 이야기하기 시작했다.

SA52 질병불안장애

질병불안장애는 성인편 3장(p. 222)에서 자세하게 설명하였다.

질병불안장애는 의학적 근거가 없음에도 자신이 심각한 질병에 걸렸다는 비현실적인 두려움 혹은 공포에 사로잡힌 상태로 과거에는 '건강염려증(hypochondriasis)'이라는 용어로 불려왔다. 이 용어에는 경멸적인 어감이 섞여있다. 질병불안장애를 겪는 사람들은 항상 자신의 신체적 건강에 대해 걱정한다. 이 두려움은 정상적 신체상태나 기능을 병적인 것으로 이해하고 해석하는 데서 기인한다(예: 배가 부르고 더부룩하다고 느낌, 심장박동을 느낌, 땀이 나는 것이 느껴짐). 이 질환을 진단받은 청소년들은 의도적으로 증상을 만들어 낸 것이 아니며 증상을 환자 스스로 조절할 수 있는 것도 아니다. 그들은 가족, 친구, 의료진으로부터 안심해도 괜찮다는 확신을 얻고 싶어하며 이를 반복하지만 안도감은 짧게 지속될 뿐 이내 같은 문제나 증상에 대해 걱정하거나 새로운 증상을 호소하기도 한다. 증상은 모호하고 자주 바뀌거나 변한다. 일부 청소년들은 심각한 병에 걸렸다는 자신의 두려움과 인식이 상식적이지 않다는 것을 이해하고 있다. 발달학적 경과상에서 변화를 겪는 동안 일시적인 건강염려증적 상태를 경험할 수도 있다. 이 사실은 청소년들에게 있어 유리한 면이기도 하다. 청소년기를 거치는 동안 자신의 신체적 변화를 경험하고 신체표상을 통합하기 위해 충분한 시간과 시행착오가 필요할 수 있다. 질병불안장애를 진단받은 청소년들은 종종 자기 몸에 이상이 있다는 강렬한 느낌을 말하며 의학적으로 이상 없음에도 이러한 믿음에 집착한다. 다른 경우는 당혹스럽게도 청소년들이 신체증상에 대해 숨기는 경우인데, 증상을 숨기는 것은 이 문제에 대한 불안을 증폭시키고 강박사고/행동으로 이어질 수 있다. 질병불안장애의 치료에는 인지행동치료가 효과적이며 일관되고 안정적인 의사-환자 관계를 유지하는 것이 치료에 도움이 된다(Sørensen, Birket-Smith, Wattar, Buemann & Salkovskis, 2011; Wicksell, Melin, Lekander, & Olsson, 2009).

SA53 인위성 장애

인위성 장애는 성인편 3장(p. 224)에서 더 자세하게 설명하였다.

인위성 장애는 일반적으로 성인들에서 진단되는 '뮌하우젠 증후군(Munchausen's syndrome)'과 같이 환자 자신이 의도적으로 신체적 혹은 정신적 증상을 유발하거나 가짜로 꾸며내는 경우이다. 아동기와 청소년기의 환아들에서는 '대리 뮌하우젠 증후군(Munchausen's syndrome by proxy)'이 더 흔한데 이는 주로, 부모나 주양육자, 때로는 간호사 혹은 다른 양육자에 의해 반복적으로 질병이 만들어지거나 신체적인 해를 입는 상태가 되는 경우이다. 가해장본인은 어떤 짓도 하지 않았다고 주장하면서 오히려 피해를 입었다는 사람 때문에 엄청난 스트레스에 시달린 나머지 건강이 나빠졌다고 하소연한다. 심리적으로 관심을 얻는 정도의 보상을 느낄 수도 있지만 꾀병과 달리 이차적 이득이 뚜렷하지 않다. 원인, 가족 패턴, 기저 요인에 대한 연구는 거의 없으나 이 진단을 받은 부모는 전형적으로(외상 및 상처로 인한) 이전의 초기 치료기록이 있다.

SA8 정신신체장애

SA81 급식 및 섭식장애

급식 및 섭식장애는 성인편 3장(p. 226)에서 자세하게 설명하였다.

DSM-5에서는 음식섭취 패턴의 변화, 음식 소화흡수의 문제, 먹는 행동 혹은 이와 관련된 여러 형태로 인해 신체건강 및 정신사회적 기능의 현저한 손상을 야기하여 지속적인 어려움을 겪는 상태를 급식 및 섭식장애의 진단으로 재분류하였다. 이 장애는 먹는 행동과 그 과정에 함축된 여러 의미를 고려하여 정신신체사회적 질환의 범주(psychophysiological Disorders category)에 속한다. 이 장에서는 신경성 식욕부진증(anorexia nervosa)과 신경성 대식증(bulimia nervosa)을 중심으로 기술하였다.

신경성 식욕부진증과 신경성 대식증은 개념적인 측면에서는 DSM-IV의 핵심 진단기준과 달라지지 않았다. DSM-5에서 신경성 식욕부진증 진단기준의 변화는 '무월경'이 진단기준 항목에서 삭제 된 것이다. 신경성 대식증 진단기준에서는 평균 폭식 횟수(적어도 평균 주 1회 이상)와 부적절한 보상행동의 빈도(경도: 평균 주 1-2회)가 이전 진단기준에 비해 완화되어 더 적은 빈도에서도 진단될 수 있다.

청소년기에 섭식장애가 호발하는 것은 청소년들이 발달과정에서 겪게 되는 신체적 변화, 심리적 변화와 연관된 것으로 생각된다. 사춘기는 신체적으로 호르몬 변화가 왕성하고 골격이 달라지며 음식 섭취와 조절에도 변화가 생긴다. 이 맥락에서 상당수의 청소년들은 음식을 깨작깨작 먹는다거나 폭식을 하거나 음식에 대한 갈망을 느끼기도 하는 등 일상적이고 평범한 식사와 음식 섭취에서 벗어난 식이행동이 단기적 혹은 이행기적으로 나타나기도 한다. 다양하고 많은 일탈적 식이 행동은 청소년의 섭식패턴이 안정적으로 개인화되고 정상궤도에 이르기까지 일정기간 동안 진행될 수 있다. 소녀의 약 20%는 제한적 식이행동, 단식행동을 하며 이 중 아주 적은 수이지만 일부는 심각한 섭식장애로 발전할 가능성을 가진다. 이러한 문제는 초경 무렵 주로 일어난다. 생리주기가 시작되고 사춘기를 거치는 동안 성적으로 성숙해야 하는 발달학적 과제를 부담스럽게 느끼고 불안해 한다. 음식과 식이를 제한하는 행동, 체중감량, 영양결핍은 사춘기 진행을 더디게 하며 2차 성징이 시작되고 자연스럽게 발달하는 것을 방해한다. 식욕부진증, 대식증, 폭식증, 그리고 이와 관련된 행동은 골다공증의 위험을 높일 뿐 아니라 신체적 성장, 생식기능, 사춘기 동안 일어나는 변화에 매우 부정적인 결과를 불러온다(Roux, Blanchet, Stheneur, Chapelon, & Codart, 2013). 치료세팅에 들어온 환자를 대상으로 조사하였을 때, 신경성 식욕부진증은 사춘기 무렵에 호발하는 가장 흔한 섭식장애(70-80%)이며 특히, 12-13세와 17-19세에 가장 많다. 신경성 대식증은 후기 청소년기와 초기 성인기에 호발하며 식욕부진증에 비해 나이가 더 많은 그룹에서 흔하다. 서구사회에서 신경성 식욕부진증의 유병률은 소녀의 약 1%, 소년의 약 0.03%로 지난 수십 년 동안 변화를 보이지 않았다(Hoek, 2006). 비서구국가의 역학조사자료에서는 유병률이 상승하는 추세였으며 특히, 동아시아 지역에서 높게 보고되었다. 이 질환의 연구에는 생물학적 특성, 심리적 특성, 가족적 요소, 사회문화적 요인을 모두 고려하여 접근하고 평가할 필요가 있다. 그러므로, 신체적 요인(체중 변화, 구토), 심리적 요인(살찌는 것에 대한 두려움, 체중 혹은 몸매에 대한 부정적 인식), 행동적 측면(식이제한, 폭식행동, 강박적 운동, 하제의 사용)을 고려한 표준적 규준을 적용하여 분류하였다. 여기에는 문화적 차이에 의한 다양한 의견과 이러한 규준의 필요성 여부에 대한 인식의 차이가 분명히 존재할 수 있다.

체계적 정신치료와 가족기반치료가 섭식장애 청소년의 치료에 필수적이다(Findlay, Pinzon, Taddeo, & Katzman, 2010). 가장 최근에 발표된 연구와 가이드라인에서는 신체적, 영양학적, 정신의학적인 차원에서 대화형식의 이해와 접근, 상호적 개입이 규칙적으로 시행되는 것이 중요하다고 언급하였다(American Psychiatric Association, 2006; Gowers & Bryant-Waugh, 2004; National Institute for Clinical Excellence, 2004). 섭식장애 청소년은 성인에서와 같이 강박적 성향, 자기애적 성향, 경계성 인격 성향을 보일 수 있다. 심각한 식욕부진증 환자에서 실제로 아사(餓死)직전의 상태임에도 불구하고 반드시 식이제한을 해야 한다고 믿는 경우, 이는 본질적인 측면에서 정신병적 수준의 인격기능을 반영하는 것으로 생각할 수 있다. 대식증 환자와 제거행동이 있는 식욕부진증 환자의 경우, 경계성 수준의 인격구조를 보였다.

DSM-5의 모든 섭식장애는 병리적으로 유사했으며 종종 세부 특성이 겹치거나 범주 간

교차되어 나타나는 경우도 있었다. 30-60%의 청소년에서 초기단계의 이행기적 폭식삽화나 대식증을 경험하였고 성인 대식증 환자의 80%에서 식욕부진 삽화가 있었다(Milos, Spindler, & Schnyder, 2005). 병전 과체중이었거나 증상의 시작이 식욕부진증의 폭식제거형으로 발병한 경우에서 장기적인 경과 중 대식증으로 진단될 위험이 더 높았다. 일반적 경과에서 폭식삽화는 식욕부진 삽화의 처음 3-5년 내에 나타난다. 역으로, 대식증 환자의 5% 미만에서 신경성 식욕부진증으로 진행하며 이는 여러 조건상 매우 드물게 일어나는 경과상의 변화로 간주된다. 그러나, Smink, van Hoeken, Hoek (2013)의 연구에서는 신경성 식욕부진증의 70%, 신경성 대식증의 55%가 나쁘지 않은 경과를 거친다고 보고하였다. 비록, 식욕부진증적 성격(anorexic personality) 혹은 대식증적 성격(bulimic personality)이라고 직접적인 표현을 쓰지는 않지만 섭식장애는 서로 겹쳐지는 특성이 있으며 기질적인 측면을 평가했을 때, 이를 유발할 수 있는 소인에 대해 고민하게 한다. 섭식장애를 평가할 때, 정신과적 공존질환, 가족요인, 증상적 요인, 신체계측 요인을 반드시 살펴야 한다.

청소년에게서 유독 특징적인 임상양상을 띠는 섭식장애가 있다. 소년에게서 나타나는 신경성식욕부진증은 병전 비만했던 경력이 있거나 혹은 과체중 상태에서 시작한다. 신체적 건강의 손상이 급격하고 극단적으로 나타나며 폭식행동과 제거행동이 심각한 양상을 보이는 것이 특징이다. 이 질환의 중심에는 정체성에 대한 고민이 자리하고 있다. 때로, 순수근육량(lean muscle mass)을 더 늘리고 싶다고 말하기도 한다. 식욕부진증은 성적학대, 가족의 죽음, 애착문제, 심각한 질병과 같은 스트레스 후에 나타나기도 한다. 일반적으로 청소년은 전형적인 '식욕부진증'의 상태에 대해서 이야기하기보다 식욕이 없고 슬프거나 그외 다른 종류의 우울증상에 대해 말한다. 이민자 청소년 혹은 이민자의 어린 자녀는 정체성 형성에 혼란을 주는 문화적 충격을 경험하기도 한다. 일반적으로 이들에게 신경성 식욕부진증과 섭식장애는 긍정적으로 동화되기 위해 그 충격을 상쇄시키는 역할을 하여 문화적 충격에 대응할 수 있게 하는지도 모른다(Demarque et al., 2015). 어릴 때 섭식장애가 있었고 성장하면서 신경성 식욕부진증으로 진행된 청소년에서는 사춘기 동안 이 문제가 더 악화되며 정체성 확립의 문제가 가중되어 있어 더 심각하고 더 힘겨운 경과를 거친다.

섭식장애 청소년의 주관적 경험

정동상태

식욕부진증 청소년과 대식증 청소년은 유사한 몇 가지 유형을 보인다. 그들은 종종 자신의 감정상태를 알아차리지 못하고 매우 감정표현불능증적(alexithymic)이며 감정을 구분/지각하여 정체를 파악하는 능력이 만성적으로 무뎌져 있다. 이들은 매우 부서지기 쉽고 약해진 자신에게 감정이란 것은 통제하기 어렵고, 아주 급격하게 동요하고, 강렬하고, 고통스럽고, 위협적인 것으로 경험하는 것 같다. 자신들의 감정을 제대로 다루는 데 어려움을 느끼는 것은 역설적으로 타인의 감정에 지나치게 민감하고 타인의 반응에 집착하는 것과 연관되며 이는 환심을 사려는 태도나 반대로 묵인하고 무관심한 행동이나 태도로 드러난다. 자기비하, 수치심, 질투에 대한 감정도 이러한 태도와 관련 있다. 의존심과 자기비판은 식욕부진증 청소년과 대식증 청소년 모두에서 흔하게 나타난다(Speranza et al., 2003). 섭식장애 청소년에게 가장 큰 부분을 차지하는 문제 중에 하나로 초기 아동기의 분리-개별화과정을 완수하지 못하고 여전히 자율성과 자신의 정체감 획득을 위해 고군분투하는 중이라는 것은 그리 놀라운 사실은 아니다. 식욕부진증 청소년은 매우 강한 의존성을 보인다. 자기비판적 우울은 대식증 환자에서 더 두드러지는 증상으로 이는 자존감 조절문제와 정체성의 취약함을 반영한다고 볼 수 있다. Heatherton과 Baumeister(1991)가 강조한 것처럼 폭식은 자기인식의 부정적 측면으로부터 도망치려는 시도이며 경계성 수준의 인격유형과 연관된 불쾌한 감정상태를 조절하기 위한 동기에서 행하기도 한다.

인지패턴

낮은 자존감과 자기확신의 취약함은 섭식장애 청소년들에게 흔하다. 이들에게 있어 병적인 섭식문제는 조절이 안되는 감정을 다루기 위한 하나의 수단이다. 성인이 되기 위해 아동기를 마무리 하고 다음 단계로 진입해야 하는 두려움은 2차 성징이 나타나고 체격이 커지거나 내분비샘을 자극하는 데 분명한 영향을 주는 체중증가를 억제함으로써 이러한 발달을 지연시키고 아이 같은 외형과 특징을 지속되게 하는 회피행동을 유발하거나 반동적으로 철저히 상반되는 행동(예: 위험이 높은 성적 행동의 증가, 과하게 여성스럽게 꾸미는 행동)에 극단적으로 몰입하는 양상으로 표출될 수 있다. 이러한 역설적인 행동양상을 통합되지 못한 인격(split personality)적 특성으로 설명한다. 정상적인 통합과정을 완수한 청소년들은 이성적으로 판단하고 이에 따라 행동하지만 식용부진증이나 폭식증적 인격을 가진 청소년들은 매우 비이성적이다. 섭식장애 청소년들의 일부는 그들의 상태를 정체성의 한 부분으로 인식하거나 자기감의 핵심에 위협으로 간주되는 상황에 대한 두려움을 어떤 식으로든 중재하게 만드는 상태로 받아들이기도 한다. 섭식장애는 이들에게 자기안전감을 제공하는 것 같다. 또한, 자신에 대한 조절능력을 재획득하고 능력을 가진 것으로 착각하도록 허용하는 것과 같이 다양한 측면에서 이들을 보호하는 기능이 포함되어 있다. 감정/행동의 조절방식은 가장 기본적인 신체적 필요를 묵인함으로써 이루어지는 포악한 형태로 통제하는 것이며 음식의 주제에서 벗어나기 위한 집착적 인지증상으로 생각된다. 이렇게 엄격하고 가혹한, 이상화된 통제방식에 어떤 식으로든 오류가 발생하게 된다면, 그 다음 순서로 섭식장애 청소년들이 경험하는 것은 어마어마한 강도로 압도하는 수치심과 죄책감이다.

신체상태

정서적 욕구를 묵인하고 부인하는 것은 섭식장애의 핵심 양상이다. Bruch (1973)는 감정과 신체감각을 잘 구별하지 못하고 모호하게 혼란스러워하는 것과 같이 내면의 감정을 인식하고 확신하는 능력이 미숙한 측면을 신경성 식욕부진증 특유의 증상으로 설명하였다. 섭식장애 청소년들이 보이는 감정표현불능은 또한 스트레스를 다루고 이에 기능적으로 적응하는 능력을 떨어뜨릴 수 있다. 감정적 욕구로 인해 생리적 흥분이나 각성이 생기는 상황과 마주하였을 때 감정표현불능 증상을 가진 환자는 반복적이고 자동적으로 작동되는 행동 패턴(예: 식욕부진증 환자들의 과잉 행동, 대식증 환자의 폭식-제거 행동의 악순환)에 의존하여 감정과 상황을 다루는 데 유연하게 대처하지 못한다. 이러한 행동패턴은 내면의 평정상태를 지키고 불편한 감정을 일시적으로 완화시킨다. 한편으로 섭식장애 환자가 보이는 이런 행동은 어떤 측면에서 본다면, 중독질환 환자군에서 관찰되는 양상과 비교하였을 때, 섭식장애의 긍정강화를 떠올리게 한다(Speranza et al., 2012). 섭식장애는 신체 여러 장기에 변화를 일으키며 영향을 준다. 신경성 식욕부진증 환자는 사망위험이 높다. 쉽게 피가 맺히는 양상의 자반처럼 심각한 상태를 시사하는 피부과적 징후가 나타나기도 한다. 이들은 당뇨질환, 위장 확장이나 말로리-바이스 신드롬, 심각한 간기능장애와 같은 소화기 합병증이 발생할 위험 또한 높다. 선단청색증이 흔하며 생명에 직접적인 위협이 되는 심각한 부정맥도 생길 수 있다. 저체중의 경우, 골다공증과 골감소증의 위험이 매우 높으며 저혈량증, 나트륨결핍, 저칼륨혈증, 저마그네슘혈증 등의 영양학적 불균형과 비정상적 영양상태인 경우가 매우 흔하다(Mitchell & Crow, 2006).

관계패턴

섭식장애 청소년들은 자신들에게 익숙한 회피와 고립을 방해한다고 느낄 때, 이를 '위협'으로 감지하는 예민함을 보인다. 사회적 관계에서 느끼는 불편감은 부모 특히, 어머니에 대한 과잉애착의 반작용으로 간주할 수 있다. 최근의 가설에서는 병적인 섭식행동이(기원을 찾아 들어갔을 때) 발달 초기 주양육자와의 적절한 상호적 관계를 통해서 형성되는 본질적 기능획득의 실패로 인해 분리개별화의 진행이 발달과정 중 어느 지점에서 정지된 상태를 반영하는 것으로 보고 있다. 증상은 완수되지 못한 분리개별화과정에서 기인한 욕구를 다루기 위한 시도이며 또 분리개별화 과정이 방해받는 중에 유발된 것이기도 하다. 부모와의 관계는 때로 역전되어 있다. 섭식장애 청소년들은 부모들의 생활, 행동, 감정을 통제하려 든다. 또래 친구나 연인과의 관계에서는 강한 의존성과 정서적 배타성을 특징으로 한다. 이들에게 분리 경험은 다루기 어려운 것이므로 자동적으로 회피하려 든다. 집을 떠나는 언니, 오빠 혹은 누나, 형이 있을 때, 부모의 이혼으로 한쪽 부모와 이별할 때, 여기에서 경험하는 분리로 인해 섭식장애가 촉발되기도 한다.

임상의사는 섭식장애 환자로부터 야기된 역전이를 이해하고 있어야 한다. 섭식장애의 종류에 따라 역전이는 다양할 수 있다. 식욕부진증 청소년은 감정표현불능적이며 통제적이다. 폭식증 청소년 역시 식욕부진증 환자와 비등하게 감정표현불능적이지만 훨씬 더 충동적이고 감정적으로 더 불안정하다. Rasting, Brosig, Beutel (2005)는 섭식장애와 정신신체장애 청소년을 대상으로 치료적 상호작용에서 드러나는 얼굴표정과 정동상태를 비디오테이프로 녹화하여 관찰한 바 있다. 이 연구에서 감정표현불능증 환자에 대한 치료자들의 감정반응 중에 경멸과 멸시가 두드러지게 나타났다고 발표하였다. 전문가들은 치료적 관계 안에서 감정표현불능증 특유의 양상에 대해 인식하고 부정적 태도를 드러내는 듯한 환자의 제한된 감정표현에 대해 오역하는 실수를 피할 수 있도록 역전이를 잘 인식하고 이해하는 능력이 필요하다고 설명하였다.

임상사례

어린 시절 동안 정상체중을 유지했던 14세 소녀는 초경 이후 체중을 줄이기 시작했다. 매사에 엄격하고 완벽함을 추구하는 부모의 기대에 부응하듯 이 소녀는 아주 훌륭한 학생이었다. 그러나, 그녀는 친하게 지내는 친구나 남자친구가 없었고 학업과 달리기 대회를 이유로 친구들을 피했다. 그녀가 몹시 따르던 친오빠가 작년에 대학으로 진학하면서 떨어져 지내게 되었고 소녀의 식이문제가 시작되었다. 그녀는 자신이 뚱뚱하고 사춘기 신체변화가 불편하다고 했다. 처음에는 설탕과 지방, 간식을 먹지 않았다. 점차 음식을 통제했고 부모님의 식사와 조리방식에도 간섭하였다. 하제를 남용했고 몇 가지 강박증상이 관찰되었다. 최근 들어 소녀는 가족과 함께 식사하는 것을 거절하였고 같이 식사 하자고 그녀를 부르는 어머니에게 혼자서 먹고 싶다고 하였다. 소녀는 의사에게 단지 자신이 너무 뚱뚱하다고 느껴지는 것일 뿐 잘 지낸다고 이야기 하였다. 저체중 상태가 지속되어 위험한 지경에 이르자 의사는 운동중단을 권했고 그녀는 의사에게 매우 화를 냈다. 만약, 다음 사항에 해당될 경우 입원치료를 필요로 한다; 심한 체중감소, 과도한 부인(denial), 과도한 운동, 하제 사용, 강박행동, 모친과 과도한 밀착관계.

SA9 파괴적 행동장애

파괴적 행동장애는 자신의 감정과 행동을 스스로 적절하게 통제하지 못해 타인에게 손해를 입히는 일련의 상태에 대한 것이다. DSM-5에서 개정된 진단범주로 파괴적, 충동조절 및 품행장애(disruptive, impulse-control, and conduct disorders)를 제시하였다.

행동 및 감정조절 문제의 본질적 원인은 질환의 특성에 따라, 개인의 특성에 따라 매우 다를 수 있다. 이러한 특성 때문에 드러나는 증상은 교차될 수 있고 서로 간에 영향을 미치기도 한다. ADHD와 같은 신경발달학적 질환을 포함하는 기질적 요인과 환경적 요인 모두 이 범주에 속하는 질환의 병태생리에 주요한 역할을 한다. 파괴적 행동장애는 이질적이고 병합된 정신과적 문제, 신경정신의학적 프로파일, 사회-가족적 어려움의 측면에 따라 다른 특징을 띤다. 이 질환에 대해 가장 잘 이해하기 위한 방법은 어린 시절부터 발달학적 과정의 궤도를 충분히 살펴보는 것이다.

SA91 품행장애

품행장애는 6장(pp. 352~354)에서도 설명하였다.

품행장애는 청소년 자신의 해당연령에 맞게 요구되는 사회적 규범을 위반하거나 타인의 기본적인 권리를 침해하는 행동이 반복되고 지속될 때 붙일 수 있다. 이런 행동문제에 대해 DSM-5에서는 문제행동을 그룹으로 묶어 설명하였다. 첫째, 다른 사람 혹은 동물에게 신체적, 물리적 위협을 가하는 공격적 행동(aggressive conduct). 둘째, 재산 및 소유물의 훼손, 파괴 혹은 사기를 치는 비공격적 행동(nonaggressive conduct). 셋째, 절도 및 중대한 위반 행동(theft & serious rule violations)으로 구분하였다. 품행장애 청소년들은 사회적, 학업적, 직업적 영역에서 심각하고 상당한 기능적 장애를 가진다. 반사회적 행동을 2가지 타입으로 구분하였을 때, 한가지 타입은 초기 아동기에 시작되어 생애 전반에 걸쳐 지속되는 형태이고, 다른 한가지 타입은 청소년기에 시작되어 또래의 반사회적 행동을 모방하다가 또래관계에 따라 행동문제가 이어지는 경과를 거치면서 초기 성인기에 이르러 완화되고 사라지는 경우이다. DSM-5에서는 반사회적 행동문제에 대한 아형의 하나로 친사회적 감정(prosocial emotions)이 제한적이고, 높은 냉소적-냉혈한 성향(high callous-unemotional traits)을 보이는 상태로 가설을 상정하였다. 이러한 성향은 메마른 정동, 후회나 공감의 결여, 공격성과 반사회적 행동 패턴이 훨씬 더 심각하고 다양하며 지속적으로 드러나는 것과 연관된다. 품행장애를 가진 많은 소아들은 기분장애, 불안, 외상후 스트레스 장애, 주의집중력 장애, 과잉행동 문제, 학습장애, 물질 오남용 문제, 사고장애와 같은 공존 증상들을 흔히 동반한다. 지속적 품행장애(Presisting CD)로 진단된 청소년은 반사회적 인격장애에 대한 강력한 예측인자를 가진 것으로 간주할 수 있다. 특히, 사회경제적 상태가 취약하고 가족들이 높은 냉소적-냉혈한 성향을 가질 경우, 가능성은 더 높아진다. 품행장애 청소년은 물질사용장애, 퇴학 혹은 자퇴 등으로 인한 학업중단, 원치 않는 임신, 유죄선고를 받거나 크게 다칠 위험에 노출되어 있고 사망 위험 또한 높다. 품행장애를 포함한 파괴적 행동장애는 소아와 청소년을 정신건강센터로 위탁하게끔 하는 가장 흔한 원인이다. 전체 소아와 청소년의 약 6%에서 어떤 형태로든 품행장애로 진단되며 소녀에 비해 소년이 훨씬 더 많다. 소녀의 경우, 많은 수에서 청소년기 발병 품행장애에 해당되는 반면, 소년에서는 대체로 아동기에 발병하여 더 폭력적인 형태에 속하는 경우가 흔하다. 행동문제가 품행장애로 진행되어 진단되는 데 기여하는 많은 요인이 있으며 여기에는 뇌손상, 어린 시절의 학대, 유전적 취약성, 학업실패, 부적절한 또래관계, 정신외상적 사건의 경험 등이 포함된다. 적대적 행동과 폭력은 어린 연령과 사회적 환경, 가정환경 사이의 특정한 역동관계를 반영할 수 있다. 일탈행동은 품행장애를 가늠할 수 있게 하는 중요한 신호이다. 일탈행동은 상호 간 오해가 깊어진 상황(예: 세대 간, 문화 간 갈등이 생긴 상태에서 어떤 중재장치도 없는 경우, 직접적인 직면 외에는 어떠한 다른 방식도 해결책도 찾을 수 없는 상태)에서 공격성을 자극하는 강압적인 태도로 일관할 때 쉽게 일어난다. 일탈행동은 실제 현실에서 벌어지든, 인지적으로 느껴지든 간에 가족의 거절이나 사회적 거절에 대한 아이들의 반응이기도 하다. 부모의 태도는 아이 행동문제에 상당한 기여를 한다. 일관성 없고 혼란을 가중하는 훈육태도, 정서적 방임, 아이가 필요로 하는 바를 적절히 알아차리지 못하는 무심함을 특징으로 하는 가혹한 부모-아이 상호작용과 같은 요인이 불안정 애착방식, 혼란스런 애착방식을 만드는 기본 틀로 작용할 수 있다. Frick & Viding (2009)는 연구에서 취약한 개인이 계속해서 역경과 고난을 겪은 후에 생애 전반에 걸쳐 반사회적 행동을 하는 것은 신경발달학적 질환의 하나라는 가설을 지지하는 결과를 발표하였다. 역학조사에서도 청소년기 시작되는 심한 반사회적 행동은 대부분 나쁜 예후를 시사하며 청소년기에 국한되지 않는다고 보고하였다(Fairchild, van Goozen, Calder, & Goodyer, 2013). 반사회적 행동의 두 가지 타입 모두 감정처리기능, 뇌의 구조적 변화, 뇌기능의 변화, 코티솔 분비의 이상, 높은 냉소적-냉혈한 성향과 같은 비전형적인 인격적 성향과 연관된다.

품행장애 청소년의 주관적 경험

정동상태

품행장애 청소년들은 그들 자신의 감정상태를 알아차리지 못하며 인지하지 못하는 경향이 있고 타인의 감정에 대한 반응이 결핍되어 있다. 특히, 냉소적-냉혈한 성향을 가진 경우에서 후회감이나 회한적 감정을 느끼지 못하며 적대적인 반응이 주로 드러나고 공감 반응이 제거된 듯 보인다. 또한, 감정 조절을 못하고 감정이 극과 극으로 변하며 낙차가 커서 불안정하게 느껴진다. 대부분 아주 사소한 좌절조차도 견뎌내지 못하며 만족감이 지연되는 것을 참지 못한다. 자신들이 의도한 방식대로 되지 않을 때, 주로 분노로 표현하며 자신들이 이기거나 성공할 때에만 만족감을 나타낸다. 고통 혹은 두려움을 느낄 때, 원하는 만큼 충분한 관심을 끌지 못했을 때, 다른 사람들이 자신을 모욕한다는 생각이 들 때, 분노와 화로 표출한다. 이들은 쉽게 사람들을 배신하고 포기하며 패배적인 태도를 드러낸다.

인지패턴

자신들의 여러 잘못된 행동으로 인해 유죄선고를 받는 주제에 대한 생각과 환상을 가지고 있다. 품행장애 청소년은 그 누구도 자신에게 범접할 수 없다고 믿으며 타인에 대해 무심함으로 일관한다. 그들의 목표는 대부분의 경우 권력과 물질적인 이득에 있으며 대인관계나 사회적 역할에 대한 생각과 관심은 현저하게 결여되어 있다.

신체상태

신체상태에서 가장 두드러지는 것은 과각성과 과도한 경계 증상이다. 또한, 정신병리에서 기인하여 신체증상으로 나타나거나 공존해 있는 물질사용장애로 인한 신체증상이 있을 수 있다.

관계패턴

관계패턴은 타인에 대한 충동성과 무관심을 특징으로 한다. 왜냐하면, 이들은 다른 사람들을 권력의 힘으로 조종하고 흥미를 끌어 이용하거나 물질적 이득을 위해 사기칠 수 있는 대상으로 여기는 경향이 강하기 때문이다. 이런 패턴에서는 다른 사람과의 관계가 매우 짧고, 나쁜 관계로 남게 되는 것은 당연하다. 이들 보호자들은 품행장애 청소년들과 함께 산다는 것이 부담스럽고 그들의 과도한 요구사항을 견뎌야 하며 불쾌한 상황이 끊이지 않아 곤란을 겪는다고 자주 이야기한다. 현재의 치료 가이드라인은 수치심, 도덕적 비판, 손가락질 당하고 낙인찍힌 경험의 맥락에서 이들을 도울 수 있는 한 방편으로 부모훈련프로그램을 제안하고 있다. 전문가들은 중립적인 자세로 이들의 생활을 정상화시키기 위해 가족 역동을 폭넓게 이해하고 부모들의 감정적 요청과 필요를 함께 다루어 줌으로써 훨씬 더 좋은 결과를 이끌어 낼 수 있다고 조언한다.

임상사례

16세 소년은 중학교 2학년을 유급하였다. 12세부터 차를 훔쳤고 또래 친구들을 괴롭혔으며 결국, 그는 체포되어 유치장에 구금되었다. 소년은 덩치가 컸고 힘이 센 편으로 이를 이용하여 유치장 직원을 위협하곤 했다. 교육담당 직원이 소년에게 자신의 어린시절에 대한 이야기를 하면서 공감적으로 다가갔다. 그리고, 소년의 위협행동에 대해 '타임 아웃'을 줌으로써 행동의 제한을 설정하였다. 이 행동요법이 시행되고 약 1년 후부터 소년은 규칙을 지키기 시작하였고 2년이 지나자 그의 행동문제는 눈에 띄게 안정화되었다.

SA92 적대적 반항장애

적대적 반항장애는 6장 354-357에서도 설명하였다.

적대적 반항장애(ODD)청소년들은 어른들에게 말대꾸하고 거부감, 적대감, 반항심을 드러내는 것을 특징으로 한다. 청소년 누구라도 자아정체성을 확립하는 과정 중에 부정적인 생각을 가질 수 있겠지만 이들은 언제든지 상대방을 자극하여 화나게 할 준비가 되어 있는 듯 보이며 비협조적이고 공격적 행동이 점차적으로 더 심해진다. 발달수준이 비슷한 동일 연령대의 또래와 비교했을 때, 삶의 전반에 걸쳐 주요한 영역에서 적응기능을 방해하는 양상이 지속될 경우 심각한 상태로 간주한다. 주요 증상으로는 분노폭발, 어른들과 지나치게 논쟁을 벌이고, 규정을 어기거나 화나게 만들며 매우 성가시고 귀찮게 굴기도 하며 타인에게 책임을 전가하여 비난하거나 다른 사람을 집적대기도 한다. 분노하고 화를 내는 일은 매우 빈번하다. 적대적 행동장애 소아는 또래에 비해 사회적 상호작용, 학업성취, 감정조절에 있어 매우 큰 곤란을 겪는다. DSM-5에서는 적대적 반항장애 증상을 3가지 그룹 즉, 분노/이작극성(angry/irritable mood), 논쟁적/반항적 행동(argumentative/deant behavior), 강한 복수심/복수성향(vindictiveness)으로 나누어 설명하였다. 이들이 보이는 만성적 신경질/이자극성은 적대적 성향과 기분장애 사이의 강한 연관성을 시사하며 분노폭발과 문제를 악화시키는 자멸적 행동(self-defeating behaviors) 뒤에 내재하고 있는 감정조절능력 결손을 짐작케 한다. 적대적/반항적 행동 문제는 소아청소년이 정신경강센터(정신의학서비스로) 연계되는 가장 흔한 이유이다. 일부에서는 아동기와 청소년기 동안 행동 문제가 상대적으로 감소되어 안정적으로 지내기도 한다. 그들은 흔히 불안장애, 우울증, ADHD와 같은 다른 정신질환과 나란히 병발하며 결국에는 품행장애(CD)로 진행하기도 한다. 적대적 반항장애 증상에는 품행장애(CD)의 가해자적 행동, 반사회적 행동뿐 아니라 기분장애나 불안장애를 시사하는 증상들도 함께 존재한다. 적대적/반항적 행동패턴을 보이는 청소년은 자존감이 낮고 다른 사람들의 관심과 이해를 받을 가치가 없다고 여긴다. 자존감을 유지하기 위한 그들의 노력 뒤에는 자기의심, 자기혐오, 분노감, 의기소침 같은 감정이 존재한다. 이 아이들은 아무도 자신들의 심정을 이해하지 못할 것이라 생각한다. 과도한 경계심은 자기가치를 방어하는 그들의 정서상태를 반영한 행동이며 누군가가 자신을 기만했다고 느끼는 순간에 언제든지 화를 낼 수 있는 태세를 취하는 것이다. 자존감을 유지하기 위한 그들의 노력은 초조하다기 보다 훨씬 자극적이고 도취된 듯 느껴지며 자기조절능력의 손상 역시 존재한다. 비록, 이런 행동문제의 원인이 완전히 밝혀지진 않았지만 적대적 반항장애에 준하는 증상은 초기 상호작용 패턴에 문제가 생겨 시작되는 경우가 많다. 그러나, 아주 이른 시기에 겪었던 가족 간의 부정적 상호작용이 개인의 인격형성에 얼마나 중대한 영향을 끼쳤는지에 대한 상대적 기여도를 가려내는 것은 쉽지 않다. Fonagy (Bateman & Fonagy, 2012) 등은 파괴적 행동장애의 이중-발달학적 모델(bidevelopmental model)을 제안했다. 이 모델은 기질적으로 까다로운 성향의 아이와 이러한 아이들의 요구에 적절히 반응하지 못하는 부모들의 반응불능성향 사이의 상호작용으로 인해 서로에게 맞추지 못하는 어려움이 초기 가족관계에서 일어난 것이라는 가설이다. 부모가 적절하게 반응해 주지 못하고 무심하게 방임하는 것은 아이에게 강한 감정반응을 일으키며 상호적 오해의 악순환을 반복한다. 환경은 그 자체로 아이들의 충동성, 과잉행동문제, 이자극성을 수용하는 기능이 없다. 이 일련의 증상은 불만족스러운 정서적 상호작용을 양산하며 발달과정 안에 자신감과 일관된 자아표상을 형성하는데 필수적인 긍정적 감정경험의 기회를 박탈한다. 적대적 행동과 공격성은 의존성에 뿌리를 두고 있으며 취약한 정체성을 보호하는 역할을 한다. 이 진단을 받은 대부분의 청소년은 자신의 행동이 야기하는 문제의 심각성을 인식하지 못한다. 즉, 병식이 결여되어 있다. 전형적으로 이들은 자신이 화가 나 있다고 알아차리지도 못한다. 그 대신, 자신이 일으키는 행동은 주변에서 말도 안 되는 요구를 했기 때문이라거나 관습을 따르라고 부당하게 강요하는 타인들 때문이라며 비난하고 환경을 탓하는 등 자신들의 문제행동을 정당화하고 합리화하려 든다. 충동성은 부정적인 결과를 얻을 게 뻔한 문제행동으로 이어지게 한다. 간혹 반항적 행동 후에 뉘우치는 감정을 드러내거나 후회의 심정을 표현할 때도 있지만 이는 매우 드물고 대부분의 반항적 청소년은 대체로 자신들의 행동을 정당하다고 인식하고 스스로를 피해자로 간주하는 것에 훨씬 익숙하다. 이런 문제로 인해 타인들로부터 반복적으로 배척 당한다는 기분을 느꼈을 때, 자기응집력이 약화되고 자기애적 손상과 자기의 분열에 훨씬 더 취약해진다.

이들의 사회적 관계와 가족 관계는 많은 부분 손상되어 있다. 왜냐하면 이 진단을 받은 청소년은 훼방꾼의 기질을 가지며 위세를 부리거나 반항적이기 때문이다. 이들에 대한 반감은 이들을 더욱 반항적으로 행동하게끔 하며 더욱 적대적 성향을 가진 또래들과 결집하게 만든다. 그리고, 이런 악순환은 결국에 범죄성향으로 귀결된다.

SA93 물질관련장애

물질관련 장애는 성인편 3장(pp. 239-242)과 6장(pp. 358)에서 자세하게 설명한다.

저자들은 소아청소년의 물질관련장애를 피괴적 행동장애로 포함시켜 설명하였다. 많은 연구에서 행동조절능력과 감정조절능력이 결여된 청소년의 경우 물질사용문제를 동반하게 될 위험이 매우 높다고 보고한다.

DSM-5는 물질사용장애의 핵심양상을 개인의 지속적인 물질사용에 있어 물질사용과 연관되어 발생한 문제를 인지적, 행동적, 생리학적 증상군으로 분류하여 설명하였다. 이 진단은 물질사용과 관련된 조절능력의 상실, 사회적 기능의 손상, 위험한 사용: 내성과 금단의 4가지 병리적 행동패턴을 기반으로 하였다. 이는 다양한 물질에 적용할 수 있다. 특정 물질은 독립적으로 뇌의 신경회로에 작용하여 영구적으로 구조를 변화시키고 영향을 미칠 수 있다. 특히, 물질사용장애가 심각한 개인에서 더 위험하다. 이런 변화가 행동에 영향을 주어 재발이 반복되며 강력한 갈망을 경험하고 약물로 유발된 자극에 탐닉하게 된다.

청소년기 약물사용은 전 세계적으로 흔하다. 2014년에 발표된 자료에 따르면 12학년 학생들 중 60.2%는 알코올, 35.1%는 마리화나, 13.9%는 처방 목적과 무관하게 처방 약물을 오용하였다고 보고하였다(Johnston, Miech, O'Malley, Bachman, & Schulenberg, 2014). 청소년의 약 11.4%는 DSM-IV의 물질사용장애 진단기준을 충족하였다. 청소년의 물질사용문제는 종종 심리적 스트레스와 정신질환이 공존하는 상황에서 일어나기도 한다. 정신질환을 가진 청소년은 물질사용장애로 진행할 위험이 훨씬 크고, 물질사용장애를 진단받은 청소년에서 정신질환의 유병률이 더 높다고 알려져 있다. 정신질환과 물질사용장애가 공존병발한 경우, 치료는 쉽지 않으며 복잡한 경과를 거치고 예후는 예측하기 어렵다.

많은 연구에서 아동기 동안 감정조절능력을 갖추지 못한 청소년이 물질사용장애를 진단받을 위험이 높아진다는 결론을 얻었다. 물질사용장애 청소년의 외향적 행동(예: 공격성)은 이들이 사용하는 약물이 뇌의 보상회로시스템을 활성화시킨 반응에 의한 것으로 추정되는 반면, 내향적 타입(예: 불안)의 경우는 과도하게 활성화된 두려움-불안 시스템을 통제하기 위한 것으로 생각된다. 두 가지 타입 모두 아동기 이후로 지속된 인지적, 행동적, 감정적 어려움을 심리적으로 잘 다루지 못하고 조절하지 못하는 공통된 결함을 가지고 있다.

어린 시절의 학대, 다른 충격적인 사건들, 부모의 물질남용이나 물질사용장애, 또래들의 부정적 영향과 같은 환경적인 요소에 의해 위험이 높아질 수 있고 알코올 사용, 약물 사용 등 청소년 물질사용장애로 진단될 위험을 높이는 요인들이 상당히 존재한다. 또한 이들 중 일부는 품행장애, ADHD, 불안관련장애, 우울장애와 같은 정신심리적 조절문제를 갖는 질환으로 진행되기도 한다.

부정적인 사건들을 겪을 수록 뇌기능은 손상되고 취약해질 수 있다. 트라우마를 겪는 것, 청소년기동안 물질에 노출되는 것은 뇌의 정상발달 및 성장을 방해하여 인지기능저하/조절능력손상의 원인으로 작용할 수 있으며 이로 인해 극단적/격렬한 감정반응이 두드러지게 된다. 물질오용은 트라우마에 노출될 위험을 높이며 새로운 스트레스를 다룰 때 적응적으로 잘 대처하는 능력을 손상시킨다. 다른 정신과적 질환과 물질사용장애가 병합된 경우 정신치료, 약물치료, 가족치료, 지역사회협력 등 통합적이고 다원적 측면의 치료접근이 필요하다.

물질관련장애 청소년의 주관적 경험

정동상태

청소년이 알코올을 시작하고 마약을 하게 되는 가장 흔한 계기는 사회적 압력과 '시험삼아 한 번' 해보는 경험때문이라고 말한다. 또래친구들을 모방하는 중에, 또래집단에 속하기 위해서, 사회적 활동을 강화하는 방법 중에 하나로 '물질'을 사용한다. 또래친구들로부터 거절당하거나 그룹에 속하지 못하게 되거나 자신들을 배제시키고 소외시킬지 모른다는 두려움도 상당히 크게 작용한다. 많은 연구 자료에서 첫 시작은 호기심이 주요 동기로 작용한다고 보고한다. 그 후 점차로 스트레스를 다스리기 위한 수단으로 사용하거나, 때로는 불편한 기억을 지우기 위해서, 혹은 고통스러운 감정(불안, 공허감, 허무함, 우울감, 당혹스러움, 모욕감, 분노감)에서 벗어나기 위해서 물질을 반복적으로 사용한다. 그리고, 결국에 물질사용장애의 진단에 이르게 된다. 물질사용을 보고한 청소년의 과반수 이상에서 약물은 그들의 기분을 좋게 만들고 곤경을 잊게 하고 자신감과 자존감을 복구시키는 역할을 한다고 보고하였다.

인지패턴

물질을 오용, 남용하는 청소년들은 자신이 탐닉하는 문제적 물질사용에 대해 합리화하고 부인한다. 인지패턴은 대부분의 경우, 물질사용으로 이끌어 가는 감정과 연관되어 있다. 일단, 정기적으로 물질을 사용해야 하는 단계에 이르게 되면 결과적으로 드러나는 인지패턴은 약물작용에 의한 뇌의 반응을 반영하는 것이다. 산산조각 나 있고 편집증적 생각에 사로잡혀 있으며 자신이 대단히 명석하고 어마어마한 능력을 가지고 있다고 믿는 비현실적 상태가 된다.

신체상태

신체상태는 앞서 언급한 정서적 상태와 동반된다. 십대들은 약물 효과를 극대화시키기 위해 많은 노력을 기울이며 때로 사고로 이어질 수 있는 수단을 쓰기도 한다. 이러한 시도는 즉각적으로 혹은 장기적으로 신체 여러 장기의 기능을 떨어뜨릴 수 있고 장기부전 등의 실질적인 위험에 빠뜨리기도 한다. 신체증상은 과각성, 초조함, 감각 둔화, 떨림 등 매우 넓은 범위로 다양한 양상을 띨 수 있다.

관계패턴

물질관련장애 청소년은 현실에서 스스로의 영역이 미미하다고 느끼면서 동시에 다른 사람들로부터 인정받고 싶어하는 욕구가 강하여 관심을 끌고 싶어한다. 자신이 무능하다고 느끼기 때문에 관계형성패턴은 관심과 애정에 굶주린 강렬한 감정에 기반하면서도 청소년은 그것을 원하지 않는다는 주장을 양가적으로 드러낸다. 이들이 경험하는 관계는 불안정하고 신뢰하기 힘들며 실망스럽다. 점차 물질오용패턴이 일상화되면서 주변으로부터 고립되고 사회적 위축상태로 지내게 된다. 일단, 한 개인이 물질오용 없이 보통의 일상을 영위할 수 없는 상태에 이르게 되면 이들에게 관계는 원하는 물질을 얻기 위한 수단으로 전락하며 타인을 조종하고 이용하려는 경향이 뚜렷해진다.

임상사례

18세 소년은 학교생활을 정상적으로 할 수 없게 되자, 어머니와 함께 치료를 받으러 왔다. 소년이 치료를 시작하는 것에 대해 소년의 아버지는 반대했다고 말했다. 4세경, 아버지의 마약문제가 심각해졌고, 운전면허정지, 자살시도, 입원치료 등의 이유로 부모님은 별거하였다. 14세경, 소년은 마리화나를 피우기 시작했고 점차 매일 피우지 않으면 견딜 수 없는 지경에 이르렀으며 하루 사용 용량이 매우 빨리 증가하였다. 과거 4년 동안 치료를 받으면서 그는 끊었다 피우는 일을 반복하였고 부분적 회복에 머무는 정도로 지냈다. 이 치료 동안 마리화나의 사용이 아버지와 동일시하려는 무의식적 작용에서 기인한 것 같다고 말했다. 또, 소년은 고등학교 생활 중 동성애적인 감정이 느껴지는 것에서 벗어나기 위해 약물 사용량이 매우 늘어났다고 말했다.

SA94 인터넷 중독장애

인터넷 중독장애(IAD)는 문제성 인터넷사용(problematic internet use) 혹은 강박적 인터넷사용(compulsive internet use)으로 불리기도 한다. 이 장애는 일상생활을 방해할 정도로 지나치게 인터넷을 사용하는 문제를 반영한다. 인터넷 중독장애는 인터넷을 통해 이루어지는 활동에 따라 아형을 나누는데, 여기에는 게임, SNS, 블로그, 전자메일 확인, 부적절한 인터넷 포르노 사용, 인터넷 쇼핑/쇼핑중독 등이 포함된다. 일상생활을 방해할 정도로 과도한 시간을 이런 활동에 소비하게 될 때 문제가 된다. 인지영역 증상군과 행동영역 증상군에는 조절능력상실, 내성유발, 금단증상 같은 물질사용장애와 유사한 증상들이 들어간다. 물질관련장애의 중독증상과 상당한 유사성에도 불구하고 인터넷 중독장애는 DSM-5의 물질관련장애와 중독장애 범주에 포함되지 않았다. 왜냐하면, 그 당시에 이 진단은 구체적 진단기준항목과 정신병리를 가진 행동문제로 규정하기 위한 경과상의 임상적 근거에 대해 전문가 그룹의 검토가 진행 중이었기 때문이다. 인터넷 문제는 DSM-5에서 하나의 대안적 진단으로 고려되었으며 인터넷게임장애(IGD)는 추가적으로 연구가 더 필요한 주제 중에 하나로 이 장애를 제시하고 있다. 인터넷게임장애(IGD)의 핵심양상은 지속적이고 반복적으로 게임을 하는 것으로 전형적인 양상은 그룹게임을 통상 하루에 8-10시간 이상의 긴 시간 동안 하는 것이다. 그룹게임은 그룹 내의 다른 참가자 간에 사회적 활동과 유사한 구조의 여러 활동을 동시에 하는 것이다. 물질사용장애 환자가 물질에 탐닉할 때처럼 인터넷게임장애 환자는 다른 일상의 활동은 방치한 채로 인터넷 게임에 몰두하여 컴퓨터 앞에 앉아 있다. 학교숙제, 학업활동, 가족에 대한 책임 등 대부분의 역할 활동에 매우 저항적 행태를 보인다. 컴퓨터 사용을 금지하거나 게임에 로그인하는 것을 막을 때 그들은 매우 초조해하며 화를 낸다. 인터넷게임장애에 대한 현재까지 협의된 증상은 1) 금단 2) 조절능력상실 3)갈등이다(King & Delfabbro, 2014b). 여기에는 금전적 손해가 두드러지지 않기 때문에 인터넷도박장애는 분리시켜 논의하였다. 인터넷 게임을 하게 되었을 때, 중독장애 환자들에서 물질사용에 의해 활성화되는 뇌의 특정 회로와 동일한 회로가 같은 양상으로 강력하게 가동된다. 게임을 하는 것은 쾌락-보상 회로와 연관된 신경반응을 촉발하며 극단적으로는 중독행동에 빠지게 된다. 한 개인이 과도한 컴퓨터 사용에 빠지는 주된 이유가 의사소통, 정보탐색을 위해서라기 보다 무료함을 달래기 위한 목적이 우세했다. King과 Delfabbro (2014a)는 인터넷게임장애의 기저에 존재하는 네 가지 인지적 요인들을 언급하였다; (1)게임의 보상작용 (2)게임행동이 부적응적으로 고착됨 (3)게임을 통해 자존감을 유지하고 충족시킴으로써 과도한 의존을 유발 (4)사회적 수용을 경험하는 수단.

인터넷게임장애의 진단을 위한 많은 자료들은 주로 아시아 국가에서 수집되었고 이 자료를 분석하였을 때, 젊은 남성이 중심에 자리하며 15-19세 남성 유병률은 8.4%, 동일 연령대 여성 유병률은 4.5%였다(Lam, 2014). 유럽 청소년을 대상으로 시행한 대규모 역학조사에서 DSM-5의 진단기준을 바탕으로 하였을 때, 청소년의 1.6%에서 진단기준을 충족시켰으며 5.1%는 진단기준 항목의 4가지를 만족시키는 위험군에 속했다(Muller et al., 2015). 인터넷게임장애는 엄밀하게 생각해 보았을 때, 정신병리증상 특히, 공격성과 규칙을 어기는 행동, 사회적 물의를 일으킬 수 있는 행동과 연관되어 있다. 또 다른 연구에서는 사회불안장애, 우울장애, 강박관련장애, 주의력결핍 과잉행동장애와 같은 다른 정신질환의 진단과 연관되기도 한다. 인터넷게임장애 환자는 점점 늘어나며 청소년 사이에서 특히 흔하다. 이는 정신사회적 문제와 정신과적 문제와 관련이 깊다. 비록, 이 현상에 대한 진단적 범주나 분류에는 논란이 많지만 온라인 컴퓨터 게임의 과도한 사용이 가진 위험은 점차 드러나고 있으며 이는 청소년과 젊은 성인의 전반적인 기능손상과 장애를 유발하는 강력한 스트레스로 작용할 가능성이 크다. 적절한 평가를 위한 방법적 측면의 척도개발이 우선적으로 필요하며 청소년을 위한 예방법과 프로그램 개발을 서둘러 진행해야 할 것 이다(Petry et al., 2014).

SA10 유소아 발병 질환이 청소년에게 나타나는 패턴

이 단원에서 주로 유아기/아동기에 증상이 시작되어 표면화 되는 3가지 장애(자폐스펙트럼장애, 주의력결핍/과다행동장애, 특정학습장애)의 증상패턴이 청소년기를 거치는 동안 경험하는 주관적인 증상에 대해 기술할 것이다. DSM-5에서는 이 장애 모두를 '신경발달장애'로 분류하였다. 조기 발병의 특징을 가지며 개인적, 사회적, 학업적, 직업적 기능 영역에 주요한 손상을 일으키는 발달학적 결함이 존재하기 때문이다. 발달학적 결함은 학습, 실행기능 일부에 국한된 경우에서 사회기술 및 지능의 전반적 손상에 이르기까지 다양한 정도로 발현된다. 신경발달장애는 종종 동시병발하며 증상이 오래 지속되고 아동기를 비교적 잘 거쳐 왔더라도 심각한 결과를 남길 수 있다. 우리는 이 장애가 청소년에게 큰 어려움을 야기하고 유병률이 상당히 높기 때문에 비교적 자세하게 다룰 것이다. 신경발달장애는 6장의 SC축에서 언급한 바 있으며 각각에 대해 통합적으로 이해하기 위해서 6장을 참조하기 바란다.

SA101 자폐스펙트럼장애

자폐스펙트럼장애(ASD)는 복잡한 신경발달장애의 하나로 사회적 소통, 사회적 상호작용, 언어발달, 의사소통 면에서의 질적인 손상과 제한된 관심 및 반복적 상동행동을 특징으로 한다. 이 증상들은 초기 아동기부터 나타나며 중추적 역할을 하는 몇 가지 기능적 영역을 심각하게 제한한다. 주증상(현재의 언어능력과 지적능력, 발병연령과 증상패턴, 동반된 유전적 요인과 다른 의학적 질환 유무, 후천적 조건)의 심각도에 따라 매우 다양한 임상양상을 보인다. DSM-5에서는 자폐증의 '스펙트럼' 특성(DSM-IV의 전반적 발달장애범주에 속하는 자폐장애, 아스퍼거장애, 레트장애, 상세불명의 전반적발달장애, 소아기붕괴성장애)을 포괄하는 단일 용어로써 자폐스펙트럼장애(ASD)를 사용하였다. DSM-5는 자폐적 정신병리의 핵심인 행동문제의 속성과 그 아래 내재된 개인 특수성과 이질성에 집중하였다. 진단적 특정형을 설명한 부분에서 언급한 바와 같이 개인화된 진단적 접근은 치료적 개입 및 치료 계획을 디자인할 때 중요하다. 자폐스펙드럼장애를 가진 한 개인이 따라가는 발달학적 경로는 결코 단순하지 않을 뿐만 아니라 직선적인 형태를 띠는 것도 아니다. 이들에게 나타나는 패턴은 매우 다양하며 자폐스펙트럼의 특징적인 증상 범주에서 벗어날 수는 없다 하더라도 청소년에서 초기 성인기로 진입하는 동안 상당히 다른 정도와 수준에서 발달과 성장이 이루어진다. 전반적으로 성장함에 따라 이들 청소년의 의사소통능력은 어느 정도는 나아지며 상동행동으로 인한 곤란함은 줄어든다. 사회적 상호작용과 의사소통능력의 결함이 청소년이 되기까지 지속될 경우, 성인이 되어서도 큰 변화가 없을 가능성이 있다. 발달학적 궤도는 이 질환의 심각도에 영향을 받으며 환자의 언어 수준과 지능, 과거에서 현재까지의 치료적 개입 정도에 따라 달라질 수 있다.

자폐스펙트럼장애 청소년의 주관적 경험

자폐스펙트럼장애(ASD)를 진단받은 소아는 청소년기로 진입하면서 여러 종류의 어려운 도전과 마주하게 된다. 가족과 떨어져 점차 독립적으로 지내야 하고 개인의 정체성을 확립해야 하며 더 넓어진 사회적 관계에 노출되고 성적 활동에 관심을 가지는 것은 이들에게 특히나 힘겨운 주제이다.

정동상태

자폐스펙트럼장애 청소년은 일련의 불안 증상들(예: 심리적 과각성, 분리불안, 공황증상, 사회불안)을 겪을 수 있다. 불안은 지능이 온전할수록 더 증폭될 수 있으며 또래의 다른 아이들과 다르다는 것을 ASD환자 스스로 더 잘 알아차릴 수도 있다. 그러나, 대부분은 그들 자신의 마음 속에서 일어나는 감정이나 불안에 대해 알지 못하는 경우가 더 많다. 그렇기 때문에 부모나 주양육자가 불안을 시사하는 다양한 징후 특히, 행동변화(예: 반복행동의 증가 혹은 파괴적 행동의 증가, 수면패턴, 식사습관, 걱정 혹은 반추, 일상생활의 위축, 철퇴)를 잘 이해하고 살펴야 한다. 일단, 불안반응이 촉발되고 나면, ASD 청소년은 이를 조절하거나 통제하지 못한다. 사회기술의 결함과 불안은 서로 영향을 미친다. 즉, 서툰 사회기술을 가진 청소년은 또래관계가 불편하고 불안정하며 부정적 경험을 하기 쉽고 이는 연쇄적으로 사회적 상호작용을 두려워하게 만들어 그 자체로 스트레스가 될 수 있다. 결과적으로 사회적 활동을 꺼리고 피하려 들게 된다. 이로 인해 사회적 상황에 노출될 때 새롭게 익히게 되는 사회기술을 습득할 기회는 제한되며 곧 사회기술 결함으로 이어진다. 자폐스펙트럼장애 청소년에게 우울증 역시 흔하다. 보호자 보고를 바탕으로 한 연구에서 우울증 유병률은 50%에 달했다(Schall & McDonough, 2010). 10대 ASD환자들은 자살사고와 자살성향이 높았으며 걱정스럽게도 이들에게 우울증이 병합된 상태라는 것을 눈치채기란 상당히 어렵다. 왜냐하면, 자폐스펙트럼장애 자체가 가진 독특한 증상의 일부(예: 또래와의 상호관계가 거의 없는 상태이거나 감정표현 자체가 많지 않아)가 우울증상과 매우 비슷해 보이기 때문에 우울증의 동반 여부를 식별해내는 것은 간단치 않다. 우울증은 분노, 이자극성 또는 기분 예민함, 슬픔과 같은 감정이 고조되어 드러나거나 이전에 흥미를 보이고 관심을 가졌던 활동이 줄어들며 수면습관과 식습관의 변화가 관찰될 때 짐작해 볼 수 있어야 한다.

인지패턴

자폐스펙트럼장애 청소년은 비록 이들의 전반적 기능이 상대적으로 괜찮다 할지라도 본질적으로 사회적 인지영역에서는 결함이 존재한다. ASD 청소년들은 대인관계에서 일어나는 복잡미묘한 차이를 이해하지 못하며 타인들의 관심에 대해 상대의 입장에서 고려해 보는 작업을 하지 못한다. 아이러니를 이해할 수 없고 비꼬는 것을 알아차리지 못하며 함축적, 상징적 의미를 이해하는 것은 불가능하다. 이런 맥락에서 제스처나 비언어적 상황적 뉘앙스를 적절하게 해석하고 이해하는 것은 불가능하고, 직접적으로 제시되지 않은 정보나 데이터를 활용하여 통합적인 추론을 이끌어 내는 것도 할 수 없다. 이들이 가지는 이런 인지적 문제는 사회적 관계 형성과 발달을 방해하고 흥미나 관심에서 멀어지게 한다.

신체상태

자폐스펙트럼장애 청소년은 불안할 때, 손을 떨거나 호흡곤란, 복통 등(특히, 사회적 활동과 연관된 경우) 비전형적인 신체적 징후로 드러낸다. 자신들의 생리적 욕구나 필요를 알아차리지 못하고 적절히 표현하지도 못하며 대부분 특이한 방식이나 비일상적인 방식으로 표현한다. 특히, 지능 문제가 있을 경우, 통증에 대해 반응하지 못하거나 상식적으로 통용되기 어려운 방식의 행동으로 드러내기도 한다. 수면 문제는 상당히 흔하며 때로는 비디오 게임이나 인터넷 서핑과 같은 개인적 관심에 사로잡혀 신체적 요구에 신경쓰지 못하는 모습도 있다.

관계패턴

상호적 의사소통능력의 장애는 자폐스펙트럼장애의 핵심 양상이다. Smith, Maenner & Seltzer (2012)등이 보고한 종단적 연구에서 ASD 청소년의 사회적 상호작용능력의 결함은 영구적이지만 경우에 따라 약간의 호전을 보이기도 한다고 밝혔다. ASD 소아는 자신이 다른 사람들과 상당히 다르다는 것을 알고 있는데 이를 인지하는 중에 청소년으로 성장해가는 것은 그들 자신들 뿐 아니라 그들을 사랑하는 이들에게도 고통스러운 과정이다. 또래 친구들에게 관심이 있고 사회적 관계를 어느 정도까지 유지할 수 있느냐에 따라 이들의 병식수준을 추정해 볼 수 있다. 만약, 사회적 단서를 해석하고 이해하는 데 문제가 있다는 자신들의 결함을 알지 못할 경우, 무례하다는 인상을 주거나 지루해 보이기도 하며 이 때문에 놀림감이 되기도 한다. 타인의 진심이나 속내를 판단하는 기능이 취약하므로 파렴치한 사람들에게 이용당하기 쉽고 놀림감이 되는 피해를 겪기도 한다. ASD 청소년은 다른 사람에게 애착을 느끼기도 하지만 이들이 경험하는 감정적 관계가 성숙하고 공감적이며 상호적인 모습을 갖추는 것은 매우 어렵다. 타인의 필요나 관심을 잘 감지하여 적절하게 반응하지 못하고 자신의 관심사에만 과도하게 몰두하는 양상을 보이기 때문이다. ASD청소년은 공통의 관심사를 가진 사람들 중에 친한 친구를 찾기도 하고 그들이 가진 특별한 기능과 지식 안에서 자폐적 성향에 대한 정체성을 깨우치기도 한다. 이 장애를 가진 청소년은 필연적으로 사회성 발달이 더디며 이로 인해 또래와 발맞추어 신체적 성장과 성적인 성장을 이룩해 내는 것은 상당한 도전이 된다. 이런 이유로 이들은 순진하고 미성숙해 보이며 성적인 주제에 관한 한 경험이 없는 경우가 많다. 즉, 호혜성에 기반한 친밀감 형성은 어려운 과제이다. 만약, 부모나 주양육자가 성적인 주제로 이야기를 하는 것을 꺼려할 경우(대부분이 그렇듯), 임상의사는 이 주제에 대해 함께 이야기 해보기를 권한다. 이 대화를 통해 내면에 자리한 걱정과 욕구를 표현하게 되며 사회적으로 용인되는 범위 안에서 성적으로 친밀한 관계로 발전하기 위한 관계형성을 어떻게 하는 것인지에 대해 설명할 수 있다. 친구관계는 어떻게 시작하는 것인지, 정상적으로 평범하게 보여지는 행동은 어떤 것인지, 부적절한 행동에 대해 경계를 지켜야하는 분명한 선을 알려 주는 등 이런 주제를 함께 다루어 보는 것은 상당히 유익하다.

임상사례

고기능 자폐스펙트럼장애를 겪는 15세 소년은 극심한 사회적 불안, 아침마다 겪는 복통, 등교거부를 주소로 어머니와 동행하여 내원하였다. 그의 어머니는 소년이 학교에서 혼잣말을 하고 나뭇잎을 주워 모으는 행동 때문에 또래 친구들에게 놀림받고 있다는 것을 알게 되었다고 말했다. 그의 담당 전문의는 항불안제를 처방하였고, 사회기술을 배울 수 있도록 사회기술 훈련그룹과 연계하였다. 그리고, 학교에서 소년이 경험하는 어려움에 대해 친구들에게 설명하고 이해시키기 위해 개입하였다. 소년은 곧 학교로 복귀하였으며 학교에서의 수행능력은 이전보다 더 나아졌다.

SA102 주의력결핍/과다행동장애

주의력결핍/과다행동장애(ADHD)는 주의산만, 과다행동, 체계가 없거나 충동성 조절의 문제가 있는 신경발달장애이다. DSM-5에서 ADHD를 신경발달장애의 범주로 분류되었지만 공존질환이 병합될 위험이 높고 다른 질환과 위험 요인을 공유하는 특성을 고려하였을 때, 파괴적, 충동조절 및 품행장애(disruptive, impulse-control, and conduct disorders)범주로 포함시켜야 한다는 의견과 팽팽하게 맞서고 있다. ADHD의 진단을 위해 필요한 핵심 증상으로는 소아와 청소년에게 적용되는 항목이 동일하지만 증상패턴과 이들이 경험하는 실질적인 어려움에는 개인마다 차이가 있을 수 있다(6장, pp. 369~372). ADHD를 진단받은 환자는 많은 경우, 청소년기에 접어들면서 과다행동의 운동증상은 덜 하지만 안절부절, 주의산만, 계획을 잘 세우지 못함, 충동성 조절의 어려움은 큰 변화 없이 지속된다. 게다가 청소년들은 일련의 증상으로 인해 학교수업을 따라가기 어렵고 수행력이 저조하며 주변의 기대와 요구에 부응하려고 노력할수록 증상이 더욱 증폭되기도 하는 등 이들이 겪게 되는 곤란한 경험이 더 늘어나기도 한다. ADHD와 파괴적 행동장애 부분을 담당한 DSM-5 그룹에서 이를 중대한 문제로 인식하여 심각한 증상이 존재하는 연령기준을 '12세 이전'으로 수정하였다. 사실, ADHD 증상은 자율성, 책임성, 학업수행능력에 대한 요구도가 가중될 때, 환자가 가진 잠재력과 적응능력의 한계를 넘어서게 되면 문제행동으로 드러나게 된다. 10대 청소년인 ADHD 환자가 경험하는 곤란함은 시간관리를 못하고 꾸물대면서 해야 할 일을 미루거나 주의집중이 쉽게 흐트러지고 동기가 결여되어 있는 것 등이며 이는 집행기능의 결함과 관련된 증상이다(Snyder, Miyake, & Hankin, 2015). 집행기능은 개인이 자신이 결정한 행동 혹은 계획에 대한 장기적인 결과를 예상하고 과정을 평가하여 필요하다면 계획과 일정을 수정하는 작업까지 모두 아우르는 것이다. 이러한 집행기능의 발달은 전두엽 신경망이 발달하고 성숙하는 정도와 연관되며 청소년기와 초기 성인기에 가장 활발하게 진행된다. 영상의학적연구에서 ADHD 청소년들은 전두엽 신경망의 성숙이 지연되어 있었으며 발달이 늦어진 정도와 비례하여 집행기능의 수행능력결함이 관찰되었다. 게다가, ADHD 청소년들은 좌절을 견디는 능력이 저하되어 있으며 감정적으로 쉽게 예민해지고 또래에 비해 정서적으로 미숙한 태도를 보인다. 이 장애는 초기 청소년기 동안 상대적으로 안정되어 보이지만 점차 쇠퇴하는 경과를 거치면서 반사회적 행동문제가 동반되거나 물질오용문제가 생기기도 한다. ADHD 소아는 많은 수에서 청소년기까지 증상이 지속되며 개인적, 사회적, 학업적, 직업적 기능의 손상을 경험하게 된다.

정동상태 및 인지패턴

ADHD청소년은 증상이 쌓여감에 따라 자기감이 왜곡되며 시간이 지나면서 부정적인 반응으로 이어진다. 청소년 환자들의 개인적인 이야기를 분석한 연구에서 그들 자신을 ADHD의 증상과 성향을 중심으로 표현하는 경향을 보였다. 이런 현상에 대해 Krueger와Kendall (2001)은 'ADHD로 규정되는 자아(ADHD-defined self)'라는 용어로 설명하였다. 이는 ADHD가 야기한 여러 부정적 결과들과 낙인 찍혔다는 믿음이 융합되어 정체성 발달이 진행된 것으로 생각된다. 응집된 자기(cohesive self)를 지켜내는 능력은 타인의 자극과 압력에 의해 공격성과 분노가 증폭되는 순간에 쉽게 해체된다. ADHD 청소년의 자기표현 안에는 스스로에 대한 실망과 불만족이 가득하다. ADHD를 진단받은 10대 소녀들은 자기비하감과 무능한 기분에 대해 이야기하는 반면 소년들은 분노와 좌절감을 더 많이 표현하였다. ADHD를 진단받은 10대들은 이 진단과 관련된 당혹스러움을 경험하기도 한다. 자신은 또래의 10대들과 다르다고 느끼며 나이가 들면서 차츰 증상이 희미해 지거나 사라지기를 기대하며 지낸다. 이런 소망에 대한 믿음은 정기적이고 규칙적인 약물치료의 방해요인으로 작용하여 정신과적인 개입과 조언에 대해 고려할 가치가 없다고 무시하고 싶은 마음을 불러일으키기도 한다. 자신감 부족과 낮은 자존감은 ADHD 청소년들을 약물사용이나 다른 고위험 행동을 권하는 또래압력을 견디는 데 취약하게 한다. 이들은 결과적으로 충동성 조절능력이 다른 또래들에 비해 뒤떨어지며 자신이 하는 행동이 자기파괴적이라는 판단을 하지 못하여 위험에 노출될 가능성이 더 커진다.

신체상태

신체상태는 ADHD 청소년이 약물치료를 잘 유지하는지 아닌지 여부에 따라 매우 넓은 범위의 다양한 증상이 나타날 수 있다. 대부분은 신체적 증상에 대해 섬세하게 알아차리지 못하며 충동/흥분을 적절히 조절하지 못해 어려움을 겪는다. 다른 사람의 코멘트를 통해 자신들의 행동을 조절하거나 제어하게 되는 경우도 종종 있다. 성장함에 따라 신체상태를 식별하고 알아차리는 능력이 좋아지기도 한다. 에너지 넘치고 조절이 안 되는 상태에 대해 "저는 나의 뇌가 멋대로 작동할 때 손 쓸 방법이 없어요"라고 표현하기도 한다. 비록, 과다행동이 청소년기 동안 상대적으로 안정화되기도 하지만 ADHD 청소년은 여전히 가만히 있기 힘들고 움찔하며 침착한 상태로 유지하기 어려운 내면적 충동을 경험한다. 수면유도는 지연되어 있으며 수면패턴은 뒤죽박죽이고 아침에 일어나는 것은 매우 어렵다. 늦게 잠드는 수면패턴은 밤늦게까지 인터넷을 하는 것과 같은 나쁜 습관 때문일 경우가 많다. 그러나, ADHD 청소년은 밤동안 낮 시간에 비해 차분해지는 경향이 있으며 덜 자극 받는 양상을 보이기 때문에 자신들이 좋아하고 선호하는 활동을 덜 방해 받으며 할 수 있는 때이기도 하므로 이런 수면리듬을 추구하는 패턴을 형성하게 된다. 치료를 받는 청소년들은 약물치료에 대한 긍정적 경험과 부정적 경험을 모두 하게 된다. 약물치료는 ADHD환자들의 학업수행능력을 향상시키며 사회적 상호작용이 가능하도록 한다. 또한, 2차적으로 자신감을 키우는 데도 기여한다. 그러나, 이들은 종종 수면불량, 식욕저하, 감정기복, 복통, 두통과 같은 부작용도 경험한다. 임상의사는 환자들에게 그들이 경험하는 부작용과 불편감에 대해 구체적으로 질문하고 적절한 치료적 용량을 맞추려는 노력을 해야 한다. 청소년 환자들의 주된 걱정거리는 ADHD 약물을 복용한 후에 주관적 경험들이 다르게 느껴지는 것이다. 사람들과 친해지거나 사회적 관계를 형성하는 것이 어렵고 또 덜 창조적인 것 같다는 이야기를 하기도 한다. 약물작용에 의해 마치 정체성 일부가 축소된 것 같다고 말한다. 이런 경험은 약물치료에 의한 긍정적인 변화가 분명하게 존재함에도 불구하고 약물을 자의중단하게 만드는 계기로 작용하기도 한다. 약물치료를 유지하고 질환을 잘 관리할 수 있도록 교육하는 것은 주체성과 독립성 획득에 도움이 될 수 있다.

관계패턴

ADHD 환자의 관계는 모순적이며 오래 지속되지 못한다. 상호적이고 배려심 있는 관계형성은 이들에게 쉬운 일이 아니다. ADHD 환자들은 대부분 자기중심적이고 우선적으로 자신들의 만족을 위한 일에 집중한다. 다른 사람들과의 관계에 있어 호혜성은 결여되어 있다. 병식은 부족하며 타인에게 책임을 전가하는 경향이 많다. 사회적 단서를 알아차리는 데 어려움이 있으며 집에서나 학교에서 행동수정을 요하는 부정적인 피드백을 받았을 때 자신들의 행동을 어떻게 바꾸어야 하는지 인식하지 못한다. 가족관계는 갈등으로 점철되어 있고 또래관계 역시 또래의 놀림, 거절, 무시로 인해 혼란을 경험할 가능성이 높다. 정신치료는 위기를 겪고 있는 ADHD 청소년에게 안정된 자기감을 가지게 하며 책임감이 발달할 수 있는 심리적 공간을 제공하고 공감능력의 함량에 도움이 될 수 있다.

임상사례

15세 소년은 학교에서 더 이상 수업을 따라갈 수 없다고 하면서 부모와 함께 내원하였다. 숙제를 집중해서 하지 못했고 수업 중에 차분하게 앉아 있지 못했으며 성적은 매우 저조하였다. 그는 피곤해 보였고 기분이 좋지않은 듯 보였다. 4학년 때, ADHD 진단을 받았으며 3년 동안 약물치료를 유지해 왔다. 점차 특별한 도움 없이도 평균 이상의 성적을 유지할 수 있게 되었지만 그는 노트 필기를 하는 것이 느리다고 걱정하였다. 선생님의 말씀을 들으면서 동시에 필기를 하는 것이 매우 어렵고 이로 인해 수업 내용을 놓친다고 했다. 집에서는 숙제를 체계적으로 해내는 것이 힘들고 시간관리가 안된다고 했다. 그는 지친 상태였고 학교를 중퇴하고 싶다는 생각으로 머리 속이 복잡하다고 말했다.

SA103 특정학습장애

특정학습장애는 6장(pp. 375-382)에서 설명하였다.

DSM-5에서 특정학습장애는 언어를 이해하고 언어를 사용하여 말하고 쓰는 것, 산술과 관련된 기본적인 인지적 절차의 결함을 특징으로 하는 진단범주이다. 이 결함으로 인해 기초학습기술(듣기, 언어표현을 쓰기, 읽기, 연산의 계산, 수학적 근거에 대한 이해)을 익히는 데 큰 어려움을 겪으며 새로운 것을 습득하는 데 있어 지속적인 곤란을 경험하게 된다. 학습능력의 결함은 평균 이하의 성적에 머물게 하며 아주 많이 노력하더라도 평균적인 학업적 성취를 이루기는 어렵다. 학습곤란은 '특정한(specific)' 것으로 간주되는데 왜냐하면 이것은 지능이 낮기 때문이 아니며 감각 혹은 신경 문제에서 기인한 것도 아니고 교육방식의 문제나 환경적으로 역경에 처했기 때문에 벌어진 일이 아니기 때문이다. 특정학습장애는 뇌가 효과적이고 통합적으로 정보 처리하는 능력에 영향을 미치는 환경적 요인, 후생학적 요인, 유전적 요인들 사이의 복합적 문제로 인해 유발된 것으로 여겨진다. 현재까지 밝혀진 생체표지자는 없으며 신경인지검사, 뇌영상의학 검사, 유전자 검사는 이 장애를 진단하는 데 유용하지 않다. 실제로 이 장애의 진단은 포괄적인 수행평가(performance tests)를 바탕으로 이루어진다. 일반적으로 학습곤란은 초등학교에 입학한 후 알게 된다. 그러나, 어떤 경우에는 학습량이 상당히 많아지고 이에 대해 아이가 가진 학습잠재력이 한계에 이를 때까지(예: 고학년이 되기까지) 문제가 드러나지 않기도 한다. 특정학습장애를 진단받은 모든 아이들은 결함이 있는 기술을 사용해야 하는 활동에 있어서 곤란을 겪으며 후에 직업활동에 있어서도 방해를 받을 가능성이 많다. 특정학습장애 청소년은 일상활동 중에 그들만의 독특한 방식으로 행동하기도 한다. 이런 양상은 보통의 교실 환경에서 정서적인 이질감을 불러일으킬 수 있다. 이들은 학창시절 동안 많은 어려움에 직면한다. 낮은 자존감으로 힘들어하며 더 많은 정서적 지지를 필요로 한다. 이 장애가 없는 또래에 비해 학업을 따라가는 것과 감정을 잘 다루고 이에 적응하는 데에 많은 곤란을 겪으며 사회적 고립감을 깊이 느낀다. 종단적 연구에서 특정학습장애 발병 후 2-3년 지나서 '감정' 장애나 '행동' 장애가 나타난다는 경과를 보고하면서 학습장애와 감정문제 사이에 어떤 연관성이 있다고 제안하였다(Ingesson, 2007). 이 연관성은 아마도 청소년기 동안 형성된 자기상의 수준을 반영한 것으로 추정해 볼 수 있다.

특정학습장애 청소년의 주관적 경험

정동상태 및 인지패턴

Harter(1999)가 제안한 자기-발달 모델(Harter's model of self-development)에 따르면 학습과정의 핵심은 '숙달하여 잘 할 수 있을 것 같은 느낌(feeling of mastery)'이라고 언급하였다. 아이들이 성공 경험을 하면서 배움에 대한 기쁨을 느끼고 이 과정이 계속 진행되도록 하는 자기애적 보상을 얻게 될 때 학습과 익힘에 대한 기본적인 동기가 작동하게 된다는 것이다. 자기 자신의 능력에 대한 지각은 관심과 호기심을 가지고 학습활동에 참여하도록 이끄는 데 지대한 영향을 미친다. 그리고, 이를 통해 새로운 능력을 획득하고 정교해지도록 훈련하는 과정으로 진입할 수 있다. 특정학습장애 청소년은 학습 중에 반복적으로 실패를 경험하면서 자신의 능력에 대해 부정적인 평가를 하게 된다. 실패에 대한 두려움이나 다른 사람들의 비판과 핀잔에 대한 걱정으로 인해 학습활동을 회피하는 것은 자신의 잠재력을 키우고 새로운 기능을 습득할 기회를 놓치게 한다. 이것은 능력계발의 차원을 너머 발달 전반에 엄청난 영향을 미친다. 특정학습장애 청소년의 학습과정은 비효율적인 절차적 특징을 가진다. 여기에 추가적으로 집중력 문제가 동반될 경우, 수행과정은 훨씬 더 퇴화된다. 학습활동을 싫어하게 되고 모든 지식 혹은 지적 활동에 대해 전반적으로 거부감을 가진다. 청소년들은 자신들이 가진 진단에 대해 기본적으로 다른 2가지 반응을 보였다. 하나는 학교교육방식에 수긍하는 반응이었고, 다른 하나는 거부하는 반응이었다. 수긍하는 반응을 보인 특정학습장애 청소년은 더 큰 고통을 겪었다. 이들은 학업적 성취를 목표로 삼고 있었고 새로운 것을 익히고 숙달하는 것을 가치있는 것으로 인식하고 있었다. 그러나, 점차 자신들이 가진 장애로 인해 많은 한계를 겪으면서 큰 충격을 받았다. 실패에 대한 책임감이 내면에 깊게 자리하여 이들의 정서를 지배하고 있었다. 내적 논리는 스스로를 실패자로 간주하고 '학습된 무기력 모델'에 따라 '실패가 예정된 미래'라는 생각에 편승하였다. 불안감과 우울감으로 괴로워하였으며 이로 인해 학습활동과 연계된 모든 활동에 있어 무기력함과 무능한 기분을 느꼈다. 이것은 억압적 형태를 띠며 자발적 동기와 의욕이 박탈된 수동성을 특징으로 한다.

이에 비해 학교 시스템에 거부적 반응을 보였던 특수학습장애 청소년은 주어진 환경 안에서 덜 힘들어 하였다. 이들은 수동적 반항전략(passive oppositional strategies)을 취하면서 굼뜨고 느린 것을 자신들의 특징으로 이해하고 적응해 갔다. 그러나, 때로 이들은 자신이 거절당하는 느낌이 들 경우, 더욱 자극적인 태도로 맞서는 행동양식을 보였고 이로 인해 학교생활 전반에 걸쳐 갈등이 증폭되었다. 다른 사례로 '반항적/자극적 태도'를 가지는 경우는 훨씬 더 심각하다. 이런 태도를 가진 특수학습장애 청소년은 전체 교육 시스템을 향해 아주 노골적으로 반감과 거부감을 드러내며 품행장애 증상도 나타난다.

수긍하는 반응을 보인 그룹에서 연속적인 학업실패와 관련된 감정장애와 행동장애가 관찰되었고 학습장애로 인해 자존감이 매우 저하되어 있었다. 거부적인 반응을 보인 그룹에서는 주의집중력과 충동성 문제가 파괴적 행동보다 선행되어 있었으며 후속으로 이어지는 학습기술의 후천적 습득에도 방해요인으로 작용하였다(Trzesniewski, Moffitt, Caspi, Taylor, & Maughan, 2006). 소아에게는 '학습 정체성(learning identity)' -학업기술을 습득하는 주체로서의 자기인식-이 발달하는 아주 중요한 시기가 있다. 특히, 자존감은 특수학습장애 소아가 이 진단에 대해 알기 전, 학교에 입학한 첫 해 동안 가장 취약하다. 아이 스스로가 학교환경에 부적합하고 능력이 부족하며 무기력하다고 느끼는 것은 자존감 형성에 큰 영향을 미친다. 자존감은 청소년 발달과 성장에 대한 전반적 경과를 가장 잘 반영한다. 이는 장애를 잘 받아 들이고 이 특성을 이해하는 정도와 연관되며 현실적으로 자신에게 적합한 학교를 선택하거나 직업을 구하는 등 훨씬 더 적응적인 전략(예: 자극적인 태도를 보이더라도 동시에 자신의 장애로 인한 부족함이 있다는 것을 인식하고 서로 영향을 최소화하기 위해 태도의 강도를 구분하는 것)으로 생활한다는 것을 반증한다(Ingesson, 2007). 집과 학교에서 지지적 분위기를 경험하는 청소년은 장애가 있음에도 훨씬 더 긍정적인 자아상을 형성한다(Al-Yagon, 2007; Humphrey, 2002). 병식, 자기주장/자극적 태도, 활용할 수 있는 지지체계(또래집단이나 멘토링) 같은 요인은 더 좋은 경과와 연관되어 있다(Raskind, Goldberg, Higgins, & Herman, 1999).

신체상태

특정학습장애 청소년은 불안이 높고 수행불안, 등교거부, 신체적 불편감(예: 만성피로,수면불량)에 대한 호소가 많다.

관계패턴

특수학습장애 청소년은 의존성 문제로 자주 곤란을 겪는다. 어릴 때는 부모들이 깊이 관여하고 자극적으로 지원하여 어떤 성취를 이루어 내기도 했지만, 자율성 획득과 실행에 대한 압력을 느끼면서 선생님들과 부모님의 도움을 거절하게 되는데 그럼에도 이들은 자신의 장애로 인해 주변의 지도와 도움이 지속적으로 필요할 수 있다. 그들은 친구들에게서 도움을 받으면서 어른들에게서 받았던 지지를 대체하기도 한다. 친구를 사귀고 어울릴 수 있다는 것은 자신감 및 내적 자원의 기능정도를 반영한 것으로 볼 수 있다. 학습장애 청소년 중 일부는 친구들과 강한 친밀감을 표현하는 관계로 발전하는데 이는 과거 부모와 밀접했던 관계를 재현하는 것이기도 하다

임상사례

15세 소년이 어머니와 크게 다툰 후 자살시도를 하면서 입원하게 되었다. 학교문제로 인해 부모님과 소년 사이의 갈등은 깊어졌으며 여자친구와의 관계는 떨어져 지낼 수 없는 융합된 관계(highly symbiotic relationship)로 변모해 갔다. 소년은 더욱 더 방어적인 태도를 보였다. 그는 심각한 난독증 과거력이 있었고 집중하는데 어려움을 느꼈으며 스스로를 평가절하했다. 학교 시스템에 많은 불만을 품고 있었으며 쉽게 의기소침해 지거나 화를 내고 자신의 학습장애를 걱정하는데 정신적인 에너지를 소진하며 지냈다. 소년은 학교생활의 스트레스를 풀기 위해 대마초를 피우기도 했다.

SAApp 부록: 임상적 주의를 요하는 심리적 경험

SAApp1 인구통계학적 소수집단(인종, 문화, 언어, 종교, 정치)

인간의 발달이 진행되는 한 개인의 내적기능(inner functioning)을 이해하는 일은 복잡하고 까다로운 작업이며 개인적 차원과 문화적 차원에서 그가 성장해 온 문화뿐 아니라 현재 속해 있는 문화까지도 통합적으로 고려해야 한다. von Bertalanffy (1968, 1969)는 문화와 자기를 연관된 시스템으로 간주하여 '상호작용하는 요소들의 복합체' 혹은 '서로 연관된 요인들의 묶음'으로 설명하였다. 문화 안에는 사회적 기능이 유지되게 하는 가치에 대한 믿음과 신념이 반영되며 이와 관련된 행동패턴을 형성하게 한다. 이러한 관점은 사회를 구성하는 수 많은 자아(selves)와 문화 간에 역동적인 상호작용이 일어난다는 것을 시사한다.

인간은 신체적, 지능적, 경제적, 예술적, 종교적, 사회적, 도덕적 차원의 여러 측면이 복합적으로 어우러지면서 발달한다. 청소년들에게 일어나는 변화는 각기 다른 개인적 속성의 발현과 발달에 대해 탐구할 수 있는 기회의 창을 제공한다. 과정이 진행되는 긴 시간 동안 청소년들은 다양하고 복합적인 문화적 메시지(예: 통상적인 성역할에 대한 개념을 익히고 관습적으로 이들에게 기대하는 바를 알게 되는 등)를 받게 된다. 이에 관한 임상적 문헌과 여러 자료를 바탕으로 개인의(예: 타고난 성향), 상호적인(예: 훈육방식), 관계(예: 애착, 우정)의 정도에 대해서 분석하였다. 개성이 존중되고 서로 영향을 주고 받는 방식이 생겨나며 사회적 통념상 용납할 수 있는 관계 등 개인의 삶을 이해하기 위한 다면적인 관점에서 문화적 신념과 규준의 역할은 종종 잊혀지기도 한다. 문화/문화적 아형, 인종, 종교적 관심사 같은 사회적 범주는 발달적으로 영향을 주고받을 수 있는 고유한 특성이 직접적 혹은 간접적으로 작용할 수 있는 다른 영역에 영향을 미치고 변화시킴으로써 아이들과 부모들의 기능에도 영향을 미칠 수 있다.

Matsumoto (1997)는 문화를 '집단을 형성한 사람들 안에서 공유되고 한 세대에서 다음 세대로 이어지는 태도, 가치, 신념, 행동'으로 정의하였다. 문화체계는 지배적인 문화와 신념, 경제적 원천과 사회적 원천, 개인이 성장할 수 있는 기회로 구성된다. Rubin (1998)은 문화는 행동의 조절과 억제에 중요한 역할을 한다고 주장하였다. 만약, 한 사회의 전반적 분위기가 어른들은 걱정이 많고 아이들은 또래를 적대시하는 문화라면 대부분은 끊임없이 걱정할 것이며 노골적으로 거절을 표현하는 것이 만연해져 이 속에서 살아가는 사람들은 사회적 영향을 두려워하고 사회적 관계는 위축될 것이다. 후기 아동기와 초기 청소년기의 사회적 경계심이 지나칠 경우, 약한 자기상을 형성하거나 사회적 친화술의 발달을 저해하여 또래와 어울리는 것에 어려움을 겪을 수 있다(Boivin, Hymel, & Bukowski, 1995). 이 아이들에게 두 가지 예정된 '결과'는 외로움과 우울감이다(Boivin et al., 1995; Rubin, Chen, McDougall, Bowker, & McKinnon, 1995). 북미 혹은 서유럽처럼 개인주의 문화에서는 경쟁적이고 자기주장이 강한 행동까지도 허용적인 시선으로 이해하는 반면 수줍음은 서구사회에서 부적응의 증거로 간주되기도 한다. 그러나, 이런 문화적 허용이 중국에서도 그대로 적용되는 것은 아니다. 중국처럼 국가가 강력하게 통제하는 집산주의 문화 안에서 수줍음은 문화적 가치로 수용된다. 사실, 조심스럽고 자제된 행동은 복종과 순종을 문화적 배경으로 가진 집단이 순조롭게 돌아가도록 하는 중요한 미덕이기도 하다(Chen, Rubin, & Li, 1997; Ho & Kang, 1984). 그러므로, 문화에 따라 부모나 선생님들은 조용하고 자기표현이 적은 아이를 행실이 바르고 모범적이라고 평가할 수 있다(Ho & Kang, 1984). 어떤 문화권에서는 공격적으로 행동하는 것이 왜 사회적으로 용납될 수 없는지 아이들에게 설명한다. 반면 어떤 문화권에서는 체벌을 한다. 또 다른 문화권에서는 공격성에 대해 묵인하거나 혹은 암묵적으로 허용하기도 한다(see Segall, Dasen, Berry, & Poortinga, 1990).

문화적 차이를 인식하는 것은 감정표현과 행동표현을 이해하기 위한 것이기도 하지만 서서구의 발달학 논문이 제시한 주요이론의 핵심개념을 이해하는 관점을 제공하기도 한다. Fuligni (1998)는 멕시코, 중국, 필리핀, 유럽 이민자 출신의 미국 청소년들을 대상으로 한 대규모 연구에서 부모의 권위와 개인의 자율성에 대해 서로 다른 문화적 배경을 가진 가족에서 청소년기를 거치는 동안 '부모-자녀 갈등'과 응집력을 주제로 조사하였다. 연구결과, 유럽 출신의 이민자 청소년에 비해 멕시코, 중국, 필리핀 출신의 이민자 청소년이 부모의 권위를 인정하며 전통적 가치를 간직하는 경향을 보였고 개인의 자율성은 덜 강조하는 것으로 나타났다.

Raeff (2004)는 발달심리학자들이 자율성과 유대감에 대한 연구를 진행할 때 단순한 차원의 개념에서 접근하여 문화가 내포한 고유한 특성과 자기발달의 복잡성이 충분히 반영되지 못했다고 주장하였다. 이후 임상자료와 경험적 자료를 근거로 자율성과 유대감 사이의 이분화적 개념에서 자율성과 유대감이 동시에 생겨날 수 있고, 자기 안에 긍정적으로 함께 공존할 수 있으며, 문화적 가치의 영향을 받아 변화될 수 있다는 개념으로 점차 대체되었다(Grotevant & Cooper, 1998; Guisinger & Blatt, 1994; Turiel, 1996).

임상의사는 청소년들이 영향을 받은 모든 문화적 영향, 예를 들어, 가족(문화적, 정신적 신념과 이에 따라 행동으로 실행되는 핵심 환경), 지역사회(안전을 비롯한 다른 특정 조건들이 형성되는 '이웃'이라는 배경), 또래 관계(또래끼리 모여서 주로 하는 활동, 격식을 갖추는지 혹은 격식 없이 진행되는지, 또래 문화의 현재 속성)를 고려할 필요가 있다. 정신치료 수련 프로그램을 이수하는 중에 문화적 역량을 키우고 복합 문화에 대한 이해도를 높이는 것은 정신치료를 효과적으로 이루어지게 하며 다양성에서 기인한 개인의 고유성(다른 인종, 다른 문화)이 치료적 관계형성을 방해할 때 이를 효과적으로 다룰 수 있도록 한다(Hayes, Owen, & Bieschke, 2015; Tummala-Narra, 2015).

그러므로, 임상의사는 다음의 지시에 따르기를 권한다.

- 치료에 영향을 미칠 수 있는 인종적 요소와 문화적 요소를 알고 있는 것이 좋다.
- 청소년 각자가 속한 문화적 환경을 존중하고 이해하는 노력이 필요하다. 사람을 다양

한 차원에서 바라보는 관점을 가지고 환자를 둘러싸고 있는 가족문화, 지역사회문화, 환경적 요인을 고려한다.

- 임상적 관점에서의 증상평가 외에 문화적 측면에서 증상이 갖는 의미도 살펴 보는 것이 필요하다.
- 청소년들이 두 종류의 문화 사이에서 갈팡질팡 할 수 있다는 사실을 기억하고 가족이 추구하는 가치관과 사회가 요구하는 가치관이 서로 충동할 경우, 상충되는 양쪽의 전통과 문화를 통합하려고 애쓰는 과정에서 갈등이 유발될 수 있다.
- 문화적 요소, 인종적 요소, 경제적 요소를 치료계획 안에 포함시키는 것이 좋다.
- 서구 핵가족과 다를 수 있지만 청소년이 속한 가족구성 중에는 몇 세대 이상이 함께 생활하는 대가족이 존재할 수 있다.

임상의사들은 다음의 경우를 피하려고 노력하며 대비하기를 권한다.

- "모든 사람은 다 똑같다" 혹은 "발달이론 하나로 전부를 설명할 수 있다"라는 식의 믿음을 경계하고 문화적 차원의 영향과 이 영향력을 가볍게 여기는 태도를 버리는 것이 좋다.
- 생물학적, 감정적, 가족적, 지역사회적, 문화적 차원의 요소들이 독립적으로 작용한다는 생각에서 벗어나야 한다.
- 가족적 전통 안에서 계승된 신념과 믿음을 평가절하하거나 소수인구집단의 문화에서 청소년들을 지지하는 그들의 방식에 대해 편견을 가지고 판단하지 않도록 노력해야 한다. 치료자의 이런 행동이나 태도로 인해 청소년 환자가 소외감을 느낄 경우, 치료에서 이탈할 가능성이 높아진다.

Ecklund (2012)는 복합문화 안에서 성장한 개인이 획득한 집단정체성을 탐구하기 위해 '교차성 이론(Intersectionality theory)'을 제안하였다. '정체성의 교차성(Intersectionality of identity)'은 개인이 여러 문화, 인종, 집단정체성을 구현하게 되는지를 잘 설명한다; 아이는 이미 가족 안에서 가족구성원 각자가 표상하는 다양한 정체성의 교차로에 노출되어있다(Mahalingam, Balan, & Haritatos, 2008). 이런 관점은 치료자들에게 다양한 문화적 가치, 규준, 기대 등이 한 개인의 정체성 형성에 복합적으로 또한 동시적으로 영향을 미칠 수 있다는 인식을 가능하게 해 주었다(Narvaez, Meyer, Kertzner, Ouellette, & Gordon, 2009; Shih & Sanchez, 2009).

임상의사가 문화적 역량을 향상시키기 위해 노력하는 것은 사회 공공성에 기여하는 것으로 갈음할 수 있다(Sue, 2001). 인종에 따라 정신건강서비스에 진입하거나 지체되는 비율에 차이가 있으며 이는 소수인구집단이 요구하고 기대하는 서비스를 제공하지 못하는 능력 부족에서 기인한 불균형일 가능성이 높다(Polo, Alegria, & Sirkin, 2012).

임상사례

파키스탄 출신의 무슬람교를 믿는 16세 소년이 등교거부 문제로 정신치료를 시작하였다. 그는 더 이상 집 밖을 나가고 싶지 않다고 말했고 학교생활에 흥미가 없기 때문에 다시는 학교에 가고 싶지 않다고 하였다. 학교에서 또래 남자아이 몇 명이 종교적인 이유로 점심시간에 음식을 먹지 않는 소년을 놀리기 시작했고 친한 친구들이 편을 들어주었지만 소년은 자신이 믿는 종교적 가치와 학교수업 중에 배운 내용이 상충되는 것을 느끼면서 내면적 갈등에 빠졌다. 치료자는 소년의 감정과 두려움, 바람과 욕구를 충분히 이야기 하고 표현하도록 독려하였고 점차 자신의 정체성을 통합해 갔다.

SAApp2 레즈비언, 게이, 양성애자 집단

성인편 3장(pp. 253-257)에서 언급한 대로 레즈비언, 게이, 양성애자로 낙인 찍힌 사람들은 심리적 안녕과 자유로움을 침해하는 '소수집단 스트레스(minority stress)'와 여기에 내재된 '동성애 혐오(homophobia)'를 일상적으로 경험한다. '소수집단 스트레스'는 커밍아웃에 대한 잠재적 충격을 내포하고 있기 때문에 성 정체성 발달에 영향을 미친다. 레즈비언, 게이, 양성애 성향의 청소년들은 따돌림과 집단 괴롭힘에 노출되거나 사회적 편견으로 피해를 입기도 한다. 그들이 동성에게 끌림을 느낀 후, 최초의 심정은 스스로에 대한 역겨움으로 연결된다. 스스로 또래와 다른 것 같다는 생각을 하며 부모와 선생님, 친구들을 실망시켰다는 두려움을 가진다. 동성을 향한 자신의 감정에 반감이 들어 반동적으로 '커밍아웃'한 또래에게 폭력을 행사하거나 가혹하게 굴기도 한다. 일부 청소년들은 처음으로 동성에게 성적으로 끌리는 느낌을 알게 되었을 때, 자신의 성 정체성에 대해 의구심을 가지고 고민하지만 이 기간 동안 이들은 이성애자도 아니면서 동시에 레즈비언이나 게이, 양성애자도 아닌 상태로 매우 혼돈스러운 시간을 보내게 된다.

이성애를 정상으로 규정하는 것(heteronormativity)이 당연시되고 성차별이 만연한 상황에서 레즈비언, 게이, 양성애자로 성장해 가는 아이가 경험하는 곤란함을 '성역할 혼란(gender confusion)'과 '젠더 스트레스(gender stress)'라는 용어로 설명하기도 한다(Drescher, 1998). '성역할 혼란'을 겪는다는 것은 한 개인이 최초로 동성에게 끌렸던 느낌에 대해 성역할의 사회적 통념(gender stereotypes)을 적용하여 해석했다는 것을 뜻한다. 예를 들어, 여자아이는 "나는 여자에게 끌리니까 그 말은 나는 남자라는 걸 뜻해"라고 생각할지도 모를 일이며 혹은 남자아이가 "나는 남자가 좋으니까 그렇다면 나는 여자라는 거야"라고 생각할지도 모른다. "나는 타락했어", "나는 평생 외롭게 살게 될지도 몰라", "나는 죄를 지었어"와 같은 스스로에게 낙인을 찍는 반응을 보이기도 한다. 젠더 스트레스는 최초로 동성의 성적 매력에 끌렸던 초기 즉, '끌리는 시기(protracted period)'에 나타날 수 있다. 그리고, 이 감정은 다른 성역할에 대한 사회적 통념과 관련되기 때문에 한 개인이 자신의 생물학적 성별에 따라 사회적, 문화적으로 부여된 성역할 기대를 충족시킬 수 없다는 것을 깨달았을 때 유발된다. 레즈비언, 게이, 양성애자 성인은 어린 시절, 자신의 성별에 대해 '성역할-확신(gender-conforming)' 여부와 상관없이 초기의 동성애적 감정이 자신의 성 정체성으로 편입되려는 시도가 있을 때, 젠더 스트레스를 다시금 떠올리게 된다.

'동성애-거부감(Homonegativity)'은 생활 곳곳에 스며들어 있다. 다른 종류의 괴롭힘과는 다르게 동성애 혐오-괴롭힘(homophobic bullying)은 몇 가지 독특한 특성을 띠게 되는데, 이는 인간발달과정에서 성과 성역할에 대한 설정기준이 한 개인의 온전한 정체성 형성을 위해 중요하고 본질적인 영역을 차지하기 때문인 것으로 생각된다(Lingiardi & Nardelli, 2014; Rivers, 2011). 게다가 성적 소수자에 속하는 젊은이들은 이성애적 성향의 또래에 비해 괴롭힘, 따돌림을 당할 위험이 높다(Evans & Chapman, 2014). 인터넷과 사회연결망서비스(SNS) 공간에서도 사이버-괴롭힘에 노출될 위험이 높으며 매체가 가진 익명성 때문에 이를 통제하는 것은 더욱 어렵고 이 때문에 괴롭힘은 장기화 될 수 있다(Cooper & Blumenfeld, 2012).

때로는 청소년의 가족이 이들에게 불편감과 스트레스를 주기도 한다. 가족의 거부는 자신의 발달 궤도를 따라 성장하는 데 부정적으로 작용하며 결과적으로 나쁜 방향(예: 자살행동 등)으로 진행하게 만든다(Ryan, Huebner, Diaz, & Sanchez, 2009). 최악의 시나리오는 자녀의 성 정체성을 알게 된 순간, 3장에서 설명한 것처럼 가족 앞에 '커밍아웃'하는 것은 위기단계로 진입함과 동시에 '새로운 평형상태'에 도달했음을 의미한다. 이 경우, 잘 진행된다면 가족관계, 사회적 관계, 의사소통 등의 영역에서 진솔하고 진지한 감정교류를 경험할 수 있게 된다. 임상의사 혹은 소아정신과 전문의는 청소년이 언제, 어떤 방식으로 자신의 성적 취향을 알리는 것이 좋을지 고민할 때, 위험요인과 보호인자, 치러야 하는 비용과 얻을 수 있는 이익을 가능한 철저하게 함께 이야기 하고 따져보아야 한다. 친한 친구 중에 레즈비언, 게이, 양성애자가 있을 경우, 이들과 함께 어울리고 경험하는 것은 보호인자의 기능을 하며 부정적인 가족들의 반응을 잘 견뎌낼 수 있게 한다. 다시 말해, 소수집단에 속함으로써 감수해야 하는 사회적 압력에 대항할 수 있게 한다(Baiocco, Laghi, Di Pomponio, & Nigito, 2012). 이들은 스스로에 대해 알아가고 점차 발달하는 과정 중에 사회적 장애물(가족 혹은 사회)이 될 수 있는 요인들에 대해 주의 깊게 살피고 관찰할 필요가 있다(Adelson & American Academy of Child and Adolescent Psychiatry Committee on Quality Issues, 2012; Lingiardi, Nardelli, & Drescher, 2015). 오늘날의 10대 청소년들은 인터넷 등의 다양한 매체를 이용하여 성적 소수자들에게 일어날 수 있는 문제들(예: HIV를 비롯한 성병 등)에 대한 정보를 찾을 수 있지만 동시에 모르는 사람들과 무분별하고 안전하지 않은 성적 접촉의 기회도 매우 쉽게 얻을 수 있다.

레즈비언, 게인, 양성애자의 발달과정에 대한 몇 가지 모델이 알려져 있다. 성 정체성의 발달단계에 미치는 영향이 초기 혼돈스러움에서 시작되어 탐색과 수용의 단계를 거치는 동안 성 정체성의 통합과정에도 영향을 준다는 내용을 포함한다. 하지만, 이 모델은 성 소수자들의 다양한 성 정체성과 개인정체성 통합에 관여하는 매우 많은 요인들(인종, 종교, 성역할 등)을 고려하지 않은 채, 발달경과가 일직선의 변화를 거친다는 식의 주장으로 지나치게 경직되어 있다는 비판을 받았다. Mustanski 등은 청소년 성적 소수자 성 정체성 발달(development of sexual minority identities)의 일반적인 경과를 연령에 따른 전형적 변화단계로 제시하였다; (1) 7-12세(동성에게 성적으로 끌리는 느낌을 처음으로 인지하는 시기 (2) 13-18세(동성애적인 성적 활동을 처음으로 시작하는 시기 (3) 14-18세(게이, 레즈비언, 양성애자로써의 성적 정체성을 확립하는 시기 (4) 15-19세(중요한 지인들에게 자신의 성적 정체성이 게이, 레즈비언, 양성애자임을 알리는 시기) (Mustanski, Kuper, & Greene, 2014).

임상의사는 이성애에 대한 편견 없이 중립성을 유지하면서 청소년의 이야기를 듣고 면담하는 것이 필요하다. 예를 들어, "혹시 너의 삶에서 특별히 중요한 사람이 있니?"라는 질문이 "남자친구(여자친구)가 있니?"라는 질문보다 더 적절하다.

임상사례

16세 소년이 자신의 치료자에게 이야기 하였다. "저는 제가 여자를 좋아한다는 사실을 한번도 의심한 적이 없어요. 제가 학교에서 그 녀석을 본 후로 이런 감정을 처음 느끼게 되기 전까지는요. 저는 '나는 절대 게이일 리가 없어. 나는 여자와 함께 하는 걸 더 좋아해. 여자같은 남자애들이 나를 싫어하는 것만 봐도 그래.'라고 생각했어요. 그런데, 제가 아무리 그 녀석에 대한 생각을 떨쳐버리려고 애써도 그게 안 돼요. 저는 그 놈이 싫어요. 너무 혼란스러워서 화가 나요. 저는 저의 부모님이 이웃에 사는 게이부부를 비웃는 걸 들었어요. 이제는 부모님이 저를 그렇게 생각하게 될까봐 걱정이에요"

SAApp3 젠더 부조화(Gender Incongruence)

성인편 3장(pp. 257~261)에서 언급한 바와 같이 젠더부조화는 자신의 생물학적 성과 개인이 경험하는 성역할 사이의 지속적이고 뚜렷한 부조화로 인해 겪는 불편한 경험을 특징으로 한다. 젠더부조화는 DSM-IV의 성정체성장애(gender identity disorder)를 대체하는 진단으로써 DSM-5에서 젠더불쾌증(gender dysphoria)으로 불리는 진단명이다. 이런 변화는 크로스젠더

(cross-gender identification) 자체를 문제 삼기보다 젠더부조화 현상을 장애의 특징적 양상으로 강조함으로써 질환을 정의하는 관점이 바뀌었다는 것을 반영하는 것이다. 즉, 최근 추세로는 크로스젠더 정체성(cross-gender identity) 자체를 정신병리로 간주하지 않는다. 그 대신 크로스젠더 정체성에서 기인한 성역할의 내적 인식(inner perception of gender)과 자신의 생물학적 성에 부합하지 않는 모순되는 신체적 현실(incongruous bodily reality) 간의 부조화에서 기인한 스트레스와 여기에서 파생된 문제에 집중하였다. DSM-5에서는 진단기준을 적용하는 대상을 2개의 군으로 구분하였다. 하나는 소아에 해당하며 다른 하나는 청소년과 성인에 해당한다. 사춘기 이전 소아에서 나타나는 젠더부조화 현상이 강할수록 청소년으로 성장한 후에도 지속될 가능성이 높으며 청소년 시기의 젠더부조화가 심각할수록 장기화되거나 더 심화될 가능성이 커진다. 그러나, 대부분의 소아에서 젠더부조화는 청소년기까지 계속되지는 않는다. 그래서, 이들을 '중단자(desisters)'라고 칭한다. 초기 청소년기 이전부터 혹은 이 시기를 거치는 동안 중단자 중 대부분은 트렌스젠더보다 게이, 레즈비언, 양성애자로 성장하며 아주 적은 수에서 이성애자가 된다. 젠더부조화를 겪는 청소년들의 성향은 남성에게 성적 매력을 느끼거나(androphilic) 혹은 여성에게 성적으로 끌리는(gynephilic), 이 중에 하나이지만 일부에서는 양성애적인 성향을 띠기도 한다.

정신치료는 젠더부조화와 관련 문제를 해결하는 데 효과적이라는 근거가 아직 부족하다. 현재는 사회적, 법률적, 의학적, 수술적 성전환(gender reassignment)을 치료적 선택으로 보고 있다. 호르몬에 의한 성전환, 수술적 성전환은 젠더부조화 청소년들의 사회적, 정서적, 성적 영역에서 삶의 질과 기능 향상에 직접적인 도움을 준다.

지난 세기와 비교했을 때, 현시대의 젊은 트렌스젠더들은 젠더부조화로 인한 스트레스를 줄이기 위해 조기에 의학적 시술을 선택하는 경향을 보인다. 점차 지역사회에서 이들을 받아들이고 이들에게 안전한 공간을 제공하는 사회가 늘어가고 있으며 긍정적인 영향을 주는 트렌스젠더 롤모델이 등장하기도 하며 성역할-혼란을 겪는 아이(gender-variant children)가 있는 가족들 간 연계가 가능해지고 있다(Institute of Medicine, 2011). 비록, 많은 청소년들이 지속적이고 강렬하게 성전환 치료를 받고 싶다고 하지만, 현실적으로 가능한 치료를 탐색하고 찾기 위해 노력하는 방식과 과정은 개인마다 매우 다르다. 성전환 치료를 고민할 때, 어떤 사람은 양가적 감정으로 혼란스러워하고 또 다른 누군가는 치료를 받는 중에 마음이 바뀌기도 한다. 어떤 이들은 자신이 지금까지 느껴왔던 감정 자체에 의문을 품는다(American Psychological Association, 2015; Cohen-Kettenis & Klink, 2015; de Vries, Cohen-Kettenis, & Delemarre-van de Waal, 2006; Drescher & Byne, 2012).

부모들은 성역할-혼란을 겪는 자녀가 결국에는 어떤 젠더정체성을 가지게 될지 알고 싶어하며 이를 걱정한다. 이 질문에 대해 섣불리 단정짓기보다 '아직은 어떤 방향으로 풀리고 어떤 경과를 거칠지 결론을 말하기에 너무 이르다'는 설명을 솔직하게 전달하는 편이 더 적절하다. 알 수 없는 결론에 집착하기 보다 관습에서 벗어난 성역할 행동 및 이로 인한 감정변화에 초점을 맞추어 축소화/부인의 방어적 반응으로 무장한 부모들의 정서적 상태를 알도록 도와주는 것이 바람직하다. 또한, 어린 자녀가 드러내는 비전형적 성역할에 어떤 특성이 있는지를 구체적으로 이야기하여 탐색해 보는 것은 많은 도움이 된다(Adelson & American Academy of Child and Adolescent Psychiatry Committee on Quality Issues, 2012). 이를 통해 다양한 종류의 치료법이 가지고 있는 효과와 한계점을 아이와 가족들에게 설명하고 교육하는 것이 필요하다. 이런 주제에 대해 허심탄회하게 말할 수 있는 분위기는 모든 사람들에게 심리적으로 안정감을 느끼게 하며 이를 바탕으로 다양한 가능성에 대해 충분히 논의하는 과정이 선행되어야 한다. 성전환 치료가 결정되었다면 정신보건전문가들은 소아내분비 전문의와 긴밀하게 협력해야 한다(World Professional Association for Transgender Health, WPATH, 2011).

소아기 젠더부조화가 청소년기까지 지속되었을 때, 사춘기 진행을 억제(puberty suppression)하여 이 문제를 충분한 시간 동안 상의한 후에 치료여부(수술적 치료 혹은 호르몬 치료)를 결정해도 늦지 않다(이처럼 지속되는 경우, '유지자(persisters)'라고 칭한다). 어떤 경우에 부조화 현상은 사춘기가 억제된 후에 오히려 멈추기도 한다. 부조화가 해소된 후에 지연되긴 했지만 사춘기 발달을 진행하도록 돕는 방법도 있다. 6장(pp. 392~395)에서 설명한 것처럼 여전히 사춘기 이전의 소아를 대상으로 이 문제에 대한 치료적 합의는 없는 상태이며 크게 3가지 측면에서 치료적 접근의 윤곽을 잡아나가고 있다. 임상적 적응증에 해당된다면 사춘기 억제(puberty suppression)를 시도하여 부조화에서 벗어나거나(desister) 혹은 시간을 벌 수 있다. 사춘기 이후에 부조화가 지속되는 경우라면 2차 성징의 발현을 지연시켜 시간을 유예할 수도 있다. 젠더부조화가 청소년기에 처음 등장한 경우(late onset) 청소년 본인이 부조화에서 벗어나기를 원하지 않는다면 보통은 부조화의 중단을 목적으로 병원에 내원하지 않는다. 이들의 경우, 성전환 치료를 목적으로 내원하는 경향이 많으며 이때는 성전환 시술이 치료적 선택일 수 있다.

청소년들이 보이는 젠더부조화의 핵심양상은 자신들이 경험하는 성역할과 생물학적 성별 사이에서 지속적으로 불편감을 느끼고 여기에서 기인한 스트레스로 드러나는 문제들이다. 젠더부조화 청소년들이 경험하는 불편감은 매우 다양하며 다루는 방식 또한 개인에 따라 아주 다르다. 일부 청소년들은 상당히 심각한 강도의 스트레스를 경험한다. 이로 인해 가능한 빨리 성전환 수술을 받고 호르몬 치료를 시작하고 싶어한다. 다른 일부는 젠더부조화로 인해 약간의 불쾌감을 느끼거나 혼란스러운 기분을 느끼며 이 감정과 함께 살아갈 방법을 강구하려고 노력한다. 청소년들은 성역할 혼란에서 기인한 여러 복잡한 문제와 심적인 어려움을 다루는 데 있어 개인에 따라 아주 큰 차이를 보인다. 또한 이들이 처한 환경에 따라 이들 드러내는 성역할-혼란 행동에 반응하는 방식은 지지하는 것에서부터 거절하고 낙인찍는 것까지 다양하다. 최근에는 인터넷 덕분에 젠더부조화를 겪는 많은 젊은이들이 사춘기 억제를 위해 혹은 성전환을 목적으로 병원을 찾는다. 이들은 많은 수에서 동반된 정신과적 문제로 어려움이 가중되어 있었고 이 중에 불안장애와 우울장애가 가장 많았다. 청소년들의 성전환은 의학적,

정신과적 평가가 충분히 이루어진 후 이에 대한 현실적인 이해가 수반되었을 때, 신중하게 결정하는 것이 필요하다(de Vries & Cohen-Kettenis, 2012).

젠더부조화 청소년의 주관적 경험

정동상태

정동상태에는 불안한 기분과 우울감이 있다. 특히, 2차 성징이 발현될 무렵, 절망감 혹은 자살사고가 생길 수 있다. 청소년은 자신들이 경험하는 성에 대해 허락을 받게 되었을 때(예: 자신이 원하는 성별의 의상을 입을 수 있게 됨) 부조화로 인한 불편감은 줄어든다고 표현한다.

인지패턴

인지패턴에는 성역할에 대한 집착이 포함되어 있으며 성전환 치료를 받을 수 있게 되거나 이용하게 되었을 때 그 집착이 사라진다. 이름을 바꾸고 다르게 불려지기를 원하기도 한다. 자폐스펙트럼장애(ASD)가 공존할 수 있기 때문에 감별진단이 필요하다. 왜냐하면, 크로스젠더 정체성은 자폐증의 전형적 증상인 '경직된 신념'의 일부일 수 있기 때문이다.

신체상태

신체상태는 개인이 가진 신체적, 성적인 특성에 대한 극단적 불편감을 포함한다. 실제적으로 경험하는 신체특성과 기대하고 소망하는 신체특성 사이의 괴리로 인해 크게 낙담할 수 있다. 개인이 가진 신체적, 성적인 특성을 감추고자 하는 시도는 매우 흔하다. 여성으로 태어난 한 개인이 자신의 가슴을 붕대로 동여매거나 남성으로 태어난 한 개인이 자신의 성기가 도드라져 보이지 않도록 감추려 애를 쓰기도 한다. 만약, 성적으로 활발한 상태라면 연애할 때, 자신들의 생물학적 성적 특성이 드러나지 않도록 매우 노력한다.

관계패턴

관계형성 패턴은 매우 다양하다. 청소년들은 주로 학교생활 중에 사회적으로 곤란함을 겪으며 관습에서 벗어나는 성역할을 드러낼 경우 사회적으로 고립되기도 한다. 그리고, 이들은 매우 다양한 종류의 차별(예: 트렌스젠더, 동성애를 혐오로 인한 집단 따돌림)을 경험한다. 어떤 경우, 가족들 조차 이들을 공격하고 괴롭힌다. 개방적이고 진보적인 사회일수록 이들을 위한 안전 공간을 확보하기 위해 노력한다.

치료자의 주관적 경험

임상의사들이 경험하는 역전이는 젠더부조화를 절대 용납할 수 없는 심정에서부터 감별진단

조차 하지 않고 아무런 평가 없이 성전환 치료에 맹목적으로 동의하는 것까지 아주 다양하고 넓은 범위를 가진다.

임상사례

여성으로 태어난 14세 청소년은 6세 이후로 말괄량이처럼 행동하였고 소년들과 어울리는 것을 더 선호했다. 그러나, 어린 시절부터 이 때문에 소녀들뿐 아니라 소년들에게도 소속되지 못했고 혼자서 고립되기 십상이었다. 부모는 이런 행동을 못마땅하게 여겨 야단치며 훈육하였다. 현재 이 아이는 친구가 단 한 명 밖에 없으며 새학년이 시작될 때는 어김없이 친구들의 놀림감이 되었다. 최근 들어 성전환 수술을 받고 싶다고 이야기 하였다. 그리고, 자신을 '알렉스'로 불러달라고 요청하면서 동시에 이름을 부를 때 너무 강하게 발음하지 말아달라고 부탁하였다. 어머니는 여전히 크로스젠더에 관심 갖는 것을 막기 위해 지속적으로 노력하였으나 아버지는 젠더부조화를 어떻게 이해하고 받아들이는 것이 좋을지에 대해 상의하기 위해 전문성을 가진 의료진과 정신치료전문가를 찾아가보자고 제안하였다.

표 3.2. 청소년 진단적 범주

<table>
<tr><th colspan="2">PDM-2</th></tr>
<tr><td colspan="2">SA0 정상반응</td></tr>
<tr><td colspan="2">SA01 발달학적 위기와 상황적 위기</td></tr>
<tr><th colspan="2">PDM-2</th></tr>
<tr><td colspan="2">SA1 뚜렷한 정신병적장애
SA11 단기정신병적장애
SA14 조현병과 조현정동장애</td></tr>
<tr><th>ICD-10</th><th>DSM-5</th></tr>
<tr><td>F20-29. 조현병, 분열형 및 망상장애
F23. 급성 및 일과성 정신병장애
F20. 조현병
F25. 조현정동장애</td><td>조현병스펙트럼 및 기타 정신병적장애
F23. 단기정신병적장애
F20.81. 조현형장애
F20.9.조현병
F25. 조현정동장애</td></tr>
<tr><th colspan="2">PDM-2</th></tr>
</table>

<table>
<tr><td colspan="2">SA2 기분장애
SA22 우울장애
SA24 양극성장애
SA26 파괴적 기분조절장애(DMDD)
SA27 자살성
SA28 비자살 자해</td></tr>
<tr><td>ICD-10</td><td>DSM-5</td></tr>
<tr><td>F30-39. 기분(정동)장애
F32. 우울에피소드
F33. 재발성 우울장애
F31. 양극성 정동장애
F92.0. 우울증성 행동장애
NB: 소아기 및 청소년기에 주로 발병하는 행동 및 정서 장애</td><td>우울장애
F32. 주요우울장애
F34.8. 파괴적 기분조절 장애
양극성 및 관련장애
Condition for further study. 자살행동장애
Condition for further study. 비자살자해</td></tr>
<tr><td colspan="2">PDM-2</td></tr>
<tr><td colspan="2">SA3 불안관련장애
SA31 불안장애
SA31.1 특정공포증
SA31.2 사회공포증
SA31.3 광장공포증과 공황장애
SA31.4 범불안장애
SA32 강박 및 관련장애
SA32.1 강박장애
SA32.2 신체변형장애</td></tr>
<tr><td>ICD-10</td><td>DSM-5</td></tr>
<tr><td>F40. 공포성 불안장애
F40.2. 특정(고립된) 공포증
F40.1. 사회공포증
F40.0. 광장공포증
F41. 기타 불안장애
F41.0 공황장애(우발적 발작성 불안)
F41.1 범불안장애
F42. 강박장애</td><td>불안장애
F40.2x. 특정공포증
F40.10. 사회불안장애(사회공포증)
F40.00. 광장공포증
F41.1. 범불안장애
강박 및 관련 장애
F42. 강박장애
F45.22 신체변형장애</td></tr>
<tr><td colspan="2">PDM-2</td></tr>
<tr><td colspan="2">SA4 사건 및 스트레스 관련 장애
SA41 외상 및 스트레스 관련 장애
SA41.1 적응장애
SA41.2 급성스트레스장애 및 외상후 스트레스장애
SA41.3 복합 외상후 스트레스장애
SA42 해리장애
SA43 전환장애</td></tr>
</table>

ICD-10	DSM-5
F43. 심한 스트레스에 대한 반응 및 적응장애 F43.2. 적응장애 F43.0. 급성스트레스반응 F43.1. 외상후 스트레스장애 F44. 해리(전환)장애 F44.0. 해리성 기억상실 F44.8. 기타 해리(전환)장애 F44.81. 다중인격장애 F44.4. 해리성 운동장애 F44.5. 해리성 경련 F44.6. 해리성 무감각 및 감각상실 F44.7. 혼합형 해리(전환)장애 F48.1. 이인화-현실감소실 증후군 *NB: 기타 신경성 장애*	외상 및 스트레스 관련 장애 F43.2. 적응장애 F43.0. 급성 스트레스장애 F43.10. 외상후 스트레스장애 해리장애 F48.1. 이인증/비현실감 장애 F44.0 해리성 기억상실 F44.81. 해리성 정체성 장애 F44.4-.7. 전환장애 *NB: Conversion disorder is included in somatic symptom and related idsorders*

PDM-2
SA5 신체증상 및 관련 장애 SA51 신체증상 장애 SA52 질병 불안 장애 SA53 인위성 장애

ICD-10	DSM-5
F45. 신체형 장애 F45.0. 신체화 장애 F45.2. 건강 염려증성 장애 F68.1. 신체적 또는 심리적 증상 또는 불구를 가장하거나 고의적 유발(인위성 장애) *NB: 성인의 인격 및 행동의 기타장애*	신체증상 및 관련 장애 F45.1. 신체증상 장애 F45.21. 질병 불안 장애 F68.10. 인위성 장애

PDM-2
SA8 정신신체 장애 SA81 급식 및 섭식 장애

ICD-10	DSM-5
F50. 식사 장애 F50.0. 신경성 식욕부진증 F50.2. 신경성 폭식증	급식 및 섭식장애 F50.01 - .02. 신경성 식욕부진증 F50.2. 신경성 대식증 F50.8. 폭식장애

PDM-2
SA9 파괴적 행동장애 SA91 행실장애 SA92 적대적 반항장애 SA93 물질관련 장애 SA94 인터넷 중독장애

ICD-10	DSM-5

F90-98. 소아기 및 성소년기에 주로 발병하는 행동 및 정서장애 F91. 행동장애 F91.3. 적대적 반항장애 F10-19. 정신 활성물질의 사용에 의한 정신 및 행동장애	파괴적, 충동조절 및 행실장애 F91.2. 행실장애(청소년-발병형) F91.3. 적대적 반항장애 물질관련 중독성 장애 *Conditions for further study. 인터넷 게임장애*
PDM-2	
SA10 유소아 발병질환이 청소년에게 나타나는 패턴 SA101 자폐 스펙트럼 장애 SA102 주의력 결핍 과다 행동장애 SA103 특정 학습장애	
ICD-10	**DSM-5**
F84. 전반 발달장애 F84.0. 소아기 자폐증 *NB: See Chapter 9 on the SC Axis.* F81. 학습술기의 특정 발달장애 F81.0. 특정 읽기장애 F81.2. 특정 산술술기 장애 F81.1. 특정 철자앙애 F90.0. 활동성 및 주의력 장애	신경발달 장애 F84.0. 자폐 스펙트럼 장애 F81. 특정 학습장애 F81.0. 읽기장애 동반형 F81.2. 수학장애 동반형 F81.81. 쓰기 표현장애 동반형 F90. 주의력 결핍/과다행동장애
PDM-2	
SAApp 부록: 임상적 주의를 요하는심리적 경험 SAApp1 인구통계학적 소수집단(인종, 문화, 언어, 종교, 정치) SAApp2 레즈비언, 게이, 양성애자 집단 SAApp3 젠더부조화	
ICD-10	**DSM-5**
F64. 성정체성 F64.0. 성전환증 F64.1. 이중역할의상 도착증 F64.8. 기타 성정체성 장애	F64. 젠더불쾌증 F64.1. 청소년과 성인의 젠더불쾌증

참고문헌

General Bibliography

American Psychiatric Association. (2013). *Diagnostic and statistical manual of mental disorders* (5th ed.). Arlington, VA: Author.

Blatt, S. J., Quinlan, D. M., Pilkonis, P. A., & Shea, M. T. (1995). Impact of perfectionism and need for approval on the brief treatment of depression: The National Institute of Mental Health Treatment of Depression Collaborative Research Program revisited. *Journal of Consulting and Clinical Psychology, 63*(1), 125-132.

Fonagy, P., & Target, M. (2002). The place of psychodynamic theory in developmental psychopathology. *Development and Psychopathology, 12*,407-425.

McCallum, M., Piper, W. E., Ogrodniczuk, J. S., & Joyce, A. S. (2003). Relationships among psychological mindedness, alexithymia and outcome in four forms of short term psychotherapy. *Psychology and Psychotherapy: Theory, Research and Practice, 76*, 133-144.

Patalay, P., Fonagy, P., Deighton, J., Belsky, J., Vostanis, P., & Wolpert, M. (2015). A general psychopathology factor in early adolescence. *British Journal of Psychiatry, 207*(1), 15-22.

Rasic, D. (2010). Countertransference in child and adolescent psychiatry: A forgotten concept? *Journal of the Canadian Academy of Child and Adolescent Psychiatry, 19*(4), 249-254.

Tompson, M. C., Boger, K. D., & Asarnow, J. R. (2012). Enhancing the developmental appropriateness of treatment for depression in youth: Integrating the family in treatment. *Child and Adolescent Psychiatric Clinics of North America, 21*(3), 345-384.

Winnicott, D. W. (1969). The use of an object. *International Journal of PsychoAnalysis, 50*, 711-716. World Health Organization. (1992). *The ICD 10 classification of mental and behavioural disorders: Clinical descriptions and diagnostic guidelines*. Geneva: Author.

SA1 Predominantly Psychotic Disorders

Abidi, S. (2013). Psychosis in children and youth: Focus on earlyonset schizophrenia. *Pediatrics in Review, 34*(7), 296-305.

Byrne, R., & Morrison, A. P. (2010). Young people at risk of psychosis: A userled exploration of interpersonal relationships and communication of psychological difficulties. *Early Intervention in Psychiatry, 4*(2), 162-168.

Cannon, T. D., Cornblatt, B., & McGorry, P. (2007).The empirical status of the ultra highrisk (prodromal) research paradigm. *Schizophrenia Bulletin,33*(3), 661-664.

Cohen, D., Nicolas, J. D., Flament, M. F., Perisse, D., Dubos, P. F., Bonnot, O., . . . Mazet, P. (2005). Clinical relevance of chronic catatonic schizophrenia in children and adolescents: Evidence from a prospective naturalistic study. *Schizophrenia Research, 76*(2-3), 301-308.

Compton, M. T., McGlashan, T. H., & McGorry, P. D. (2007). Toward prevention approaches for schizophrenia: An overview of prodromal states, the duration of untreated psychosis, and early intervention paradigms. *Psychiatric Annals, 37*,340-348.

David, C. N., Greenstein, D., Clasen, L., Gochman, P., Miller, R., Tossell, J. W., . . . Rapoport, J. L. (2011). Childhood onset schizophrenia: High rate of visual hallucinations. *Journal of the American Academy of Child and Adolescent Psychiatry, 50*,681-686.

Huber, G., Gross, G., Schuttler, R., & Linz, M. (1980). Longitudinal studies of schizophrenic patients. *Schizophrenia Bulletin, 6*(4), 592-605.

Kelleher, I., Connor, D., Clarke, M. C., Devlin, N., Harley, M., & Cannon, M. (2012). Prevalence of psychotic symptoms in childhood and adolescence: A systematic review and metaanalysis of populationbased studies. *Psychological Medicine,42*(9), 1857-1863.

Knock, J., Kline, E., Schiffman, J., Maynard, A., & Reeves, G. (2011). Burdens and difficulties experienced by caregivers of children and adolescents with schizophreniaspectrum disorders: A qualitative study. *Early Intervention in Psychiatry, 5*(4),349-354.

Lachman, A. (2014). New developments in diagnosis and treatment update: Schizophrenia/first episode psychosis in children and adolescents. *Journal of Child and Adolescent Mental Health, 26*(2), 109-124.

Magnan, V. (1893). *Des signes physiques intellectuels et moraux de la folie héréditaire: Recherche sur les centres nerveux.* Paris: Masson.

McClellan, J., Stock, S., & American Academy of Child and Adolescent Psychiatry (A ACAP) Committee on Quality Issues (CQI). (2013). Practice parameter for the assessment and treatment of children and adolescents with schizophrenia. *Journal of the American Academy of Child and Adolescent Psychiatry, 52*(9), 976-990.

Müller, H., Laier, S., & Bechdolf, A. (2014).Evidencebased psychotherapy for the prevention and treatment of firstepisode psychosis. *European Archives of Psychiatry and Clinical Neuroscience,26 4*(Suppl. 1), S17-S25.

Nordentoft, M., Rasmussen, J. O., Melau, M., Hjorthøj, C. R., & Thorup, A. A. (2014). How successful are first episode programs?: A review of the evidence for specialized assertive early intervention. *Current Opinion in Psychiatry, 27*(3),167-172.

RapadoCastro, M., McGorry, P. D., Yung, A., Calvo, A., & Nelson, B. (2015). Sources of clinical distress in young people at ultra high risk of psychosis. *Schizophrenia Research, 165*(1), 15–21.

Sedel, F., Baumann, N., Turpin, J. C., LyonCaen, O., Saudubray, J. M., & Cohen, D. (2007). Psychiatric manifestations revealing inborn errors of metabolism in adolescents and adults. *Journal of Inherited Metabolic Disease, 30*(5), 631–641.

Thompson, E ., Millman, Z. B., Okuzawa, N., Mittal, V., DeVylder, J., Skadberg, T., . . . Schiffman, J. (2015). Evidencebased early interventions for individuals at clinical high risk for psychosis: A review of treatment components. *Journal of Nervous and Mental Disease, 203*(5), 342–351.

Trotman, H. D., Holtzman, C. W., Ryan, A. T., Shapiro, D. I., MacDonald, A. N., Goulding, S. M., . . . Walker, E . F. (2013). The development of psychotic disorders in adolescence: A potential role for hormones. *Hormones and Behavior, 64*(2), 411–419.

Vandyk, A. D., & Baker, C. (2012). Qualitative descriptive study exploring schizophrenia and the everyday effect of medicationinduced weight gain. *International Journal of Mental Health Nursing, 21*(4), 349–357.

Yung, A. R., & McGorry, P. D. (1996). The initial prodrome in psychosis: Descriptive and qualitative aspects. *Australian and New Zealand Journal of Psychiatry, 30*, 587–599.

Yung, A. R., & McGorry, P. D. (2007). Prediction of psychosis: Setting the stage. *British Journal of Psychiatry, 51*, s1–s8.

Wong, M. M., Chen, E . Y., Lui, S. S., & Tso, S. (2011).Medication adherence and subjective weight perception in patients with firstepisode psychotic disorder. *Clinical Schizophrenia and Related Psychoses, 5*(3), 135–141.

Zdanowicz, N., Mees, L ., Jacques, D., Tordeurs, D.,& Reynaert, C. (2014). Assessment and treatment of the risk of psychosis in adolescents: A review. *Psychiatria Danubina, 26*(2), 115–121.

SA2 Mood Disorders

SA22 Depressive Disorders

Blatt, S. (1998). Contribution of psychoanalysis to the understanding and treatment of depression. *Journal of the American Psychoanalytic Association,46*, 722–752.

Blatt, S. J., & Homann, E . (1992). Parent–child interaction in the etiology of dependent and selfcritical depression. *Clinical Psychology Review,12*(1), 47–91.

Blatt, S. J., & Zuroff, D. C. (1992). Interpersonal relatedness and selfdefinition: Two prototypes for depression. *Clinical Psychology Review, 12*,527–562.

Dundon, E . E . (2006). Adolescent depression: A metasynthesis. *Journal of Pediatric Health Care,20*(6), 384–392.

Lachal, J., Speranza, M., Schmitt, A., Spodenkiewicz, M., Falissard, B., Moro, M. R., & RevahLevy, A. (2012). Depression in adolescence: From qualitative research to measurement. *Adolescent Psychiatry, 2*, 296–308.

Midgley, N., Cregeen, S., Hughes, C., & Rustin, M. (2013). Psychodynamic psychotherapy as treatment for depression in adolescence. *Child and Adolescent Psychiatric Clinics of North America,22*(1), 67–82.

Midgley, N., Parkinson, S., Holmes, J., Stapley, E ., Eatough, V., & Target, M. (2015). Beyond a diagnosis: The experience of depression among clinicallyreferred adolescents. *Journal of Adolescence, 44*, 269–279.

Pine, D. (2009, April). Report of the DSM5 Childhood and Adolescent Disorders Work Group. Retrieved from *www.dsm5.org/progressreports/ pages/ 090 4report of the dsmvchildhood and adoles centdisorders work group.aspx.*

SA24 Bipolar Disorders

Axelson, D., Birmaher, B., Strober, M., Gill, M. K., Valeri, S., Chiappetta, L ., . . . Keller, M. (2006). Phenomenology of children and adolescents with bipolar spectrum disorders. *Archives of General Psychiatry, 63*, 1139–1148.

Birmaher, B., Axelson, D., Goldstein, B., Strober, M., Gill, M. K., Hunt, J., . . . Keller, M. (2009). Fouryear longitudinal course of children and adolescents with bipolar spectrum disorders: The Course and Outcome of Bipolar Youth (COBY) study. *American Journal of Psychiatry, 166*, 795–804.

Carlson, G. A., & Klein, D. N. (2014). How to understand divergent views on bipolar disorder in youth. *Annual Review of Clinical Psychology, 10*, 529–551.

Carlson, G. A., & Meyer, S. E . (2006). Phenomenology and diagnosis of bipolar disorder in children, adolescents, and adults: Complexities and developmental issues. *Development and Psychopathology,18*, 939–969.

DeFilippis, M. S., & Wagner, K. D. (2013). Bipolar depression in children and adolescents. *CNS Spectrums, 18*, 209–213.

Grimmer, Y., Hohmann, S., & Poustka, L. (2014). Is bipolar always bipolar?: Understanding the controversy on bipolar disorder in children. *F10 0 0Prime Reports, 1*(6), 111.

SA26 Disruptive Mood Dysregulation Disorder

Brotman, M. A., Schmajuk, M., Rich, B. A., Dickstein, D. P., Guyer, A. E., Costello, E. J., . . . Leibenluft, E. (2006). Prevalence, clinical correlates, and longitudinal course of severe mood dysregulation in children. *Biological Psychiatry, 60*, 991-997.

Dougherty, L. R., Smith, V. C., Bufferd, S. J., Carlson, G. A., Stringaris, A., Leibenluft, E., & Klein, D. N. (2014). DSM5 disruptive mood dysregulation disorder: Correlates and predictors in young children. *Psychological Medicine, 21*, 1-12.

Johnson, K., & McGuinness, T. M. (2014). Disruptive mood dysregulation disorder: A new diagnosis in the DSM5. *Journal of Psychosocial Nursing and Mental Health Services, 52*(2), 17-20.

Krieger, F. V., & Stringaris, A. (2013). Bipolar disorder and disruptive mood dysregulation in children and adolescents: Assessment, diagnosis and treatment. *EvidenceBased Mental Health, 16*(4), 93-94.

Leibenluft, E. (2011). Severe mood dysregulation, irritability, and the diagnostic boundaries of bipolar disorder in youths. *American Journal of Psychiatry, 168*(2), 129-142.

Roy, A. K., Lopes, V., & Klein, R. G. (2014). Disruptive mood dysregulation disorder: A new diagnostic approach to chronic irritability in youth. *American Journal of Psychiatry, 171*(9), 918-924.

Stringaris, A., Cohen, P., Pine, D. S., & Leibenluft, E. (2009). Adult outcomes of youth irritability: A 20 year prospective communitybased study. *American Journal of Psychiatry, 166*, 1048-1054.

SA27 Suicidality

Everall, R. D., Bostik, K. E., & Paulson, B. L. (2006). Being in the safety zone: Emotional experiences of suicidal adolescents and emerging adults. *Journal of Adolescent Research, 21*(4), 370-392.

Fazaa, N., & Page, S. (2003). Dependency and selfcriticism as predictors of suicidal behavior. *Suicide and LifeThreatening Behavior, 33*(2), 172-185.

Jordan, J., McKenna, H. P., Keeney, S., Cutcliffe, J., Stevenson, C., Slater, P., & McGowan, I. (2012). Providing meaningful care: Learning from the experiences of suicidal young men. *Qualitative Health Research, 22*(9), 1207-1219.

Kaess, M., & Brunner, R. (2012). Prevalence of adolescents' suicide attempts and selfharm thoughts vary across Europe. *EvidenceBased Mental Health, 15*, 66.

Klomek, A. B., Orbach, I., Sher, L., Sommerfeld, E., Diller, R., Apter, A., . . . Zalsman, G. (2008). Quality of depression among suicidal inpatient youth. *Archives of Suicide Research, 12*(2), 133-140.

Lachal, J., Orri, M., Sibeoni, J., Moro, M. R., & RevahLevy, A. (2015). Metasynthesis of youth suicidal behaviours: Perspectives of youth, parents, and health care professionals. *PLoS ONE, 10*(5), e0127359.

Orbach, I., Mikulincer, M., Blumenson, R., Mester,R., & Stein, D. (1999). The subjective experience of problem irresolvability and suicidal behavior: Dynamics and measurement. *Suicide and LifeThreatening Behavior*, 29(2), 150-164.

Orri, M., Paduanello, M., Lachal, J., Falissard, B. N., Sibeoni, J., & RevahLevy, A. (2014). Qualitative approach to attempted suicide by adolescents and young adults: The (neglected) role of revenge. *PLoS ONE, 9*(5), e96716.

World Health Organization. (2014). *Preventing suicide: A global imperative*. Geneva: Author.

SA28 Nonsuicidal Self-Injury

Dickstein, D. P., Puzia, M. E., Cushman, G. K., Weissman, A. B., Wegbreit, E., Kim, K. L., . . . Spirito, A. (2015). Selfinjurious implicit attitudes among adolescent suicide attempters versus those engaged in nonsuicidal selfinjury. *Journ al of Child Psycholog y and Psychiatr y, 56*(10), 1127-1136.

Fischer, G., Brunner, R., Parzer, P., Resch, F., & Kaess, M. (2013). Shortterm psychotherapeutic treatment in adolescents engaging in nonsuicidal selfinjury: A randomized controlled trial. *Trials,13*(14), 294.

Glenn, C. R., & Klonsky, E. D. (2013). Nonsuicidal selfinjury disorder: An empirical investigation in adolescent psychiatric patients. *Journal of Clinical Child and Adolescent Psychology, 42*(4),496-507.

Hooley, J. M., & St Germain, S. A. (2013). Nonsuicidal selfinjury, pain, and selfcriticism: Does changing selfworth change

pain endurance in people who engage in selfinjury? *Clinical Psychological Science, 2*(3), 297–305.
Klineberg, E., Kelly, M. J., Stansfeld, S. A., & Bhui, K. S. (2013). How do adolescents talk about selfharm: A qualitative study of disclosure in an ethnically diverse urban population in England. *BMC Public Health, 13*, 572.
Klonsky, E. D., Victor, S. E., & Saffer, B. Y. (2014).
Nonsuicidal selfinjury: What we know, and what we need to know. *Canadian Journal of Psychiatry,59*(11), 565–568.
Walsh, B. W. (2014). Clinical assessment of selfinjury: A practical guide. *Journal of Clinical Psychology, 63*(11), 1057–1068.
Zetterqvist, M., Lundh, L. G., Dahlström, O., & Svedin, C. G. (2013). Prevalence and function of nonsuicidal selfinjury (NSSI) in a community sample of adolescents, using suggested DSM5 criteria for a potential NSSI disorder. *Journal of Abnormal Child Psychology, 41*(5), 759–773.

SA3 Disorders Related Primarly to Anxiety

SA31 Anxiety Disorders

Bernstein, G. A., & Victor, A. M. (2011). Pediatric anxiety disorders. In K. Cheng & K. M. Myers (Eds.), *Child and adolescent psychiatry: The essentials* (2nd ed., pp. 103–120). Philadelphia: Lippincott Williams & Wilkins.
Cohen Kadosh, K., Haddad, A. D., Heathcote, L. C., Murphy, R. A., Pine, D. S., & Lau, J. Y. (2015). High trait anxiety during adolescence interferes with discriminatory context learning. *Neurobiology of Learning and Memory, 123*, 50–57.
Compton, S. N., Peris, T. S., Almirall, D., Birmaher, B., Sherrill, J., & Kendall, P. C. (2014). Predictors and moderators of treatment response in childhood anxiety disorders: Results from the CAMS trial. *Journal of Consulting and Clinical Psychology,82*(2), 212–224.
Connolly, S. D., Bernstein, G. A., & Work Group on Quality Issues. (2007). Practice parameter for the assessment and treatment of children and adolescents with anxiety disorders. *Journal of the American Academy of Child and Adolescent Psychiatry, 46*(2), 267–283.
Mohatt, J., Bennett, S. M., & Walkup, J. T. (2014).
Treatment of separation, generalized, and social anxiety disorders in youths. *American Journal of Psychiatry, 171*(7), 741–748.
Tassin, C., Reynaert, C., Jacques, D., & Zdanowicz, N. (2014). Anxiety disorders in adolescence. *Psychiatria Danubina, 26*(1), 27–30.
Wehry, A. M., BeesdoBaum, K., Hennelly, M. M., Connolly, S. D., & Strawn, J. R. (2015). Assessment and treatment of anxiety disorders in children and adolescents. *Current Psychiatry Reports,17*(7), 591.

SA31.1 *Specific Phobias*

Davis, T. E., Ollendick, T. H., & Öst, L. G. (2009).
Intensive treatment of specific phobias in children and adolescents. *Cognitive and Behavioral Practice, 16*(3), 294–303.

SA31.2 *Social Phobia*

Dell'Osso, L., Abelli, M., Pini, S., Carlini, M., Carpita, B., Macchi, E., . . . Massimetti, G. (2014). Dimensional assessment of DSM5 social anxiety symptoms among university students and its relationship with functional impairment. *Neuropsychiatric Disease and Treatment, 16*(10), 1325–1332.
Hamilton, J. L., Potter, C. M., Olino, T. M., Abramson, L. Y., Heimberg, R. G., & Alloy, L. B. (2016). The temporal sequence of social anxiety and depressive symptoms following interpersonal stressors during adolescence. *Journal of Abnormal Child Psychology, 4 4*(3), 495–509.

SA31.3 *Agoraphobia and Panic Disorder*

Cornacchio, D., Chou, T., Sacks, H., Pincus, D.,& Comer, J. (2015). Clinical consequences of the revised DSM5 definition of agoraphobia in treatmentseeking anxious youth. *Depression and Anxiety, 32*(7), 502–508.

Creswell, C., Waite, P., & Cooper, P. J. (2014). Assessment and management of anxiety disorders in children and adolescents. *Archives of Disease in Childhood, 99*(7), 674–678.

SA31.4 *Generalized Anxiety Disorder*

Mohatt, J., Bennett, S. M., & Walkup, J. T. (2014).

Treatment of separation, generalized, and social anxiety disorders in youths. *American Journal of Psychiatry, 171*(7), 741–748.

Wehry, A. M., BeesdoBaum, K., Hennelly, M. M.,Connolly, S. D., & Strawn, J. R. (2015). Assessment and treatment of anxiety disorders in children and adolescents. *Current Psychiatry Reports, 17*(7), 52.

SA32 Obsessive–Compulsive and Related Disorders

SA32.1 *Obsessive–Compulsive Disorder*

Freeman, J., Garcia, A., Frank, H., Benito, K., Conelea, C., Walther, M., & Edmunds, J. (2014). Evidence base update for psychosocial treatments for pediatric obsessive–compulsive disorder. *Journal of Clinical Child and Adolescent Psychology, 43*(1), 7–26.

Krebs, G., & Heyman, I. (2015). Obsessive–compulsive disorder in children and adolescents. *Archives of Disease in Childhood, 10 0*(5), 495–499.

RosaAlcǘzar, A. I., SǘnchezMeca, J., RosaAlcǘzar, Á., IniestaSepǘlveda, M., OlivaresRodríguez, J.,& ParadaNavas, J. L . (2015). Psychological treatment of obsessive–compulsive disorder in children and adolescents: A metaanalysis. *Spanish Journal of Psychology, 18*, E20.

Wells, J. G. (2014). Obsessive–compulsive disorder in youth: Assessment and treatment. *Journal of Clinical Psychiatry, 75*(5), e13.

SA32.1 *Body Dysmorphic Disorder*

Brewster, K. (2011). Body dysmorphic disorder in adolescence: Imagined ugliness. *The School Psychologist*. Retrieved from *www.apadivisions. org /division 16 /public ation s/ne wslet te rs/schoolps yc ho l og i s t / 2 011 / 0 7/a d o l e s c e n t d ys m o r ph i c disorder.aspx*.

Buhlmann, U., & Winter, A. (2011). Perceived ugliness: An update on treatmentrelevant aspects of body dysmorphic disorder. *Current Psyhiatry Report, 13*, 283–288.

Grant, J. E ., Won Kim, S., & Crow, S. J. (2001).

Prevalence and clinical features of body dysmorphic disorder in adolescent and adult psychiatric inpatients. *Journal of Clinical Psychiatry, 62*,517–522.

Phillips, K. A. (2001). Body dysmorphic disorder. In K. A. Phillips (Ed.), *Somatoform and factitious disorders*. Washington, DC: American Psychiatric Publishing.

Phillips, K. A. (2004). Body dysmorphic disorder: Recognizing and treating imagined ugliness. *World Psychiatry, 3*(1), 12–17.

Windheim, K., Veale, D., & Anson, M. (2011). Mirror gazing in body dysmorphic disorder and health controls: Effects of duration of gazing. *Behaviour Research and Therapy, 14*(1), 1–10.

SA4 Event- and Stressor-Related Disorders

SA41 Trauma- and Stressor-Related Disorders

SA41.1 *Adjustment Disorders*

Casey, P., & Bailey, S. (2011). Adjustment disorders: The state of the art. *World Psychiatry, 10*(1),11–18.

Casey, P., & Doherty, A. (2012). Adjustment disorder: Implications for ICD11 and DSM5. *British Journal of Psychiatry, 201*, 90–92.

Fernǘndez, A., Mendive, J. M., SalvadorCarulla, L ., RubioValera, M., Luciano, J. V., PintoMeza, A., . . . SerranoBlan-

co, A. (2012). Adjustment disorders in primary care: Prevalence, recognition and use of services. *British Journal of Psychiatry, 201*, 137-142.
Pelkonen, M., Marttunen, M., Henriksson, M., & Lonnqvist, J. (2005). Suicidality in adjustment disorder: Clinical characteristics of adolescent outpatients. *European Child and Adolescent Psychiatry, 14*, 174-180.

SA41.2 *Acute and Posttraumatic Stress Disorders*

Buchanan, N. T., Bluestein, B. M., Nappa, A. C., Woods, K. C., & Depatie, M. M. (2013). Exploring gender differences in body image, eating pathology, and sexual harassment. *Body Image, 10*(3), 352-360.
Freud, S. (1895). Project for a scientific psychology. *Standard Edition, 1*, 283-397.
GuilleryGirard, B., Clochon, P., Giffard, B., Viard, A., Egler, P. J., Baleyte, J. M., . . . Dayan, J. (2013). "Disorganized in time": Impact of bottomup and topdown negative emotion generation on memory formation among healthy and traumatized adolescents. *Journal of Physiology (Paris), 107*(4), 247-254.
Jackowski, A. P., de Araújo, C. M., de Lacerda, A.
L ., Mari Jde, J., & Kaufman, J. (2009). Neurostructural imaging findings in children with posttraumatic stress disorder: Brief review. *Psychiatry and Clinical Neurosciences, 63*(1), 1-8.
Mazza, J. J., & Reynolds, W. M. (1999). Exposure to violence in young innercity adolescents: Relationships with suicidal ideation, depression, and PTSD symptomatology. *Journal of Abnormal Child Psychology, 27*(3), 203-213.
Saul, A. L ., Grant, K. E ., & Smith Carter, J. (2008). Posttraumatic reactions in adolescents: How well do the DSMI V PTSD criteria fit the real life experience of trauma exposed youth? *Journal of Abnormal Child Psychology, 36*(6), 915-925.
Scheeringa, M. S., Zeanah, C. H., & Cohen, J. A. (2011). PTSD in children and adolescents: Toward an empirically based algorithma. *Depression and Anxiety, 28*(9), 770-782.

SA41.3 *Complex Posttraumatic Stress Disorder*

Herman, J. (1997). *Trauma and recovery: The aftermath of violence from domestic abuse to political terror* (rev. ed.). New York: Basic Books.
National Center for PTSD. (2016, February 23). Complex PTSD. Retrieved from *www.ptsd.va.gov/professional/ P T SD overview/complexptsd.asp*. Roth, S., Newman, E ., Pelcovitz, D., van der Kolk, B.,& Mandel, F. S. (1997). Complex PTSD in victims exposed to sexual and physical abuse: Results from the DSMI V field trial for posttraumatic stress disorder. *Journal of Traumatic Stress, 10*, 539-555.
van der Kolk, B. (2005). Developmental trauma disorder. *Psychiatric Annals, 35*(5), 401-408.

SA42 Dissociative Disorders

Atlas, J., Weissman, K., & Liebowitz, S. (1997). Adolescent inpatients' history of abuse and dissociative identity disorder. *Psychological Reports, 80*(3, Pt.2), 1086.
Brunner, R., Parzer, P., Schuld, V., & Resch, F. (2000).
Dissociative symptomatology and traumatogenic factors in adolescent psychiatric patients. *Journal of Nervous and Mental Disease, 188*, 71-77.
Carrion, V. G., & Steiner, H. (2000). Trauma and dissociation in delinquent adolescents. *Journal of the American Academy of Child and Adolescent Psychiatry, 39*, 353-359.
International Society for the Study of Dissociation. (2004). Guidelines for the evaluation and treatment of dissociative symptoms in children and adolescents. *Journal of Trauma and Dissociation, 5*(3), 119-150.
Jang, K. L., Paris, J., ZweigFrank, H., & Livesley, W. J. (1998). Twin study of dissociative experience. *Journal of Nervous and Mental Disease, 186*, 345-351.
Macfie, J., Cicchetti, D., & Toth, S. L . (2001). The development of dissociation in maltreated preschoolaged children. *Development and Psychopathology, 13*, 233-254.
Putnam, F. W., Hornstein, N. L ., & Peterson, G. (1996). Clinical phenomenology of child and adolescent dissociative disorders: Gender and age effects. *Child and Adolescent Psychiatric Clinics of North America, 5*, 351-360.
Sanders, B., & Giolas, M. H. (1991). Dissociation and childhood trauma in psychologically disturbed adolescents. *American Journal of Psychiatry, 148*, 50-54.

Siegel, D. J. (2012). *The developing mind: How relationships and the brain interact to shape who we are* (2nd ed.). New York: Guilford Press.

Stien, P., & Waters, F. S. (1999). *Chronic traumatic stress in children as an etiological factor in the development of obsessive-compulsive disorder and attentiondeficit/hyperactivity disorder.* Workshop presented at the 15th Annual Meeting of the International Society for Traumatic Stress, Miami, FL.

SA43 Conversion Disorder

Brazier, D. K., & Venning, H. E. (1997). Conversion disorders in adolescents: A practical approach to rehabilitation. *British Journal of Rheumatology, 36*(5), 594-598.

Campo, J. V., & Negrini, B. J. (2000). Case study: Negative reinforcement and behavioural management of conversion disorder. *Journal of the American Academy of Child and Adolescent Psychiatry, 39*, 787-790.

Leary, P. M. (2003). Conversion disorder in childhood— diagnosed too late, investigated too much? *Journal of the Royal Society of Medicine, 96*(9), 436-438.

Pehlivanturk, B., & Unal, F. (2002). Conversion disorder in children and adolescents: A four year follow up study. *Journal of Psychosomatic Research, 52*, 187-191.

SA5 Somatic Symptom and Related Disorders

Garralda, M. E. (1999). Practitioner review: Assessment and management of somatisation in childhood and adolescence: A practical perspective. *Journal of Child Psychology and Psychiatry, 140*,1159-1167.

Klineberg, E., Rushworth, A., Bibby, H., Bennett, D., Steinbeck, K., & Towns, S. (2014). Adolescent chronic fatigue syndrome and somatoform disorders: A prospective clinical study. *Journal of Pediatrics and Child Health, 50*(10), 775-781.

Schulte, I. E., & Petermann, F. (2011). Somatoform disorders: 30 years of debate about criteria!: What about children and adolescents? *Journal of Psychosomatic Research*, 70(3), 218-228.

SA52 Illness Anxiety Disorder (Hypochondriasis)

Ehrlich, S., Pfeiffer, E., Salbach, H., Lenz, K., & Lehmkuhl, U. (2008). Factitious disorder in children and adolescents: A retrospective. *Psychosomatics, 49*(5), 392-398.

Morrell, B., & Tilley, D. S. (2012). The role of nonperpetrating fathers in Munchausen syndrome by proxy: A review of the literature. *Journal of Pediatric Nursing, 27*(4), 328-335.

Sørensen, P., BirketSmith, M., Wattar, U., Buemann, I., & Salkovskis, P. (2011). A randomized clinical trial of cognitive behavioural therapy versus shortterm psychodynamic psychotherapy versusno intervention for patients with hypochondriasis. *Psychological Medicine, 41*, 431-441.

Squires, J. E., & Squires, R. H. (2013). A review of Munchausen syndrome by proxy. *Pediatric Annals,42*(4), 67-71.

Wicksell, R. K., Melin, L., Lekander, M., & Olsson, G. L. (2009). Evaluating the effectiveness of exposure and acceptance strategies to improve functioning and quality of life in longstanding pediatric pain: A randomized controlled trial. *Pain, 141*(3),248-257.

SA8 Psychophysiological Disorders

SA81 Feeding and Eating disorders

American Psychiatric Association, Work Group on Eating Disorders. (2006). Practice guideline for the treatment of patients with eating disorders, third edition. *American Journal of Psychiatry, 163*(Suppl.), 1-54.

Bruch, H. (1973). *Eating disorders: Obesity, anorexia nervosa, and the person within*. New York: Basic Books.

Demarque, M., Guzman, G., Morrison, E., Ahovi, J., Moro, M. R., & BlanchetCollet, C. (2015). Anorexia nervosa in a girl of Chinese origin: Psychological, somatic and transcultural factors. *Clinical Child Psychology and Psychiatry, 20*(2),276-288.

Findlay, S., Pinzon, J., Taddeo, D., & Katzman, D.K. (2010). Familybased treatment of children and adolescents with anorexia nervosa: Guidelines for the community physician. *Paediatrics and Child Health, 15*(1), 31-35.

Gazzillo, F., Lingiardi, V., Peloso, A., Giordani, S., Vesco, S., Zanna, V., . . . Vicari, S. (2013). Personality subtypes in adolescents with eating disorders. *Comprehensive Psychiatry, 54*(6), 702–712.

Gowers, S., & BryantWaugh, R. (2004). Management of child and adolescent eating disorders: The current evidence base and future directions. *Journal of Child Psychology and Psychiatry, 45*,63–83.

Heatherton, T. F., & Baumeister, R. F. (1991). Binge eating as escape from selfawareness. *Psychological Bulletin, 110*(1), 86–108.

Hoek, H. W. (2006). Incidence, prevalence and mortality of anorexia nervosa and other eating disorders. *Current Opinion in Psychiatry, 19*(4), 389–394.

Milos, G., Spindler, A., & Schnyder, U. (2005). Instability of eating disorder diagnoses: Prospective study. *British Journal of Psychiatry, 187*, 574–578. Mitchell, J. E ., & Crow, S. (2006). Medical complications of anorexia nervosa and bulimia nervosa. *Current Opinion in Psychiatry, 19*(4), 438–443. National Institute for Clinical Excellence. (2004). *Eating disorders: Core interventions in the treatment and management of anorexia nervosa, bulimia nervosa and related eating disorders* (NICE Clinical Guidelines, No. 9). Leicester, U K: British Psychological Society.

Rasting, M., Brosig, B., & Beutel, M. E . (2005). Alexithymic characteristics and patient therapist interaction: A video analysis of facial affect display. *Psychopathology, 38*, 105–111.

Roux, H., Blanchet, C., Stheneur, C., Chapelon, E .,& Godart, N. (2013). Somatic outcome among patients hospitalised for anorexia nervosa in adolescence: Disorders reported and links with global outcome. *Eating and Weight Disorders, 18*(2),175–182.

Smink, F. R., van Hoeken, D., & Hoek, H. W. (2013). Epidemiology, course, and outcome of eating disorders. *Current Opinion in Psychiatry, 26*(6),543–548.

Speranza, M., Atger, F., Corcos, M., Loas, G., Guilbaud, O., Stéphan, P., . . . Jeammet, P. (2003). Depressive psychopathology and adverse childhood experiences in eating disorders. *European Psychiatry, 18*(8), 377–383.

Speranza, M., Loas, G., Guilbaud, O., & Corcos, M. (2011). Are treatment options related to alexithymia in eating disorders?: Results from a threeyear naturalistic longitudinal study. *Biomedicine and Pharmacotherapy, 65*, 585–589.

Speranza, M., RevahLevy, A., Gicquel, L ., Loas, G., Venisse, J. L ., Jeammet, P., & Corcos, M. (2012). An investigation of Goodman's addictive disorder criteria in eating disorders. *European Eating Disorders Review, 20*(3), 182–189.

SA9 Disruptive Behavior Disorders

SA91 Conduct Disorder

Baker, R. H., Clanton, R. L ., Rogers, J. C., & De Brito, S. A. (2015). Neuroimaging findings in disruptive behavior disorders. *CNS Spectrums, 10*,1–13.

Blair, R. J., Leibenluft, E ., & Pine, D. S. (2015). Conduct disorder and callous–unemotional traits in youth. *New England Journal of Medicine, 371*(23),2207–2216.

Fairchild, G., van Goozen, S. H., Calder, A. J., & Goodyer, I. M. (2013). Research review: Evaluating and reformulating the developmental taxonomic theory of antisocial behaviour. *Journal of Child Psychology and Psychiatry, 54*(9), 924–940.

Frick, P. J., & Viding, E . (2009). Antisocial behavior from a developmental psychopathology perspective. *Development and Psychopathology, 21*,1111–1131.

Johnson, A. C. (2015). Developmental pathways to attentiondeficit/hyperactivity disorder and disruptive behavior disorders: Investigating the impact of the stress response on executive functioning. *Clinical Psychology Review, 36*, 1–12.

Lewis, R. M., Petch, V., Wilson, N., Fox, S., & Craig, C. E . (2015). Understanding conduct disorder: The ways in which mothers attempt to make sense of their children's behaviour. *Clinical Child Psychology and Psychiatry, 20*(4), 570–584.

Lindsey, L . M. (2015). The challenges for primary caregivers of adolescents with disruptive behavior disorders. *Journal of Family Nursing, 21*(1),1491–1467.

Polanczyk, G. V., Salum, G. A., Sugaya, L . S., Caye, A., & Rohde, L. A. (2015). Annual research review: A metaanalysis of the worldwide prevalence of mental disorders in children and adolescents. *Journal of Child Psychology and Psychiatry,56*(3), 345–365.

SA92 Oppositional Defiant Disorder

Bateman, A. W., & Fonagy, P. (2012). Antisocial personality disorder. In A. W. Bateman & P. Fonagy (Eds.), *Handbook*

of mentalizing in mental health practice (pp. 289–308). Washington, DC: American Psychiatric Publishing.
Keenan, K., & Wakschlag, L. S. (2004). Are oppositional defiant and conduct disorder symptoms normative behaviors in preschoolers?: A comparison of referred and nonreferred children. *American Journal of Psychiatry, 161*(2), 356–358.
Kelsberg, G. (2006). What are effective treatments for oppositional defiant behaviors in adolescents? *Journal of Family Practice, 55*, 10.
Kimonis, E. R., & Frick, P. J. (2010). Oppositional defiant disorder and conduct disorder grownup. *Journal of Developmental and Behavioral Pediatrics, 31*(3), 244–254.
Lindhiem, O., Bennett, C. B., Hipwell, A. E., & Pardini, D. A. (2015). Beyond symptom counts for diagnosing oppositional defiant disorder and conduct disorder? *Journal of Abnormal Child Psychology, 43*(7), 1379–1387.
Maughan, B., Rowe, R., Messer, J., Goodman, R., & Meltzer, H. (2004). Conduct disorder and oppositional defiant disorder in a national sample: Developmental epidemiology. *Journal of Child Psychology and Psychiatry, 45*(3), 609–621.
Steinberg, E. A., & Drabick, D. A. (2015). A developmental psychopathology perspective on ADHD and comorbid conditions: The role of emotion regulation. *Child Psychiatry and Human Development, 46*(6), 951–966.

SA93 Substance-Related Disorders

Clark, D. B., Chung, T., Thatcher, D. L., Pajtek, S.,& Long, E. C. (2012). Psychological dysregulation, white matter disorganization and substance use disorders in adolescence. *Addiction, 107*(1), 206–214. Donovan, J. E (2004). Adolescent alcohol initiation: A review of psychosocial risk factors. *Journal of Adolescent Health, 35*, 529e7–529e18.
Grotstein, J. S. (1986). The psychology of powerlessness: Disorders of selfregulation and interactional regulation as a newer paradigm for psychopathology. *Psychoanalytic Inquiry, 6*, 93–118.
Hammond, C. J., Mayes, L. C., & Potenza, M. N. (2014). Neurobiology of adolescent substance use and addictive behaviors: Treatment implications. *Adolescent Medicine: State of the Art Reviews, 25*(1), 15–32.
Johnston, L. D., Miech, R. A., O'Malley, P. M., Bachman, J. G., & Schulenberg, J. E. (2014, December 16). Use of alcohol, cigarettes, and number of illicit drugs declines among U.S. teens. University of Michigan News Service. Retrieved from *www. monitoringthefuture.org.*
Merikangas, K. R., He, J. P., Burstein, M., Swanson, S. A., Avenevoli, S., Cui, L., . . . Swendsen, J. (2010). Lifetime prevalence of mental disorders in U.S. adolescents: Results from the National Comorbidity Survey Replication—Adolescent Supplement (NCSA). *Journal of the American Academy of Child and Adolescent Psychiatry, 49*(10), 980–989.
Migliorini, R., Stewart, J. L., May, A. C., Tapert, S.F., & Paulus, M. P. (2013). What do you feel?: Adolescent drug and alcohol users show altered brain response to pleasant interoceptive stimuli. *Drug and Alcohol Dependence, 133*(2), 661–668.
Roberts, R. E., Roberts, C. R., & Xing, Y. (2007). Comorbidity of substance use disorders and other psychiatric disorders among adolescents: Evidence from an epidemiologic survey. *Drug and Alcohol Dependence, 88*(S1), S4–S13.
Tarter, R. E., Kirisci, L., Mezzich, A., Cornelius, J. R., Pajer, K., Vanyukov, M., . . . Clark, D. (2003). Neurobehavioral disinhibition in childhood predicts early age at onset of substance use disorder. *American Journal of Psychiatry, 160*(6), 1078–1085.
Thatcher, D. L., & Clark, D. B. (2008). Adolescents at risk for substance use disorders: Role of psychological dysregulation, endophenotypes, and environmental influences. *Alcohol Research and Health,31*(2), 168–176.
Titus, J. C., Godley, S. H., & White, M. K. (2006). A posttreatment examination of adolescents' reasons for starting, quitting, and continuing the use of drugs and alcohol. *Journal of Child and Adolescent Substance Abuse, 16*(2), 31–49.
Wetherill, R., & Tapert, S. F. (2013). Adolescent brain development, substance use, and psychotherapeutic change. *Psychology of Addictive Behaviors,27*(2), 393–402.
Yule, A. M., & Wilens, T. E. (2015). Substance use disorders in adolescents with psychiatric comorbidity: When to screen and how to treat: Consider pharmacotherapy, psychotherapy when treating substance use disorders. *Current Psychiatry, 14*(4), 37–51.

SA94 Internet Addiction Disorder

King, D. L., & Delfabbro, P. H. (2014a). The cognitive psychology of internet gaming disorder. *Clinical Psychology Review, 34*(4), 298–308.
King, D. L., & Delfabbro, P. H. (2014b). Internet gaming disorder treatment: A review of definitions of diagnosis and

treatment outcome. *Journal of Clinical Psychology, 70*(10), 942–955.
King, D. L., Haagsma, M. C., Delfabbro, P. H.,Gradisar, M., & Griffiths, M. D. (2013). Toward a consensus definition of pathological videogaming: A systematic review of psychometric assessment tools. *Clinical Psychology Review, 33*(3), 331–342.
Lam, L. T. (2014). Risk factors of internet addiction and the health effect of internet addiction on adolescents: A systematic review of longitudinal and prospective studies. *Current Psychiatry Reports, 16*(11), 508.
Müller, K. W., Janikian, M., Dreier, M., Wölfling, K., Beutel, M. E., Tzavara, C., . . . Tsitsika, A. (2015). Regular gaming behavior and internet gaming disorder in European adolescents: Results from a crossnational representative survey of prevalence, predictors, and psychopathological correlates. *European Child and Adolescent Psychiatry, 24*(5),565–574.
Petry, N. M., Rehbein, F., Gentile, D. A., Lemmens, J. S., Rumpf, H. J., Mößle, T., . . . O'Brien, C. P. (2014). An international consensus for assessing internet gaming disorder using the new DSM5 approach. *Addiction, 109*(9), 1399–1406.
Tam, P., & Walter, G. (2013). Problematic internet use in childhood and youth: Evolution of a 21st century affliction. *Australasian Psychiatry, 21*(6),533–536.

SA10 Patterns in Adolescence of Infancy/Childhood-Onset Disorders

SA101 Autism Spectrum Disorder

Bellini, S. (2004). Social skill deficits and anxiety in high functioning adolescents with autism spectrum disorders. *Focus on Autism and Other Developmental Disabilities, 19*(2), 78–86.
Hedges, S., White, T., & Smith, L. (2015, February). *Anxiety in adolescents with A SD.* Chapel Hill: University of North Carolina, Center on Secondary Education for Students with ASD (CSESA).
Lai, M. C., Lombardo, M. V., Chakrabarti, B., & BaronCohen, S. (2013). Subgrouping the autism "spectrum": Reflections on DSM5. *PLoS Biology, 11*(4), e1001544.
Ozbayrak, R. K. (2016). Meeting the challenges of adolescence: A guide for parents. Retrieved from *www.aspergers.com/adolesc.html*.
Reaven, J., BlakeleySmith, A., Leuthe, E., Moody, E., & Hepburn, S. (2012). Facing your fears in adolescence: Cognitivebehavioral therapy for highfunctioning autism spectrum disorders and anxiety. *Autism Research and Treatment, 2012*,423905.
Schall, C. M., & McDonough, J. T. (2010). Autism spectrum disorders in adolescence and early adulthood: Characteristics and issues. *Journal of Vocational Rehabilitation, 32*, 81–88.
Shattuck, P. T., Orsmond, G. I., Wagner, M., & Cooper, B. P. (2011). Participation in social activities among adolescents with an autism spectrum disorder. *PLoS ONE, 6*(11), e27176.
Smith, L. E., Maenner, M. J., & Seltzer, M. M. (2012). Developmental trajectories in adolescents and adults with autism: The case of daily living skills. *Journal of the American Academy of Child and Adolescent Psychiatry, 51*(6), 622–631.

SA102 Attention-Deficit/Hyperactivity Disorder

Brinkman, W. B., Sherman, S. N., Zmitrovich, A. R., Visscher, M. O., Crosby, L. E., Phelan, K. J., & Donovan, E. F. (2012). In their own words: Adolescent views on ADHD and their evolving role managing medication. *Academic Pediatrics, 12*(1),53–61.
Bussing, R., Zima, B. T., Mason, D. M., Porter, P.C., & Garvan, C. W. (2011). Receiving treatment for attentiondeficit hyperactivity disorder: Do the perspectives of adolescents matter? *Journal of Adolescent Health, 49*(1), 7–14.
Charach, A., Yeung, E., Volpe, T., Goodale, T., & Dosreis, S. (2014). Exploring stimulant treatment in ADHD: Narratives of young adolescents and their parents. *BMC Psychiatry, 14*, 110.
Krueger, M., & Kendall, J. (2001). Descriptions of self: An exploratory study of adolescents with ADHD. *Journal of Child and Adolescent Psychiatric Nursing, 14*, 61–72.
Meaux, J. B., Hester, C., Smith, B., & Shoptaw, A. (2006). Stimulant medications: A tradeoff?: The lived experience of adolescents with ADHD. *Journal for Specialists in Pediatric Nursing, 11*, 214–226.
Snyder, H. R., Miyake, A., & Hankin, B. L. (2015). Advancing understanding of executive function impairments and

psychopathology: Bridging the gap between clinical and cognitive approaches. *Frontiers in Psychology, 26*(6), 328.

SA103 Specific Learning Disorders

AlYagon, M. (2007). Socioemotional and behavioral adjustment among schoolage children with learning disabilities: The moderating role of maternal personal resources. *Journal of Special Education,40*(4), 205-217.

Harter, S. (1999). *The construction of the self: A developmental perspective.* New York: Guilford
Press.

Humphrey, N. (2002). Teacher and pupil ratings of selfesteem in developmental dyslexia. *British Journal of Special Education, 29,* 29-36.

Ingesson, S. G. (2007). Growing up with dyslexia. *School Psychology International, 28*(5), 574-591. Raskind, M. H., Goldberg, R. J., Higgins, E. L., & Herman, K. L. (1999). Patterns of change and predictors of success in individuals with learning disabilities: Results from a twentyyear longitudinal study. *Learning Disabilities Research and Practice, 14,* 35-49.

Rosetti, C. W., & Henderson, S. J. (2013). Lived experiences of adolescents with learning disabilities. *The Qualitative Report, 18*(47), 1-17.

Trzesniewski, K. H., Moffitt, T. E., Caspi, A., Taylor, A., & Maughan, B. (2006). Revisiting the association between reading achievement and antisocial behavior: New evidence of an environmental explanation from a twin study. *Child Development, 77*(1), 72-88.

SAApp Appendix: Psychological Experiences That May Require Clinical Attention

SAApp1 Demographic Minority Populations (Ethnic, Cultural, Linguistic, Religious, Political)

Boivin, M., Hymel, S., & Bukowski, W. M. (1995). The roles of social withdrawal, peer rejection, and victimization by peers in predicting loneliness and depressed mood in childhood. *Development and Psychopathology, 7,* 765-785.

Chen, X., Rubin, K. H., & Li, B. (1995). Social and school adjustment of shy and aggressive children in China. *Developmental and Psychopathology, 7,*337-349.

Chen, X., Rubin, K. H., & Li, B. (1997). Maternal acceptance and social and school adjustment: A fouryear longitudinal study. *Merrill-Palmer Quarterly, 43,* 663-681.

Ecklund, K. (2102). Intersectionality of identity in children: A case study. *Professional Psychology: Research and Practice, 43,* 256-264.

Fuligni, A. J. (1998) Authority, autonomy, and parent-adolescent conflict and cohesion: A study of adolescents from Mexican, Chinese, Filipino, and European backgrounds. *Developmental Psychology, 34,* 782-792.

Grotevant, H. D., & Cooper, C. R. (1998). Individuality and connectedness in adolescent development: Review and prospects for research on identity, relationships, and context. In E. E. A. Skoe & A. L. van der Lippe (Eds.), *Personality development in adolescence.* London: Routledge.

Guisinger, S., & Blatt, S. J. (1994). Individuality and relatedness: Evolution of a fundamental dialectic. *American Psychologist, 49,* 104-111.

Hayes, J. A., Owen, J., & Bieschke, K. J. (2015), Therapist differences in symptom change with racial/ ethnic minority clients. *Psychotherapy, 52*(3),308-314.

Ho, D. Y. R., & Kang, T. K. (1984). Intergenerational comparisons of childrearing attitudes and practices in Hong Kong. *Developmental Psychology,20,* 1004-1016.

Mahalingam, R., Balan, S., & Haritatos, J. (2008).Engendering immigrant psychology: An intersectionality perspective. *Sex Roles, 59,* 326-336.

Matsumoto, D. (1997). *Culture and modern life.* Pacific Grove, CA: Brooks/Cole.

Mills, R. S. L., & Rubin, K. H. (1990). Parental beliefs about problematic social behaviors in early childhood. *Child Development, 61,* 138-151.

Narváez, R. F., Meyer, I., Kertzner, R., Ouellette, S.,& Gordon, A. (2009). A qualitative approach to the intersection of sexual, ethnic, and gender identities. *Identity: International Journal of Theory and Research, 9,* 63-86.

Polo, A. J., Alegría, M., & Sirkin, J. T. (2012). Increasing the engagement of Latinos in services through community-derived programs: The Right Question Project-Mental Health. *Professional Psychology: Research and Practice, 43,* 208-216.

Raeff, C. (2004). Withinculture complexities: Multifaceted and interrelated autonomy and connectedness characteristics in late adolescent selves. *New Directions for Child and Adolescent Development, 10 4*, 61-78.
Rubin, K. H. (1998). Social and emotional development from a cultural perspective. *Developmental Psychology, 34*(4), 611-615.
Rubin, K. H., Chen, X., & Hymel, S. (1993). Socioemotional characteristics of aggressive and withdrawn children. *Merrill-Palmer Quarterly, 49*,518-534.
Rubin, K. H., Chen, X., McDougall, P., Bowker, A.,& McKinnon, J. (1995). The Waterloo Longitudinal Project: Predicting adolescent internalizing and externalizing problems from early and midchildhood. *Development and Psychopathology, 7*,751-764.
Schneider, B. H., Attili, G., Vermigli, P., & Younger, A. (1997). A comparison of middleclass EnglishCanadian and Italian mothers' beliefs about children's peer directed aggression and social withdrawal. *International Journal of Behavioral Development, 21*, 133-154.
Segall, M. H., Dasen, P. R., Berry, J. W., & Poortinga, Y. H. (1990). *Human behavior in global perspective*. New York: Pergamon Press.
Shih, M., & Sanchez, D. (2009). When race becomes even more complex: Toward understanding the landscape of multiracial identity and experiences. *Journal of Social Issues, 65*, 1-11.
Sue, D. W. (2001). Multidimensional facets of cultural competence. *The Counseling Psychologist, 29*,790-821.
TummalaNarra, P. (2015). Cultural competence as a core emphasis of psychoanalytic psychotherapy. *Psychoanalytic Psychology, 32*(2), 275-292.
Turiel, E. (1996). Equality and hierarchy: Conflict in values. In E. S. Reed, E. Turiel, & T. Brown (Eds.),
Values and knowledge. Mahwah, NJ: Erlbaum. von Bertalanffy, L. (1968). *Organismic psychology and systems theory*. Barre, MA: Clark University Press, with Barre Publishers.
von Bertalanffy, L. (1969). *General System Theory*. New York: Braziller.

SAApp2 Lesbian, Gay, and Bisexual Populations

Adelson, S. L., & American Academy of Child and Adolescent Psychiatry (A ACAP) Committee on Quality Issues (CQI). (2012). Practice parameter on gay, lesbian, or bisexual sexual orientation, gender nonconformity, and gender discordance in children and adolescents. *Journal of the American Academy of Child and Adolescent Psychiatry,51*(9), 957-974.
Baiocco, R., Laghi, F., Di Pomponio, I., & Nigito, C.S. (2012). Selfdisclosure to the best friend: Friendship quality and internalized sexual stigma in Italian lesbian and gay adolescents. *Journal of Adolescence, 35*(2), 381-387.
Cooper, R. M., & Blumenfeld, W. J. (2012). Responses to cyberbullying: A descriptive analysis of the frequency of and impact on LGBT and allied youth. *Journal of LGBT Youth, 9*(2), 153-177.
Drescher, J. (1998). *Psychoanalytic therapy and the gay man*. Hillsdale, NJ: Analytic Press.
Evans, C. R., & Chapman, M. V. (2014). Bullied youth: The impact of bullying through lesbian, gay, and bisexual name calling. *American Journal of Orthopsychiatry, 84*(6), 644-652.
Lingiardi, V., & Nardelli, N. (2014). Negative attitudes to lesbians and gay men: Persecutors and victims. In G. Corona, E. A. Jannini, M. Maggi, G. Corona, E. A. Jannini, & M. Maggi (Eds.), *Emotional, physical and sexual abuse: Impact in children and social minorities* (pp. 33-47). Cham, Switzerland: Springer International.
Lingiardi, V., Nardelli, N., & Drescher, J. (2015). New Italian lesbian, gay and bisexual psychotherapy guidelines: A review. *International Review of Psychiatry, 27*(5), 405-415.
Mustanski, B., Kuper, L., & Greene, G. J. (2014). Development of sexual orientation and identity. In D. L. Tolman & L. M. Diamond (Series Eds.) & J. A. Bauermeister, W. H. George, J. G. Pfaus, & L. M. Ward (Vol. Eds.), *A PA handbook of sexuality and psychology: Vol. 1. Personbased approaches* (pp. 597-628). Washington, DC: American Psychological Association.
Rivers, I. (2011). *Homophobic bullying: Research and theoretical perspectives*. New York: Oxford University Press.
Ryan, C., Huebner, D., Diaz, R., & Sanchez, J. (2009). Family rejection as a predictor of negative health outcomes in white and Latino lesbian, gay, and bisexual young adults. *Pediatrics, 123*(1),346-352.

SAApp3 Gender Incongruence

Adelson, S. L., & American Academy of Child and Adolescent Psychiatry (A ACAP) Committee on Quality Issues (CQI). (2012). Practice parameter on gay, lesbian, or bisexual sexual orientation, gender nonconformity, and gender discordance in children and adolescents. *Journal of the American Academy of Child and Adolescent Psychiatry, 51*(9), 957–974.

American Psychological Association. (2015). Guidelines for psychological practice with transgender and gender nonconforming people. *American Psychologist, 70*(9), 832–864.

CohenKettenis, P. T., & Klink, D. (2015). Adolescents with gender dysphoria. *Best Practice & Research. Clinical Endocrinology & Metabolism, 29*(3), 485–495.

de Vries, A. L., & CohenKettenis, P. T. (2012). Clinical management of gender dysphoria in children and adolescents: The Dutch approach. *Journal of Homosexuality, 59*, 301–320.

de Vries, A. L., CohenKettenis, P. T., & Delemarrevan de Waal, H. (2006). Clinical management of gender dysphoria in adolescents. *International Journal of Transgenderism, 9*(3–4), 83–94.

Drescher, J., & Byne, W. (2012). Gender dysphoric/ gender variant (GD/GV) children and adolescents: Summarizing what we know and what we have yet to learn. *Journal of Homosexuality, 59*(3), 501–510.

Institute of Medicine. (2011). *The health of lesbian, gay, bisexual, and transgender people: Building a foundation for better understanding.* Washington, DC: National Academies Press.

World Professional Association for Transgender Health (W PATH). (2011). *Standards of care for the health of transsexual, transgender and gendernonconforming people, Version 7.* Minneapolis, MN: Author. Retrieved from *www.wpath.org/site_page.cfm?pk_association_webpage_menu=1351&pk_association_webpage=3926*.

PART II

Childhood

CHAPTER **4**

PSYCHODYNAMIC DIAGNOSTIC MANUAL

소아정신기능 프로파일, MC축

| 김정민 |

서론

이 장에서는 4-11세 소아의 기본정신기능에 대해 소개할 것이다. 이 장에서 설명하는 내용은 소아에게 발현되고 드러난 양상을 임상적으로 평가하고 기술하는 데 도움이 되는 적절한 발달학적 과정을 제시하였다. PDM-2에서는 성장과 발달이 진행되는 동안 '결정적 시기'가 존재하며 연속적 혹은 비연속적으로 시기 적절하게 이루어지는 획득과 성취의 과정을 충분히 허용하기 위해서 아동기와 청소년기에 대한 내용을 분리하여 설명하였다. 이 장에서는 MC축 차원에서 성장하는 동안 변화하는 정신역동, 인지, 발달학적 측면의 모델을 통합하여 소개하였다. 각각의 범주에 해당하는 기능과 능력의 일반적인 기술에 이어 발달학적 성취와 발달 정도를 가이드라인으로 구체화하였다. 어떤 범주에서는 필요에 따라 연령군을 더 세분화하였으며 이는 특정연령집단연구를 반영한 것이다.

모든 개체는 발달과정의 연속성 안에서 개인의 속도와 시간적 차이를 가지며 자신들의 스케줄에 따라 성장하고 변화한다는 개념을 기본 틀로 하였다. 또한, 아이가 가진 선천적, 후천적 자원과 환경적 요인들 간의 복합적 상호작용이 반영되어 발달의 방향, 흐름, 속도, 수준에 영향을 미친다는 사실에 주목하였다. 이는 발달학적으로 기대되는 능력의 발달 및 획득 수준을 구체화함으로써 프로파일링의 진단적 목적에 집중하였을 때 더 섬세하게 구분할 수 있도록 하였다. PDM 초판과 비교하였을 때, 2차 개정판에서는 발달학적 정신병리 주제를 더 보강하였으며 청소년과 성인에 대한 각 장의 설명에서 동일한 정신기능적 범주를 적용하였다. 이 구조는 성장과 성숙의 맥락 안에서 발달과정 중에 발생한 병리적 양상을 역으로 추적해 볼 수 있는 가능성을 제시한다. 아이의 정신기능에 대한 평가에서 관찰되는 특성은 유동적이고 역동적이며 복잡한 과정이 혼합되어 발생하고 진행한다는 것이다. 그러므로, 아이들 개개인이 가지는 고유성과 정신기능의 전반을 통합적으로 살피기 위한 섬세한 평가와 노력을 필요로 한다.

이 장에서 저자들은 결론도출을 위한 가이드라인을 제시하기 위해 노력하였으며 이 장의 마지막 부분에 평가과정의 기준을 제시하였다(pp. 263~264, 표 4.2). 5점 척도를 적용하여 정신기능의 발달과 성취 정도에 대한 수량적 측정을 가능하게 하였다. 아이의 성격적 특성을 반영하는 PC축과 함께 성격패턴과 정신병리적 증상에 영향을 미칠 수 있는 특정 정신기능의 발달측면을 반영하는 MC축의 결과를 통합적으로 활용함으로써 개인 프로파일을 합리적으로 도출하는 데 유용하게 활용할 수 있다.

저자들은 독자들이 각 단계의 발달과정과 그 경과를 거치는 동안 발달시기와 연관된 발달학적 과업 및 능력들에 대해 아이가 현재 도달해 있는 정신기능의 평가에 적용할 수 있는 '정상범위의 규준'을 제시하였으며 연령에 따른 하위그룹으로 분류하여 아이의 기능적 측면을 상세하게 설명하기 위해 노력하였다. 비록, 프로파일링을 통하여 아이의 정서/사고/행동에 대한 완전한 분석 결과를 얻는 것은 현실적으로 불가능하지만, M축 범주목록(성인편 2장, pp. 70~71)을 활용함으로써 뇌기능을 충실히 반영하는 행동과 증상에 대한 여러 정보들 간의 불일치를 발견하거나 결정적 영역의 기능적 측면에 더 집중하여 살펴볼 수 있으며 어떤 부분에 대해서는 예외적인 적용도 가능하다.

아이들은 유동적 특성 및 다양한 정도의 기능적 수준을 가지기 때문에 이를 고려하여 능력의 의미와 목적에 대한 내용은 이 장에서 제외하였다. 이 축이 포함하는 기간은 발달학적 시기를 대표하는데, 이 시기는 인지적 변화(cognitive changes)와 사회-감정 변화(social-emotional changes)가 급속히 일어나는 때로 자기감(sense of self)의 기반이 형성되기 시작하며 이 발달이 무사히 진행되면서 청소년으로 성장하기 위한 기초적인 여러 기능들을 준비할 수 있게 된다. 영유아의 자기감은 시간이 지나면서 진화를 거듭하며 일관되고 응집력을 갖춘 상태에 이른다. 소아의 자기감과 이와 함께 발달하는 표현능력은 영유아기에 비해 나아진 상태이지만 청소년과 성인에 비했을 때 여전히 분화가 덜 진행된 상태로 취약함이 존재한다. 4-11세는 주변의 영향을 많이 받는 시기이며 부모상을 동일시하고 형제자매를 본보기 삼아 자신이 어떻게 보여지는지를 인식하고 자신의 이미지에 신경 쓰게 된다. 아이에게 지배적인 문화는 가족의 문화이다. 아이들이 성장하면서 기능적으로 더 섬세하게 분화되고 그에 따른 성취를 이루어감에 따라 집을 벗어난 환경의 영향에 더 많이 노출되며 자기표상은 적절하게 변화하고 더 견고해진다. 아주 어린 아이들조차도 자신이 좋아하는 것과 싫어하는 것을 잘 알고 있으며 자신이 어떤 사람인지에 대한 감을 가지고 있다(예: "나는 똑똑하고, 예쁘고, 다른 사람을 잘 도와주고, 또 버릇없기도 해"). 아이들의 신념체계(belief systems)는 전형적으로 그들을 둘러싸고 있는 주변의 어른들부터 확충된다. 특히, 초기 아동기에는 미래지향능력이 부족하여 자신의 행동이 불러올 수 있는 결과를 예측하는 능력이 충분히 발달하지 못했을 뿐 아니라 기능적으로 능숙한 상태도 아니다. 이 시기의 아이들은 성장속도가 빠르고 다양한 양상으로 드러나므로 진단적으로 혼란을 겪기 쉽고 각 영역의 의미와 목적을 탐색하는 것도 간단치 않다. 이 축의 다른 범주를 함께 활용한다면 아이들의 현재 발달수준을 평가하는 데 도움이 될 것이다.

MC축 기능평가의 경험적 접근

4-11세 연령의 소아를 평가하는 일은 쉽지 않으며 종합적인 접근을 요구한다. 특히, 임상적 특징을 근거로 진단적인 윤곽을 잡고 치료계획을 설계하기 위해서 다면적으로 접근하고 통합적으로 고려하는 것이 필요하다. 평가하는 데 상당한 시간이 소요되며 이는 단 한 번의 면담이나 진료를 통해서 완성될 수 없다. PDM-2의 다른 장과 맥락을 같이하여 소아정신역동적 진단 프로파일링 퍼즐의 모든 조각을 모으기 위해 표준화된 도구와 비표준화 도구가 포함된 베터리를 활용하는 것이 좋다.

부모와 주양육자를 만나고 면담하는 것은 필수적인 부분이지만 이 면담에 아이가 함께 있는 것에 대해 신중하게 고민하고 결정해야 한다. 예를 들어, 아이가 모르고 있던 가족 내 트라우마, 가족내력 혹은 과거사, 부모의 사적인 이야기에 대해 이전에 들은 적이 없거나 혹은 너무 어려 이해하기 어렵다면 보호자 면담에 아이가 같이 있는 것은 바람직하지 않을 수 있다. 또한, 부모가 함께 있는 것이 아이의 자유로운 놀이나 선택, 언어표현을 억제하거나 제한할 가능성이 있다면 그 자체로 유용한 정보이기도 하지만, 다른 상황이었다면 아이가 충분히 자유롭게 표현하고 이로부터 얻을 수 있는 많은 정보를 얻지 못할 수 있기 때문에 이에 대한 고려도 필요하다. 면담 외에도 관찰을 통해 얻을 수 있는 정보들, 즉 아이와 보호자가 함께 있는 상황이나 임상의사가 아이와 놀이치료를 하면서 얻게 되는 내용은 매우 중요하다. 학교, 유치원, 유아원에서의 활동양상도 마찬가지로 중요한데 아이의 활동영역과 사회적 관계, 가족관계의 전반에서 이루어지는 수행수준과 관계 정도를 총체적으로 파악하고 이해할 수 있기 때문이다.

임상의사들은 부모나 교사들의 보고를 통해 아이에 대한 많은 유용한 정보를 얻을 수 있다. 아이의 자가보고 평가척도와 임상의사 평가척도를 다른 평가자들의 견해와 비교하고 공유하는 것은 편향을 줄이기 위해 필요하다. 경험에 기반한 평가도구를 활용할 때, 아이로부터 획득한 정보와 부모의 보고를 통합하여 반영하는 것이 바람직하다. 정보수집은 아이의 현재 획득한 기능 수준과 정도에 집중되며 이를 기준점으로 아이의 발달학적 단계와 가족의 정신건강수준까지 종합해 볼 수 있다. 임상적 관찰은 진료실과 놀이치료실 외에도 학교, 집 등의 다른 환경 및 상황에서 관찰된 정보가 포함된다. 아이와 정기적으로 접촉하고 만나는 다른 사람들(조부모, 친척, 보모, 소아청소년과 전문의, 캠프 코치, 교사)의 이야기를 통해서 얻을 수 있는 정보가 있다면 이를 활용해야 한다(표 4.1). 이렇게 모은 정보를 통합한 후 더 철저하고 자세한 정보가 필요하다고 생각된다면 인지적, 성취적, 신경심리적, 예후적 차원과 자가보고 및 주양육자/교사 보고 평가척도가 포함된 상세한 임상심리평가 배터리를 평가 과정에 포함하기를 권한다. 평가도구의 적절한 활용은 각 영역 요인들이 어떤 영향을 미치며 현재기능수준의 전반적 측면에 대한 종합적인 윤곽을 잡는 데 유용한 자료가 된다.

표 4.1 소아정신기능 프로파일링을 위한 자료수집 목록

- 진료실(진단적 접근, 진단을 위한 관찰)
- 부모/주 양육자(사회적 경력과 발달학적 단계, 체크리스트, 심층 면담)
- 소아청소년과 전문의(의학적 평가)
- 교사/코치(체크리스트, 심층 면담)
- 교실/학교생활 관찰
- 구조화된 기초적 평가(예: 지능, 성취도, 신경심리 배터리)
- 진단적 평가가 진행되는 동안 대인관계에서 드러나는 특징
- 그 외 다양한 경로를 통한 정보 수집(보모, 조부모, 친인척의 보고, 사회사업가 등)

1. 자기조절능력, 주의집중력, 학습능력(Capacity for Regulation, Attention, and Learning)

첫 번째 능력은 복합적인 작업을 통해 성장과 발달을 촉진하는 방향으로 스스로 진행하고 완수하도록 이끄는 기능을 한다. 자기조절기능은 발달학의 일반적 관점에서도 정신병리적 측면에서도 발달의 결과를 반영하는 주요한 요소로 간주된다. 이를 뒷받침하는 기본기능의 구성요소는 유전적/생물학적 자원, 타고난 기질, 다른 사회적 요소가 포함되며 이들이 서로 어우러진 발달과정을 반영한 것이다. 이 장에서는 아이자신과 세상을 이해할 수 있도록 하는 정보처리능력의 정도에 따른 인지기능의 범위에 초점을 맞추어 설명하였다. 이 기능을 측정하고 평가 할 때, 임상의사는 아이들이 자신의 발달 스케줄에 따라 사람들과의 관계(학교, 집 등) 안에서 또는 영역을 넘나들면서 새롭게 익히고 획득하게 되는 여러 종류의 조절능력들[감각조절(청각정보처리, 언어정보처리, 운동계획 및 연결된 순서를 따르는 동작); 통합기능과 연관된 능력(문제해결능력, 연속된 순서를 따르고 예측하기, 조직화된 사고); 기억력(작업기억, 절차적 기억, 선언적 기억); 주의집중력; 지능; 사회적 단서와 감정적 신호를 감지하고 처리하는 능력]을 고려해야 한다. 이토록 방대한 차원 안에서 아이가 노출되고 경험하는 정

도에 따라 새롭게 획득하는 능력의 내용과 특성 역시 매우 다양해지고 달라질 수 있다. 4-11세 연령에서 관찰되는 능력의 특징을 다음의 가이드라인에서 제시하였다. 이 표는 범주에 한정하여 정신기능 발달과정의 이해를 돕기 위한 지표로써 전반적인 윤곽을 설명한 것이며 모든 것이 반영된 것은 아니다.

발달학적 가이드라인: 4-11세의 자기조절능력, 주의집중력, 학습능력

4세
두 가지 혹은 그 이상의 연관된 개념이나 생각을 이해한다. 연관된 생각들을 '그러나','왜냐하면'과 같은 단어를 활용하여 완전한 문장으로 말할 수 있다. 요구사항을 직접적으로 표현한다. 조대근육 협응운동능력이 향상된다(예: 달리기, 제자리 뛰기, 뛰어오르기, 공을 정확하게 던지기 등). 미세근육 협응운동능력이 향상된다(예: 신발끈 묶기, 원 그리기, 그릇을 잘 잡는다). 시각적 능력이 정보처리와 운동반응에 적절히 협응한다(예: 그림/만화 혹은 비언어적 퍼즐을 이해할 수 있다). 하지만, 감정에 대한 시각적 단서를 알아차리고 이해하는 것은 여전히 미숙하다. 상징화 능력이 확장되어 복잡한 놀이를 할 수 있으며 이에 따라 현실과 환상을 구분하는 현실지남능력이 생긴다. 적절한 지지가 제공되고 아이가 관심을 가지는 내용(주제)일 경우, 높은 집중력을 보이며 자기조절능력이 좋아진다. 만족을 지연시킬 수 있는 능력이 향상된다. 통합적 사고기능이 눈에 띄게 발달한다(예: 문제해결능력, 충동적 행동을 억제하면서 순서를 따라 수행하는 행동을 실행한다). 언어를 통해 정보의 습득, 저장, 회상 능력이 발달하고 언어를 바탕으로 기호화하는 힘이 향상되며 이야기를 회상하여 다시 말하고 전달할 수 있다.
5-6세
복잡하고 완전한 문장으로 말한다. 현재 자신의 생각을 표현하는 능력이 있다. 이해할 수 있고 표현할 수 있으며 물리적인 현실상황과 다양한 생각 사이의 상호적이거나 정반대의 관계에 대해 단순한 개념을 잡을 수 있다(예: 욕심의 강도 혹은 분노의 강렬한 정도에 대해 이해한다). 조대근육 협응운동능력이 더 좋아지고, 훨씬 더 정확하게 던질 수 있으며 리듬에 맞추어 뜀뛰기 할 수 있고(예: 줄넘기), 발차기가 가능하다. 미세근육 협응운동능력이 더 섬세해진다(예: 신발끈을 스스로 묶고, 편지를 쓸 수 있으며 원, 사각형, 삼각형을 그린다). 자기조절능력과 주의집중력이 발달하지만, 여전히 주변의 지지가 필요하며 환경적 영향과 아이의 관심 정도에 따라 변동이 있다. 기억력이 체계를 갖추게 되며 일정시간 동안 지속적으로 유지할 수 있다. 시각적 능력은 운동기능과 정보/정서(감정)처리 과정과 협응할 수 있다(예: 얼굴 표정이나 사회적 단서를 파악하고 읽어내는 능력이 더 향상된다).
7-8세
언어이해력이 매우 향상된다. 서로 연관된 생각과 개념을 이해하고 이에 대해 의사소통할 수 있으며 자신의 소망, 욕구, 환상을 표현하고 이성적 사고를 바탕으로 세상을 이해하려는 시도와 노력을 한다. 조대근육 협응운동능력이 더욱 발달하여 대부분의 신체적 동작과 활동을 수행할 수 있다(예: 달리기, 뜀뛰기, 제자리 뛰기, 뛰어오르기, 뛰어넘기, 던기기 등). 미세근육 협응운동능력은 훨씬 섬세해지며 유연하게 사용하고 글쓰기 능력도 향상된다. 시각적 능력은 운동기능과 정보/정서(감정)처리 과정과 협응한다. 기억력이 좋아지며 시각정보에 대한 구체적인 묘사를 할 수 있다. 이성적 사고와 상호적 개념, 역의 개념을 갖춘다. 주의집중력과 자기조절능력, 규칙을 따르는 능력이 안정화된다. 주의집중력을 조절할 수 있다. 어디에서 정보를 찾아야 할지, 혼란을 주는 단서와 정보를 최소화하기 위해 통합적으로 정보를 다루는 방식이 강화된다. 기억능력은 잘 체계화되어 있으며 사전 연습하는 전략(rehearsal strategies)을 세우고 계획에 활용할 수 있다.

9-11세
언어적 영역에서 아이는 여러 가지 요소들이 복합적으로 혼재하는 중에 서로 연관성을 가지는 생각과 복잡한 개념을 이해하고 이를 표현하기 위해 언어를 적절히 활용할 수 있다(예: "나는 알렉스가 그렇게 했기 때문에 이렇게 했다"). 조대근육의 근력이 더 강해지며 협응운동능력 또한 강화된다. 모든 영역에서 서서히 점차적으로 더 향상된 모습을 보인다; 복잡한 활동과 동작을 수행하는 능력이 좋아진다. 새롭게 학습하는 것도 훨씬 수월하게 해낸다. 미세근육 협응운동능력이 훨씬 향상되어 유연하게 글자를 쓰고 사물을 구분하는 능력이 기술적으로 이루어진다. 시각적 능력은 운동기능과 정보/정서(감정)처리 과정과 적절하게 잘 협응하여 이루어진다. 이성적 사고를 활용하여 물리적 현실의 측면과 정서(감정)의 강도와 범위를 이해하며 더욱 복잡한 역의 관계와 상호적 관계에 대한 이해의 폭이 확장된다. 환상을 다루는 데 이성적으로 설명하려는 경향을 보이며 도덕성/윤리관이 상당히 발달하며 질서와 규칙에 대한 관심이 커진다. 자기조절능력과 주의집중력이 잘 기능한다.

평가척도

MA축의 능력과 기능을 평가하기 위해 5점 척도를 제시하였다. 기준척도 5,3,1에 해당하는 구체적인 내용을 아래에 설명하였다.

5. 차분하게 집중할 수 있고 체계적이며 대부분의 시간 동안 학습에 임할 수 있다. 심지어 스트레스가 있는 상태에서도 정신기능이 적절히 작동하여 발달학적으로 이상적인 성취를 이룬 것으로 간주한다. 연령에 부합하는 사고, 정동, 다양한 내적 경험을 언어적, 비언어적으로 적절하게 표현하는 능력이 있다. 기억, 주의집중, 통합기능이 연령에 합당하게 모두 잘 작동하며 통합적인 방향으로 진행한다.
3. 대체로 차분하며 집중할 수 있고 체계적으로 학습에 임할 수 있으나 자극이 과하거나 스트레스가 있는 환경(예: 시끄럽고 소란스럽거나 지루한 상황), 충분히 익숙하게 다루기 힘든 기술을 사용해야 하는 상황(예: 미세근육을 섬세하게 사용하지 못하는 아이가 빠르게 글자를 쓰도록 요청 받은 상황) 혹은 아프거나 긴장하여 불안한 상태에서는 자신의 정신기능을 충분히 발휘하지 못한다. 아이의 학습 능력은 때로 단기간 동안 이전과 다른 제한적인 상태를 보이기도 한다(예: 주의집중력을 같은 강도로 유지하지 못하고 학습내용과 주변환경의 영향을 받으며 지지체계의 영향에 따라 변화폭이 있다). 언어, 운동, 시각적 정보의 처리과정에 있어 일관되게 조절하는 능력은 부족하다. 아이는 본인이 아주 흥미로워하는 주제와 동기가 강하게 작동하는 경우에 한정하여 학습에 적극적인 태도를 보인다.
1. 주의집중을 할 수 있는 시간이 짧고 쉽게 흐트러진다. 소란스럽고 산만하며 대부분 자신에게만 몰두하거나 무기력해 보이며 수동적이다. 학습능력은 심각하게 제한되어 있으며 정보처리과정은 대부분의 영역에서 곤란을 겪는다. 언어적 표현은 빈약하며 괴이하게 느껴질 수 있다.

가장 유용한 평가 도구

수리영역의 진단: 학습자의 처리과정평가-2차 개정판(Process Assessment of the Learner—Second Edition: Diagnostics for Math)

수리영역의 진단: 학습자의 처리과정평가-2차 개정판(PAL-II; Berninger, 2007)는 수학적 기술과 수행에 핵심적인 인지과정의 발달 정도를 측정하는 도구이다. 1단계, 2단계, 3단계로 구분된다. 여기에는 산술계산기술과 공간작업기억 및 수량작업기억에 대한 평가과제가 포함되어 있다. 이는 난산증(dyscalculia)의 진단적 근거로 활용할 수 있다. 이 도구는 난산증의 조기 발견 및 적절한 개입을 위한 계획수립에 도움이 된다. 전문기관에 의뢰할 때 믿을 만한 기초자료가 되며 또한 초기평가 후 추적관찰에도 활용할 수 있다.

니글리에리 비언어능력평가 -2차 개정판(Naglieri Nonverbal Ability Test—Second Edition)

개인관리버전의 니글리에리 비언어능력평가(NNAT-2; Naglieri, 2008)는 소아청소년의 일반 추론능력을 평가하는 도구로써 비언어적 추론, 전반적 문제해결력에 대한 내용이 포함된다. 질문이 간단하고 언어적 설명이 거의 없으며 수행하는 동안 운동능력을 요구하지 않기 때문에 문화적으로 또한 언어적으로 다양한 배경을 가진 소아청소년의 사고력 평가에 유용하다. 순서행렬방식이 적용되어 평가를 받는 모든 소아청소년들이 색맹, 소수집단, 청력손상 등의 영향을 최소화한 상태로 객관적으로 평가 받을 수 있는 장점이 있다. NNAT-2는 영어를 이해하지 못하는 소아에게 이상적으로 활용할 수 있는 평가도구이다.

배텔 발달검사, 2차 개정판(Battelle Developmental Inventory, Second Edition)

배텔 발달검사, 2차 개정판(BDI-2; Newborg, 2005)은 0-8세 소아의 발달학적 평가 및 선별, 진단을 위해 만들어졌다. 특수한 도움을 필요로 하는 아이를 조기에 찾아내고 이들의 기능을 5가지 영역에서 평가하도록 설계되어 있다. 5가지 영역에는 개인-사회, 적응, 운동, 의사소통, 인지가 포함된다. 선별검사는 96항목으로 구성되며 진단적 평가는 341항목으로 이루어진다. 선별검사는 각 항목당 2-3개의 하위항목을 포함한다. 즉, 개인-사회 영역에는 어른들과의 상호작용, 자기개념/사회적 성장, 또래상호작용의 하위항목마다 10개 미만의 문항으로 구성된다. 보호자/교사 면담, 직접적으로 아이를 평가, 관찰을 통한 접근과 같은 3가지의 서로 다른 평가방식을 사용할 수 있으며 이는 지도감독하에 의사가 아닌 전문보조원이 수행할 수 있다. 평가자는 적절한 정보를 모으기 위해 위의 방식을 복합적으로 활용할 수 있으며 BDI-2를 완료하는 데 1-2시간 정도가 소요된다. 선별검사의 경우, 약 10-30분 정도 걸린다. CD-ROM과 웹사이트를 활용하여 점수를 산출한다.

코너스 부모-교사 평가척도-개정판(Conners Parent–Teacher Rating Scale—Revised)

코너스 부모-교사 평가척도-개정판(Conners, 1997)은 주의력 결핍/과잉행동장애(ADHD)와 이와 연관된 문제를 평가하기 위한 도구로 3-17세 소아청소년을 대상으로 시행할 수 있다. 단축형과 일반형이 있으며 두 가지 버전 모두 부모, 교사, 자가보고를 통한 하위평가가 포함되어 있다. 일반형을 사용할 경우, 평가에 더 긴 시간이 소요되지만 DSM-IV에서 제시하는 진단적 항목을 더 구체적으로 반영하고 있어 유리하다. 또한, ADHD를 진단함에 있어 행동문제, 학습문제, 인지문제, 가족관계문제, 감정문제, 분노조절문제, 불안 등에 대한 여러 영역의 하위항목 정보를 구체적으로 얻을 수 있는 장점이 있다. 코너스 평가척도는 선별검사, 치료효과 및 변화의 추적관찰, 연구를 위한 정보수집, 진단적 도구로 쓰일 수 있다. 컴퓨터 프로그램은 점수를 매기고 표준 T점수를 계산하며 그래프와 도표로써 결과를 제시한다. 일반형은 약 20분, 단축형은 약 5분 정도 걸린다.

다인자 감성지능척도-단축형(Multifactor Emotional Intelligence Scale—Short Version)

다인자 감성지능척도-단축형(MEIS; Mayer, Caruso, & Salovey, 1999)은 정서지능 검사도구로써 앞서 시행한 평가결과와 다시 시행한 평가결과를 검사개발자와 연결된 프로그램을 통해 측정한다. 이 검사에는 8가지 과제가 포함되어 있으며 각각은 정서추론능력을 반영하는 3가지 항목(지각,이해,감정조절)으로 구성된다. 평가척도는 4점으로 일반정서지능에 대한 총점과 각각에 대한 정서추론능력 점수로 도출된다. 단축형은 258문항으로 구성되며 '전문가 채점' 방식을 채택한다. 이는 각 문항의 답변에 대하여 전문가의 답과 비교하는 방식으로 MEIS 전문가들은 특정능력을 평가할 수 있는 가장 정확한 검사로 생각한다.

웩슬러 유소아지능검사-4차 개정판(Wechsler Preschool and Primary Scale of Intelligence—Fourth Edition)

웩슬러 유소아지능검사-4차 개정판(WPPSI–IV; Wechsler, 2012)은 현시대의 여러 연구와 이론을 바탕으로 개발된 4-7세까지 인지발달을 측정하는 획기적인 도구이다. 4차 개정판은 전문가와 임상의사의 요청사항을 반영하여 항목의 내용이 상당히 바뀌었다. 처리속도에 대한 평가, 작업기억 평가를 위한 부속검사가 추가되었고 시공간 및 추론의 유연성을 평가하는 구성요소가 포함되었다. 2가지 신작업기능 부속검사, 그림기억과 동물원 위치찾기 같은 각 연령의 발달학적 수준에 맞는 주제로 이루어졌으며 2.5세부터 적용할 수 있다. 이 검사들은 신뢰할 수 있으며 아이가 친근하게 느끼는 소재로 항목내용이 구성되어 있다. 또한, 작업기억 발달 정도에 따라 조기개입이 가능하도록 설계하였다. 주요평가항목은 언어이해(verbal comprehension index), 시공간(visual–spatial index), 작업기억(working memory index), 추론유연성(fluid reasoning index), 처리속도(processing speed index) 지수로 구성된다. 보조평가항목은 어휘습득(vocabulary acquisition index), 비언어(nonverbal index), 일반능력(general ability index), 인지적 숙련(cognitive proficiency index) 지수가 포함된다.

종합실행기능검사(Comprehensive Executive Function Inventory)

종합실행기능검사(CEFI; Naglieri & Goldstein, 2013)에 대한 구체적인 내용은 1장의 '첫 번째 능력'에서(pp. 285, pp. 5~9) 기술하였다.

2. 정동조절능력, 의사소통능력, 이해능력(Capacity for Affective Range, Communication, and Understanding)

두 번째 능력의 확장적 개념은 성인편 2장(pp. 78~83)에서 자세히 설명하였다. 이 범주에는 아이의 감정조절에 대한 부분이 포함되어 있으며 이는 통합기능의 발달측면과 연관되어 있다. 하지만, 감정조절은 충동성조절의 주제와는 분명한 차이가 있다. 감정조절에는 개인이 자신의 신체에 대해 받아들이고 신체감각을 통해 얻을 수 있는 기분 좋은 느낌이 포함된다. 임상의사는 아이가 긴장감을 느끼는 순간에 이를 어떤 양상으로 드러내고 어떤 방식으로 다루는지 알아보아야 한다. 아이가 신체를 통해서 느끼는 특정 심리적 상황과 상태에 대해 표현을 하는가? 아이가 신체와 신체적 기능을 어디까지 확장하여 느끼고 있는가(예: 음성적 혹은 비음성적 언어의 표현)?

4-11세 동안 특정 정서와 이 정서의 범위 및 정도가 상당히 확장된다. 예를 들어, 공격성 차원에서는 자기주장을 관철하기 위한 행동, 경쟁 행동, 약한 강도의 공격적 행동, 폭발적 양상의 통제가 불가능한 난폭한 행동 등의 다양한 스펙트럼으로 드러날 수 있다. 이와 마찬가지로 정서 및 보살핌 차원에서는 조절 불가한 정서적 허기상태, 온화함, 연민, 잘 발달된 공감 감수성 등의 여러 수준의 정동범위를 관찰할 수 있다. 임상의사는 정동범위 외에도 그 정서의 풍부함과 깊이를 함께 고려해야 한다. 아이가 진심으로 타인과 연결되기를 바라는 것인지 혹은 단순한 표면적인 행동인지, 치료자가 어떤 것을 원한다고 생각하고 있으며 그것에 대해 어떻게 표현하고 전달하는지 등에 대해서 알아보아야 한다.

상상놀이에서 아이가 정서적 정동과 부합하는 언어적 표현을 하는가? 이야기의 흐름과 내용이 서로 간의 논리를 갖추어 진행되고 있는가? 상상놀이를 하면서 분리불안, 흥미, 갈망에 대한 주제가 등장했을 경우, 아이는 이 주제와 동반된 감정을 어떻게 다루는가? 예를 들어, 상상놀이를 하는 중에 어머니가 출근해 버릴 경우, 아이 인형이 어머니 인형을 무시하는 장면은 없는가? 4-11세 연령에서 관찰되는 능력의 특징을 다음의 가이드라인으로 요약하였다.

발달학적 가이드라인: 4-11세의 정동조절능력, 의사소통능력, 이해능력

4-6세
심리적, 신체적 자기(self)에 대한 자부심과 만족감이 더 커진다. 강함(강인함)과 힘에 관한 관심이 증가한다. 수치심과 모욕감에 대해 알기 시작한다. 질투심과 시기심이 커진다. 가학적 성향과 피학적 성향이 더 분화된다. 타인을 염려하고 타인과 공유하는 능력이 생겨난다. 공감능력이 증가하고 상냥하게 대하는 능력이 향상된다. 정동조절의 체계성이 잘 갖추어지며 다양한 순간에 자기감을 드러내기 시작한다. 개인이 가질 수 있는 다양한 감정을 인지하며 상대적으로 안정적인 패턴을 보인다; 가족패턴 및 신체적 자기의 발견(discovery of bodily self)과 이와 연관된 과대감, 호기심, 자부심, 신이 남과 같은 감정이 수줍음, 부끄러움, 두려움, 시기심, 부러움과 균형을 이룬다. 수치심과 모욕감이 여전히 지배적이다; 아이는 또래와 자신을 시각적으로 비교하며 또래의 반응과 인정받는 것에 매우 민감하다. 사랑과 공감능력이 발달하지만 이 능력은 경쟁과 시기질투가 증가하는 스트레스하에서 쉽게 손상되고 사라진다. 불안과 두려움은 신체적으로 다치거나 체면이 깎일 때, 혹은 사랑하는 대상을 잃는 것과 연관되며 자존감은 유지되지만 극과 극을 오가며 흔들린다. 죄책감을 느끼기 시작하며 처음에는 아주 심각하게 느끼기도 한다; 자기관리능력이 손상되고 주변의 도움이 필요해지기도 한다.
7-8세
인정받고, 성공 및 성취에 대한 기쁨을 알게 된다. 능숙하게 완벽하게 수행하고 싶은 마음이 생겨난다. 과대하고 경쟁적인 정서가 존재하며 동시에 실패, 창피함에 대한 두려움도 있다. 일정 궤도에 들어선 자신을 질서 있게 지키려는 상태와 이전의 과대하고 경쟁적으로 대항하는 정동 사이에 도전을 받으면서 약간 불안정한 양상도 관찰된다. 타인을 배려할 수 있고, 공감할 수 있으며 또한 걱정도 많아진다. 불안은 때때로 생활에 지장을 줄 때로 있지만 대체로 경고신호로써의 기능을 한다. 환상이 변하거나 의미가 달라지는 것에 대해 다룰 수 있다.
9 - 11세
공감, 사랑, 연민, 공유에 대한 능력이 잘 발달되어 있으며 엄격한 의미에서의 슬픔과 상실을 다루는 능력이 생겨난다. 내면적 자존감이 아주 중요한 시기이다. 죄책감과 내면적 두려움에 대해 알아차리며 느낄 수 있다. 성적인 차이에서 느껴지는 새로운 감정이 생겨나기 시작한다(성적 주제에 대한 흥분과 부끄러움). 다른 성별에 대한 정체성(cross-gender identifications)은 유동적이다. 10-11세 무렵, 성적자극에 반응하는 오르가즘이 증가된다. 이 시기의 환상은 성적, 공격적 감정/욕동을 다루는데 중요하다. 감정적 상태의 변화는 성역할과 성 정체성의 변동에 영향을 받는다(부모와의 분리에 대한 반응: 상실, 외로움, 애도). 성적, 공격적 감정/욕동, 갈등, 두려움을 다루는데 꿈의 작용이 지배적이다.

평가척도

5. 미묘한 감정에 대한 이해의 폭이 넓어지며 이 차이를 인지하고 있다. 스트레스 하에서도 대부분의 시간을 목적과 소원을 이루기 위한 방식으로 다룰 수 있다. 사람들 사이에서 이루어지는 대화, 의사소통(언어적, 비언어적)의 내용을 읽을 수 있고 유연하고 정확하게 반응한다. 심지어 스트레스가 존재하는 상황에서도 유연한 이해가 가능하다. 의사소통이 이루어지는 동안의 분위기와 감지되는 기대(바람)을 상징적으로 활용할 수 있다. 예를 들어, 강렬한 감정을 유발하는 사건 이후에 아이는 자신의 경험을 처리하고 표현하기 위한 상징적인 놀이를 수행하면서 스스로의 감정을 다룰 수 있다. 자신의 감정상태와 타인으로부터 받길 원하는 따뜻함/지지에 대해 알아차리는 자기인식기능이 갖추어져 있다.

3. 여기에 해당하는 아이는 목적의식이 뚜렷하고 체계적이지만 정서적 표현의 정도가 완전하게 확장된 범위에 이르지 못하였으며(예: 타인의 관심 어린 시선이나 친근감을 표시하는 몸짓을 기대하고 원한다) 때때로 감정적 신호에 대해 정확하게 파악하며 적절한 정서적 반응을 하지만, 이런 합당한 반응은 정서적, 환경적 스트레스가 없거나 아이의 특정한 소원과 감정이 맞아떨어질 경우에 한하여 관찰된다(예: 화가 난 상태에서 아이는 혼란스러워 보이고 위축되거나 산만해진다). 더 확장된 감정패턴에 대한 통합은 성취하지 못한 단계이다.
1. 아이는 대부분의 상태에서 목적이 없으며 산만하고 감정표현이 종잡을 수 없다. 타인의 의도와 행동, 사회적 신호를 왜곡하여 이해하며 이로 인해 의심이 많고 피해를 당한다고 느끼며 주로, 화가 난 정서 또는 불쾌한 정서 상태로 관찰된다. 아이는 자신의 감정을 언어로 표현하는 것이 익숙하지 않으며 누군가가 감정을 표현하도록 독려할 경우 쉽게 좌절감을 느낀다. 상징화 능력이 부족하여 놀이의 내용은 빈약하고 경직되어 있으며 질적으로 부족하다.

가장 유용한 평가 도구

다음에 설명한 평가검사는 1장의 '두 번째 능력'을 설명한 부분 중 '가장 적절한 평가도구들'에서도 언급하였다(pp. 11~15).

소아통각검사(Children's Apperception Test)

소아통각검사(CAT; Bellak & Bellak, 1949)는 3-10세 소아를 대상으로 시행할 수 있는 검사이며 그림 시리즈로 구성된다. 동물 혹은 사람그림을 제시하며 그림 속에서 무슨 일이 일어나고 있는지, 어떤 상황인지에 대해 이야기를 만들어 보라고 질문한다. 검사를 완료하는데 보통 20-30분 정도 걸린다. 검사결과는 이야기의 주인공이 누구인지, 등장인물이 어떻게 느끼는지, 등장인물들 사이의 관계가 어떤지, 불안 혹은 두려움과 같은 심리적 방어기제가 어떻게 드러나고 작동하는지 등을 고려하여 도출된다. 이 검사는 아이들이 그림을 보고 상상하여 이야기를 응집력 있게 표현하는 과정에서 성격의 기본적인 특징을 반영한다는 가정을 전제로 한다.

소아용 정적정서 및 부적정서 척도(Positive and Negative Affect Schedule for Children)

소아용 정적정서 및 부적정서 척도(PANAS-C; Laurent et al., 1999)는 정적 정동과 부적 정동의 2가지 정동평가척도로 이루어진다. 심리평가도구로 활용되며 성격적 경향과 상태에 따라 정적, 부적 정동의 변화와 연관된다는 것을 반영한다. 10가지 색인에 대해 각각의 정적 정동, 부적 정동에 대한 의미를 정의하고 평가한다. 대상자의 반응에 따라 1(very slightly or not at all)에서 5(extremely)까지의 척도를 적용하며 20문항을 평가한다.

감정조절 체크리스트(Emotion Regulation Checklist)

감정조절 체크리스트(ERC; Shields & Cicchetti, 1997)는 1장에서 설명하였다. 감정조절 체크리스트 단축형(Emotion Regulation Q-Sort)은 직접적으로 감정조절 정도를 측정하고 평가할 수 있으며 반응성, 공감성, 사회적으로 적절한 표현 항목이 포함되어있다. 적용할 수 있는 연령대의 범위가 넓고 장기적인 연구에 유용하다.

행동 및 감정평가척도(Behavioral and Emotional Rating Scale)

행동 및 감정평가척도(BERS; Epstein & Sharma, 1998)는 5-18세의 소아청소년에게 적용할 수 있는 검사이다(4장).

사회기술발달시스템 평가척도(Social Skills Improvement System)

사회기술발달시스템 평가척도(Gresham & Elliott, 2008)은 개인과 소집단의 사회기술, 문제행동, 학업적 경쟁에 대한 평가를 위해 시행하는 검사이며 교사용, 부모용, 학생용이 있다. 학교, 집, 사회적 상황에 대한 그림을 제시하고 평가한다. 다측정자 사회기술발달시스템 평가척도(The multi-rater SSIS Rating Scales)를 통해 다음의 요소를 평가할 수 있다.

- 사회기술: 의사소통, 협조성, 자기주장, 책임감, 공감능력, 자기조절능력, 주도적으로 관여함
- 경쟁적 문제행동: 외향성, 따돌리거나 괴롭힘, 과잉행동/주의산만, 내향성, 자폐스펙트럼
- 학업경쟁: 독해 성취도, 수리적 성취도, 학습에 대한 동기와 의욕

3. 정신화능력과 자기성찰능력(Capacity for Mentalization and Reflective Functioning)

세 번째 능력에 대한 자세한 설명은 성인편 2장(pp. 83~86)과 1장(pp. 15~20)에 기술하였다. 정신화 능력은 선천적으로 타고나는 면이 상당하지만 이 능력의 발달은 '영아-주양육자 애착'의 안정화 정도와 매우 연관되며 특히, 주양육자가 아이의 입장에서 아이내면에서 일어나는 감정적 경험을 추정하여 이에 대한 적절한 이해를 되돌려줄 때 이루어진다. 주양육자의 거울비추기(mirroring)작용을 통하여 아이는 자신의 경험을 체계적으로 이해하게 되고 이런 경험이 쌓이면서 정체성의 전반적 윤곽을 잡아가는 기반을 확충한다. 주양육자는 유아의 감정적

신호에 반응하기 때문에 아이는 이 관계 안에서 감정조절과 통제력에 대한 감을 익히게 된다. 통제하는 경험은 자기응집력과 주체성의 발달에 매우 중요하다. 자기응집력과 주체성은 정신화 기능의 바탕이 되는 핵심적인 두 가지 요소이다. 주양육자가 아이를 대할 때, 아이를 독립적으로 자신의 감정을 가지는 심리적 주체로 인식하여 아이의 행동 안에 마음의 상태가 반영되어 있음을 이해하는 것은 아이의 정신화 능력발달에 큰 영향을 줄 수 있다. 이 능력을 평가할 때 다음의 질문을 떠올려보기 바란다:

- 아이는 자신의 정신/감정뿐 아니라 다른 사람의 심정을 어떻게 이해하고 있는가?
- 아이에게 '관점'을 취할 수 있는 능력이 있는가?
- 아이가 내면적/정신적 현실과 외부현실을 적절하게 구분하고 차이를 이해한다는 특징이 관찰되는가?
- 아이는 다른 사람들의 행동과 자신의 행동에 대해서 어떻게 이해하고 어떤 의미를 부여하고 있는가?
- 아이는 자신의 내면적 생각, 감정, 정서를 탐색하고 타인의 의도, 생각, 감정, 정서가 다를 수 있으며 차이가 있다는 것을 알 수 있는가? (예: "나는 슬픈 기분이에요. 그렇다고 해서 저의 친구들 역시 슬프다는 걸 의미하지는 않아요")
- 아이가 자신이 느끼는 (특정한) 방식처럼 온 세상도 그렇게 돌아갈 것이라는 '정신적 균형(psychic equivalence)'의 수준에서 정신화 능력이 작동하는 측면이 있는가?(예:"나는 화가 나서 다른 사람에게 화를 낼 것 같아요.그래서 내가 다치기 전에 다른 사람에게 상처를 줬어요")
- 초대받은 상황을 가정할 때 그 친구들은 어떤 생각을 하고 어떤 기분인지에 대해 상상/짐작하여 이 상황에 대한 자신의 감정을 조절하고 다룰 수 있는가? 또, 다른 상황들을 고려한 후 초대에 응하는가?
- 아이의 감정을 조절하는 능력과 정신화 기능이 서로 강력한 연관성을 가지고 있는가?
- 대인관계 스트레스와 환경적 스트레스는 정신화 능력 발달에 방해가 된다. 스트레스가 있을 때 아이의 정신화 기능을 지지하고 보조해 줄 수 있는(세상에 대한 호기심 어린, 흥미로운 태도를 보여주는)정신화 능력을 발휘하는 어른이 함께 있는가(explicit mentalizing)?

임상의사는 아이가 현재 도달해있는 능력의 정도를 파악하여 임상의사와 주양육자 모두에게 드러내는 비언어적 정동의 변화를 감지하고 반응하는 것이 필요하다(예: 가까이 다가와 기대려고 하거나 미소를 짓거나 혹은 인상을 찌푸리는 등). 아이가 비언어적 신호에 반응하는 능력이 아이의 연령대와 문화적 환경하에서 이루어지는 적절한 반응인지 고려해야 한다. 연령과 문화는 아이의 성찰기능에 주요한 영향을 미치는 요소이다. 만성적으로 대인관계 트라우마를 경험한 아이의 정신화 능력을 평가할 때, 예측/통제 가능한 환경하에서 평가하는 것이 안전하다. 관찰작업은 진료실, 놀이 치료실 외에 일반적인 상황과 상태에서도 이루어져야 하며 다양한 세팅에서 행동과 반응에 대한 자료를 모으는 것이 필요하다. 초기 주양육자-유아 사이의 역사(Early caregiver–infant history)는 이 차원의 기능에 매우 큰 영향을 미친다. 4-11세 연령에서 관찰되는 능력의 특징을 다음의 가이드라인으로 요약하였다.

발달학적 가이드라인: 4-11세의 정신화능력, 자기성찰능력

4 - 6세
마음이론을 이해하고 있다. 타인의 지각과 자신의 지각이 다를 수 있고, 이를 구분하여 생각하는 능력이 있다. 사람의 내면적 정동상태와 행동으로 보여지는 모습에 대해 의미있는 연관성을 이해하고 표현할 수 있다. 아이는 관계 안에서 모방, 공감, 공동주의집중(shared attention; 다른 사람이 보고 있는 동일한 물체를 보고 동일하게 지각을 할 수 있는 능력; 공통의 기준을 통해 상호작용 할 수 있는 바탕이 됨)능력이 있음을 드러낸다. 정동조절능력이 향상되어 외부세계와 자기내면의 상태가 다를 수 있음을 알고 감정조절을 할 수 있다. 학습환경이 구조를 갖추게 되면서 통합기능이 더 향상되고 충동조절, 전반적 주의집중력, 집중력 조절 등 상위기능이 가능해진다. 또래에 대한 '공감적 반응'이 처음에는 단순한 감정이었으나 점차 타인에 대한 '진심 어린 염려'로 발달해 간다. '관점수용기술(perspective-taking skills)'이 발현된다.
7 - 11세
다양하고 다채로운 사회적 상황을 겪으면서 아이의 성찰능력은 더 공고해진다. 주체성과 유연성이 향상되어 사람들 사이에서 스트레스가 있거나 예상치 못한 반응을 겪을 때에도 유연함과 주체성을 드러낼 수 있다. 발달이 진행되면서 더욱 복잡한 수준의 정신화 능력을 갖추게 된다. 예를 들어, 선한 거짓말이나 허풍 혹은 아주 미묘한 정도의 사회적 속임수를 알아차릴 수 있다. 타인의 마음 속 진심은 절대 알 수 없을 것이라는 일반적 심리상태에 대한 불투명한 본질을 이해하는 듯 보인다('열 길 물 속은 알아도 한 길 사람 속은 알 수 없다'). 타인의 지각을 이해하려는 동기와 호기심이 강하다(inquisitive stance). 모호한 상황을 해석하고 이해하는 능력이 생긴다. 아이러니와 비꼬는 것을 이해한다. 비언어적 단서에 대한 언어적 감정표현이 경우에 따라 가능하다.

평가척도

5. 사람들이 특정방식으로 행동하고 반응하는 이유를 이해하는 능력이 있다. 타인의 행동 뒤에 숨겨진 의도를 고려할 수 있고 이들의 행동에 대해 어떤 반응을 할지 결정할 때, 주어진 특정한 사회적 상황적 맥락에서 사람들이 어떻게 반응하고 행동할지 예측할 수 있다. 강렬한 감정을 느끼는 순간에도 혹은 어떤 사건이 벌어진 후에도 이와 같이 할 수 있으며 이는 아이가 정신화 능력을 갖추고 있고 이 기능이 적절하게 작동한다는 것을 증명한다. 자신의 감정적 반응, 두려움, 걱정을 정확하게 인지하고 이 주제에 대해 다른 사람과 함께 이야기 할 수 있다. 타인의 생각과 감정에 대한 자신의 관심을 표현하면서 자신이 원하는 것과 필요한 것을 분명하게 주장할 수 있다. 자신의 마음 속에서 일어나는 반응을 탐색하고 궁금해한다. 다른 사람들이 왜 그렇게 행동/생각하는지에 대해 호기심/관심/염려를 표현할 수 있다. 자신의 생각/의견에 대해 숙고하며 실제 행동과 바람직한 행동사이

의 불일치성을 알아차리고 고심할 수 있다.

3. 다른 사람들의 감정을 이해하는 기본적인 능력이 있지만 특정상황에서 어떻게 느낄지 예측하는 것을 어려워하고 대인관계적, 사회적 맥락에서 어떻게 반응할지 예상하는 것은 능숙하게 해내지 못한다. 감정적으로 복잡한 상태, 격렬한 감정에 휩싸인 경우, 새롭고 낯선 문제와 마주한 상황, 사회적으로 대인관계적으로 곤란함을 느끼는 경우, 타인의 감정을 이해하기 위한 기본기능은 잘 작동하지 않는다. 아이는 개인의 정동과 정신상태를 구분하고 알아차리는 기본기능을 갖추고 있지만 이는 단순하고 까다롭지 않은 상태에 한정하여 작동한다. 아이가 주어진 과제를 잘 수행할 수 있도록 유능한 성인이나 또래가 도움을 제공하는 지원(scaffolding)이 없을 경우, 그 상황을 적절하게 파악하지 못한다. 처음에는 주변의 도움을 통하여 힘들게 정신화 작업을 수행하더라도 마침내 스스로 작업하여 타인의 생각/감정을 짐작할 수 있게 되며 정동조절능력을 함량하고 다른 사람의 행동을 예측하려는 시도를 하며 사람들과 어울리기 위해 노력하는 모습을 보인다.

1. 아이는 다른 사람들에 대한 관심이 없으며 호기심을 보이지 않고 알고자 하는 동기도 관찰되지 않는다. 타인의 의도를 짐작하고 관계를 유연하게 형성하기 위한 적응적 태도와 사회적 제스처가 없으며 이로 인해 비언어적으로 오해를 하거나 부적절하게 반응하는 등 어려움을 겪는다. 공감능력이 결여되어 있으며 자신의 행동이 타인에게 어떤 영향을 미칠지 고려하지 못한다. 관점을 취할 수 있는 능력은 모든 영역에서 손상되어 있다. 다른 사람들의 정서와 기분을 구분하거나 짐작하지 못하며 그들이 지금 어떤 기분이며 왜 그런 기분을 느끼는지에 대해 스스로에게 설명하고 이해하는 능력 역시 없다. 자신을 드러낼 때 행동적 혹은 신체적 특성을 사용하거나 극단적으로 왜곡된 양상으로 표현하기도 하며 때로 기괴한 용어를 쓰기도 한다.

가장 유용한 평가 도구

덴햄 정동이해검사(Denham's Affect Knowledge Test)

덴햄 정동이해검사(Denham, 1986)는 학령기 전, 영유아를 대상으로 손인형(puppet)을 활용한 면담방식을 통하여 사회-감정적 이해를 평가하는 검사도구이다. 감정이입이 되는 상황을 이야기 시리즈로 제시하며 아이는 인형의 표정이 행복해 보이는지, 슬퍼 보이는지, 두려워하는지에 대해 대답하게 된다.

정서이해검사(Test of Emotional Comprehension)

정서이해검사(TEC; Pons & Harris, 2005)는 3-11세 소아를 대상으로 정서적 이해와 마음이론을 평가할 수 있는 손쉬운 검사도구이다. 기본감정의 인식; 감정의 복합성에 대한 이해; 외부적 원인,상기시키는 요인,욕망,믿음,도덕적 가치의 역할; 드러난 감정과 느껴지는 감정을 구분하는 능력; 현재 경험하는 감정의 조절과 같이 '정서이해'를 평가 할 수 있는 9가지 구성요소를 포함한다. 각각의 페이지는 만화 시나리오 형식으로 편집되어 있으며 페이지 끝부분에는 4가지의 얼굴표정 그림이 제시되어있어 아이는 그림을 보면서 적절한 얼굴표정의 그림을 짚어내는 방식으로 평가가 이루어진다. 이 검사를 통해 전반적 정신화 능력과 인지적 집중을 측정할 수 있으며 연구보다 임상현장에서 활용도가 더 높다.

정동평가과제(Affect Task)

정동평가과제(Fonagy, Target, & Ensink, 2000)는 대인관계의 맥락 안에서 정동적 이해수준을 평가하는 도구이다. 가족, 친구와 같은 사회적 상호작용이 반영된 12가지 상황이 포함되어있다. 감정/정서의 고유한 특성과 정체성에 대한 질문을 받고 그에 대한 이유를 대답한다. 이 검사는 신뢰도와 타당도가 상당히 좋은 평가 도구이다.

쿠슈 정동면담-개정판(Kusche Affective Interview—Revised)

쿠슈 정동면담-개정판(Revised, KAI-R; Kusche, Beilke, & Greenberg, 1988)은 소아의 정동평가를 위해 흔히 사용되는 도구이다. 열린 문장의 질문으로 구성되며 감정적 단서를 제시하고 이를 평가한다(예: 너는 행복한, 슬픈, 질투가 나는, 자랑스러운 기분일 때, 어떻게 알 수 있니?). 여러 가지 종류의 감정을 복합적으로 제시하고 이해도를 파악할 수 있다(예: 너는 슬픔과 화가 나는 것을 동시에 느낄 때도 있니?). 감추어진 감정에 대해 이해하고 있는지에 대해서 물어볼 수 있다(예: 다른 사람들에게 너의 감정을 들키고 싶지 않을 때, 숨기고 싶을 때, 어떻게 하니?). 감정을 조절하고 감정을 전환할 수 있는지에 대해 질문할 수 있다(예: 너의 감정을 바꿀 수 있니? 어떻게?). 아이의 대답은 기록되고 암호화되어 저장된다. 이는 연구를 위한 평가와 측정에 매우 유용하게 사용된다.

햅의 이상한 이야기검사(Happé's Strange Stories Test)

햅의 이상한 이야기검사(Happé, 1994)는 마음이론의 인지적-언어적 영역을 평가하는 검사로 24가지의 짧은 이야기(pretense, joke, like, white lie, misunderstanding, persuasion, appearance versus reality, figure of speech, irony, double bluff, contrary emotions, forgetting)로 구성된다. 각 이야기를 들은 후에 아이에게 다음과 같은 질문을 한다. "X가 말한 것이 사실이니?" "왜 X가 그렇게 말했을까?"

소아성찰기능척도(Child Reflective Functioning Scale)

소아성찰기능척도(CRFS; Ensink, Target, & Oandason, 2013)는 소아애착면담(Child Attachment Interview, Shmueli-Goetz, Target, Fonagy, & Datta, 2008)의 일부로써 정신화 능력을 평

가하는 도구이다. 아이에게 자기자신에 대한 질문과 주양육자와의 관계에 대한 질문을 하고 두 가지 영역에 대한 정신화 능력을 점수로 측정한다. 아이의 답변은 11단계 평가척도(-1에서 9까지)로 기록되며 성찰기능에 대한 총점을 얻을 수 있다. 또한, 자기와 타인에 대한 성찰기능영역의 점수를 따로 합산하여 계산할 수 있다.

눈을 통한 마음읽기검사(Reading the Mind in the Eyes Test)

눈을 통한 마음읽기검사(RMET; Baron-Cohen, Wheelwright, Hill, Raste, & Plumb, 2001)는 마음이론의 비언어적 함축성을 평가하는 도구이다. 이 검사는 눈 부위의 36가지 그림으로 구성된다. 그림 속의 눈을 보고 이 사람이 어떤 생각을 하고 어떤 기분 상태인지 추측하여 맞추는 검사이다. 페이지 아래 제시된 4개의 단어 중 가장 잘 표현한 단어를 고르도록 한다. RMET는 다양한 연령대의 소아부터 성인까지 시행할 수 있다.

4. 정체성의 분화와 통합능력(Capacity for Differentiation and Integration (Identity))

네 번째 능력은 외부의 사건 및 현실 경험, 내면적 표상, 동기, 정동상태를 구분하는 능력과 관련된다. 이 능력은 자신의 소망, 정동, 자기내적표상과 타인 사이에서 관련성을 찾고 관계를 형성하는 능력과 함께 발달된다. 아이의 인지능력이 발달함에 따라 그들의 정신적 수행능력이 촉진되는 변화가 일어나면서 행동을 기반으로 한 능력에 비해 정신기능과 사고능력이 더 향상된다. 아이는 자신의 행동을 통제하고 체계적으로 행동하며 계획을 세우기 시작한다. 또한, 정서조절능력은 관계 안에서 자기표상의 성장과 연관되어 계속 발달한다(예: "나는 선생님들의 사랑을 받는 아이이다" vs. "어른들은 나를 정말 싫어해"). 초기의 대인관계경험과 애착형태는 아이가 자기를 알아가고 타인과 신뢰를 형성하며 관계를 지속하는 데 있어 중요한 역할을 한다. 4-11세 연령에서 관찰되는 능력의 특징을 다음의 가이드라인으로 요약하였다.

발달학적 가이드라인: 4-11세 정체성의 분화와 통합능력

4 - 6세
인지, 마음이론, 언어발달, 현실 지남력, 감정조절능력이 빠르게 진화하면서 급속한 성장과 성숙을 이루어낸다. 부모로부터 독립하고 분리되는 과정에 도움이 되는 외부현실대상(수퍼히어로, 선생님)과 새롭고 강력한 동일시가 시작된다. 다른 사람들의 행동에 대해 정신화 할 수 있는 능력이 생겨날 뿐 아니라 어떤 것이 실제의 현실이고 어떤 것은 마음속에서 일어나는 일인지를 구분할 수 있고 통합할 수 있다. 이 능력은 특히 아이가 신체적 흥분, 증가된 성적감각을 경험하면서 여기에서 기인한 강렬한 죄책감, 수치심, 창피함과 마주했을 때, 쉽게 취약해 질 수 있지만 이는 이 연령대의 아이들이 가지는 기본적 특징이기도 하다.

7 - 8세
죄책감과 수치심이 서서히 물러나면서 타인의 실수에 집중하거나 자극/도발하는 행동, 외현화(공격, 반항) 경향이 덜 해진다. (행동)수행을 요청 받은 경우에도 덜 창피해 하고 당혹스러움을 덜 느낀다. 잠재기 후기까지 경직성도 점차 완화되며 아이가 흥분한 순간에도 충동성은 감소한다. 통찰능력이 향상되고 내적 책임감을 감당할 수 있는 능력이 상당히 좋아진다.
9 - 11세
이 연령 초기에는 자기조절능력이 변동적이고 불안정한 양상이지만 점차적으로 안정화된다. 잠재기 후기에는 유연성이 증가하며 또래집단의 사회적 작용이 더욱 활발해진다. "내 가족들은 특별해. 그러니까 나는 너희들 보다 더 나아" 와 같은 과대적 환상을 통해 이상적 부모상의 손실/손상을 보상하며 부적절한 두려움을 견뎌내는데 이용한다. 성별과 성역할에 대한 인식이 더 구체적으로 확립되고 사춘기로 진입할 준비를 한다. 성별에 따라 선호하는 놀이가 달라지고 구분짓는 잠재기의 전형적인 놀이와 취미는 "막 억제된 욕구(freshly repressed desires)"를 다루기 위해 의례적 절차 및 상징화를 활용한다는 것을 반영한다. 집단사회화는 정체성 발달을 촉진하고 강화한다.

평가척도

5. 이 수준에 해당되는 아이는 정서상태, 동기, 소망의 분리됨과 연관됨을 구분하고 다룰 수 있으며 다양한 경험을 추구한다. 심지어 모호하고 미묘한 순간에도 정체성이 분명하게 기능하여 사회적-감정적 요구가 많거나 여러 역할(또래, 학생, 형제, 아들/딸)에 따른 기대수준이 다른 혹은 상반된 순간을 넘나들면서 적절한 맥락으로 행동한다. 아이는 복잡하고 까다로운 상황에서도 과제수행의 즐거움을 최대화 할 수 있는 적당한 방어기제를 활용 할 수 있으며 자신감과 주체성이 충분히 완성되어 있다. 자발적이고 유연한 대인관계 스타일을 보여주며 세상에 대한 자기감이 잘 형성되어있는 단계이다.
3. 경험을 통합하고 구분할 수 있지만 스트레스가 있을 때는 경직되며 한계를 드러낸다. 강렬한 감정/소망은 일반적인 혹은 특정한 상황에서 내적 경험의 일시적인 분열 혹은 극단성을 느끼기도 한다(예: 아이는 옴짝달싹 할 수 없다고 느낀다). 분화 및 통합능력은 어떤 감정적 상태에서는 제한적으로 작동한다(예: 현실적인 실제 또래관계의 부재/결여). 전반적으로 아이는 세상에서 자신의 자리를 찾으려고 애를 쓰지만 아이가 가진 능력은 제한되어 보인다.
1. 대부분의 시간 동안 내적 경험은 분열되어있고 과도하게 단순화 되어있거나 경직된 구획으로 나누어져 있다. 극단적인 경우 내면의 경험은 외부의 현실상황에서 완전히 이탈된 상태일 수 있다. 감정상태를 조절할 수 있는 능력이 거의 없으며 혼자 있는 순간에도 혹은 타인과 어울리는 상황에서도 불안을 다루는 능력이 부족하다. 아이는 발달학적으로 의존의 초기상태에 머물고 있으며 주변의 어른이 아이의 이런 감정에 대해 적극적으로 해결하고 다루어 주어야 하는 상태이다. 행동 혹은 방어기제는 발달과정상 초기단계에 머물며(예:분리) 분노로 표출하거나 현실검증력이 손상된 양상으로 관찰된다.

가장 유용한 평가 도구

이야기완성검사(Story Stem Completion Task)

이야기완성검사(Hodges et al., 2004)는 4-9세 소아의 애착을 평가하는 도구이다. 근본적으로 딜레마를 담고 있는 각각의 이야기에 대해 질문을 하고 아이의 대답과 행동을 관찰한다. 작은 인형들을 펼쳐놓고 이야기의 시작부터 질문 할 수 있다. 각각의 이야기에서 평가자는 아이에게 "다음에 어떻게 될지 이야기 해 줄래?" 혹은 "다음에 무슨 일이 일어날지 보여줄래?"와 같은 질문을 한다. 이를 통해 '애착'을 평가하고 분류하며 임상의사가 아이의 가족관계, 다른 여러 관계에서 바라고 소망하는 것들에 대해 표현할 수 있도록(그림을 그릴 수 있도록) 자료를 제공한다.

5. 관계형성능력과 친밀감능력(Capacity for Relationships and Intimacy)

다음의 능력은 관계를 형성하고 정체성을 확립하는 데 중요한 역할을 하는 능력이다. 여기에는 아이가 가진 고유한 성격적 특성(서로 어울리기 좋아함, 혼자 지내는 것을 더 선호함, 자폐적 성향, 이원적 관계, 서로 공유하고 집단 안에서 어울림, 이기적인 성향)이 포함된다. 아이와 부모, 형제, 교사, 코치 그리고 그 외에 중요한 관계를 맺고 있는 사람들에 대한 정보는 아이가 느끼고 경험하는 여러 대상과 다양한 상황에서 이루어지는 관계형성영역에 대한 밑그림을 그리는데 중요한 정보가 된다.

질적 측면에서 애착수준은 행동으로 관찰되고 증상적으로 드러나거나 아이, 부모, 교사, 타인에 의해 보고되는 모든 것을 종합함으로써 평가할 수 있다. 아이들 개개인이 느끼는 애착관계의 경험은 모두 다를 수 있지만 이들에게 특징적으로 드러나는 일관된 애착패턴이 존재할 것이다. 이 패턴은 아이들의 인지적 내면작업모델(cognitive internal working models)의 바탕이 된다. 관계에 대한 아이의 안전감은 세상을 탐색하고 세상에 속하려는 노력의 중심에 자리하며 친근감 형성과 신뢰감 형성을 촉진하고 발달과정상 연령에 적합하다고 기대되는 관계에 적극적으로 관여하는데 핵심적으로 기능한다. 임상의사는 다음과 같은 질문을 통하여 아이가 대인관계 안에서 느끼는 안전감을 평가하고 정도를 확인하는 것이 필요하다:

- 아이의 행동적 애착형태(behavioral attachment style)는 아이가 안전감을 필요로 하는 순간에 안전감을 제공받을 수 있는 형태를 하고 있는가?
- 아이는 누구로부터 안전감을 강화할 수 있는가?
- 아이는 어떤 대상을 두려워하는가(사람, 사물)?
- 아이는 양자적 관계 또는 삼자적 관계 중 어떤 관계에 더 집중하고 있는가?

- 아이가 타인에게 관심을 쏟는 수준은 어느 정도인가?
- 아이는 다른 사람의 상황에 관여하려고 하는가?
- 아이의 관계형성에서 전반적인 정서적 성향은 어떠한가(예: 다른 사람을 통제하려 드는지 혹은 과하게 예의 바른 태도를 보이는지)?
- 다른 사람과의 정서적인 확장을 원하고 추구하는가?
- 아이는 다른 사람들에게서 도움을 받고 싶어하는가? 누구에게서 도움 받기를 원하는가? 어느 정도로 원하는가? 적절한가? 과도한가?

다음에서 4-11세 연령에서 관찰되는 능력의 특징을 가이드라인으로 제시하였다.

발달학적 가이드라인: 4-11세의 관계형성능력과 친밀감능력

4 - 6세
관계형성패턴은 형태적, 언어적, 상징적 측면에서 더욱 복잡해진다. 양자적 패턴이 희미해지기 시작하며 삼자적 관계를 다루는 능력이 발달하고 점차 복잡한 패턴을 보인다(경쟁관계, 서로 맞서는 대립관계, 비밀스런 관계, 모의/조작 등). 4세 말, '타인'의 내면을 짐작/추론하는 능력과 자기 안전감이 더 확장되어 분리를 감당할 수 있는 능력(capacity for separation)이 상대적으로 잘 갖추어진다. 분노와 다른 종류의 강렬한 감정도 안전감을 약화시키지 못한다. 단순한 욕구충족을 벗어난 친밀감 형성능력이 발달하기 시작한다. 가족관계에서 '아침드라마' 같은 차원의 복잡한 삼각관계형태가 지배적으로 관찰될 수 있다(경쟁관계, 모의/조작, 동맹 등). 단순하고 욕구의 충족을 위한 양자적 관계는 덜 우세해진다. 또래, 교사 등의 다른 사람들과 관계를 맺고 어울리는 것을 편하게 느끼는 능력이 더 향상된다. 분리와 내적 안전감에 대한 능력이 더 좋아진다: '자기'와 '타인'의 내면에 대한 추론/짐작 능력이 잘 확립되어 분리 혹은 강렬한 감정상태에서도 쉽게 흔들리지 않는다. 자기관리의 측면은 여전히 취약하여 주변의 도움을 필요로 한다. 또래와 함께 어울리고 싶은 욕구가 클 수록 집단 내에서 습득하는 능력이 더 좋아진다. 수치심/죄책감이 커지고, 이는 또래관계를 방해하기도 한다. 비난하거나 도발적인 언행을 할 수 있고 '고자질'이 늘어난다.
7 - 8세
관계에 대한 관심이 가족 외의 바깥으로 향한다(예: 또래). 다른 사람과의 관계를 체계화하고 관계를 다루기 위한 패턴이 생겨난다(예: 친구들과 게임 할 때 규칙을 따른다). 여전히 어떤 면에서는 이전의 패턴을 보인다(권력다툼, 경쟁관계, 삼각관계, 가족 내 모의, 수동적 무력감). '친구' 관계능력(capacity for "buddy" relationships)과 소수의 '절친한 친구'와 친밀감을 형성하는 능력이 더 좋아진다. 성별에 따른 또래그룹이 만들어지기도 한다. 잠재기 초기에는 자기비난(self-condemnation) 정도가 더 강하게 드러나며 또래의 비난, 어른들의 비판에 영향을 덜 받는다.
9 - 11세
또래관계는 더 중요해지고 더 복잡해진다. 가족관계와 친구관계는 역할모델에 따라 체계화되어 간다(예: 어른들에 대한 단순화된 고정관념). 가족, 친구, 또래, 선생님, 다른 어른들과의 관계를 즐기고 편안하게 느끼는 능력이 있으며 부모 중 동성의 어른을 역할모델로 삼아 특별한 관계를 유지하는 것이 가능하다. 삼각관계, 권력다툼, 수동적으로 교묘하게 조종하기(passive manipulation)와 같은 관계적 측면의 초기단계가 시작된다. 때로, 불안을 다루기 위해 동성의 또래와 그룹을 형성한다. 동성친구와 이성친구 모두와 특별한 관계를 유지하는 청소년기 관계형성방식에 대한 준비를 시작한다. 가족, 친구(절친한 친구 포함), 또래와 오래도록 관계를 지속하는 능력이 커지며 10세에서 11세로 넘어갈 무렵, 또래관계에서 변덕스러운 반응은 줄어든다.

평가척도

5. 자신의 연령에 적합한 감정능력을 가진다. 친근감, 공감능력, 배려심을 보이며 심지어 강렬한 감정상태 혹은 스트레스가 있을 때에도 상황적 맥락(또래, 가족, 그 외 사회적 상황)을 고려하여 적절하다고 기대할 만한 반응을 보인다. 관계형성을 위해 친밀함을 추구하는 능력이 있으며 발달과정에 합당한 욕구를 드러낸다.
3. 친밀감, 배려심, 공감능력이 연령에 적합한 감정능력의 발달과정에 해당되지만 분노, 두려움과 같은 강렬한 감정이나 강한 욕동, 분리/헤어짐과 같은 스트레스에 의해 방해 받을 수 있다(예: 아이가 위축되거나 행동화 할 수 있다). 아이의 행동은 대인관계에 대한 기본적인 안전감이 결핍되어 있음을 시사하며 이로 인해 성찰기능이 충분히 성숙되지 못하여 기능적으로 미숙한 단계임을 반영한다.
1. 아이는 표면적인 감정에 머무는 상태로 감정조절능력 및 친밀감 형성, 배려심 등의 발달이 자신이 속한 연령대에서 기대하는 범위에 미치지 못하며 자신의 필요와 욕구에만 몰입하는 등 관계형성의 성숙도는 매우 부족하다. 때로 타인에게 완전히 무관심하거나 대인관계에서 완전하게 혹은 부분적으로 철퇴된 모습도 관찰된다.

가장 유용한 평가 도구

마코버 사람그리기검사(Machover Draw-a-Person Test)

마코버 사람그리기검사(Machover, 1949)는 아이에게 다른 성별의 사람 2명을 그리도록 한 후, 이 사람들에 대해 이야기하며 진행하는 검사이다. 예를 들어, 가족에 대해, 소원/소망에 대해, 좋은 면과 나쁜 면에 대해 면담한다. 그림의 질적인 측면과 질문에 대한 대답을 평가한다.

이야기완성검사(Story Stem Completion Task)

이야기완성검사(Hodges et al., 2004)는 '네 번째 능력'(pp. 247)에서 설명하였다.

로버트 지각검사 소아용-2판(Roberts Apperception Test for Children–2)

로버트 지각검사 소아용-2판(RATC-2; Roberts, 2005)은 6-18세를 대상으로 시행할 수 있으며 자유롭게 이야기를 짤 수 있게 하는 구성방식을 통하여 사회적 이해도를 평가하는 도구이다. RATC-2는 2가지 독립적인 영역으로 구분되어 있다. 하나는 발달학적 측면을 평가하는 '적응적 사회지각'이고 다른 하나는 임상적 측면을 평가하는 '부적응적/비전형적 사회지각'이다. 2판에서는 최신경향을 반영하였으며 연령과 성역할에 중점을 둔 새로운 규준에 대한 자료를 포함시켰다. 인종에 따라 3가지 형식의 그림이 준비되어 있다(유럽계, 아프리카계, 히스패닉계). 이 검사지는 아이가 성장함에 따라 사회적 경험이 늘어감에 따라 관찰되는 변화를 확인하기 위해 사용할 수 있다.

6. 자존감조절능력, 내적경험을 다루는 질적능력(Capacity for Self-Esteem Regulation and Quality of Internal Experience)

주양육자와의 초기관계는 아이가 자신의 마음 속에 적절한 자기감을 형성하여 효과적으로 타인들과 상호작용하면서 관계 안에서 일어나는 변화와 분리에 주체적으로 대응하도록 기능하는데 매우 중요하다. '관계의 춤(relational dance)'에서 한 개인은 독립적 개체로서 활발하고 효율적으로 서로 영향을 주고 받는 파트너가 될 수 있다는 믿음은 초기에 경험한 '충분히-괜찮은' 정동조율 ('good-enough' affective attunement)에서 시작된다. 이런 경험들은 외부환경/세상과 상호적으로 영향을 주고 받는 중에 상처입고 회복하는 많은 순간들을 겪으면서 유연하고 효과적인 방식을 찾고 보완하면서 아이의 한 가지 능력으로 점차 자리잡게 된다. 관계를 형성하고 유지하는 주체로서 자기경험(experience of self)은 아이의 자긍심과 자존감(예: "우리엄마는 나를 정말 사랑해. 나도 엄마를 정말 사랑해")을 키워주는 자양분으로 작용한다. 진단적 프로파일링을 할 때 임상의사는 다음과 같은 질문을 할 필요가 있다:

- 아이의 '정신적 자기(psychic self)'는 즐거움의 원천인가 혹은 고통과 갈등의 원천인가(예: "사람들이 나를 좋아해" vs. "아무도 나를 좋아하지 않아")?
- 아이는 대인관계 안에서 자기자신을 어떻게 인식하고 있으며 이에 대해서 어떤 기분을 느끼고 있는가(예: "내 친구들은 나와 같이 노는 것을 좋아해" vs. "아무도 나와 같이 놀고 싶어하지 않아")?
- 아이가 표현하는 자기의 측면(aspect of self)에서 부모의 적개심/자기애적 성향이 반영된 역기능적 관계를 시사하는 모습이 있는가(예: "나는 정말 심술궂은 아이야. 나는 그게 정말 자랑스러워")?

언어, 지각-운동, 기억, 주의집중 영역의 기능적 어려움은 아이의 자존감에 영향을 미친다. 임상적 자료와 경험적 자료를 종합하였을 때 학령전기 동안 학습능력이 낮아 습득이 지연될 경우, 자율성, 자기조절능력, 분리에 영향을 미친다는 결과가 있다. 언어습득결핍, 운동협응능력의 손상은 '자신과 타인을 분별하여 인지하는 능력(awareness of self–other differentiation)'의 발생이 늦어지거나 왜곡될 수 있다. 부모의 내적 경험은 부모 자신들의 성찰기능이 반영되어 형성된 것이기 때문에 스트레스 원천이 되는 환경적 혹은 기질적 요인에 대처하는 효과적인 방식을 갖추는 부모의 능력이 아마도 아이들의 자신감 수준에 영향을 미칠 것으로 생각된다. 4-11세 연령에서 관찰되는 능력의 특징을 다음의 가이드라인으로 요약하였다.

발달학적 가이드라인: 4-11세의 자존감 조절능력과 내적 경험을 다루는 질적 능력

4 - 6세
이 시기 동안 아이의 자존감과 유능감은 취약하지만 점차 성숙해지면서 강한 면모를 갖추게 된다. 설명하고 이야기로 표현하는 능력이 등장하면서 아이의 내면세계는 의사소통이 가능하고 스스로를 이해할 수 있는 상태로 확장되며 변화되어 간다. 아이는 놀이를 할 때에도 더 많은 이야기를 구체적으로 표현하는 능력을 보인다. 점차 스스로의 정신/정서적 상태를 이해하게 되며 다른 사람들의 마음/감정에 대해서도 이해의 폭이 넓어진다. 그렇지만 어떤 면에서는 자기중심적 성향이 여전히 관찰된다. 복잡한 감정에 대한 자기표현이 가능해지고 체계화 할 수 있게 되면서 자기조절능력이 향상된다.
7 - 8세
상징놀이를 할 수 있고 상상한 이야기를 통해 복잡한 감정과 갈등을 체계적으로 다루는 능력이 생긴다. '자기 이야기'를 들려주고 나누는 데 관심이 많아지며 이에 따라 자기감이 확장된다. 자신의 말에 관심을 보이는 어른들에게 이야기 하고 싶어하며 표현 할 기회를 원하게 된다. 안전한 애착을 더 풍부하게 경험한 아이일수록 '상상놀이'의 시나리오를 더 다양하고 복잡하게 구성할 수 있다.
9 - 11세
현실에 기반한 상황/사건에 더 많이 관여하게 되며 성취목표와 도전을 추구한다; 클럽, 또래관계가 자존감의 원천으로 작용한다. 아이의 자아능력(자기조절 및 충동조절)이 성숙되면서 스스로를 더 유능하고 독립적인 존재로 느끼게 되며 자신에 대한 안전감도 커진다. 내면적 진화가 이루어지면서 초기 주양육자, 가족들과의 애착관계에서 분리되어 또래와 외부세계/현실에 대한 관심이 증가한다. 더 현실적인 사고를 할 수 있고 자신감이 커지며 부모에 대한 이상화된 인식은 감소한다. 점차 예상하지 못한 상황이나 좌절할 때에도 성찰기능이 잘 작동하며 이에 따라 더 유연하게 대처할 수 있다. 상상놀이에서 구성/구조를 갖춘 실제 활동으로 이행한다.

평가척도

5. 연령에 적합한 자기안녕감, 자신감, 과대하지 않은 현실적 자존감을 안정적으로 유지하는 능력이 있다(예: "나는 이번에 잘 해냈어. 하지만, 항상 다른 사람들 보다 잘 하는 건 아니야"). 자존감은 내면상태와 현실적 상황에서 적절한 균형을 잡고 있으며 발달학적 과업을 수행하고 이를 다룰 때 혹은 새로운 상황/과제에 직면했을 때도 연령에 합당한 자신감을 보인다. 이러한 발달적 특성은 아이가 생각하고 느끼고 다른 사람과 어울리며 더 넓은 세상으로 나아가는데 긍정적인 영향을 미친다.
3. 자기안녕감, 자신감, 활력, 자존감은 전체적으로 적당하지만 내면의 강렬한 감정과 외부의 스트레스 상황에서 쉽게 흐트러질 수 있다. 단어로, 놀이로, 행동으로 취약한 감정과 부적절한 기분을 표현하며 자신감이 떨어질 때 또는 기대하는 결과를 얻기 위해 어떻게

하는 것이 좋을지, 이 상황을 어떻게 풀어가야 할지 고민된다는 이야기를 하기도 한다(예: 또래활동) 세상에서 일어나는 일에 효과적이고 주체적으로 대처하기 위해 노력하는 모습을 보인다.

1. 아이의 감정과 행동에서 낮은 자존감(예: "인형의 집에 있는 인형은 외롭고 친구가 아무도 없어. 애는 정말 멋진데도 말이야.")이 드러난다. 자신감 없는 상황에 직면했을 때 방어적으로 과대한 전지전능감을 드러내거나 상황을 부인하는 모습이 뚜렷하게 관찰된다(예: "나는 운동을 하고싶지 않아. 왜냐하면 나는 이미 다 잘할 수 있기 때문이야. 다른 아이들은 다들 너무 못해서 창피해하겠지"). 발달연령에 부합하는 활동에 적절히 참여하지 못하고 좌절/실망을 다루는 능력이 떨어지며 놀이는 제한적이다. 내적 경험과 외부현실의 행동이 일관적으로 통합되지 못하고, 적응능력 및 회복탄력성이 저하되어있다.

가장 유용한 평가 도구

소아지각능력 및 사회수용능력 그림판평가척도(Pictorial Scale of Perceived Competence and Social Acceptance for Young Children)

소아지각능력 및 사회수용능력 그림판평가척도(Harter & Pike,1984)은 그림판을 이용하여 4-7세 소아의 자기개념을 다차원적으로 평가하는 도구로써 소아자기지각프로파일(Self-Perception Profile for Children, SPPC)을 간략화하여 설계되었다. 이 도구는 자기개념을 인지적 유능함, 신체적 유능함, 또래수용, 모성수용의 4가지 차원에서 평가한다. 1장(pp. 30)에서 소아자기지각프로파일(SPPC)과 청소년자기지각프로파일(Self-Perception Profile for Adolescents, SPPA)에 대해 설명하였다.

7. 충동의 통제와 조절 능력(Capacity for Impulse Control and Regulation)

아동기 동안 일곱 번째 능력이 갖추어지지 못할 경우 집, 학교, 그 외 여러 사회적 환경에서 공격성 조절의 어려움을 경험할 수 있으며 이는 연령에 부합하는 행동억제능력의 결여로 이어진다. 적절한 통제능력의 결여는 학습영역과 대인관계영역에 많은 문제를 야기할 수 있다. 이 스펙트럼의 다른 쪽 끝에는 과도하고 경직된 상태로 억압된 욕동과 공격성에 대한 갈등이 자리하고 있기 때문에 통제를 위한 극단적인 시도 역시 학습과 대인관계의 유연성을 해칠 수 있다. 이 능력이 고차원적으로 잘 작동하는 것은 좌절을 견디는 능력과 관련되어 자신의 충동을 적절한 시점에 알아차리도록 하고 자기조절을 보조하는 기능이 있다는 것을 의미한다. 더 구체적으로 이해하기 위해서 이 장의 첫 번째 능력과 두 번째 능력에서 소개한 내용을 참고할 수 있으며 5장과 6장에서도 설명하였다.

기질적 특성에 기반한 여러 능력들이 자기조절에 관여한다. 기질적 자기조절능력들은 '의도적 통제'를 통해 이루어지며 이는 지배적 반응을 억제하는 능력, 덜 우세한 반응을 활성화하는 능력, 계획하고 오류를 찾아내는 등 통합기능의 효율적 작동을 반영한다. 다시 말하면, 의도적 통제/조절은 주의집중력을 필요한 작업에 적절한 정도로 분배하고 유연하게 전환하며 부적절한 행동은 억제하고 통합기능기술(정보의 통합 및 계획)을 완수하는데 적절하게 사용할 수 있게 한다. 즉, 회피하고 싶은 경향이 강하게 작동할 때에도 수행하고 행동하도록 하는 것이 가능함을 뜻한다. 효율적 조절은 자기조절에 중요한 역할을 하며 성격기능의 측면에서도 큰 영향을 미친다.

의도적 통제는 개념적으로 아이의 외현화된 행동문제(공격성, 반항심)의 발달 및 지속과 관련된다. 정보를 처리하고 감정을 적절히 다루기 위해 조절과 통제가 중요한 역할을 담당한다. 즉, 통합기능이 충분히 발달하지 못한 경우, 아이는 슬픔, 분노, 불안, 죄책감 같은 부정적인 감정을 다루고 견디는 것을 잘 하지 못하고 이런 감정을 외현화를 통해 표출(예: 남 탓을 하거나 타인을 비난하는 등)하는 경향을 더 강하게 보이며 이러한 과정에서 학습과 사회-감정 발달에도 부정적인 영향을 끼치게 된다. 4-11세 연령에서 관찰되는 능력의 특징을 다음의 가이드라인으로 요약하였다.

발달학적 가이드라인: 4-11세의 충동의 통제와 조절 능력

4 - 6세
발달학적 과업과 사회적 상호작용에 대한 행동적 반응 및 정서적 반응에 대한 조절능력이 향상된다. 이를 통해 주의집중력을 유지하고 규칙을 지키며 협조적인 태도로 사회적 행동을 하도록 요청하는 새로운 과업을 적절히 수행할 수 있도록 한다. 또한, 특정 행위나 행동은 하지 않을 수 있다(예: 차도에서 달리기, 뜨거운 난로 만지기). 간단하지만 여러 단계의 수행절차를 거쳐서 완성 할 수 있는 작업을 주변의 방해에 저항하여 수행해 내려는 능력이 나타나기 시작한다.
7 - 8세
학교 및 여러 사회적 환경에서 사회적인 단서를 활용하여 자신의 행동적 반응과 정서적 반응을 조절한다(예: 발표하기 전에 손을 먼저 든다. 다른 아이의 개인물건과 개인적 공간을 존중한다). 친사회적 행동이 늘어나고 신체적 공격성은 감소한다. 점차 과거 경험에 기반하여 미래를 예측해 보고 어떻게 대처할지 결정한다. 환경적 경험이 많아지고 구조적 요소들이 활성화되면서 좌절을 견디는 능력과 만족감지연능력이 더 확장된다.
9 - 11세
규칙과 질서에 대한 개념이 내재화되고 타인의 감정/생각을 지각하는 능력이 좋아지면서 자신의 행동이 야기할 결과에 대해 생각하는 능력이 확장되고 이를 실생활에 활용할 수 있다(예: 친절하고 상냥하게 말하기, 지도감독이 없는 순간에도 규칙을 지키기). 아이들은 자신에게 일어나는 여러 반응을 더 능숙하게 다룰 수 있으며 보다 나은 결과가 예상되는 경우, 초기반응을 억제할 수 있다. 자기충족능력이 발달하며 시간이 지나면서 의식적으로 스스로의 행동을 돌아보고 수정하는 방향으로 성장한다(예: 오락활동, 계획잡기).

평가척도

5. 아이는 행동하기 전에 이 행동으로 인해 앞으로 일어날 수 있는 결과를 자연스럽게 자발적으로 고려하고 고민한다. 스트레스 혹은 어려움에 봉착했을 때, 현재 맥락에서 유용하게 활용할 만한 정보/행동을 과거의 경험과 요소들 중에서 찾아본다. 미리 계획하고 행동조절을 향상시킬 수 있는 자가계발기술을 키우기 위해 노력한다. 상황적/맥락적/사회적 규범을 강하게 인지하여 결정을 내리는데 적용하며 어떻게 반응할지에 대해 내재화된 양식을 갖추고 있으며 내면적 통제성이 확립되어있다.
3. 대체로 아이는 다른 사람의 기분에 미칠 영향 등을 고려하여 행동 후에 일어날 결과를 예측하고 초기반응을 지연/억제할 수 있는 능력이 있다. 하지만, 지도감독 등 외부의 통제장치가 없을 경우 자신의 행동을 조절하고 반응을 지연시키는 것을 훨씬 더 힘들어 한다. 발달과정 중 좌절하는 경험이나 힘든 상황을 겪을 때 자신과 타인에게 부정적인 결과를 가져올 수 있는 반응을 보일 수 있으며 행동을 조절하는 능력이 떨어질 수 있다.
1. 아이는 최초의 반응을 억제하지 못하고 주의집중력을 적절하게 유지하는 능력이 매우 부족하다. 이로 인해 타인과 자신에게 부정적인 결과를 가져 올 비적응적 행동을 통제하는 데 많은 어려움을 겪는다. 반응하기 전에 예측되는 결과를 고려해 보는 능력이 결여되어 있다. 초기반응은 공격적이고 산만하거나 훼방을 놓는 등의 비협조적인 행동일 때가 많다.

가장 유용한 평가 도구

소아행동체크리스트(Child Behavior Checklist)
소아행동체크리스트(CBCL; Achenbach & Rescorla, 2001)는 확인목록을 제시한 평가지로 부모가 소아 혹은 청소년 자녀의 감정문제와 행동문제를 찾아내고 완성하는 검사이다. 이 검사는 아헨바흐 시스템(Achenbach System of Empirically Based Assessment, ASEBA)의 일부분이다. ASEBA는 교사가 작성하는 '교사보고형식(Teacher's Report Form, TRF)'과 소아 혹은 청소년 본인이 작성하는 '자가보고형식(Youth Self-Report, YSR)의 2가지 형식을 가진다.

소아행동설문지(Children's Behavior Questionnaire)
소아행동설문지(CBQ; Rothbart, 1991)는 초기-중기 아동기의 기질적 평가를 구체화한 검사도구이다. 각 영역의 CBQ 척도는 성인용과 유아용의 CBQ 척도를 대상에 맞게 변형하여 적용한 것이다. 이 검사지를 통해서 부적정동성향, 외향성, 의도적 통제의 3가지 요소에 대한 신뢰할 수 있는 평가가 가능하다.

코너스 부모-교사 평가척도-개정판(Conners Parent–Teacher Rating Scale—Revised)

코너스 부모-교사 평가척도-개정판(Conners, 1997)는 앞서 '첫 번째 능력'(pp. 236)에서 언급하였다.

8. 방어기제능력(Capacity for Defensive Functioning)

성인편 2장(pp. 99~103) 과 1장(pp. 35~38)에서 여덟 번째 능력의 넓은 의미에 대해 소개하였다. 유아가 처음으로 위험과 마주하는 순간에 현실에서 스스로 할 수 있는 것은 아무것도 없다. 프로이드(Freud)는 정신발달의 아주 이른 초기부터 방어기제가 생겨나며 아이는 다음의 기능 중 하나 혹은 그 이상의 기능을 가진다고 가정하였다: 정신작용의 결과물을 차단하거나 혹은 억제함; 왜곡함; 정신작용의 결과물과 상반된 내용을 이용하여 정신작용을 덮어버리거나 혹은 골라냄. 안나 프로이드(Anna Freud, 1966)는 방어기제의 발달학적 위계에 대한 개념을 소개하였으며 이 관점에서 발달초기의 방어기제를 '원시적' 방어기제라는 용어로 설명하였다. 대상항상성(주양육자가 안전한 느낌을 가지게 해 주었던 것처럼 이에 대한 마음 속 이미지를 지속할 수 있게 되면서 주양육자가 눈 앞에 없는 순간에도 안전감을 가지고 탐색할 수 있음)이 확립된 후에 '고차원적' 방어기제가 등장할 수 있으며 방어기제는 내부에서(예: 죄책감) 혹은 외부에서(예: 두려움) 기인한 정신적 상태를 드러낸다고 주장하였다. 방어기제의 발달학적 관점은 드러나는 방어적인 행동, 정동, 생각을 설명할 수 있는 기초적인 틀을 제공하여 이성적인 맥락에서 이해할 수 있도록 한다.

특히, 이러한 관점은 임상의사가 아이의 특정 방어기제 사용전략을 관찰하여 현재 발달단계의 맥락에 비추어 전반적인 평가를 진행할 때 아주 유용하다. 4-11세는 성장과 성숙의 변화가 아주 급속도로 진행되는 시점으로 정신적 괴로움과 지지의 원천이 되는 관계형성의 영역(예: 형제들과의 관계 등)에서 자율적인 자기감을 확립하는 것이 중요한 과제이다. 효과적으로 기능하는 방어기제는 현재 자신에게 주어진 능력들을 적절하게 활용하여 아이들 스스로 헤쳐나갈 수 있게 하며 더 성숙하고 능숙해지도록 한다. 또한, 아이가 주로 드러내는 방어기제 스타일은 성격적 특성의 체계화에 핵심으로 자리잡게 된다. 4-11세 연령에서 관찰되는 능력의 특징을 다음의 가이드라인으로 요약하였다.

발달학적 가이드라인: 4-11세의 방어기제 능력

4 - 6세
아이는 옳고 그름에 대한 부모의 기준을 내재화하는데 어려움을 겪는다. 아이가 느끼는 불안의 대부분은 내면의 소망/욕구 사이의 갈등에서 기인하며 새로운 기준이 여기에 적용된다. 죄책감과 수치심이 이 연령의 아이들에게 새로운 스트레스 원천으로 자리한다. 갈등과 이와 관련된 강렬한 감정을 환상, 언어, 행동으로 다루고 표현하며 그 처리과정에서 '부인' 방어기제를 자주 사용한다. 공격성을 다루는 것은 이 시기의 중요한 도전적인 과제이며 이 발달학적 과업은 아이내면에서 어렵게 이룬 균형상태를 위태롭게 할 수 있기 때문에 이를 지키기 위하여 새롭게 습득한 인지적 능력과 감정적 능력을 모두 동원하여 성취하기 위해 노력한다. 또한, 현실을 다루기 위한 방어기제의 전략에 있어 일보 전진하는 모습이 관찰된다. 그럼에도 정동의 역전(Reversal of affect)은 흔히 쓰는 전략 중 하나이며(예: "나는 막내를 사랑해"), 공격자와의 동일시(수동적 양상에서 주도적인 모습으로 바뀜)도 이미 사용하고 있다. 이 연령의 아이들에게 공격성을 효율적이고 능숙하게 다루는 것은 어렵기 때문에 종종 '자신을 향한 공격성'으로 드러나기도 한다(예: "나는 다른 사람이 그만하라고 할 때까지 나를 때릴 거야"). 의식적(ritualistic) 행동과 반복행동을 흔히 보일 수 있다(예: 노래, 리듬).
7 - 8세
이 시기의 아이는 걸음마를 시작한 유아가 세상에 호기심을 드러내는 것처럼 새롭게 찾게 된 애착대상에 집중한다. 승화는 이 시기의 아이가 주로 사용하는 방어기제이다. 승화를 사용할 수 있게 됨으로써 당장 해결해야 할 것 같은 내면의 압박에서 상대적으로 자유로운 모습을 보인다. 인지기능의 발달에도 불구하고 잠재기를 거치는 동안 여전히 일부 인지기능 영역은 경직된 양상을 보인다. 다른 사람을 범주로 묶어 생각하는 경향이 관찰된다(예: "부모들은 불공평해"). 반동형성과 정동의 역전은 종종 높은 강도의 갈등을 유발하는 감정과 소망을 다룰 때 자주 등장한다(예: 공격적 충동이 생긴 아이는 또래와의 관계를 망치지 않기 위해 오히려 상반된 행동을 보이기도 한다).
9 - 11세
잠재기 후기까지 '부인'방어기제가 감소하는 동안 '도발(provocation)'과 '합리화'가 함께 사용된다. 고립, 반동형성, 취소, 지식화의 사용이 더 빈번해진다. 언어, 기억, 지능, 2차과정 사고와 같은 기능의 억제(Inhibition)는 여전히 존재하며 강박적 방어패턴이 추가되기도 한다. 기능이 좋은 아이들은 여기에서 멈추고 성찰능력이 좋은 주변사람의 지지적 도움을 받아 함께 생각하면서 유연하게 적응할 수 있는 효과적인 방어기제를 사용하여 도전적인 국면을 극복하기 위해 노력한다.

평가척도

5. 대부분의 상황에서 발달학적으로 적절한 방어기제를 사용한다. 이는 아이가 경험하는 정동범위를 더 확장시키며 더 넓게 사고하고 감정을 인지하고 다루는 것을 능숙하게 한다. 이를 통하여 정동범위를 확장시키고 세상을 더 적응적이고 유연하며 창의적인 방식으로 탐색하고 경험한다. 초기 방어기제(예: 분리, 투사)를 사용할 때에도 주요한 기능적 측면의 손상은 일어나지 않으며 불안, 갈등, 스트레스가 사라진 후에는 전형적으로 더 적응적인 방어기제(예: 승화, 환상의 부인, 대치, 유머)로 복귀한다.

3. 이 수준에 해당하는 경우, 내적/외적 자극의 영향에 대해 외부에서 기인한 문제로 간주한다. 내면적 문제는 축소화/무시/부인하는 방식으로 반응한다. 현실을 왜곡하여 인지하는

면도 관찰된다. 방어적인 태도와 부인/투사를 통해 자신의 현실경험과 책임을 부인하려 들기도 한다. 혹은 수치심, 무능함, 실망감에 맞서기 위해 방어기제를 전지전능감으로 재편하기도 한다(이것이 얼마나 부적응적인 것인지를 평가하기 위해서 다른 상황적 맥락에서 아이가 이 방어기제를 사용하는 것을 일관되게 유지하는지 아닌지에 대해 살펴볼 필요가 있다). 전반적으로 방어기제의 활용면에서 예측하기 어렵거나 변동이 크고 때로는 분리/투사와 같은 초기형태의 방어기제에 의존하는 모습도 관찰된다.

1. 아이는 아주 쉽게 불안해지고 심리적 소멸에 대한 두려움(fear of psychological annihilation), 신체적인 손상 혹은 죽음에 압도된다. 이들이 가지는 두려움은 현실에 기초하지 않으며 내면의 갈등을 적절히 다루지 못하고 외부의 요구에 적응적인 대처를 못하기 때문에 곤란과 어려움을 겪는다. 전반적으로 현실왜곡이 심하며 불안을 다루는 기능적 영역이 상당히 손상되어있다. 분리/투사의 방어기제가 더 지배적이다. 대인관계를 위한 능력은 손상되어있거나 매우 제한되어 있다.

가장 유용한 평가 도구

소아놀이치료 측정도구(Children's Play Therapy Instrument)

소아놀이치료 측정도구(CPTI; Chazan, 2002)는 치료의 과정 및 결과를 평가하는 도구로 놀이치료 회기를 놀이를 하지 않을 때(non-play), 놀이 전(pre-play), 놀이활동(play activity), 놀이의 방해(play interruption)의 4단계로 세분화하여 평가한다. 치료초기의 1회기, 7개월 후의 1회기, 총 2회기에 대해 시행하며 회기의 대부분에 해당하는 놀이활동(play activity)을 3가지(서술적/구조적/기능적) 측면에서 분석한다.

방어방식종합평가(Comprehensive Assessment of Defense Style)

방어방식종합평가(CADS; Laor, Wolmer, & Cicchetti, 2001)는 1장(pp. 35~38)의 '여덟 번째 능력'의 '가장 적절한 평가도구들' 부분에서 설명하였다.

9. 적응능력, 회복탄력성, 자아강도능력(Capacity for Adaptation, Resiliency, and Strength)

성인편 2장의(pp. 104~107)에서 아홉 번째 능력의 넓은 의미에 대해 소개하였다. 아동기의 '회복탄력성'은 상황적으로나 환경적으로 갈등/위기/위험에 처할 때 스트레스를 잘 견뎌내고 역경 속에서도 상대적으로 괜찮은 성과를 이룩할 수 있는 능력을 내포한다. 타인의 욕구와 감정을 공감적으로 정신화할 수 있는 능력, 벌어질 수 있는 상황과 그 가능성을 예측하는 능력, 자신의 주장을 적절하게 표현하는 능력은 주체성과 관련된 부분도 있지만 회복탄력성의 정도를 시사하며 이 모든 능력은 자아기능이 더 견고하게 발달하고 있다는 증거이기도 하다. 아동기가 성장과 변화의 이환기적 시기라는 관점에서 본다면 아이는 환경적/상황적 흐름의 영향을 받으며 동시에 이러한 경험적 요인들은 아이들에게 영향을 미친다.

이 범주는 임상의사가 아이의 모든 영역과 차원을 고려하여 스트레스에 대한 위험인자와 보호인자 두 가지 모두를 찾아내고 구분하여 평가한다. 저자들은 임상의사가 아이의 적응능력수준과 행동적/감정적 유연성을 평가할 때 강점에 초점을 맞추도록 권고한다. 회복탄력성은 유동적이고 역동적인 특성을 가지는 전반적인 개념으로 개인이 경험하는 상황과 맥락 안에서 영역을 아우르며 종합적으로 평가하는 것이 필요하기 때문에 이 범주에서는 발달학적인 가이드라인을 제시하지 않았다.

교사, 부모, 주변의 다른 사람들이 보고하는 아이의 기능발달 정도와 스트레스 상황에서 드러나는 아이의 반응에 대한 내용은 회복탄력성 평가에 매우 중요하다. 진단적 평가는 대부분의 아이들이 스트레스 상황에서 보이는 일반적 반응과 비교하여 아이가 상황에 어떻게 대처하는지, 그리고 이와 관련된 여러 종류의 다양한 자료를 바탕으로 이루어진다. 잠재적 보호인자, 현재의 보호인자, 위험인자를 파악하는 것은 필수적 작업이며 이는 치료계획을 수립할 때도 반영된다.

평가척도

5. 이 수준에 해당하는 아이는 예상치 못한 스트레스 상황에서도 나이에 적합한 행동양식으로 유연하게 반응하고 적응한다. 전반적으로 자신의 발달과정을 잘 이어간다. 자신의 견고함과 취약함 두 가지 모두에 대해 암묵적으로 인지하고 자신이 할 수 있는 적응적 행동 중에서 선택 가능한 것을 탐색하여 유연하게 대처한다. 이 수준의 아이들은 자신이 필요하다고 느낄 경우, 주변의 도움을 요청할 수 있다. 비체계적 상태, 분열된 상태에서도 굴복하지 않고 자신의 견고함을 지켜낸다(예: "나는 힘든 순간에 유머러스한 생각을 떠올려보고 나를 힘들게 하는 경험을 다루기 위해서 상상을 이용할 수 있어")
3. 예상치 못한 혹은 스트레스 상황에서 대부분의 경우 연령에 적합한 행동양식을 통해 적절하게 대응하고 적응한다. 그러나, 때로 불안에 굴복하기도 하며 자신감을 회복하고 유능함을 증명하기 위해 비적응적 방어기제를 사용하기도 한다. 이 경험이 아이들의 전반적인 기능을 제한하거나 성장에 방해하는 정도는 아니며 스트레스 외의 상황에서 아이들은 자신의 자아기능의 견고함을 바탕으로 기능하며 자기조절능력을 다시 회복하여 사고와 기분을 다루는 기본적인 능력이 잘 작동한다. 스트레스의 정도와 상황에 따라 경도의 증상이 관찰될 수 있다.
1. 극심하게 불안정한 상태로 정신능력이 쉽게 손상된다. 정신적, 신체적 생존을 위해 외부의 도움을 필요로 한다. 예상치 못한 상황, 스트레스 상황과 마주했을 때, 부적응적 반응

을 보인다. 아이는 초기상태로 퇴행하며 부적응적 방법을 사용하면서 외부환경을 통제하여 내면적 균형을 회복하기 위해 강박적인 시도를 하기도 한다.

가장 유용한 평가 도구

다음에 소개한 검사도구는 1장(pp. 39)의 '아홉 번째 능력'의 '가장 적절한 평가도구들' 부분에서 논의한 바 있다.

소아청소년용 회복탄력성평가-28(Child and Youth Resilience Measure–28)

소아청소년용 회복탄력성평가-28(CYRM-28; Liebenberg, Ungar, & LeBlanc, 2013)는 회복탄력성의 전반적 특성과 이에 영향을 미치는 3가지 하위범주(개인성향, 주보호자와의 관계, 소속감을 촉진하는 맥락적 요소)에 대한 평가가 포함되어있다. 이 검사는 세계 여러 국가의 청소년과 성인을 대상으로 한 인터뷰를 바탕으로 설계된 검사로써 이를 반영하여 58항목이 추려졌다. 이 검사를 이용하여 11개국 소아청소년 1,451명을 대상으로 파일롯 테스트를 시행하였으며 이를 기반으로 28항목을 선별한 후, 12항목 검사지(12-item version)를 개발하였다.

데버루 초기아동기평가(Devereux Early Childhood Assessment)

데버루 초기아동기평가(DECA; LeBuffe & Naglieri, 1998)는 Devereux Early Childhood Initiative 치료프로그램의 일부로 개발된 도구로써 부모용과 교사용이 있다. 2-5세 소아의 강점과 보호인자를 평가할 수 있으며 4단계 하위척도로 체계화된 37문항으로 구성된다. 회복탄력성 보호인자: (1)시작(아이의 필요와 욕구를 스스로 충족시기 위한 생각, 행동의 독립적인 활용능력); (2)자기통제(사회적으로 적절한 언어와 행동을 선택하여 감정표현과 경험을 확장하는 능력); (3)애착(중요한 대상과 관계를 지속하는 능력); (4)행동문제에 대해 평가할 수 있다. DECA-C(clinical version, 임상용)은 62문항으로 구성되며 정신건강전문가, 특수교육전문가가 사용할 수 있다. 이 검사 역시 동일한 기본항목에 공격성, 주의집중, 감정조절, 위축/우울을 평가하는 25문항을 추가하여 행동문제를 더 구체적으로 다룰 수 있게 하였다. 영유아를 위한 DECA프로그램이 최근 개발되었다.

소아청소년용 회복탄력성척도(Resiliency Scales for Children and Adolescents)

소아청소년용 회복탄력성척도(RSCA; Prince- Embury, 2005, 2006)에 대한 내용은 1장(pp. 39)에 기술하였다.

펜 상호적 또래놀이척도(Penn Interactive Peer Play Scale)

펜 상호적 또래놀이척도(PIPPS; Fantuzzo et al., 1995)은 3-5세 소아를 대상으로 교사가 평가하는 36항목으로 구성되어 있다. 감정적 행동, 바람직한 사회적 행동, 사회적 관계의 단절에 대한 내용이 포함된다. 이 평가의 단점은 시간이 많이 소요된다는 점이다.

강점 및 난점 질문지(Strengths and Difficulties Questionnaire)

강점 및 난점 질문지(SDQ; Goodman, 1997)에 대한 내용은 1장(pp. 41)에 기술하였다.

10. 자기관찰능력 (심리적 마음상태, Self-Observing Capacities, Psychological Mindedness)

성인편 2장(pp. 107~110)과 1장(pp. 42~44)에서 열 번째 능력의 넓은 의미에 대해 소개하였다. 심리적 마음상태는 추상능력, 자기에 대한 이해, 복잡한 감정경험, 타인의 관점을 받아들이는 능력이 향상되면서 발달하게 된다. 아홉 번째 능력에 대한 설명에서 언급한 것처럼 이 범주의 능력 역시 같은 이유로 발달학적으로 기대되는 행동에 대한 가이드라인은 제시하기 어렵다. 자기관찰능력은 유동적이고 역동적인 특성을 가지는 전반적인 개념으로 개인이 경험하는 상황과 맥락 안에서 영역을 아우르며 종합적으로 평가적인 접근을 하는 것이 필요하기 때문이다.

아이가 보여주는 대로 기능의 본래 능력이 드러나는 것을 관찰하는 것 외에 이 범주의 능력을 연령별로 규정하는 것은 부적절하다. 임상의사는 주변 사람들에 대한 호기심이 생겨나고 강화되고 있다는 신호를 섬세하게 관찰해야 하며 다양한 대인관계 경험과 이와 연관된 능력을 이해할 수 있어야 한다. 어린 아이들도 놀이를 함께 하는 동안 임상의사가 하는 이야기에 주의집중 할 수 있다. 이 때, 아이들의 반응이 전치에 의한 것인지, 자기관찰능력을 활용하는지, 감정적 통찰능력이 적절히 기능하는지 살펴보아야 한다. 예를 들어, "인형이 부모님 방에 가고 싶대요"라고 했다면 이는 자신의 소망을 반영한 것이며 현실욕구의 반작용(counter-active reality)에 따른 감정욕구의 표현으로 생각해 볼 수 있다.

평가척도

5. 아이는 자신과 타인의 경험/감정 전체를 되돌아보고 성찰할 수 있다. 감정의 미묘한 변화를 감지하고 이를 장기적 관점의 자기, 가치, 목표와 비교하여 성찰하는 능력이 있다. 경험과 느낌에 대한 다양하고 복잡한 관계에 대해 이해할 수 있으며 새로운 도전에 있어 해당 연령에서 기대할만한 모든 범위의 성찰을 할 수 있다. 아이는 타인의 생각과 느낌을 이해하는데 순수한 관심을 보인다.
3. 아이는 자신과 타인의 현재 경험/감정을 되돌아 볼 수 있다. 이를 장기적 관점의 자기, 가

치, 목표와 비교해 볼 수 있지만 이는 연령에서 기대되는 수준의 일부 정도만 가능하며 타인에 대한 부분은 성찰하지 못한다. 강렬한 감정상태 혹은 심한 스트레스가 있을 때는 성찰적 능력이 저하되어 적절히 기능하지 못한다. 매 순간의 경험을 성찰하는 것은 간헐적으로 가능하다. 정동상태에 따라 타인에 대한 관심도가 변한다.

1. 감정과 경험에 대해 성찰할 수 없으며 심지어 현재의 상태에 대한 것조차 인식 못한다. 자기인식은 극단적 감정에 의해 제한되거나 아주 기본적인 단순한 감정만 느끼는 상태일 수 있고 혹은 미묘한 감정의 차이를 모르는 채로 단순하게 받아들이는 것일 수 있다. 자기인식은 결여된 상태로 분열화된 경향을 보일 수 있으며 전반적으로 타인에 대한 무관심한 양상이 관찰된다.

가장 유용한 평가 도구

소아청소년용 마음챙김평가(Child and Adolescent Mindfulness Measure)

소아청소년용 마음챙김평가(CAMM; Greco, Baer, & Smith, 2011)는 최근에 개발된 검사로 생각과 느낌에 대해 판단하지 않고 대답을 피하지 않고 현재시점의 인식을 평가하는 도구이다 (예: "나는 내 마음과 감정을 알고 싶지 않기 때문에 스스로를 매우 바쁘게 만든다"). 5점 평가척도를 이용하여 10 문항을 채점한다.

11. 내적기준과 이상을 설정하고 활용하는 능력(Capacity to Construct and Use Internal Standards and Ideals)

이 범주를 평가할 때, 임상의사는 아이가 가진 초자아가 얼마나 가혹한지, 얼마나 경직되어 있는지에 대해 관찰하고 알아보는 것이 필요하다(예: 가혹하게 스스로를 비판하는 아이는 자신이 완성한 작업을 찢어버리고, 경직된 초자아를 가진 아이는 지우고 다시 하는 것을 강박적으로 반복하는 모습을 보일 수 있다). 초자아 기능이 일관되게 고르지 못하고 주변사람의 설명과 부여하는 의미에 따라 반응을 번복하는 경우도 있을 수 있다. 임상의사는 가능하다면 '양성적 초자아(benign superego, "나는 다시 한번 시도해 보고 싶어")'와 '처벌적 초자아(punitive superego, "나는 항상 실패해")' 사이의 균형 잡힌 정도를 구체적으로 살펴보아야 한다. 4-11세 연령에서 관찰되는 능력의 특징을 다음의 가이드라인으로 요약하였다.

발달학적 가이드라인 : 4-11세의 내적기준과 이상을 설정하고 활용하는 능력

4 - 6세
도덕성은 자기감과 더불어 통합적으로 발달하며 부모의 가치(parental values)와 대인관계기준(interpersonal standards)을 추상적으로 내재화하기 시작한다. 금지된 행동과 충동은 수치심과 죄책감을 자극한다. 자기처벌과 내적 금기가 외부의(부모의) 압력을 대체하고 아이가 파괴적이고 성적인 성향을 자주 드러냄으로써 부모역할이 난국에 봉착한다. 이로 인해 아이와 주양육자 관계는 적대적으로 경쟁하고 대항하는 복잡한 사이로 변모한다.
7 - 8세
관계를 보존하기 위해서 아이는 부모의 요구에 적응한다. 환상 안에서 아이는 분노를 표출하고 부모가 사라지거나 죽어버리면 좋겠다고 순간적으로 소원하기도 할 수도 있다. 이 시기 아이들은 수치심을 쉽게 느끼는 경향을 보인다. 이는 전형적으로 외부로 비난을 투사하는 시도 혹은 퇴보에서 기인한다. 취약해지는 순간에는 분리(splitting)가 방어기제로 등장한다(예: "좋은 사람 vs. 나쁜 사람"을 주제로 놀이를 한다거나 형제관계 안에서 "맞다vs.틀렸다" 혹은 "공평vs.불공평"를 따진다). 또래들에게 자신의 실력이 드러나는 것과 관련된 불안으로부터 자기가치를 보호하기 위해 방어적 태도를 보인다 (예: "나는 피구는 안 할 거야. 왜냐하면, 재미없고 멍청해 보이는 놀이거든").
9 - 11세
정체성 확립과 내면화를 통해 스스로를 감독/제한/처벌/보상하는 능력이 향상되어 안정화된다. 정신기능이 매우 체계화되어 자기표상이 정교하게 발달하고 옳고 그름에 대한 내적기준의 내재화가 더 견고해진다. 죄책감을 다루는 능력이 잘 갖추어지며 문제를 개선하려는 노력을 한다. 자긍심과 역할모델의 행동이 안정적으로 내재화 된다. 잘 통합될수록 덜 가혹한 '내면의 목소리'로 변모하며 초기의 부모, 선생님, 타인을 내면화 했던 부분을 점차 자기내면의 목소리로 대체해나간다.

평가척도

5. 내적기준은 유연하며 아이 자신이 가진 현실적 능력과 사회적 맥락을 반영하여 설정되어 있다. 이를 통해 자존감을 함량 할 수 있는 풍부한 경험을 할 수 있다. 발달학적으로 적절한 범위 안에서 죄책감이 작용하며 이는 아이의 행동을 수정하고 교정하도록 하는 신호의 역할을 한다.
3. 내적기준과 이상이 경직된 경향을 보이며 때로 아이의 능력과 사회적 상황에서 내적기준이 적절히 작동하지 못한다. 죄책감을 느끼는 것은 행동을 수정하고 바로잡는 신호의 기능을 넘어 자기 비판적으로 작용한다.
1. 내적기준, 이상, 도덕감수성은 가혹하고 처벌적인 기대를 바탕으로 이루어져있다. 죄책감을 부인하며 이는 내면화 행동 및 외현화 행동과 관련되어있다. 대부분의 상황에서 내면적 기준, 이상, 도덕감수성이 설정되어 있지 않은 것처럼 보인다.

기본정신기능의 요약(Summary of Basic Mental Functioning)

성인편 2장의 M축, 청소년편 1장의 MA축에 대한 설명과 마찬가지로 표 4.2에서 기본정신기능에 대해 수량적 결과를 산출할 수 있도록 요약하였다. 이 장에서는 4-11세 연령대의 MC축 특성을 설명하였으며 내용의 상당부분은 스탠리 그린스팬(Stanley Greenspan)의 임상적 면담을 바탕으로 하였다. 그 외의 내용들은 저자들의 노력으로 임상적, 경험적 최신자료를 반영하였으며 소아의 임상적 평가를 위해 발달학적으로 적합한 가이드라인을 제시하기 위해 힘썼다.

표 4.2 기본정신기능의 요약: MC축

소아기본정신기능의 전반적 상태를 수량적 점수로 산출하기 위해 임상의사(평가자)는 5-1점 평가척도를 사용하여 11가지 능력에 해당하는 평가항목을 채점한다(표 4.2a). 총점은 11에서 55까지의 범위를 가지며 점수가 높을수록 잘 발달된/건강한 상태의 기본정신기능을 시사한다. 이 결과를 바탕으로 임상의사는 표 4.2b에서 제시한 7개의 범주(M01-M07)에 해당하는 수준을 평가할 수 있다.

표 4.2a MC축 능력: 총점

MC축 능력	평가 척도
1. 자기조절능력, 주의집중력, 학습능력	5 4 3 2 1
2. 정동조절능력, 의사소통능력, 이해능력	5 4 3 2 1
3. 정신화능력, 자기성찰능력	5 4 3 2 1
4. 정체성의 분화 및 통합능력	5 4 3 2 1
5. 관계형성능력, 친밀감능력	5 4 3 2 1
6. 자존감조절능력, 내적경험을 다루는 질적능력	5 4 3 2 1
7. 충동의 통제와 조절 능력	5 4 3 2 1
8. 방어기제 능력	5 4 3 2 1
9. 적응능력, 회복탄력성, 자아강도능력	5 4 3 2 1
10. 자기관찰능력	5 4 3 2 1
11. 내적기준과 이상을 설정하고 활용하는 능력	5 4 3 2 1
	총점 =

표 4.2b 정신기능의 수준(Levels of Mental Functioning)

정상 수준
M01. 건강한 정신기능(healthy = 50 – 55) 모든 혹은 대부분의 정신기능영역에서 매우 양호한 수준의 기능을 보이며, 여러 맥락을 넘나드는 상황에서 적응 및 유연성이 허용되는 범위 내 매우 약간의 편차를 보인다.
신경증 수준
M02. 괜찮은/적절한 정신기능, 일부 영역의 어려움 있음(good/appropriate = 43 – 49) 적절한 수준의 정신기능을 보이지만, 일부 특정영역의 어려움이 존재한다(예: 3개 혹은 4개 정신능력에서). 일부 영역의 어려움은 갈등 혹은 특정한 사건/상황과 관련된 것이다. *M03. 정신기능의 경도 손상(mild impairments = 37 – 42)* 경도의 경직성을 보이며 몇 가지 정신기능영역에서 유연성이 저하되어 있다. 주로, 자존감조절능력/충동통제/정동조절/방어기능/자기관찰능력과 같은 영역이 포함된다.
경계성 수준
M04. 정신기능의 중등도 손상 (moderate impairments = 30 – 36) 중등도의 경직성을 보이며 많은 혹은 대부분의 정신기능영역/정동의 질적 측면/관계의 안정성/정체성/정동범위의 조절 측면에서 유연성이 저하되어있다. 이 수준에 해당함은 '상당히 손상된 적응기능(significantly impaired adaptation)'을 반영한다. *M05. 정신기능의 주요한 손상(major impairments = 24 – 29)* 거의 대부분의 정신기능영역에서 주요한 손상 및 변동을 보인다(분열 경향이 관찰되며 자기-대상 구분의 어려움이 있다). 마찬가지로 삶의 중요한 주제(예: 사랑, 학교, 놀이)에 대한 감정/사고의 경험이 제한되어 있다.
M06. 정신기능 기본적 영역의 뚜렷한 결함 (significant defects= 17 – 23) 정신기능 기본적 영역의 뚜렷한 결함을 보이며 자기와 타인을 구분-통합(integration – differentiation of self and other)하지 못하며 체계적인 인식에 어려움이 관찰된다.
정신증 수준
M07. 정신기능 기본적 영역의 대부분/심각한 결함 (severe defects = 11 – 16) 정신기능 기본적 영역의 대부분에서 심각한 결함을 보이며 현실검증력이 손상된 상태이다. 분열화, 자신-대상의 구분불가, 지각이상, 사고 및 정동의 통합과 조절의 어려움, 한 가지 혹은 그 이상의 기본정신기능의 결함이 있다.

참고문헌

1. Capacity for Regulation, Attention, and Learning

Bauer, P. J., & Fivush, R. (Eds.). (2014). *The Wiley handbook on the development of children's memory.* Chichester, UK: Wiley-Blackwell.

Berninger, V. (2007). *PAL -II user's guide.* San Antonio, TX: Pearson.

Bliss, S. L. (2007). [Review of the Battelle Developmental Inventory— Second Edition.] *Journal of Psychoeducational Assessment, 25*(4), 409 – 415.

Clarebout, G., Horz, H., & Schnotz, W. (2010). The relations between self-regulation and the embedding of support in learning environments. *Educational Technology Research and Development, 58*(5), 573 – 587.

Conners, C. K. (1997). *Conners' Rating Scales— Revised: Technical manual.* North Tonawanda, NY: Multi-Health Systems. (Read more: *www. minddisorders.com/BrDel/ConnersRating Scales-Revised.html#ixzz3X6vn6bnv*)

Crone, E . A., Ridderinkhof, K. R., Worm, M., Van Der Molen, M. W., & Somsen, R. J. M. (2004). Switching between spatial stimulus-response mappings: A developmental study of cognitive flexibility. *Developmental Science, 7*, 443-455.

Dennis, T. A., Brotman, L . M., Huang, K. Y., & Gouley, K. K. (2007). Effortful control, social competence, and adjustment problems in children at risk for psychopathology. *Journal of Clinical Child and Adolescent Psychology, 36*, 442-454.

Eisenberg, N., Haugen, R., Spinrad, T. L., Hofer, C., Chassin, L., Zhou, Q., . . . Liew, J. (2010). Relations of temperament to maladjustment and ego resiliency in at-risk children. *Social Development, 19*, 577-600.

Fan, J., McCandliss, B. D., Fossella, J., Flombaum, J.I., & Posner, M. I. (2005). The activation of attentional networks. *NeuroImage, 26*, 471-479.

Gilliom, M., Shaw, D. S., Beck, J. E ., Schonberg, M.A., & Lukon, J. L . (2002). Anger regulation in disadvantaged preschool boys: Strategies, antecedents, and the development of self-control. *Developmental Psychology, 38*, 222-235.

Kester, S., Rakoczy, K., & Otto, B. (2010). Promotion of self-regulated learning in classrooms: Investigating frequency, quality, and consequences for student performance. *Metacognition and Learning,5*(2), 157-171.

Leon-Carrion, J., Garc í a-Orza, J., & Pé rezSantamar í a, F. J. (2004). Development of the inhibitory component of the executive functions in children and adolescents. *International Journal of Neuroscience, 114*, 1291-1311.

Lillas, C., & Turnbull, J. (2009). *Infant/child mental health, early intervention, and relationship-based therapies: A neurorelational framework for interdisciplinary practice*. New York: Norton.

Mayer, J. D., Caruso, D., & Salovey, P. (1999). Emotional intelligence meets traditional standards for an intelligence. *Intelligence, 27*(4), 267-298.

Montalvo, F. T., & Torres, M. C. (2008). Selfregulated learning: Current and future directions. *Electronic Journal of Research in Educational Psychology, 2*(1), 1-34.

Naglieri, J. A. (2008). *Naglieri Nonverbal Ability Test— Second Edition*. San Antonio, TX: Pearson. Naglieri, J. A., & Ford, D. (2003). Addressing underrepresentation of gifted minority children using the Naglieri Nonverbal Ability Test (N NAT). *Gifted Child Quarterly, 47*, 155-160.

Naglieri, J. A., & Goldstein, S. (2013). *Comprehensive Executive Function Index*. Toronto: MultiHealth Systems.

Newborg, J. (2005). *Battelle Developmental Inventory, Second Edition*. Itasca, IL: Riverside.

Rothbart, M. K., Ahadi, S. A., Herhey, K. L ., & Fiher, P. (2001). Investigations of temperament at three to seven years: The Children's Behavior Questionnaire. *Child Development, 72*, 1394-1408.

Rueda, M. R., Fan, J., McCandliss, B. D., Halparin, J. D., Gruber, D. B., Lercari, L . P., & Posner, M. I. (2004). Development of attentional networks in childhood. *Neuropsychologia, 42*, 1029-1040.

Schunk, D. H. (2001). Social cognitive theory and self-regulated learning. In B. J. Zimmerman & D. H. Schunk (Eds.), *Self-regulated learning and academic achievement: Theoretical perspectives*. Mahwah, NJ: Erlbaum.

Wechsler, D. (2012). *Wechsler Preschool and Primary Scale of Intelligence — Fourth Edition*. San Antonio, TX: Pearson.

2. Capacity for Affective Range, Communication, and Understanding

Bamford, C., & Lagattuta, K. H. (2012). Looking on the bright side: Children's knowledge about the benefits of positive versus negative thinking. *Child Development, 83*(2), 667-682.

Bellak, L ., & Bellak, S. S. (1949). *Children's Apperception Test*. Gracie Station, NY: Consulting Psychologists Press.

Bucci, W. (2001). Pathways of emotional communication. *Psychoanalytic Inquiry, 21*, 40-70.

Denham, S. A., & Weissberg, R. P. (2004). Socialemotional learning in early childhood: What we know and where to go from here? In E . Chesebrough, P. King, T. P. Gullotta, & M. Bloom (Eds.), *A blueprint for the promotion of prosocial behavior in early childhood* (pp. 13-50). New York: Kluwer Academic/ Plenum.

Diaconu, I. (2009). The influence of late adoption on maltreated children's non-verbal behavior and display of affect. *Revue Roumaine de Psychanalyse,2*, 154-167.

Epstein, M., & Sharma, J. (1998). *Behavioral and Emotional Rating Scale: A strength-based approach to assessment*. Austin, TX: PRO-ED.

Gresham, F., & Elliott, S. N. (2008). *Social Skills Improvement System Rating Scales*. San Antonio, TX: Pearson.

Kårstad, S. B., Kvello, O., Wichstrøm, L ., & BergNielsen, T. S. (2014). What do parents know about their children's comprehension of emotions?: Accuracy of parental estimates in a community sample of preschoolers. *Child: Care, Health and Development, 40*(3), 346-353.

Katan, A. (1961). Some thoughts about the role of verbalization in early childhood. *Psychoanalytic Study of the Child, 16*,

184–188.
Koch, E. (2003). Reflections on a study of temper tantrums in older children. *Psychoanalytic Psychology, 20*, 456–471.
Kromm, H., Färber, M., & Holodynski, M. (2015). Felt or false smiles?: Volitional regulation of emotional expression in 4-, 6-, and 8-year-old children. *Child Development, 86*(2), 579–597.
Krystal, H. (1978). Trauma and affects. *Psychoanalytic Study of the Child, 33*, 81–116.
Laurent, J., Catanzaro, S. J., Joiner, T. E., Jr., Rudolph, K. D., Potter, K. I., Lambert, S., . . . Gathright, T. (1999). A measure of positive and negative affect for children: Scale development and preliminary validation. *Psychological Assessment, 11*(3), 326–338.
Mayer, J. D., Caruso, D., & Salovey, P. (1999). Emotional intelligence meets traditional standards for an intelligence. *Intelligence, 27*(4), 267–298.
Mayer, J. D., & Salovey, P. (1997). What is emotional intelligence? In P. Salovey & D. Sluyter (Eds.), *Emotional development and emotional intelligence: Educational implications* (pp. 3–31). New York: Basic Books.
Morton, J. B., & Trehub, S. E. (2001). Children's understanding of emotion in speech. *Child Development, 72*(3), 834–843.
Novick, J., & Novick, K. K. (2001). Two systems of selfregulation. *Psychoanalytic Social Work, 8*, 95–122. Russ, S. (Ed.). (1999). *Affect, creative experience, and psychological adjustment*. Philadelphia: Brunner/Mazel.
Shields, A., & Cicchetti, D. (1997). *Emotion Regulation Checklist*. Princeton, NJ: Educational Testing Service.
Slochower, J. (2004). But what do you want?: The location of emotional experience. *Contemporary Psychoanalysis, 40*, 577–602.
Taumoepeau, M., & Ruffman, T. (2006). Mother and infant talk about mental states relates to desire language and emotion understanding. *Child Development, 77*(2), 465–481.
Thorlacius, O., & Gudmundsson, E. (2015). Assessment of children's emotional adjustment:Construction and validation of a new instrument. *Child: Care, Health and Development, 41*(5),641–776.

3. Capacity for Mentalization and Reflective Functioning

Astington, J. (2001). The future of theory-of-mind research: Understanding motivational states, the role of language, and real-world consequences. *Child Development, 72*, 685–687.
Baron-Cohen, S., Wheelwright, S., Hill, J., Raste, Y.,& Plumb, I. (2001). The "Reading the Mind in the Eyes" Test Revised Version: A study with normal adults, and adults with Asperger syndrome or highfunctioning autism. *Journal of Child Psychology and Psychiatry, 42*(2), 241–251.
Bassett, H. H., Denham, S. A., Mincic, M. M., & Graling, K. (2012). The structure of preschoolers'emotion knowledge: Model equivalence and validity using an SEM approach. *Early Education and Development, 23*, 259–279.
Begeer, S., Malle, B. F., Nieuwland, M. S., & Keysar, B. (2010). Using theory of mind to represent and take part in social interactions: Comparing individuals with high functioning autism and typically developing controls. *European Journal of Developmental Psychology, 7*, 104–122.
Bellak, L., & Bellak, S. (1949). *Children's Apperception Test*. Gracie Station, N Y: Consulting Psychologists Press.
Carlson, S. M., Moses, L. J., & Brenton, C. (2002). How specific is the relationship between executive functioning and theory of mind?: Contributions of inhibitory control and working memory. *Infant and Child Development, 11*, 73–92.
Carpendale, J. I., & Lewis, C. (2004). Constructing and understanding of mind: The development of children's social understanding within social interaction. *Behavioral and Brain Sciences, 27*, 79–151. Denham, S. A. (1986). Social cognition, prosocial behavior, and emotion in preschoolers: Contextual validation. *Child Development, 57*, 194–201. Denham, S. A., Bassett, H. H., Way, E., Mincic, M.,Zinsser, K., & Graling, K. (2012). Preschoolers'emotion knowledge: Self-regulatory foundations, and predictions of early school success. *Cognition and Emotion, 26*, 667–679.
Ensink, K. (2003). *Assessing theory of mind, affective understanding and reflective functioning in primary school-aged children*. Unpublished doctoral dissertation, University College London.
Ensink, K., Target, M., & Oandasan, C. (2013). *Child Reflective Functioning Scale scoring manual: For application to the Child Attachment Interview*. Unpublished manuscript, Anna Freud Centre, University College London.
Epstein, M. H., & Sharma, H. M. (1998). *Behavioral and Emotional Rating Scale: A strength-based approach to assessment*. Austin, TX: PRO-ED.
Fonagy, P., & Target, M. (1997). Attachment and reflective function: Their role in self-organization. *Development and Psychopathology, 9*(4), 679–700.
Fonagy, P., & Target, M. (2003). *Psychoanalytic theories: Perspectives from developmental psychopathology*. London:

Whurr.
Fonagy, P., & Target, M. (2006). The mentalization-focused approach to self-pathology. *Journal of Personality Disorders, 20*(6), 544-576.
Fonagy, P., & Target, M. (2007a). The rooting of the mind in the body: New links between attachment theory and psychoanalytic thought. *Journal of the American Psychoanalytic Association, 55*,411-456.
Fonagy, P., & Target, M. (2007b). Playing with reality: I V. A theory of external reality rooted in intersubjectivity. *International Journal of Psychoanalysis, 88*, 917-937.
Fonagy, P., Target, M., & Ensink, K. (2000). *The Affect Task*. Unpublished measure and coding manual, Anna Freud Centre, University College London.
Fonagy, P., Target, M., & Gergely, G. (2006). Psychoanalytic perspectives on developmental psychopathology. In D. Cicchetti & D. J. Cohen (Eds.), *Developmental psychopathology: Vol. 1. Theory and method* (2nd ed., pp. 701-749). Hoboken, NJ: Wiley.
Fonagy, P., Target, M., Steele, H., & Steele, M. (1998). *Reflective-functioning manual for application to Adult Attachment Interviews (Version 5)*. Unpublished manual, Psychoanalysis Unit, University College London.
Happé, F. (1994). An advanced test of theory of mind: Understanding of story characters' thoughts and feelings by able autistic, mentally handicapped, and normal children and adults. *Journal of Autism and Developmental Disorders, 24*, 129-154.
Hughes, C., & Leekam, S. (2004). What are the links between theory of mind and social relations?: Review reflections and new directions for studies of typical and atypical development. *Social Development, 13*, 590-619.
Katznelson, H. (2013). Reflective functioning: A review. *Clinical Psychology Review, 34*, 107-117. Kusche, C. A., Beilke, R. L., & Greenberg, M. T. (1988). *Kusche Affective Interview — Revised*. Unpublished measure, University of Washington, Seattle, WA.
Mayer, J. D., Caruso, D., & Salovey, P. (1999). Emotional intelligence meets traditional standards for an intelligence. *Intelligence, 27*(4), 267-298.
Mayer, J. D., & Salovey, P. (1997). What is emotional intelligence? In P. Salovey & D. Sluyter (Eds.), *Emotional development and emotional intelligence: Educational implications* (pp. 3-31). New York: Basic Books.
Meltzoff, A. (2007). "Like me" : A foundation for social cognition. *Developmental Science, 10*, 126-134.
Norris, C., Chen, E., Zhu, D. C., Small, S. L., & Cacioppo, J. T. (2004). The interaction of social and emotional processes in the brain. *Journal of Cognitive Neuroscience, 16*, 1818-1829.
Pons, F., & Harris, P. L. (2005). Longitudinal change and longitudinal stability of individual differences in children's emotion understanding. *Cognition and Emotion, 19*(8), 1158-1174.
Pons, M. F. D., Lafortune, L., Doudin, P. A., & Albanese, O. (Eds.). (2006). *Toward emotional competences*. Aalborg, Denmark: Aalborg University Press.
Shmueli-Goetz, Y., Target, M., Fonagy, P., & Datta, A. (2008). The Child Attachment Interview: A psychometric study of reliability and discriminant validity. *Developmental Psychology, 44*, 939-956. Siegal, M., & Varley, R. (2002). Neural systems involved in theory of mind. *Nature Reviews Neu-roscience, 3*, 463-470.
Sterck, E., & Begeer, S. (2010). Theory of mind: Specialized capacity or emergent property? *European Journal of Developmental Psychology, 7*, 1-16.
Sugarman, A. (2006). Mentalization, insightfulness, and therapeutic action: The importance of mental organization. *International Journal of Psychoanalysis, 87*, 965-998.
Target, M., Fonagy, P., Shmueli-Goetz, Y., Schneider, T., & Datta, A. (2000). *Child Attachment Interview (C A I): Coding and classification manual, Version III*. Unpublished manuscript, University College London.

4. Capacity for Differentiation and Integration

Alvarez, A. (2006). Some questions concerning states of fragmentation: Unintegration, underintegration, disintegration, and the nature of early integrations. *Journal of Child Psychotherapy, 32*,158-180.
Bergman, A. (2000). Merging and emerging: Separation-individuation theory and the treatment of children with disorders of the sense of self. *Journal of Infant, Child and Adolescent Psychotherapy, 1*, 61-75.
Denham, S. A. (1986). Social cognition, prosocial behavior, and emotion in preschoolers: Contextual validation. *Child Development, 57*, 194-201.
Fonagy, P., Target, M., & Ensink, K. (2000). *The Affect Task*. Unpublished measure and coding manual, Anna Freud Centre, University College London.

Happé, F. (1994). An advanced test of theory of mind: Understanding of story characters' thoughts and feelings by able autistic, mentally handicapped, and normal children and adults. *Journal of Autism and Developmental Disorders, 24*, 129-154.

Hodges, J., Hillman, S., Steele, M., & Henderson, K. (2004). *Story Stem Assessment rating manual*. Unpublished manuscript, Anna Freud Centre, University College London.

Kusche, C. A., Beilke, R. L., & Greenberg, M. T. (1988). *Kusche Affective Interview — Revised*. Unpublished manuscript, University of Washington, Seattle, WA.

Jemerin, J. M. (2004). Latency and the capacity to reflect on mental states. *Psychoanalytic Study of the Child, 59*, 211-239.

Lane, R. D., & Garfield, D. A. (2005). Becoming aware of feelings: Integration of cognitive-developmental, neuroscientific, and psychoanalytic perspectives. *Neuropsychoanalysis, 7*, 5-30.

Martin-Vallas, F., & Kutek, A. (2005). Towards a theory of the integration of the other in representation. *Journal of Analytical Psychology, 50*, 285-293.

Pons, F., & Harris, P. L. (2005). Longitudinal change and longitudinal stability of individual differences in children's emotion understanding. *Cognition and Emotion, 19*, 1158-1174.

Schore, A. N. (2003). *Affect dysregulation and disorders of the self*. New York: Norton.

Steiner, A. (2004). Containment, enactment, and communication. In E. Hargreaves & A. Varchevker (Eds.), *Pursuit of psychic change: The Betty Joseph Workshop* (pp. 136-150). London: BrunnerRoutledge.

Winnicott, D. W. (1965). *The maturational processes and the facilitating environment*. London: Hogarth Press.

5. Capacity for Relationships and Intimacy

Berlin, N. G. (2005). Tripartite treatment of childhood aggression: A view from attachment theory. *Journal of Infant, Child and Adolescent Psychotherapy, 4*, 134-155.

Forsyth, D. W. (1997). Proposals regarding the neurobiology of oedipality. *Psychoanalysis and Contemporary Thought, 20*, 163-206.

Gilmore, K. (2011). Pretend play and development in early childhood (with implications for the oedipal phase). *Journal of the American Psychoanalytic Association, 59*, 1157-1181.

Hodges, J., Hillman, S., Steele, M., & Henderson, K. (2004). *Story Stem Assessment rating manual*. Unpublished manuscript, Anna Freud Centre, University College London.

Knight, R. (2011). Fragmentation, fluidity, and transformation: Nonlinear development in middle childhood. *Psychoanalytic Study of the Child, 65*, 19-47.

Machover, K. (1949). *Personality projection in the drawing of the human figure*. Springfield, IL: Charles C Thomas.

Roberts, G. E. (2005). *Roberts Apperception Test for Children-2*. Los Angeles: Western Psychological Services.

Steele, M., Hodges, J., Kaniuk, J., & Steele, H. (2010). Mental representation and change: Developing attachment relationships in an adoption context. *Psychoanalytic Inquiry, 30*, 25-40.

Target, M., Shmueli-Goetz, Y., & Fonagy, P. (2002). Attachment representations in school-age children: The early development of the Child Attachment Interview (CAI). *Journal of Infant, Child and Adolescent Psychotherapy, 2*, 91-105.

6. Capacity for Self-Esteem Regulation and Quality of Internal Experience

Bornstein, B. (1951). On latency. *Psychoanalytic Study of the Child, 6*, 279-285.

Buhs, E. S., Ladd, G. W., & Herald, S. L. (2006). Peer exclusion and victimization: Processes that mediate the relation between peer group rejection and children's classroom engagement and achievement? *Journal of Educational Psychology, 98*, 1-13.

Friedman, R. C., & Downey, J. I. (2000). The psychobiology of the late childhood: Significance for psychoanalytic developmental theory and clinical practice. *Journal of the American Academy of Psychoanalysis, 28*, 431-448.

Harter, S., & Pike, R. (1984). The Pictorial Scale of Perceived Competence and Social Acceptance for Young Children. *Child Development, 55*, 1969-1982.

Hodges, J., Hillman, S., & Steele, M. (2004). *Little Piggy Narrative Story Stem coding manual*. Unpublished manuscript.

Knight, R. (2005). The process of attachment and autonomy in latency: A longitudinal study of ten children. *Psychoanalytic Study of the Child, 60*, 178-210.

Loewald, H. W. (1979). The waning of the oedipal complex. *Journal of American Psychoanalytic Association, 27*, 751-775.

Machover, K. (1949). *Personality projection in the drawing of the human figure*. Springfield, IL: Charles C Thomas.

Novick, J., & Novick, K. K. (1996). A developmental perspective of omnipotence. *Journal of Clinical Psychoanalysis, 5*, 129–173.

Roberts, G. E. (2005). *Roberts Apperception Test for Children –2*. Los Angeles: Western Psychological Services.

Seligman, S. (2003). The developmental perspective in relational psychoanalysis. *Contemporary Psychoanalysis, 39*, 477–508.

Veronneau, M. H., Vitaro, F., Brendgen, M., Dishion, T. J., & Tremblay, R. E. (2010). Transactional analysis of the reciprocal links between peer experiences and academic achievement from middle childhood to early adolescence. *Developmental Psychology, 46*, 773–790.

7. Capacity for Impulse Control and Regulation

Achenbach, T. M., & Rescorla, L. A. (2001). *Manual for A SEBA School-Age Forms and Profiles*. Burlington: University of Vermont, Research Center for Children, Youth, and Families.

Bronson, M. (2000). *Self-regulation in early childhood: Nature and nurture*. New York: Guilford Press.

Conners, C. K. (1997). *Conners' Rating Scales— Revised: Technical manual*. North Tonawanda, N Y: Multi-Health Systems.

Dawson, P., & Guare, R. (2010). *Executive skills in children and adolescents: A practical guide to assessment and intervention* (2nd ed.). New York: Guilford Press.

Denham, S. A., Wyatt, T. M., Bassett, H. H., Echeverria, D., & Knox, S. S. (2009). Assessing socialemotional development in children from a longitudinal perspective. *Journal of Epidemiology and Community Health, 63*(Suppl. 1), i37–i52.

Eisenberg, N., Smith, C. L., Sadovsky, A., & Spinrad, T. L. (2004). Effortful control: Relations with emotion regulation, adjustment, and socialization in childhood. In R. F. Baumeister & K. D. Vohs (Eds.), *Handbook of self-regulation: Research, theory, and applications* (pp. 259–282). New York: Guilford Press.

Harter, S., & Pike, R. (1984). The Pictorial Scale of Perceived Competence and Social Acceptance for Young Children. *Child Development, 55*, 1969–1982.

Kopp, C. B. (1982). Antecedents of self-regulation: A developmental perspective. *Developmental Psychology, 18*(2), 199–214.

Olson, S. L., Sameroff, A. J., Lunkenheimer, E. S., & Kerr, D. (2009). Self-regulatory processes in the development of disruptive behavior problems: The preschool-to-school transition. In S. L. Olson & A. J. Sameroff (Eds.), *Biopsychosocial regulatory processes in the development of childhood behavioral problems* (pp. 144–185). New York: Cambridge University Press.

Posner, M. I., & Rothbart, M. K. (2000). Developing mechanisms of self-regulation. *Development and Psychopathology, 12*(3), 427–441.

Rothbart, M. K. (1991). Temperament: A developmental framework. In A. Angleitner & J. Strelau (Eds.), *Explorations in temperament: International perspectives on theory and measurement* (pp. 61–74). New York: Plenum Press.

Rothbart, M. K., & Ahadi, S. A. (1994). Temperament and the development of personality. *Journal of Abnormal Psychology, 103*(1), 55–66.

Rothbart, M. K., Ellis, L. K., & Posner, M. I. (2004).

Temperament and self-regulation. In R. F. Baumeister & K. D. Vohs (Eds.), *Handbook of selfregulation: Research, theory, and applications* (pp. 357–370). New York: Guilford Press.

8. Capacity for Defensive Functioning

Benveniste, D. (2005). Recognizing defenses in the drawings and play of children in therapy. *Psychoanalytic Psychology, 22*, 395–410.

Bonfiglio, B. (2014). Analyzing defenses or the first glimmer of development? *Psychoanalytic Dialogues, 24*, 691–705.

Chazan, S. (2002). *Profiles of play*. London: Jessica Kingsley.

Chazan, S. E., & Wolf, J. (2002). Using the Children's Play Therapy Instrument to measure change in psychotherapy: The conflicted player. *Journal of Infant, Child and Adolescent Psychotherapy, 2*(3), 73–102.

Cramer, P. (2015). Change in children's externalizing and internalizing behavior problems: The role of defense mechanisms. *Journal of Nervous and Mental Disease, 203*, 215–221.

Egan, J., & Kernberg, P. F. (1984). Pathological narcissism in childhood. *Journal of the American Psychoanalytic Association, 32*, 39–62.

Freud, A. (1966). *The ego and the mechanisms of defense*. New York: International Universities Press. (Original work published 1936)

Laor, N., Wolmer, L ., & Cicchetti, D. V. (2001). The comprehensive assessment of defense style: Measuring defense mechanisms in children and adolescents. *Journal of Nervous and Mental Disease, 189*(6), 360–368.

Tallandini, M. A., & Caudek, C. (2010). Defense mechanisms development in typical children. *Psychotherapy Research, 20*(5), 535–545.

9. Capacity for Adaptation, Resiliency, and Strength

Donnon, T., & Hammond, W. (2007). A psychometric assessment of the self-reported Youth Resiliency: Assessing Developmental Strengths Questionnaire. *Psychological Reports, 10 0*, 963–978.

Fantuzzo, J., Sutton-Smith, B., Coolahan, K. C., Manz, P. H., Canning, S., & Debnam, D. (1995). Assessment of preschool play interaction behaviors in young low-income children: Penn Interactive Peer Play Scale. *Early Childhood Research Quarterly, 10*, 105–120.

Goodman, R. (1997). The Strengths and Difficulties Questionnaire: A research note. *Journal of Child Psychology and Psychiatry, 38*, 581–586.

LeBuffe, P. A., & J. A. Naglieri (1998). *The Devereux Early Childhood Assessment (DEC A)*. Villanova, PA: Devereux Foundation.

Liebenberg, L ., Ungar, M., & LeBlanc, J. C. (2013). The CYRM-12: A brief measure of resilience. *Canadian Journal of Public Health, 10 4*(2), 131–135.

Liebenberg, L ., Ungar, M., & Van de Vijver, F. (2012). Validation of the Child and Youth Resilience Measure-28 (CYRM-28) among Canadian youth. *Research on Social Work Practice, 22*(2), 219–226. Prince-Embury, S. (2005). The Resiliency Scales for Children and Adolescents as related to parent education level and race/ethnicity in children. *Canadian Journal of School Psychology, 24*(2),167–182.

Prince-Embury, S. (2006). *Resiliency Scales for Children and Adolescents: Profiles of personal strengths*. San Antonio, TX: Harcourt Assessment. Rutter, M. (2012). Resilience as a dynamic concept. *Development and Psychopathology, 24*, 335–344. Rutter, M., & The ER A Research Team. (1998) Developmental catch-up, and deficit, following adoption after severe global early privation. *Journal of Child Psychology and Psychiatry, 39*, 465–476.

10. Self-Observing Capacities (Psychological Mindedness)

Baer, R. (2003). Mindfulness training as a clinical intervention: A conceptual and empirical review. *Clinical Psychology: Science and Practice, 10*(2),125–142.

Bartsch, K., & Wellman, H. M. (1995). *Children talk about the mind*. Oxford, U K: Oxford University Press.

Burke, C. A. (2010). Mindfulness-based approaches with children and adolescents: A preliminary review of current research in an emergent field. *Journal of Child and Family Studies, 19*(2), 133–144.

Carpendale, J. I. M., & Lewis, C. (2004). Constructing an understanding of mind: The development of children's social understanding within social interaction. *Behavioral and Brain Sciences, 27*, 79–151.

Farrell, L ., & Barrett, P. (2007). Prevention of childhood emotional disorders: Reducing the burden of suffering associated with anxiety and depression. *Child and Adolescent Mental Health, 12*(2),58–65.

Galantino, M., Galbavy, R., & Quinn, L . (2008). Therapeutic effects of yoga for children: A systematic review of the literature. *Pediatric Physical Therapy, 20*(1), 66–80.

Goodman, R. (1997). The Strengths and Difficulties Questionnaire: A research note. *Journal of Child Psychology and Psychiatry, 38*, 581–586.

Greco, L ., & Hayes, S. C. (2008). *Acceptance and mindfulness treatment for children and adolescents: A practitioner's guide*. Oakland, CA: New Harbinger.

Greco, L . A., Baer, R. A., & Smith, G. T. (2011). Assessing mindfulness in children and adolescents: Development and validation of the Child and Adolescent Mindfulness Measure (CAMM). *Psychological Assessment, 23*, 606–614.

Greenspoon, P. J., & Saklofske, D. H. (2001). Toward an integration of subjective well-being and psychopathology. *Social Indicators Research, 54*, 81–108. King, A. (2013). Healing childhood trauma: Connecting with present experience and body-based insights. *Attachment: New Directions in Psychotherapy and Relational Psychoanalysis, 7*, 243–258.

Liebenberg, L ., Ungar, M., & LeBlanc, J. C. (2013). The CYRM-12: A brief measure of resilience. *Canadian Journal of Public Health, 10 4*(2), 131–135.

Liehr, P., & Diaz, N. (2010). A pilot study examining the effect of mindfulness on depression and anxiety for minority children. *Archives of Psychiatric Nursing, 24*(1), 69–71.

Perner, J., & Wimmer, H. (1985). John thinks that Mary thinks that: Attribution of second-order beliefs by 5to 10 -year-old children. *Journal of Experimental Child Psychology, 39*, 437–471.
Prince-Embury, S. (2006). *Resiliency Scales for Children and Adolescents: Profiles of personal strengths*. San Antonio, TX: Harcourt Assessment. Siegel, D. J., & Bryson, T. (2011). *The whole-brain child*. New York: Delacorte Press.
Silverman, W., Pina, A., & Viswesvaran, C. (2008). Evidence-based psychosocial treatments for phobic and anxiety disorders in children and adolescents. *Journal of Clinical Child and Adolescent Psychology, 37*(1), 105–130.
Symons, D. K. (2004). Mental state discourse, theory of mind, and the internalization of self-other understanding. *Developmental Review, 24*, 159–188.
Twemlow, S., Sacco, F., & Fonagy, P. (2008). Embodying the mind: Movement as a container for destructive aggression. *American Journal of Psychotherapy, 62*(1), 1–33.
Varni, J. W., Seid, M., & Rode, C. A. (1999). The PedsQ: Measurement model for the pediatric quality of life inventory. *Medical Care, 37*, 126–139.
Williams, J. M. G. (2010). Mindfulness and psychological process. *Emotion, 10*(1), 1–7.

11. Capacity to Construct and Use Internal Standards and Ideals

Baldwin, E . (2014). Recognizing guilt and shame: Therapeutic ruptures with parents of children in psychotherapy. *Psychoanalytic Social Work, 21*,2–18.
Barish, K. (2006). On the role of reparative processes in childhood: Pathological development and therapeutic change. *Journal of Infant, Child and Adolescence Psychotherapy, 5*, 92–110.
Bernstein, P. P. (2004). Mothers and daughters from today's psychoanalytic perspective. *Psychoanalytic Inquiry, 24*, 601–628.
Bird, H. R. (2001). Psychoanalytic perspectives on theories regarding the development of antisocial behavior. *Journal of the American Academy of Psychoanalysis, 29*, 57–71.
Drexler, P. F. (2001). Moral reasoning in sons of lesbian and heterosexual parent families: The oedipal period of development. *Gender and Psychoanalysis, 6*, 19–51.
Freud, A. (1952). The mutual influences in the development of ego and id: Introduction to the discussion. *Psychoanalytic Study of the Child, 7*, 42–50.
Greco, L . A., Baer, R. A., & Smith, G. T. (2011). Assessing mindfulness in children and adolescents: Development and validation of the Child and Adolescent Mindfulness Measure (CAMM). *Psychological Assessment, 23*, 606–614.
Lampl-de Groot, J. (1957). The role of identification in psychoanalytic procedure. *Psychoanalytic Quarterly, 26*, 581–582.
Loewald, H. W. (1985). Oedipus complex and development of self. *Psychoanalytic Quarterly, 54*,435–443.
Oppenheim, D., Emde, R. N., Hasson, M., & Warren, S. (1997). Preschoolers face moral dilemmas: A longitudinal study of acknowledging and resolving internal conflict. *International Journal of Psychoanalysis, 78*, 943–957.
Rangell, L . (1972). Aggression, Oedipus, and historical perspective. *International Journal of Psychoanalysis, 53*, 3–11.
Stapert, W., & Smeekens, S. (2011). Five year olds with good conscience development. *Psychoanalytic Study of the Child, 65*, 215–244.

CHAPTER **5**

PSYCHODYNAMIC DIAGNOSTIC MANUAL

아동기에 나타나는 인격 패턴 및 어려움, PC축

| 김성화 |

서론

어린 아이들에게는 시간이 지남에 따라 지속될 수 있는 인격(personalities)과 특징(traits)이 있다. 비록 이것이 최근의 정신 장애 진단 및 통계 매뉴얼(DSM)의 인격 장애 범주에 포함되지 않더라도 평가되어야 한다. 정신 건강 서비스를 찾는 대부분의 아이들이 인격 문제가 아니라는 것은 주목할 필요가 있다. 오히려 아이들은 행동이나 학습의 어려움과 관련되어 가장 자주 의뢰된다. 아직 인격 변수는 대개 행동, 대인 관계 및 학교에서의 어려움과 연관이 많고, 아이들의 치료와 임상 증상을 특정 방식으로 변형할지도 모른다. 아이들의 인격은 진화하기 때문에, 우리는 여기서 최근에 나타나는 인격 패턴에 대해서만 이야기하고자 한다. 인격 패턴은 다른 사람들을 사귀고 주어진 환경에서 제시된 기회와 도전에 대처하는 특징적인 방법이다. 또한 인격패턴은 인생의 여러 단계에서 장점을 활용하고 취약점과 씨름 하는 것을 포함한다. 이러한 패턴 또는 스타일은 어린 시절에 형성되기 시작하여 평생 계속 발전한다.

이 장에서는 4-11세 아동의 평가 및 치료와 관련된 임상 지침을 치료자들에게 제공하고자 한다. 이 시기를 사춘기와 분리함으로써, 우리는 아이들의 최근에 나타나는 인격 구조에서 각 발달 단계의 특성과 증상의 이해에 미치는 영향을 알아보고자 한다. 기존 연구, 이론 및 아이들에 대한 임상 경험을 바탕으로(Caspi, Roberts & Shiner, 2005; Shiner & Caspi, 2003; Roberts & DelVecchio, 2000), PDM-2 그룹은 이 연령대의 어린이들에서 인격 장애를 진단하거나 혹은 나중에 어떤 특정한 인격 장애로 발전할 것으로 예상되는 어떤 특성을 구분하는 것은 부당하다는 결론을 내렸다. 이 설명서의 다른 부분에서 언급했듯이, 진단에 대한 DSM 접근법은 범주형(categorical)이고, PDM-2 접근 방식은 차원적(dimensional)이다. 인격 발달은 구별되는 범주보다는 차원의 개념이며, 아이들 삶의 성공-생산적으로 일하고, 만족스러운 대인 관계를 형성하고, 타고난 창조성을 실현시키는-을 향상시키거나 방해하는 것들을 대처하는 것을 포함한다. 우리의 방향은 DSM의 시도처럼 통합함으로써 비이론적이지 않다. 이 시기에 나타나는 인격 특성을 어떻게 그리고 왜 고려해야 하는지에 대한 질문은 복잡하지만, 우리는 이것이 훈련(training), 감독(supervision), 처방 및 치료를 하는 데 있어 가치가 있다고 믿는다.

발달 정신 병리학의 연구는 초기 인격 특성이 DSM-5 (American Psychiatric Association, 2013) 또는 국제 질병 분류(ICD-10, 세계 보건기구, 1992)에 의해 정의된 특정 인격 장애 또는 추후 인격 병리의 발달을 반드시 예측하지 못한다고 한다. Caspi와 동료(2005)는 어린 아이들이 '빠르고 광범위하게' 발달 변화를 경험한다고 지적한다(pp. 456). 예를 들어 아동의 인지 기능이 시간의 경과에 따라 상당히 안정적으로 유지된다 할지라도, 아동의 심리 평가는 아동의 현재 상태의 지적 기능을 분리해 명시할 뿐 미래의 IQ점수를 예측하지는 못한다. 우리는 이와 똑같은 고려를 인격 장애 진단에 적용한다. 예측 가능함의 이슈에도 불구하고, 취약성 및 위험인자-선척적 또는 환경 요인, 또는 둘 모두-를 가진 아이들은 발달 단계에 어려움이 있거나 낮은 수준의 인격장애 진단을 충족시키는 정신병리의 취약성이 증가할 수 있다(Bleiberg, 2001; Cicchetti, 2006; Geiger & Crick, 2010; Price & Zwolinski, 2010; Sroufe, 1997). 따라서 특정 요소가 정신 병리학의 발달을 증가시킬 수 있지만, 동일한 취약성과 위험 요소를 가진 모든 어린이가 심한 정신 병리학을 발전시킬 것이라고 말할 필요는 없다(Kraemer, Stice, Kazdin, Oord, & Kupfer, 2001; Price & Zwolinski, 2010). 발달은 복잡하고 신뢰할 수 있는 예측을 할 수 없다.

증상을 넘어 아이들의 새로운 인격과 그것이 심리적 적응에 미치는 영향을 살펴보는 것이 중요하다. 아이들은 천천히 진화하는 인격을 가지고 있으며 중요한 가족, 환경 또는 신체 건강의 혼란에 의해 침범 당하지 않는 한 두드러지게 변화하지 않는다는 것을 명심해야 한다. 일부 어린이들은 일반적으로 방어적(defensivenss), 견고성(rigidity)과 관련된 과제에 반응하고, 일부는 개방성(openness)과 유연성(exibility)과 관련된 과제에 반응합니다. 어떤 아이들은 권위적인 대상에 방어적이고 타협하지 않으려는 태도로 반응하기 시작합니다. 일부 아이들은 완벽주의적이고 부모 또는 선생님들로부터의 인정이나 인정받지 못함에 사로잡힌다. 어떤 아이들, 10세 이전임에도, 공감이 부족하고 다른 사람들의 감정을 무시하기도 한다. 대조적으로, 다른 아이들은 종종 자신이 필요한 것을 표현하지 못하며, 다른 사람이 행복하다는 것을 확인하는 데 지나치게 관심을 가진다. 어떤 어린이들은 또래 친구 관계에서 우월감과 오만함을 보인다. 다른 아이들은 수줍음, 도전하지 못하며, 또래 관계에서의 어려움을 보인다. 그리고 어떤 어린이들은 나이에 적절하지 않게 의심하는 경향과 다른 사람을 비난하는 경향을 벌써 보인다.

이러한 개별적인 반응이 형성되고 시간이 지남에 따라 연속성을 획득할 수도 있지만, 이런 반응들은 또한 아이들의 삶의 경험에서 독특한 기질과 발달 특성과 혼합되어 의미를 가질 수 있다. 예를 들어, 방어적인 것과 견고함은 '높은 반응성' 기질과 연관될 수 있는데, 이러한 기질을 가진 아동들은 평범한 삶의 경험도 위협으로 받아들이게 된다. 권위에 대해 반감을 가지는 것은 '의도를 파악하기 어려운' 아이들에게 나타날 수 있는데, 이러한 아이들의 부모는 자신도 모르게 비현실적인 기대를 한다. 공감이 부족한 아이는 상호 교류에 있어 다른 사람들의 정서에 대해 배우는 것이 어려운 사회적 관계를 가지는 신경발달 장애가 있을지 모른다. 이와는 별개로, 새로 나타나는 인격 패턴과 관련된 것은 새로운 방어 스타일이다: 받아들이는 위협 수준에 대한 무의식적으로 결정된 특징적 행동, 인지, 정서적 적응이다.

이러한 성격 패턴의 기원이 무엇이든 체크하지 않으면 대개 어른 및 친구들과 반복되는 부정적인 상호작용을 하게 되고, 아이들의 사회적, 정서적 적응에 심각한 어려움을 초래한다. 그러므로 인격 패턴을 평가하고 치료적 중재하는 것은 적절하고 중요한 목표이다. 생활 환경, 경험 및 성숙은 상당부분 아이들의 인격 패턴을 변화시킬 수 있다; 이러한 인격 패턴과 그에 상응하는 행동은 아이들을 돌보는 사람들로부터 다양한 반응을 불러일으키는데, 이것이 추후 인격 발달을 변화시킨다. 형제나 부모에 국한되지 않고, 아이를 둘러싼 가족 전체의 다이나믹은 자신과 타인을 표현하는 아이들의 발달에 직접적으로 영향을 준다. 임상가는 가족 시스템 및 더 큰 사회문화적 맥락에서 아이를 이해하는 것을 목표로 해야 한다.

아이들의 경험이나 노출은 인격에 어려움이나 인격장애 가능성을 높인다. 이러한 위험 요인(예: 빈곤, 학대, 폭력에 노출, 외상, 부모의 약물 남용)은 스트레스 및 취약성을 높이는 역할을 하는 '양육'' 문제로 막연히 기술될 수 있다. 내재적 취약성에는 인지, 신경 생물학, 유전적 요인, 기질 등과 관련된 특성을 포함한다. 독자는 이러한 변수들이 아이들의 보호 인자(protective factor) 또는 취약성(vlunerability) 역할을 할 수 있음을 알아챘을 것이다(Luthar & Zigler, 1991; Rutter, 1987). 인격 발달과 정신 병리의 발달은 더이상 선천적(nature)이나 양육(nurture)의 문제가 아니라, 오히려 그들의 후성 유전학적 상호작용(epigenetic interaction)의 문제이다. 취약성, 위험 인자 및 보호 인자의 교차점이 우리의 발달적 접근의 중심에 있다(cf. Cicchetti & Cohen, 2006).

이러한 고려와 Cohen (2008), Cicchetti과 Cohen (2006) 연구에 부합하여, 우리는 아이들의 인격 발달에 있어 위험인자 및 보호인자뿐 아니라 후성 유전학, 기질, 신경 생물학, 애착 양식, 사회 문화적 요소 및 방어 스타일의 역학을 알아보았다. 우리는 이 변수들이 어떻게 정신 기능의 평가가 아이들의 인격 구성에 대한 평가에 통합할 수 있는지를 보여주기 위한 임상 일러스트레이션을 제공하였다. 우리는 인격 특성을 특정 인격 장애와 연관시키지 않았지만, P. F. Kernberg, Weiner 및 Bardenstein 및 다른 연구자들(O.F. Kernberg, 1975, Lerner, 1991, Mc-Williams, 2011)이 설명했던 것과 일치되게 정상에서 정신병에 이르기까지 인격 구성의 레벨을 나타내는 아동들의 프로파일을 제공하고자 시도했다. 마지막으로 우리는 아이들의 성격을 평가하는 데 유용한 도구를 기술했다.

우리는 임상의가 각 아이들의 현재 기능을 여러 시선을 통해 고려하도록 했다. 우리의 목표는 아이를 분명히 묘사하고 치료 방향을 효과적으로 제시하는 데 필요한 드러나는 인격 특성, 스타일, 어려움을 인식하는 것을 도와주는 것에 있습니다. 보다 구체적으로는 다음과 같은 방식으로 아이들의 인격 발달을 평가하고 설명하고자 한다:

- 임상의가 자신의 강점과 단점을 더 잘 이해할 수 있도록 도와준다.
- 치료를 계획하고 사례를 기술(case formulation)하는 데 유용하다.
- 더 깊은 이해를 촉진하고, 관계를 개선하며 치료 성공 가능성을 극대화하기 위해 임상가와 부모 사이에 있어야 하는 의사소통 및 협업을 도와준다. 우리는 부모님이 자녀를 누구보다 명확하게 이해하도록 돕는 것을 우선시하며, 아이를 진단적 카테고리에 맞추지 않고, 확신할 수는 없지만 예후에 영향을 준다고 생각되는 아이들이 자신, 다른 사람, 세상을 어떻게 보는지 알고자 한다.

우리는 또한 임상가가 부모가 자녀에게 적응하도록 도움을 주어 성공적인 아동 심리치료의 핵심인 치료 동맹을 형성할 기회를 증가시킴으로써 향상된 치료 계획을 가지도록 통찰력을 제공하였다. 마찬가지로, 아동의 가능성 및 내적 활동에 대한 포괄적인 설명을 아동을 돕기 위해 애쓰는 교사, 소아과 의사, 그리고 다른 전문가들이 알 수 있도록 하였다.

나타나는 인격 패턴과 어려움에 대한 프로필 개발(Developing a Profile of Emerging Personality Patterns and Difficulties)

아이들의 새로운 인격 패턴은 상대적으로 건강한 아이 및 손상된 아이들의 연속성 속에 존재한다. 인격 장애의 심각성은 MC Axis(4장, 특히 **표 4.2**, pp. 263-264)를 통해 평가할 수 있다. 임상의는 MC Axis의 구성 요소를 사용하여 전반적인 고통과 손상의 심각성을 반영하는 단일 연속체에서 아동의 성격을 파악할 수 있다. P. F. Kernberg 및 동료들(2000)에 따르면 이러한 중증도의 영역에는 건강함(healthy), 신경증(neurotic), 경계선(borderline) 및 정신병(psychotic)을 포함한다. 그러나 발달하는 아기에게 영향을 미치는 내인성 및 외인성 요인 내에 관련된 정신 기능을 제외하고 인격 기능을 생각하는 것은 불충분하다. 다음 섹션에서는 아이들의 인격 발달을 형성하는 데 있어 중요한 요소를 기술하고자 한다. 각 요소는 (1) 후성 유전학, (2) 기질, (3) 신경 심리학, (4) 애착 양식, (5) 방어 기제, (6) 사회 문화적 요인을 포함한다. 각 요소는 MC축의 구성 요소와 직접적으로 관련이 있다.

경험적 기록을 통해 아이들의 주관적인 경험, 대처 스타일 및 관계 패턴들의 내부 조직과 구조의 출현을 알려주는 위험인자 및 보호인자 및 이를 만들어내는 유전적, 정신사회적 변수의 상호작용에 대한 이해가 증가하고 있다. 아래에서는 아동의 새로운 성격을 이해하려고 할 때 고려해야 할 요소에 대해 간략히 검토해보았다.

후생 유전학(Epigenetics)

'선천적' 및 '양육'의 상대적 영향력에 관한 역사적인 논쟁에서 아동 발달 분야는 두 가지 모두의 인과 관계를 인식했다. 그럼에도 불구하고 양육이 임상적 영향을 더 많이 받기 때문에, '양육'에 대한 강조가 더 커지고 있다. 즉 출생 후의 가족 환경이 개인차의 주요 결정 요인이 된다. 대조적으로, 발달 생물학과 신경 과학은 '선천적' 시선을 통해 발달을 보는 경향이 있다. 'Big Five' 형질에 대한 유전적 영향에 대한 연구(Bouchard & Loehlin, 2001)에서는 유전 이 각각의 형질에 중요한 역할을 한다고 했다. 인지 기능이 인격의 주요 구성 요소라고 생각할 때 환경 및 육아에서처럼 유전학은 특히 초기에 IQ 및 신경 생물학에 특히 중요한 역할을 한다.

후성 유전학의 새로운 영역은 이러한 다양성의 관점을 놀랍고 흥미로운 방식으로 결합할 수 있도록 해준다. 역사적으로 '후성 유전학'은 표현형의 다양성을 유발하는 유전자와 환경 사이의 역동적인 상호작용을 기술하는 용어로 사용했다. 유전자 서열보다는 유전자 발현의 변이가 후성 유전학 연구의 핵심 개념이다. 후성 유전학이 심리적 장애에 영향을 미친다는 것을 조사한 많은 연구가 있다. 후성 유전학은 조현병, 양극성 장애, 우울증, 불안 장애 및 주의력 결핍 및 과다 행동 장애에 중요한 역할을 할 수 있다.

신경 과학 및 신경 심리학에 관한 많은 연구에서는 아동의 자기 조절 및 실행 기능의 발달에 대한 후성 유전학적 모델이 유용하다고 제안한다(Bridgett, Burt, Edwards, Deater- Deckard, 2015, Nahum, 1994). 돌봄의 질은 아동이 역경(예 : 빈곤, 학대, 외상)과 이와 연관된 생리학적, 신경 생물학 및 심리적 발달 사이의 연관성을 결정하는 중요한 요소로 나타났다(Schore, 2003). 이 과정에서 스트레스 호르몬 레벨은 중요한 매개를 하는데, 주의력, 정서 및 작업 기억 등을 포함하는 자기 조절에 중요한 신경계의 발달과 연관되며, 아이들의 인지 및 사회-정서적 발달이 경험에 의해 변형되기 때문이다. 후성 유전학적 모델은 스트레스에 대한 반응성 및 회복탄력성의 개별차에 있어 세대 간 전파에 관한 연구의 기초를 제공했다. 문제는 유전되는 것 하나가 아니라 유전의 방식이다.

후성 유전학적 연구에서는 역경에 만성적으로 노출되면 그 환경에 적응하도록 생리학적 및 행동학적 발달이 활발히 변형된다고 한다. 역경 및 손상된 양육환경에 인격이 적응하는 것은 단기적으로는 도움이 되는 적응이지만, 장기적으로는 나쁜 결과를 초래한다. 이러한 절충안의 핵심 의미는 자기 조절이 변화될 수 있다는 것이다. 즉, 경험에 의한 변형된 발달은 개선될 수 있고 되돌아갈 수 있는 기회를 제공한다. 발달적, 심리생물학적 관점에서 경험과 생물학적 영향은 매우 얽혀 있다.

부모와 함께 작업하는 것은 이 관점에서 치료의 중심적 요소이다. 따뜻함, 반응성, 민감성 및 일관성의 높은 수준을 유지하도록 양육자를 도와주는 것은 생리학적으로 스트레스를 좀 더 유연하게 조절하도록 해주고, 이는 자기 조절을 위한 아이들의 실행 기능 및 역량에 직접적인 영향을 줍니다. 이것은 아동의 유전적으로 결정된 형질이 자녀 양육 방식에 영향을 줄 것이라는 이해와 함께 수행되어야 한다(Ge 외, 1996). 조기 개입과 관련된 아동 치료 결과는 부모 행동의 변화와 항상 상관 관계가 있다. 부모의 행동이 변화에 저항하는 경우 치료 결과가 더 제한적이다. 이러한 관점에서 볼 때, 조기 개입과 양육에 초점을 두는 것은 아동뿐 아니라 후속 세대를 위한 긍정적인 결과에도 중요하다.

기질(Temperament)

지난 수십 년 동안 발달 심리학은 대부분의 부모가 항상 직관적으로 알고 있는(그리고 모든 아동 치료사들이 빨리 배우는 것) 것을 결론적으로 확립했다: 아이들은 매우 다른 기질로 삶을 시작한다. 일부 아이들은 '쉬운' 아이로 일부는 '어려운' 아이로; 일부는 억제되어 있으며, 다른 일부는 활동적이고 충동적이다. 기질은 대체로 '생물학적으로 뿌리 내리고 비교적 안정적인 개별 아동의 행동 경향 차이'로 정의된다(Wachs, 2006, 성인편 pp. 17-18). 이러한 행동 양식은 개인이 자신의 환경에 어떻게 반응하는지 영향을 주고, 시간이 지나면서 점차 안정화된다고 생각된다(Caspi et al., 2005; Nigg, 2006; Shiner, 2006; Zeanah & Fox, 2004). 초기 관점과는 반대로, 최근에는 기질이 실제로 환경에 의해 영향을 받을 수 있다는 것을 강조한다(Shiner & Caspi, 2003). 사실 환경의 중요성은 기질의 정의에서 명백한데, 환경은 아동이 특징적인 반응 패턴을 보이는 데 필요한 자극을 제공하기 때문이다.

고전적인 뉴욕 종적 연구(omas & Chess, 1977)에서 시작해, 몇몇 기질에 대한 기술(예: '천천히 발동이 되는' 아동('slow-to-warm up' child))은 공통된 어휘 문화가 되었다. 기질에 대한 다른 견해가 존재하지만, Mervielde, De Clercq, De Fruyt, Van Leeuwen (2005)은 '감정(emotionality)', '외향성(extraversion)' 및 '활동성(activity)'과 같은 세 가지 일관된 요소를 확인했다. omas와 Chess (1977)는 '지속성(persistence)'을 네 번째 요소로 분류했다. 감정은 부정적인 감정, 부정적인 정동 및 고통/분노를 강조한다. 외향성은 수줍음, 억제, 사회적 공포, 긍정적 감정과 같은 문제를 포착한다. 활동성은 아동의 활동 수준을 나타내며, 지속성은 과제를 지속하기 위한 끈기있는 통제와 능력을 의미한다.

발달 심리학 분야에서 성격과 기질 사이의 관계는 불분명하다. 어떤 사람들은 아동기 때의 기질이 성인에서의 인격과 많은 부분 겹친다고 주장하고(Mervielde et al., 2005), 둘 모두 주로 유전학에 의해 결정된다고 한다(Goldsmith, 1983; Plomin & Caspi, 1999). 이 입장은 미취학 아동의 기질이 성인기에도 성격을 측정했을 때 상대적으로 안정성을 보인다는 것에 의해 뒷받침된다(Caspi & Roberts, 1999; Roberts & DelVecchio, 2000). 다른 사람들은 기질을 성격의 한 차원으로 보고 있다(Kernberg & Caligor, 2005). 한 가지 관점은 기질이 유아기 때는 전체 성격을 대표하지만 아동기, 청소년기 및 성인기에는 성격의 일부만을 나타낸다고 한다(Shiner & Caspi, 2003). 최근 연구는 환경에 의해 유발된 행동 반응 및 반응의 조절을 나타내는 신경계에 대한 이해를 제공하고 있는 생물행동학적 관점을 강조한다(Depue & Lenzenweger, 2005; Nigg, 2006).

널리 활용되는 다섯 요소 모델을 사용해(FFM, 'Big Five'라고도 함) 인격 특성을 조사하는 연구에서는 아동기와 기질, 성인기의 특성 사이에서의 상당부분 중복됨을 일관되게 강조한다(5가지 요소에는 외향성(extraversion), 동의(agreeableness), 양심(conscientiousness), 신경증(neuroticis) 및 경험에 대한 개방성(openness to experience)이 포함된다). 예를 들어, Shiner와 Caspi (2003)는 FFM 및 기질 모두를 통합하여 아동과 청소년기에 나타나는 높은(higher) 및 낮은(lower) 인격 특성에 대한 분류를 제안한다. 이 분류는 부정적 정서가 신경증에 관련되고, 긍정적 정서가 외향성과 관련되며, 통제가 양심과 연관된다는 것을 강조하는 Rothbart, Ahadi, Hersey 및 Fisher (2001)의 연구에 부분적으로 근거한다. Rothbart와 동료들은 네 번째로 동의(agreeableness)에 대한 기질을 확인했다. 기질에 관한 연구가 유년기로부터 시작되어 이제는 성인기에 대한 연구로 확장되었지만, FFM은 원래 성인의 인격에서 5개의 영역을 확인했으며 이제는 아동 및 청소년의 이해에 대한 연구에 적용하고 있다(John, Caspi, Robins, Mott, & Stouthamer-Loeber, 1994).

기질에 대한 연구는 아동 심리 치료 및 부모 조언에 엄청난 유익한 영향을 주었다. 어린이들이 여러 면에서 종종 '어렵다'는 이해는 부모의 죄책감을 완화시키고 어린이의 증상과 성격의 발달에 영향을 미치는 여러 요인에 대해 훨씬 더 풍부하고 (그리고 더 유효한) 이해를 가능하게 한다. 부모가 일상적으로 아이들의 정서 및 행동 문제를 비난했던 시대는 다행히도 과거의 것이다.

기질의 중요성에 대한 인식은 아동의 인생 경험의 중요성을 부인하지 않는다. 아이의 기질은 복잡한(종종 순환적인) 방법으로 초기 경험과 상호작용한다. 이 상호작용은 원래 양육자와 아이 사이의 '적합성에 대한 이로움(goodness of fit)'에 대한 개념이었다(Chess & omas, 1991). 수줍음이 많고 억압된 기질을 가진 아이가 지지 및 격려를 받으면 덜 수줍게 될 수 있다; 충동적인 아이들은 향상된 행동 통제와 자기 조절력을 발전시킬 수 있다(또는 처벌적인 환경에서는 점점 더 충동적이고 반항적이 될 수 있다). omas, Chess, Birch, Hertzig과 Korn (1963)은 어려운 기질을 보이는 아이에게 양육자가 따뜻하고 유연함을 가지고 상호작용하는 것이 중요함을 강조하며, 반응 환경에 따라 기질이 변화될 수 있음을 제안했다(Shiner, 2006).

아동 치료 전문가로서의 우리의 중요한 업무는 부모가 자녀의 기질을 건설적인 방식으로 이해하고 대응할 수 있도록 돕는 것이다. 아이들의 안전과 자신감을 증진시키도록 지지와 적절한 도전을 균형있게 해주고, 생각, 감정 및 행동 방식이 조절되지 않거나 반항적이거나 철회되지 않도록 도와주도록 하는 것이다.

신경심리학(Neuropsychology)

필요할 때 충동을 억제하고, 학습을 증진하기 위해 자신의 활동성과 집중의 정도를 조정하고, 기분을 조절하고, 효과적으로 의사소통하고, 연령에 적합한 신체 활동을 능숙하게 하기 위한 능력은 모두 성격과 관련이 있으며 모든 것은 아동의 신경심리학과 직접적으로 관련이 있다. 아이의 신경 심리학. 아동의 성격이 상대적으로 안정된 방식의 생각, 감정, 인식 및 다른 사람들과의 관계를 반영하는 한, 이러한 기능이 뇌와 뇌 기능의 다양하고 복잡한 결합을 누리는 것은 놀라운 일이 아니다. Lewis (2001)가 말했듯이, 아동기는 신체적, 사회적 변화가 급격한 시기일 뿐 아니라 중요한 인지적 변화의 시기이기도 하다.

뇌의 발달, 특히 전두엽의 발달은 4세에서 10세 사이의 아이들에게 중요하게 증가다. 이러한 변화는 고차원 언어 및 실행 기능 능력의 발달로 인한 감정의 자기 조절 증가와 관련이 있다. 아동에게서 언어와 개념적 사고가 성장하는 것은 자신의 정체성을 확립하고 명확하게 표현하는 데 중요한 역할을 한다. 그것은 아동에게 자기 자신과 경험의 더 큰 연속성, 특히 이전에는 양립할 수 없었던 부정적인 경험을 받아들일 수 있는 능력이 증가하는 데 더 큰 유연성을 부여한다. 이러한 능력이 나타나거나 없는 것은 종종 관계의 질에 중요한 역할을 하며, 어떻게 아이의 내면의 자기를 표현하는가 알려주는 데 중요하다. 부모는 아이의 발달에 있어 정서적 자기 조절 능력이 향상되지 않는 것처럼 보인다면 고심할 수 있다. 아이의 형제 자매와의 경험은 여기서 큰 역할을 할 수 있다; 더 적절한 수준에서 기능하는 나이가 많은 자녀에게 규제 문제를 가진 아동의 부모는 어린 자녀에게 더 강한 부정적인 영향을 주는 경향이 있다.

실행 기능은 준비성과 회복탄력성을 촉진한다. 이것은 적응력을 높이고 및 어려움에 대해 더 유연하게 협상할 수 있도록 해준다. 이 능력의 주최는 시작, 계획, 주의력, 작업 기억, 자기 성찰 및 창의력 등을 포함하는 실행기능에 속해 있고, 이는 아이들이 문제를 해결하는 전략을 계속 향상시키고, 필요할 때 실시간으로 그 문제를 변경할 수 있는 능력을 만들어내게 한다. 이러한 변화가 향상된 개념 언어 능력과 결합되면, 아이들은 감정을 받아들이고, 감정을 맥락에 맞게 표현하고, 모호함과 좌절을 받아들임으로써 감정을 적절히 판단과 통합시키게 된다.

실행 기능의 장애는 ADHD에서 두드러진다; 전두엽 이상이 품행 장애(conduct disorder) 및 기타 행동 장애에서 발견되었다. 실행기능이 부족하면 아이들은 해리성 및 외현화(externalizaing)하는 방어 기제에 더 취약해지고, 충동적인 행동이 중요한 역할을 하는 장애에 더 취약해진다. 부모와 교사는 아동의 행동과 정서 발달에 미치는 실행 기능의 어려움에 대한 영향을 인식해야 한다. 이 아이들과 함께 일하는 부모, 교사 및 치료사는 그러한 행동이 아직 발견되지 않은 신경 심리적 결함을 보완하려는 아동의 시도로 발현됨을 인식하지 못한 채, 아이가 의존적, 회피적, 불안하거나 반항하는 것으로 경험할 수 있다.

실행기능이 부족한 것이 인격 발달에 짐이 될 수 있는 또 다른 주요 기전은 양육자에 대한 아이의 경험을 약화시키는 것이다. 단계별로 부모를 이상화하기 위한 한 가지 기본은 외부 및 내부의 위험으로부터 아이를 보호할 수 있는 능력과 관련됩니다. 이것은 정동 조절을 위한 아동의 노력을 강화할 뿐 아니라 애착의 끈을 강화시키고 아이가 자기 조절의 내적 역량을 발달시키도록 한다. 실행 기능 문제의 유형 및 심각도에 따라 부모가 아이를 돌보는 데 있어 진정시키고 품어주는 기능은 비효율적이고 심지어 존재하지 않는 것-안심시키보다는 심리적인 방치를 하는 방식으로-처럼 경험될 수 있다.

아이는 부모를 필요할 때 이용할 수 없고 무관심하다고 느낄 수 있으며, 이는 자신이 사랑받을 수 없고 사랑받을 만하지 않다고 자기 자신을 받아들이도록(의식적 무의식적 모두) 한다. 건강한 자기 존중감은 부모의 조율 능력에 달려 있지만, 또한 어떤 것이 제공되었냐를 받아들이는 아이의 능력에도 좌우된다.

애착 양식(Attachment Style)

모든 아이들에게 타고난 애착 시스템은 성격 발달의 핵심입니다. Bowlby (1973)는 애착양식의 동기적 힘 뒤에는 놀라거나 보호와 안전의 필요성을 인식할 때 애착자로부터 가까워지고 편안함을 추구하려는 아동의 욕구가 배후에 있다고 해석했다. 아이들이 애착 이론가들이 '안전한 기반(secure base)'이라고 불리는 것에 기초를 둘 때, 그들의 애착 시스템은 비활성화되고, 세상에 대해 알아보는 것을 안전하고 매력적이라 느낀다. 이 경험은 아이에게 있어서 부모들이 아이들에게 바라는 것과 꿈이 무엇이든 간에 아이가 다른 감정, 생각 및 의도를 가진 별도의 존재로 상상할 수 있도록 부모의 영향으로부터 보호한다. 이 '정신적 능력(capacity to mentalize)'은 부모와 함께 시작하며, 자녀가 안전 지대부터 성장하고 발전할 수 있도록 안전한 기반을 제공할 수 있는 부모의 능력에 의해 양육 시스템 속에 지속적으로 아이를 성장시킨다.

애착 패턴에 대해 알고 그것이 인격 패턴에 어떻게 영향을 미치는지는 임상적 공식(case foumulation)을 만드는 데 크게 도움이 된다. 진단 과정에서 분리와 재결합을 창출하는 기회를 주는 것은 매우 가치있는 정보를 주는데, 이는 재결합 시 아동의 패턴뿐 아니라 아이를 관찰하고 수용하고 완충하려는 부모의 능력 또한 제공한다. 애착 이론에서 지난 30년 동안 만들어진 여러 중요한 평가도구는 비공식적으로 평가에 도움이 될 수 있다. 예를 들어 부모 발달 인터뷰(Parent Development Intervies, Slade, 2005)의 항목은 부모의 반영하는(reflective) 기능을 평가하고, 자녀뿐 아니라 부모의 치료 목표를 제공하는 데 도움이 될 수 있다.

4장에서 아동의 심리적 능력 발달에 있어서 애착의 역할에 대해 논의했듯이, 이 장에서 우리는 현대의 애착 이론에 대한 연구 및 임상 증거를 살펴보아 어떻게 그것이 관계에서 나타나는 성격 패턴에 대한 이해를 알려주는지 강조하고자 한다. 우리는 경계선 조직(borderline organization)과 관련된 기존의 증거를 살펴봄으로써 시작하고자 한다.

성격과 애착에 관한 대부분의 연구가 성인과 청소년에게 초점을 맞추었지만, 어린 시절의 성격 병리와 애착의 파괴 사이의 연관성이 경험적으로 확립되어 있다. Crick, Murray- Close 및 Woods (2005)는 4학년에서 6학년 학생을 대상으로 경계성 양상(borderline feature)을 나타내는 4가지 지표: 인지에 대한 민감성(cognitive sensitivity), 정서적 민감성(emotional sensitivity), 친한 친구에 대한 배타성(exclusivity with a best friend), 관계 및 신체적 공격성(relational and physical aggression)을 발견했습니다. 그러나 종단 연구가 없다면, 청소년 전 아이들의 경계성 양상이 청소년과 성인에서 발견되는 것과 같은 정신병리를 나타내는지 여부는 불분명하다. Nakash-Eisikovits, Dutra 및 Westen (2003)은 임상의가 보고한 데이터를 사용해 청소년기 군에서 DSM-IV 인격 장애 10개 모두가 안전한 애착과 역상관관계에 있음을 발견했다. 청소년을 대상으로 한 성인 애착 면접(Adult Attachment Interview)에서 Kobak and Sceery (1988)는 안전한 애착은 자아 회복탄력성과 감정을 조절하는 능력과 관련이 있다는 것을 발견했으며, 집착하는(preoccupied) 애착은 높은 불안과 관련이 있었고, 방향을 잃은(dismissing) 애착은 높은 적대감과 부적응적인 자립(self-reliant)과 관련이 있었다.

많은 연구 결과에 따르면 경계성 인격 장애로 진단된 대다수의 성인이 불안정한 애착 스타일(90% 이상)을 가지고 있거나 해결되지 않은 외상과 관련된 경험을 가지고 있다고 한다 (Agrawal, Gunderson, Holmes, & Lyons-Ruth, 2004, Levy, Meehan, Weber, Reynoso, & Clarkin, 2005). 더 구체적으로 말하면, 대부분의 경계성 환자(60-100%)는 불안-집착형(anxious-preoccupied) 애착을 가지고 있거나 해결되지 않은 외상(50-88%)을 가지고 있다. 집착하는 애착을 가진 사람은 과거의 잘못에 대한 분노에 빠져 있을 수 있다. 양육자와의 관계에 대한 기술은 무력감, 수동성, 미성숙, 및 객관적 위험이 없는 경우에도 광범위한 두려움으로 특징지어진다. 해결되지 않은 외상과 경계성 인격 장애 사이의 연관성은 미해결된 외상 자체가 인지 및 정동의 해체, 극단적 방어과정 및 외상과 관련된 자극과 직면 시 해리가 발생하는 것의 지표로 작용하기 때문이다. 어떤 의미에서 외상 발생(traumatogenic) 사건은 인격이 발달하는 주최자가 된다. 외상과 관련된 정신화의 부족뿐 아니라 해결되지 않은 외상은 분노 및 공포와 같은 강력한 정동이 유발될 때 대인 관계에서의 조절 장애와 관련이 있는 것으로 나타났다.

유아 애착의 '혼란(disorganization)'은 유아가 양육자가 있음에도 애착의 필요가 활성화될 때 명백한 혼란과 혼동을 의미한다. 그것은 부모에 대해 두려워하거나 두려움을 느꼈던 행동과 관련되어서, 부모는 두려움의 원천이 아닌 안전한 피난처를 제공해야만 하나 Main (1999)이 말한 '해결책 없는 공포'라고 불리는 상태에 유아는 갇히게 된다. 아동 행동 문제에 대한 종단 연구 및 메타 분석 리뷰에서 애착의 혼란은 공격성(van IJzendoorn, Schuengel, & Bakermans-Kranenburg, 1999), 중기 아동기의 외상 후 스트레스 장애(PTSD) (Macdonald et al. 2008), 청소년기의 해리(Carlson, 1998)와 관련이 있다고 한다. 유아 애착의 혼란은 또한 코티솔 수치의 상승과 관련이 있으며, 이는 나중에 내면화 및 외면화 정신 병리의 발생을 증가시킬 수 있다(Lyons-Ruth & Jacobvitz, 2008).

애착의 혼란은 일반적으로 외상, 방치, 학대 및 상실에서 발생한다. 엄마-유아 사이의 의사소통에 관한 세밀한 연구에서 애착의 혼란은 아이가 정서적 고통 상태일 때 엄마가 철회하거나 아이의 상태를 부정하는 방식-예를 들어 아이가 고통을 당할 때 웃기-으로 대처하는 모성 실패와 관련이 있다고 한다(Beebe et al ., 2012). 이것은 자신과 타인의 감정 반응을 이해하고 예측하는 데 어려움을 줄 수 있으며, 특히 힘들 때 자신이 느끼거나 자신을 알지 못하는 느낌을 줄 수 있다. 경계성 인격 장애의 특징인 모순된 대인 관계 의사소통(Beebe & Steele, 2013)에 시간이 지남에 따라 기여할 수 있다. 임상적으로, 이러한 결과는 임상가의 언어 및 비언어적 의사소통에 아동이 어떻게 반응하는지 평가하고 치료하는 데 중요한 영향을 미친다. 그들은 치료 권장 사항에 대해서도 중요하게 여긴다. 이러한 아이들이 평가와 개입 중 임상가에게 불러일으키는 느낌은 어려움의 성격을 강력하게 전달할 수 있다. 예를 들어 그들의 친밀함의 정도와 성인(정신 건강 전문가 포함)의 '평범한 양육 반응'에 대한 정서적 및 행동적 반응의 예측 어려움은 강력하게 진단적이다.

유아 애착의 안전성은 짧은 5-HTTLPR (serotonin-transporter-linked polymorphic region) 대립 유전자(Kochanska, Philibert, & Barry, 2009)가 있는 영아에서 자기 조절에 특히 중요하다는 증거가 있으며 이는 자기 조절과 관련된 유전자의 발현에 애착이 의미가 있다는 것을 의미한다.

신경 생리학적 관점에서 볼 때 Moutsiana와 동료들(2014)은 긴 종단 연구에서 18개월 유아의 애착이 20년 후 감정 조절의 신경 회로를 변화시킨다는 것을 입증했다. 유아 때 불안정한 애착으로 분류되었던 성인은 긍정적인 정서에 대한 신경 조절에서 상대적으로 비효율적이었다. 더욱이, 불안 애착은 화난 얼굴의 이미지에 반응하는 편도의 과잉 활성화와 경험적으로 관련되어 있으며, 이는 사회적 처벌이 가능한 사건에 대한 과잉 경계를 암시한다(Vrti¹ka, Andersson, Grandjean, Sander, & Vuilleumier, 2008). 회피 애착은 미소짓는 이미지에 반응하는 복측 피개(ventral tegmentum) 및 선조체 영역(striatal area)에서의 저활성화와 관련되어 있으며, 사회적 보상에 둔해진 반응을 나타내는 것으로 생각된다. 이러한 결과는 불안한 마음 상태의 사람이 감정이 두드러진 사회적 단서에 과잉 반응한다는 사실과 일치하며(Mikulincer & Shaver, 2007; Rom & Mikulincer, 2003; van Emmichoven, van IJzendoorn, de Ruiter, & Brosschot, 2003), 회피형 상태의 사람이 감정과 연관된 정보의 중요성을 최소화 하는 것과 일치한다(Dozier & Kobak, 1992).

요약하면, 아이들을 평가할 때 임상가들은 주 양육자 및 다른 성인, 또래, 그리고 형제 자매들과 아이들의 관계의 질을 탐색할 필요가 있다. 부모와의 관계에 대한 병력은 가능하다면 아이들에 대한 부모의 반응과 그러한 반응이 부모의 자녀에 대한 내부 표상 및 자녀가 자기 스스로에 대한 표상에 어떻게 영향을 미치는지를 이해함으로써 도울 수 있다. 아동의 자아상 및 이러한 것이 어떻게 의사소통되었는지에 대해 이해하는 데 있어 임상가들은 평가 세션 중 자신들의 정서에 또한 주의를 기울여야만 한다.

방어양식(Defensive Style)

어린이의 경우 청소년 및 성인과 마찬가지로 스트레스에 대처하고 충동을 관리하며 갈등을 협상할 수 있는 능력과 같은 정신 기능은 '방어 양식'-받아들이거나 예상되는 갈등 및 스트레스를 다루는 습관적 방식을 의미하는 용어-에 의해 크게 영향을 받는다. 하나의 방어 양식은 개인의 인격 기능 수준과 밀접한 관련이 있다. 관련된 갈등은 자아 사이의 내적인(예: 충동 대 양심) 또는 외적인(자신 대 타인) 갈등일 수 있다. 두 경우 모두 방어는 학습된 기술 및 의식적 대처 과정과는 다른 무의식적인 과정이다. 부적응적이더라도(예: 분노의 투사로 불필요한 두려움 및 다른 사람을 회피하게 됨) 방어는 적응에서 기원하며 적응적인 목표를 가지고 있다; 그들은 삶의 스트레스에 대처할 수 있게 한다(Shafer, 1954). 방어 기제 작동의 적응적 측면에서 어린이와 성인은 유사하다.

아동의 방어 양식을 평가하는 것은 무엇이 어린이에게 스트레스를 주고 있으며, 어린이가 그 스트레스를 어떻게 관리하는지를 임상가가 이해하는 데 도움을 주는 중요한 요소입니다. 아동의 방어를 이해하는 것은 임상적 중재의 내용과 시기에 영향을 준다. 주어진 아동의 방어가 사고, 감정 및 행동에 영향을 미치는 방식과 의사소통하는 것은 부모가 자녀에 대한 이 와 반응을 재구성하는 데 큰 도움이 될 수 있다.

성인의 경우와 마찬가지로, 아동의 방어 군집은 부분적으로 아동의 인격 구조를 정의한다. 예를 들어, 일부 어린이는 회피적으로 세상에 접근하는 경향이 있고, 인지하거나 상상하는 위협에 지나치게 민감하다. 위험을 감수하고 모험심을 느끼거나, 자신감을 느끼거나, 위험을 예측할 수 없는 경향이 있는 아이들도 있다. 아동 치료사는 회피적인 방어보다 내면화하는 행동과 일치하며 반대되는 방어는 외재화의 행동과 더 일치한다는 것을 인식할 것이다.

Otto Kernberg (1975)는 인격 구조를 건강함, 신경증, 경계선 및 정신병적 기능 수준의 연속된 연장선에 있다고 해석한다. Lerner (1991)는 높음, 낮음, 중간 수준의 기능 차이를 구분하다. 이러한 틀 내에서, 인격 조직은 개인의 방어 양식에 의해 구조화된 것으로 간주된다. Paulina Kernberg와 동료들(2000)은 어린이와 청소년에 초점을 맞추고 성격에 기여하는 변수(즉 기질, 정체성, 정동, 성별, 신경 심리학, 방어 기제)를 묘사하면서 동일한 조직 수준에서 인격을 분류했다. 여기서도 방어는 인격 조직의 수준과 관련이 있는 것으로 간주된다. 즉, 일반적으로 신경증 범위에 있는 사람이 사용하는 방어는 경계성 수준에서 기능하는 사람의 방어와는 다릅니다.

우리는 여기에서 주어진 수준의 누군가가 더 지배적으로 사용하는 방어에 대해서 이야기하고 있으며, 그 기능의 수준에 방어를 국한하지 않는다. 우리 모두는 어떤 상황에서는 방어로서 분열(spliting)을 사용하지만, 경계성 인격 구조를 가진 누군가는 지배적으로 분열을 사용할 수 있다. 연령 집단 사이의 발달적 차이로 인해, Kernberg와 동료(2000)에 의해 기술된 아동의 방어는 성인의 기능 수준과 정확히 관련이 되는 것은 아니다.

Anna Freud (1936/1966)의 발달학적 접근법과 Cramer (1987, 2015)의 연구 결과를 염두에 두면서, 방어 기제는 발달과정에서 언제 나타났느냐에 따라 낮은 수준 또는 높은 수준으로 개념화될 수 있다. 예를 들어, 부정(denial)은 더 어린 나이에 나타나고 어린 아이들이 자주 사용하기 때문에 보다 원시적인 방어로 분류될 수 있다. 부정의 사용은 일반적으로 성숙함에 따라 사라진다. 높은 수준의 방어(예: 승화, 지식화, 유머)는 건강하거나 신경증 환자에서 특징적으로 나타나고, 경계성 및 정신병적 환자는 낮은 수준의 방어(예: 분열, 투사적 동일시, 부정)를 사용한다. 모든 방어가 현실의 왜곡을 동반하지만, 원시적 방어는 좀 더 현실을 왜곡시킨다. 상대적으로 어린 아이들이 원시적인 방어 기제를 사용하는 것은 발달학적으로 적절하기 때문에, 우리는 어린 아이들의 방어적 구조를 바탕으로 인격 장애를 진단할 수는 없다. 그러나 성인과 마찬가지로 나이에 부적합한 방어 기제를 과도하게 사용하는 것은 어린이의 정신 병리와 관련이 있다(Cramer, 2015).

부모 및 어린이들과 함께 일하는 사람들에게 있어 문제가 되는 행동이 방어적인 기능을 한다는 것을 인식하는 것은 중요하다. 아이가 배움에 대해 지나치게 무관심하거나 잘못되는 일에 대해 책임을 지는 것에 어려움이 있거나 또는 위험을 무릅쓰는 행동은 아이가 불편한 감정이나 생각을 의식으로부터 유지하도록 도와주는 것으로 해석할 수 있는 행동이다. 이러한 방식으로 아이들의 동기를 재구성하는 것은 아동뿐만 아니라 부모에게도 아동의 문제 행동에 보다 공감적이고 적절한 대응을 하도록 도와줄 수 있다.

사회문화적 영향(Sociocultural Influences)

인격은 유전자와 환경에 의해 후생적으로 만들어진다. 가장 중요한 환경적 요인 중 하나는 문화적 영향이다. 문화는 언어 및 행동의 모델링을 통해 전달된다. 문화와 인격 발달 사이의 관계를 명확하게 공식화하는 것은 복잡하며 여러 관점에서 접근할 수 있다. 문화에는 어떤 안정성이 있지만 문화는 정적이지 않다. 따라서 우리는 문화적 가치가 제공하는 적응적 목표 및 부적응적 특성이 유지될 수밖에 없는 이유, 문화적 적응이 부정적 결과를 초래할 수도 있는지 등에 대해 물을 수 있다(Seraca & Vargas, 2006).

우리는 정서가 어떻게 보여지는지, 육아 및 양육 과정에 대한 태도, 성별 및 성적 표현에 대한 태도, 폭력에 대한 태도와 같은 문화적 요인을 진단적 추론에 고려해야 한다. 우리가 어떻게 병리를 정의하고 평가하는지, 그리고 우리가 그것을 어떻게 대하는가에 있어 문화적 변수가 고려되어야 한다. 예를 들어, 이민자 아동과 부모 중 아이는 문화에 적응했지만 부모는 적응하지 못 할 경우 그 차이가 아이의 성격 발달 및 관계 및 관계에 미치는 영향을 고려해

보자.

정신 역학적 사고의 움직임이 커짐에 따라 임상가가 문화 및 임상적 공식화와 그 중재 사이에서의 복잡한 상호 작용을 고려해야 한다고 촉구한다(예: Akhtar, 2011, Altman, 2010, Tummala-Narra, 2015). Ryder, Dere, Sun, Chentsova-Dutton (2014)은 성격을 평가할 때 문화적 기대를 고려하지 못하거나 무시하는 임상가는 증상을 잘못 진단할 위험이 있다고 강조한다. 그들은 임상가가 특정 문화 집단이 증가된 환경적 스트레스 요인(과거와 현재 모두에 서)에 노출될 수 있는 방법과 역경이나 손상이 있거나 또는 없음에도 어떻게 문화적 변수가 발생할 수 있는지를 고려해야 한다고 한다. 임상가는 자신의 사회 문화적 배경이 아이들 및 그 가족과 함께 작업할 때 그들이 어떻게 인식하고 인식되는지에 대한 영향을 지속적으로 생각해야 한다. 초기 아동 발달에 대한 문화적 영향을 무시하는 것은 '보편적인 아동'이라는 모호한 개념을 남겨놓으며, 이는 우리가 문화적 타인과 임상적으로 만나게 되었을 때 문화적으로 부적절한 태도 또는 더 나쁜 경우 문화적 침범을 할 수 있다.

Shore (1996)는 '보편적인 아이'의 개념에서 "문화는 마음의 속성을 정의하는 것이라기보다 마음의 내용 중 하나로 생각된다"고 말했다(성인편 pp. 10). 우리는 발달과 병리의 이론에서 내재적인 문화적 편향에 대한 인식이 부족할 수 있다는 것에 주의를 기울여야 한다. 진단 과정에서 음식의 문화적 의미, 수면 준비, 화장실 훈련 및 기타 발달과 관련된 문제에 대해 질문하면 부모와 더 잘 소통할 수 있는 문이 열린다. 또한 우리는 자녀를 별도의 인간으로 '볼' 수 있는 능력을 방해하는, 부모의 삶에서 해결되지 않은 상실, 애도, 수치와 같은 문제를 더 공개적으로 살펴볼 수 있다. 부모, 교사 및 기타 관련 전문가와 공개적으로 문화와 관련된 이슈를 논의함으로써 아동의 기능에 대한 가정을 다시 생각해 볼 수 있습니다. 문화적 편견은 문화적으로 규범적인 행동을 병적으로 만들거나 아동의 행동 패턴을 문제가 있는 것으로 보는 우리의 능력을 흐리게 할 수 있다.

성격 평가 도구(Personality Assessment Instruments)

어린 시절에 대한 성격 정신 병리의 임상 평가는 최소한 두 가지 진단 문제를 다루어야 한다. 첫 번째는 문제가 되는 성격 특징, 행동 및/또는 적응을 방해하는 관계에서의 문제에 대한 유형과 심각성을 인식하는 것이다. 두 번째는 인격 장애를 포함하여 훗날 정신 병리로 발전할 위험 요인의 특징을 확인하고 개선하는 것이다. 두 가지 문제는 범주적(categorical) 또는 차원적(dimensional) 관점 및 수많은 이론적 관점에서 접근할 수 있다. 둘 다 아동의 발달 수준 및 아동에서 문제가 되는 특성의 심각성을 면밀히 고려해야 한다. Tackett (2010)는 차원적 개념화가 인격 장애의 아동 발현 및 성인 발현 사이의 연속성을 조사할 수 있는 더 나은 기회를 제공한다고 주장한다.

아동기와 청소년기에 성격 특성이 어느 정도 안정되어 있음이 밝혀졌지만(예: Roberts & DelVecchio, 2000) 인격 장애 진단은 일반적으로 덜 안정적이다. 그러나 더 심각한 성격 장애 또는 성격 조직의 손상된 수준을 경험한 아이들이 장기간으로 취약성이 증가한다는 이야기가 있다. 범주형 진단의 종단 추적 연구는 원시적이고 취약성 있는 다음과 같은 방어; 스트레스에 대해 유연하거나 적응적이지 못함; 부정적인 정서에 대해 과민함; 현실 검증력의 손상 및/또는 사고 과정의 파괴; 높은 수준의 정서; 를 가지는 경계성 성격 특성을 가진 아이는 10-15년 이후 어떤 종류의 인격 장애를 일으킬 가능성을 증가시킨다(Lofgren, Bempo\-rad, King, Linden, & O'Driscoll, 1991; omsen, 1996). 10-14세에 진단된 B군(극적, 정서적) 인격 장애가 젊은 성인에게도 지속적으로 나타난다는 증거도 있다(Crawford, Cohen, & Brook, 2001) (PA 축의 2장 참조).

Geiger and Crick (2010)은 다양한 인격 특징(적대적이고 편집적인 세계관; 강렬한, 불안정하고 부적절한 관계; 제한된 정동; 충동성; 융통성이 없는; 관계에 대한 과도한 관심; 관계의 회피; 자기 자신에 대해 부정적 인식; 일관된 생각의 부족 또는 과장된, 독특한 사고 과정; 사회적 규범과 다른 사람들의 필요에 대한 관심 부족)과 성인 인격 장애의 발달 사이의 관련성에 대해 추적했다.

일반적으로 성격 평가에 있어 다중 접근방법이 가장 바람직하다고 알려져 있다. 6-10세 아동의 경우 일반적으로 인터뷰, 자가보고 측정, 관찰자 평가 및 수행 기반 측정의 조합이 필요하다. 후자에는 로르샤흐(Rorschach), 스토리텔링 기술(예: Roberts Apperception Test for Children–2 (RATC-2), Tell-Me-a-Story (TEMAS), ematic Apperception Test (TAT) 아래에서 자세히 설명) 및 기타 다른 측정이 포함된다(Chazan, 2000; Kernberg, Chazan, & Norman\-din, 1998, Perry & Landreth, 2001, Russ, 2004, Westby, 2000). 아이들에게 다중 방법 평가를 실시하는 것은 성인에서 직면하지 않았던 과제를 제공한다.

인터뷰, 자기 보고 및 관찰자(부모/교사) 평가에 기반한 방법(Methods Based on Interview, Self-Report, and Observer (Parent/Teacher) Ratings)

인터뷰에 관해, 아동 자가 보고(예: Caplan, Guthrie, Fish, Tanguay, & David-Lando, 1989, Harter, 1999, 2006)는 병식의 부족 및 인격을 특징짓는 실제 자신과 이상적인 자아 사이의 구별의 어려움 등으로 인해 어려움에 직면한다. 병식 자기 성찰에 대한 의존도를 줄이고 관심 행동을 불러 일으키는 것에 더 중점을 두는 면접 방법은 이 연령 그룹에게 장점이 있다. 예를 들어 Kiddie Formal ought Disorders Scale (KFTDS)를 도입한 Caplan과 동료(1989) 및 Child-hood Unusual Beliefs Scale (CUBESCALE)를 사용한 Viglione (1996)은 아이들에게 문제가 되는 비정상적인 믿음 및 생각을 평가하기 위해 반구조적 평가 도구를 개발했다. 다른 사람들(예: Poorthuis et al., 2014)은 다섯 가지 특성 중 하나인 성실성(Big Five traits of conscientiousness)(예: 아이가 공부 중 재미있는 비디오를 끄는 횟수) 및 친화성(즉, 돕는 행동)에 대한 간단한 행동 테스트를 6학년 대항으로 척도로 개발했으며, 이러한 것들이 학업 성취도 및 중등학교로 갈 때 사회적 수용성을 예상할 수 있다고 했다. 불행하게도, 그러한 절차는 광범위하게 규범화되지 않았으며, 실제 지역 사회에서 정신과적 측정 도구로서는 불확실하다.

관찰자 평가(예: 부모 또는 교사 평가)의 경우, 관련된 연구에서는 일관되게 아동 및 부모 평가 사이 및 비슷한 측정 도구에서 부모 평가 사이에 중간 정도만 일치한다고 한다(De Los Reyes & Kazdin, 2005). 부모들은 파괴적인 행동을 일으키는 아이의 충동조절 문제가 집에서 발생하느냐 또는 학교에서 발생하느냐에 따라 인식의 정도가 다를 수 있고, 힘든 것에 대해 의사소통할 수 있는 아이의 능력 및/또는 그것을 받아들이는 아이의 역량에 따라 이 행동의 원인에 대한 이해 수준이 다를 수 있다. 부모는 또한 아동이 내적으로 사로잡혀 있는 것, 고난 또는 비정상적인 사고를 알지 못할 수도 있다. 임상 상황에서 평가는 부모와의 관계가 불편한 아동이나, '방어적'이고 문제를 부정하거나 아동의 도움을 얻기 위한 노력이 과장되어 있는 부모를 가진 아동에 대한 평가가 종종 발생한다(두 경우 모두, 관찰자 평가는 편견된 부모 반응으로 포함되어 있음). 다른 가족 상황에서, 임상적 성격 평가는 위탁 아동을 포함할 수 있다; 양부모는 아동 문제에 대한 발달의 궤적에 대해 거의 알지 못할 수 있으며, 아동의 행동이 부모의 상실로 인한 반응적인 것인지 좀 더 지속적인 성격적 문제를 나타내는 것인지 구분할 수 없다. 이 모든 경우에 문제가 되는 성격 특징을 과소 또는 과대 보고하려는 부모의 욕구를 평가하는 유효성 지표는 관찰자 평가의 결과를 살펴보는 데 있어 중요하다. 또한, Tackett (2011)는 신경증, 친화성 및 성실성의 등급에 대한 어머니와 아버지 간의 불일치가 내면화 문제의 중요한 예측 인자임을 발견했다.

자가보고와 관련하여 문제는 읽기 능력, 언어 이해력(예: 부정적인 질문에서 '참'과 '거짓'에 어떻게 반응하는지 이해), 실제 자신 및 이상적 자신을 구별할 수 있는 능력의 발달적 한계(Harter, 2006), 병식의 발달적 또는 특징적 부족과 관련된 문제, 그리고 방어적으로 문제를 최소화하거나(예: 아이가 완고하게 방어적이거나 비난을 외부로 돌리기를 바람) 또는 문제가 되는 성격 특징을 과장하기를 원하는 것(심각하게 받아들여지지 않는 문제에 대해 아이가 관심을 끌기를 희망함) 등으로 인해 발생한다.

Geiger and Crick (2010)은 어린 시절의 인격 장애를 평가할 수 있는 도구가 상대적으로 적고, 있더라도 성인 성격 측정 기준을 하향 확장하거나 성인 기준에 따라 아이들을 위한 새로운 도구를 만든다고 하였다. 성인 인격 장애 구조의 하향 확장에 기반한 것은 Millon Pre-Adolescent Clinical Inventory (MPACI, Millon, Tringone, Millon, & Grossman, 2005)와 Coolidge Personality 및 Neuropsychological Inventory for Children (CPNI, Coolidge, 2005)가 있다. 다른 하향 확장의 경우 Child Behavior Checklist (CBCL; Achenbach & Rescorla, 2001)가 있다. Kernberg와 동료(2000)는 아동의 경계성, 자기애적, 반사회적, 히스테리적, 편집적, 분열적,

회피적 및 의존적 인격 장애 뿐 아니라 일반적인 인격 장애 특성을 평가한 CBCL 내의 항목을 규명했지만, 이러한 척도에 대한 표준 및 타당성의 근거는 아직 부족하다. 다른 사람들(예: Kim et al., 2012)은 CBCL 조절 장애 프로파일과 관련된 것으로 생각되는 구성을 개발했다. Devereux Scales of Mental Disorders (DSMD; Naglieri, LeBue, & Pfei\-er, 1994)는 인격 장애에 대한 기준을 나타내는 일련의 항목을 표시했다. 특정 DSM-IV-TR Axis I 장애에 대한 나쁜 예후와 관련된 특정 성격 특징에 대한 국한된 척도가 더 많다. 한 가지 예가 Inventory of Callous and Unemotional Traits (ICU; Frick, Stickle, Dandreaux, Farrell, Kimonis, 2005; Frick & White, 2008)이며, 이는 파괴적 행동 장애 아동의 나쁜 예후를 예측한다.

수행-기반 측정을 포함하는 방법(Methods Involving Performance-Based Measures)

자가보고 및 관찰자 평가는 중요한 정보 원천이지만 발달 수준, 대상 관련성, 방어 구조 및 성격 특성뿐만 아니라 비적응적 행동을 유지시키는 내재적 인지, 관계 및 정서적 요인에 대한 정보를 자주 포착하지 못할 수도 있다. 이러한 이유 때문에 심리학자들은 종종 '투사 측정(projective measures)'을 사용한다. '객관적'과 '투사'라는 용어는 오해의 소지가 있으며 인격 평가 분야를 발전시키기 위해 없어져야 한다고 제안되었다(Meyer & Kurtz, 2006). 전형적으로 '투사' 라벨에 포함된 도구에는 Rorschach Inkblot Test, 스토리 텔링 기법, 문장 완성 검사 및 다양한 그리기 작업이 포함된다. 이러한 기술은 '수행 기반 측정(performance-based measures)' 또는 '건설적인 측정(constructive measures)'이라고 부르는 것이 더 적절할 것으로 생각된다.

Rorschach Inkblot Test

어린이와 청소년을 대상으로 한 Rorschach의 임상적 기술은 Exner (1974)의 Comprehensive System (CS)(예: Ames, Learned, Metraux, & Walker, 1952, Ames, Metraux 및 Walker, 1971, Halpern, 1953)보다 먼저 나왔다. CS는 규범적 데이터가 중요한 발달 변화(즉, Egocentricity Index, WSUM6, Aective Ratio)를 나타내는 일부 변수에 대해 다른 기준 점수를 사용한다. CS는 효과적인 것으로 입증되지 않았기 때문에, Suicide Constellation (SCON)는 16세 미만에서 사용하지 않는다.

CS의 자료는 5-16세의 90명 이상에게서 수집되었다. CS자료는 신뢰성이 있으며, 대부분의 연구가 청소년기와 성인기에 실시되긴 했지만 MMPI-A (Hiller, Rosenthal, Born-stein, Bornstein 등)와 같은 자가보고 측정 범위 내에서 메타 분석 연구는 타당도 있는 효과 크기(eect sizes)를 입증했다(Berry, & Brunell-Neuleib, 1999, Mihura, Meyer, Dumitrascu, & Bombel, 2013).

Rorschach 연구는 현실 검증력 및 사고, 과각성, 자아 이미지 또는 관계의 어려움, 높은 수준의 정서적 고난, 조절 및 스트레스 감내의 어려움 및 정서 조절의 어려움을 평가하는 변수 군집을 식별했다. 이러한 구성을 기반으로 한 타당성 연구는 사고와 현실 검증력(즉, SCZI와 PTI)과 관련된 군집 요소가 정신병적 장애에 있어 어린이(Stokes, Pogge, Grosso, & Zaccario, 2001)와 청소년(Hilsenroth, Eudell-Simmons, DeFife, & Charnas, 2007)을 구분시킬 수 있다고 한다. Ego Impairment Index (EII)는 현실 검증력, 사고 문제, 대상 관계 및 중요한 사고 내용 발생과 관련된 요소를 중요시하여 전반적인 기능 장애를 제공하는 적응의 어려움을 광범위하게 측정하는 척도이다. 이 지수는 증상과 별개인 성격 구조의 척도로 생각되며, 사고 문제를 포함한 다양한 정신 병리에서 정신과 입원 환자의 나쁜 장기 예후를 예측하는 것으로 나타났다. 상승된 EII 점수를 가진 어린이와 예비 청소년은 초기 집중 치료에 잘 반응하지 않으며, 장기적으로 재발의 위험이 유의하게 높았다(Stokes et al., 2003). Donahue and Tuber (1993)는 심한 환경적 스트레스를 견디는 어린이의 능력은 Rorschach에서 적응적 공상 이미지를 만드는 능력과 관련이 있음을 발견했다. PTSD (Armstrong & Lowenstein, 1990, Holaday, 2000) 및 ADHD 증상(Meehan et al., 2008)과 관련된 어린이들의 성격 병리에 대한 검증을 한 연구도 있다. Acklin (1995)은 경계선 아동에 대한 Rorschach 평가에 대해 설명했다. Exner와 Weiner (1995)는 불안정한 인격 발달 징후의 존재를 탐색하기 위한 구조 중심적 방법(construct-focused way)을 제공했다.

경험적 타당성이 입증된 Ego Impairment Index (EII-3) 및 기타 Rorschach 변수 외에도 Rorschach Performance Assessment System (RPAS; Meyer, Viglione, Mihora, Erard, & Erdberg, 2011)은 잠재 연령가 아이들이 사용할 수도 있는 Morsuality of Autonomy Scale, Oral Dependent Language Scale 및 Aggressive Content Scales가 포함되어 있다. 잠재 연령기 아동을 위한 RPAS의 표준 데이터는 현재 수집 중이다.

스토리텔링 기법(Storytelling Techniques)

앞서 언급한 바와 같이 TAT (Bellak, 1993; Murray, 1943), TEMAS (Costantino, Malgady, & Rogler, 1988), RATC-2 (Roberts, 2005) 등이 어린이를 대상으로 가장 널리 사용되는 스토리텔링 기법이다.

TAT는 50년 이상 임상적 적용에도 불구하고 표준 데이터가 아직 부족하다. 비평가들은 다양한 문화의 인물이 없다는 것과 아이들을 대상으로 타당성에 대한 데이터가 부족하다는 것에 대해 우려를 제기했다. Cramer (1982, 1990)는 TAT 방어(부인, 투사, 동일시)를 위한 채점 시스템을 개발했다; 방어의 발달 이론을 제시하고, 외상에 노출된 어린이가 방어, 특히 연령에 적합한 방어를 많이 사용할수록 감정적 어려움이 가장 적게 나타냄을 보여주었다(Dollinger & Cramer, 1990). Kelly (1997)는 아동 및 청소년의 TAT 기록에 사회 인지 및 대상 관계 척도(Social Cognition and Object Relations Scale; SCORS, Westen, Lohr, Silk, Kerber, & Goodrich, 1985)를 적용했다.

TEMAS는 5세에서 18세 사이의 어린이들을 대상으로 하여 여러 문화에 민감성을 가진 도구로 23개의 카드(소수 민족과 비소수 아이들을 위한 유사 세트 포함)로 구성되어 있다. 정량적인 시스템은 18가지 인지 기능, 9가지 성격 기능(대인 관계, 공격성, 불안/우울, 성취 동기, 만족 지연, 자기 개념, 성적 정체성, 도덕적 판단, 현실 검증력)과 7가지 정서적 기능(행복, 슬픔, 화남, 두려움, 중립, 양가감정 및 부적절한 정동). 점수 체계는 뉴욕시에서 642명의 어린이(281명의 남아, 361명의 여아)로 이루어진 지역적으로 균질한 그룹에서 표준화되었다.

RATC-2는 인구 통계학적 특징이 2004년 미국 인구 조사 수치와 대략 일치하는 6-18세의 1,060명의 어린이(남성 518명, 여성 542명)의 표준화 표본으로 개발되었다. TEMAS와 마찬가지로 RATC-2는 소수 집단과 비소수 집단을 위한 유사 카드 세트를 보유하고 있다. 평가자 간의 신뢰도는 일반적으로 제공되는 척도에 따라 우수한 범위에서 매우 뛰어난 범위까지 떨어진다. 이는 개요, 사용 가능한 자원, 문제 식별(5단계), 문제 해결(5단계), 감정(불안, 공격성, 우울감 및 거절), 결과 척도(해결되지 않음, 적응하지 않음, 잘못 적응함 및 비현실적), 평범 반응 및 비정형 반응(9개 범주)으로 구성된다. 타당성은 발달상의 차이를 문서화하고, 참조한 자료 및 참조하지 않은 자료를 구별하는 기구의 능력을 확립하느냐에 달려 있다. 모든 변수가 나이와 임상 그룹을 통계적으로 유의미하게 구분했지만, 변수가 다른 임상 표본 사이에 구별이 되는지에 대해서는 제한이 있었다.

기타 수행 기반 측정(Other Performance-Based Measures)

사실상 전통적으로 인지 또는 신경 심리학적으로 간주되는 다른 도구는 아동의 성격을 평가하는 데 유용할 수 있다. 이 도구들은 '전통적인' 성격 테스트에서 얻은 결과를 맥락화하면서 아동이 어떻게 생각하고, 행동하고, 느끼는지에 대한 종합적인 이해를 도울 수 있다. 일반적으로 지능, 실행 기능 및 언어 처리와 같은 능력은 아이들이 사용할 수 있는 방어 및 대응 전략에 영향을 주고, 자존감과 관련된 문제를 중재하고, 치료 계획과 관련된 추가 정보를 제공한다.

Wechsler Intelligence Scale for Children—Fifth Edition

Wechsler Intelligence Scale for Children-Fifth Edition (WISC-V; Wechsler, 2014)은 6세, 0개월에서 16세, 11개월 아동을 대상으로 표준화했다. 평균 점수는 100이고 표준 편차는 15이다. 이 검사는 시각 퍼즐(시각 처리), 무게 비교(양적 추론 및 유도) 및 그림 기억(시각적 작업 기억)의 세 가지 새로운 기본 하위 테스트가 포함된다. 이 검사는 언어적 이해 지수, 시각적 공간 지수, 작업 기억 지수, 유동적 추론 지수 및 처리 속도 지수와 같은 주요 척도를 가지고 있다. 또한 5개의 보조 척도(정량적 추론 지수, 청각적 작업 기억 지수, 비언어적 지표, 일반 능력 지수 및 인지 능력 지수)와 3개의 새로운 보완 지수 척도(명명 속도 지수, 기호 변환 지수 및 저장 및 회상 지수)가 있다.

Wechsler Preschool and Primary Scale of Intelligence—Fourth Edition

Wechsler Preschool and Intelligence-Fourth Edition (WPPSIIV; Wechsler, 2012)은 2세, 6개월에서 7세 및 7개월 아동을 대상으로 표준화하였다. 평균 점수는 100이고 표준 편차는 15이다. 이 검사는 WISC-V와 동일한 5가지 기본 척도와 4가지 보조 척도가 포함되어 있다: 어휘 습득 지수, 비언어적 지수, 일반 능력 지수 및 인지 능력 지수.

NEPSY—Second Edition

NEPSY-Second Edition (Korkman, Kirk, & Kemp, 2007) Luria의 신경 심리학 시스템을 기반으로 한 신경 심리 검사의 배터리이며, 3세, 0개월에서 16세, 11개월의 아동을 대상으로 표준화하였다. 여기에는 32개의 하위 테스트가 포함되어 있으며 6개의 영역에서 신경 심리 기능을 평가한다: 실행기능/집중력; 언어; 기억과 학습; 감각 운동 기능; 시공간 처리; 사회적 인식.

Clinical Evaluation of Language Functions—Fifth Edition

The Clinical Evaluation of Language Functions—Fifth Edition (CELF-5; Wiig, Semel, & Secord, 2013)는 5세에서 21세 청소년들의 다양한 언어 기능을 평가한다. 여기에는 언어 능력(표현 및 수용 언어), 독해력, 글쓰기 및 화용 언어를 평가하는 16개의 하위 테스트가 포함되어 있다.

4세에서 11세 어린이를 대상으로 한 인격 구조 단계(Levels of Emerging Personality Organization for Children Ages 4–11)

정신 역동학 문헌 내에서 인격은 여러 가지 다른 방식으로 개념화되고 측정될 수 있다. 성격 구조의 심각성과 단계를 고려하는 것 외에도, P축에 대한 성인편 1장에서는 외형화 및 내재화 기능으로 구성된 특정 성인 '증후군'을 평가한다. 이 장에서는 어린 시절 동안 나타날 수 있는 성격 특성에 대한 다양한 방법에 가장 임상적으로 유용하고 조율되기 위한 다른 접근법을 채택하였다.

우리는 건강, 신경증, 경계선 및 정신병의 영역의 심각성의 연속에 아이의 현재 증상을 위치시키기 위해 MC축 4장, 특히 **표 4.2**, pp. 263-264)을 사용하는 것을 추천한다. 이러한 범주를 적용할 때, 우리는 문화, 기질, 신경 생물학, 애착 및 방어 양식의 요소를 고려해야 하며, 각각은 정신 기능에 대한 아이의 능력과 발현을 형성하는 데 중요한 역할을 한다.

우리는 다음 장에서 MC Axis를 가이드로 사용하여 '건강한' 수준의 성격을 지닌 아동의 기능에 대한 견본 프로필을 개략적으로 설명하고자 한다. '건강한' 또는 '정상'은 광범위한 기능을 나타낸다; 대부분의 어린이들은 다른 아이들보다 몇몇 영역에서 더 많은 강점을 보여줄 것이다. 사실, 여기서는 전반적인 영역(즉, 신경증, 경계선, 정신병)으로 묘사되는 인격 구조의 각 후속 수준은 특정 정신 기능의 다양한 수준을 포괄할 수 있으며, 전반적인 지능(전체 IQ)이 평균 정도로 평가된 아이는 지적 기능의 소영역(예: 추상적 추론 능력, 시각- 운동 능력, 작업 기억)에서는 전체 지능보다 낮거나 높을 수 있다.

건강한 아동의 견본 프로필을 따라 우리는 신경증, 경계선 및 정신병 성격 수준에서 기능하는 아동에 대한 기본 설명을 제공한다. 이 각각의 설명이 그 기능 수준에서 아동에 대한 임상적 묘사이며, 그 다음에 MC 축의 관점에서 그 아동에 대한 평가가 따른다.

건강한 수준의 인격 기능을 가진 아이에 대한 표본 프로필(Sample Profile of a Child at a Healthy Level of Personality Functioning)

4장에 설명된 MC Axis의 구조와 함께, 그리고 Selzer와 동료(1987), Kernberg와 동료(2000)들이 설명한 평가 전략과 마찬가지로, 우리는 먼저 아이들의 '건강한' 인격 기능의 수준에 대한 표본 프로필을 제공하고자 한다.

인지적 및 정서적 처리(COGNITIVE AND AFFECTIVE PROCESSES)

1. **조절, 집중 및 학습에 대한 역량**(Capacity for regulation, attention, and learning)

   아이는 적절한 미세 운동 및 대근육 운동 능력을 가지고 있으며, 유능감을 갖고, 또래 집단과 동등하다다. 아이는 나이에 맞는 학교 및 놀이 활동을 즐기기에 충분한 운동 기능을 갖추고 있다. 언어적 및 비언어적으로 의사소통을 하는 능력과 타인과 언어적 및 비언어적 의사소통을 이해하는 아동의 능력은 아이의 연령과 비례하다. 아동의 인지 기능 수준은 의사소통 및 학습을 예상 수준으로 하기에 충분하며, 이를 통해 아동은 유능하고 성공할 수 있다고 느낄 수 있다.

   아이는 학교에서 준비되었다: 그 또는 그녀는 연령에 맞는 방법으로 참석하고 집중할 수 있다. 아이는 공부를 하기 위한 적절한 노력을 유지할 수 있으며, 충분히 침착하고 그렇게 하도록 충분히 조절할 수 있다. 아이는 그렇게 할 수 있는 능력을 가진 권위자에 대해 그렇게 적대적이지 않고, 또한 그 나이의 아이들에게 적절한 일련의 지시를 유지할 수 있는 인지 능력을 가지고 있기 때문에 지침을 따를 수 있다.

2. **정서 범위, 의사소통 및 이해에 대한 역량**(Capacity for affective range, communication, and understanding)

   아이는 정서의 다양한 범위를 가지며, 연령에 맞는 수준에서 감정을 표현할 수 있다. 아이는 두려움이 있지만 연령에 적절하고 관리할 수 있다. 자녀가 관계를 형성하고 연령에 적합한 활동을 시작하며 학교에 출석하거나 중요한 활동에 참여할 수 있는 능력을 방해하지 않는다.

3. **정신화 및 성찰 기능에 대한 역량**(Capacity for mentalization and reflective functioning)

   아이는 떠오르거나 확립된 마음 이론을 보여준다(즉, 다른 사람의 마음 상태를 자기 자신과 별개로 상상할 수 있는 능력). 연령에 적합한 자기에 대한 믿음이 의도적 기구(예: "나는 친구들과 협상할 수 있으며,

나의 행동은 다른 사람들의 반응과 정서 상태에 영향을 준다")로서 있다. 어린이는 다른 사람들의 마음 상태의 불투명성을 고려하는 능력("당신이 보는 것이 항상 옳은 것은 아니다")에 의해 성찰 기능의 새로운 능력을 보여준다. 관계에서 유머를 적절히 사용한다. 행동적 유연성(타인의 관점에서 생각하기)을 가지며, 상징화와 구두 표현을 사용하여 압도적인 정서 상태를 다룰 수 있다. 일반적으로, 아동은 연령에 맞는 대인 관계의 언어적 및 비언어적 신호를 사용하고, 대인 관계가 파괴되거나 개선되는 것에 대한 경험을 허용한다.

정체성 및 관계(IDENTITY AND RELATIONSHIPS)

4. **분화 및 통합을 위한 역량**(정체성)(Capacity for differentiation and integration (identity))

아이는 합리적으로 잘 발달된 자기감을 가지고 있으며, 이는 한 번 또는 다음 번 설정으로 근본적으로 바뀌지 않습니다. 아이는 무엇이 자기 자신으로부터 왔는지와 무엇이 다른 사람의 관점인지 쉽게 구별할 수 있다.

5. **관계 및 친밀함에 대한 역량**(Capacity for relationships and intimacy)

아이는 친밀감을 느끼는 우정을 가지며 이는 어른의 도움 없이 만들 수 있다. 우정은 상호 감각(무엇인가 공유되고 상호 간에 느껴지는 느낌)이다. 아이는 다른 사람들이 이러한 감각을 가질 수 있도록 사회적 단서를 충분히 읽을 수 있다. 그 또는 그녀는 자신의 상호 작용과 사회적 경험에서의 소속감을 이해하는 감각을 느낀다.

다른 사람들에 대한 어린이의 견해는 상대적으로 긍정적이다. 그 또는 그녀는 신뢰가 가치가 있을 만한 곳을 믿고 있다. 아이는 사람들이 모두 좋지도 나쁘지도 않다는 생각을 점점 더 받아들일 수 있다.

6. **Capacity for self-esteem regulation and quality of internal experience**

아이의 자기에 대한 관점은 상당히 긍정적이다. 긍정적 또는 부정적으로 과장되지 않았다. 아이는 일반적으로 희망적이고 자신감이 있다. 아이의 자기 감각은 부정적인 의견이나 사건으로 쉽게 또는 심각하게 변화되지 않는다. 아이는 안정적이고 기본적인 자존감에 의지할 수 있다.

방어 및 대처(DEFENSE AND COPING)

7. **충동 통제 및 조절에 대한 역량**(Capacity for impulse control and regulation)

아이는 공격적 충동을 제어하지만 수동적이지는 않다. 아이는 건설적으로 공격적이며 적절한 자기 주장, 경쟁 및 포부를 가질 수 있다.

아이는 행동적 또는 인지적 파괴 없이 불안과 다른 부정적인 감정을 견딜 수 있다. 감정적인 균형이 일시적으로 무너졌을 때, 아이는 양육자가 달래주려는 시도에 반응한다. 아이는 합리적으로 빠르게 회복되며, 지원과 함께 또는 독립적으로 파괴적인 경험을 성찰할 수 있다.

8. **방어 기능에 대한 역량**(Capacity for defensive functioning)

아이의 현실 검증력은 온전하다. 그 또는 그녀는 현실을 판타지와 구별할 수 있으며, 자신의 생각과 감정을 다른 사람의 것과 대비해 식별할 수 있다. 아이는 같은 나이의 다른 사람들이 일반적으로 그들을 받아들이는 것처럼 다른 것들을 받아들인다. 그 또는 그녀는 현실을 아주 작게만 왜곡하는 방어 수단을 사용한다.

9. **적응, 회복탄력성 및 용기에 대한 역량**(Capacity for adaptation, resiliency, and strength)

   아이는 새로운 상황이나 예기치 못한 상황에 적응할 수 있는 사고와 능력 모두에 있어 상당히 유연하다. 아이는 역경에 어느 정도 적응할 수 있다. 그 또는 그녀는 단지 어려움을 참거나 생존하는 것이 아니라, 그것들로부터 어느 정도 더 멀어진다.

자기 인식 및 자기 방향(SELF-AWARENESS AND SELF-DIRECTION)

10. **자기를 관찰하는 역량**(심리적 마음상태)(Self-observing capacities (psychological mindedness))

    아이는 자신의 세계에 대해 배우는 것에 호기심과 관심을 갖고 있다. 아이는 자신의 생각과 감정과 접촉하고 있습니다. 또한, 아이는 자신에 대한 호기심과 자신의 감정, 생각 및 행동이 다른 사람과 주변 세계에 미치는 영향을 표현한다. 그 또는 그녀는 내면 세계와 외부 세계 사이의 상호 작용을 인식하여 자신의 감각을 자극한다.

11. **내적 기준 및 이상을 건설하고 사용하는 역량**(Capacity to construct and use internal standards and ideals)

    아이는 도덕성에 대한 감각이 생기고 즉각적이고 더 큰 주변 문화에 부합하는 가치 체계를 보여준다. 아이는 공정함에 관심이 있고, 다른 사람뿐만 아니라 자기 자신에게 관심이 있다. 아이는 게임 규칙에 따라 협조적으로 게임을 즐길 수 있다.

    아이는 잘못을 저지른 후 죄책감과 후회를 느낀다. 부적절하거나 해로운 행동은 자아-이질적(ego-dystonic)이다. 아이는 잘못을 저질렀을 때 자신이나 타인에게 지나치게 가혹하지 않으며 건강한 아이들이 때때로 잘못 행동한다는 것을 이해한다. 아이는 자신과 다른 사람들을 용서할 수 있는 능력이 있다.

인격 기능의 다른 수준: 기술, 임상적 기술, 그리고 평가(Other Levels of Personality Functioning: Descriptions, Clinical Illustrations, and Evaluations)

아래는 각각 신경증, 경계선 및 정신병적 기능 수준에서의 아동 환자에 대한 기술이다. 각 임상 설명 앞에는 해당 수준에서 기능하는 아동의 전형적인 성격 특성에 대한 설명이 분류의 근거와 함께 나와 있다. 각각의 기술에서, 우리는 MC Axis를 사용하여 아동의 성격 구조를 공식화한다. 각 어린이의 나이를 감안할 때, 분류는 아동의 현재 또는 나타나고 있는 인격 구조의 단계로 이해되어야 한다.

인격 구조의 신경증 단계(Neurotic Level of Personality Organization)

신경증적 수준의 인격 구조에서 기능하는 아이들은 논리적이고 사려 깊다. 그들은 새롭고 도전적인 환경에 잘 적응하는 경향이 있다. 그들이 화가 나거나 조절 능력이 떨어질 때, 때로는 자신의 내부 자원을 통해 자신을 진정시키고 때로는 도움을 얻어 스스로는 평정 상태로 회복할 수 있다. 그들은 때로는 충동적이고, 반항적이며 또는 파괴적일 수 있지만, 합리적이고 민감하게 다루어진다면 통제력을 회복하고 잘못되었던 부분에서 그들이 했던 역할을 성찰하며 상대방의 관점을 이해할 수 있다. 신경증 단계의 아동은 양심의 가책과 죄책감이 있다. 이 단계의 발달 단계(4-10세)에서는 지나치게 부여하지 않을지라도, 공정성과 옳고 그름을 명확하게 정의한다. 그들은 일반적으로 과도한 의심 없이 양육자와 주변 문화의 가치를 도입한다. 내재화와 외화화뿐 아니라 내재화하는 방어를 통해 현실 검증력을 효과적으로 유지하도록 한다.

이 아이들은 자신이 누구인지에 대해 상당히 잘 알고 있으며 타인에 대한 합리적인 평가를 할 수 있다. 이 연령대의 신경증 아동은 사람들의 선과 악을 동시에 볼 수 있다. 그들은 또한 요구하거나 자기 중심적일 수 있지만 공감할 수 있고 다른 사람들의 동기와 소망에 민감하다. 그들은 또래 친구들 및 권위를 지닌 어른들과 모두 가까운 관계를 유지하는 경향이 있다. 자기와 타인 사이의 경계는 합리적이다. 발생하는 관계에서의 어려움은 대개 과도한 노력 없이 해결된다. 그들은 자신의 행동을 반성하고 잘못될 수 있는 일에 대해 많은 책임을 질 수 있으며, 그들은 자신과 부모가 문제가 되는 것으로 보이는 행동에 대해 자아 이질적으로 느낀다. 그들의 정서적 범위는 넓으며 그들이 보여주는 감정은 내용에 적절하다.

이 카테고리의 아이들이 임상적으로 경험되는 방식(Ways in Which Children in This Category Tend to Be Experienced Clinically)

일반적으로 신경증 단계의 어린이의 놀이와 대화에서 상호적이다. 아이가 반드시 친구보다는 치료사와 함께 있어야 한다는 것은 아니지만, 아이가 거기에 있고 싶어 하고 그 관계에서 따뜻하고 즐거운 것을 발견한다는 느낌이 있다. 그들은 일반적으로 치료가 도움이 된다고 생각하며, 양측이 동일한 팀에 있다는 생각을 가지고 같은 목표를 향해 노력한다. 신경증 단계의 아이들은 치료자에 관심이 있다; 그들은 호기심이 많고 임상가를 더 잘 알고 싶어 하며 치료자의 생각을 물어볼 수도 있다. 신경증 단계의 어린이와의 놀이는 표현적 이거나 상징적이다. 그들은 창조적이며 대화나 놀이에서 그들의 이야기를 함께 만들어내는 것에 있어 치료자를 환영하는 경향이 있다.

신경증 단계의 아이들은 용서를 한다. 그들은 부정적 전이가 있을 수 있지만 해결할 수 있다고 느낀다. 임상가의 개입이 시기상조이거나 잘못되었을 때, 그들은 분노하거나 퇴행하거나 놀이나 대화를 강압적으로 중단하지 않고 그것을 수정하거나 다른 형태로 동일한 주제를 재현함으로써 두 번째 시도를 하도록 한다. 신경증 수준의 어린이들은 공감하기 쉽고 치료사에게 쉽게 공감한다. 죄책감과 공정성에 대한 역량이 있다. 그들은 일반적으로 함께하기 어렵지 않다; 그들은 치료자가 자신감 있고 유능한 느낌을 갖게 하거나 치료자를 도움이 되는 좋은 사람으로 여긴다. 그들의 방어를 통해 치료자는 환자에게 접근할 수 있다. 그들은 치료자에게 자신 및 자신과 가장 가까운 사람들에 대한 경험에 대해 생생한 느낌을 제공해, 꽤 이해할 수 있는 주제를 가지로 놀거나 이야기할 것이다. 관계에 대해 그들이 어렵거나 가혹하다고 기술하더라도 아이들은 전형적으로 그들을 가학적이거나 잔인한 것으로 보지 않으며, 이런 방식으로 치료사를 생각하지도 않는다.

임상적 기술(Clinical Illustration)

네이선은 6살 소년으로, 바닥에 몸을 던져 오랫동안 소리를 지르고 우는 등의 조절되지 않는 성향에 대한 부모님의 걱정으로 의뢰되었다. 이러한 격렬한 에피소드에는 물건을 던지거나, 동생을 때리거나, 부모를 때리는 것이 포함되었다. 멈추라고 하는 것(타임아웃)은 효과가 없었다. 그는 자기 방으로 가거나 멈추기를 거부했다. 그의 부모님들이 아이로부터 멀어지려고 시도하는 것은 결국 아이가 화가 나 그들을 쫓게 만들었다. 이러한 폭발은 집을 벗어난 곳이나 조부모와 함께 있을 때는 발생하지 않았다. 네이선이 마침내 이러한 팽팽한 공격성으로부터 침착하게 될 때, 그는 방어적으로 무관심하고 자연스럽게 후회하며, 분명하게 자신의 행동에 대한 수치심을 표현했다. 세션 중 그는 자신 이 적합하도록 규칙을 변경하거나 성공할 수 있는 게임을 선호하는 방식으로 이러한 회피 패턴을 지속할 것이다. 그는 종종 마치 치료자가 또다른 부모상인 것처럼 반응했다. 따라서 그는 자신이 죄책감을 느낀 것을 숨기거나, 치료자가 듣고 싶어 하는 것을 말하거나, 어머니가 치료사에게 보고한 내용에 대해 말하면 시선을 아래쪽으로 멀리 돌린다. 그는 그에게 곤경에 빠진 것에 대한 도움을 구하지 않았고, 놀이 도중 밝혀진 환상에서 입증된 것처럼 무적처럼 보이기를 더 좋아했다. 이것들은 나이에 어울리는 것 같았지만, 다른 한편으로는 그의 치료사를 감동시키고 자신에 대한 실망과 부적절한 느낌에 대해 적극적으로 방어하고자 하는 표현이었다. 치료사는 네이선이 공감하기 쉽지만 가까이 가기는 어렵다는 것을 알았다.

네이선은 잘 교육받은 노동계층 유럽계 미국인 부모를 가진 정상적인 가정에서 태어났다. 그의 아버지는 주요 우울증으로 진단받았고, 그의 어머니는 불안, 결혼 문제 및 양육의 어려움에 대해 치료를 받았다. 네이선의 아버지는 종종 육체적으로나 정서적으로 가족 갈등에 빠져 있었다. 그의 어머니는 네이선에 대한 자신의 부정적 감정에 대한 죄책감과 남편과 매우 닮은 아들에 대한 그녀의 경험으로 인해 자신의 아들에게 양보하는 경향을 보였으나 부분적으로는 네이선의 감정의 폭발을 피했다.

네이선의 중요한 발달 단계는 모두 예상된 시간 틀 안에 도달했다. 그의 병력에서 힘든 사건은 불분명했다. 양육자와 장기적으로 떨어졌던 기간은 없었으며, 상당한 기간 동안의 결혼 생활에서의 불화 또한 없었고, 그 또는 다른 가족 구성원에게 심각한 신체적 질병도 없었다. 그는 행복하고 잘 먹고 다정한 아이로 묘사되었다. 그는 형제가 걸음마기에 달래기 어려워지자 이에 반응했으며, 점점 더 경쟁적이고 공격적으로 변해갔다.

유치원 가기 전 분리의 문제는 없었다. 그는 다른 아이들과 놀기를 즐겼고 그의 선생님들은 그를 즐겁게 했다. 그러나 유치원이 시작되면서 네이선은 점차 학교를 덜 좋아하게 되었다. 그는 충분히 잘했으나, 독립적으로 하는 것에 대한 요구가 증가함에 따라, 그들은 네이선에게 분명한 스트레스가 되었다. 그는 학교 수업 중 순응하였지만, 집에 돌아와서는 변덕스럽고 날카로운 상태였다. 그는 관심이 있는 주제에 대해서도 지적으로 호기심이 없는 것처럼 보였다.

형제와의 싸움은 형제의 경우 더 쉽다는 그의 느낌으로 인해 종종 촉발되었다; 그에게 주어진 요구가 적었고 네이선이 질투하는 다른 특권을 가졌습니다. 네이선이 도전 없이 이길 수 있는 경우에만 그들 사이에 놀이가 가능했다. 동생을 향한 사랑스러운 동작은 괴롭히거나 따돌리는 빈번한 사건으로 인해 상쇄되었다.

네이선은 미세 운동 능력은 약했지만 대근육 운동 능력은 강했다. 그는 팀 스포츠를 즐겼지만 다소 수동적이었고, 팀(또는 그가 응원했던 팀)이 패배했을 때 쉽게 화가났다. 그는 좌절에 대한 인내력이 제한되었고, 낮은 자존감을 가졌으며, 자신을 겁나게 하는 일들을 피하고 자신이 가장 성공할 것 같은 일에 대해 과장된 허풍과 환상에 빠짐으로써 실패감을 느끼지 않도록 방어하려 했다. 이것들은 현실의 왜곡이었지만, 그의 나이 또래 아이로부터 기대되는 것에 벗어나지는 않았다. 그는 동료 또는 교사에게 공격적이거나 반항적이지 않았다. 가족 밖의 사람들에게, 그는 공감과 죄책감에 대한 더 많은 역량을 보여주었다. 집 밖에서 그는 덜 충동적으로 행동하는 경향이 있었고 자신의 감정을 더 성공적으로 담을 수 있었다. 그는 자신감이 없었지만 네이선은 그룹에 속하기를 아주 원했다. 그는 현실과 단절되지 않았고 자신에 대한 명확한 느낌을 가지고 있는 것처럼 보였다.

네이선은 두드러진 감각 문제를 보이지 않았고 잘 생활했다. 불안해 할 때 그는 다소 관련 없는 이야기를 했지만, 다른 구어적 표현에서 이상함 등은 없었다. 그는 다른 사람을 어느 정도 불안해 하며 보는 경향이 있었지만, 그가 즐겁게 지낸 몇 명의 친구가 있었다. 그는 집에서는 "0에서 60까지" 빠르게 가는 경향이 있었지만 풍부한 감정을 가졌다.

네이선이 학교와 자기 조절에서 있는 어려움의 일부는 신경 생물학적 요소와 관련이 있는 것처럼 보였다. 심리 테스트는 실행 기능과 표현 언어 영역에서 어려움을 나타냈다. 구체적으로 말하자면, 독립적인 학습 때 주의를 기울이고 정보를 처리하며 문제를 해결하는 역량이 다소 어려웠다. 이러한 어려움은, 표현 언어의 어려움과 결부되어 분노와 좌절에 대한 언어적 중재를 힘들게 하였다. 친한 친구와 그의 동생에게 더 쉽게 왔던 것을 보는 것은 좌절감과 질투를 더했다.

케이스 평가(Evaluating the Case)

인지적 및 정서적 처리(Cognitive and Affective Processes)

1. *조절, 집중 및 학습을 위한 역량:* 약한 미세 운동/강한 대근육 운동 능력; 좋은 수면 조절과 좋은 음식 섭취, 감각 문제 없음; 불안이 적을 때는 좋은 언어 능력; 실행 기능 및 표현 언어의 약점(신경 심리적 테스트 상)
2. *정서적 범위, 의사 소통 및 이해 능력:* 감정이 다양하지만, 감정은 급격히 강렬해질 수 있음; 정서적 경험을 효과적으로 전달하는 데 어려움
3. *정신화 및 성철 기능 역량:* 자신의 행동이 다른 사람들(특히 가족 구성원)에게 어떤 영향을 미치는지 인식하지 못할 때가 있다.

정체성 및 관계(Identity and Relationships)

4. *분화 및 통합을 위한 역량(정체성):* 자기 자신을 편안하게 느끼지는 않지만 자신이 누구인가에 대해 분명히 인식함
5. *관계와 친밀함에 대한 역량:* 다른 사람들에 대해 조금은 걱정하지만, 다른 아이들과 즐겁게 지내며 선생님들과 잘 어울림. 그룹에 속하기를 좋아함. 형제에 대해 질투가 있음. 부모와 갈등이 있음
6. *자존감의 조절 및 내적 경험의 질에 대한 역량:* 학교에서의 싸우거나 형제와의 경쟁으로 인해 자존심이 영향을 받음

방어 및 적응(Defense and Coping)

7. *충동 억제 및 조절 능력:* 행동 및 정서 조절의 어려움, 공격성, 좌절에 대한 인내력의 제한
8. *방어 기능을 위한 능력:* 회피적 방어 양식, 전능감, 허풍 및 과대성 경향. 좋은 현실 검증력
9. *적응, 회복 탄력성 및 장점에 대한 역량:* 형제가 출생한 후 적응의 어려움

자기 인식 및 자기 방향(Self-Awareness and Self-Direction)

10. *자기 관찰 능력(심리적 마인드):* 세상에 대한 호기심이 부족한 것 같음
11. *내적 기준 및 이상을 구상하고 사용하는 능력:* 행동에 대한 수치심과 죄책감이 때때로 (일관되지 않음) 있음. 잘못된 것과 옳은 것을 인식할 수 있음

다른 요인(Other Factors)

후생 유전학 : 어버지의 불안 및 우울.

기질: 행복하고 키우기 쉬운 아기였음에도 부정적 정서에 대한 증거가 있음
신경 심리학: 실행 기능 및 표현 언어의 부족(신경 심리 검사 상)
애착 양식: 예시에서 기술되었듯이 친밀감/회피에 대한 기복으로 특정지어지는 회피적 불안정한 행동적 애착 특성을 가짐. 그러나 그가 가족 환경에서 공격성을 표현하는 것이 편안해 보이는 것처럼 일부 기본적인 안전감은 존재함. 회피 패턴은 부모의 명백한 예측 불가능 및 그의 불안 및 좌절을 다루는 효과적인 방법을 발달시키도록 도와주지 못한 것의 결과로 생각됨.
사회 문화적 요인: 어려움은 가족과 함께 가정에서 주로 관찰되지만 학교에서는 관찰되지 않음

역전이/전이 현상(Countertransference/Transference Manifestations)

아동은 치료자에게 깊은 인상을 심어주고 싶어 하며 동시에 자신이 고민하고 있는 것에 대해 도움을 받는 것을 꺼린다. 치료자는 공감을 하나 아이의 방어의 본질 때문에, 좌절하고 순간에 종료된다. 아이는 또한 경쟁심을 불러 일으킨다.

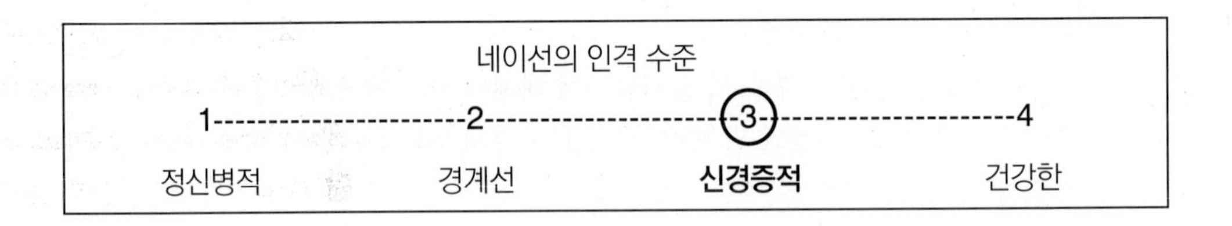

인격 구조의 경계선 단계(Borderline Level of Personality Organization)

경계선 수준의 인격조직에서 기능하는 아이들은 사고방식이 경직되고 융통성이 없는 경향이 있다. 다른 사람의 관점을 취하는 것은 이들에게 어려운 일이다. 그들은 뉘앙스를 알지 못하고 사건, 사람, 상호작용을 완전히 좋거나 완전히 나쁜 것으로 인식한다. 외상이 있는 아이들은 스트레스를 받으면 해리가 나타날 수 있다. 그들은 사고장애(예: 연상의 이완, 사고의 이탈, 구체적 사고)를 보일 수 있다. 그들은 내면에서 오는 것과 다른 사람에게서 오는 것을 구별하기 어려울 수 있다. 스트레스를 받으면 와해되며, 때로는 현실과 잠깐 멀어질 수도 있다; 그러나 그들은 도움을 받거나 또는 대체 자극이 제공될 때 회복할 수 있는 역량이 있다. 그들은 일단 조절이 어려워지면 누그러지기가 어렵다. 양육자가 공감적이고, 지지하고, 위안을 주는 것과 관련 없이 분노발작, 격노, 또는 흐느낌은 장시간 동안 지속될 수 있다. 경계 수준의 아이들은 자기 성찰을 위한 역량이 거의 없다.

방치 및 폭력을 포함한 학대의 병력은 나중에 경계성 인격장애를 일으키지 않거나 여기에서 강조되는 인격장애가 나타나지 않을 수도 있지만 이 수준에서 기능하는 아이들에게 드문 일은 아니다. 성적 학대를 받은 아이들은 종종 경계선 수준의 인격구조에서 기능하며, 특히 학대가 양육자에 의해 발생했을 때 발견된다. 그러나 일부 어린이의 경우 양육자(종종 반응

성에 대한 기질적인 성향과 상호작용하는) 의존기 및/또는 영구적인 공감 실패는 종종 혼란스러운 애착 스타일을 낳는다; 행동을 통해 감정을 표현하는 경향; 신경 심리적 발달 및 상징적 역량과 성찰 기능의 저하. 이 아이들은 자신의 생각이 무엇인지, 다른 사람의 생각이 무엇인지 분별하는 데 어려움을 겪는다. 그들은 감정에 격렬한 변화를 보이는 경향이 있으며, 감정은 언어적 표현보다는 행동화되는 경우가 많다. 그들은 자신에 대한 호기심이 거의 없으며, 자신의 정체성을 유지하기가 어려울 수 있다. 그들은 그들이 제공하는 기능(정신분석적 용어로, 부분-대상관계)에 관해 다른 사람들과 관련될 수 있지만, 다른 사람이 누구인지, 또는 그들에게 동기를 부여하는 것에 대한 인식이나 이해는 거의 없다. 사람들이 인식되고 관련되는 방식이 급격히 바뀌는 것은 드문 일이 아니다. 경계선 수준의 어린이는 한 순간(또는 한 환경에서) 실제로 공감할 수 있지만, 다음 단계에서는 똑같이 냉담할 수 있다.

이 카테고리의 아이들이 임상적으로 경험하는방 식(Ways in Which Children in This CategoryTend to Be Experienced Clinically)

경계선 수준의 어린이는 지칠 수 있다. 그들의 삶은 극도의 감정기복과 함께 관계의 본질에서 예기치 못하고 빠르게 바뀐다. 치료사는 강렬한 감정의 수용자가 되고, 아이의 강렬한 정신상태를 외면적으로 안정되게 경험해야 한다. 치료사에 대한 반응은 종종 극단적인 사랑과 증오, 의존과 거부이다. 이 아이들의 정서적 표현은 극단적이며 용서하지 않는 경향이 있다. 그들은 치료사가 무능하다고 느끼게 만든다. 자존감의 문제와 원시적 방어에 대한 의존 때문에, 그들은 말로 자신의 마음을 전달하는 것이 아니라 다른 사람들 안에서 자신의 경험을 창조함으로써 마음의 상태를 전달하는 경향이 있다. 치료자가 “제대로 해낼 수 없다”고 느끼는 순간과 지금까지 살았던 가장 위대한 치료자인 것처럼 느끼는 순간이 있다.

경계선 수준의 어린이가 있는 방에 어떤 상태의 일이 있더라도 언제든 가장 좋지 않다. 놀이에 등장하는 캐릭터는 종종 공감하지 못하고, 차가우며, 학대적 또는 철저히 가학적으로 묘사된다; 그들 자신의 목적을 다른 사람들을 이용 또는 조작하거나 그런 태도의 표적으로써 다른 사람을 묘사한다. 이러한 주제를 가진 아이들은 치료자를 극도로 상처입는 방식으로 대할 수 있으며, 공감이나 관심을 거의 나타내지 않고, 치료자의 고통에 대해 기쁜 마음도 갖는다. 경계선상의 어린이들과 경계를 유지하는 것은 어려울 수 있다. 그들은 신체적 거리, 성욕, 요구 및 공격성의 한계를 시험하는 경향이 있다. 그들은 치료자에 대해 부적절한 질문을 하거나 전혀 관심을 보이지 않을 수도 있다. 오해나 공감 부족으로 인해 다른 사람들의 관점을 이해하는 것이 어렵다는 것을 알게 된다. 앞서 언급했듯이, 이 아이들은 자신에 대해 또는 다른 사람의 마음에 있을 수 있는 것에 대해 생각하는 것보다 행동하는 경향이 있다.

임상양상(Clinical Illustration)

애나(Ana)는 8세의 히스패닉계 소녀로 어머니 및 외할머니와 함께 저소득층 거주지에서 살고 있었다. 그녀는 집과 학교에서 격렬한 행동으로 의뢰되었다. 그녀의 걸음걸이, 말하기, 미세 및 대근육 운동능력은 연령에 적절했다. 그녀는 잘 먹고 잘 잤다. 그녀의 지능은 낮은 평균 정도로 평가되었다. 애나는 다른 어린이와 어른들로부터 적대적이지는 않더라도 부정적 반응이 예측되는 신뢰할 수 없는 어린이였다. 그녀의 어머니는 마찬가지로 자신의 과거와 애나의 병력에 대해 방어적이고 의심이 많았다. 그녀는 애나가 미국에서 태어났으며 어머니와 할머니가 키웠다는 사실만을 밝혔다. 딸과 달리 J씨는 특히 수동적이었고 두드러지게 우울했다. 그녀는 애나의 유년기가 '정상적인' 것으로 간략하게 묘사했지만, 그녀의 자녀는 "항상 이런식으로 지냈다"고 말했다. 약간의 색채나 세부사항조차 제시되지 않았다. 애나가 처음 평가 받을 때 애나의 어머니는 남편과 2년 동안 헤어져 있었다. 대조적으로 애나의 아버지는 매우 공격적이었다. 전부인에게 언어적 및 육체적으로 공격적이었지만 그는 신체적으로 딸을 학대하지 않았다.

애나는 귀여운 아이였지만, 이해하거나 가까워지기 어려웠다. 그녀의 놀이는 특이하고 종종 고립되었으며, 반복적이고 건조하고 혼란스러운 주제에 관한 내용으로 이루어졌다. 일관성이 없고, 상징적으로 극명한 본질의 놀이는 그녀가 자신을 어떻게 보았는지에 대한 명확한 의미를 가지지 못했다. 그녀는 종종 치료자를 놀이 활동에서 제외시켰다. 그녀가 치료자가 참여하는 데 관계에 관심을 보였을 때, 그녀는 잘 놀지 않고, 요구하고 통제했다. 치료자는 애나가 그녀와 놀기보다는 그녀를 이용했다고 느끼게 되었다. 그녀는 애나가 고통을 겪고 있음을 알았지만, 아이와 즐겁지도 않고, 아이로 인해 즐거운 감정이 들지도 않음을 알았다. 애나의 어머니에 따르면, 애나의 태도와 행동에 대한 변화는 갑자기 그리고 강압적으로 일어났고, 일반적으로 J씨가 요구를 거부하거나 애나에게 원하지 않는 일을 하도록 했을 때 발생했다. 치료자는 유사하게 아무런 확인된 촉발인자 없이 아이가 협조적인 순간에서 극단적인 거부와 신체적인 공격성의 순간으로 움직인다고 보고했다. 이러한 기분과 행동의 변화는 외부적인 것보다 내부적인 결정요소에 의한 것으로 보였다. 치료자는 마치 다른 아이와 갑자기 있는 것처럼 느끼거나, 아이가 치료자를 갑자기 완전히 다른 방식으로 경험하는 것처럼 느꼈다. 또한 연상의 이완과 사고이탈(tangential thinking)로 특징되는 특이한 구어는 애나를 이해하기 어렵게 만들었다. 그녀의 생각 순서를 따라가는 것이 항상 가능하지 않았다.

애나의 선생님은 애나가 공부에 거의 관심을 보이지 않은 학교에서 비슷한 경향을 발견했다. 그녀는 학교나 이웃에 친한 친구가 없었고, 사회적 단서를 파악하는 데 어려움을 겪었다. 학교에서의 놀이는 다른 어린이의 경험을 인식할 수 있는 능력이 거의 없음을 보여주었고, 친구들이 부정적인 반응을 보였을 때 애나는 괴롭힘을 당한다고 느꼈다. 애나는 그녀의 세계에서 분리된 방식으로 반응했고, 또는 마치 그녀가 적개심의 대상이 될 자격이 없는 것처럼 행동했다. 그녀의 방어는 전적으로 외현화되었다. 그녀는 자신이 발견한 갈등에 대한 기여에 인식할 능력이 거의 없음을 보여주었다. 다른 사람들에 대한 그녀의 인식은 심하게 왜곡되었고, 때로는 다른 사람들에 대한 인식과 일치하지 않았다. 그녀는 거의 정상적인 8세의 능력이나 자신에 대해 생각해 보지 않았다; 그녀의 반응은 거의 완전히 반사적이었고 성찰적이지 않았다. 그녀의 생각은 대체로 융통성이 없었다. 애나는 충동적이고 사람들에게 물건을 던지거나 머리카락을 잡아당기고, 때리고, 악담을 하는 지경까지 억제되지 않았다. 그녀는 스스로를 달랠 수 없었으며 다른 사람들 또한 그녀를 진정시킬 수 없었다. 그녀의 정동의 범위는 제한적이었다. 그녀는 슬픔이나 기쁨을 분명하게 표현하지 않았으며 격렬한 분노가 가장 두드러졌다. 폭발한 이후, 그녀는 일반적으로 반성하지 않았고, 냉담한 무관심만을 표출했다. 그러나 다른 때에는 그녀는 동정심을 가지고 어머니의 외로움에 대해 생각할 수 있었다.

케이스평가(Evaluating the Case)

인지적 및 정서적 처리(Cognitive and Affective Processes)

1. *조절, 집중 및 학습을위한 역량:* 걷기, 말하기, 운동 기술은 모두 두드러지지 않는다. 좋은 수면 및 식사 패턴을 가지고 있고, 지적 기능은 낮은 평균이다. 호기심이 부족하다.
2. *정서적 범위, 의사 소통 및 이해 능력:* 정서적 범위가 제한적이다. 나이에 맞는 방식 으로 감정을 전달할 수 없다.
3. *정신화 및 성찰 기능을 위한 역량:* 사회적 단서를 읽을 수 없다. 성찰에 대한 역량은 극히 제한적이다. 다른 사람들을 이해하는 데 뚜렷한 관심이 없다.

정체성 및 관계(Identity and Relationships)

4. *분화 및 통합(정체성)을위한 역량:* 스스로에게서 오는 것과 다른 사람에서 오는 것을 구분하는 것에 어려움이 있다. 명확한 방법으로 정의되지 않은 자신에 대한 감각이 있다.
5. *관계와 친밀함을 위한 수용력:* 믿을 수 없으며, 가까워지기 어렵고 방어적이다.
6. *자존감 조절 및 내적 경험의 질:* 내적 경험은 서로 떨어져 있다.

방어 및 대처(Defense and Coping)

7. *충동 억제 및 조절 능력:* 충동 억제가 어렵고 쉽게 조절할 수 없다. 파괴적으로 공격적이다.
8. *방어 기능을 위한 능력:* 외현화되는 방어가 지배적이다; 고통을 경감시키지 못한다. 현실 검증력이 다소 손상되어 있다.
9. *적응, 회복 탄력성 및 용기에 대한 역량:* 때로는 엄마에게 연민을 느낄 수 있다. 여러 환경에 적응력이 부족하다.

자기인식및자기방향(Self-Awareness and Self-Direction)

10. *자기 관찰 역량(심리적 마인드):* 아이는 아직 심리적 마인드가 없다. 자기 관찰을 위한 역량이 거의 없음을 보여준다. 자기 인식이 부족하다.
11. *내적 표준 및 내적 이상을 구성하고 사용하는 능력 :* 크게 제약을 받지 않는다. 결과에 대해 상관없이 그리고 뚜렷한 후회없이 다른 사람을 비난할 수 있다.

다른요인(Other Factors)

후생유전학: 가족 병력은 아직 밝혀지지 않았다.

기질: 정보가 거의 제공되지 않았지만 주목할 만한 보고는 없었다.

신경 심리학: 혼란스럽고 부주의하다.

애착 양식: 아이는 갑작스럽고 예측 불가능하게 정서의 변화가 있거나 극도로 조절되지 않는 에피소드들로 특징되는 혼란스러운 애착 패턴을 보여준다. 전반적으로 비경제적 방어 전략(종종 절망과 혼란 상태에 처한다)의 특징인 행동에 대한 유연성이 부족하다.

사회 문화적 요인: 가난; 가족 및 이웃의 폭력

역전이/전이현상(Countertransference/Transference Manifestations)

아이는 비협조적이며 요구하고 통제적이다. 치료자는 이용당했다는 느낌이 있다. 상호성과 상호 즐거움을 위한 감각이 생기기 어렵다.

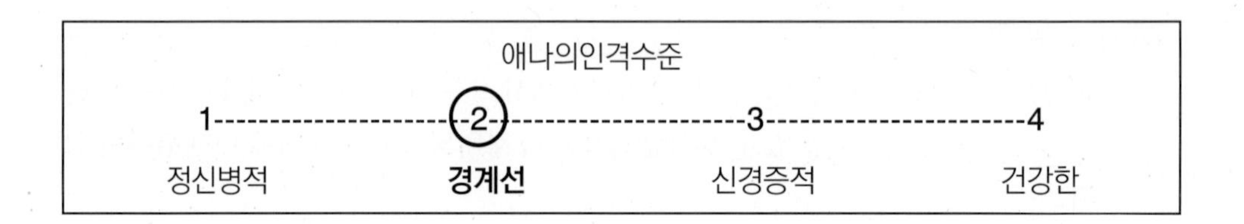

정신병적수준의인격구조(Psychotic Level of Personality Organization)

아이에서 정신병적 수준의 인격 구조는특이하고 따라가기가 어렵고 때로는 대화 또는 상황과 관련이없는 말을 하는 것을 특징으로 한다. 인지 기능 단계의 변화가 주목될 수 있다. 현실과의 단절은 지속적으로 발생하며 고칠 수 있는 대상이 아니다. 망상과 환각 경험이 있을 수 있다. 신체화 및 신체에 대한 걱정이 흔하다. 정동은 내용에 부적절하다. 감정적 반응, 행동 및 언어는 외부 자극보다는 내부 자극에 대한 아이의 반응을 반영할 수 있다. 정신병적 수준의 아이는 아무런 이유 없이 웃거나 두려워할 수 있다. 정동은 평평하거나 둔화되며 때로는 매우 강렬할 수도 있지만, 어느 경우이든 상황에 맞지 않다. 이 아이들은 내부적인 자극과 외부적인 자극을 구별하기가 어려우며, 한 사람과 다른 사람을 구별하는 것이 혼란스러울 수 있다. 또 다른 아이들은 명백한 당위성이 없이 위협적으로 경험할 수도 있다.

친구들은 아이들을 '이상한' 또는 '미친' 것으로 여기는 경향이 있다. 이들은 종종 괴롭힘을 당하거나 피합니다. 그들의 놀이는 기묘하고 이상하며, 빠르게 변하고, 따라하기에 힘든 주제인 경향이 있다. 그들은 자기와 다른 사람, 그리고 놀이와 현실 사이에서 경계를 잃을 수도 있다. 치료자 또는 치료적 관계에 대해 정의된 인식을 갖는 것과는 대조적으로, 정신병적 수준의 아이는 종종 치료자를 전혀 염두에 두지 않는다. 자기 성찰을 위한 수용력이나 관심이 거의 없다. 아이의 세계에 들어가거나 어린이를 더 잘 알기 위한 시도는 침습적으로 보이거나 적대감을 불러일으키거나 무관심한 아이를 만날 수 있다. 이 아이들은 흔히 중요한 가족의 정신 건강 병력을 가지고 있다.

이 카테고리의 아이들이 임상적으로 경험되는 방식(Ways in Which Children in This Category Tend to Be Experienced Clinically)

치료자가 아이들의 말을 듣거나 놀고 아이들이 말하는 것에 대해 논리적으로 이해할 수 없다는 것을 알게 되면, 그들의 경험은 중요한 진단 지표가 될 수 있다. 정신병적 수준의 아이들은 자신의 생각을 전달하는 데 큰 어려움을 겪는다. 그들이 방에서 사라지는 것처럼 보이거나, 마음속의 다른 곳으로 가거나, 치료자 및 자신이 아닌 다른 목소리에 집중하는 순간이 있다. 그들의 반응은 정보를 적절히 처리할 수 없거나 치료자보다 내부 자극에서 오는 것에 반응하기 때문에 방금 말한 것 또는 행동했던 것과 일치하지 않는 것처럼 보일 수 있다. 임상가는 종종 정신병적 수준의 아이들이 쥐고 있는 극단적인 불안감을 느낄 수 있다. 때때로 세상은 완전히 통제 불가능하고, 예측할 수 없고, 이해할 수 없다고 느낀다. 정신병적 수준의 아이들은 과각성이 된 것처럼 보일 수 있다. 그들은 독특한 관심사를 가지거나, 독특한 방식으로 세상을 볼 수도 있으며, 무엇이 현실이고 그렇지 않은지 쉽게 추적을 잃을 수 있다. 그러한 어린이와 일하는 것은 혼란스럽고 강렬하며 무서울 수도 있으나 또 한 보상적이기도 하다. 아이들은 때때로 도움을 받아들이기도 한다. 그들은 자신이 다르다고 느끼고 또래들에게 거부당하는 것을 느끼기 때문에 치료자에게 도움을 청할 수도 있다.

임상양상(Clinical Illustration)

폴(Paul)은 9살의 유럽계 미국인 소년으로 부모님과 함께 상위 중산계층의 집에 살고 있다. 그는 형제가 없었다. 그는 6세 때 정신 건강 서비스를 방문한 적이 있었다. 그 당시 그는 학습에서의 어려움과 친구들과의 문제가 있었고, 출혈을 일으킬 정도로 피부를 뜯곤 했다. 폴은 말하는 것을 제외하고는 적시에 발달 과업을 했다. 그는 4학년 중반까지 유창하게 말하지 않았다. 말하는 것은 발음의 문제 없이 분명히 명확했다. 유아기 때 폴은 쉽게 미소지으며 눈을 잘 마주쳤으며 관계가 좋았다고 했다. 그의 부모님과 그 당시 그리고 의뢰 당시에 폴은 낯선 사람들에 대한 불안감이 전혀 없었다. 부모는 그가 오랫동안 알고 지냈던 것처럼 모든 사람을 지나치게 신뢰한다고 묘사했다. 그들은 이것을 매력적인 특성이 아닌 걱정스러운 것으로 겪었다. 부모는 폴에게 가능한 어려움에 민감했다. 가족의 한쪽에는 조현병의 병력이 있었고 다른 한쪽에는 양극성 장애의 병력이 있었다. 잠재적으로 심한 외상을 입은 병력은 없었다.

폴의 전반적인 지능은 평균 범위였지만, 가장 최근의 테스트에서의 성과는 이전 평가보다 낮았다. 그의 선생님은 그가 집중할 수 있지만, 자신의 생각을 조직화하는 데 어려움을 겪으며 생각이 다소 구체적이고 융통성이 없었다고 말했다. 폴은 새로운 상황을 통해 생각할 수 있는 것보다 훨씬 더 잘 기억할 수 있었다. 이 모든 것은 그가 호기심이 있었음에도 불구하고 학습 및 그와 관련된 문제에 추가되었다. P는 자신의 아들이 인지적 결핍과 마찬가지로 학습의 어려움이 심리적 결함과 관련이 있다고 생각했었다. 그녀와 남편은 폴이 항상 매우 감정적이고 이해하기 어려운 아이였다고 설명했다.

그는 반항적이지는 않았지만, 폴의 부모는 그가 하고 있거나 토론하고 싶어 하는 것을 바꾸기 위해 힘썼다. 비합리적이거나 비현실적이거나 무서운 생각을 할 때 다른 방식으로 생각하게 만들 수도 없었다. 그는 다른 아이들에게는 흥미롭지 않은 일들에, 제한된 관심과 활동에 과도하게 집중하는 방식으로 몰두했다. 그는 그가 하고 싶어 하는 것을 했고, 원하는 것은 여과 없이 말했다. 폴은 자신의 놀이 스타일이 상호적이지 않다는 것을 몰랐고, 다른 사람들이 하고 있거나 말하는 것과 별개로 그가 생성한다는 것을 알지 못했다. 그는 육체적으로 다소 부자연스러웠다. 폴은 다른 사람들이 재미있지 않은 것에 웃거나 다른 사람들의 반응을 무시하는 것처럼 보이기 때문에 다른 사람들은 그의 행동을 무신경하고 부적절한 것으로 종종 느꼈다. 그는 친절하고 협조적일 수는 있지만 자의식의 정도와 관련없이 연관 없는 내용을 불쑥 말할 것이다. 그의 우정은 그 나이의 아이들에 비해 얕았다. 그는 절친한 친구가 없었고 사회적 그룹에 속해 있지도 않았다. 폴은 점심이나 휴식 시간에 팀스포츠나 급우들이 많이 동참하는 것에 참석하지 않았다.

그의 기분은 전형적으로 낙관적이었지만 그의 표현에는 강렬함이 있었다. 그의 관심사 중 일부는 그의 나이 소년에게 전형적인 것이 아니었다; 예를 들어, 그는 인어공주와 노트북 수리 방법에 빠져 있었다. 강렬했지만 그의 관심사는 오랫동안 관심사가 되지 못했다. 폴은 다른 사람들과 달랐지만 어떻게 말할 수는 없었다. 그는 자주 그에게 잘못된 것이 있다고 생각했지만, 행동이나 사고방식이 아닌 신체적인 것에 있다고 생각했다. 이러한 신체적인 것에 대한 걱정와 불평은 종종 학교 거부로 이어졌을 것이다. 이러한 우려는 친구가 없고 도발하지 않고도 괴롭힘을 당하며 불행과 혼란, 초조의 순간으로 이어졌다. 폴은 어떤 일이 있었는지에 대해 불편했지만 어떤 도움을 받을 수는 없는 것처럼 보였다. 어른들은 명백한 힘겨움에 공감하기가 쉬웠지만 그의 친구들은 그렇지 않았다.

바울의 사고와 현실 검증력은 모두 훼손되었다. 연상의 이완, 이탈 및 구체적 사고가 모두 존재했다. 그는 오해하고 잘못 해석하는 경향이 있었다. 그는 충분히 생각하지 않고 충동적으로 반응했고, 강렬한 감정을 견디거나 그 원인에 대해 생각하기보다는 그것을 쏟아내는 데에 더 집착하는 것처럼 보였다. 그는 그의 주변에서 생기는 것보다 내부에서 일어나는 것에 더 자주 반응했다. 그는 다른 사람들에게 진심으로 관심이 있는 것 같았지만, 다른 사람의 경험을 정확하게 인식하지 못하거나 자신에서 오는 것과 다른 사람에서 오는 것의 차이를 구분할 수 없었다. 그가 의뢰되기 전까지는 보고되지 않았지만, 폴은 의미 없는 단어의 소리를 만들어내는 모호한 목소리를 들었다고 말했다. 그는 이것에 의해 괴롭힘을 당했다고 설명했지만, 다른 것들과 마찬가지로, 그의 반응은 지성화되거나(intellecualized), 합리화(하지만 비합리적으로)되거나, 구획화되었다.

폴의 관심은 감정적인 것보다는 경험의 세부 사항에 있었다. 이 점에서도 그의 정동은 내용에 부적절했다. 자신의 감정에서 벗어날 수 없을 때, 폴은 빠르게 혼란스러워지며 점점 비논리적으로 되었다. 그의 놀이는 고립된 경우가 많았으며 치료자보다 그가 만든 인물에 더 많은 관심을 기울였다. 주제별 내용은 기괴하고 비논리적이었다. 대안적인 주제나 결과는 그가 자신의 놀이에 통합하는 것을 어렵게 하거나 불가능하게 했다. 치료자는 때로는 불필요하거나 간섭적이라고 느낄 것이지만, 아직 그 아이에 대해 열정적인 뭔가가 남아 있다.

케이스 평가(Evaluating the Case)

인지적 및 정서적 처리(Cognitive and Affective Processes)

1. *조절, 집중 및 학습에 대한 역량:* 아이는 정서적인 조절이 어려울 수 있다. 집중은 의도하면 수정이 된다. 이 사고와 혼란된 생각은 학습의 어려움과 관련이 있다.
2. *정서범위, 의사소통 및 이해에 대한 역량:* 정동은 내용에 부적절하다. 말하기 지연이 있다.
3. *정신화 및 성찰기능에 대한 역량:* 자신의 행동을 반영하거나 심리적으로 살펴보는 역량이 부족하다.

정체성 및 관계(Identity and Relationships)

4. *분화 및 통합을 위한 역량(정체성):* 자신이 누구인가에 대한 감각에 발달이 없다.
5. *관계 및 친밀함에 대한 역량:* 직계 가족 외에는 친밀한 관계는 없다.
6. *자존감의 조절 및 내적 경험의 질에 대한 역량:* 아이는 자신이 다르게 보인다는 것을 알지만, 그 이유에 대해서는 이해하지 못한다. 그에게 무엇인가 잘못되었다는 감각이 있지만, 그것을 신체적인 것으로 여긴다.

방어 및 적응(Defense and Coping)

7. *충동 통제 및 조절에 대한 역량:* 억제할 수 없으며 자신이 말하거나 행동한 것에 대해

여과하는 능력이 없다.

8. *방어기능에 대한 역량:* 방어는 원시적 사고를 막고 현실검증력을 유지하는 데 실패한다.
9. *적응, 회복탄력성 및 용기에 대한 역량:* 폴은 융통성이 없고 알지 못하지만 그럼에도 불구하고 호감이 간다.

자기 인식 및 자기 방향(Self-Awareness and Self-Direction)

10. *자기를 관찰하는 역량(심리적 마음상태):* 합리적으로 정확히 자신을 관찰하는 능력이 없다.
11. *내적 기준 및 이상을 건설하고 사용하는 역량:* 내적기준을 평가하기가 어렵다.

다른요인(Other Factors)

후생유전학: 중요한 가족의 정신 건강 병력

기질: 항상 유연성이 없고, 강렬한 감정을 가짐

신경 심리학: 융통성이 없고 혼란스러운 생각 패턴. 지연된 말하기

애착 양식: 마음이론에서 중요한 어려움이 있다는 증거가 있으며, 그 결과로 현실검증력 및 논리적 생각의 흐름에 장애가 있는 것으로 보임. 행동적 애착 양식에서, 아이의 행동은 혼란스러운 범주에 빠짐

사회 문화적 요인: 중상류층, 유럽계 미국인 가족. 형제는 없음

역전이/전이현상(Countertransference/Transference Manifestations)

양쪽에 단절된 느낌. 제공되는 것을 통합하는 데 큰 어려움이 있다. 비록 자주 분리되더라도 아이는 사랑스럽다.

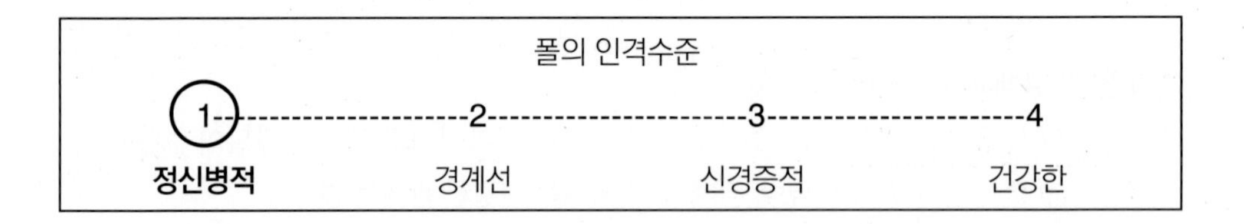

참고문헌

Achenbach, T. A., & Rescorla, L . A. (2001). *Manual for A SEBA SchoolAge Forms and Profiles.* Burl ington: University of Vermont, Research Center for Children, Youth, and Families.

Acklin, M. (1995). Rorschach assessment of the borderline child. *Journal of Clinical Psychology, 51*(2), 294-302.

Agrawal, H. R., Gunderson, J., Holmes, B. M., & LyonsRuth, K. (2004). Attachment studies with borderline patients: A review. *Harvard Review of Psychiatry, 12*(2), 94-104.

Akhtar, S. (2011). *Immigration and acculturation: Mourning, adaptation, and the next generation*. Lanham, MD: Aronson.

Altman, N. (2010). *The analyst in the inner city: Race, class, and culture through a psychoanalytic lens* (2nd ed.). New York: Routledge.

American Psychiatric Association. (2013). *Diagnostic and statistical manual of mental disorders* (5th ed.). Arlington, VA: Author.

Ames, L. B., Learned, J., Mitraux, R. W., & Walker, R. W. (1952). *Childhood Rorschach responses*. New York: Hoeber.

Ames, L. B., Metraux, R. W., & Walker, R. N. (1971). *Adolescent Rorschach responses: Developmental trends from ten to sixteen years* (2nd ed.). New York: Brunner/Mazel.

Armstrong, J. G., & Loewenstein, R. J. (1990). Char acteristics of patients with multiple personality and dissociative disorders on psychological test ing. *Journal of Nervous and Mental Disease, 178*,448-454.

Barkley, R. A. (1999a). Response inhibition in atten tion deficit hyperactivity disorder. *Mental Retar dation and Developmental Disabilities Research Reviews, 5*, 177-184.

Barkley, R. A. (1997b). *A DHD and the nature of selfcontrol*. New York: Guilford Press.

Barkley, R. A. (2001). The executive functions and selfregulation: An evolutionary neuropsycho logical perspective. *Neuropsychology Review, 11*,1-29.

Barkley, R. A. (2010). Deficient emotional self regulation is a core component of ADHD. *Journal of A DHD and Related Disorders, 1*, 5-37.

Beebe, B., Lachmann, F. M., Markese, S., Buck, K.A., Bahrick, L. E., Chen, H., . . . Jaffe, J. (2012). On the origins of disorganized attachment and internal working models: Paper II. An empirical microanalysis of 4month mother-infant interac tion. *Psychoanalytic Dialogues, 22*(3), 352-374.

Beebe, B., & Steele, M. (2013). How does microanaly sis of mother-infant communication inform mater nal sensitivity and infant attachment? *Attachment and Human Development, 15*(5-6), 583-602.

Bell, M. (2003). Bell Object Relations Inventory for Adolescents and Children: Reliability, validity, and factorial invariance. *Journal of Personality Assess ment, 80*, 19-25.

Bellak, L. (1993). *The T. A.T., C. A.T., and S. A.T. in clinical use* (5th ed.). Boston: Allyn & Bacon.

Belsky, J., & Pluess, M. (2009). Beyond cumulative risk: Distinguishing harshness and unpredictability as determinants of parenting and early life history strategy. *Developmental Psychology, 48*, 662-673.

Belsky, J., Schlomer, L., & Ellis, B. J. (2012). Beyond diathesis stress: Differential susceptibility to envi ronmental influences. *Psychological Bulletin, 135*,885-908.

Biederman, J., Rosenbaum, J. F., BolducMurphy, E. A., Faraone, S., Chaloff, J., Hirschfeld, D. R.,& Kagan, J. (1993). Behavioral inhibition as a temperamental risk factor for anxiety disorders. *Child and Adolescent Psychiatric Clinics of North America, 2*, 667-684.

Blair, C., & Rawer, C. C. (2012a). Child development in the context of adversity: Experiential canaliza tion of brain and behavior. *American Psychologist, 10*, 1-10.

Blair, C., & Rawer, C. C. (2012b). Individual devel opment and evolution: Experiential canalization of selfregulation. *Developmental Psychology, 48*,647-657.

Blatt, S. (1974). Levels of object representation in ana clitic and introjective depression. *Psychoanalytic Study of the Child, 29*, 107-157.

Bleiberg, E. (2001). *Treating personality disorders in children and adolescents: A relational approach*. New York: Guilford Press.

Block, J. H., & Block, J. (1980). The role of ego control and egoresiliency in the organization of behavior. In W. A. Collins (Ed.), *Development of cognition, affect and social relations* (Vol. 13, pp. 39-101). Hillsdale, NJ: Erlbaum.

Bouchard, T. J., Jr., & Loehlin, C. (2001). Genes, evo lution, and personality. *Behavior Genetics, 31*(3),243-273.

Bowlby, J. (1973). *Attachment and loss: Vol. 2. Sepa ration: Anxiety and anger*. New York: Basic Books. Bridgett, D. J., Burt, N. M., Edwards, E. S., & Deater Deckard, K. (2015). Intergenerational transmission of selfregulation: A multidisciplinary review and integrative conceptual framework. *Psychological Bulletin, 141*(3), 602-654.

Caplan, R., Guthrie, D., Fish, B., Tanguay, P. E.,& DavidLando, G. (1989). The Kiddie Formal Thought Disorder Rating Scale: Clinical assess ment, reliability and validity. *Journal of the Ameri can Academy of Child and Adolescent Psychiatry, 28*(3), 408-416.

Carlson, E. A. (1998). A prospective longitudinal study of attachment disorganization /disorienta tion. *Child Development, 69*(4), 1107-1128.

Carlson, E. A., Egeland, B., & Sroufe, L. A. (2009). A prospective investigation of the development of borderline personality symptoms. *Development and Psychopathology, 21*(4), 1311-1334.

Caspi, A., & Roberts, B. W. (1999). Personality con tinuity and change across the life course. In L. Per vin & O. John (Eds.), *Handbook of personality: Theory and research* (pp. 300-326). New York: Guilford Press.

Caspi, A., Roberts, B. W., & Shiner, R. L. (2005). Personality development: Stability and change. *Annual Review of Psychology, 56*, 453-484. Caspi, A., & Shiner, R. L. (2006). Personality development. In W. Damon & R. M. Lerner (Series Eds.) & N. Eisenberg (Vol. Ed.), *Handbook of child psy chology: Vol. 3. Social, emotional, and personal ity development* (6th ed., pp. 300-365). Hoboken, NJ: Wiley.

Caspi, A., & Shiner, R. L. (2008). Temperament and personality. In M. Rutter, D. V. M. Bishop, D. S. Pine, S. Scott, J. Stevenson, E. Taylor, & A. Thapar (Eds.), *Rutter's child and adolescent psychiatry* (5th ed., pp. 182-198). Oxford, U K: Blackwell.

Champagne, F. D. (2010). Epigenetic perspectives on development: Evolving insights on the origins of variations. *Developmental Psychology, 52*, 3-10.

Chapman, B. P., & Goldberg, L. R. (2011). Replica bility and 40 year predictive power of childhood ARC types. *Journal of Personality and Social Psy chology, 101*, 593-606.

Chazan, S. W. (2000). Using the Children's Play Ther apy Instrument (CPTI) to measure the development of play in simultaneous treatment. *Infant Mental Health Journal, 21*, 211-221.

Chess, S., & Thomas, A. (1991). Temperament and the concept of goodness of fit. In J. Srelau & A. Angleitner (Eds.), *Explorations in temperament* (pp. 15-28). New York: Plenum Press.

Cicchetti, D. (2006). Development and psychopathol ogy. In D. Cicchetti & D. Cohen (Eds.), *Devel opmental psychopathology: Vol. 1. Theory and method* (2nd ed., pp. 1-23). Hoboken, NJ: Wiley.

Cicchetti, D., & Cohen, D. (Eds.). (2006). *Devel opmental psychopathology: Vol 1. Theory and method*. Hoboken, NJ: Wiley.

Cicchetti, D., & Rogosch, F. A. (2009). Adaptive coping under conditions of extreme stress: Multilevel influences on the determinants of resilience in mal treated children. *New Directions for Child and Adolescent Development, 124*, 47-59.

Cohen, P. (2008). Child development and personal ity disorder. *Psychiatric Clinics of North America, 31*(3), 477-493.

Coolidge, F. L. (2005). *Coolidge Personality and Neuropsychological Inventory for Children man ual*. Colorado Springs, CO: Author.

Costantino, G., Malgady, R. G., & Rogler, I. H. (1988). *T EM A S (TellMeA Story) manual*. Los Angeles: Western Psychological Services.

Cramer, P. (1982). *Defense mechanism manual*. Unpublished manuscript, Williams College, Wil liamston, MA.

Cramer, P. (1987). The development of defense mech anisms. *Journal of Personality, 55*(4), 597-614. Cramer, P. (1990). *The development of defense mechanisms: Theory, research, and assessment*. New York: SpringerVerlag.

Cramer, P. (1996). *Storytelling, narrative, and the Thematic Apperception Test*. New York: Guilford Press.

Cramer, P. (2015). Defense mechanisms: 40 years of empirical research. *Journal of Personality Assess ment, 97*(2), 114-122.

Cramer, P., & Blatt, S. J. (1990). Use of TAT to mea sure changes in defense mechanisms following intensive psychotherapy. *Journal of Personality Assessment, 54*, 236-251.

Cramer, P., Blatt, S., & Ford, R. (1988). Defense mechanisms in the anaclitic and introjective per sonality configuration. *Journal of Consulting and Clinical Psychology, 56*(4), 610-616.

Crawford, T. N., Cohen, P., & Brook, J. S. (2001).

Dramatic-erratic personality disorder symptoms: I. Developmental pathways from early adolescence to late adulthood. *Journal of Personality Disor ders, 13*, 319-335.

Crick, N. R., MurrayClose, D., & Woods, K. (2005).

Borderline personality features in childhood: A shortterm longitudinal study. *Development and Psychopathology, 17*, 1051-1070.

Deal, J., Halverson, C. F., Martin, R. P., Victor, J., & Baker, S. (2007). The Inventory of Children's Indi vidual Differences: Development and validation of a short version. *Journal of Personality Assessment, 89*, 162-166.

Deckel, A., Hesselbrock, V., & Bauer, L. (1998). Anti social personality disorder, childhood delinquency, and frontal brain functioning: EEG and neuropsy chological findings. *Journal of Clinical Psychol ogy, 52*(6), 639-650.

De Clercq, B., & De Fruyt, F. (2012). A five factor model framework for understanding childhood personality disorder antecedents. *Journal of Per sonality, 80*(6), 1533 – 1563.

De Clercq, B., Van Leeuwen, K., Van Den Noortgate, W., De Bolle, M., & DeFruyt, F. (2009). Child hood personality pathology: Dimensional stability and change. *Development and Psychopathology, 21*(3), 853 – 869.

De Haan, A. D., Dekovic, M., van der Akker, A. L., Stoltz, S. E. M., & Prinzie, P. (2013). Develop mental personality types from childhood to ado lescence: Associations with parenting and adjust ment. *Child Development, 84*(6), 2015 – 2030.

De Los Reyes, A., & Kazdin, A. E. (2005). Informant discrepancies in the assessment of childhood psy chopathology: A critical review, theoretical frame work, and recommendations for further study. *Psy chological Bulletin, 131*, 483 – 509.

Dennisen, J. J. A., Asendorpf, J. B., & Van Aken, M.A. G. (2008). Childhood personality predicts long term trajectories of shyness and aggressiveness in the context of demographic transitions in emerging adulthood. *Journal of Personality, 76*, 67 – 99.

Depue, R. A., & Lenzenweger, M. F. (2005). A neu robehavioral dimensional model of personality dis turbance. In M. F. Lenzenweger & J. F. Clarkin (Eds.), *Major theories of personality disorder* (2nd ed., pp. 391 – 453). New York: Guilford Press.

Digman, J. M., & Shmelyov, A. G. (1996). The struc ture of temperament and personality in Russian children. *Journal of Personality and Social Psy chology, 71*, 341 – 351.

Dollinger, S., & Cramer, P. (1990). Children's defen sive responses and emotional upset following a disaster: A projective assessment. *Journal of Per sonality Assessment, 54*, 55 – 62.

Donahue, P. J., & Tuber, S. B. (1993). Rorschach adaptive fantasy images and coping in children under severe environmental stress. *Journal of Per sonality Assessment, 60*(3), 121 – 434.

Dozier, M., & Kobak, R. R. (1992). Psychophysiology in attachment interviews: Converging evidence for deactivating strategies. *Child Development, 63*(6),1473 – 1480.

Ensink, K., Biberdzic, M., Normandin, L., & Clar kin, J. (2015a). A developmental psychopathology and neurobiological model of borderline person ality disorder in adolescence. *Journal of Infant, Child, and Adolescent Psychotherapy, 14*, 46 – 69.

Ensink, K., Normandin, L., Target, M., Fonagy, P., Sabourin, S., & Berthelot, N. (2015b). Mental ization in children and mothers in the context of trauma: An initial study of the validity of the Child Reflective Functioning Scale. *British Journal of Developmental Psychology, 33*(2), 203 – 217.

Exner, J. E. (1974). *The Rorschach: A comprehensive system* (Vol. 1). New York: Wiley.

Exner, J. E., & Weiner, I. B. (1995). *The Rorschach: A comprehensive system: Vol. 3. Assessment of chil dren and adolescents* (2nd ed.). New York: Wiley.

Feldman, R., & Blatt, S. (1996). Precursors of relatedness and selfdefinition in mother – infant interaction. In J. Masling & R. Bornstein (Eds.), *Psychoanalytic perspectives on developmental psychology* (pp. 1 – 42). Washington, DC: Ameri can Psychological Association.

Freud, A. (1966). *The ego and the mechanisms of defense*. New York: International Universities Press. (Original work published 1936)

Frick, P. J., Stickle, T. R., Dandreaux, D. M., Far rell, J. M., & Kimonis, E. R. (2005). Callous – unemotional traits in predicting the severity and stability of conduct problems and delinquency. *Journal of Abnormal Child Psychology, 33*, 471 – 487.

Frick, P. J., & White, S. F. (2008). The importance of callous – unemotional traits for developmental models of aggressive and antisocial behavior. *Jour nal of Child Psychology and Psychiatry, 49*(4),359 – 375.

Ge, X., Conger, R. D., Cadoret, R., Neiderhiser, J., Yates, W., Troughton, E., & Stewart, M. (1996). The developmental interface between nature and nurture: A mutual influence model of child antiso cial behavior and parent behaviors. *Developmen tal Psychology, 32*(4), 574 – 589.

Geiger, T. C., & Crick, N. R. (2010). Developmental pathways to personality disorders. In R. E. Ingram & J. E. Price (Eds.), *Vulnerability to psychopathol ogy* (2nd ed., pp. 57 – 108). New York: Guilford Press.

Germeijs, V., & Verschueren, K. (2011). Indecisive ness and Big Five personality factors: Relationship and specificity. *Personality and Individual Differ ences, 50*, 1023 – 1028.

Goldsmith, H. H. (1983). Genetic influences on per sonality from infancy to adulthood. *Child Devel opment, 54*, 331 – 355.

Habermas, T., & Köber, C. (2015). Autobiographi cal reasoning in life narratives buffers the effect of biographical disruptions on the sense of self continuity. *Memory, 23*(5), 664 - 674.

Halpern, F. (1953). *A clinical approach to children's Rorschachs*. New York: Grune & Stratton. Halverson, C. F., Havill, V. L ., Deal, J., Baker, S. R., Victor, J. B., Pavloupolos, V., . . . Wen, L. (2003). Personality structure as derived from parental rat ings of free descriptions of children: The Inventory of Child Individual Differences. *Journal of Person ality, 71*, 995 - 1026.

Hampson, S. E ., & Goldberg, L . R. (2006). A first large cohort study of personality trait stability over the 40 years between elementary school and midlife. *Journal of Personality and Social Psychol ogy, 91*(4), 763 - 779.

Harris, J. (1998). *The nurture assumption: Why chil dren turn out the way they do*. New York: Free Press.

Harter, S. (1999). *The construction of the self: A developmental perspective*. New York: Guilford Press.

Harter, S. (2006). The self. In W. Damon & R. M. Lerner (Series Eds.) & N. Eisenberg (Vol. Ed.), *Handbook of child psychology: Vol. 3. Social, emotional, and personality development* (6th ed., pp. 505 - 570) Hoboken, NJ: Wiley.

Hill, J., Stepp, S. D., Wan, M. W., Hope, H., Morse, J. Q., Steele, M., . . . Pilkonis, P. A. (2011). Attach ment, borderline personality, and romantic rela tionship dysfunction. *Journal of Personality Dis orders, 25*(6), 789 - 805.

Hiller, J. B., Rosenthal, R., Bornstein, R. F., Berry, D.T. R., & BrunellNeuleib, S. (1999). Comparative metaanalysis of Rorschach and MMPI validity. *Psychological Assessment, 11*(3), 278 - 296.

Hilsenroth, M. J., EudellSimmons, E . M., DeFife, J.A., & Charnas, J. W. (2007). The Rorschach Per ceptual and Thinking Index (PTI): An examination of reliability, validity and diagnostic efficiency. *International Journal of Testing, 7*(3), 269 - 291.

Holaday, M. (2000). Rorschach protocols from chil dren and adolescents diagnosed with posttraumatic stress disorder. *Journal of Personality Assessment, 71*, 306 - 321.

Hudziak, J. J., Achenbach, T. M., Althoff, R. R., & Pine, D. S. (2007). A dimensional approach to developmental psychopathology. *International Journal of Methods in Psychiatric Research, 16*, S16 - S23.

Jang, K. L ., McCrae, R. R., Angleitner, A., Rieman, R., & Livesley, W. J. (1998). Heritability of facet level traits in a crosscultural twin sample: Support for a hierarchical model of personality. *Journal of Personality and Social Psychology, 74*, 1556 - 1565.

John, O., Caspi, A., Robins, R. W., Moffitt, T. E ., & StouthamerLoeber, M. (1994). The "Little Five": Exploring the nomological network of the five factor model of personality in adolescent boys. *Child Development, 65*, 160 - 178.

Kelly, F. D. (1997). *The assessment of object relations phenomena in adolescents' TAT and Rorschach measures*. Mahwah, NJ: Erlbaum.

Kelly, F. D. (2007). The clinical application of the Social Cognition and Object Relations Scale with children and adolescents. In S. Smith & L . Han dler (Eds.), *The clinical assessment of children and adolescents: A practitioner's handbook*. Mahwah, NJ: Erlbaum.

Kernberg, O. F. (1975). *Borderline conditions and pathological narcissism*. New York: Aronson.

Kernberg, O. F., & Caligor, E . (2005). A psychoana lytic theory of personality disorders. In M. F. Len zenweger & J. F. Clarkin (Eds.), *Major theories of personality disorder* (2nd ed., pp. 114 - 156). New York: Guilford Press.

Kernberg, P. F., Chazan, S. E ., & Normandin, L . (1998). The Children's Play Therapy Instrument (CPTI): Description and development and reliabil ity studies. *Journal of Psychotherapy Theory and Research, 7*(3), 196 - 207.

Kernberg, P. F., Weiner, A., & Bardenstein, K. (2000). *Personality disorders in children and adolescents*. New York: Basic Books.

Kim, J., Carlson, G. A., Meyer, S. E ., Bufferd, S. J., Dougherty, L. R., Dyson, M. W., . . . Klein, D. N. (2012). Correlates of the CBCL dysregulation pro file in preschoolaged children. *Journal of Child Psychology and Psychiatry, 52*(9), 918 - 926.

Kobak, R. R., & Sceery, A. (1988). Attachment in late adolescence: Working models, affect regula tion, and representations of self and others. *Child Development, 59*, 135 - 146.

Kochanska, G., Philibert, R. A., & Barry, R. A. (2009). Interplay of genes and early mother - child relationship in the development of selfregulation from toddler to preschool age. *Journal of Child Psychology and Psychiatry, 50*(11), 1331 - 1338.

Korkman, M., Kirk, U., & Kemp, S. (2007). *NEPSY— Second Edition*. San Antonio, TX: Pearson.

Kraemer, H., Stice, E ., Kazdin, A., Offord, D., & Kup fer, D. (2001). How do risk factors work together?: Mediators, moderators, and independent, overlap ping, and proxy risk factors. *American Journal of Psychiatry, 158*(6), 848 - 856.

Lerner, P. (1991). *Psychoanalytic theory and the Ror schach*. Hillsdale, NJ: Analytic Press.

Levy, K. N., Meehan, K. B., Weber, M., Reynoso, J.,& Clarkin, J. F. (2005). Attachment and borderline personality disorder: Implications for psychother apy. *Psychopathology, 38*, 64–74.

Lewis, L. (2001). Issues in the study of personality development. *Psychological Inquiry, 12*, 67–83. Liotti, G. (2004). Trauma, dissociation, and disorganized attachment: Three strands of a single braid. *Psychotherapy: Theory, Research, Practice, Train ing, 41*(4), 472–486.

Lofgren, D. P., Bemporad, J., King, J., Linden, K.,& O'Driscoll, G. (1991). A prospective followup study of socalled borderline children. *American Journal of Psychiatry, 148*, 1541–1547.

Luthar, S., & Zigler, E . (1991). Vulnerability and competence: A review of research on resilience in childhood. *American Journal of Orthopsychiatry,61*(1), 6–22.

Luyten, P., & Blatt, S. (2009). A structural developmental psychodynamic approach to psy chopathology: Two polarities of experience across the life span. *Development and Psychopathology,21*(3), 793–814.

LyonsRuth, K., Bureau, J., Holmes, B., Easterbrooks, A., & Brooks, N. H. (2013). Borderline symptoms and suicidality/selfinjury in late adolescence: Prospectively observed relationship correlates in infancy and childhood. *Psychiatry Research,206*(2–3), 273–281.

LyonsRuth, K., & Jacobvitz, D. (2008). Attach ment disorganization: Genetic factors, parenting contexts, and developmental transformation from infancy to adulthood. In J. Cassidy & P. R. Shaver (Eds.), *Handbook of attachment: Theory, research and clinical applications* (2nd ed., pp. 666–697). New York: Guilford Press.

Maccoby, E . E . (2000). Parenting and its effects on children: On reading and misreading behavior genetics. *Annual Review of Psychology, 51*, 1–27.

Macdonald, H. Z., Beeghly, M., GrantKnight, W., Augustyn, M., Woods, R. W., Cabral, H., . . . Frank, D. A. (2008). Longitudinal association between infant disorganized attachment and child hood posttraumatic stress symptoms. *Develop ment and Psychopathology, 20*(2), 493–508.

Main, M. (1999). Epilogue: Attachment theory:Eighteen points with suggestions for future studies. In J. Cassidy & P. R. Shaver (Eds.), *Handbook of attachment: Theory, research, and clinical appli cations* (pp. 845–888). New York: Guilford Press.

Main, M., & Hesse, E . (1990). Parents' unresolved traumatic experiences are related to infant disor ganized attachment status: Is frightened and/or frightening parental behavior the linking mecha nism? In M. Main & R. Goldwyn (Eds.), *Attach ment in the preschool years: Theory, research, and intervention* (pp. 161–182). Chicago: University of Chicago Press.

McCrae, R. R. (2000). Trait psychology and the revival of personalityandculture studies. *Ameri can Behavioral Scientist, 4 4*, 10–31.

McCrae, R. R., & Costa, P. T., Jr. (1997). Personal ity trait structure as a human universal. *American Psychologist, 52*, 509–516.

McCrae, R. R., Costa, P. T., Jr., del Pilar, G. H., Rol land, J.P., & Parker, W. D. (1998a). Crosscultural assessment of the five factor model: The revised NEO Personality Inventory. *Journal of Cross Cultural Psychology, 29*, 171–188.

McCrae, R. R., Costa, P. T., Jr., Ostendorf, F., Anglei tner, A., Hrebickova, M., Avia, M. D., . . . Smith, P. B. (2000). Nature over nurture: Temperament, personality, and lifespan development. *Journal of Personality and Social Psychology, 78*, 173–186.

McCrae, R. R., Costa, P. T., Jr., Pedroso de Lima, M., Simoes, A., Ostendorf, F., Angleitner, A., . . . Pied mont, R. L . (1999). Age differences in personality across the adult life span: Parallels in five cultures. *Developmental Psychology, 35*, 466–477.

McWilliams, N. (2011). *Psychoanalytic diagnosis: Understanding personality structure in the clinical process*. New York: Guilford Press.

Meany, M. (2001). Maternal care, gene expression, and the transmission of individual differences in stress reactivity across generations. *Annual Review of Neuroscience, 24*, 1161–1192.

Meany, M., & Szyf, M. (2005). Environmental pro gramming of stress responses through DNA meth ylation: Life at the interface between a dynamic environment and a fixed genome. *Dialogues in Clinical Neuroscience, 7*(2), 103–123.

Meehan, K. B., McHale, J. Y., Reynoso, J. S., Har ris, B. H., Wolfson, V. M., Gomes, H., & Tuber, S. B. (2008). Selfregulation and internal resources in school aged children with ADHD symptomatol ogy: An investigation using the Rorschach inkblot method. *Bulletin of the Menninger Clinic, 72*(4),259–282.

Mervielde, I., De Clercq, B., De Fruyt, F., & Van Leeuwen, K. (2005). Temperament, personality, and developmental psychopathology as childhood antecedents of personality disorders. *Journal of Personality Disorders, 19*, 171–201.

Meyer, G. J., & Kurtz, J. E . (2006). Advancing personality assessment terminology: Time to retire "objective" and

"projective" as personality test descriptors. *Journal of Personality Assessment,87*(3), 223-225.
Meyer, G. J., Viglione, D. J., Mihora, J. L ., Erard, R.E ., & Erdberg, P. (2011). *Rorschach Performance Assessment System: Administration coding, inter pretation and technical manual*. Toledo, OH: Ror schach Performance Assessment System.
Meyer, S. E ., Carlson, G. A., Youngstrom, E ., Ron saville, D. S., Matinez, P. E ., Gold, P. W., . . . RadkeYarrow, M. (2009). Long term outcomes of youth who manifested the CBCLpediatric bipo lar disorder phenotype during childhood and/or adolescence. *Journal of Affective Disorders, 113*,227-235.
Mihura, J. L ., Meyer, G. J., Dumitrascu, N., & Bombel, G. (2013). The validity of the individual Rorschach variables: Systematic reviews and meta analyses of the comprehensive system. *Psychologi cal Bulletin, 136*, 548-605.
Mikulincer, M., & Shaver, P. R. (2007). Boosting attachment security to promote mental health, prosocial values, and intergroup tolerance. *Psy chological Inquiry, 18*(3), 139-156.
Millon, T., Tringone, R., Millon, C., & Grossman, S. (2005). *Millon PreAdolescent Clinical Inventory Manual*. Minneapolis, MN: Pearson.
Moutsiana, C., Fearon, P., Murray, L ., Cooper, P., Goodyer, I., Johnstone, T., & Halligan, S. (2014). Making an effort to feel positive: Insecure attach ment in infancy predicts the neural underpinnings of emotion regulation in adulthood. *Journal of Child Psychology and Psychiatry, 55*(9), 999-1008.
Murray, H. A. (1943). *Thematic Apperception Test*. Cambridge, MA: Harvard University Press. Naglieri, J. A., Lebuffe, P., & Pfeiffer, S. I. (1994). *The Devereux Scales of Mental Disorders— Manual*. San Antonio, TX: Psychological Corporation.
Nahum, J. P. (1994). New theoretical vistas in psy choanalysis: Louis Sander's theory of early devel opment. *Psychoanalytic Psychology, 11*(1), 1-19.
NakashEisikovits, O., Dutra, L ., & Westen, D. (2003). The relationship between attachment pat terns and personality pathology in adolescents. *Journal of the American Academy of Child and Adolescent Psychiatry, 41*, 1111-1123.
Neppl, T. K., Donnellan, M. B., Scaramella, L . V., Widaman, K. F., Spilman, S. K., Ontai, L . L ., & Conger, R. D. (2010). Differential stability of tem perament and personality from toddlerhood to middle childhood. *Journal of Research in Person ality, 4 4*(3), 386-396.
Nigg, J. T. (2006). Temperament and developmental psychopathology. *Journal of Child Psychology and Psychiatry, 47*, 395-422.
Olson, S. L., Bates, J. E ., Sandy, J. M., & Lanthier, R. (2000). Early developmental precursors of exter nalizing behavior in middle childhood and adoles cence. *Journal of Abnormal Child Psychology, 28*,119-133.
Olson, S. L ., Schilling, E . M., & Bates, J. E . (1999).
Measurement of impulsivity: Construct coherence, longitudinal stability, and relationship with exter nalizing problems in middle childhood and adoles cence. *Journal of Abnormal Child Psychology, 27*,151-165.
Palombo, J. (2001). The therapeutic process with children with learning disabilities. *Psychoanalytic Social Work, 8*, 143-168.
Pennington, B. F. (2009). *Diagnosing learning dis orders: A neuropsychological framework*. New York: Guilford Press.
Pennington, B. F., & Ozonoff, S. (1996). Executive functions and developmental psychopathology. *Journal of Child Psychology and Psychiatry, 37*,51-87.
Perry, L . H., & Landreth, G. L . (2001). Diagnostic assessment of children's play therapy behavior. In G. L . Landreth (Ed.), *Innovations in play therapy: Issues, process and special populations* (pp. 155-178). New York: BrunnerRoutledge.
Plomin, R., & Caspi, A. (1999). Behavioral genetics and personality. In L . Pervin & O. John (Eds.), *Handbook of personality: Theory and research* (pp. 251-276). New York: Guilford Press.
Poorthuis, A. M. G., Thomaes, S., Denissen, J. J.A., van Aken, M. A. G., & Orobio de Castro, B. (2014). Personality in action: Can brief behavioral personality tests predict children's academic and social adjustment across the transition to second ary school. *European Journal of Psychological Assessment, 30*(3), 169-177.
Price, J. M., & Zwolinski, J. (2010). The nature of child and adolescent vulnerability: History and definitions. In R. Ingram & J. Price (Eds.), *Vul nerability to psychopathology: Risk across the lifespan* (2nd ed., pp. 18-38). New York: Guilford Press.
Pulve, A., Allik, J., Pulkkinen, L ., & Haemaelaeinen, M. (1995). A Big Five personality inventory in two nonIndoEuropean languages. *European Journal of Personality, 9*, 109-124.
Roberts, B., & DelVecchio, W. (2000). The rank order consistency of personality traits from child hood to old age: A quan-

titative review of longitu dinal studies. *Psychological Bulletin, 126*(1), 3-25. Roberts, G. E . (2005). *Roberts2 manual*. Los Angeles: Western Psychological Services.

Rom, E ., & Mikulincer, M. (2003). Attachment the ory and group processes: The association between attachment style and grouprelated representa tions, goals, memories, and functioning. *Journal of Personality and Social Psychology, 84*(6), 12-20.

Rose, L . T., & Fischer, K. W. (2009). Dynamic development: A neoPiagetian approach. In U. Muller & J. I. M. Carpendale (Eds.), *The Cam bridge companion to Piaget* (pp. 400-423). Cam bridge, U K: Cambridge University Press.

Rothbart, M. K., Ahadi, S. A., Hersey, K. L ., & Fisher, P. (2001). Investigations of temperament at three to seven years: The Children's Behavior Question naire. *Child Development, 72*, 1394-1408.

Rourke, B. P. (2000). Neuropsychological and psycho social subtyping: A review of investigations within the University of Windsor laboratory. *Canadian Psychology, 41*, 34-51.

Russ, S. W. (2004). *Play in child development and psychotherapy: Toward empirically supported practice*. Mahwah, NJ: Erlbaum.

Rutter, M. (1987). Psychosocial resilience and protective mechanisms. *American Journal of Orthopsy chiatry, 57*(3), 316-331.

Ryder, A. G., Dere, J., Sun, J., & ChentsovaDutton, Y. E . (2014). The cultural shaping of personality disorder. In F. T. L . Leong, L . ComasD í az, G. C. Nagayama Hall, V. C. McLoyd, & J. E . Trimble (Eds.), *A PA handbook of multicultural psychol ogy: Vol. 2 . Applications and training* (pp. 307-328). Washington, DC: American Psychological Association.

Salomonsson, B. (2004). Some psychoanalytic view points on neuropsychiatric disorders in children. *International Journal of Psychoanalysis, 85*, 117-136.

Salomonsson, B. (2006). The impact of words on chil dren with ADHD and DAMP: Consequences for psychoanalytic technique. *International Journal of Psychoanalysis, 87*, 1029-1044.

Salomonsson, B. (2011). Psychoanalytic conceptual izations of the internal object in an ADHD child. *Journal of Infant, Child and Adolescent Psycho therapy, 10*(1), 87-102.

Schore, A. (2003). *Affect dysregulation and disorders of the self*. New York: Norton.

Selzer, M. A., Koenigsberg, H. W., & Kernberg, O. F. (1987). The initial contract in the treatment of bor derline patients. *American Journal of Psychiatry, 14 4*, 927-930.

Serafica, F. C., & Vargas, L . A. (2006). Cultural diver sity in the development of child psychopathology. In D. Cicchetti & D. Cohen (Eds.), *Developmental psychopathology: Vol. 1. Theory and method* (2nd ed., pp. 588-626). Hoboken, NJ: Wiley.

Shafer, R. (1954). *Psychoanalytic interpretation in Rorschach testing: Theory and application*. New York: Grune & Stratton.

Shiner, R. L . (2005). A developmental perspective on personality disorders: Lessons from research on normal personality development in childhood and adolescence. *Journal of Personality Disorders, 19*(2), 202-210.

Shiner, R. L . (2006). Temperament and personality in childhood. In D. K. Mroczek & T. D. Little (Eds.), *Handbook of personality development* (pp. 213-230). Mahwah, NJ: Erlbaum.

Shiner, R. L ., & Caspi, A. (2003). Personality differ ences in childhood and adolescence: Measurement, development, and consequences. *Journal of Child Psychology and Psychiatry, 4 4*(1), 2-32.

Shore, B. (1996). *Culture in mind: Cognition, culture, and the problem of meaning*. New York: Oxford University Press.

Slade, A. (2005) Parental reflective functioning: An introduction. *Attachment and Human Develop ment, 7*, 269-281.

Sroufe, A. (1997). Psychopathology as an outcome of development. *Development and Psychopathology, 9*(2), 251-268.

Stokes, J. M., Pogge, D. L ., Grosso, C., & Zacca rio, M. (2001). The relationship of the Rorschach SCZI to psychotic features in a child psychiatric sample. *Journal of Personality Assessment, 76*(2), 209-228.

Stokes, J. M., Pogge, D. L ., PowellLunder, J., Ward, A. W., Bilginer, L ., & DeLuca, V. A. (2003). The Rorschach Ego Impairment Index: Prediction of treatment outcome in a child psychiatric pop ulation. *Journal of Personality Assessment, 81*, 11-20.

Tackett, J. L . (2010). Measurement and assessment of child and adolescent personality pathology: Intro duction to the special issue. *Journal of Psychopa thology and Behavior Assessment, 32*, 463-466.

Tackett, J. L . (2011). Parent informants for child personality: Agreement, discrepancies and clini cal utility. *Journal of Personality Assessment, 93*, 539-544.

Thomas, A., & Chess, S. (1977). *Temperament and development*. New York: BrunnerMazel.

Thomas, A., Chess, S., Birch, H., Hertzig, M., & Korn, S. (1963). *Behavioral individuality in early childhood.* New York: New York University Press. Thomsen, P. H. (1996). Borderline conditions in childhood: A registerbased followup study over a 22year period. *Psychopathology, 29,* 357-362. TummalaNarra, P. (2015). Cultural competence as a core emphasis of psychoanalytic psychotherapy. *Psychoanalytic Psychology, 32*(2), 275-292.

van Emmichoven, I. A. Z., van IJzendoorn, M. H., de Ruiter, C., & Brosschot, J. (2003). Selective processing of threatening information: Effects of attachment representation and anxiety disorder on attention and memory. *Development and Psycho pathology, 15*(1), 219-237.

van IJzendoorn, M. H., Schuengel, C., & Bakermans Kranenburg, M. J. (1999). Disorganized attach ment in early childhood: Metaanalysis of precursors, concomitants, and sequelae. *Develop ment and Psychopathology, 11*(2), 225-250.

Viglione, D. J. (1996). Data and issues to consider in reconciling selfreport and the Rorschach. *Journal of Personality Assessment, 67*(3), 579-588.

Vrti¹ka, P., Andersson, F., Grandjean, D., Sander, D.,& Vuilleumier, P. (2008). Individual attachment style modulates human amygdala and striatum activation during social appraisal. *PLoS ONE ,3*(8), e2868.

Wachs, T. (2006). The nature, etiology, and conse quences of individual differences in temperament. In L . Balter, & C. S. TamisLeMonda (Eds.), *Child psychology: A handbook of contemporary issues* (2nd ed., pp. 27-52). New York: Psychology Press.

Wechsler, D. (2012). *Wechsler Scale of Preschool and Primary Intelligence — Fourth Edition.* San Anto nio, TX: Pearson.

Wechsler, D. (2014). *Wechsler Intelligence Scale for Children — Fifth Edition.* San Antonio, TX: Pear son.

Weinberger, D. A., Kohler, M., Garner, E . H., & Steiner, H. (1997). Distress and selfrestraint as measures of adjustment across the life span: Con firmatory factor analyses in clinical and nonclinical samples. *Psychological Assessment, 9,* 132-135.

Westby, C. (2000). A scale for assessing children's play. In K. GitlinWeiner, A. Sangrund & C. Schae fer (Eds.), *Play diagnosis and assessment* (2nd ed., pp. 15-57). New York: Wiley.

Westen, D., Lohr, N., Silk, K., Kerber, K., & Goodrich, S. (1985). Object relations and social cognition in borderline personality disorder and depression: A TAT analysis. *Psychological Assess ment, 2,* 355-364.

Wiig, E . H., Semel, E ., & Secord, W. A. (2013). *Clini cal Evaluation of Language Fundamentals— Fifth Edition.* San Antonio, TX: Pearson.

World Health Organization. (1992). *The ICD 10 classification of mental and behavioural disorders: Clinical descriptions and diagnostic guidelines.* Geneva: Author.

Yang, J., McCrae, R. R., Costa, P. T., Dai, X., Yao,S., Cai, T., & Gao, B. (1999). Crosscultural per sonality assessment in psychiatric populations: The NEOPIR in the People's Republic of China. *Psy chological Assessment, 11,* 359-368.

Zeanah, C. H., & Fox, N. E . (2004). Temperament and attachment disorders. *Journal of Clinical Child and Adolescent Psychology, 33,* 32-41.

Zimmermann, P., Mohr, C., & Spangler, G. (2009). Genetic and attachment influences on adolescents'regulation of autonomy and aggressiveness. *Jour nal of Child Psychology and Psychiatry, 50*(11),1339-1347.

CHAPTER **6**

PSYCHODYNAMIC DIAGNOSTIC MANUAL

아이들의 증상 패턴 : 주관적 경험, SC축

| 김성화 |

서론(Introduction)

성인과 마찬가지로 아이들의 증상 패턴은 발달적, 역동적 맥락에서 가장 잘 나타난다. 아이들과 함께 일하는 임상가는 매일 여러 증상을 유발하는 여러 요인들이 상기된다. 예를 들어, 불안한 아이를 생각해보자. 가족이나 학교에서 최근 있었던 일, 불안에 대한 생물학적 취약성, 놀랐던 경험에 대한 병력, 갈등에 대처하는 것을 배우는 기회의 부족 등은 모두 다양한 정도로 아동의 현재 기분과 행동에 영향을 줄 수 있다. 아이들은 여러 가지 방법으로 불안을 느끼고 보고한다; 각각의 아이들의 느낌은 독특합니다. 한 아이는 불안을 "배에서 꾸르륵 소리가 난다" 또는 "내 근육이 다쳤다"라고 경험할 수 있지만 다른 아이는 "납치 당할까봐 두렵다"라고 말할 수 있다. 또한, 아이들은 자신의 행동, 감정, 생각, 판타지 및 증상의 변화와 함께 빠르게 발달한다. 증상 패턴의 의미는 각기 다른 발달 단계의 아동에게 상당히 다를 수 있다.

이 장에서는 아이들의 가장 흔한 증상 패턴을 다룬다(**표 6.1 참조**). 이 중 많은 부분은 정 신질환의 진단 및 통계 매뉴얼 제5판(DSM-5; 미국 정신 의학회, 2013)에도 수록되어 있다. 일부는 DSM-5 성인 부분에만 나타난다. 발달 과정 자체가 아동의 경험과 증상의 표현에 영향을 미치기 때문에, 어린 시절의 증상은 별도로 고려해야 한다고 생각한다. 이 장의 마지막에는 PDM-2와 DSM-5 및 국제 질병 분류(ICD-10, 세계 보건기구, 1992) 사이의 증상 패턴과 관련한 일치도에 대한 표(**표 6.2**)를 포함시켰다. 서로 다른 PDM-2 작업의 다양한 선호 때문에, 그리고 아동과 성인 사이의 약간의 차이로 인해, 우리는 S와 SA축의 성인편 3장과 청소년편 3장 순서와 다른 순서로 이 장에 설명을 넣었다.

표 6.1. 아이들의 증상 패턴: 주관적 경험- SC 축(Axis)

SC0	건강한 반응 SC01 발달적 위기 SC02 상황적 위기
SC2	**Mood disorders** 기분장애 SC22 우울 장애 SC24 양극성 장애 SC27 자살 SC29 지연된 애도 반응
SC3	불안과 주로 관련된 장애 SC31 불안 장애 SC31.1 공포증 SC32 강박 및 관련 장애 SC32.1 강박장애
SC4 E	사건 및 스트레스와 관련된 장애 SC41 트라우마 및 스트레스 관련 장애 SC41.1 적응 장애(발달학적과는 다른)
SC5	신체 증상 및 관련 장애 SC51 신체 증상 장애
SC8	정신생리성 장애 SC81 섭식 및 식이장애 SC81.1 거식증 SC81.2 폭식증
SC9	파괴적 행동 장애 SC91 품행장애 SC92 적대적 반항장애 SC93 물질 관련 장애
SC11	정신기능과 관련된 장애 SC111 운동 기술 장애 SC112 틱 장애 SC113 정신증 SC114 신경심리 장애 SC114.1 운동 기술 장애 SC114.2 시공간 처리 장애 SC114.3 언어 및 청각 처리 장애 SC114.4 기억력 손상 SC114.5 집중력 결핍 및 과다행동 장애 SC114.6 실행기능 어려움 SC114.7 심각한 인지 손상 SC115 학습장애 SC115.1 읽기 장애 SC115.2 산술 장애 SC115.3 쓰기 장애 SC115.4 비언어적 학습 장애 SC115.5 사회-정서적 학습 장애

SC12	발달 장애 SC121 조절장애 SC122 아동에서 섭식 문제 SC123 배설장애 SC123.1 유분증 SC123.2 유뇨증 SC124 수면장애 SC125 애착장애 SC126 전반적 발달 장애 SC126.1 자폐증 SC126.2 아스퍼거 증후군
SCApp	Appendix: 임상적 주의를 필요로하는 심리적 경험 SCApp3 젠더 부조화

"새로 나타나는" 증상에 대한 성격을 더 잘 포착하기 위해 PSM-2는 아동 및 청소년 장애를 다른 축과 여러 장으로 나누었다. 이 장에서는 4-11세 사이에 어떻게 증상이 나타나는지 알아보려고 한다. 학령기에는 여러 가지 어려움이 있다. 적응을 위한 능력과 전반적인 감정 및 행동의 유연성에 대해 도전을 받을 수 있다(예: 학교 환경 및 친구들로부터의 도전). 양육 초기 경험(7장에서 기술된 유아기 및 초기 아동기)은 이 장에서 설명된 많은 증상 패턴의 단계를 설정했다. 따라서 8세 아동을 평가할 때도 임상가는 7장에서 설명한 고려 사항을 생각해야 한다. 이런 식으로 임상가는 여기에 설명된 것과 같이 임상적 공식을 발달적 및 역동적 범주형 증상에 통합할 수 있다.

SC0 건강한 반응

SC01 발달적 위기

발달은 유동적이고 부조화의 과정이다. 전통적으로 아동 정신 분석은 자아, 초자아 및 본능 사이의 조화로운 상호 작용 측면과 각각의 다른 하부체계 사이 및 이들의 기관과 외부 영향들 사이에서 아동의 정신 건강을 개념화했다. 그러나 이러한 조화는 내부 기관이 비슷한 수준의 발달에 도달 및 유지할 수 있고, 외부 영향이 "평균 정도의 기대 환경"을 반영하는 경우에만 달성될 수 있다(Hartmann, 1939). 적절한 내부 기관이 생기면 내부 기관은 항상 잠재적인 분쟁에 처해 있다. 아동의 그러한 구조화 수준의 한 가지 지표는 불안 상태를 관

리하는 데 사용되는 방어 유형이다(자세한 내용은 MC축의 7장 참조). 아동의 경우, 가장 정상적인 발달 움직임 조차도 조화롭지 않게 느낄 수 있다. 익숙하고 안전하며 만족스러운 단계에서 앞으로 나아갈 때마다 어린이의 건강이 불확실하고 심지어 위험하게 느껴질 수 있다.

Anna Freud (1965)의 "발달선" 개념은 발달의 앞으로 및 뒤로 왔다갔다 하는(back-and-forth) 과정을 강조한다. 발달상의 도전에 대한 건강한 반응에서, 뚜렷한 외부의 촉발인자 없이도 멈추거나 이전 단계로 퇴행됨으로써 성숙하는 과정이 중단된다. 이러한 반응은 안정적인 조정 기간을 따르며 시간 제한적이다. 발달상의 위기는 성숙의 정상적인 측면이며, 다른 사람들의 눈에 얼마다 띄는가에 따라 다르다. 계속 진행하기 전에 해결되지 않은 위기를 풀기 위해 아이들은 일반적으로 앞선 단계와 관련된 심리적 문제로 퇴행한다.

발달적 위기에서 아동의 주관적 경험

정서상태(Affective States)

정서상태는 수치심 그리고/또는 아픈 감정에 대한 자기 또는 다른 사람에게의 비난이 포함될 수 있다. 분노, 슬픔, 수치심은 폭발로 표현될 수 있다. 자녀의 기분은 가라앉거나 긴장감이 돌거나 부적절해지거나 들뜰 수 있다. 급성기의 고통은 울음, 분노 또는 파괴적인 행동으로 나타날 수 있다. 아이는 무슨 일이 일어났는지 이해하지만 그럼에도 불구하고 화가 나고 발달상의 사건에 대한 의미를 인정하기를 거부할 수 있지만, 시간이 지남에 따라 타협한다.

사고 및 환상(Thoughts and Fantasies)

사고와 환상에는 이전에는 문제가 없었던 자기 감각에 대한 불안정성에 아동의 당황스러움이 포함될 수 있다. 아동은 부인하거나 문제의 존재 자체를 부정하거나 감정을 대치해 타인에게로 투사할 수 있다.

신체 상태(Somatic States)

신체 상태의 측면에서, 아동의 수면 패턴은 방해받을 수 있다. 그 또는 그녀는 느낌이 좋지 않다고 불평할 수 있고 식욕이 증가하거나 억제될 수 있다.

관계 패턴(Relationship Patterns)

자녀의 발달 여정을 지원하는 주요 관계의 질은 이 기간 동안 매우 중요하다. 아동의 행동 변화를 목적 있고 의미 있는 것으로 식별하고 반영하는 양육자의 능력은 발달 회복에 중요하다. 아동의 행동적 및 정서적 발현은 연령, 회복력, 발달문제의 본질, 양육자의 지원 및 기타 요소에 따라 매우 다양하다.

발달상의 도전에 대한 건강한 반응에서, 아동의 관계 능력은 온전하고 연령에 적합하다. 그러나 위기로 인해 불균형이 이루어지며 어려움을 겪는 동안 아이는 더욱 까다로워질 수 있다. 도움이 되지 않는다고 여겨지는 양육자에게 분노와 화가 있을 수 있다. 형제들은 분노와 적대감의 대상이 될 수 있다.

임상 양상(Clinical Illustration)

아나(6세)는 언니와 어머니에 대한 공격성으로 의뢰되었다. 부모는 악몽을 자주 꾸고 부모 모두에게 갑자기 매달리기 시작했다고 이야기했다. 그러한 행동의 발생은 이전에는 없 었다. 진단을 위한 세션에서, 아나는 학교 세팅에서 인형을 가지고 놀았고 선생님으로부터 혼나는 어린 소녀를 제정했다. 임상가가 그 인형의 감정에 대해 궁금해 할 때, 아나는 "그녀는 큰 여자 학교를 좋아하지 않는다. 그것이 그녀를 슬프고 무섭게 만든다."라고 대답했다. 교실에서 관찰하는 동안 아나는 엄격한 행동적 접근을 가진 새로운 학년의 나이많은 선생님을 걱정했다. 그녀의 유치원 교사도 성숙하고 권위적이었지만, 새로운 교사와 달리 그녀는 따뜻하고 성찰적이었다. 아나는 또한 전형적으로 "똑똑한 사람"으로 알려진 10살 언니를 모방하려고 노력했다. 새로운 교사의 요구와 내적인 압력이 결합해 그녀가 언니만큼 훌륭하다는 것을 증명하려고 했고, 이는 자신의 불안감을 키우고 자아 능력에 막대한 압력을 주었다. 그녀의 부모에 대한 매달림과 언니에 대한 공격성은 그녀가 불안과 두려움을 전할 수있는 유일한 방법이었다. 매주 한 번씩 6개월간의 아동 심리 분석 및 부모 세션이 동시에 진행되면서 아나는 감정을 말로 표현하는 능력을 회복하기 시작했다. 그녀의 외현화 행동과 악몽은 사라졌으며 방과 후 활동에 다시 참여할 수 있었다.

SC02 상황적 위기(Situational crises)

상황에 따른 위기 상황에서, 어린이의 발달은 상대적으로 작은 촉발인자에 의해 중단된다. 아동의 반응은 안정된 조정 기간을 거치며 제한적 시간 동안이다. 정상적인 상황 위기 촉 발인자의 예로는 어머니의 임신, 형제의 탄생, 보육원에 간 첫날, 과도기적 대상(transitional object)의 상실, 질병, 의료 처치, 학교 시작 때의 분리, 친척의 사망 이후 양육자의 철회, 그리고 중요한 트라우마를 구성하지 못하는 다른 스트레스 등을 포함한다. 정서 상태, 사고와 환상, 신체 상태, 그리고 관계 패턴은 모두 발달적 위기 아동에게서 발견되는 것과 유사하다.

임상 양상(Clinical Illustration)

제레미(4세)는 만성 변비로 의뢰되었다. 그가 3세 때 쌍둥이 형제가 태어났다. 제레미는 수줍고 예의바른 아이로 보였다. 그는 나이에 비해 작았지만 진단 세션에서 신체 능력을 보여주고 싶어했다(예: 점프 및 공 던짐). 제레미의 증상은 형제가 태어난 지 6개월 후부터 시작되었다.

그의 부모는 행동이 쌍둥이의 출생에 대한 반응으로 이해했다. 그러나 1년 후 그는 만성 변비로 계속 고통을 겪었고 화장실 사용을 거부하며 기저귀에만 배설했다. 추가 평가를 통해 그는 새로운 장소와 상황에 어려움을 겪었으며, 어머니의 건강(두 번째 임신 중에는 매우 아팠음)에 대해 매우 우려하고 있음을 보여주었다. 이 경우 부모 세션이 중요했다. 그의 어머니와 아버지는 제레미에게 자신의 감정을 말로 표현하고 나이에 맞는 방식으로 신체 관리를 장려하는 방법을 토론할 수 있었다. 그들은 제레미의 행동 뒤에 숨겨진 의미에 대해 생각하고 배변에 대한 덜 엄격한 접근법을 사용하도록 유도했다. 제레미는 매주 한 번씩 아동 심리 치료 세션에 참석했는데 그 목적은 상징적인 놀이를 통해 쌍둥이의 출생에 대한 좌절감과 분노를 표현하고 어머니의 건강에 대한 두려움을 표출하는 것이었다. 치료 8개월 후 제레미는 화장실을 사용하기 시작했고, 형제가 지금 "그렇게 바지에 대변을 누지 않도록 할 필요가 있다"고 선언하였다. 그의 발전은 궤도에 돌아 왔다. 그는 다소 유연성이 없는 아동으로 남아 있었지만 이제는 새로운 상황과 사회적 문제에 직면할 때 보호자의 도움을 사용할 수 있게 되었다.

SC2 기분장애(Mood disorders)

SC22 우울 장애(Depressive disorders)

소아의 임상적 우울증은 잠재적 양상부터 증상이 있는 환자까지 스펙트럼 장애로 나타난다. 아이들은 슬픔, 과민성, 분노발작, 좌절을 견디지 못함, 신체적 불평과 사회적 철수, 그리고 무쾌감(anhedonia) 등을 호소할 수 있다. 우울한 아이들은 청소년보다 분리 불안과 공포증의 증상이 더 많다. 부모와 교사는 청소년보다 특히 우울 감정을 덜 감지할 수 있으며, 특히 외현화 문제가 있는 어린이의 경우 더욱 그렇다. 어린이들은 종종 자신의 우울한 증상과 감정에 대한 도움이나 도움을 찾을 수 없다. 그들은 무기력, 실망감, 불행감을 전달할 수 있다. 역학적으로 우울증은 사춘기 전 아이들보다 청소년기에 더 흔하다. 어린이의 우울증 유병률은 1-2%로 추산되며, 유년기에서는 1:1, 청소년기에서는 1:2의 남녀 비율로 나타난다. 우울증의 위험은 사춘기 이후에 2-4배 증가하는데, 특히 여성에서는 증가한다. 어린 시절의 우울증 유병률은 증가하는 것으로 나타났으며 연령은 발병 나이가 어려졌다. 임상가가 증상을 인지하고, 숨겨져 있는 우울 증상을 가려내며, 어린이와 성인의 우울 장애 형태를 구분하고, 발달상의 맥락에서 증상을 이해하고, 동반 질환 구별하고 식별할 수 있어야 하며, 예방인자 및 위험 인자를 파악할 수 있는 것이 중요하다.

어린이의 우울증을 이해하는 데는 중요한 개념적 이슈가 있다. 성별과 나이의 역할, 유전적/ 생물학적/호르몬의 차이의 영향, 심리적 과정이 모두 중요하다. 우울 스펙트럼 장애와 관련된 증상의 군집 및 나타나는 문제는 다른 질환에서 자주 발생한다. 예를 들어 집중력 문제,

충동성, 반항은 주의력 결핍/과다 행동 장애(ADHD)와 적대적 반항 장애(ODD)에 서도 나타난다. 어린이의 불안 장애는 종종 우울증을 동반하지만 우울증과 구별하기 어려울 수도 있다. 평가와 임상 상황에서 우울증이 우선인지 또는 다른 질환의 2차적 요소인지를 구별하는 것이 중요하다. 예를 들어, 강박 증상 및 반추는 우울 장애의 한 특징일 수도 있고 또는 강박장애(OCD)에서 우울증이 2차적으로 나타날 수 있다.

대부분의 지역 사회 및 임상 환경에서 우울 증상이 있는 아동의 40-90%는 다른 정신 병리학을 보여주며, 50%는 2가지 이상의 동반 질환 진단(가장 일반적으로 불안 장애, 파괴적 행동 장애 및주의력 결핍/과다 행동 장애)이 있다. 또한 비만, 가족 및 또래 관계의 문제, 교육 부진 등의 위험이 증가하였다.

어린이의 우울증은 심리적 및 생물학적 취약성과 환경 요인 간의 복잡한 상호 작용의 집합에서 기인한다. 연구결과에서 청소년기 우울증은 강한 유전성과 신경내분비 인자를 나 타냈지만, 아동 우울증에서는 이들 요인이 큰 영향을 미치지 않았으며, 가족 요인과 관련이 있는 것으로 일관되게 밝혀졌다. 일부 연구에 따르면 기억력과 인지적 통제(실행) 기능이 저하된 어린이는 우울증에 걸리기 쉽다고 했다. 흥미롭게도, 쌍둥이 연구에 의하면, 사춘기 전의 아이들의 우울 증상을 설명하는 데 있어 “공유된 환경”이 청소년보다 더 큰 역할을 했고, 청소년의 경우 비공유 환경이 더 큰 역할을 한다는 것이 밝혀졌다. 가족 불화, 엄마의 우울증, 그리고 엄마-아동 관계의 어려움은 모두 어린 시절의 우울증과 관련이 있습니다. 신 체적 및 성적 학대는 어린이의 우울증 발병 및 재발에 대한 가장 강력한 가족-환경 위험 요소 중 하나이다. 일관된 의사소통 불일치, 누적된 공감 실패, 따뜻함의 부족과 같은 특정 양육 요소도 어린이의 우울증과 사기의 저하에 크게 기여한다. 따돌림, 사별 및 조기 부모 상실은 추가적인 위험 요인으로 확인되었다.

어린이 우울증은 성인 우울증보다 이질적으로 보인다. 기분 장애의 가족력이 강한 일부 어린이는 양극성 장애 및 행동 문제, 특히 청소년기 약물 남용의 발달뿐 아니라 우울증의 위험이 더 높다. 치료를 받지 않으면 우울증은 어린이의 정서적, 인지적, 사회적 기술의 발달을 심각하세 서해할 수 있으며 가족 관계에도 큰 영향을 줄 수 있다. 아동과 양육자를 모두 포함하는 포괄적 임상 평가는 어린이의 우울장애 평가에 가장 유용한 도구이다.

우울 장애에서 아동의 주관적 경험

정서 상태(Affective States)

아동에서 우울 장애는 어린이의 감정을 포함하는 가장 중요한 정서 장애이다. 아이들은 무력감, 절망감, 취약성, 허약함 등 통제할 수 없는 불쾌감으로 고통받는다. 낙담과 의기소침은 짜증과 변덕으로 표현될 수 있다. 우울한 아이들은 활동, 취미 및 친구들에게 관심이 적으며, 그들이 한 행동에 대해 신경쓰지 않는 것처럼 보인다. 자기 비난, 죄책감, 무가치함뿐 아니라 사회적 철수와 즐거움의 부재 또한 관찰될 수 있습니다. 우울증을 앓고 있는 어린이는 민감하고 (특히 거부 반응에 민감) 에너지가 부족하며 회복에 대한 탄력이 없거나 체력이 부족한 것으로 나타났다. 그들은 다른 아이들처럼 형제, 교사 및 친구들에게 만족스럽지 않다. 스스로 조절이 어려우며 결과적으로 조절이 되지 않는 에피소드가 많아진다. 우울증을 앓고 있는 어린이는 종종 환경적 요구, 지지되지 않거나, 오해되거나, 희생된 것으로써 모욕을 느끼는 경우가 있다.

사고 및 환상(Thoughts and Fantasies)

우울증을 앓고 있는 아이들의 사고와 환상은 감정적인 상태와 평행을 이루며 억제되고 어둡게 보인다. 우울한 아이들은 자신과 세상, 미래에 대한 부정적인 인식을 갖기 쉽다. 일 부 환상은 피와 폭력이 흠뻑 빠져 있으며, 그들의 놀이는 상처와 죽음에 사로잡혀 있음을 반영할 수도 있다. 학교 공연은 어려움을 겪으며 학습은 되지 않는다. 성적이 급격히 떨어지는 것은 집중력이 떨어지거나 내적인 사로잡힘 때문일 수 있다. 친구와 자주 놀곤 했던 어린이는 이제 혼자 하는 활동에 대부분 시간을 할애할 수 있다. 많은 우울한 아이들은 지루함에 대해 호소한다.

신체 상태(Somatic States)

우울증을 앓고 있는 어린이들은 자신을 아프고 많은 것을 할 수 없다고 보는 경향이 있다. 신체적 불평은 일반적이다; 식욕의 변화는 음식 섭취의 증가 또는 감소를 포함할 수 있다. 수면장애는 수면의 어려움 또는 과도한 수면의 형태를 취할 수 있다. 수면 장애로 고통받는 어린이는 종종 부모와 함께 잠자리에 들게 된다. 정신 운동 초조 또는 지체가 증가할 수 있다. 과민 반응과는 달리 에너지 감소, 피곤함, 피로가 흔하다.

관계 패턴(Relationship Patterns)

우울증을 앓고 있는 어린이는 강렬한 요구 또는 회피를 함으로써 상대적으로 관계를 지속할 수 없다. 그들은 중요한 사람에 의해 자극받았다고 느끼거나 실패했다고 받아들인다. 대인 관계 갈등과 우울증 사이의 양방향성으로 우울증이 아이를 짜증나게 하고, 회피하게 하며, 대인관계의 불협화음을 증가시킨다. 이것은 다른 사람들이 아이와 거리를 두게 되며, 아이는 거절당했고, 외롭고, 지원이 부족하다고 느낀다. 이 아이들은 놀랍게도 무쾌감적일 뿐 아니라 즐거움에 대한 경험도 거의 없다. "공급이 충분하지 않는 것"처럼 양육자가 따 뜻함, 인식 및 가용성이 없는 우울한 가정에서 우울한 아이가 나오는 것은 드문 일이 아니다.

임상 양상(Clinical Illustration)

8세의 튼튼한 소년은 오랜 정서조절 어려움과 통제 불능의 행동으로 의뢰되었다. 이전 테스트에서 그는 지적 기능이 우수했다. 일부 수업에서는 정서 장애 아동을 위한 교실로 배치되었지만, 그는 2학년에서 4학년으로 들어갔다. 선생님들은 학년 수준보다 뛰어 나다고 보고했다. 그의 감각-지각 능력은 정상적이었고 실행 기능은 견고했다. 그는 친구들과 선생님에게 언어적 및 신체적 공격성의 표출로 인해 일반 교육 수업에서 제외되었다. 그는 규칙을 거부하고 교사는 그를 수용하려고 했다. 어머니는 그의 주위에 모든 사람들이 "극도로 조심한다"라고 불평했다. 그는 이전에 범불안장애(GAD) 및 적대적 반항장애(ODD)로 진단 받았다. 자폐 스펙트럼 장애에 대한 생각 또한 일부 있었다.

2세 많은 그의 형은 선천성 기형과 그에 따른 비전형적인 발달로 고통 받았다. 양 가족에서는 불안과 우울이 있었다. 임신과 출산은 두드러진 것은 없었지만, 출생 시 심각한 것으로 보였다; 그의 어머니는 그가 결코 웃지 않을 것이라고 걱정했다. 그의 폭발은 4살 무렵부터 시작되었고, 집에서 형과 비교했을 때 비참하게 무시당한 것처럼 보였을 때 나타났다. 그는 한을 품고 그의 형으로 인해 희생당한 관심에 대해 분개했다. 시간이 지남에 따라 그는 가정과 학교 모두에서 행동 프로그램에 참여했다.

그는 치료사와 긴밀히 관련이 있었고 눈을 마주치지는 않았지만 치료사와 공을 치면서 더 활기차게 되었다. 그는 일반적으로 과도하게 경쟁적이 되어 자신과 치료자에게 격분하며 절망과 무력감의 상태로 될 것이다. 그는 좌절에 대해 지나치게 공격적인 반응을 보였고 그가 통제력을 잃는 것에 대해 부끄러워하는 것처럼 보였다. 레고와 함께 뚫을 수 없는 것을 건설할 때와 같이 정지 상태에 있을 때, 그는 조용하고, 약간 시무룩하며, 특이한 집중이 가능할 것입니다. 상호작용하는 게임은 모든 비용으로 승리할 필요성을 불러 일으켰다. 그의 그림은 더 우울한 상태를 드러냈다. 그는 거의 재미나 흥미로움을 경험하지 못했고 눈에 띄게 무쾌감 상태를 나타냈다.

결국 그는 자신의 치료사와 유머 감각을 통해 연결을 맺고 양키스 팬이 되었다. 그는 스포츠 퀴즈에 대한 지식을 즐거워하기 시작했고 치료사에게 그가 어떻게 했는지, 그리고 그가 현명했는지 물어보기 시작했다. 그의 경쟁 열풍과 고립된 우울한 상태 사이에서 "중간"이 열리기 시작했다. 그의 격렬한 분노는 심한 우울증을 가렸다. 통제하고 싶은 필요성은 다른 사람들을 멀어지게 하고 결과와 보상을 통해 자신의 행동을 중재하려는 시도를 유발했지만 그는 자신의 깊은 불행에 대해 거의 공감하거나 인식하지 못했다.

SC24 양극성 장애(Bipolar disorder)

양극성 장애에서 아동의 주관적 경험

최근 몇 년 동안 아이들의 양극성 장애에 대한 관심과 연구가 늘어나고 있다. 더 정교한 발달적 시각의 부재는 어린이와 청소년의 분류에서 "소아 양극성 장애"라는 명칭하에 함께 나타나게 되었다. 그럼에도 불구하고 진단을 받는 어린이의 수는 최근 몇 년 동안 크게 증가했다. 일단 성인에서 주로 발병하는 장애로 보면, 양극성 장애는 2001년 이후 두 배가 되었고 남녀 간에 똑같이 나타나는 것으로 보인다. 양극성 장애 아동은 엄청난 고통을 겪으며 진정되고 위로하기가 어렵다. 유아기에도 감정에 대한 민감성, 분노, 발작, 수면 장애, 분리의 어려움이 있을 수 있다. 증상의 발현과 장애의 동반질환에 일관성이 있다. 증가한 에너지의 기간은 거의 90%의 경우에서 보고되고, 과대성은 거의 80%에서 확인된다. 나이에 적절하지 않은 변덕과 팽창된 자존감은 또다른 경고 신호이다. 발달학적으로 적절한 상상력의 일부로 상상할 수 있는 능력 때문에 어린 자녀에서 임상적 과대성은 보기 힘들 수 있다.

양극성 장애는 다른 정도의 조증, 강도, 일화 및 순환을 포함하는 스펙트럼 장애로 점차적으로 생각되고 있다. 발달학적으로 부적절한 고양된 기분과 과민 반응의 에피소드는 "기본적인" 증후라고 여겨진다. 과민 반응은 고양된 기분의 보완되는 요소로 보인다. 이것은 어린이의 다른 진단, 특히 새로운 DSM-5의 진단인 파괴적 기분 조절 장애(disruptive mood dysregulation disorder)와 유사할 수 있기 때문에 양극성 장애는 평가하기 어려울 수 있다. 에피소드의 전형적인 행동으로부터 벗어남을 고려하면, 고조되고 확장된 기분의 존재에 대한 고려는 진단의 중추적인 부분이다.

공격성은 종종 주요하게 나타나는 문제이며, 흔히 적응을 파괴한다. 사실, 두드러지게 일회적이고 조증의 다른 증상과 함께 나타나는 공격성은 기분 장애의 가족력을 포함해 주의 깊게 접근해야 함을 나타낸다. 수면 욕구의 감소와 함께 다른 증상은 특히 "성욕의 증가"일 수 있으며, 특히 조증 증상과 함께 그리고 성적 학대가 없음에도 나타난다. 임상가는 아동의 정상적인 성적 행동과 과도한 성행위 및 위험한 집단에서의 관심을 구별해야 한다. 예를 들어, 일반 미취학 아동은 익숙한 성인과 어린이의 성기와 가슴에 관심을 보인다. 그러나 성인을 은밀히 만지거나 만지라고 강하게 요구하는 것은 임상적 고려에 대한 신호이다. 어린 학령기 어린이의 경우 성과 관련된 놀이를 하는 것이 흔할 수 있지만, 다른 사람들을 놀이에 강요하는 것은 임상적 신호이다. 과다성욕은 일부 양극성 장애 아동에서 흔히 나타날 뿐 아니라 성조숙증, 경계의 침범, 강박 및 공격성의 특징에서도 나타난다.

양극성 장애에서 강력한 유전 요소에 대한 증거가 상당히 있다. 이 질환의 스펙트럼은 가족에서 발생하며 모든 정신 질환 가운데 가장 유전적이다. 영향을 받은 개인의 일차 친척(rst-degree relatives)에서 장애가 4-6배 위험이 증가하며, 가까울수록 조기 발병 위험이 더 높다. 병전 어려움은 흔하며 조기 발병(예: 학령전) 및 특히 파괴적 행동, 과민 반응 및 조절 장애의 문제를 가질 수 있다. 어린이에서의 양극성 장애의 특징을 명확히 하는 것은 임상적 고려에서 중요다. 왜냐하면 다른 장애(ADHD, 불안, 우울증, 품행 장애)와의 혼돈될 수 있고, 공격성, 자살과의 강한 연관성 및 초기 발병 및 초기 자살의 경향과 종종 더 오랜, 더 심한 상태와 관련되기 때문이다. 양극성 장애는 ADHD, OCD, 우울 장애, CD 및 공황 장애를 비롯한 불안 관련 장애와 같이 흔하고 잘 확립된 장애와 동반될 수 있다. 양극성 장애와 ADHD는 부주의, 충동성, 과다 운동, 말이 많음(talkativeness) 및 혼란스러운 생각을 공유한다.

진단 기준을 위한 시간과 성인버전 아동 양극성 장애의 연속성은 중요한 문제이다. 일부 증거는 어린이의 양극성 장애에 대한 지나치게 광범위한 정의가 과다 진단 및 약물의 과도한 공격적 사용에 이르게 할 수 있다고 한다. 미취학 아동의 양극성 장애 진단의 타당성은 아직 확립되지 않았다. 완곡하게 분류된 "기분 안정제" 약품은 리튬과 함께 부작용이 있고 어린아이에게 장기적으로 적절하게 연구되지 않은 "항조증" 의약품이다. 많은 양극성 장애 성인과 마찬가지로 양극성 장애 아동도 "약물과의 관계"에 저항할 수 있다. 그들은 그것을 원하지 않는다. 이러한 고려를 할 때, 양극성 장애 아동에서 조기 진단 및 주의 깊은 진단이 필수적이다. 가족 유전, 동반 질환 및 예측 가능한 생활 과정의 위험 요소는 조기 진단에 유리하며, 결과적으로 개인, 가족 및 교육에 대한 조기 치료로 이어질 수 있다.

정서 상태(Affective States)

양극성 장애는 기분과 감정의 변동을 특징으로 하는 심한 정서 장애이며, 기쁨이나 행복감 없이 극도의 감정을 가진다. 양극성 장애 아동은 그들이 조절하거나 이해할 수 없는 정동으로 지속적으로 폭격을 당하면서 고통받는다. 질환의 유전 가능성 때문에 가족들은 예측할 수 없는 장기간의 격렬한 분노, 과민 반응 및 절망에 대처할 수 없는 위험에 처해 있다. 양극성 장애 아동은 부모, 형제, 동료 및 교사와 반복되는 문제가 있다. 장애의 특징은 파괴적이다: 과대성, 부정적 자기 평가, 지나친 자기 참조(self-referential) 및 타인에 대한 무감감, 감각 자극에 지나치게 반응 등. 그들은 충동, 과다성욕, 그리고 부정적 사회적 판단에 의해 촉발되기 쉽다.

사고 및 환상(Thoughts and Fantasies)

젊은 양극성 환자는 기분 변화에 따른 생각과 환상보다는 행동과 강렬한 감정을 통해 쉽게특징지어진다. 사회적인 판단뿐 아니라 사고는 일시적인 에너지 폭발로 인해 혼란스럽고 왜곡될 수 있다. 과대성의 환상과 팽창적인 생각은 부정적인 자기 존중감과 절망감 및 통제력 부족으로 번갈아 경험될 수 있다. 양극 어린이의 경우, 과대성의 환상은 너무 쉽게 비현실적이고 부적절한 행동으로 바뀌고 다른 사람들이 준수하도록 강제적일 수 있다.
도로에 뛰어들거나 나무에서 뛰어내리는 것은 아무런 나쁜 일이 발생하지 않는다는 믿음보다 덜 충동적일 수 있다.

신체 상태(Somatic States)

많은 양극성 장애 아동은 안절부절 못하고 짜증을 내며 자신의 몸에서 불편함을 보인다. 수면과 식욕이 무너질 수 있다. 다치기 쉽고 상처 및 정상적인 신체 상태에 대해서도 지나치게 반응할 수 있다. 이 어린이들은 자신의 감정과 신체를 조절하는 데 엄청난 어려움을 겪는다.

관계 패턴(Relationship Patterns)

양극성 장애 아동이 심리 사회적 기능에 막대한 어려움을 겪고 있음을 보여주는 상당한 임상 및 연구 증거가 있다. 그들은 모성의 따뜻함을 적게 경험했고 좀더 긴장된 부모와의 관계를 겪었으며, 또래 관계 또한 손상되어 있었다. 가족, 사회 및 학교에서의 기능 손상이 더 많이 보고된다. 이 아이들은 양극성 장애 성인에서 창의력이 더 뛰어나다는 보고와 일치하게 더 큰 자극 추구를 보였다. 그러나 그들은 다른 아이들보다 즐거움을 덜 느끼고 회복 탄력성 및 자조력이 떨어지며 관계에서 협조할 수 있는 능력이 떨어졌다. 양극성 장애 아동은 청소년이 되었을 때 자살, 물질 남용, 젊은 여성의 정신병적 증상을 동반한 산후 우울증, 경계성 인격 장애 등을 가질 위험이 높다. 소수 젊은이들은 오래되고 낡은 약물로 치료 받고 부정확한 진단을 받을 위험에 처해 있다. 더 나쁜 코스와 예후는 초기 발병, 낮은 사회경제적 지위, 빠른 에피소드 주기(rapid-cycling episodes), 부정적인 삶의 사건에 노출, 가족의 정신 병리와 관련이 있다. 조기 발견, 정확한 진단 및 지속적인 치료는 모두 보호 인자이다.

임상 양상(Clinical Illustration)

그의 부모가 강력한 갈등의 이혼 및 양육권 분쟁을 하는 과정에서 강렬하고 강단 있는 5세의 어린이가 심리 치료에 의뢰되었다. 문제는 공격성, 동물 학대, 죽음과 살인에 대한 일시적 몰두, 과다성욕이었다. 유치원에서 성적 학대에 대한 혐의 및 파괴적인 행동의 병력이 있었고, 결국 쫓겨났으며- 즉 그의 나이에서 불후한 징후로 이어졌다. 그와 8살된 형제는 정상적인 출생 경력을 가졌고, 발달적으로 잦은 이사라는 부모의 나쁜 영향을 받았다. 그는 형과 달리 태어날 때부터 활동적이라고 묘사되었다. 그는 이미 ADHD 진단을 받았다. 부모는 그를 치료할 것인지에 관해서 싸웠다. 그들의 놀이는 대부분 감독되지 않았기 때문에, 그는 자주 형에게 강압적인 성행위를 강요하려 했고. 외설물에 대해 많은 언급을 했다. 아버지는 물질 남용 및 양극성 질환이 있었고 어머니는 우울증을 앓고 있었다.

부모와 함께 상당한 임상적 작업 후, 아이는 치료를 시작했다. 처음부터, 그는 통제력이 부족하고, 과잉 행동했으며, 한계 설정과 제한이 끊임없이 필요했다. 그의 미숙한 말과 표현 언어는 상황을 복잡하게 만들었다. 수용 언어 또한 관심사였다. 그는 그에게 말한 것을 이해하지 못했고 내부의 단서에 반응하거나 빠르게 추측한 내용에 대해 질문했다. 치료사는 모든 상호 작용의 측면을 통제하려는 그의 노력에 충격을 받았다. 그는 기다리는 사람을 확인하기 위해 뛰쳐나가고, 물과 음식을 요구하며 장난감을 가지고 집으로 가져가길 요청했다. 장난감이 치료실에 있어야 한다고 했을 때 장난감을 훔치려 했다. 치료사가 도난을 막자, 그는 그를 "비열하다"고 혐오감을 표했고, 그를 미워하고 죽이려고 계획하고 떠날 것이라고 협박했다. 대부분의 초기 세션은 제어를 위해 전투로 전락했다.

세션에는 거의 좌절에 대한 내성이 없었다. 그림이나 블록 쌓기에서의 사소한 실수는 붕괴와 화를 가져왔다. 그는 물건을 던지고, 저주하고, 종이를 찢었다. 그는 절망에 빠진 것처럼 보였다. 해결책이 빨리 나오지 않으면 그는 화가 나거나 절망감에 포기해 버렸다. 장난감 행동의 꼬리를 빨고 격렬한 열풍을 일으키는 등 자위 행위를 비롯한 많은 행동이 성적화되었다. 동물을 죽이고 고문하는 주제는 그의 놀이와 언어로 스며들었다. 그는 자신의 몸이 끔찍하게 불편해 보였고 끊임없이 자극을 받았으며 (자신의 방식대로) 한계, 지지와 양육을 요구했다. 그의 어머니는 세션에서의 그의 행동이 집에서의 행동과 전형적이라고 느꼈지만 그의 아버지는 집에서는 그 행동을 최소화하는 경향이 있었고 특별히 문제시 하지 않았다. 두 부모 모두 사고가 일어나기 쉽고 지속적인 감독이 필요하다고 말했다. 그는 좌절할 때 길 한복판에 종종 누워 자신을 죽일 것이라고 협박하였다.

SC27 자살(Suicidality)

아이의 죽음은 보편적으로 상상할 수 있는 가장 격렬하고 비극적인 사건 중 하나라고 느껴진다. 어린이가 견딜 수 없는 고통을 피하기 위해 자살을 선택한다면 훨씬 더 비극적이다. 자살은 현재 10세에서 14세 사이의 청소년들의 4번째 주요 사망 원인이다. 매년 수백 명 의 어린이들이 미국에서 자살하고 있다. 어린이들의 자살은 과소보고될 가능성이 있다. 공식적으로 사망 원인으로 기록되는 경우는 거의 없으며 10세 미만 어린이의 자살 수치는 보고되지 않았다. 과소보고에 대한 핵심 근거는 어린이들이 자살을 고려하기에 충분한 인지적 이해가 부족하다는 일반적인 믿음이다. 사실, 죽음의 개념은 자살 사고 및 자살 시도와 밀접한 관련이 있다. 그러나 연구에 따르면 아이들이 죽음에 대해 생각하고 논의하는 방식에는 발달적 과정이 있음을 보여준다. 사망 관련 경험은 어린 시절에 흔하다. 죽음을 이해하는 것은 어린 나이에 이해하려고 노력을 시작한 어린이에게 있어 중요한 문제이다. 생물학적-과학적 죽음에 대한 개념의 4가지 요소가 확인되었다: 보편성(univer\-sality), 비가역성(irreversibility), 비기능성(nonfunctionality) 및 인과성(causality)이다.

발달적 규범을 염두에 두는 것이 자살을 평가할 때 중요하다. 연구에서는 일관되게 5세 미만의 아동에서 죽음을 마지막이라 생각하지 않고, 그것이 가역적이라고 생각한다는 것이다. 마찬가지로, 5세에서 9세 사이의 아이는 죽음을 일시적인 것이라 생각하는 경향이 있지만, 7세까지는 죽음을 돌이킬 수 없고 영구적인 것으로 인지할 수 있다고 생각된다. 연령은 아이들이 죽음을 어떻게 생각하는지에 대한 유일한 요소는 아니다. 임상 보고에 따르면 4세 또는 5

세의 아이도 죽음의 마지막을 깨닫는다. 일부 어린 어린이는 죽음의 비가역성을 인식할 수 있지만, 상대적으로 짧은 기간 동안 관련된 고통을 언어로 구사하거나 견딜 수 없다. 감정적으로 공감이 가는 정직한 정보가 제공된다면, 어린이는 죽음을 생각할 수 있으며 어린 아이들은 죽음의 마지막을 더 잘 받아들일 수 있다.

자살 사고는 어린이에게 드물지 않다. 남녀에서 6-12세 아동 중 12% 이상이 자살 사고를 앓고 있다고 보고한다. 죽을 의도를 가진 '자살 시도'와 자신을 죽일 의사가 없는 '자살 제스처'는 크게 구분된다. 4세에서 11세 사이의 어린이를 제외하고 자살 시도, 자살 제스쳐 및 고의적 자해 비율에서 성별의 차이가 발견되었다. 다른 연령대의 자살 시도는 주로 소년에서 발생하지만 자살 제스쳐와 고의적 자해는 대부분 소녀에게서 볼 수 있다. 인생 초기에 자살 시도는 특히 불길한데, 그 이유는 인생주기에서 후속 시도의 문턱을 상당히 낮추고 확률을 증가시키기 때문이다.

연구에 따르면 자살 행동은 가족에서 이루어지며 그러한 행동의 위험이 여러 세대에 걸쳐 전파된다. 두려운 또는 집착하는 애착을 가진 청소년은 안정된 또는 무시하는 애착 양식을 가진 사람들보다 자살 사고에 더 쉽게 몰두할 수 있다. 어린시절 신체적 및 성적 학대, 방 임, 가족 폭력, 신체적 질병 및 재정적 어려움과 같은 심각한 역경은 어린 시절부터 성인기까지 자살의 위험과 지속성을 크게 증가시킨다. 이러한 역경은 18세 이하 아동의 자살 사고, 자살 시도 및 자살 행위와 관련이 있다. 특히 아동 성 학대의 과거력은 4세에서 12세 사이의 어린이의 자살 시도 확률을 11배까지 증가시킨다. 자살 스펙트럼을 가진 성인에서부 터 아동을 추측해보면 학교생활 어려움과 정신과적 진단(특히 우울 에피소드, 품행장애, 반사회적 인격장애에서와 같은 정서, 충동성, 공격성 증상을 가진 사람들)이 나중에 자살 시도의 위험을 증가시키는 것으로 나타났다. 조증의 존재는 위험을 9배로 증가시킨다. 특히 일관되게 발견되는 한 가지는 반복되는 외상 사건이 자살 시도의 위험을 증가시킨다는 것이다.

아동의 자살에 대한 주관적 경험

정서 상태(Affective States)

아이들의 격렬한 분노, 슬픔, 수치심의 표현은 임상가에게 자살의 가능성을 경고할 수 있다. 그러한 어린이들은 다른 사람들보다 정동에 대한 내성이 낮고 곤경에 대한 낮은 역치를 가진다. 그들은 종종 견딜 수 없는 감정을 멈추거나 고통스러운 상황에서 벗어나기 위해 자신의 행동을 설명한다. 위험 요소에는 절망감, 무쾌감, 충동성 및 높은 정서적 반응이 포함된다. 그들은 깊은 절망감과 무력감의 반대되는 감정뿐만 아니라 다른 사람을 조정하고 힘을 갖기 위한 필요에 의해 나타나는 전능함의 감정으로 괴로워할 수 있다. 아이들은 "상관 없어" 또는 "중요하지 않아"라는 태도를 표현할 수 있지만, 분노와 불쾌감의 근본적인 감정은 숨겨지지 않는다. 이러한 감정 상태는 종종 신경쓰는 감정과의 관계에서 다양하게 나타날 수 있다. 자살에 대한 구체적인 생각뿐만 아니라 죽음에 대한 아이의 느낌을 알아 보는 것도 중요하다. 아이들의 고통에 대한 내성은 제한적이고 강력하게 방어된다. 자살 사고를 가진 어린이 및 청소년의 부모는 아이들의 자살 사고 및 의도로 고통스러워 하는 것에 대한 심각성에 대해 상당 부분 부정할 수 있다.

사고 및 환상(Thoughts and Fantasies)

자살로 괴로워하는 아이들의 사고와 환상에는 고통스런 감정을 견디고 관리하는 것과 밀접하게 연관되어 있다. 가족이나 친구들과의 고통스러운 관계에 대한 강박적이며 절망적 인 반추(rumination)가 흔하다. 자살을 하려는 어린이들은 종종 따돌림, 배제, 그리고 수치심의 희생자이다. 그들은 스스로를 짐이며, 아무도 원하지 않고 신경쓰지 않는다고 생각할 수 있다. 죽음을 따르는 환상은 재결합, 복원, 및 후회에 관한 주제가 중심이 될 수 있다. 자신을 죽이는 행위는 본질적으로 공격적이다. 그것은 종종 가족 구성원, 권위자 및 친구들에 대한 보복과 복수의 질을 가지고 있다. 자살에 관해 예기되는 행동은 다른 사람들이 장례식에서 어떻게 느끼는지에 대한 생각을 포함하여 일정한 의미를 지닌다. 심층 사례 기록을 보면 자살 충동을 가진 어린이는 사람 및/또는 동물의 죽음에 대해 호기심을 갖고 있으며 사망 후에 어떤 일이 발생하는지에 대한 질문을 자주 한다는 사실이 드러난다. 일부 자살 충동 어린이들은 자살하기 쉽고, 종종 부모가 상처를 부정하거나 감정적으로 이러한 '사건들'에 대한 자살 의도에 대해 감정적으로 무뎌 있을 때 특히 발생한다.

신체 상태(Somatic States)

남용 및/또는 비정형 또는 초기 기분 장애와 관련된 정신과적 진단의 존재는 자살하려는 어린이의 신체 상태가 기분 및 신체적 침입, 두려움, 분노 및 절망과 관련된 생리적 반응과 관련될 수 있음을 시사한다. 감각적으로 민감한 문제를 가진 많은 어린이들은 알레르기 반응, 수면 장애 및 식이 어려움으로 고통 받으며 신체에 "뭔가 잘못되었다"라고 생각한다. 이 어린이들에게는 "제대로 된 것이 아무것도 없다"라고 느끼며, 자살은 "모두 끝내는" 필사적인 방법일 수 있다.

관계 패턴(Relationship Patterns)

부모의 따뜻함 경험뿐만 아니라 가족 및 사회적 지원에 대한 인식은 자살 시도에 대한 보호요인으로 경험적으로 지적되어 왔다. 반대로, 아동의 거부감은 종종 위험 요소 또는 침해 요인으로 작용할 수 있다. 자살은 항상 관계의 맥락에서 일어난다. 자살 시도로 이어지는 일련의 사건에 대한 수많은 임상 연구는 조기 발달 적 조형 관계, 특히 모자 관계를 암시한다. 핵심 갈등은 진정/봉쇄, 이별, 쾌락 경제 및 관련 및 의사소통의 병리적 방식에 관한 문제를 중심으로 이루어진다. 첨부 스타일, 자살의 전이 전송, 동반자 진단, 학대의 스펙트럼, 부모의 따스함의 부족과 같은 자살에 대한 문서화된 위험 요소는 모두 관계에 크게 영향을 미친다. 전반적인 자살에 대한 문화적 부인은 학부모와 전문가가 공개적으로 진실되게 논의하는 것을 어렵게 만든다. 다른 원인으로 인한 어린이 사망 문제를 해결하기 위한 프로토콜과는 대조적으로, 학생의 사망 원인으로 자살을 인정하는 학교는 거의 없다. 임상적으로, 부모와 자녀 모두와 함께 자살과 죽음에 대해 공감적이고 발달적이며 변함없이 진실된 방식으로 논의하는 것이 중요하다. 이것은 특히 자살에 대한 가족력이 있는 경우에 특히 그렇다. 자살은 종종 '가족의 비밀'이 된다.

임상 양상(Clinical Illustration)

아스피린으로 치명적인 자살 시도를 한 후 10세 소녀를 어머니가 데려왔다. 딸이 죽음, 자신을 마비시키는 불안감 및 우울감에 몰두되어 있음에도 어머니는 딸이 자신을 죽이려는 소망이나 능력이 있다는 것을 전혀 몰랐다. 그녀의 모습은 매우 혼란스러웠다(perplexing). 부모 모두 어렸을 때 딸은 진정시키기 어려웠고, 환경의 변화를 참기 어려워했으며 감각에 예민했다고 보고했다. 그녀는 복통과 '갑작스럽고 예측할 수 없는 움직임'이 잦았고, 14개월 즈음 '심각한 분노발작(serious tantrums)'을 시작했습니다. 부모는 그녀의 요구를 들어주려 시도했고, 결과적으로 홈스쿨로 이어지는 악의적인 패턴(학교 스트레스에서 벗어나는 것), 부모에 대한 과도한 의존, 두 세션 이상 지속되지 않는 수많은 치료 실패 등을 초래했다. 부모와 자식 간의 관계는 반전되어 나타났으며, 아이가 '상황을 지휘하고' 부모는 이를 따랐다. 한 번은 14세의 형제가 있다는 사실을 금세 잊어버렸다.

어머니는 정상적인 산전 병력과 출생을 보고했다. 그녀의 딸은 3세가 될 때까지 간호를 받았으나, 어머니가 갑상선 질환이 생기며 갑자기 젖을 떼었다. 분유를 먹으며 그녀는 강렬한 고통과 구토가 있었다. 이것은 압도하는 경험이었던 후속 적응을 위한 패턴을 설정하는 것처럼 보였다. 최근까지 그녀는 일주일에 한두 번씩 침대를 젖게 했다.

유치원에서는 동급생들과의 상호 작용이 상당히 불안했다. 그녀의 어머니가 모든 계획을 세울 때까지 생일은 스트레스로 작용했다. 그녀는 삼각관계에 대해 어려움을 겪었다. 그녀는 '혼자 남겨졌다'는 느낌을 받았으며, 존재감이 작아지는 것에 강하게 반응했다. 그러나 그녀는 힘이 없었다. 그녀는 극도로 지적이었고 완벽주의자였고, 학업적으로 훌륭했다. 그녀는 다른 사람들을 정확하게 읽을 수 있었고 공감할 수 있었다. 그녀는 자기 자신을 수줍어하고, '수행 불안'으로 느끼고, 다른 사람들과 관계에서 매우 외로움을 느끼는 것으로 묘사했다.

그녀는 슬퍼 보였고, 비쩍 마른 외모를 가졌으며 눈을 잘 마주치지 못했다. 그녀는 "나는 나 자신을 죽이려고 협박했다. 아니, 위협한 것이 아니라 자신을 죽이려고 했다."라고 말했다. 그녀는 숙제에서부터 친구와 사회적인 것들에 이르기까지 모든 것에 대해 걱정한다고 말했다. 그녀는 평생 동안 '심한 불안'을 경험했다고 보고했으나 우울증은 5학년이 끝난 몇 달 후에 시작되었다고 말했다. 일단 그것이 '설정'되면 그녀는 대처할 수 없었고 자신을 죽이고 싶었습니다. 학년이 끝났을 때, 그녀는 '나쁜 기분'을 갖고 모든 것에 관심을 잃었다. 한 번 흥분한 그녀에게 남겨진 것은 '슬프고 우는 것'이었다. 그녀는 자신을 죽이기로 결심했다.

평가에서 그녀는 화를 잘 내면서 불안정한 애착 기질로 세상을 마주한 소녀로 밝혔다. 그녀의 강렬한 감정과 욕구는 부모님이 관리할 수 있는 것 이상이었다. 그들은 그녀의 전능한 요구에 응함으로써 그들의 역할을 포기했고 그녀가 역경을 다루는 것을 도울 수 없었다. 그녀의 맹렬한 분노발작은 그들이 순간적으로 적응할 수 있는 방식으로 그녀를 보살펴야 했다. 그녀는 범불안장애, 주요 우울 장애, 막 시작된 의존적 인격 장애, 그리고 무엇보다 자살을 포함한 여러 진단 기준을 충족했다.

그녀의 자살 시도는 상황적이지도 충동적이지도 않았다. 이는 평생에 걸친 심한 고통, 불편함, 가족과 몸에서부터 소외됨 등이 정점에 달한 것이다. 그것은 학교 밖의 전환 중에 발생하고 그녀의 실패로 인해 다른 사람들에게 고통을 가하면서 자신의 고통을 영구적으로 끝내는 방법을 구성한다. 그 시도는 그녀를 격려하면서 다른 사람들, 특히 그녀의 부모에게 권력을 행사하는 병적인 자존심에 기여했다. 그녀는 자살과 약물 남용 모두에 심각한 위험 요소가 있다. 적어도 두 가지의 병적인 정신과적 진단이 있다; 최근의 심각한 자살 시도 및 조기 발병 감각 예민함, 불안, 우울 등이 있다. 보호 요소에는 높은 지능, 잘 교육되고 돌보는 가족, 재정적 수단 및 주거 치료를 위한 의지가 포함된다.

SC29 지연된 애도 반응(Prolonged mourning/grief reaction)

이별과 상실에 대한 아이의 반응은 격렬한 고통, 정서적 침체, 분노, 무심함(detachment)의 주기가 포함된다. 그런 에피소드는 오랜 기간 동안 정기적으로 재발할 수 있다. 아이의 발달 단계, 의사소통 능력, 자기 통제 능력의 기능에 따라 이러한 반응의 출현, 지속 시간, 강도는 개인차가 매우 크다. '사별(bereavement)'은 상실 상태인 반면, '애도(mourning)'는 아이들이 적응하기 위해 지속적으로 애를 쓰는 진행 과정이다. 이러한 맥락에서, '슬픔(grief)'은 죽음, 이혼, 지속되는 별거 등을 통한 부모 또는 다른 양육자를 잃는 것에 대한 아이의 주관적인 경험, 생각, 느낌을 말한다. 양육자의 죽음은 특히 아동기에 가장 일반적으로 보고되는 힘든 생활 사건이다.

연구에 의하면, 주요 양육 대상의 사망 후 첫 2년 동안 아이에 대한 전형적인 반응이 있다고 한다; 전반적 불안, 우울, 분리불안, 외상 후 스트레스, 행동 문제, 사회적 철수, 짜증, 신체적 어려움, 신체 질환의 증가 등이다. 발달 단계에서는 불안과 관련된 아동기 증상들이 청소년에 이르러서는 우울과 관련된 증상으로 변화가 있다. 연구에서는 부모, 형제 또는 친구의 죽음 이후 1년차와 2년차 사이에 애도반응을 하는 대규모 소수 집단의 아동(커뮤니티에서는

28%, 임상적인 샘플에서는 40%)에서 적응 및 행동 문제가 지속적으로 나타났다. 아이는 죽음 이후 첫 3개월 이내에 가장 심한 병적 애도 반응을 나타낼 가능성이 가장 높았다.

적응은 내인성 요인과 외인성 요인 모두에 의존한다. 양육자에 대한 정상적인 의존성을 감안할 때, 주요 애착대상의 상실은 본질적으로 아이에게 트라우마이다. 보호자의 신체적 부족에 의한 전반적인 혼란과 불안정은 죽음이라는 환경이 '객관적인 트라우마' 요소를 포함하지 않는다 할지라도 아이의 자기조절 능력과 일상적 능력에 손상을 준다.

사랑하는 사람의 죽음을 포함 아동기 스트레스 경험은 불안을 완화하고 일상적인 자기 규제를 재확립하기 위한 애착과 관련된 근접성을 활성화시킨다. 아동의 슬픔은 양육자에 의해 재구축되고 활성화된다. 생존하고 있는 양육자의 슬픔과 애도의 촉진이 혼란하면(부모의 우울증과 부적응적인 슬픔으로 의해) 아이는 임상적으로 심각한 고통 및 생물학적 스트레스 시스템의 변화, 정상적 발달 과업에서 멀어짐 등의 위험이 높아진다. 반대로, 살아있는 양육자의 고기능, 부모의 따뜻함, 부모와 자식 사이에 높은 의사소통 질, 가족의 일상의 안정성 등은 모두 중요한 보호 요인이다. 부모가 상실에 대한 고통을 표현하지 못하는 '정서적 둔 화(Emotional blunting)'는 문제가 될 수 있다. 왜냐하면 아이가 적절한 감정 표현 모델과 자신의 감정을 안전하게 표현하기 위한 역할 모델을 필요로 하기 때문입니다. 흥미롭게도 연구에 따르면, 예측된 죽음에 노출된 유족의 아이가 갑자기 자연사에 노출된 어린이보다 외 상 후 스트레스가 높은 것으로 나타나고 있다.

지연된 애도 반응에 대한 주관적 경험

정서 상태(Affective States)

아이의 애도로 인한 감정의 범위는 아이의 연령, 발달적 요구, 회복 탄력성, 생존하는 양육자의 역할에 의존한다. 죽음의 본질과 영원함에 대한 아이들의 이해가 발전기 때문에 아이들은 말이나 놀이 행동에 현저한 감정의 변화를 드러낸다. 극도의 슬픔과 감정적 고통은 짜증, 저항, 분노발작의 형태로 보이게 될 경우 인식하기 어려울 수 있다. 죽음의 현실과 지속성을 받아들이는 것은 아이들에게 어려울 수 있으며, 무기력, 철수, 흥미 저하 등의 즉각적 형태로 나타나기도 한다. 말하기나 대소변 가리기와 관련된 발달적 퇴행, 새로운 공포의 획득, 수면과 식욕의 무너짐 등은 모두 사랑하는 사람의 죽음에 관련한 위장된 그리고 강렬한 감정을 드러내는 것이다.

사고 및 환상(Thoughts and Fantasies)

아이들은 사망한 사람뿐 아니라 죽음의 상황에 몰두할 수 있다. 아이들은 죽음을 방지하고 효과적으로 개입하거나 치명적인 상태를 복구하기 위해 자신과 다른 사람이 했을지도 모르는 행동에 대해 상상하고, 개인의 책임, 예방, 보호, 보상을 주제로 하는 환상을 가지는 경우가 많다. 자기 비난, 부정적인 자기 평가, 자기나 타인에 대한 비난은 문제가 있는 애도의 중요한 지표이다. 마찬가지로, 사망자와 사망 자체에 대한 생각과 감정의 회피는 오랜 슬픔, 부정적 건강결과 및 외상 후 스트레스 장애(PTSD)의 위험 인자이다. 특히 양육자와 본인의 생각, 기분을 생각하고 말할 수 있는 아이는 그렇지 않은 아이보다 예후가 좋다.

신체 상태(Somatic States)

애도하는 아동은 상실을 경험하지 않은 아이보다 신체 증상과 실제 신체 질환 발병 위험이 높고, 사고가 많은 경향이 있다. 신체 증상 및 식욕과 수면의 붕괴는 전문적 평가가 필요한 명확한 '신호(red ags)'이다.

관계 패턴(Relationship Patterns)

어린 시절 상실은 즉각적으로 그리고 앞으로의 관계에 모두 큰 영향을 미친다. 그들은 아이의 인생에 큰 불연속을 일으키며, 또래 관계와 교류에 국한되지 않는다. 사랑하는 사람의 죽음, 또는 가족의 상실은 종종 아이들이 다른 사람과 똑같고 싶을 때 다른 기분으로 만든다. 상실에 대한 강한 방어가 생길 수 있으며, 발달 과정에서 친밀한 관계를 향하게 하거나 또는 그것으로부터 벗어나게 한다. 아마도 부모의 상실의 가장 중요한 장기적인 영향은 잃 어버린 부모의 지속적인 '존재'이며, 전 생애에 걸쳐 발달적으로 변화한다. 적절한 육아와 적응이 이루어지고 있음에도 불구하고, 상실에 대한 의미를 만드는 것은 진행하고 있다. 추후의 상실 이전 상실과 관련한 감정을 재연한다. 딜런 토마스(Dylan omas)는 "최초의 죽음 이후에는, 다른 죽음은 없습니다." 라고 말했다. 조기의 상실이 민감하고, 보살펴주고, 사랑하는 방법으로 응답된다면, 아이에게 인생의 소중한 교훈을 제공해주고 현재의 가치에 대한 소중함을 증가시켜준다.

임상 양상(Clinical Illustration)

고등학교 선생님인 아버지가 자동차 추락 사고로 사망한 지 1년이 된 이후, 4세 소년이 치료를 받으러 왔다. 그의 어머니 및 7세, 9세, 12세 누나들은 그에게 엄청난 위로와 동정을 해주었다. 그는 손실 전에 '약간 짜증을 내는', '편식을 하는' 아이로 설명되었지만, 이는 여느 다른 아이들과 마찬가지인 증상이었다. 아버지의 죽음 이후 아이는 잠을 들기 어려워 했고, 종종 엄마의 침대에서 잠들었다. 선생님은 사회적 철퇴, 부주의, 전체적인 슬픔의 태도, 졸음, '현실에서 멀어진' 것 같은 것이 늘어났다고 하였다. 콧물이 흐르고 코에서 소리가 나는 조그마한 체구를 지닌 소년은 어머니에게 매달려 들었고 치료사와 그의 사무실, 특히 창문을 흘겨보았다. 그는 어머니로부터 분리되기가 매우 힘들었다.

치료에서의 그의 놀이는 자동차, 보트, 비행기, 버스 등이 충돌한 후 부서진 것을 복구하려는 시도로 이어졌다. 그는 차량이 복구되듯이 아버지가 복구될 수 없는 이유를 이해할 수 없었다. 밤에 그는 하나님에게 아버지를 돌려달라고 호소했다. 시간이 지남에 따라 충돌 주제가 해석되었다. 놀이는 그가 자주 창문으로 교통을 관찰하는 것에 의해 중단되었다. 그가 어떻게 아버지가 돌아오기를 기다리고 있었는지에 대한 논의가 이어졌다.

1년 후, 그는 서서히 기분이 활기차지고 친구들과 다시 만나게 되었다. 그러나 애도는 시작되었다. 다른 부모의 상실에서처럼, 살아있는 부모에 대한 연구는 필수적이었다. 그의 어머니는 아들의 분리 고통에 민감했고, 끊임없는 인내로 이를 다루었다. 그녀는 친구들과의 재통합을 촉진하는 중요한 단계인 가족의 애도 프로그램 및 친구들과 함께 죽음을 논의하는 것에 참여함으로써, 다른 아이들과는 다른 느낌을 강조했다. 학교 관계자들과 그의 어머니는 서서히 아이가 친구들과 발달적으로 따라가고 있다고 보고했다.

SC3 불안과 주로 관련된 장애

SC31 불안 장애

공포와 불안은 위험과 불확실성의 신호로 인해 진화된 보편적인 인간의 감정이며, 중요한 사건을 통제하고 중요한 타인과 유대를 유지할 수 있는 능력이다. 감정 이론가들은 종종 '공포'와 '불안'을 구분한다. 공포는 즉각적으로 탈출하거나 회피하는 동기를 부여하는 반면, 불안은 피할 수 없는 사건(예: 시험)과 관련된다. Panksepp과 Biven (2012)은 다른 신경 전달 물질에 의해 매개되는 뇌의 다른 영역에서 두려움과 불안을 찾는다. 전자(공포 시스템)는 위험한 것으로 보이는 외부 자극에 관련되며 후자(공황 시스템)는 필요한 애착 존재와의 분리를 걱정한다. 분석가들은 전자를 '소멸 불안' 또는 '편집증적 불안'이라 하고 후자를 '분리 불안'이라 한다.

어린이와 성인 모두 불안감의 경험은 개인이 위협이나 도전에 대처 가능한가에 대한 평가에 달려 있다. 가장 적응적인 기능으로, 공포는 주의와 준비성을 키웁니다. 경미한 수준의 불안은 종종 건설적인 문제 해결을 자극한다. 그러나 심각한 불안은 전형적으로 집중력과 다른 인지 과정(예: 조망수용 및 장기적인 계획 설립)을 방해한다. 모든 감정과 마찬가지로, 불안은 특징적인 인지적, 정서적, 생리학적 및 행동적 구성 요소를 가지고 있다. 불안은 자율신경 자극의 증가, 주의 집중의 감소, 조심성 증가 및 탐색 행동의 억제로 특징 지어진다. 만성적 불안은 아이들의 삶의 모든 면에서 중대한 결과를 초래할 수 있으며, 다른 많은 정서 및 행동 장애의 위험 요소이다.

불안은 정신 분석 이론의 역사에서 중심적인 역할을 하며, 증상과 성격에 대한 정신 역학적 이해의 기본 원칙으로 남아 있다. 인간이 하는 거의 모든 일에는 어느 정도의 불안감이 있다. 불안은 증상 이상이다. 불안은 역동적인 과정이며, 즉 적응적인 대처 반응과 부적응 행동 모두를 움직이는 감정 상태입니다. 인생 전반에 걸쳐 우리가 얼마나 잘 불안에 대처할 수 있는지가 우리의 정서적인 건강을 결정한다.

최근 수십 년 동안 아이들의 불안에 대한 광범위한 연구가 있었다. 생애 초기 아동의 기질에서 분명히 드러난, 어린 시절 불안 장애 발달을 위한 생물학적 위험 요소가 확립되었다. 불안 장애에 강한 유전적 영향이 있다. 아동을 불안정하게 만들 수 있는 특정 유전자와 유전자-환경 상호 작용이 연구되었다. 신경 과학 연구는 공포와 불안과 관련된 뇌 영역과 신경 회로를 지도화(mapping)하였다. 가족 위험 요소(Family risk factors)도 연구되었다. 불안정한 애착, 부부 갈등, 부모의 비판과 과다한 통제는 유년기 불안 장애의 위험 증가와 관련이 있다. 덜 자주 연구되지만, 특히 중요한 것으로는 집 밖에서의 경험, 특히 학습 장애, 친구들의 거절, 따돌림의 영향이다.

불안장애를 가진 아동의 주관적 경험

정서 상태(Affective States)

불안한 아이들은 지나치게 걱정만 하는 것이 아니다. 그들이 걱정되는 상황을 피하려고 하는 시도는 아이들을 다급하고 집요한 요구를 하게 만들 가능성도 있다. 아이는 떼를 쓰고, 조정하려 하거나, 반항하거나 완고한 것으로 묘사될 수 있습니다. 부모님(또는 임상가)이 아이의 행동을 불안하기보다 요구를 하거나 조정하려 한다고 판단할 경우, 과도한 분노, 비판, 또는 처벌로 응답하는 경우가 많다. 이러한 일반적인 오해는 부정적인 상호 작용의 악순환을 초래하고 결과적으로 지속적인 불안과 가족 갈등을 확산시키게 한다.

사고 및 환상(Thoughts and Fantasies)

아이들이 성숙하면서 정상적인 일상생활의 불안을 견딜 수 있도록 배운다. 이 달성 - 불안 을 '조절하는' 능력 -은 점차 성취되고, 정서적 건강에 필수적 전제 조건이다. 건강한 발달을 통해 아이들은 불안을 일으키는 상황을 회피하거나 억제하는 행동을 최소로 하면서 직면할 수 있고, 그 결과 흥미와 열정을 가지고 삶을 살아갈 수 있다. 어린이들이 만성적으로 불안을 느낄 때나 불안이 쉽게 유발될 때, 그들의 생각, 상상력, 행동 및 관계는 모두 불안한 기분의 궤도에 들어가게 된다. 불안한 아이들은 나쁜 일이 일어날 것으로 예측하고 상상하기도 한다. 그들의 행동은 일상 활동을 피하거나 철회하며, 역공포적으로(counterphobically) 그런 행동을 향해 뛰어든다.

신체 상태(Somatic States)

정신 역동 이론은 아이들이 불안을 표현하는 다양한 방법뿐 아니라 불안을 완화하기 위해 아이가 사용하는 의식과 무의식의 전략을 강조한다. 불안은 그 표현이 다른 감정보다 다양할 수 있다. 예를 들어, 빈번한 악몽과 수면 장애, 퇴행성 행동은 불안감을 표현하는 흔한 방법이다. 회피 및 억제뿐 아니라, 아이들은 불안의 경험을 최소화하기 위해 방어기제(예: 부인, 억압, 대체, 선택적 부주의, 및 해리)를 사용한다. 그들은 종종 그들이 불안하다는 것을 부정하지만, 신체적인 증상(예: 복통, 두통, 구역질, 또는 빈뇨)을 대신 호소한. 아이의 불안은 반학적 행동이나 무관심한 태도로 인해 알아채지 못할 수 있다. 때때로 아이들은 불안을 일으키는 상황을 모를 수도 있다. 또는 그들이 걱정하고 있는 것을 알고 있지만, 그것을 말하는 것을 거부할 수도 있다.

관계 패턴(Relationship Patterns)

불안은 부모, 교사, 친구와의 교류를 예측하기 때문에 생기는 아이들의 삶의 일상적인 경험이다. 아이는 새로운 상황(예: 학교의 첫날과 여름 캠프)에서 불안할 수 있다. 아이들은 비판과 처벌; 애착대상과의 분리; 발생할 수 있는 질병, 상해, 고통, 죽음; 수치심을 불러일으키는 경험(예: 사회적 거절이나 학업 실패 등)에 대해 불안해 할 수 있다.

불안 장애는 아이의 불안이 장기간에 걸쳐 심각한 고통을 가져오거나 또는 정상적인 일상생활 활동을 방해하는 경우에 진단된다. DSM-5는 7개의 불안 장애(분리 불안 장애, 선택적 함구증, 특정 공포증, 사회 불안 장애, 공황 장애, 광장 공포증 및 범불안장애)를 각각의 진단기준으로 명시하였다. 현재 연구에서는 각각의 아동에서 이러한 장애들이 함께 발생한다고 한다. 그러나 이러한 증상 패턴을 별개의 증후군으로 정당화하기에 충분한 빈도로 개별적으로 발생한다는 증거도 있다.

불안한 아이(또는 오랜 기간 정상적으로 나이에 적합한 행동을 하지 않는 아이)의 평가에 불안이나 회피에 기여하고 있을 현재의 아이의 상황과 요구에 대한 탐색이 있어야 한다. 이 아이는 학습에 어려움을 겪고 있는가? 친구들의 괴롭힘이나 따돌림이 있는가? 가족 간의 갈등, 부모의 불안, 과도한 비판, 과도한 통제 등의 분위기가 있는가? 이 아이의 생활에 충격적인 사건이 있었는가? 아이의 불안에 기여하는 많은 요소에 대해 "왜 이 아이는 이상하게 불안한가?"라는 질문에 대한 대답은 어려우며, 어느 정도 확실하게 대답하는 것은 아마 불가능할지도 모른다. 따라서, 임상 현장에서는 어린이의 불안의 모든 가능한 결정 요인을 탐색하고 치료 개입의 방법으로 생각하는 것이 현명하다.

임상 양상(Clinical Illustration)

다음의 사례는 불안한 기분이 아이와 가족 모두의 기능에 미치는 점증적, 순환적 영향을 보여준다. 아이가 불안을 조절할 수 없을 때, 아이의 기분과 행동은 파괴적인 가족사이의 상호 작용을 일으켜 증상이 악화될 위험성에 놓이게 된다.

유난히 밝은 9살 소녀는 학업에 뛰어나고, 많은 친구가 있었지만 자주 분노발작을 느꼈다. 숙제를 할 때, 그녀는 자제력을 잃고, 부모에게 "다른 연필이 필요하다" 또는 "다른 의자에 앉아야 겠다"라고 변명을 찾았다. 그녀가 실수를 하면 극적으로 동요된. 그녀의 부모가 아이패드의 사용을 그만두려고 했던 때처럼, 그녀는 다른 사소한 불만과 실망에 반응하여 무너졌다. 그녀는 "안 된다. 해야만 한다. 할 필요가 있다"라고 불평했다. 학교를 다닐 때 그녀는 뭘 입어야 할지에 대해 변덕스러워 지각을 했다. 매주 일요일 밤 그녀는 뭔가로 인해 분노발작을 했다. 그녀는 잠에 들기가 어려웠고 어렵고, 자주 피곤해 했다. 주말 동안 일어나기 어려워 했고, 그녀가 매우 즐겨하던 활동(스키 등)을 놓치는 경우도 있었다. 그녀의 행동은 자주 심한 가족 스트레스를 일으켰다. 그녀의 부모는 인내심을 잃고 있었다 - 우선 그녀와 그리고 서로서로. 이제 그녀는 불안할 뿐 아니라 화가 났고, 반항적이었으며 때로는 우울하고 위축되었다. 그녀의 부모는 딸의 여러 행동이 그녀의 불안을 조절할 수 없는 것으로부터 생긴 것을 이해했다. 그러나 그들은 지혜를 잃고, 종종 그녀를 망가진 아이나 항상 요구하고, 사람을 쥐고 흔들며, 조종하려 한다고 여겼다.

치료는 정신분석과 가족 상담을 함께 진행했고, 아이가 불안을 견디고 정서를 조절하는 것을 향상시키도록 중점을 두었다. 그녀의 부모는 좀더 유용한 방법으로 그녀의 불안에 대응하고 이는 가족의 상호 작용의 악순환을 차단하는 데 도움이 되었다.

SC31.1 공포증(Phobias)

공포증은 생의 초기에 발생할 가능성이 있다. 많은 아이들이 어릴적 과도한 공포를 경험하지만, 심각하거나 장기적인 공포증은 아이의 전반적인 정서 조절에 심각한 합병증을 일으킬 수 있다. 아이가 공포증이 발병할 위험 요인은 불안 기질, 가족의 정신 병리(특히 직계가족의 불안 장애) 및 조기 발달적 어려움이 포함된다. 특정 공포증은 외상 사건(예: 동물에 의해 공격을 당하거나 엘리베이터에 갇히는) 이후 생길 수 있다.

리틀 한스의 유명한 사례로, 프로이트(Freud, 1909)는 현재도 영향을 미치는 공포의 형성에 관한 이론을 발표했다. 정신역동학적 임상가는 공포를 분리, 부상 또는 사망에 대한 무의식적 불안을 상징하는 것으로 여긴다. 이러한 본질적인 위험에 대한 불안은 본질적으로 덜 위험하거나 근접성이 낮은 것으로 인해 덜 위협적인 사물로 대체된다. 위험과 관련된 공포의 대상이 관련되는 과정은 일반적으로 접근할 수는 없다; 아이들은 일반적인 물체를 어떻게 두려워하는지 설명할 수 없다. 공포증은 아이들이 원래의 불안을 해결할 수 있을 때, 더이상 대체가 필요하지 않을 때 해소된다.

아이들의 공포증에 대한 주관적 경험

정서 상태(Affective States)

아이 공포증은 일반적으로 특정 상황(예: 비행, 높은 곳, 동물, 감염 또는 피)에 한정된 다. 그러나 경우에 따라서는 아이의 불안이 하나의 대상에서 많은 대상으로 퍼질 수 있다. 아이들의 공포증의 경과는 매우 다양하고, 며칠에서 몇 년간 지속될 수 있다. 아이가 하나 또는 그 이상의 다른 사람에게 노출되어 있다고 느끼는 사회적 상황에서 공포 및 극심한 불안이 있다면, 거절이나 수치심이 학업 및 다른 영역에 영향을 준다. 아이가 공포 자극을 피할 수 있는 한 불안은 최소화된다. 그러나 두려워하는 사물이나 상황이 불가피하게 된 경우, 아이는 극도의 불안을 느끼며 공황으로까지 될 수 있다. 안심을 시켜주어도 불안이 감소되지 않는다. 아이는 오랜 시간 동안 울거나 분노발작을 하는 것으로 극도의 공포를 표현할 수 있다. 어떤 공포증의 아이들은 비록 두려움의 물체가 없더라도, 그들의 환경에 대해 과민할 수 있다.

사고 및 환상(Thoughts and Fantasies)

아이의 생각과 환상은 공포의 대상과 그것을 회피하기 위한 전략 및 그 주제를 완전히 생각하기를 피할 수 있는 전략에 사로잡혀 있을 수 있다. 전반적으로, 공포증 아동의 이상적인 삶은 특정 나이에서 예상되는 감정적 주제, 예를 들어 경쟁과 공격, 의존적 관계와 같은 주제의 강화 등으로 한정되는 것이 특징이다.

신체 상태(Somatic States)

공포증 공포의 대상에 노출될지 모른다는 예기 불안과 관련해 신체증상이 생길 수 있다; 가슴 조임, 위장장애, 또는 위가 빈 느낌, 빠른 심박동, 식욕저하, 잦은 배뇨 및 배변, 메스꺼움, 구토. 신체증상의 강도는 아이의 두려움 수준에 의해 결정된다. 공포의 물체가 없어지거나 상황이 해결된 경우 감정은 사라진다.

관계 패턴(Relationship Patterns)

공포증 아이들은 종종 신중하게 관계에 접근한다. 새로운 상황이나 새로운 사람들은 서서히 동화될지도 모른다. 그러나 애착 관계의 역량은 양육자에게 의존적이었던 공포증의 아이들에서는 유지되는 경향이 있다.

임상 양상(Clinical Illustration)

4살 소녀가 생명이 위험한 질병으로 입원했다. 그녀의 부모는 그녀를 아프게 하는 '작은 벌레'와 싸워야 한다고 그녀에게 말했다. 회복하는 동안 그녀는 몇 달 동안 병원에, 그리고 더 오랜 기간 집에 머물러야 했다. 이 시기 동안 그녀는 벌레 공포증(모든 곤충; 개미, 파리, 모기 등)이 생겼고, 8개월 동안 역동적 정신분석 치료를 받았다. 그녀가 좋아하는 게임은 라푼젤 공주가 마녀로 인해 성에 갇혀, 부모로부터 떨어지게 되는 것을 상상하는 것이었다. 이 게임을 통해 그녀는 그녀의 어머니(그리고 그녀의 치료사)를 향한 분노와 좌절감을 그녀를 가두게 하는 '악마 마녀'라는 상징으로 표현하고 처리할 수 있었다. 그녀는 병과 관련된 벌레가 자신을 죽일지 모른다는 공포와 그녀의 분노로 인해 부모가 복수할지도 모른다는 두려움을 이야기했다.

SC32 강박 및 관련 장애(Obsessive-compulsive and related disorders)

SC32.1 강박장애(Obsessive-compulsive disorder)

강박 장애(OCD)의 주요 증상은 원치 않는 사고의 침입(강박 관념) 및/또는 강제로 반복되는 동작 (의식)이다. 최근의 연구에서는 적어도 3개의 OCD 증상 군집을 확인했다: 오염에 대한 두려움, 대칭성에 대한 걱정, 의심과 확인. 네 번째 군집인 저장하는 행동을 진단에 포함시켜야 하는지에 대한 여부는 아직 불분명하다. 현재의 연구에 기초하여 DSM-5는 저장장애(hoarding disorder)가 강박장애와는 다른 것으로 확인했다.

강박 증상은 4세의 소아에서 일어날 수 있지만, 보다 일반적으로 6세에서 9세 사이에 처음 나타난다. 초기 청소년기와 젊은 성인기는 강박장애가 새로 생기거나 재발하는 흔한 시기이다. 많은 개인에서 증상은 일생에 걸쳐 호전과 악화를 반복한다. 최근 틱(tic) 장애 및 모발 뽑기(hair pulling)를 포함한 강박 스펙트럼이 탐구되고 있다. DSM-5에서 강박장애와 관련 장애는 더이상 불안 장애로 분류되지 않지만, 불안의 존재는 강박 증상의 핵심 특징이다. 대부분의 연구자와 임상가는 강박장애를 신경학적 장애로 간주하며, 정신 역학 치료는 진단된 아이들에게 가장 좋은 치료법은 아니라고 여긴다.

아동에서 강박증의 주관적 경험

정서 상태(Affective States)

강박적 사고와 강박적 의식은 가볍고 일시적일 수 있으며(강박장애 진단 기준에 부합하지 않음), 심한 경우에는 여러 측면에서 아이의 기능에 심각한 장애를 초래할 수 있다. 강박 장애를 가진 많은 아이들은 그들의 두려움이 비현실적임을 인식하고 있지만, 여전히 강박적인 행동을 강요당하고 있다. 처음에는 대부분의 아이들은 원치 않는 생각에 깊이 고민하다가 적극적으로 또는 긴급하게 도움을 구한다. 그러나 시간이 지날수록, 특히 치료하지 않으면, 아이는 더 비밀스럽게 되고, 강박적 사고와 강박적 의식을 숨긴다. 강박증의 회피와 행동 증상은 심지어 증상이 두드러지지 않을 때에도 아이들의 시간과 정신적 에너지의 대부분을 차지할 가능성이 있다. 중증 사례에서는 강박 증상이 확장될 때, 아이들은 정신병적(예: 아이들이 다른 방을 걸어 다니거나 다른 세계에 살고 있을 때 정체성이 바뀐다는 생각) 사고를 표현할 수도 있다. 그런 생각은 근본적으로 강박적 사고가 정교하게 된 것이며, 새로운 진단을 필요로 하지 않는다.

사고 및 환상(Thoughts and Fantasies)

강박증의 고전적인 정신 분석적인 이해는 성적 또는 공격적인 소망(또는 행동)에 대한 죄책감을 토해내기 위한 아이의 노력에 초점을 맞추고 있다. 프로이트는 이 이론을 방어 메커니즘에 대한 초기의 논문(프로이트, 1894)에서 발표했으며, 소아와 성인기에 강박증 상으로 고통받았던 '랫맨'(Freud, 1909) 케이스에서 발표했다. 또한 유명한 셰익스피어의 맥베스 부인은 밤에 깨어 살인죄를 손에서 씻을 수 없다.

강박장애의 일반적인 강박적 사고는 다음과 같습니다:

- 세균이나 먼지에 의해 오염되거나 타인을 오염시킬 우려가 있다.
- 자신이나 타인에게 해를 입힐 수 있다.
- 침습적, 성적으로 노출되는 또는 폭력적인 사과와 이미지
- 종교적 또는 도덕적인 생각에 대한 과도한 집착
- 잃어버리는 것에 대한 두려움이나 필요했던 것을 가질 수 없다는 두려움
- 질서와 대칭: 모든 것을 '바르게' 정렬해야 된다는 생각
- 미신; 행운 또는 불행에 관한 과도한 집중

신체 상태(Somatic States)

감각 과민성(감각 자극에 대한 과장된 행동 반응)은 강박장애를 가진 소아에서 비교적 흔하다. 여기에는 촉각, 시각/청각 및 미각/후각 과민이 포함됩니다. 감각 과민성은 나이가 어릴수록 더 일반적으로 보인다. 경우에 따라서, 특히 사춘기 동안, 특정 신체 과정, 충동 또는 호흡과 혀의 움직임에 초점 등에 과민성을 갖게 되기도 한다.

관계 패턴(Relationship Patterns)

아이들이 강박적 두려움에 몰두하지 않을 때, 그들은 비교적 잘 지낸다. 그들은 활발하게 삶을 살아가고 따뜻하고 밀접한 관계를 가질 수 있다. 강박적 행동을 하는 것을 막으면, 아이들은 심한 불안이나 공포를 경험한다. 따라서 강박장애를 가진 아이들은 종종 기저에 있는 공황으로 인해 상황과 관계를 엄격하게 통제하려고 합니다. 그들의 행동은(심한 불안을 막기 위한 노력이 아니라) '조절하는 것'으로 오해될지도 모른다. 다른 불안한 아이처럼, 이 오해는 종

종 아이의 증상을 완화하지 않고, 가족의 긴장과 갈등을 일으킨다.

임상 양상(Clinical Illustration)

취침 시에 특히 심한 불안을 가진 9세 소녀가 의뢰되었다. 그녀의 증상은 옷장과 책상 위의 항목을 정렬해야 하는 완벽주의적인 것과 구토에 대한 공포가 포함되어 있었다. 그녀는 중산층의 전문적인 가족에서 태어난 2남매 중 막내딸이었다. 5살 때부터 그녀는 취침 시간에 극도의 분리 불안을 경험했고, 자기 전 의식을 정교화하기를 고집했다. 매일 밤, 그녀는 그녀의 부모에 4번씩 “만약 내가 버려지면 어떻게 해?”하고 질문했습다. 부모는 4번 “너는 버려지지 않을 거야. 우리는 너를 사랑해. 좋은 밤 되렴”이라고 대답해야 했다. 그녀의 두려움은 “엄청난 내장과 신체 부위에 대한 이미지”를 동반했고, 부모가 그녀의 방을 나가려고 할 때 그녀는 메스꺼움을 느꼈다. 그녀는 구토를 두려워해서 음식에 대해 까다로워졌으며 결과적으로 매우 말랐다.

또한 그녀는 촉감 민감도가(예: 그녀의 옷의 태그) 높았다. 그녀는 매우 총명하고 모범적인 학생이었으며, 또래 친구들로부터 호감을 얻었다. 그녀의 부모는 딸을 돕고 싶어 했는데, 그들은 딸을 종종 통제적이며, 요구가 많고, 기쁘게 하기 어렵다고 묘사했다. 그녀의 복잡한 출산 경력은 임상적으로 중요한 부분이었다. 출산하는 동안 그녀는 태아의 고통(fetal distress)을 겪었고 응급 제왕절개 수술을 받아야 했다. 어머니는 “창자가 테이블에 놓여 있었다”라고 가족의 이야기를 전했다. 그녀의 출산에 대한 이 신랄한 묘사는 부모님의 단정하고 적절한 태도와 극명하게 대조를 이루었다.

아이의 강점은 심리적 사고가 있고 그녀의 ‘큰 감정’이 어디에서 왔는지 탐구하는 데 개방적인 것이었다. 치료 초기에 그녀는 많은 예술작품을 하고 있었고 지저분하게 되는 것을 즐겼지만, 그녀는 ‘이상한 감정(분노, 증오, 혐오)’을 표현하는 데 허락이 필요했다. 한 장의 사진에서 숲속에서 살해된 어머니가 표현되었다. 그녀의 그림에 대해 토의할 때, 그녀는 어머니가 살해될지도 모른다는 두려움을 표현했다. 그리고 나서 그녀는 어머니가 어떻게 거의 죽을 뻔했는지를 자발적으로 언급했다. 그녀는 ‘이상한 감정’이 어머니를 죽일지도 모른다고 걱정하고 있었다. 시간이 지나면서 그녀는 내장 및 신체부위에 대한 몰두와 출생 시 버려지는 이야기를 연결시켰다.

그녀의 불안과 취침 전 의식의 필요성은 감소했다. 그녀는 점점 덜 불안해지고 덜 완벽해졌다. 그녀의 부모와의 작업은 매우 중요했다. 그녀의 어머니는 그녀가 꽤 까다롭고 완벽하다는 것을 깨닫게 되었고, 그녀의 딸이 지저분하다는 태도를 가지게 되었다. 그녀의 아버지는 자신이 딸을 이상화했다는 것을 깨달았다. 아이를 스스로 돕고 공격적인 감정을 표출하는 것은 그녀의 불안, 의식의 필요성, 완벽주의를 좀 더 규범적이고 현실적인 수준으로 줄이는 데 크게 도움이 되었다.

SC41 트라우마 및 스트레스 관련 장애(Trauma- and stressor-related disorders)

어린 시절 트라우마는 삶이나 자기 자신에게 치명적인 위험을 주는 것으로 인식되는 일련의 사건이나 일련의 사건에 대응하는 어린이의 경험에 의해 정의된다. 특히 어린 아이들에게 있어, 주 양육자에게 인식된 위협은 그러한 위협을 본인이 당하는 것으로 경험할 수 있다. 이런 경험은 아이들에게 무력감, 마비, 생각을 정리할 수 없게 하고, 대처하지 못하는 등 엄청 난 영향을 끼친다. 방어가 작동하는 것은 실패하며, 해리성 반응이 전형적이다.

이 분야는 최근 몇십 년 동안 훨씬 더 "트라우마에 민감하게" 되었다. 임상가들은 이제 기분 장애, 파괴적 행동 장애, 우울증, 간헐적인 폭발 장애, 그리고 신체 건강 관련 문제를 포함한 무수한 증상과 진단에 어린 시절 트라우마가 기여할지도 모른다는 데에 적절하게 주의를 기울일 가능성이 더 높다. 또한, 폭력에 노출되는 것, 가정 폭력, 성적 학대, 신체적 학대, 방임, 모성 우울증, 만성적인 정서적 부적응 등과 같은 지속적이고, 누적된, 혐오적인 사건들이 신경심리학적 발달과 자아 발달에 모두 중요한 영향을 미칠 수 있다는 인식이 증가했다. 이러한 사건들은 개별적으로 받아들이거나, 외상 후 스트레스 장애(PTSD)의 진단과 일치하는 증상으로 이어질 수 있거나 그렇지 않을 수 있으며, 이러한 사건과 관련된 정서적 강도로 인해 어린이가 압도되거나 또는 발달에 지장을 받지 않을 수 있다. 압도적 사건에 대한 지속적인 노출은 문헌에서 '압박 트라우마(strain trauma)', '누적되는 트라우마(cumulative trauma)', '관계적 트라우마(relational trauma)', '복합 트라우마(complex trauma)' 그리고 '발달학적 트라우마(developmental trauma)'를 포함한 다양한 이름으로 언급되었다. 중요한 것은, 이러한 초기에 지속적인 혐오 경험은 청소년기에 생겨 성인기에 고정되는 심각한 인격 장애를 포함하는, 방어적으로 결정되는 인격 특성의 발달에 주요 위험 요소들이다. 이러한 특성은 DSM-5에 열거된 인격장애의 B 그룹(Cluster B)에 나열된 것과 일치한다. 실제로, 정신적 충격은 성격과 정체성을 조직하는 역할을 할 수 있다. 이런 종류의 증상 군집에 기여할 수 있는 경험을 이해하려면 철저한 병력 청취가 필수적이며 치료 계획에도 똑같이 필수적이다.

'삽화적 외상(Episodic trauma)'은 단 한 번의 발생으로 PTSD의 진단과 일치하는 증상으로 이어지는 것을 말한다. PTSD 증상의 전체 양상은 아이 및 다른 사람에 의해 즉각적으로 느껴지거나 그렇지 않을 수 있다. 그럼에도 불구하고, 이러한 종류의 외상성 사건은 압도적으로 경험되어, 아이가 발생되는 정동(affect)의 강도를 조절할 수 없게 하고, 종종 아이의 지속적 발달 및 상징적 능력의 사용, 정신화(mentalize) 능력에 방해가 된다.

외상에 대한 민감도가 높아짐에 따라, '트라우마'라는 용어를 과도하게 사용함으로 인해 그 의미와 임상적 유용성을 상실해서는 안 되며, 또한 실수로 실제 정신적 외상으로 인한 피해자들의 고통의 강도와 특이성을 감소시키지 않도록 주의해야 한다. 아이에게 미치는 실제 영향을 고려하지 않은 채 사건이 '외상적(traumatic)'으로 분류되는 경우가 너무 많다고 주장되어 왔다. 즉, 겉으로 보기에 동일한 스트레스 요인(예: 부모의 죽음, 지진, 가정 폭력, 신체적 또는 성적 학대, 고통스러운 의학적 치료)에 노출된 아이들이 모두 해당 사건의 충격을 받지 않을 수 있다. 파괴적인 사건은 트라우마에 대한 위험을 나타내지만, 트라우마의 발생을 보장하지는 않는다. 아이들은 심한 스트레스를 받거나, 슬픔에 시달리거나, 일시적으로 방해를 받을 수 있지만, 반드시 정신적 충격을 받는 것은 아니다. 기존 위험 요소(예: 이전 트라우마, 애착 양식) 및 보호 요소(예: 가족 지원, 지역사회지원, 고유한 회복탄력성)는 아이의 인지적 및 정서적 역량에 더하여 잠재적 충격적 사건의 최종 영향을 결정하는 데 변수를 조율하고 있다.

PTSD로의 진행을 피하거나 기간을 단축시키는 아이들의 능력에서 특히 중요한 것은 1차 양육자의 지원이다. 무엇이 일어났고 그것이 아이에 미치는 영향을 견딜 수 있는 부모를 갖는 것과 그에 대한 공감과 위로를 해주는 부모로부터 얻는 도움은 아무리 강조해도 지나치지 않다. 부모가 정신적 외상의 희생자이거나 다른 정신 건강 문제로 고통 받는 경우, 그러한 지원 을 제공할 능력이 손상될 수 있다. 아이의 외상성 증상을 방지하거나 약화시키는 것을 돕는 것은 부모와 아이 모두에게 외상성 사건의 영향을 인식하도록 돕고, 그 사건과 그 결과에 대해 부모와 자식 간의 의사소통을 용이하게 하는 것을 포함한다. 이 치료의 역할은 아이가 필요로 하는 것에 대해 도움되게 반응하는 부모의 능력에 대한 공감의 중요성을 포함할 수 있다.

아동의 일회성 심리적 트라우마는 성인에게서 발견되는 것과 유사한 장애를 일으킬 수 있다. 여자 아이들이 외상 후 스트레스 증후군에 더 취약하지만, 남자 아이들은 증상에 더 많이 영향을 받는다고 한다. 외상에 대한 퇴행적 반응은 아동들에게 많이 보이며, 특히 어린 아이들에게서 두드러진다. 예를 들어, 이전에 자신감 있는 아이는 양육자에게 매달릴 수도 있고, 혼자 잘 수 있는 아이는 그렇게 하는 것을 멈출 수도 있다. 나이 든 아이들은 사회적 접촉에서 손을 떼거나, 과잉행동적으로 보이거나, 다른 행동장애를 보일 수 있다. 정신적 충격을 받은 아이들은 또한 과각성 되거나 더 놀라는 반응을 보일 수 있다. 증가된 변덕성, 낮은 집중력, 낮은 주의력과 산만함, 그리고 더 심해진 기분의 변화들은 모두 아이가 정신적 충격을 받았을 때의 가능한 결과들이다. 또한 학습과 기억의 기능에 대한 방해뿐만 아니라 먹고 자고 하는 데 있어서도 장애가 있다. 다른 일반적인 대응에는 정신적 충격과 관련된 자극을 피하거나 그러한 사건에 대한 지배감을 얻기 위한 시도로 슈퍼히어로(superheroes)들의 방어/적응적 사용이 포함된다. 마찬가지로, 아이들은 의식적인 행동을 발달시키거나, 사건을 미래의 역경의 징조나 예측변수로 여길 수 있다.

소아 트라우마를 평가하기 위한 도구 목록은 미국 어린이 외상 스트레스 네트워크의 웹사이트(www.nctsn.org/resources/topics/trauma-informed-screening-assessment/resources)에서 찾을 수 있다.

트라우마 및 스트레스 관련 장애에서 주관적 경험

정서 상태(Affective States)

정서적 반응 패턴은 부분적으로 정신적 외상의 경험에서 비롯되는 통제력, 힘 그리고 정체성의 상실감에서 생성될 것이다. 반응은 불안과 공황에서부터 강박적 집착과 공포에 이르기까지 다양할 수 있는데 이는 악몽에서 가장 생생하게 나타난다. 회피나 공포반응적 행동은 종종 신체적 염려 및 불안과 함께 나타날 수 있다. 일부 아이들은 수동적에서 능동적으로 변화해 반응하며 무력감과 절망감을 피하기 위한 무의식적인 노력으로 화를 내거나 짜증을 낸다. 다른 아이들은 피곤, 슬픔 그리고/또는 수치심에 압도될 수 있다. 정신적 충격을 받은 아이들은 그들의 병전 상태에서 벗어나 정서적 변덕(emotional lability)을 가질 수 있다.

사고 및 환상(Thoughts and Fantasies)

사고와 환상은 위에서 기술된 강박적 반추, 단편적인 생각, "전부 아니면 아무것도 아니다"라는 생각, 그리고 도피적 환상(나이에 적절한 것을 넘어선 마술적 사고를 포함)에 대한 몰두 등을 포함할 수 있다. 만약 그 충격적인 사건의 성격이 대인관계라면, 아이들은 그들 자신을 나쁘고, 더럽고, 사랑스럽지 않은 것으로 생각하게 될 것이다. 징조에 대한 새로운 믿음은 삶의 예측 불가능함 보다는, 아이들이 언제 위험이 예상되는지 알 수 있는 감각을 주게 됨으로써 방어적인 기능을 할 수 있다. 어떤 어린이들에게는 경험했던 위협에 대응하는 데 있어서, 부정(denial)을 지배적인 방어로 사용한다. 정신적 충격을 받은 아이들의 놀이에서 이 드라마는 강박적으로 재연될 수도 있는데, 종종 충격적인 기억이 되살아나는 것을 막고 아이들이 이 사건에 대한 지배력을 얻도록 돕기 위해 왜곡된 형태로 나타난다. 이런 종류의 간접적이고 상징적인 행동은 아동의 자기 주도적이고 자연적인 노출 치료법으로 간주될 수 있다. 동시에, 정신적 충격을 받은 아이들은 환상과 현실 사이의 경계를 유지하는 데 어려움을 겪을 수 있으며, 그들의 놀이나 다른 극단적인 불안의 징후에서 관찰될 수 있다.

신체 상태(Somatic States)

신체 상태는 빠른 심장박동, 긴장된 근육, 위장 증상, 두통, 근육통 등과 같은 불안과 관련된 증상들을 가장 두드러지게 나타내는 정서적 패턴을 따른다. 만약 정신적 외상이 육체적 고통을 수반한다면, 이것은 해리성 방식으로 다시 경험할 수 있을 것이다. 성적 학대, 성추행 또는 성적 물질에 대한 노출로 야기되는 외상들은 특히 신체적인 증상과 과잉성적 행동 모두를 촉발할 가능성이 높다.

관계 패턴(Relationship Patterns)

정신적 외상의 불안에서 벗어나기 위해 관계는 자신감이 없고 의존적이 될 수 있다. 그러나 아이들은 심지어 가까운 친구와의 관계도 피하고 철수하게 되고, 잠재적으로 해로울 수 있는 낯선 사람들과의 접촉을 두려워할 수도 있다. 실제로, 아이에게 충격적인 사건을 상기시키는 어떤 자극도 불안하고, 공격적이고, 회피적인 반응을 일으킬 수 있다. 신체적 증상이 친밀감과 지지를 얻기 위한 수단이 되는 아이들에게 있어, 관계는 교묘한 역할을 갖게 될 수도 있다.

임상 양상(Clinical Illustration)

여섯 살 소년이 부모의 통제를 벗어난 행동으로 치료 받으러 왔다. 그는 평균 키에 날씬했으며, 각진 얼굴과 크고 넓은 눈을 가지고 있었다. 그는 흐트러진 얼굴로 통제불능과 허약함을 보였다. 그의 어머니는 아들과 관련된 일에 있어 지나치거나 또는 적절한 것처럼 보였다. 그녀는 그녀 자신이 조절이 안 되고, 과민반응을 보였으며, 극도로 화가 나거나 극도로 슬퍼한다고 했다. 그의 아버지는 정반대인 것처럼 보였다: 내향적이고 수동적이며 그의 감정에 무감각했다. 2살 차이인 누나도 비슷하게 흐트러져 보였지만, 감정적 폭풍, 반항, 떼쓰는 것에 관여하지 않았다. 학교에서 그는 그가 싫어하는 것은 무엇이라도 하라고 요청 받았을 때 화가 났다. 그는 인지된 공격에 지나치게 민감했고, 진정한 친구가 없었고, 우정이 그에게 중요하지 않은 것처럼 행동했다.

그는 4살 때 희귀성 질환인 복부암을 진단 받았다. 1년 넘게 그는 수술, 고통스럽고 침습적인 수기, 항암치료를 받았고, 비록 그의 생명을 구했지만 이는 극심한 고통을 유발했고 활력을 앗아갔고 정상적인 어린 시절의 경험도 빼앗았다. 이 모든 것을 겪으며, 그의 어머니는 그의 병실이나 침실에 있거나, 그를 본인의 침대에 자게 했다. 그녀는 그들이 시행한 수기에 대해 의사와 싸웠고, 수기가 끝날 수 있도록 그녀의 아들과 싸웠다. 그의 많은 증상들이 파괴적 행동 장애(disruptive behavior disorder)와 소아 조울증 장애에 대한 진단 기준을 충족시켰지만, 그의 의학적 경험에서 트라우마를 배제할 수 없었다. 부모와 교사들로 하여금 그를 이 렌즈로 보게 하는 것은 그가 나아가기 위해 필수적인 것이었다.

SC41.1 적응 장애(발달학적과는 다른)(Adjustment disorders (other than developmental))

이 장과 MC Axis의 4장에 설명된 바와 같이, 어린이의 점진적 발달 경로는 갑작스런 스트레스 요인으로 인해 안전 및 행복(well-being)에 추가적인 부담을 줄 수 있다. 그러한 스트레스 요인에 노출되면 기능상 갑작스런 후퇴 또는 아동의 일반적인 기능(예: 동료 관계)의 일시적 억제로 특징지어지는 발달적 불협화음 상태가 발생할 수 있다.

적응 장애에서 아동의 주관적 경험

아동의 적응장애는 광범위한 정서적 상태를 특징으로 할 수 있다. 그들은 불안하거나 우울하거나, 화가 나거나, 충동적이거나, 혹은 상실감과 패배감을 느낄 수 있다. 아이의 생각과 환상은 상실, 질병, 가족 문제 또는 학교 문제로 야기되는 감정적 패턴을 반영할 것이다. 아이의 대인관계는 더 의존적이고 집착하게 되거나 더 멀어지고 냉담하게 될 수도 있다. 적응장애를 가진 아이들은 또한 다양한 신체적인 불편함, 수면문제, 그리고 식이문제 경험할 수 있다. 간단히 말해서, 적응장애를 가진 아동의 주관적인 상태는 다른 아동의 질환과 유사하다. 그러나 중요한 차이가 있다: 적응장애에서 반응은 일시적이고 특정 상황이나 사건과 관련이 있다. 아이가 현재의 사건과 관련하여 주관적인 반응을 이해하도록 돕고, 추가적인 지원과 숙련 기회를 제공하는 것은 아이의 주관적 상태에 긍정적인 영향을 미칠 수 있다. 부모나 보호자가 자녀의 경험의 맥락을 이해하는 것을 돕는 것은 부모와 아이에게 이로울 것이다. 아동의 정서적 상태, 사고와 환상, 신체 상태, 관계적 패턴이 매우 다양하기 때문에 어떠한 패턴도 적응 장애를 특징짓지 못한다.

임상양상

8살 소년은 9개월 전에 시작한 그의 심각한 악몽에 대해 걱정했던 부모님에 의해 평가를 받기 위해 왔다. 그들은 그가 잠든 동안 함께 있을 부모가 필요한 것과, 너무 무서워서 혼자 잠들 수 없어 그들의 침대로 기어 들어가기 위해 한밤중에 일어나는 것을 설명했다. 이러한 증상은 화재 경보 판매원이 자신의 제품을 시연하기 위해 그들의 아파트로 와서 파괴적인 화재 영상 비디오를 보여주면서 시작되었다. 그 소년은 꼼짝 못하게 되었다. 약 일주일 후, 그는 수면 장애를 일으켰다. 아이와의 추가적인 탐색결과, 치료사는 그 사건에 의해 재 활성화된 해결되지 않은 분리 문제를 알게 되었다.

SC5 신체 증상 및 관련 장애(Somatic symptom and related disorders)

SC51 신체 증상 장애(Somatic symptom disorder)

DSM-IV는 신체화 장애의 범주를 포함했었다. DSM-5는 이 범주를 없애고 신체 증상 및 관련 질환을 대체했다. 이 범주의 모든 장애는 흔한 특징을 공유한다. 즉 일상생활에서 중요한 문제를 일으키는 기미와 연관된 신체 증상의 중요성을 공유한다. 어린이에게서 가장 흔한 체증 증상은 복부 통증, 두통, 피로, 메스꺼움이다. 한 가지 증상이 보통 더 우세하다. 부모들이 아이의 증상에 어떻게 반응하는지가 관련된 고통의 정도를 결정하는 데 도움이 된다. 부모는 아이의 증상 해석, 지속시간, 얼마나 자주 학교를 결석하는지, 그리고 얼마나 빨리 의학적 및 심리적인 도움을 구하느냐에 영향을 준다. 우리는 이 장에서 신체 증상 장애에 집중하고자 한다.

신체증상장애의 주관적 경험

정서 상태(Affective States)

신체적 증상 장애를 가진 아이들의 정서적 상태는 종종 불안, 궁핍, 외로움으로 특징지어진다. 특히 양육자가 그 병이 진짜인지 의심하는 것 같을 때, 아이는 아파하고 고통스러워 보인다. 믿을 수 없다고 느끼면, 그 아이는 큰 소리로 항의하고, 상처를 느끼고, 격분할 가능성이 있다. 아이의 생각은 종종 특정한 신체적인 증상에 초점을 맞춘다. 아이는 심각하게 아프고 죽을 위험에 처할 수도 있다고 느낄 수 있다.

사고 및 환상(Thoughts and Fantasies)

진단되지 않은 질병의 가능성을 무시하지 않는 것이 중요하다. 아이의 고통과 걱정을 심각하게 받아들이는 것은 아이의 고통이 얼마나 진짜인지 증명하기 위해 불편함이 증가하는 것을 막을 수 있다. 아이는 양육자로부터 분리되는 것을 지나치게 두려워하거나, 또는 위축되거나 고립될 수 있다. 종종 새로운 관계, 특히 탐험과 호기심을 필요로 하는 관계에 대한 회피가 있다.

신체 상태(Somatic States)

신체 증상 장애를 가진 아이들은 의학적 원인을 찾을 수 없는 다양한 신체 증상에 대해 불평한다. 그들은 복통, 두통, 메스꺼움, 소변이나 대변이 급하게 마려움, 그리고 다른 신체적인 불만들로 고통 받을 수 있다. 비록 그 증상들이 보통 불안을 일으키는 상황에서 나타나지만, 아이들은 종종 그들의 신체적 증상들이 스트레스를 주는 삶의 사건과 관련이 있다는 것을 인식하거나 받아들이지 못한다.

관계 패턴(Relationship Patterns)

신체화는 신체적 감각, 감정, 생각을 통합하는 데 어려움을 겪는 가정에서 일어나는 경향이 있다. 의도적으로 만들어지지 않은 증상들은 자연적으로 또는 사소한 질병 후 시작될 수 있다. 대부분의 경우, 아이는 그 병이 순전히 신체적인 것이라고 확신한다. 아동이 회피하는 과정에서 신체적 증상을 이용하는 패턴이 뒤따른다. 심각한 경우, 이러한 패턴은 대부분의 일상 활동이 중단될 정도로 신체적 불편함 때문에 어린이가 쇠약해지는 정도까지 일반화될 수 있다.

임상 양상(Clinical Illustration)

한 9살 소녀는 비록 그녀가 대부분의 침을 뱉을 수 있었지만, 복부 통증과 재발되는 구토를 호소했다. 이것은 주로 그녀의 부모님이 말다툼을 할 때 일어나는 것 같았다. 그녀의 구토 때문에 그들은 그녀를 걱정했고 그녀를 학교에 보내지 않았다. 의학적인 평가에서 구토에 대한 생리학적 이유가 밝혀지지 않았다. 구토가 시작되기 전에, 부모들은 이혼을 하겠다고 위협했었다는 것이 나중에 밝혀졌다. 하지만 구토 이후, 그들은 그녀를 돌보기 위해 함께 모였다.

SC8 정신생리성 장애(Psychophysiological disorders)

SC81 섭식 및 식이장애(Feeding and eating disorders)

거식증과 폭식증은 심리적, 생물학적 기능을 동반한 정신생리학적 질환이다. 발병률이 증가하고 있지만, 이병은 청소년 이전 인구에서는 1% 미만에서 발생한다. 이 환자들은 음식, 식사, 그리고 외모에 대한 병적인 생각과 감정을 겪는다. 마른 것에 대한 이상화 같은 문화적 요인은 거식증과 폭식증의 주요 특징인 이런 것에 사로잡히는데 영향을 준다. 심리적, 생물학적, 가족 및 문화적 요인의 다차원적 상호작용은 식이장애의 원인, 확인 및 치료에 관련되어 있다. 사춘기 소녀들과 성인 여성들에게 더 흔하지만, 남성과 어린 아이들에게서도 발생한다. 아동에서의 식이장애는 청소년이나 성인과 유사한 특징을 가지고 있지만, 구분되는 여러 가지 특징 또한 가지고 있다.

1. 성인기에서의 거식증과 폭식증상의 현상은 어린 시절에 존재하지 않는다. 식이 장애 증상은 나이와 성별에 따라 다르게 나타난다. 식이 장애를 진단할 때 아동의 인지 발달 단계는 반드시 고려되어야 한다. 추상적 사고를 할 능력이 없는 어린 아이들은 체중 증가에 대한 과도한 두려움으로 그들의 고통을 드러내지 못할 수도 있다.
2. 성별에 관해서, 남자 아이들은 일찍부터 더 까다롭거나 더 선택적인 식이요법을 하는 경향이 있지만, 여자아이들은 사춘기에 거식증이나 폭식증의 증상을 보이는 경향이 있다. 이 요인과 다른 요인에서 식이장애가 여러 발달 영역의 기능장애로부터 발생한다고 주장한다. 식이 장애를 가진 아이들의 어머니들의 특성에서 성별 차이가 두드러졌다. 한 연구(Jacobi, Agras, & Hammer, 2001)에 따르면 8세 소녀들이 비슷하게 진단받은 8세 소년들보다 식이 행동과 태도에 문제가 있는 어머니를 가질 가능성이 더 높다고 한다.
3. 가정적인 요소들은 중요한 역할을 한다. 엄마와 딸 사이의 문제 있는 관계 패턴, 특히 서로에 대해 과도하게 통제하는 것과 엄마가 체중과 체형에 대한 비판적으로 언급하

는 것이 일반적으로 관찰되었다. 아버지들은 또한 딸이 체중과 체형에 대한 주관적 경험을 형성하는 데 중요한 역할을 했다.

4. 또래들에게 놀림을 당하는 것은 종종 청소년 전 아동에게 식이 장애를 유발하는 것으로 알려졌다.
5. 성적 학대는 폭식증의 위험요소이며 중요한 동반질환이다.
6. 아이의 기질, 감각 민감성, 모성 요인과 관련된 유아들의 심각한 식이 장애인 '유아성 거식증'과 같은 초기 식이 문제는 나이가 들어 아이들에게 식이 장애를 일으키게 하는 경향이 있다. 그러나 지금까지 이것은 입증되지 않았고, 식이 장애는 그들의 발달 과정에서 여러 경로를 따를 가능성이 더 높다.
7. 아동의 섭식장애를 치료하려면 능동적인 가족치료 요소가 필요하다. 소아과 의사, 영양사, 개인 정신치료사를 포함하는 것이 중요하다.

치료적 관점에서, 거식증과 폭식증을 가진 아이들은 다르게 경험될 수 있다. 거식증 아동은 모든 의존적 요구를 부인하는 경향이 있는 반면, 폭식 아동은 그러한 요구에 대해 극단적인 양면성을 보이는 경향이 있다. 이러한 차이들은 치료 동맹과 임상가의 전이 및 역전이 안에서 저절로 발생할 수 있다.

임상양상

7.5세 소녀가 학교에서 왕따를 당한 것으로 인해 부모가 데리고 왔다. 그들은 그녀를 지적으로 재능있고 매우 민감하다고 묘사했고, 다른 친구들이 책과 과학에 대한 그녀의 흥미를 공유하지 않았기 때문에 친구를 사귀는 데 어려움을 겪는다고 했다. 그녀는 어떤 영화와 책을 무서워했고, 수업 시간에 그 책들을 읽었을 때 교실을 뛰쳐나갔다. 그녀의 반 친구들은 가끔 그녀를 '아기'라고 부르며 놀렸다. 그녀의 병력은 섭식의 어려움과 역류성 위염 및 신생아기에 심한 배앓이, 그리고 걸음마기에 불안과 분리 불안이 있었다. 그녀가 2살이었을 때, 그녀의 어머니는 남동생을 힘들게 출산했고, 거의 죽을 뻔 했다. 출산 후 그녀의 어머니는 에너지, 걸음걸이, 그리고 자세에 영향을 미치는 고통스러운 신체적 후유증을 많이 가졌다.

치료는 처음에는 잘 되는 것 같았다. 소녀는 주로 그녀의 발명품에 대해 판타지 게임을 한 친구들을 사귀기 시작했다. 그러나 그녀가 9살이었을 때, 친구들은 그들의 이익을 위해 움직이기 시작했고, 그녀는 아직 그렇게 할 준비가 되지 않았다. 그녀는 집에서 무너지기 시작했고, 도망가겠다고 협박하기 시작했다. 그녀의 부모는 무력감을 느꼈고 그녀의 협상되지 않고 공격적인 행동에 효과적인 제한을 둘 수 없었다. 그녀가 주역을 맡은 가족 결혼식에서 그녀는 자신의 체중에 사로잡혔다. 그녀는 옷이 너무 꽉 끼는 것 같았다. 그녀는 음식을 제한하고 운동을 과도하게 하기 시작했다. 그 결과는 그녀의 몸무게를 놀라울 정도로 줄였다. 비록 그녀는 치료사에게 오목한 배를 펼치며 새로운 몸에 기뻐했지만, 그녀는 계속해서 자신이 뚱뚱하다고 주장했다. 소아과 의사는 체중 계획을 세웠지만, 그녀는 자신의 몸이고 무엇을 먹을지, 얼마나 먹을지 결정하겠다고 말하면서 부모님이 그녀의 식습관에 대해 언급했을 때 격분했다.

SC81.1 거식증(Anorexia nervosa)

성인편 3장과 청소년편 3장의 해당 섹션에서 설명하는 거식증의 성인과 청소년 증상 패턴 및 위 논의를 참조하라.

SC81.2 폭식증(Bulimia nervosa)

성인편 3장과 청소년편 3장의 해당 섹션에 설명된 폭식증의 성인과 청소년 증상 패턴 및 위의 논의를 참조하라.

SC9 파괴적 행동 장애(Disruptive behavior disorders)

SC91 품행장애(Conduct disorder)

품행 장애가 있는 아이들은 정신과와 정신 분석의 오랜 걱정거리였다. 정신분석학 이론은 반사회적 행동이 실제로 전적으로 의도적인 잘못이라기보다는 정신의학적 장애를 구성한다는 개념을 개발하고 지원하는 정신적 메커니즘을 설명하려고 한다. 정신 분석적 관점에서, 반사회적 행동의 발생에 대한 이해는 초자아(superego)와 의식(conscience)의 발달을 다루는 이론의 부분에 근거해야 한다(이 문제에 대한 자세한 설명은 MC축 4장 참조). 반사회적 경향을 시사하는 행동을 시작하는 아이는 이러한 정신 구조가 정상적으로 발달되지 않은 아이 중 하나이다. 그러한 아이에서, 다른 정신 기관들 사이에 존재할 필요가 있는 균형은 일시적으로, 혹은 때때로 영구적으로 불균형이 생긴다.

'품행 장애'는 젊은이들의 도발적인 행동과 정서적인 문제들의 복잡한 그룹을 나타내는 용어이다. 품행 장애의 특징은 타인에 대한 무관심, 충동성, 정서적 불안정이다. 품행 장애가 있는 어린이와 청소년들은 규칙을 따르고 사회적으로 용인되는 방식으로 행동하는 데 큰 어려움을 겪는다. 품행 장애를 가지고 있는 어린이가 드러내는 행동들 중 하나는 다음과 같다.

- 사람과 동물에 대한 공격(아이 따돌리기, 위협 또는 겁주기, 신체적인 싸움을 시작함), 심각한 해를 끼칠 수 있는 무기를 사용함, 사람이나 동물에게 잔인함, 공격하는 동안

피해자로부터 훔침, 또는 누군가를 성적 활동에 강제로 투입함)

- 재산 파괴(아이기 건물에 피해를 입히거나, 자동차를 손상시키거나, 다른 사람의 재산을 파괴하기 위한 화재를 일으킴)
- 부정행위, 거짓말 또는 절도(아이가 누군가의 건물, 집 또는 차에 침입함, 물건이나 호의를 얻거나 의무를 피하기 위해 거짓말을 함, 또는 피해자와 대면하지 않고 물건을 훔치는 행위)
- 심각한 규칙 위반(어린이들은 부모의 반대에도 불구하고 밤에 외출하거나 학교에서 지속적으로 말썽을 피움)

품행 장애 아동의 주관적 경험

정서 상태(Affective States)

이 아이들은 그들 자신의 정서적 상태를 전혀 모르고 있고 또한 다른 사람들의 감정에 두드러지게 반응하지 않는다. 신경정신의학적 연구는 적대적 반항장애(ODD)에서 일차적인 것으로 가정한 내재적 감성 조절 하위시스템 내의 연결의 어려움과 대조적으로 품행 장애를 가진 어린이와 청소년은 이러한 구조 사이의 구조적 연결이 무너져 있다는 것을 보여준다. 구조적 결함(심리 분석가들이 초자아라고 부르는 것)은 초기 기능적 결함의 산물로 가정되었으며, 테스토스테론과 옥시토신을 포함한 여러 가지 화학적 및 호르몬 요인의 영향을 받을 수 있다.

사고 및 환상(Thoughts and Fantasies)

최근의 연구결과는 이 아이들이 마음 이론(theory-of-mind)의 작업과 그들 자신의 감정을 이해하는 데 있어서 보여준 어려움을 뒷받침한다. 감정적으로 접촉하지 않는 이런 특성 때문에, 일부 임상가들은 품행 장애를 가진 아이들이 다른 사람들을 해치는 것을 즐기고, 후회가 없고, 탐욕스럽고 기회주의적인 것으로 묘사한다. 어떤 아이들은 이 묘사에 적합하지만, 많은 아이들은 그렇지 않다. 품행 장애를 가진 사회적이고 비사회적인 아이들에 대해 DSM의 초기판에 기술되었다 전자는 그들의 감정과 더 잘 접촉하고, 애착을 할 수 있는 아이들로 보인다. DSM-5에서 이러한 아이들은 '냉담한-침착한 (callous– unemotional)' 특성을 가진 것으로 분류될 수 있다. 그들은 특히 Paulina Kernberg와 Saralea Chazan에 의해 주의 깊게 연구되었다.

신체 상태(Somatic States)

이 진단을 받은 아이들에게는 일반적으로는 정동(aect)이 기복이 있고, 잘 조절되지 않는다. 그들은 보통 적은 양의 좌절이나 만족의 지연을 견딜 수 없다. 그러나 그들은 특히 그들이 남성이라면, 신체화를 통해 기저의 정동을 거의 표현하지 않는다. 품행 장애를 가지고 있는 아이들은 감정을 내면화하기보다는 그들의 감정을 표현하는 경향이 있다. 그들은 자기 마음대로 되지 않을 때 화를 낼 수 있고 성공할 때 만족을 표할 수 있다. 때때로 그들은 두려움의 감정을 표현하고, 다른 사람들에게 무시당하거나 학대 받는 것에 대한 고통과 분노를 인정할 수도 있다. 어떤 사람들에게는, 보살핌을 받지 못하고 학대 받는다는 느낌은 기저의 우울증을 말해준다. 그들은 보통 사람들을 포기한 듯한 패배적인 태도를 표현한다.

관계 패턴(Relationship Patterns)

초기 부모-자녀 상호작용의 일부 패턴은 경험적으로 품행 장애에 포함되었다. 여기에는 부모의 무관심과 태만함, 따뜻함과 정서적 지지의 결여, 지나치게 가혹한 대우, 합리적인 기대를 확립하지 못하고, 한계를 강요함, 부적절한 행동의 강화, 일관되지 않거나 변덕스럽거나 부적절한 훈육이 포함된다. 연구에 따르면 품행 장애를 가진 아이들은 그들과 그들의 가족이 조기에 포괄적인 치료를 받지 못한다면 지속적인 문제를 겪을 가능성이 있다. 품행 장애를 가지고 있는 많은 젊은이들은 어른들의 요구에 적응할 수 없고, 계속해서 반사회적이고, 관계와 관련된 문제를 가지고 있고, 직장을 잃으며, 법을 어긴다.

임상 양상(Clinical Illustration)

10살 소년은 특히 선생님에게 조용히 해 달라는 부탁을 받은 후에, 허세 부리며 침을 흘리고, 그의 교실 책상 아래나 위로 기어오르곤 했다. 잠잘 때 그는 8살 동생 귀에 대고 속삭였다. "네가 자는 동안 널 죽일 거야." 그는 종종 가족의 물뿌리개를 배설물로 채우곤 했다. 외래에서 일반적인 정신 치료, 약물치료, 가족치료, 그리고 다양한 개인화된 교육프로그램의 실패 후, 그는 입원하게 되었다.

SC92 적대적 반항장애(Oppositional defiant disorder)

4살부터 11살까지의 아이들은 종종 소아 정신 의학 서비스에 의뢰된다. 왜냐하면 부모나 선생님들은 그들의 반항적이고 공격적이며 파괴적인 행동에 의해 방해 받고 걱정하기 때문이다. 어떤 경우에는 그러한 문제가 해결되거나 또는 확대될 수 있으며, 다른 경우에는 적대적 반항장애(ODD)에 대한 진단 기준을 충족할 정도로 심각하다. 이 아이들은 꽤 이질적인 그룹이다. 그렇게 진단받은 많은 아이들은 정신과적이나 신경정신과적 문제들, 학습장애, 가정문제, 학교문제, 사회문제와 같은 다른 문제들을 가지고 있다. 최근 아동 심리 심리치료의 효능 연구(예: 윈켈만 외, 2005)에 따르면 단기간의 정신역학적 치료는 행동장애를 가진 어린이와 청소년에게 효과적인 중재라고 한다. 적대적 반항장애는 가장 흔한 소아 질환 중 하나이다. 적대적 반항장애의 존재가 아동기, 청소년기, 성인의 다양한 질환의 위험을 증가시키므로, 우리는 적대적 반항장애를 1차적이고 아동 장애의 창시자로 간주한다.

'짜증(irritable)'의 하위 군집 내에 있는 적대적 반항장애의 증상에는 (1) 어린이가 화를 내는 경우가 많으며, (2) 종종 민감하거나 쉽게 짜증나는 경우가 있으며, (3) 분개하거나 화가 나는 경우가 많다. '고집스러운(headstrong)' 하위 군집 내의 증상에는 (1) 아동이 성인이나 기타 권위 있는 사람과 논쟁하는 경우가 많으며, (2) 자주 권위 있는 자로부터의 요구나 규칙을 적극적으로 거부하거나 준수하지 않을 것이며, (3) 종종 고의적으로 다른 사람을 짜증나게 하고, (4) 자신의 행동이나 실수에 대해 다른 사람을 탓하는 경우가 많다. '보복하려는(vindictive)' 하위군집 내의 주요 증상은 아이가 지난 6개월 동안 적어도 두 번은 앙심을 품거나 악의에 찬 상태였다는 것이다.

아동에서 적대적 반항장애의 주관적 경험

정서 상태(Affective States)

전통적으로 적대적 반항장애가 아동기의 행동 장애로 정의되었던 반면, 최근의 경험적 연구에서는 적대적 반항장애와 정서 장애 사이에 강한 연관성을 발견했다. 사실, 적대적 반항장애는 최근 정서적 조절의 어려움의 장애라고 불렸다. 증상이 주로 짜증의 하위군집 안에 있는 아이들은 기분 장애를 일으키는 경향이 있는 반면, 주로 고집스러운 하위 군집 내에서 증상이 있는 아이들은 품행 장애가 발생하는 경향이 있다. 이러한 연구 결과는 적대적 반항장애로 진단받은 많은 아이들이 이 질환의 신경생물학적 결손을 목표로 하는 정서 중심의 치료에 반응할 수 있다는 것을 암시한다. 기능성 중추신경계의 정서 조절 시스템은 적응 및 생존 행동을 촉진하는 하향식(top-down) 제어 메커니즘으로 간주될 수 있다. 전전두엽 피질에서부터 변연계에 대한 억제 자극은 결과적으로 뇌구조에 대한 흥분성(excitatory) 출력 및 싸우거나 또는 도망가거나 하는 상태(fight-or-flight state)를 제어하는 자율신경계 출력을 감소시킨다. 적대적 반항장애를 가진 아이들은 감정 조절 하위 시스템에 결손을 가지고 있는 것으로 여겨질 수 있으며, 폭발적인 폭발과 파괴적인, 궁극적으로는 자기 패배적인 행동에 대한 경향을 만든다.

사고 및 환상(Thoughts and Fantasies)

이 진단을 받은 대부분의 아이들은 자신에게 문제가 있다는 것을 알지 못한다. 그들의 관점에서, 문제는 다른 사람들이 그들에게 규칙을 따르도록 하는 요구에 있다고 본다. 그들의 충동적인 행동은 어른들이 용납할 수 없는 행동들로 이어지지만, 그들은 그러한 행동의 결과를 의식하지 못하는 것처럼 보인다. 비록 후회나 뉘우침의 표현은 몇몇 반항적인 행동 뒤에 따를 수 있지만, 적대적 반항장애를 가진 아이들은 더 자주 정당화한다고 느끼고 자신들을 불공평의 희생자로 본다. 다른 사람들의 계속되는 못마땅함은 반항하는 어린이들의 자기 응집감을 약화시키고, 그들이 나르시즘적인 상처와 분열을 더 잘 느끼게 할 수도 있다. 그들의 능력을 보여주지 못하는 것은 그러한 청소년들로 하여금 특히 비판과 실패에 취약하다고 느끼게 한다.

신체 상태(Somatic States)

진단의 이질적인 특성으로 인해 특정 신체적 걱정의 예측이 맞지 않게 된다. 그러나 불안과 기저에 있는 우울증을 포함한 질병과 관련된 높은 수준의 동반 질환은 신체적인 문제가 존재할 수 있다는 것을 암시한다. 따라서, 복통, 두통, 감각 민감성, 수면 장애는 적대적 반항 장애를 가진 아이들 사이에서 흔하게 발견된다.

관계 패턴(Relationship Patterns)

사회적 그리고 가족 관계는 보통 이러한 아이들의 파괴, 허세, 그리고 반항하는 행동 때문에 손상된다. 악순환 속에서, 그들이 정기적으로 받는 인정받지 못하는 것은 적대적인 아이들을 더 반역적이고 반항적이 되게 할 수도 있다. 이러한 반응과 그들의 주변 사람들과 연관되는 경향은 비행 패턴으로 결정될 수 있다. 다른 경우에는, 어린이의 과한 통제감에 반응하거나, 부모들이 적절하거나 일관된 한도를 제공할 수 없는 상황에서, 반대되는 증상들이 나타날 수 있다. 적대적 반항장애의 증상은 특히 부모 사이의 갈등과 관련된 경우 가족에 대한 공격성과 스트레스를 반영하는 것으로 나타날 수도 있다.

임상 양상(Clinical Illustration)

8살 소년은 누나에게 모욕을 당했고 그는 충동적으로 누나의 뺨을 때렸다. 그의 어머니가 이 문제를 직면했을 때, 그는 논쟁을 시작하고, 누나의 잘못된 행동에 대해 비난하고, 타임아웃(time-out)을 갖는 것을 거부했으며, 화가 나서 바닥에 몸을 뒹굴기 시작했다. 그의 부모는 저녁 식사 때 그에게 디저트를 주지 않는 것으로 대응했다. 이 에피소드는 적대적 반항장애가 있는 아이들의 급하고 화가 많은 성질을 보여준다. 우리는 분노와 연관된 피질 하부 구조를 억제하는 아이의 전두엽 피질의 실패가 시상-선조체(striatothalamic) 및 교감 자극에 의해 영향을 받는 자동적인 행동의 생성으로 이어졌다는 가설을 세울 수 있다. 아이가 계속해서 자신의 부정적인 상태를 용인하지 못하고 조절하지 않는 것은 고집스럽고 규제되지 않는 행동을 낳았고, 이것은 결국 적응적이지 못하게 되었다. 임상가는 아이의 미숙한 암묵적 감정 조절 시스템을 그의 방어 메커니즘을 통해 해결하는 것을 고려해야 한다. 그 아이의 완강한 행동은 어머니의 직면으로 야기된 부정적, 고통스런 정동을 완전히 인식하지 못하는 부적응적 방어로 형성될 수 있다. 부적응적인 방어의 작용을 줄이기 위해 임상가는 그러한 방어를 주의하여 부정적인 결과를 지적하고, 궁극적으로 아이가 피하려고 애쓰는 원초적 감정과 관련된 의미를 받아들이도록 도와야 한다.

또 다른 경우에는, 활동적이고 운동을 좋아하는 7세 소년이 학교에서 파괴적이었고, 징계가 필요한 행동으로 왔다. 부모 한 분은 불안하고, 너무 불쾌하고, 일관성이 없었고, 다른 한 부모는 엄격하고, 가혹하며, 감정적인 것이 없었다. 심리치료 시간에 놀이는 다양한 볼 게임 및 킥볼로 구성되어 있었다. 대부분의 아이들처럼 그도 이기고 싶었다. 그러나 다른 아이들과는 달리 임상가의 드문 지적에 반응했으며, 임상가가 속이고 있다며 극적인 히스테리와 비난을 하였다(바꿔 말하면, 그는 자신의 소망과 행동을 부인하고 그것을 다른 사람에게 투사했다. "나는 속이지 않았다. 너는 속이고 있다"). 그의 부모는 비슷한 행동을 했다. 그는 정학 처분에 대한 위협을 받고 있었기 때문에 부모들은 치료에 불만을 품게 되었다.

세션 중 그의 부정행위는 만연했다. 종종 임상가는 그것 때문에 화가 났다고 느꼈다. 임상가가 동료와 한 번의 회기를 논의했을 때, 그는 자신의 반응이 그 회기 동안 자신이 알지 못했던 반투과적 역전의 결과라는 것을 알게 되었다. 그는 그 소년에게 말했다. "알다시피, 나는 네가 매 경기에서 이기더라도 한 점을 잃는 것이 왜 그렇게 어려운지 정말 이해할 수 없다." 이 말들은 그의 좌절과 위장된 공격성을 표현했고, 그 소년이 '모양을 꾸미길(shape up)' 바랐다. 아이는 놀이방에서 엄마에게 달려가 임상가가 속이고 있다고 못마땅하게 소리쳤다. "그는 항상 속이고 싶어 하고 내가 이기는 것을 막는다." 그는 나중에 혼자 사무실에 들어오기를 거부했다. 결국 치료는 중단되었다.

이 부제목은 임상가가 환자에 대한 정서적 반응과 의사소통을 알지 못하여 어린이의 감정 상태를 적절히 다룰 수 없는 일반적인 상황을 강조한다. 이 경우, 임상가는 아이의 인식에 영향을 미치는 감정 상태를 알지 못한 채, 인지 영역에서의 의사소통에 관여했다. 정신역학적이고 정동 위주의 접근법은 아동기 장애에 대한 지배적인 인지행동적 접근법과 많은 특징들을 공유한다. 아이를 자신이나 다른 사람에게 해를 입힐 위험에 처하게 하는 행동들이 즉각적인 초점이 된다. 하지만, 인지 행동 치료사와는 달리, 정신 역학 임상가는 아이가 '나쁜' 행동을 부적응적인 감정 조절 과정의 힘을 이해하고 완화시키는 수단으로 사용하도록 장려한다.

적대적 반항장애 증상이 있는 아동은 다른 질환(예: 주의력 어려움과 과다행동, 학습장애, 기분장애, 불안장애)이 있을 수 있으므로 종합적인 평가를 받아야 한다. 사회적, 가족 관계는 보통 아이의 행동으로 인해 손상된다. 그들이 정기적으로 복종하는 것에 대해 인정하지 않는 것은 반항적인 아이들을 더 반역적이고 반항적이게 할 수도 있다. 이러한 반응과 그들의 주변 또래들과 연관되는 경향은 비행 패턴으로 결정될 수 있다. 품행 장애가 나올 수도 있다. 그러나 적대적 반항장애를 가진 아이는 임상가가 더 확립된 정신질환을 확립하기 전에 개입할 수 있는 소중한 기회를 제공한다.

SC93 물질 관련 장애(Substance-related disorders)

물질 관련 장애는 성인편 3장과, 청소년편 3장의 해당 섹션에 더 자세히 설명되어 있다. 물질 오용 패턴은 어린이에서 드물지 않게 발견되며, 더 큰 범위로는 청소년에서 발견된다. 10세 미만 아동이 물질을 사용할 경우 일반적으로 담배, 알코올 및/또는 마리화나를 사용할 수 있다. 약물 오용 및 자기 규제상의 어려움을 겪고 있는 부모를 가진 아이들은 조기 약물 사용에 가장 취약하다.

물질 관련 장애 아동에서의 주관적 경험

정서 상태(Affective States)

시험과 관련된 흥분, 발달과 사회적인 과제에 대한 불안, 그리고 무감각, 공허함, 창피함, 굴욕감, 분노의 감정에 대항하는 시도를 포함한 다양한 감정적 상태들이 포함될 수 있다.

사고 및 환상(Thoughts and Fantasies)

물질 오용으로 이어지는 사고와 환상은 흔히 방금 언급한 감정 상태에 내재된 동기와 관련이 있다. 일단 물질이 사용되면, 결과적인 인지 패턴은 신경계에 미치는 물질의 영향을 반영한다. 이것들은 초조하고, 분열되고, 편집증적인 생각에서부터 특별함과 탁월함에 대한 환상, 그리고 소망, 힘, 불사신 같은 소방을 성취하는 신념에 이르기까지 다양하다.

신체 상태(Somatic States)

신체 상태는 위에서 설명한 정동과 사용된 물질에 모두 동반된다. 이것은 강성과 초조에서부터 무감각과 평온에 이르기까지 다양하다. 알코올과 다른 약물의 사용은 또한 많은 장기 조직과 생리학적 과정에 즉각적이고 동시에 장기간의 결과를 가져온다.

관계 패턴(Relationship Patterns)

관계는 물질 남용 패턴이 의례화된 사회 집단에 적극적으로 관여하는 것에서부터 고립되고 독단적인 철수 상태에 이르기까지 다양하다. 집단의 소속감은 물질 오용에 의해 추구될 수 있다. 일단 아이가 정기적인 물질 사용에 관여하게 되면, 관계는 물질을 얻기 위한 수단으로 평가되고 따라서 교묘한 질을 지니게 된다. 흥미롭게도, 많은 젊은 성인 남성들은 알코올에 대한 그들의 첫 경험이 친밀감을 주는 기회가 드문 아버지와 함께였다고 보고하고 있다. 어떤 아이들은 어떤 물질을 사용하는 부모에 의해 마약 사용 패턴을 '도착하게' 된다고 보고하는데, 그러한 경우 그들은 성실하고 친밀한 관계를 가진 경험이 거의 없거나 아예 없는 경향이 있다.

SC11 정신기능과 관련된 장애(Disorders of mental functions)

SC112 틱 장애(Tic disorders)

틱은 짧고(brief), 상동적이며(stereotypical), 리듬을 갖지 않는(nonrhythmic) 움직임과/또는 발성이다. 이것은 어린 시절에는 흔하지 않다: 아이들의 약 5% 정도가 12개월 안에 해결되는 일시적인 틱 증상을 가진다. 적은 수의 아이들이 운동 또는 음성 틱 장애를 진단받고, 더 적은 수의 아이들이 뚜렛 증후군(TS)을 진단받게 된다. 뚜렛 증후군의 유병률에 대한 이해는 최근 진단되지 않은 많은 뚜렛 증후군의 사례들을 고려하여 바뀌었다. 최근의 역학 연구는 5세에서 18세 사이의 청소년들에서 0.4에서 3.8퍼센트 사이의 유병률 수치를 보여주었다.

뚜렛 증후군 및 틱 장애 아동에서의 주관적 경험

정서 상태(Affective States)

틱과 관련해 정서적 불안과 수치심이 정서 상태에 포함되지만, 학습과 행동 문제와 같은 다른 조건들과 관련된 나쁜 자기감각이 가장 중요한 정서적 요인이 될 수 있다.

사고 및 환상(Thoughts and Fantasies)

사고와 환상은 특히 공격적이고 성적 감정과 충동에 대한 통제력 상실에 대한 두려움을 포함할 수 있다. 틱 장애를 가진 아이들은 그들 자신이 다르거나, 결함이 있거나, 또는 "이상하다"고 생각하게 될 수 있다. 그들의 자기개념은 가족, 교사, 또래들의 반응에 의해 변화될 수 있다.

신체 상태(Somatic States)

뚜렛 증후군은 보통 약 8~9세 아동에게서 눈을 굴리는 틱으로 시작하며 머리, 사지 및 몸통의 움직임과 발성으로 진행될 수 있다. 음성 틱은 보통 목구멍을 청소하거나 그르렁거리는 형태로, 그리고 때로는 욕하는 형태로 발생한다. 특히 심각한 경우, 틱 장애를 가진 아이들이 다른 정신 질환을 갖는 것은 흔한 일이다. 동반질환 중 가장 중요한 것은 ADHD이다. 다른 질환은 학습장애, 강박장애, 우울증, 품행장애 등이 있다. 종종 아이들은 틱보다 오히려 이러한 질환들로 인해 고통받기도 한다.

비록 원래 틱장애는 원래는 심리적 장애로 생각되었지만, 지금은 환경과 행동 요인의 영향을 많이 받는 유년기에 발병한 발달 신경정신학적 장애의 행동 표현으로 이해되고 있다. 틱의 근본적인 신경생물학을 이해하는 데 있어 발전은 생체 내 신경영상법과 신경생리학 기법을 통해 이루어졌다. 더군다나, 쌍생아 연구는 다른 신경 발달 조건들과 마찬가지로, 뚜렛 증후군과 다른 틱 장애들도 중요한 유전적인 요소를 가지고 있다는 것을 보여주었다. 여러 개의 유전자가 관련되어 있을 가능성이 높지만, 어떤 특정한 유전자나 유전자들도 확인되지 않았다. 드문 경우이긴 하지만, 이러한 증상은 PANDAS (pediatric autoimmune neuropsychiatric disorders associated with streptococcal infections)라고 불린다.

일상생활의 심리적 스트레스, 생일 파티, 또는 단순히 피로와 같은 스트레스나 흥분으로 인해 틱이 악화된다. 일반적으로 이러한 틱은 큰 소리로 읽거나 악기 연주와 같이 집중을 요하거나 미세한 운동 제어가 필요한 활동에 의해 일시적으로 소멸된다. 비록 한 개인이 틱 행동을 어느 정도 제어할 수 있지만, 틱을 하기에 앞서 발생하는 전조적 긴장을 방출하려는 강한 충동이 있다. 틱을 무시하는 것은 -오랜 기간 추천했던 전략- 이제 모범 사례로 여겨지지 않는다. 그 대신 어린이와 가족이 강화 패턴을 이해하고 긍정적이고 능동적인 방법을 채택하는 것이 중요하다.

권장되는 치료법은 행동적 치료이며, 개별적으로 아이와 가족에 특정한 전략을 개발하는 것을 포함한다. 이러한 개입은 우선 숙제를 하거나 사회적으로 초점이 되는 것과 같이 틱의 발생이나 빈도에 영향을 미치는 요인들을 탐구할 것을 요구한다. 그러면 큰 소리로 책을 읽거나 심호흡과 같은 경쟁적인 행동이 시작될 수 있다. 틱을 가진 아이들은 또한 스스로 더 잘 인지하고, 그들의 내부 상태를 더 잘 알고 더 잘 감시할 수 있도록 돕는 정신 역학 치료로부터 도움을 받을 수 있고, 그들이 더 적응적이고 긍정적인 자아 감각과 세상과의 관계를 만들어내는 데 도움을 줄 수 있다. 약 또한 하나의 선택이다. 동반 질환인 ADHD를 위한 자극제 약물은 현재 틱을 악화시키는 것으로 생각되지 않는다. 알파-2 효현제나 비정형 항정신병 약물도 도움이 될 수 있다.

관계 패턴(Relationship Patterns)

가족 구성원들이 틱을 끌어내는 상황을 피할 수 있도록 허락할 때, 관계 패턴은 종종 의도치 않은 틱의 강화로 이어진다. 때때로 그 영향을 받은 아이는 가족의 삶을 통제하는 방식으로 걱정스러운 관심의 초점이 된다. 때때로 부적절하고 비자발적인 행동으로 인해 또래 친구들과의 관계에서 불안이 생길 수 있다. 따라서 다른 아이들이 그 장애로 아이를 피하거나 놀릴 수 있기 때문에 또래들과의 관계는 영향을 받을 수 있다.

임상 양상(Clinical Illustration)

ADHD를 가진 8살 소년은 부주의와 불복종과 관련되어 가정과 학교에서 충동적인 행동과 문제에 대해 치료사를 보러 왔다. 그의 부모는 그가 몇 달 동안 눈을 위쪽으로 그리고 머리 옆으로 굴렸고, 이제 같은 방향으로 고개를 돌리기 시작했다고 말했다. 선생님은 그가 수업시간에 지장을 주는 소리를 내고 있다고 불평했었다. 그는 선생님들과 때로는 부모님들에 의해 만성적으로 이해받지 못하고 잘못 대우 받는다고 느꼈지만, 그의 많은 친구들과 스포츠 활동 때문에 학교를 좋아했다. 현재, 갑자기, 그는 학교에 가는 것에 대해 걱정했고 종종 그의 엄마에게 그가 몸이 좋지 않고 집에 있고 싶다고 말했다.

치료사가 그와 함께 그 상황을 부드럽게 탐색했을 때, 그는 그의 친구들이 그가 왜 "눈으로 재미있는 일을 하고 있는지" 물어봤고, 학교 아이들은 최근에 그가 "이상하다"고 말했다고 했다. 치료사는 그의 감정에 공감했고 그의 행동에 대해 더 물었다. 그는 눈으로 왜 그런 짓을 했는지 이해할 수 없다고 말했지만, 그 일을 해야 한다는 느낌이 들었고, 그 후 잠시 기분이 좋아졌다고 말했다. 그리고 나서 그는 다시 기분이 나빠지기 시작할 것이고 그 행동을 반복할 것이다. 치료사는 그가 언제 그런 감정을 느낄 수 있는지 물어보았다. 그 후 몇 주 동안, 그와 부모는 그가 숙제를 할 때, 특히 무언가를 쓰는 숙제를 할 때 틱 행동이 증가한다는 것을 알 수 있었다. 그는 또한 치료사에게 그의 친구 중 한 명이 재미있는 말을 하고 선생님과 문제가 생겼을 때, 틱을 하기 시작했다고 말했다.

치료사는 그가 눈을 굴려야 한다고 느끼기 전에 그가 느끼는 감정에 더 친숙해지기 위해 그와 함께 작업했다. 그리고 나서 그는 그 소년이 스톱워치로 1분 동안 그것을 잡는 법을 배우도록 도왔다. 때때로 이것은 잘 작동했지만, 때때로 그가 그의 숙제를 할 때 그것은 효과가 멈추었다. 치료사와 환자는 그 당시에 가장 좋아하는 만화를 소리 내어 읽는 짧은 기간이 충동을 없애주는 것을 발견했다. 이러한 기술들은 이 소년들을 더 강하고 더 숙달되었다고 느끼게 했고, 이것은 그가 학교에 가는 것을 더 수월하게 했다. 그는 차에 동승하는 아이들에게 그의 눈이 "그냥 가끔 그랬다"고 말했지만 그는 그것을 조절하는 법을 배우고 있었다. 그의 부모는 또한 음성 틱을 고의적인 방해로 오해 받지 않기 위해 그의 증상들을 선생님에게 설명했다.

치료사는 또한 그 소년이 오랫동안 지속되어온 공격성에 대한 갈등을 알고 있었다. 그는 만성적인 충동성으로 부모님과의 관계를 긴장시킬 것을 걱정했다. 그가 치료에서 들려준 이야기들은 부모님들이 그의 여동생을 더 좋아하고 그를 없애고 싶다는 그의 환상을 보여주었다. 이런 행동들은 전보다 훨씬 더 결점을 느끼게 했고, 이러한 갈등으로 인한 불안감으로 인해 그는 훨씬 더 태도에 취약해졌다. 시간이 흐르면서, 그는 틱 증상에 대한 통달과 함께 그에 대한 부모의 감정에 대한 왜곡된 시각을 이해할 수 있었다. 그와 치료사는 그의 부모님이 그를 상처받기 쉽다고 여기는 것을 바로잡고, 그들이 그가 가진 것을 알지 못했던 강점을 인식하도록 돕기 위해 노력했다. 이것은 그들의 걱정을 줄여주었고, 그들은 아들의 증상에 집중하지 않고 그의 스포츠와 우정에 대한 능력에 더 집중하도록 이끌었다. 그들은 그를 돕기 위해 지도교사를 고용했다. 그들은 또한 그의 주의력과 조직화 문제를 위해 거처를 마련해 주었다.

SC113 정신증(Psychotic disorders)

정신증은 현실 검증력의 상실, 내적 및 외적 정보를 구별할 수 없는 능력, 그리고 종종 망상이나 환각을 경험하는 것으로 특징지어진다. 조현병에서는 이 상태가 만성적일 수 있고, 정신병적 우울증, 조울증, 해리성 질환과 같은 상태에서는 일시적일 수 있다. 현실 검증력의 상실은 기질적 원인이 있을 수 있고, 그 결과로 인한 심리적 분열로 심각한 외상(trauma)이나 자기애적 손상에 의해 발생할 수도 있고, 복잡하고 후생유전적으로 결정될 수도 있다. 아동기초 정신 질환은 매우 드문 것으로 간주되며(National Institute of Mental Health 코호트 기준 0.04%의 발병률을 가지고 있다) 어린 시절에 정신병적 증상이 있다고 해서 완전한 정신증의 발현을 반드시 의미하는 것은 아니다.

현실과 환상을 구분하고 연속적으로 생각을 상위 수준으로 조직할 수 있는 능력이 아이들에게서 서서히 발전한다. 전형적으로, 4살까지 어린이들은 현실과 환상을 구별하고 점점 더 미묘한 차이를 인식할 수 있는 상당히 안정적인 능력을 가지게 된다. 건강한 열 살짜리 아이는 "내가 정말 화가 났을 때 다른 아이들이 나에게 불공평하게 대한다고 생각할 뿐이다."라고 말할 수 있다. 그러나 드물게 아이들은 혼란스러운 현실과 환상에 집착한다. -꽤 제한된 기간 동안 혹은 만성적으로- 이 경우 아이는 매우 체계적이고 정교한 망상을 가지고 있을 수 있다. 예를 들어, 7살의 한 아이는 자신이 우주에서 온 생물들과 대화를 하고 있다고 주장했고, 오직 자신만이 그들의 지구를 오염시킬 계획을 알고 있다고 주장했다.

정신증을 앓고 있는 아이가 나이에 따른 현실 검증력을 전혀 발달시키지 않았는지, 아니면 이 능력을 발달시켜 잃어버린 것인지 구별하는 것은 종종 어렵다. 정신증 아동들의 발달 과거는 상당히 다르다. 예를 들어, 어떤 아이들은 감각을 조절하거나 청각 및 시각 공간 경험을 처리하는 데 어려움을 겪는 반면, 다른 아이들은 심각한 정서적 고통의 역사를 가지고 있고, 다른 아이들은 두 가지 모두를 가지고 있다. 사고 장애는 조작적 사고(operational thought)의 능력이 보통 나타나는 사춘기가 될 때까지 완전히 나타나지 않을 수도 있다. 그러나 이러한 아이들은 연산의 이완, 구체적 사고 또는 사고의 이탈(tangential thinking) 등을 보일 수 있다.

부모와 임상가는 먼저 언어, 운동 및 사회적 기능을 포함한 아동 행동의 지속적인 어려움이나 변화를 인식할 수 있다. 학문적 기능이 떨어질 수 있다. 오진의 가능성을 고려할 때 임상가는 아동 정신 질환(예: 아동 정신병으로 보이는 것이 불안, 감정, 외상, 자폐증 스펙트럼 또는 수용성 및 표현성 언어 장애일 수 있음)을 진단하고 치료하는 데 주의해야 한다. 일단 진단이 이루어지면, 개입은 정신 질환 증상들에 편협하게 초점을 맞추지 않고 여러 영역(가족, 학교 및 기타 환경), 정서적 경험(예: 불안) 및 기타 발달상의 문제(예: 언어 지연)에 걸쳐 아동의 심리사회적 기능을 지속적으로 다루는 것이 중요하다.

아이들에서 정신증의 주관적 경험

정서 상태(Affective States)

현실 검증력의 문제를 가진 아이들의 정서적 상태는 어려움의 성격에 따라 상당히 다르다. 불안, 우울증, 그리고 그 둘의 조합은 흔한 것이다 그러한 감정은 격렬하고 혼란스러울 수 있다. 초기 정신증을 가진 아이들의 관계 패턴은 종종 다른 아이들의 마음을 협동하여 역할 놀이를 할 수 있는 유연성과 능력이 부족하다는 것을 보여준다. 이 아이들은 점점 더 고립되어 가고 적응하는 데 어려움을 겪을 수도 있다.

사고 및 환상(Thoughts and Fantasies)

사고는 판단력 저하, 극단적 충동성, 두드러진 사회적 철수, 체계적이지 않거나 비논리적 생각, 그리고 비현실적 믿음과 경험을 반영할 수 있다. 정동은 표현되는 내용에 부적절할 수 있다. 환상, 특히 전문성은 상상력의 산물로서가 아니라 자명한 진리로서 경험될 수 있다. 그것들은 또한 기이한 내용들을 포함할 수 있다.

신체 상태(Somatic States)

강한 정서적 상태의 존재와 일치하는 신체 상태는 의학적으로 이상이 없음에도 불구하고 다양한 신체적인 불편감과 신체적인 우려를 포함할 수 있다.

관계 패턴(Relationship Patterns)

관계 패턴은 지나치게 의존하거나 지나치게 떨어져 있을 수 있다. 그들의 독특한 행동과 특이한 말의 결과로, 정신증 아이들은 종종 괴롭힘을 당하거나, 놀림을 당하거나, 또래들로부터 피함을 당한다. 그들은 또한 때때로 자신들을 부정적으로 판단하거나 비판하거나 적대적이라고 잘못 경험하게 될 것이다.

임상 양상(Clinical Illustration)

조울증 진단을 받은 9세 소녀가 심각한 행동장애를 치료하기 위해 왔다. 그녀의 기분과 영향은 격렬했고 예측할 수 없이 변동했다. 그 부모는 그녀가 때때로 유쾌하고 매력적이지만 다른 때에는 짜증이 나고 낙담한다고 말했다. 그녀의 행동 어려움과 기분변화는 6살에 약을 처방 받았을 때 약간 가라앉았지만, 지난 1년 동안 그녀는 점점 의심이 많고 화가 나 있었다. 그녀는 어둠과 자신이 모르는 사람들 주변에 있는 것에 대한 두려움을 표현하기 시작했다. 그녀가 진정되지 않는다면, 공포는 거의 공황상태에 이를 정도로 격렬하게 증가할 것이다. 그녀는 학교에 친구가 없어서 뒤로 물러났다. 그녀의 선생님과 부모님은 그녀가 흥분하면, 그녀 자신과 대화하고 그녀 자신의 세계에 있는 것처럼 보인다고 보고했다. 그녀는 교실에서 일상적인 생활을 했지만 교사들은 어떠한 도발행위도 그녀를 자극할 수 있다고 느꼈다. 불안한 기분일 때, 그녀는 연상의 이완과 체계적이지 못한 사고를 보였다.

SC114 신경심리 장애(Neuropsychological disorders)

MC-축 카테고리의 맥락에서 다음과 같은 장애가 고려되어야 한다.

SC114.1 운동 기술 장애(Motor skills disorders)

아동의 운동 기술 장애는 '운동 계획상의 문제', '전정 장애', '발달성 실행증', '지각적-운동 기능 장애', '협응 장애' 등 그 밖의 여러 가지 용어로 다양하게 묘사된다. 아동의 총체적이고 미세한 운동 문제를 설명하기 위해 만들어진 용어의 다양성은 이 기능장애 영역에서 특수성의 결여와 원인에 대한 지식의 부족을 시사한다. DSM-5는 이제 신경 발달 장애 범주에 발달성 운동 장애(developmental coordination disorder, DCD)를 분류한다. 이는 정의 목적상 가장 일반적인 용어일 수 있다. 극단적인 DCD 사례는 7세 아동의 약 5%의 빈도로 발생하지만, 가벼운 형태의 협응 문제 발생 빈도는 9%에 근접한다.

발달성 운동조절 장애(DCD) 아동에서의 주관적 경험

정서 상태(Affective States)

어린 아이들의 인식은 상대적으로 구체적이고 신체 중심적이기 때문에, 중요한 DCD를 가진 아이들이 자신감과 숙달감을 느끼기는 어렵다. 더 심각한 DCD의 경우, 아이들은 공간 속에 있는 그들의 몸에 심각한 불안감을 경험하여 물체에 부딪히거나 넘어지게 하고, 결과적으로 부상과 상실에 과도하게 취약함을 느낄 수 있다.

신체 상태(Somatic States)

DCD는 종종 유아가 앉아 있거나, 기어 다니거나, 걷는 것이 늦어지는 것으로 확인된다. 그러나, 아이가 학교에 입학해서 다른 아이들과 보조를 맞추거나, 옷을 입고, 글을 쓰거나, 그림을 그리는 데 어려움을 겪기 전까지는 진단되지 않는 경우가 많다. DCD를 가진 아이들은 종종 그들의 또래에 대한 신체적 접근에서 서툴고 어색하며, 이것은 관계에 문제를 일으킬 수 있다. 어떤 아이들은 DCD만 가지고 있지만, 대부분은 다른 발달상의 문제와 관련된 DCD

를 가지고 있다. DCD와 ADHD를 앓고 있는 어린이들 사이에는 많이 겹치며, 또한 DCD와 자폐증 스펙트럼 장애, 학습 장애, 언어 장애도 중복된다.

관계 패턴(Relationship Patterns)

운동능력이 부족한 아이들은 운동활동에서 손을 떼고 또래들과 교류 또한 철수할 위험이 있다. 그들에게 어려운 활동을 피하는 것이 그들의 상대적인 약함을 증가시킬 수 있다. 특히 어린 학년, 특히 남자 아이들의 경우, 또래들 사이의 지위의 평가는 민첩성, 힘, 그리고 속도가 강조된다. 따라갈 수 없는 아이는 낮은 자존감으로 고통 받을 수 있고 활동적인 동료 놀이는 그만두게 될 수도 있다. DCD에 대한 아이들의 반응은 매우 다양하며 가정과 지역사회의 문화적 가치에 의해 크게 영향을 받는다.

임상 양상(Clinical Illustration)

7살 난 잭은 항상 쉬는 시간에 교실을 떠난 마지막 아이였다. 왜냐하면 그가 지퍼를 입고 자켓을 입는 것이 힘들었고, 발을 부츠에 맞추는 데 어려움을 겪으며 종종 모자를 찾을 수 없었기 때문이었다. 재킷이나 부츠, 모자를 쓰지 않아도 되는 여름에도 그는 하던 일을 그만두고 다른 활동으로 전환하는 데 어려움을 겪는 경향이 있었기 때문에 뒤쳐졌었다. 잭이 놀이터에 나타났을 때, 그는 종종 그 장면을 관찰하고 나서 한 무리의 소년들에게 다가가려 했다. 만약 그들이 단체 놀이를 함께 한다면, 그는 승인을 받지 못한 다른 사람들과 몸을 부딪쳐 '파티를 망치는' 것처럼 보일 것이다. 그들이 갑자기 뛰어 올라 운동장을 가로질러 달리기를 시작한다면, 잭은 그들과 함께 뛰려고 하겠지만, 곧 뒤쳐져 그 그룹을 잃게 될 것이다. 그는 또한 원숭이 바와 그네를 탈 수 없었다. 그는 이런 경험에 대해 거의 이야기하지 않았지만, 한번은 애석하게도 엄마에게 자신이 반에서 가장 느린 선수라고 말했고, 그것이 그가 친구가 없는 이유였다.

SC114.2 시공간 처리 장애(Visual–spatial processing disorders)

시각 공간 처리 장애는 문제를 인지, 분석, 합성, 사고 및/또는 해결하기 위해 시각 공간 정보를 사용할 수 있는 능력의 한계로 특징지어진다. 이러한 장애의 진단은 (1) 개별적으로 관리되고 표준화된 인지/지적 기능 테스트로 측정되는 어린이의 시각 공간 처리 측면 중 하나 이상이 동일한 연령 또는 등급의 아동의 평균 성능 이하일 때, 또는 IQ에서 아동의 언어 이해 지수가 평균 이하일 때, 그리고/또는 언어 능력의 다른 측정에서 아래일 때 진단된다. (2) 그 장애는 아이의 학업적 기능 및/또는 일상 생활의 활동에 큰 영향을 미친다. 진단 및/또는 취업 목적을 위한 연령 및 등급 등가를 해석할 때는 주의를 기울여야 한다. 일반적으로, 신뢰 구간의 맥락에서 해석된 표준 점수, 척도 점수, 정점 및 백분위수는 광범위한 직무와 기술에 대한 성과를 보다 더 직접적으로 비교할 수 있는 방법을 제공한다.

시공간 처리 장애의 일차적 영향이 독서나 수학과 같은 특정 학문적 기술로 제한될 경우 학습장애의 추가 진단이 된다. 시공간적 처리장애 진단에서 제외되는 것은 위의 기준을 충족하지 못하는 사회적 인식 장애다. 이러한 상황에서는 자폐 스펙트럼에 대한 진단을 고려해야 한다. 또한 이 진단에서 제외되는 것은 시력 및 실명 문제들이다.

시공간 처리 장애의 범위는 1차 감지 결손에서 높은 순서 처리까지 스펙트럼에 따라 발생하며, 시각 정보의 해석 및/또는 시각 정보의 고차적 문제 해결로의 통합을 방해한다. 시공간 처리 장애가 있는 아동은 시각적 패턴이나 선 방향을 식별하거나 조작하고, 차트와 그래프를 해석하고, 경로를 추적하며, 물체의 공간적 방향에 대해 정확한 판단을 하고, 3차원 공간에 그림을 구성하는 데 어려움을 겪을 수 있다. 이러한 장애는 위에서 언급한 바와 같이 수학, 읽기, 쓰기 표현에서 학습 장애의 일부 형태에 기초할 수도 있다.

초기에 확인되지 않았을 때, 기존의 학교 시스템에서 시공간 처리 장애를 겪고 있는 많은 어린이들이 심하게 부상을 당한다. 그들은 종종 어리석고, 게으르고, 반항적이고, 가치가 없다고 느끼도록 여겨진다. 그들의 자존감에 대한 손상은 그들의 강점을 보고 그들의 약점을 이해하는 사려 깊고 예민한 교사들을 통해 치유될 수 있다. 학교와 가족의 이해와 지원이 부족하면 사회적 고립과 다른 관계적 어려움으로 이어질 수 있다(예: 괴롭힘을 당하고, 사회 환경에서 상실되는 감정으로부터 자신을 방어하기 위해 동료에게 공격적으로 행동함).

임상 양상(Clinical Illustration)

10살 소녀는 수학에 어려움 및 느린 처리 속도, 읽기 지연 등 ADHD의 징후로 보이는 문제들을 보였다. 그녀의 글쓰기는 말솜씨로 유창하게 의견을 전달하는 능력에도 불구하고 약했다. 당연하게도, 그녀는 학업이 특히 어려웠고 많은 도움이 있을 때만 가능하다는 것을 알았다. 오랜 우정을 쌓고 공감할 수 있는 능력을 지녔지만 중요한 시각적 단서들을 자주 오인하거나 눈치채지 못했고, 얼굴 표정에서 정신 상태를 추론해 내느라 애쓰거나, 때로는 '큰 그림'을 놓치거나 심각한 말과 아이러니를 구분하는 데 어려움을 겪기도 했다.

그녀는 읽기, 수학, 문어체 장애에 대한 기준을 충족시켰지만, 추가적인 평가에서 그녀의 학습장애가 시공간 처리 장애에 의해 억제된 것으로 나타났다. 즉, 그녀의 독해는 균일하게 손상되지는 않았지만 시각적 추적과 공간적 역전의 어려움으로 인해 약해졌다. 그녀의 수학적 성과는 계산에서 열을 정렬할 수 없고, 조작(operations) 및 기타 세부 사항들을 알아차리지 못했기 때문에 좌절되었다. 수학 개념에 대한 이해와 보유는 온전했다. 그녀의 글쓰기는 공간 계획 및 철자가 부족했다. 그녀는 때때로 자신의 필체를 읽을 수 없었다.

SC114.3 언어 및 청각 처리 장애(Language and auditory processing disorders)

언어 및 청각 처리 장애는 전통적으로 표현 언어의 장애와 수용 언어의 장애라는 두 가지 광범위한 범주로 구분되어 왔다. 종종 언어의 양쪽 측면에서 결손이 존재한다. 이 경우에는 DSM-IV에 의해 정의된 혼합 수용-표현 언어 장애(mixed receptive– expressive language disorder) 진단이 될 것이다(이 진단은 DSM-5에서 삭제됨). 표현 언어장애는 유창하지 못함, 단어 반복의 어려움, 그리고 명칭 실어증(dysnomia)으로 특징지어진다. 이러한 문제를 가진 아이들은 표현 어휘가 제한되고, 발달상 적절한 길이, 복잡성, 문법적 능력의 실체를 만들어내기 위해 애를 쓴다. 언어적 정보의 이해는 일반적으로 표현 언어 장애에서는 보존된다. 개별적으로 관리되고 표준화된 언어기능 테스트로 측정되는 유창성 부족, 단어 반복의 어려움, 명칭 실어증은 IQ 테스트 및/또는 시공간 처리 기술에서 아동의 지각적 추리 지수보다 현저히 낮으면 진단된다.

표현 언어 장애가 있는 아동은 다음의 영역에서 하나 또는 그 이상의 문제가 있다 일반적 언어 기능(단순하고 비특이적 언어), 문법(단어 순서 및 동의어), 의미(어휘력의 부족 및 에둘러 말하기), 화용언어(대화 기술- 자폐증과 배타적으로 관련되지 않음), 담화(생각의 조직화 및 표현). 시공간 처리 장애 진단과 마찬가지로 진단 및/또는 취업 목적을 위한 연령 및 등급 등가물을 해석할 때 주의해야 한다. 일반적으로 신뢰 구간의 맥락에서 해석되는 표준 점수, 척도 점수, 구간 및 백분위수는 광범위한 업무와 기술에서 성과를 비교할 수 있는 더 직접적인 방법을 제공한다.

수용 언어 장애에서, 언어 유창함은 보존된다. 전형적으로, 이러한 장애를 가진 아이들은 언어 생산에서 거의 또는 전혀 결손을 보이지 않지만, 의미 착어(부정확한 음절, 단어 및/또는 구절)와 심각한 경우에는 신어 현상이 발생할 수 있다. 수용 언어 장애의 진단은 개별적으로 관리되고 표준화된 언어 기능 테스트로 측정되는 사진 명명, 단어 반복 및 언어 이해, 같은 나이 또는 같은 학년의 평균 성적에 근거한 기대치에 크게 못 미치는 경우, 또는 IQ 검사 및/또는 시공간 처리기술 지표로부터 측정된 아동의 지각적 추론 지표로부터 진단이 이루어진다.

수용 언어 장애를 가진 아동은 또한 다음의 영역에서 하나 또는 그 이상의 어려움을 보인다: 일반 언어 기능(이해), 문법(복잡한 문장 해석), 의미(제한된 어휘, 대화를 이해하는 어려움), 화용(증류, 추론 및 대화에서 일반적인 생각의 어려움- 이는 자폐 스펙트럼 장애에만 관련되지 않음), 담화(복잡한 서술적 정보에 대한 이해). 위에서 설명한 주의 사항은 진단 및/또는 취업 목적을 위한 연령 및 등급 등가물을 해석할 때 취해야 하며, 위에서 제시한 대체 점수 및 통계를 고려해야 한다.

언어장애는 일반적으로 언어 습득이 발생하는 15~18개월에 발생한다. 언어 이정표의 지연된 협상, 특히 표현 언어의 영역에서, 흔하다. 그러나 발달상의 차이로 인해 진단은 종종 3살이나 4살까지 연기된다. 의사소통 능력은 사회적 담화에 필수적이기 때문에, 표현 및 수용 언어의 장애가 아동의 관계 문제에 기여할 수 있다. 조기 교정 없이는 그러한 장애는 보통 아이가 성숙함에 따라 점점 더 문제가 된다. 언어장애의 발병률은 5-8%이다. 아동들의 언어 장애에 대한 반응이 매우 다양하기 때문에 어떠한 한 패턴의 영향, 인지, 신체적인 개입, 또는 관계도 언어 장애를 특징짓지 못한다.

임상 양상(Clinical Illustration)

9세의 4학년 학생은 말하기와 언어 처리의 지속적인 어려움 때문에 재평가 받으러 왔다. 그녀는 수학, 독해력, 그리고 집중력에도 오랜 어려움이 있었다. 표현 언어의 어려움은 더욱 뚜렷해졌다 그녀는 자신의 생각을 공식화하고 표현하기 위해 애썼다. 그녀는 교실에서 점점 더 체계적이지 못하고 혼란스러워 하는 듯 보였고, 마치 '멍해지고' 그룹 수업 중에 단순히 멈춰 있는 것처럼 보였다.

그녀는 태어났을 때부터 입양되었기 때문에, 상대적으로 산전 관리에 대해서는 거의 알려져 있지 않았다. 극도로 정상적인 운동 이정표에도 불구하고, 그녀의 언어 사용에는 상당한 지연이 있었다; 그녀는 약 42개월까지 분명하고 편안하게 말하지 못했다. 유창성은 계속해서 문제가 되었다. 반면에 그녀는 다른 모든 개발 이정표를 정상 한도 내에서 절충했다. 그녀는 출생부터 세 개의 프로그램에 의뢰되었고, 그곳에서 그녀는 언어와 언어 치료 서비스를 받았다. 그녀는 유치원 때 편지를 배우려고 애썼고, 지속적인 지원에도 불구하고, 반에서 가장 읽기를 못하는 아이 중 한 명이었다. 그녀는 사회적으로 어려움을 겪었고, 철자법이 좋지 않았으며, 필기 표현 능력이 지연되었다.

SC114.4 기억력 손상(Memory impairments)

기억력은 '작업 기억', '서술 기억', '비서술 기억'이라는 용어에 의해 광범위하게 포함되는 다양한 과정을 포함한다. 작업 기억은 제한된 양의 정보가 단기간에 능동적으로 유지되어 추가 사용과 정신적 조작에 이용될 수 있도록 하는 과정을 의미한다. 개념적으로, 그것은 시각 및 청각 정보를 보관하는 데 전념하는 단기 저장 기억장치로 더 세분될 수 있다.

서술적 또는 명시적 기억은 정보를 의식적으로 기억하기 위한 과정을 말한다. 그것은 삽화(episodic)와 의미적(semantic) 기억으로 나뉜다. 전자는 자서전적 자료를 포함한 사실과 사건에 대한 의식적인 기억을 가지고 있다. 전형적으로, 그것은 목록이나 이야기 학습에 의한 청각 영역 및 디자인 학습에 의한 시각 영역으로 평가된다. 대조적으로, 의미적 기억은 단어, 개념, 의미에 대한 지식을 함축하는, 한 사람의 지식들을 기술한다. 그것은 단어 유창성, 범주 유창성, 어휘, 이름 대기 및 일반 지식 시험을 포함한 다양한 작업을 통해 평가된다.

암묵적 또는 비서술적 기억은 무의식적인 내용을 포함한다. 그것은 절차 기억, 준비(priming), 연관성 및 비연관성 학습과 같은 과정으로 구성된다. 작업 기억과 절차 기억 문제는 학습 장애, ADHD 및 실행 기능 장애를 가진 아이들에게서 매우 흔하다. 그러나 중요한 기억력 문제, 특히 서술적 기억이나 명시적 기억과 관련된 문제는 종종 외상성 뇌 손상이나 선천적 요인뿐만 아니라 외상성 경험의 선택적 회상과 관련이 있다. 선천적 요인에 의한 기억의 결함은 발달 초기에 나타난다. 정신적 외상으로 인한 기억의 결함은 때때로 손상의 위치와 발달 단계로 추적될 수 있다. 이러한 기능 장애는 종종 돌이킬 수 없지만, 아이는 결함을 보충할 수 있을 것이다. 이 진단을 내릴 때, 어린이의 기억력 결핍이 다른 질병을 참고하여 더 잘 설명되는지 여부를 결정하는 것이 중요하다. 예를 들어 ADHD로 진단된 아동의 작업 기억 부족 증상 및 실행 기능 장애는 지속적이고 선택적인 주의력 결핍 및 교대로 주의를 기울이는 것을 참고하여 더 잘 설명할 수 있다. 임상가는 기억의 다각적 구조와 임상적 그림에 영향을 미칠 수 있는 신경심리학 및 학습 장애 범위에 민감해야 한다. 어떤 한 패턴의 정동, 인지, 신체 상태, 또는 관계도 기억력 장애를 특징짓지 못한다.

임상 양상(Clinical Illustration)

학교 평가를 장기간 받은 3학년 소년이 특히 수학과 글쓰기에 있어 개인적 도움을 받음에도 불구하고 수업을 따라잡을 수 없는 것을 걱정한 선생님에 의해 의뢰되었다. 그의 수행은 무쌍했고, 산만함이 두드러졌으며, 남아 있는 과제를 어려워했고, 그리고 구술에 대한 이해가 부족했다. 그는 쉽게 지쳤고 일을 시작하고 완수하기 위해 일대일 도움이 필요했다. 치료사는 언어적 추리, 단어 지식과 사용, 사회적 추리, 시각적 섬세함에 대한 주의, 부분 대 전체 합성 등에서 상대적인 강점이 있다는 것을 알았고, 작업 기억의 정보 조작, 사실적 정보 회상, 주의 및 구조화된 조직 내 시각-운동 통합의 상대적인 약점을 지적했다. 시각 능력은 가변적이었고 순차적 기억은 평균 이하로 떨어졌다. 그는 또한 단어 회상 문제를 가지고 있었는데, 이는 그의 유창한 의사소통 능력을 방해했다.

SC114.5 집중력 결핍 및 과다행동 장애(Attention-deficit/hyperactivity disorder)

DSM-5에 따르면 주의력 결핍/과다행동 장애(ADHD) 진단과 관련된 세 가지 핵심 특징은 부주의, 충동성 및 과다행동이다. 이러한 특징들이 임상적으로 어떻게 표현되는가에 따라 ADHD 진단은 세 가지 하위 유형 중 하나로 분류될 수 있다. 즉, 복합형(combined presentation), 부주의 우세형(predominantly inattentive presentation), 그리고 과다행동/충동성 우세형(predominantly hyperactive/impulsive presentation)이다. 세 가지 하위 유형 중에서, 과다행동/

충동성 우세형 아동은 동료들에 비해 눈에 띄게 높은 수준의 활동과 관련이 있으며 일반적으로 일찍 진단된다. 복합형은 부주의와 충동 모두와 관련이 있으며 주의를 지속하고 과제를 완료하며 다른 사람들을 방해하지 않는 것이 더 눈에 띄는 학교 생활의 시작과 함께 더 두드러질 것이다. 부주의 우세형은 과업이 더 어려워지고 어린이의 노력이 적절한 성적을 거두지 못하는 초등학교의 초기 학년 이후에 진단될 가능성이 높다.

세 가지 하위 유형 모두 학업 성취도가 떨어질 수 있지만, 그 손상은 충동성과 부주의에 비해 부차적이다. 증상의 표현은 상황과 환경에 따라 다양하다. 어린이가 새로운 환경에 있을 때 그리고 면밀한 감독 하에 있을 때, 또는 비디오와 전자 게임과 같은 매우 몰입적인 활동들에 종사할 때 등에서는 아이들의 증상이 최소로 되거나 거의 없을 수 있지만, 어린이가 집단적인 상황에 처해 있고 관심이 없는 활동에 참여할 것으로 예상될 때에는 증상이 증가할 수 있다. ADHD를 앓고 있는 아이들이 자기 규제와 조직 능력이 부족하다는 의견도 있지만, ADHD가 획일적인 진단 실체가 아니라 상당히 개인적이고 그룹 내에서의 변화를 포함하는 것이라는 인식도 커지고 있다. 정서적 갈등, 방임, 문화적 역동, 애도 및/또는 우울감, 심각한 우울증을 가진 어머니나 어머니가 없는 상태로 자라는 것 등은 ADHD 진단과 일치하는 증상에 영향을 주는 것으로 밝혀졌다.

학업결손, 학교관련 문제 및 동료의 방임은 부주의와 충동성의 증가와 더 밀접하게 연관되어 있는 경향이 있는 반면, 또래들의 거부와 덜하지만 우발적인 사고는 과잉행동과 더 밀접하게 관련되어 있다. ADHD를 앓고 있는 사람들은 큰 가변성이 있지만 평균적으로 학교 교육을 덜 받고 또래들보다 더 낮은 직업 성취도를 가지고 있다. 더욱 심각한 형태로, 그 장애는 사회, 가족, 학업/직업적 적응에 현저하게 영향을 미친다. 사춘기에는, 더 이른 나이에 분명히 나타난 일부 과잉행동들이 가라앉지만, 전반적인 침착하지 못하는 것과 안절부절못하는 것은 여전히 남아 있다.

ADHD 아동의 주관적 경험

정서 상태(Affective States)

ADHD 아동의 정서 상태는 하위 유형 및 상황별 요인에 따라 크게 달라진다. 전형적으로, 충동성과 초조한 기분의 조합은 그들을 과민반응으로 보이게 하고 통제불능의 상태에 이르게 한다. 더욱이, 그들의 생각을 정리하고 무슨 일이 일어나는지 이해하기 위해 이차적인 과정에 의존하는 어려움은 그들이 강렬한 감정을 억제할 수 없게 하고 따라서 행동하기 더 쉽게 할 수 있다. 지속적인 노력이 필요한 직무에 대한 부적절한 또는 부실한 적용은 흔히 직무 요구에 대한 근본적인 불안을 가려지게 하고, 다른 사람들이 게으름, 무책임, 협력 실패로 해석되게 한다. 그들의 동기 부족과 심지어 충동적인 반응에 기여하는 것은 그들에 대한 부정적인 인식이다. 벌주는 내적 대상은 소망과 강한 정동을 억제하는 것을 매우 어렵게 만들 수 있다.

사고 및 환상(Thoughts and Fantasies)

과잉행동 어린이의 생각은 눈에 띄게 난해하다. 그들의 놀이와 참여 방식은 종종 체계적이지 못하고 지나치게 과장된 마음의 상태를 반영한다. 비록 물체나 활동이 충분히 자극적일 경우 주의를 지속할 수 있지만, 그것들의 충동성은 그들의 생각에 영향을 미치며, 결과적으로 그들은 한 주제에서 다른 주제나 활동으로 이동할 수 있다. 그들의 갑작스러운 변화나 무작위적인 진술은 흥분이나 충동으로 인해 촉발된 것처럼 보일 수 있지만, 또한 그들이 억제하거나 말로 표현할 수 없는 근본적인 불안이나 흥분으로 인해 야기될 수도 있다.

신체 상태(Somatic States)

신체 상태는 "나는 움직여야 한다" 또는 "내 근육이 폭발한다"와 같은 말로 묘사된 감정을 포함할 수 있다. ADHD를 앓고 있는 아동은 또한 아이가 무력한 상황에 직면했을 때 신체는 그 자체로 반드시 해야 하는 행동을 가지고 있다는 느낌을 가질 수 있다("내 다리는 단지 그것들이 필요한대로 움직여").

관계 패턴(Relationship Patterns)

ADHD 아동의 대인관계와 참여 방식은 일관성이 없고 상호적이고 지속적인 상호작용을 유지하기가 어려울 수 있다. 사회적 단서들에 집중하고 그에 따라 그들의 행동을 조직하는 것에 대한 그들의 어려움은 가정과 학교에서 부정적인 상호작용을 야기하고, 또래들의 거절, 무시, 괴롭힘을 경험하게 된다. 충동적이고 쉴 수 없는 행동은 가족 간의 불화를 야기할 수 있는데, 이것은 그들의 경험을 전달하고 그들의 내적 상태를 전달하기 위해 언어적 상징을 사용하는 것이 어렵기 때문에 더욱 악화된다. 이러한 아이들의 여림과 비판적인 내면화는 그들이 다른 사람들, 특히 감정을 공유하거나 탐색하는 사람들과의 상호작용을 방해하고 파괴적이고 무질서한 것으로 경험하게 한다.

임상 양상(Clinical Illustration)

소아과 의사로부터 ADHD를 진단받고 리탈린을 처방받은 9살 소년을 어머니가 치료사에게 데려왔다. 그의 어머니는 그가 특히 악몽, 분리의 어려움, 그리고 특히 아침과 잠잘 무렵 반항적인 행동들을 가지고 있다고 보고했다. 그의 감정은 격렬한 반응과 타인에 대한 무관심으로 번갈아 나타났다. 그와 그의 어머니는 아버지의 개입이 필요한 잦은 권력 다툼에 휘말렸다. 그는 혼자 하는 것에 만족하는 것처럼 보였지만, 다른 사람들이 자신의 흥미 수준에서 놀 수 있도록 도움을 줄 수 있고 또 다른 사람들이 필요한 것처럼 보였다.

그 소년은 항상 반응 속도가 느린 것 같았고 만화를 보는 데 많은 시간을 보냈다. 그는 엄마와 매우 가까웠고, 비록 그는 많은 놀이를 했지만, 결코 친한 친구가 없는 것처럼 보였다. 그의 말은 늦어 보였다. 그의 학교 문제는 1학년 때부터 시작되어 그 이후 계속되어 왔다. 그의 선생님들은 그가 듣지 않고, 쉽게 주의가 산만해지고, 집중하는 데 문제가 있고, 과제를 완성하는 데 실패했으며, 지속적인 관심을 필요로 하는 과제에서 실패했다고 불평했다. 비록 그가 리탈린을 처방 받은 후에 그의 산만함과 편안함이 가라앉았지만, 그는 여전히 임무를 완수하는 데 어려움을 겪었고 더 내성적이고 무관심한 것처럼 보였다. 매일 아침 약을 복용하는 것을 받아들이게 하는 것은 힘든 일이었고, 부모들은 약의 효과가 사라졌을 저녁에 오랜 시간 초조해 하는 것을 보고했다. 숙제를 끝내는 것 또한 도전이었다. 그는 "나는 나를 싫어해", "나는 이것을 할 수 없어"와 같은 자기비하 발언에 좌절감을 표현하곤 했다.

소년은 어머니와 무슨 일이 일어나고 있는지에 대해 혼란을 표했다. 그는 학교 환경에서 전반적으로 불편함을 느꼈지만 이유를 설명할 수 없었다. 그는 자신의 경험과 감정을 탐구하거나 내부 상태와 외부 요구를 연결하는 것을 목표로 하는 어떤 토론에도 흥미를 잃는 것 같았다. 그는 안절부절못하고 마치 아무 관심도 없는 것처럼 주제나 활동을 바꾸곤 했다. 그러나 그는 세션에서 분리된 순간들을 지적하려는 치료사의 노력에 반응하고 그가 경험했던 것을 견디거나 이해하기 어려운 것을 공감하였다. 치료사가 그를 이해시키고 인정받게 하는 이야기를 공유할 수 있게 되면, 소년의 태도는 눈에 띄게 바뀌게 되고, 그는 그 토론에 더 열중하게 된다.

SC114.6 실행 기능 어려움(Executive function difficulties)

실행 기능 장애에 대한 진단은 아동의 학업 및 사회성에 중요한 영역에서 복잡하고 중복되는 일련의 어려움을 나타내는 첫 번째 PDM에 포함되었다. 여기에는 시간을 관리하고 자원을 효율적으로 조직하는 것, 현실적인 계획을 수립하고 이를 수행하는 것, 세부사항을 기억하고 당면한 과제에 참여하는 것, 노력이나 성과를 모니터링 하는 것, 그리고 자기 조절이 포함된다. 그러나 대부분의 연구자와 임상가는 이러한 영역의 어려움을 실행 기능 장애와 연관시키지 않는다. 대신에, 그들은 실행 기능을 아이들이 학교에서 잘하고, 자존감을 느끼고, 다른 사람들과 잘 소통할 수 있는 능력에 중요한 일련의 능력으로 간주할 가능성이 있다. 그 결과, PDM-2에서 실행 기능의 어려움은 뚜렷한 장애로 간주되지 않지만, 아동의 발달과 적응에 있어 이러한 역량의 중요한 역할로 인해 여기에 포함되는 것이 가치가 있다.

특히 ADHD 진단을 받은 아이들에게서 실행 기능의 어려움은 특히 흔하다. ADHD 진단은 일반적으로 계획, 구성, 세부 사항 주의, 전환 초점, 자가 모니터링 및 자가 조절 능력에 있어서 어려움을 겪는다. 그러나 ADHD로 진단된 거의 모든 아이들이 실행 능력에 어려움을 겪지만, 실행 기능 장애를 가진 모든 아이들이 ADHD를 앓고 있는 것으로 진단될 수 있는 것은 아니다. 수학이나 읽기 문제와 같은 다른 학습 장애가 있는 아이들은 정보 정리, 전략 세우기, 예상한 바를 고려하는 계획 세우기, 성과 모니터링, 필요시 노력 또는 전략을 적응하는 데 어려움을 보인다. 조울증을 진단받은 어린이와 정신적 외상과 방임을 경험한 어린이들을 포함하여, 감정적 문제가 있는 아이들에게서 실행 기능의 어려움이 만연해 있다.

전형적으로, 실행 기능에 어려움이 있는 아이는 학습 능력이 떨어지고, 수업 과제를 하는 데 비효율적이며, 산만하고, 체계적이지 못하고, 꾸물대는 경향이 있다. 문제는 아이들의 능력보다 더 복잡한 과제를 수행하라는 요구가 있는 학년이 되어서야 드러난다. 이러한 요구가 증가하고 실행 기능이 붕괴됨에 따라, 일과 관련된 일을 완성하고, 독립적으로 기능하며, 수업 활동을 통해 배우고, 학교 생활에 관계된 느낌을 주는 아이의 능력에 영향을 미친다. 이 문제를 가진 아이들은 일반적으로 무엇을 해야 하는지 알고 있지만, 주도권을 쥐거나 그들의 지식을 실행할 수는 없다.

실행 기능의 어려움을 겪고 있는 많은 아이들에게 학습 과정은 특히 사기를 저하시켜서, 학교나 그들 자신 그리고 그들의 능력에 대한 부정적인 태도를 발달시킬 수 있다. 학습적 정보를 효과적이고 자율적으로 조절하고 조직하지 못하는 것은 그들이 조직이나 완성했다는 느낌을 발전시키는 것을 막을 수 있다. 사회적 관계에서, 실행 기능의 어려움을 겪고 있는 아이들은 다른 또래 아이들보다 다른 사람들과의 관계에서 그들 자신에 대해 아는 것이 더 적고, 사회적 자기 조절이 부족할 수 있다. 자신에 대한 통찰력과 다른 사람들의 관점을 이해하는 능력 또한 손상될 가능성이 있다.

어떤 한 패턴의 정동, 생각, 신체 상태 또는 관계도 실행 기능의 어려움을 특징짓지 못한다.

임상 양상(Clinical Illustration)

10살 소년은 학교에서 부적절한 행동 때문에 치료를 받으러 왔다. 뛰어난 지적 능력에도 불구하고, 그는 또래 관계, 일반적인 사회 정서적 적응, 그리고 학업이 어려웠고, 주의력과 사 회적 어려움의 병력을 가지고 있었다. 그의 어머니는 그를 항상 수동적인 사람으로 묘사했고, 그가 숙제를 하고 할당된 일을 계속하도록 촉구할 필요가 있었다. 보고에 따르면 그의 방과 책상은 종이, 공책, 옷, 장난감들로 어수선했다고 한다. 그는 소지품을 정리하는 데 어려움을 겪었고, 건망증이 심했으며, 할 일이 많다고 느낄 때 쉽게 당황했다. 그는 건망증이 심해 끊임없이 감시하고 재촉해야 했다. 그가 시간의 흐름을 놓쳤거나, 학교나 숙제를 미리 계획하는 것을 잊어버린 경우, 그는 전형적으로 무너지고, 어머니나 가정교사의 격려나 일을 완성하는 데 도움이 필요할 것이다. 그는 다소 수줍음이 많은 소년이었고, 일을 하는 것이 느렸고, 실수를 하거나 그 일이 너무 힘들다고 느꼈을 때 곧 좌절하곤 했다.

학문적 과제가 복잡해짐에 따라, 그의 신체적 불평은 증가했고, 자주 못하겠다고 하곤 했다. 그의 부모님과 가정교사는 그가 특정한 업무의 요구를 하는 것을 도왔고 그에게 자료 정리를 위한 전략을 제공했다. 일단 그가 일을 할 수 있게 되면, 그의 초조함은 낮아지지만, 자신에 대한 부정적인 발언은 줄어들지 않을 것이다. 자신에 대한 인식은 또래 관계와 성취감에 영향을 미쳤고, 그는 학교에 가는 것을 거부하기 시작했다. 상당한 재능과 훌륭한 언어 능력에도 불구하고, 그는 불안과 좌절감으로 가득 차 있고, 자신이 되어야 할 만큼 훌륭하지 않다고 확신하며 연약해 보였다. 부족한 시간 관리 능력 때문에, 그는 잡다한 일을 완수할 수 있도록 하는 반복적인 지시가 필요한 듯 보였다. 그는 새로운 상황에 적응하는 데 특히 어려움을 겪었고 일상이 바뀔 때마다 불평하곤 했다. 타인에 대한 그의 의존과 그에 대한 그들의 지속적인 감시는 그가 결함이 있는 사람으로 자신을 인식하는 것을 확인시켜주었고, 그의 좌절과 체념을 강화시켰다. 그를 아침에 등교하게 하는 것은 가족에게 점점 더 긴장되는 시간이 되었고, 그를 제 시간에 집에서 나가도록 하는 것은 싸움이었다. 그와 함께 작업하는 것은 지나치게 반응하지 않으면서 그의 소극성을 용인하고, 그가 하지 못한 것에 대한 유일한 틀이 아닌 협상을 하며 그와 관계를 맺도록 하는 것이었다.

SC114.7 심각한 인지 손상(Severe cognitive deficits)

위의 다른 신경심리학 장애에 대한 논의와 조절-감각 처리 장애(pp. 471-475) 및 관계 및 의사소통의 신경 발달 장애(pp. 488-490)를 참조하십시오.

전통적으로, IQ 테스트는 인지결손의 정도를 평가하기 위해 사용되어 왔다. 심각한 인지결손, 지적장애 또는 지적 발달장애의 상태는 평균 이하의 지적 기능을 반영한다. 결함의 영역은 전형적으로 추론, 계획, 문제 해결, 의사소통, 판단 및 학습을 포함한다. 과거에는 DSM-5가 이러한 특정 기준을 감소시켰음에도 불구하고 동일한 나이의 아동에 대한 평균보다 70 또는 2 표준 편차 이하로 떨어진 표준화 테스트에 대한 전체 IQ 점수를 기록해야 했다. IQ 테스트 외에도, 어린이의 적응적 기능을 평가하는 것이 중요하다. 후자의 결함 또한 상당해야 하며, 이로 인해 아동이 연령, 발달 및 사회 문화적 이정표를 적절하게 타협할 수 없게 되어야 한다. 적응적 기술에는(이에만 제한되지 않지만) 자기 관리, 가정 생활, 사회적-대인 관계 기술, 자기 방향 및 건강/개인 안전이 포함된다.

최근의 연구는 심한 인지 결함이 있는 아이들이 IQ 테스트로 반드시 확인되지 않는 다양한 종류의 강점을 가질 수 있다는 것을 제시한다. 이러한 이유로 임상가는 광범위하게 해석된 적응형 기능을 주의 깊게 평가해야 한다. 학습장애는 심각한 인지결손 진단을 받은 아동에게 흔하지만, 진단적 개념은 이러한 진단을 제외한다. 어린이의 개인 차이를 설명하는 작업틀은 7장에 제시되어 있다. 아동의 인지결손에 대한 주관적인 경험은 그 또는 그녀의 자기인식의 정도에 달려 있다. 심각한 인지결손에 대한 유병률은 약 2%이다. 어떤 한 패턴의 정동, 생각, 신체 상태 또는 관계도 심각한 인지결손을 특징짓지 못한다.

임상 양상(Clinical Illustration)

6살 소녀는 읽고, 수학을 하고, 또래들과 논리적으로 의사 소통하는 것을 배우는 데 어려움을 겪고 있었다. 그녀의 선생님들은 시험 후에 언어 이해와 지각적 추론 능력 사이의 차이는 거의 없이 65의 IQ를 나타난 후 심각한 인지결손을 의심했다. 추가 임상평가 결과 청각 처리의 심각한 어려움에도 불구하고 짧은 구두 설명과 몸짓 및 구체적인 시각적 가이드(그림)를 결합한 매우 활발한 형식의 지침을 받았을 때 개념적 이해 수준이 더 높았다. 일단 그녀가 작업할 정보를 얻자, 그녀의 언어적 추론은 그녀의 IQ 테스트 결과에서 제시되었던 것보다 더 높았다. 그녀는 반복된 노출 후 반복적인 작업, 직접적인 지시, 그리고 감독되는 연습을 통해 더 나은 능력을 보여주었다.

이 아이는 개념적 추론과 반복적 반응에 대한 자신의 상대적인 강점을 이용하여 기억력과 학업 능력을 향상시키는 데 초점을 맞춘 개별화된 교육 프로그램을 개발하였다. 이 프로그램을 진행하면서 종합적인 임상평가와 기능평가로 구성된 진단 프로파일이 확인되었다.

SC115 학습장애(Learning disorders)

SC115.1 읽기 장애(Reading disorders)

읽기 장애는 개별화되고 표준화된 읽기 테스트로 측정되는 읽기 성취도가 같은 나이 또는 같은 학년 아동의 평균 성적보다 현저히 낮거나, 어린이의 IQ에서 예상되는 것보다 낮을 때 진단된다. 반복해 말해 진단 및/또는 취업 목적을 위해 연령 및 등급 등가물을 해석할 때는 주의를 기울여야 한다. 일반적으로 신뢰 구간의 맥락에서 해석된 표준 점수, 척도 점수, 구간척도 및 백분위수는 광범위한 과제와 기술에 있어 성과를 비교할 수 있는 최선의 방법을 제공한다.

심삭한 인지결함이나 지적 장애의 부수적인 진단을 받은 아동이나, (1) 시력, 청각 또는 운동기능의 주요 장애, (2) 정서 장애, (3) 제한된 영어능력, 또는 (4) 환경적, 문화적, 경제적 측면에서 특히 읽기에 필수 요소인 적절한 지시가 부족함으로 인해 생기는 불이익 등이 있는 아동은 읽기 장애를 진단하지 않는다. 이러한 장애는 인구의 약 9%에서 나타난다.

읽기 성과를 위해서는 아래 항복 모두를 포함해 이해하여야 한다: 읽기 속도/유창성, 음운처리 및 해독, 읽기 이해 등. 진단할 수 있는 장애로 간주되기 위해서는 학업 성취도나 일상생활의 활동에 큰 지장을 주어야 한다. 실질적으로 이러한 추론은 전통적으로 (1) 읽기 성취가 같은 나이 또는 같은 학년 아동의 1 표준편차 이하이거나 IQ가 저하되었을 때 (2) 읽기 성취가 아이의 다른 학업 능력보다 1 표준 편차 이하로 낮을 때 이루어졌다. 종합적인 정신 교육적 또는 신경 심리학적 평가가 진단을 하는 데 선호되는 수단이지만, 장애의 추정되는 증거를 확립하기 위해 아이의 성적, 교육에 대한 반응, 교사 관찰 및 평가를 사용할 수 있다. 임상가는 진단을 수립하기 위해 여러 데이터를 활용할 것을 권장한다.

발달은 보통 읽기 문제를 가진 아이들에게는 눈에 띄지 않으며, 아이들이 읽기 과제를 끝마치도록 요구되기 전까지는 어떠한 사회적 문제도 읽기 장애와 관련되어 있지 않다. 당황스러움은 다른 아이들이 쉽게 할 수 있는 것을 하지 못하게 할 수 있고, 또래 관계를 방해할 수 있다. 수치심은 이런 종류의 학습장애와 관련이 있다. 읽기에 어려움을 겪는 아이들의 거듭된 당혹감은 결국 자존심 문제로 이어질 수 있다.

임상 양상(Clinical Illustration)

큰 공립 초등학교 2학년인 7살 학생은 읽기 능력이 수학 및 개념적 추론 능력에 미치지 못해 평가 받으러 왔다. 그는 의사소통 기술이 뛰어나고 개념적인 사고를 가진 똑똑한 소년이었다. 듣는 이해력과 지시를 따르는 능력은 뛰어났다. 그는 모든 글자와 소리를 식별할 수 있었지만, 해독을 위해 애썼고 아주 제한된 어휘를 가지고 있었다. 신경심리학적인 평가 결과에는 115의 전에 IQ가 측정되었으며, 실제 단어와 가상 단어의 부호 해독 점수는 약 16 백분위수였다. 난산이었으며, 그의 어머니는 그가 생후 3개월 동안 밤새 우는 까다로운 아기라고 보고했지만, 그는 현재 건강했다. 그러나 모든 발달상의 이정표는 시기적절하게 되었고, 부모님과 선생님이 그가 1학년 말에도 여전히 읽지 않은 사람임을 우려하기 전까지는 학교 심리학 선생님의 주의를 끌지 못했다.

SC115.2 산술 장애(Mathematics disorders)

산술 장애는 개별적으로 관리되고 표준화된 시험으로 측정되는 수학적 성취도가 같은 나이 또는 같은 학년 아동들의 평균 성적보다 현저히 낮거나 아이들의 IQ에서 기대되는 것보다 낮을 때 진단된다. 진단 및/또는 취업 목적을 위한 시험 점수의 사용에 관한 일반적인 주의와 권고는 산술 장애에 적용된다. 읽기 장애와 마찬가지로, 심각한 인지적 결함 및 지적 장애에 대한 부수적인 진단을 가지거나, (1) 시각, 청각 또는 운동기능의 1차적 장애 (2) 정서 장애, (3) 문화로 인해 언어 능숙함이 제한 또는 (4) 환경적, 문화적, 경제적 측면에서 특히 산술에 필수 요소인 적절한 지시가 부족함으로 인해 생기는 불이익 등이 있는 아동은 산술 장애를 진단하지 않는다. 이러한 장애는 인구의 3-6.5%에서 진단된다.

수학적 성과를 평가하기 위해서는 아래 항복 모두를 포함해 이해하여야 한다: 수학적 사실의 느린, 부정확한, 또는 빈약한 회상, 느리거나 부정확한 연산 절차를 하거나 실행함, 숫자 집합을 인식하고 개념화하거나 추정치 생성의 어려움, 그리고/또는 공간적으로 숫자를 계산하고 표시하는 어려움 등 모든 것을 포함한다. 마지막에는 열의 정렬 또는 위치 값이 포함될 수 있다. 진단할 수 있는 장애로 간주되기 위해서는 수학적 결핍은 수학적 능력이 필요한 학업 성취도나 일상생활의 활동에 큰 지장을 주어야 한다. 실제적으로, 이 추론은 보통 다음 중 하나 이상에 의해 이루어진다. (1) 수학 성취도는 같은 나이 또는 같은 학년 아동의 평균 성취도보다 1 표준 편차 이하 또는 아이 IQ보다 낮은 표준 편차 또는 (2) 1 표준 편차보다 낮은 수학 성취 점수. 다시 말해, 종합적인 정신 교육적 또는 신경심리학적 평가가 진단을 하는 데 선호되는 수단일지라도, 어린이의 성적, 지시에 대한 반응, 교사 관찰과 평가는 장애의 추정 증거를 확립하는 데 사용될 수 있다. 의료진은 여러 데이터 출처를 고려해 진단을 도출할 것을 권장한다.

발달은 보통 수학 문제를 가진 아이들에게는 눈에 띄지 않으며, 아이들이 수학 과제를 완성하도록 요구되기 전까지 어떠한 사회적 문제도 이 학습 장애와 관련이 없다. 다른 아이들이 쉽게 할 수 있는 것을 하지 못하는 것에 대한 아이들의 당황스러움은 또래 관계를 방해하고 결국 자존심 문제로 이어질 수 있다.

임상 양상(Clinical Illustration)

즐거운 9세, 4학년 학생은 일관성이 없는 학교 성적과 국가가 요구하는 숙달 시험에서 수학과 어학에서 수준 이하의 성적을 낸 것에 대한 평가를 위해 의뢰되었다. 그녀는 1학년 때부터 일주일에 두 번씩 과외를 받아왔기 때문에 기본 학력을 보강하고 대부분의 일을 어려움 없이 처리할 수 있었지만 이것은 사실이 아니었다. 그녀는 수업시간에 자주 산만해 보였고, 학교를 즐기지 않았으며, 그녀가 배운 것, 즉 단어 철자법, 수학적 사실, 수학적 과정들을 유지하는 데 어려움을 겪었다. 이런 걱정에도 불구하고, 그녀는 평균적인 수준에서 수행을 하고 있었고, 그녀의 문제는 성적표에서 특별히 분명하지 않았다. 그녀는 예의 바르고 인기가 많았고 확실히 학교의 사회적-대인관계적 차원에서 즐거움을 얻었다. 그럼에도 불구하고, 그녀는 관계를 맺기 위해 고군분투했고 불필요한 세부 사항들에 빠져들었다.

SC115.3 쓰기 장애(Disorders of written expression)

개별적으로 관리되고 표준화된 쓰기 테스트로 측정되는 쓰기 장애는 같은 나이 또는 같은 학년 아동의 평균 성적 또는 IQ에서 예상되는 평균 성적보다 현저히 낮을 때 진단된다. 진단 및/또는 취업 목적을 위한 시험 점수 사용에 관한 일반적인 주의사항과 권고사항은 쓰기 장애에도 적용된다.

심각한 인지결손/지적 장애 또는 이질적인 서면표현성 성취도가 (1) 시각 또는 청각의 1

차 적 장애 (2) 뇌성마비, 근이영양증 또는 퇴행성 질환과 같이 움직임에 영향을 미치는 신경학 적 상태 (3) 정서 장애 (4) 문화로 인해 언어 능숙함이 제한 또는 (5)환경적, 문화적, 경제적 측면에서 특히 쓰기에 필수 요소인 적절한 지시가 부족함으로 인해 생기는 불이익 등이 있는 아동은 쓰기 장애를 진단하지 않는다. 단, DCD로 확인된 어린이(DCD의 앞부분 설명 참조), 미세한 운동 조정에 어려움을 겪고 서투름을 보이는 어린이, 또는 신발끈 묶기, 가위나 식기류 또는 필기와 같은 적절한 운동 기술 숙련도가 또래에 적절하게 발달하지 않은 아동에게는 진단을 내릴 수 있다. 이러한 장애는 인구의 약 5~10%에서 진단된다. ADHD와 공동 유병률은 30–50%이다.

중요한 것은, 쓰기 장애는 다음과 같은 모든 것을 포함해 광범위하게 해석해야 한다; 판독이 어렵고, 전치된, 또는 공간적으로 무질서한 쓰기(문자 형성 질, 크기, 간격, 경사 및 정렬 포함), 부정확한 철자, 문법 또는 문장 부호 조직화, 일관성, 생각의 논리적 의사소통 등. 진단할 수 있는 장애로 간주되기 위해서는, 쓰기 장애가 반드시 글쓰기를 필요로 하는 학문적 성 취나 일상생활에 큰 지장을 주어야 한다. 실제적으로 이 추론은 다음과 같은 요소가 하나 또는 그 이상이 되어야 한다. (1) 쓰기 표현 성취도가 같은 나이 또는 같은 학년 아동의 평균 성적보다 1 표준 편차 이하 또는 아이 IQ 보다 낮은 표준 편차 또는 (2) 쓰기 성취도가 다른 학업 성취보다 1 표준 편차보다 낮은 점수. 다시 말해서 종합심리학적인 평가나 신경심리학적 평가가 진단을 하는 데 선호되는 수단일지라도, 어린이의 성적, 지시에 대한 반응, 교사 관찰 및 평가 등은 장애의 추정 증거를 확립하는 데 사용될 수 있다. 의료진은 여러 데이터 출처를 고려해 진단을 도출할 것을 권장한다.

임상 양상(Clinical Illustration)

평균 이상의 지능을 가진 7학년 소년은 시간이 지남에 따라 작문 과제를 늦게 냈고 때때로 그것들을 제출하려고 하지 않았다. 그는 수업에서 전반적으로 영어 과제와 논술에 특히 어려움을 겪는다고 설명했다. 짧은 에세이를 쓰라고 했을 때, 그는 그것을 시작하는 데 어려움을 겪었다; 그는 종종 컴퓨터 스크린이나 종이를 쳐다보았고, 시작할 수 없었고, 많은 실마리를 만들었다. 때때로 그는 많은 단어들의 철자가 틀리고 여러 개의 구두점이 있는 몇 개 이상의 문장을 만들 수 없는 좌절감 속에서 그냥 포기했다. 대조적으로, 그의 어머니가 그의 '비서'가 되겠다고 제안하고 그에게 그의 생각을 간단히 이야기하도록 허락했을 때, 그의 생산은 극적으로 증가했다. 신경심리검사를 통해 평균 지능이 높은 반면, 쓰기 기술은 낮은 평균(low-average)에 속했다. 비록 그의 언어 처리는 강했지만, 시각-운동 협응은 좋지 않았고, 또 다시 낮은 평균 범위에서의 평점이 나왔다.

SC115.4 비언어적 학습 장애(Nonverbal learning disabilities)

비언어적 학습 장애를 가진 아이들은 신경인식적 강점과 약점을 가지고 있다. 장점으로는 촉각과 시각적인 지각과 주의력, 개념 형성, 복잡한 내용의 읽기 이해, 문제 해결, 그리고 새로운 내용을 다루는 것 등에 있다. 그들은 수학과 과학뿐 아니라, 조절되는 정동의 수용 및 표현과 비언어적 의사소통의과 관련된 사회-정서적 어려움을 겪을 수 있다. 그들은 일반적으로 글씨가 서툴고 수학 실력이 부족하다. 그들의 독해력은 그들의 언어능력과 같지 않다; 비록 그들은 좋은 독서가이기는 하지만, 미술 과제에서 많은 어려움을 겪는다. 그들은 또한 주의력, 새로운 내용, 그리고 새로운 상황과 관련된 문제점들을 가지고 있다.

유아로서, 이러한 장애를 가진 아이들은 수동적이고, 탐험 놀이를 하는 데 실패하며, 예상대로 반응하지 않는다. 그들은 서투르고 조화가 잘 안 된 것 같다. 그들은 무리를 지어 다른 아이들과 소통하는 데 어려움을 겪는다. 그들은 폭발하지 않고 짧은 시간 동안이라도 우정을 쌓거나 다른 아이들과 함께 있을 수 없다. 그들은 보통 어른들과 잘 상호작용하지만, 또래들과는 잘 상호작용하지 않는다. 그들은 다른 사람들의 몸짓, 얼굴 표정, 그리고 목소리 억양을 '읽지' 못하면서 사회적 신호를 해독할 수 없다.

비언어적 학습장애를 가진 아동에서 주관적 경험

정서 상태(Affective States)

정서적 상태에 관해서, 비언어적 학습장애를 가진 아이들은 정서적 의사소통의 수용, 표현, 처리에서 문제를 가진다. 그들의 자존감은 다른 사람들에게 단순하게 보이는 일을 반복해 실패하고 사회적 관계에서 성공하지 못한 것에 의해 손상될 수 있다. 그들은 만성적인 불안감을 겪을 수도 있고 자기 통제에 문제가 있을 수도 있다.

사고 및 환상(Thoughts and Fantasies)

사고와 환상은 '실패', '다른', '잃어버린 느낌'에 초점이 맞춰질 수 있다. 사고는 특히 '큰 그림'이나 종합적인 사고가 필요한 상황에서 단편적이거나 깨져있을 수 있다. 단편화를 줄이기 위한 노력의 결과 사고는 좁고 경직될 수 있다.

신체 상태(Somatic States)

신체 상태는 특히 미세한 운동 기술에서 전반적으로 신체적 둔화를 가질 수 있다.

관계 패턴(Relationship Patterns)

그들의 관계 패턴에서, 이런 문제들을 가진 아이들은 조화되지 않을 수 있다. 그들은 우리가 사회적 의사소통과 관련되는 사회적 담론의 용이성과 유동성이 부족하다. 그들은 사람들을 불안하게 하거나 불편하게 할 수도 있지만, 다른 사람들에게 미치는 영향에 대해 거의 알지 못하는 것처럼 보인다. 그런 아이들은 사회적으로 소외되어 있고 그들 주변에서 일어나는 일들과 접촉이 없는 것처럼 보인다. 집단적인 상황에서 그들은 침묵하는 경향이 있다; 만약 그들이 다른 사람들을 참여시키려고 노력한다면, 그들은 그룹의 상호 작용에 대한 미묘함을 이해하지 못하는 방식으로 말한다.

임상 양상(Clinical Illustration)

3학년 소년은 비언어적 의사소통의 문제로 의뢰되었다. 그는 눈도 잘 마주치지 않았고, 얼굴 표정에도 감정을 드러내지 않았고, 뻣뻣하고 나무처럼 보였다. 그는 매우 말을 잘 하고 나이보다 뛰어난 수준으로 자신을 표현할 수 있음에도 불구하고 시각적-공간적 정보를 처리할 수 없었다. 시각적-공간적 처리 문제 때문에, 그는 특히 수학과 미술에서 학업적인 어려움을 겪었다. 그는 이러한 어려움과 학교에서의 상대적인 고립되어 있는 것을 절실히 인식하고 있었다. 그의 연약한 자아감과 낮은 자존감은 그가 대인관계의 상황을 이해하는 여과 장치를 제공했다; 그는 그것들을 잘못 해석했을 뿐만 아니라, 그와 관련되어 부정적 논평이 있을 거라고 추측했다. 대화에서 그는 쉽게 혼란스럽게 되었고, 통합된 의미를 개발하기 위해 생각을 종합하는 데 어려움을 겪었으며, 압도되거나, 몽상적으로 되거나, 반응하지 않거나, 눈이 휘둥그레졌다. 그는 상황의 관련성을 결정하지 못하고 그들의 의미를 통상적인 방법으로 해석하지 못하는 것 같았다.

자극적인 상황은 그의 생각을 정리하지 못하게 했고, 그가 무력한 분노로 폭발할 때까지 감정적 흥분을 고조시켰다. 비록 그는 대인 갈등에 대한 자신의 기여를 모르고 있는 듯 했지만, 그는 어느 정도 그의 관계의 대부분이 기능장애이며 보상받지 못한다는 것을 인식하는 듯했다. 조직화하는 것의 어려움은 시각적 자극 수준이 늘어남에 따라 불안으로 크게 악화되었다. 그는 관계에 대한 불안감으로 다른 비언어적 장애의 아동보다 다른 사람들의 감정에 좀 더 주의를 기울였다. 그는 종종 불행하고 불안하며, 변덕스러운 경향이 있었고, 안심을 필요로 했다. 비록 그는 다른 아이들의 정서적 상태를 이해하고 대응하는 데 능숙하지 않았지만, 성인의 감정 표현을 적응할 수 있었고, 이는 아마도 그런 표현이 좀 더 통제되고 명확하기 때문일 것이다. 그는 또한 자신의 감정을 표현하는 데 어려움을 겪었다.

SC115.5 사회-정서적 학습 장애(Social-emotional learning disabilities)

사회-정서적 학습 장애가 있는 아이들은 그룹 내에서 다른 아이들과 상호작용하는 데 어려움을 겪는다. 그들은 큰 어려움 없이 짧은 시간 동안 다른 아이들과 함께 있을 수 없다. 결과적으로 그들은 어른들과 합리적으로 상호작용할 수 있지만 친구를 만드는 일은 거의 없다. 그들은 다른 사람들의 몸짓, 얼굴 표정, 그리고 목소리 억양을 '읽지' 못하고, 따라서 사회적으로 서투르다. 비언어적 학습장애를 가진 아이들은 많은 사회적 특징을 가지고 있지만, 똑같은 인지적 혹은 학업적 결함을 가지고 있지는 않다.

이 아이들은 초기 발달 동안에는 이상이 없는 것처럼 보인다; 그들이 다른 사람들과 상호작용하기 시작할 때 비로소 그들의 문제가 발생한다. 그들의 자조 능력은 또래의 다른 아동들과 비교해서 나아지지 않는다. 다른 사람들과 노는 법을 모르는 것 같아 결국 집단에서 제외된다. 결과적으로 그들의 고립은 그들에게 사회적으로 발전할 수 있는 기회를 빼앗아서, 그들의 어려움을 가중시킨다. 그들은 한두 명의 개인 친구를 가질 수 있지만, 청소년기에 그들은 전형적으로 또래들에게 거부당하고 단체 활동에서 제외된다.

사회-정서적 학습장애 아동의 주관적 경험

정서 상태(Affective States)

정서적 상태에 관해서, 사회-정서적 학습 장애를 가진 아이들은 머리로만 감정 세계를 이해한다. 감정은 외국어와 같다. 감정이 폭발적인 강도의 문턱에 도달해야만 그들 자신의 정서적 상태를 경험할 수 있다. 이 감정들은 주로 좌절, 분노, 그리고 두려움이다.

사고 및 환상(Thoughts and Fantasies)

그들의 사고와 환상에 관해, 이 아이들은 마음 이론을 향상시키는 능력이 떨어지는 것 같다. 그들은 다른 사람들이 믿음, 욕망, 그리고 의도를 가지고 있는 것을 모르는 것처럼 보인다. 결과적으로 그들은 다른 사람들의 생각과 감정을 무시하는 것처럼 보인다. 상상적인 놀이이든 의도적인 속임수이든, 그들의 능력은 상당히 제한적이다.

신체 상태(Somatic States) 및 관계 패턴(Relationship Patterns)

사회 정서적 학습 장애를 가진 아이들을 특징짓는 전형적인 신체 상태는 없다. 관계 패턴과 관련하여, 이러한 아이들에게 세상은 보상받지 못하고, 예측할 수 없으며, 이해할 수 없는 곳이다. 그들은 사람들이 어떻게 그렇게 행동하는지 설명할 수 있는 규칙들을 외우지만, 그 후 그들은 이러한 규칙을 언제 적용하는지, 그들이 언제 그런 행동을 하지 않는지 혼란스러워 한다. 그들은 다른 사람들과의 접촉을 갈망하지만, 그들이 가끔 누군가와 친구가 되기 위해 노력할 때, 다른 사람들이 무관심한 것에 실망한다. 설명할 수 없는 이유로 그들의 관계는 무너진다. 그들은 미성숙하거나 부적절해 보이고 다른 사람들과 함께 있을 때 사회적으로 단절되어 있다. 그들의 행동은 논쟁을 일으키거나, 혼란을 일으키거나, 무례하게 되기 때문에 사회적으로 문제가 될 수 있다. 그들은 또래 관계를 유지하는 데 성공하지 못하며, 가까운 우정을 가지고 있지 않으며, 또래들로부터 거부, 놀림 또는 괴롭힘을 당한다.

임상 양상(Clinical Illustration)

9살 소년은 일반적인 사회적 상호 작용에 다소 서툴렀다 비록 그가 행동 규칙을 배운 것 같지만, 그는 그것들을 반복적으로 그리고 기계적으로 적용해서 그들의 의미를 잃었다. 그는 사회적 신호와 농담에 대해 감정적인 반응을 거의 보이지 않았다. 놀이와 다른 사회적 상호 작용을 협상하는 데 어려움을 겪었기 때문에, 그는 친구가 거의 없었고 학교에서의 게임에 거의 포함되지 않았다. 그의 양육자들은 다른 아이들이 그에게 말을 걸 때 그는 가끔 반응이 없다고 말했다 그는 주로 그의 관심사에 대해 이야기했고 주제를 바꾸는 데 문제가 있었다. 게다가 그는 부적절한 개인적인 질문을 했고, 사람들에게 너무 가까이 서거나 만지면서 불편하게 만들었고, 추상적인 생각을 파악하지 못했고, 문자 그대로 농담을 너무 많이 했다.

이 소년은 대부분의 다른 사람들이 그렇듯이 상황을 인식하고 해석할 수 없었다. 때때로 그의 인식은 정확했지만, 그는 주변적인 세부 사항들에 초점을 맞추곤 했다. 다른 때, 특히 복잡한 상황에서, 그는 발생에 대한 특이적 해석, 발생에 이르는 요인, 그리고 그 의미를 개발하였다. 다른 사람의 감정표현을 제대로 읽지 못해 자신의 행동이 다른 사람에게 미치는 영향을 제대로 인식하지 못했고 다른 사람이 자신에 대해 알았을 때 유발되는 죄책감이나 공감이 부족한 듯했다.

SC12 발달 장애(Developmental disorders)

SC121 조절장애(Regulatory disorders)

각각의 아이들은 감정을 조절하고 감각 자극을 처리하는 독특한 패턴을 가지고 있다. 아동의 사회적, 정서적, 지적 기능의 건강한 발달에 있어 개별적인 차이를 나타내는 광범위한 기능적 다양성이 있다. 그러나 일부 아이들은 그러한 비정상적인 반응과 조절 패턴을 가지고 있어서 가정, 학교, 그리고 대인 관계에서의 기능을 상당히 방해한다.

조절 장애는 일반적으로 유아 또는 초기 아동기에 인식되며, 잠복되어 있거나 청소년기로 이어질 수 있다. 이것은 유아 및 소아 정신 건강 및 발달 장애 진단 분류, 개정판((DC: 0–3R; Zero to ree, 2005, pp. 28–34)에 설명되어 있다. 유아 및 걸음마기에 대해서는 (1) 과민성(hypersensitive), (2) 과민성감퇴/자극에 민감하지 않음(hyposensitive/underresponsive), (3) 감각 자극 탐색/충동성(sensory stimulation- seeking/impulsive)등 세 가지 하위 유형을 식별한다. 과민성 범주는 두려움/조심성이 많은 A 타입과, 부정적/방어적인 B 타입으로 나누어진다. 임상에서는 이런 분류가 혼합된 아동이 종종 발생하기 때문에 특정 하위 유형을 가진 어린이를 식별하기는 어렵다.

조절-감각 처리 장애는 유아 및 소아 진단 매뉴얼(Diagnostic Manual for Infancy and Early Childhood)의 발달 및 학습 장애(ICDL-DMIC; ICDL, 2005, pp. 73–112) 관련 학제간 협의(사례 그림)에 설명되어 있다. 여기에는 감각 변조 과제(타입 I), 감각 구별 과제(타입 II), 감각 기반 운동 과제(타입 III)가 포함된다. 이러한 조절-감각 처리 변화는 학교생활로 확장될 수 있으며, 학교 수행에 영향을 미칠 수 있다. 조절-감각 처리 장애를 진단하려면, "구별되는 행동 패턴과 감각 조절, 감각 운동, 감각 구별 또는 주의력 처리에 어려움"이 존재해야 한다. 이러한 장애에 대한 자세한 설명은 7장을 참조하라.

조절 장애가 있으나 잠복기에 있는 아동은 소리, 시각 및 촉각에 지나치게 민감할 수 있으며, 쉽게 주의가 흐트러지는 것처럼 보이고, 정서적인 조절/변화에 문제가 있다. 부모와 양육자의 설명은 조절 장애 진단에 기여하며, 표준화된 평가는 대근육 및 미세 운동 능력 문제의 징후를 나타낼 수 있다. 감각적 허용 오차는 하위 유형 및 변동에도 크게 차이가 있다. 사회적 상호 작용과 행동 문제의 장기적인 어려움이 발생할 수 있다. 그러한 장애는 여러 요인(예: 자질, 기질, '부모 - 유아 적합성')에서 발생한 것으로 간주되는 반면, 전형적으로 발달하는 아동과 조절 장애가 있는 환자 사이의 차이를 생리학적, 부교감증 및 신경학적 지표(예: 전기 피부 활동, 미주신경 긴장도 및 백질 미세구조)가 파악되었다. 비록 이 분야에서의 연구들이 상관관계를 밝혀냈지만, 유전자 연계에 대한 명확한 증거를 포함한 원인 규명은 아직 결정되지 않았다. 기형에 출산 전 노출된 아동(약물과 알코올 포함), 출산 후 트라우마 기록을 가진 아이, 신경증적 방어를 억제하거나 자아를 제한하는 일부 어린이도 유사한 증상을 보일 수 있다. 그들은 분리 불안, ADHD, 적대적 반항장애, 자폐증 스펙트럼 장애로 진단받은 어린이들에서도 볼 수 있다.

SC122 아동에서 섭식 문제(Feeding problems of childhood)

유아 및 초기 아동기에서의 섭식 행동 장애는 DC: 0–3R (Zero to 3, 2005)에 설명되어 있다; ICDL-DMIC (ICDL, 2005, 73–112)에서 섭식장애는 상호작용 장애에 포함되며, 섭식 문제는 조절-감각 처리 장애에 포함된다.

유아기와 걸음마기 동안 먹는 것의 어려움은 생리적 원인을 가질 수 있다(예: 유문협착증, 역류성 또는 기타 위장 장애). 그러한 문제가 해결되더라도 어린이 또는 양육자의 잔여 불안감이 지속적인 어려움에 영향을 미칠 수 있다. 마찬가지로, 먹는 것은 과도한 또는 낮은 반응성과/또는 감각 구별 문제를 가진 아이들에게는 즐거움이 결여될 수 있다. 어린 아이들의 경우, 음식 거부(또는 구토)는 충격적인 사건 뒤에 따를 수 있다. 그러한 이력이 있는 아동의 경우, 식사 어려움 및/또는 음식 섭취와 관련된 즐거움의 부족은 학교를 다닐 때까지 이어질 수 있다(그리고 주요 양육자와 상충되는 상호 작용을 계속 수반할 수 있다). 트라우마 병력이 없더라도, 잠복기 이전 아이들은 음식이 특정한 동물들과 연관되거나 타입이나 질감이 그들에게 혐오감을 야기시키는 특정 음식을 먹는 것에 대해 갈등을 느낄 수 있다. 그러한 감정은 유년기 중반에 자주 해소된다. 그들이 그렇지 않거나 그러한 갈등이 다시 나타난다면 개입이 필요할 수 있다. 유아기 또는 초기 아동기에는 어려움의 병력이 없고, 잠복기 동안 먹거나 먹이는 문제가 발생하는 경우, 생리적 원인이나 최근 외상성 촉발 인자를 배제하는 것이 중요하다. 만약 아무것도 발견되지 않고, 폭식증과 거식증도 제외된다면, 방어적인 억제나 자아 제한도 의심될 수 있다. 후자가 결정될 경우, 치료 고려사항에는 어린이와 가족을 위한 먹는 것의 역동이 포함되어야 한다. 부모/양육자의 행동이 기여할 수 있고(예: 부모, 가족 또는 부부간의 불협화음, 부모의 식사 어려움 패턴) 평가되어야 한다.

SC123 배설 장애(Elimination disorders)

유아 및 초기 아동기의 배설 장애는 7장 431~434에 자세히 설명되어 있다. ICDL-DMIC (ICDL, 2005, 73–112)에서는 상호 작용 장애에 배설 장애가 포함되며, 조절-감각 처리 장애에는 배설 문제가 열거되어 있다.

배설 장애는 유분증과 유뇨증을 포함한다. 구별은 '선천성' 형태(소변 또는 대변 조절에 대한 숙달이 한 번도 이루어지지 않은)와 '추천성' 형태(통달이 달성되었지만 나중에 상실되는) 사이에 이루어진다. 감각 반응성(예: 저근육 톤)이나 순서 또는 운동 계획 과제에 취약한 아동이나 과잉 반응 또는 더 큰 감각 자극을 갈망하는 아동은 배설을 통달하는 데 지연될 수 있다. 정동으로 인해 갈등을 겪는 어린 아이들(통제력, 공격성, 수치심 및/또는 죄책감, 불안 및/또는 불충분한 느낌 포함) 또한 숙달하는 데 지연될 수 있다. 그러한 아이들의 경우, 억제(대변 및/또는 소변)의 에피소드가 발생할 수 있으며, 결과적으로 통제하지 못하는 에피소드일 수도 있다. 양육자와의 관계에서 갈등이 관찰되는 경우가 많다. 그러한 충돌은 배설 장애의 원인이 되었을 수 있고/또는 그것에 반응할 수도 있다.

일차적인 유분증이나 유뇨증이 잠복기나 아동기 중반으로 확장될 때, 조절-감각 처리 문제가 기여하는 것으로 느껴지는 경우에도, 인내하고, 이해 및 공감을 주기 위해 부모와 협력하면 도움이 될 수 있다. 부모들과 함께 작업하는 중요한 이유는 부모들과 배설 장애를 가진 아이들 사이의 역동적인 문제들이 더 심해질 수 있기 때문이다. 부모의 좌절과 분노의 표현은 아이들의 자존감을 떨어뜨리는 데 기여할 수 있지만, 그들은 또한 관심의 형태로 약간의 이차적인 만족을 제공할 수도 있다.

부모와 함께 작업하는 것은 이전의 방광과 배변이 숙달된 아이의 배설 장애가 나타나는 상황에서 똑같이 중요하다. 이러한 후천적 배설 장애에서 신체적 또는 의학적 원인을 배제하고 트라우마를 확인하는 것이 중요하다. 그러한 촉발인자를 제거할 수 있는 경우, 유분증이나 유뇨증 증상의 출현은 아이 내부의 발달학적 갈등(흔히 무의식적인) 및/또는 아이 환경 내의 갈등(결혼/부모의 불협화음, 불리, 상실, 애동 등 삶의 환경의 변화)에 대한 퇴행적인 대응으로 이해될 수 있다. 후천적 형태의 배설 장애(특히 유뇨증)는 야행성이 더 빈번하다. 후천적 유분증은 종종 '흙'의 형태를 취하는데, 이것은 옷에 대변에 얼룩이 생기게 하며 또한 직장으로 다시 끌어 올 수 있는 소량의 대변이 간헐적으로 방출되기 때문이다. 이 패턴은 아동의 양면성을 상징하거나 정동과 충동성, 특히 공격성을 둘러싼 갈등과 관련이 있을 수 있다.

유분증과 유뇨증 모두 어린 아이들에게서 더 흔하고 나이가 들수록 빈도가 꾸준히 줄어든다. 어린 나이일수록 자연 치유 사례들이 더 자주 보고되고 있다. 모든 연령대에서, 남성은 여성보다 더 자주 진단되며, 남성에게서 과다행동증을 동반한 유뇨증 발생이 확인되었다.

SC123.1 유분증(Encopresis)

배설 장애에 대한 7장 부분에서 유분증에 대한 설명을 참조하라.

SC123.2 유뇨증(Enuresis)

배설 장애에 대한 7장 부분에서 유뇨증에 대한 설명을 참조하라.

SC124 수면-각성 장애(Sleep-Wake disorders)

수면장애는 유아기와 아동기에 흔하다. 많은 요인들이 건강한 수면 패턴의 확립에 문제를 일으킬 수 있다. 수면 장애는 다양한 스트레스로 인해 발생할 수 있으며 애착 및 분리의 어려움을 반영할 수도 있다. 외상, 불안, 우울증, 그리고 다른 변화에 대한 적응 또한 원인이 될 수 있다. 자기 조절 문제와 함께 감각 과민성은 때때로 수면 장애의 구성요소들이다. 심리사회적 고려사항, 특히 가족 역동과 수면과 관련된 가족문화는 수면문제에서 더 큰 요소가 될 수 있다. 수면장애는 꽤 주관적일 수 있다.

자주 보이는 세 가지 형태의 수면 장애는 불면증, 악몽, 그리고 나이트 테러이다. 각각의 어려움은 어린이에게 드러나는 다른 문제의 일부일 수 있다. 이러한 어려움은 종종 드러나는 그림의 일부가 아니며 부모 또는 자녀와의 임상 인터뷰 동안만 드러난다. 그러한 장애는 일반적으로 다양한 영역에서 기능 저하를 초래하며, 낮 동안의 나쁜 행동, 불안, 우울증과 관련이 있다.

불면증(Insomnia)

불면증은 다양한 방법으로 표현될 수 있다. 아이는 잠에 들거나 잠을 유지하는 데 어려움을 겪을 수 있다. 다시 잠들지 않고 이른 아침에 일어나는 것은 문제가 될 수 있다. 아이들은 종종 부모님 침실로 가서 잠을 청한다. 다시 말하지만, 이러한 어려움은 다소 주관적일 수 있다. 가족 문화와 낮 동안 기능에서의 간섭과 같은 요소들은 장애의 존재 여부를 결정하는 데 있어서 적절한 고려사항이다. 불면증은 며칠 밤 동안 지속될 수 있고 스스로 제한되어 호전되거나 장기적으로 지속될 수 있다.

악몽(Nightmares)

악몽은 생생하게 경험하고 기억하는 강렬한 꿈을 반복적으로 발생하는 것을 포함하며, 보통 사람의 생존이나 육체적 온전함에 대한 위협을 포함한다. 어린이는 보통 깨어난 후 정신을 빠르게, 바짝 차린다.

나이트 테러(Sleep terror disorders/Night terrors)

나이트 테러는 일반적으로 3세에서 12세 사이의 아이들에게 발생한다. 그것들은 보통 늦은 밤 수면 주기에 일어난다. 나이트 테러는 잘 기억되지 않는다는 점에서 악몽과 구분되며, 그 경험을 할 때 꿈에서 종종 깨어나지 못한다. 이러한 일화들은 아이가 잠든 동안 극심한 공포와 울음으로 특징지어질 수 있다. 높아진 심박수와 확장된 동공은 나이트 테러 때 일어나는 일반적인 신체적 반응이다. 나이트 테러가 가족들에게 꽤 두려울 수도 있지만, 그것들이 본질적으로 해로운 사건은 아니다. 스트레스성 삶의 사건, 수면 부족, 열, 약물이 그 발생에 기여할 수 있다.

SC125 애착장애(Attachment disorders)

애착 장애는 뚜렷한 적응의 어려움을 나타낸다. 즉, 자신 및 사회 발달의 핵심적 결손에 의해 뒷받침되는 문제적 행동으로서, 비인간적인 제도적 양육 또는 만성적인 학대 환경의 맥락에서 성장하거나 이러부터 제거되는 아이들에게 특정적으로 보인다. 애착 장애의 문제되는 행동 특성은 예상 가능한 평균 환경으로부터 극단적으로 벗어난 반응으로 가정한다. 대부분의 제도적 양육(보육, 높은 어린이 대 양육자 비율, 다중 이동 및 양육자의 빈번한 변화)은 안정적인 보호자와의 상호 작용을 자녀에게 빼앗고 구조적인 방치를 수반한다. 많은 연구들이 고아원에서 자라는 아이들이 신체적, 사회적, 그리고 인지적 개발을 포함한 다양한 기능의 영역에서 위험에 처해 있다는 것을 보여주었다.

조기 보육 후 가정에 입양된 아동의 증가율은 광범위하게 연구되었으며, 메타 분석 검토가 발표되었다(Juer & van IJzendoorn, 2009; van IJzendoorn & Juer, 2006). 그 결과 적절한 영양과 자극을 받은 후 6개월 이내에 정상적인 성장 곡선에 자리를 잡게 되었다. 발달상 따라잡는 것은 전형적으로 인지 영역에서 더 오래 걸리며, 교육기관에서 입양된 실질적인 아동 집단에서 몇 년 동안 명백한 언어 및 인지 지연이 있다.

반응성 애착 장애(RAD)에 대한 DSM-IV-R(미국정신학회, 2000년) 기준은 다음과 같이 규정하였다.

- 범발달 장애와 구별되어야 한다.
- 학대 또는 빈곤한 아동 양육과 관련하여 발생할 가능성이 높다.
- 5세 전에 발병한다.
- 현저하게 방해를 받고 발달적으로 부적절한 사회적 관련성을 포함한다.

RAD는 억제형과 비억제형 두 개의 하위 유형으로 나뉜다. 억제 하위 유형은 과민성, 과도하게 억제된, 매우 양가적인, 애착 대상에 대한 상반된 반응으로 특징지어졌다. 비억제 하 위 유형은 광범위한 애착, 무분별한 사회성 및 적절한 선택적 애착을 할 수 없는 것으로 특징지어지는 아이들을 묘사했다. 이 아이들은 양육자와의 재회 때 가만히 있거나 얼어붙은 채 그 사람 앞에서 감정적으로 겁에 질려 보였다. 그러나 이 아이들은(와해된 애착 유형) 종종 혼자 있거나 혹은 낯선 사람과 함께 있으면 활기차고 즐거워할 것이다. Zeanah와 Gleason (2010)은 DSM-5를 통합하면서 RAD 진단에 대한 변경을 제안했는데, 이는 발병을 시키는 양육과 밀접한 관련이 있음에도 불구하고, 두 개의 개별 신드롬의 독특한 표현 특성, 상관관계, 경과 및 개입에 대한 반응을 구별해야 한다는 것을 나타낸다. 종종 무분별한 친근감을 보이는 것으로 불리는 비억제 타입은 DSES (disinhibited social engagement disorder)라고 하고, 억제형 타입은 RAD의 이름을 유지하였다. 후자의 경우, 신뢰할 수 있고 민감한 양육자가 있는 경우, 아이는 RAD 병명을 가장 잘 사용할 수 있는 것으로 간주되지만, 아이는 선택적 애착을 형성하는 일반적인 반응을 억제하는 것으로 보인다. DSED는 선택적 애착이 있거나 없는 아동에서, 또는 안정된 애착을 가진 아이들 중에서도 발생한다; DSES는 시간이 지남에 따라 좀 더 지속되며 개입을 해도 수정이 안 될 수 있으며, 이로 인해 DSM-5에서 정의하는 RAD와 구별된다.

RAD와 DSED는 대규모 인구 집단에서는 상대적으로 드물지만, 버려진 아이 또는 이전에 보육된 어린이들 사이에서는 흔하다. 비록 이러한 장애의 전반적인 발생률이 전체 인구의 1% 미만이지만, 이 수치는 일관되고 민감한 조기 치료를 근본적으로 박탈당한, 제도화된 아이들을 연구할 때 40% 이상으로 급증한다.

임상 양상(Clinical Illustration)

Case 1: Reactive Attachment Disorder

수잔은 그녀의 부모님이 도움을 청했을 때 3살이었다. 그녀의 부모에 따르면, 그녀는 18개월 때 남미에서 입양되었으며, 잘 운영되는 고아원에서 보살핌을 받아왔다. 그녀의 부모는 헌신적이고 딸의 발전에 투자했다. 그들은 수잔을 느긋하고, 잘 먹고 잘 잤으며, 사회 활동을 즐기는 것으로 묘사했다. 하지만, 그들은 또한 그녀를 "때때로 침울하거나 뚜렷한 이유 없이 짜증을 낸다"고 묘사했다. 부모가 그녀를 위로하려 했을 때, 그녀는 혼자 있는 것을 더 좋아하는 듯 보였고 그들의 시도에 저항했다. 그들은 그녀가 혼자 있고 싶어 하는 것 같은 것을 따르는 경향이 있었고, 그들이 그녀의 의도를 따른다면 그녀가 결국 더 편안함을 느끼고 그들의 보살핌을 더 잘 받아들이기를 바랐다. 치료를 요하는 즉각적인 힘든 부분은 수잔이 보육원에 적응하는 데 어려움을 겪었고, 그 곳에서 직원들은 수잔을 '고독한 아이'라고 묘사했다. 실제로 수잔을 만났을 때, 그녀가 마치 임가의 모든 행동을 관찰한 축소판 성인인 것처럼 느껴져서 상호불안을 초래했다. 치료는 그녀의 놀이를 가까이서 지켜보면서 치료의 관계를 맺는 데 초점을 맞췄는데, 대부분 엄마들과 아기들의 주제를 포함하고 있었다. 시간이 흐르면서 그녀는 고통스러웠을 때 부모에게 의지할 수 있었지만, 계속해서 극도로 예민한 태도를 보였다 그녀는 성인들로부터의 도움이나 보호를 찾는 것이 여전히 제한적이었다.

Case 2: Disinhibited Social Disengagement Disorder

칼은 3살 때 아시아 출신의 한 소녀와 소년을 입양한 적이 있는 한 부부가 입양한, 6살 소년이었다. 칼의 부모는 그를 100명에 가까운 아이들 사이에서 "눈빛이 빛나고 미소를 짓는" 돋보이는 고아원의 아이로 묘사했다. 칼은 6개월 때 고아원에 들어왔는데, 약물남용을 하는 십대 어머니가 그를 양육하기엔 적합하지 않았기 때문이다. 그의 부모가 그를 집으로 데려왔을 때, 그들은 그가 입양된 형제들 및 특히 조부모님과 가까운 관계를 맺으면서 얼마나 쉽게 적응했는지에 놀랐다. 그러나 그의 부모에 따르면 그의 행동은 지나치게 고분고분했던 것에서 '창조적으로 불친절'한 것(좌절되었을 때)으로 바뀌었다고 한다. 그의 친구들과의 우정은 매우 가깝고 빠르게 형성된 관계 및 이후 사라지는 것에 의해 특징지어졌고, 칼은 왜 아무도 그와 함께 놀고 싶어 하지 않는지 당혹스러워 했다. 인지 평가에서 그는 평균 이상의 범위에서 수행했지만, 점수는 눈에 띄게 고르지 않았다. 그는 특히 웩슬러 토막짜기에서 높은 점수를 받았고, 이해력 항목에서는 점수가 훨씬 낮았다. 치료에서 칼을 놀이(대부분의 경우 동물 형상과

소형 자동차로)에 참여시키는 것은 처음에는 쉬웠고, 잘 조직화되어 있었다. 그러나 그의 놀이는 다소 구체적이었고, 심지어 평소 위치에서 옮기는 것에서도 관계의 의미를 다루려는 시도들은 종종 거절당했다. 그는 세션을 종료하거나 치료사에게 작별인사를 하는 데 어려움을 겪었다. 치료는 천천히 진행되었으며, 칼이 놀이나 활동에서 선두를 지키는 데 더 많은 노력을 투자하기 시작한 그의 아버지와의 관계에 있어서 주로 미묘한 변화를 보였다.

SC126 자폐 스펙트럼 장애(Autism Spectrum Disorders)

SC126.1 자폐증(Autism)

자폐증은 사회적 관계, 언어와 의사소통, 인지, 감각과 운동기능을 포함한 아동 발달의 모든 분야에 광범위하게 영향을 미치는 발달 장애다. 이 장애의 심각성은 사고, 관계, 의사소통에 미치는 영향에 따라 크게 달라진다. 인격 차이도 꽤 뚜렷하다.

사회적 관계의 결함과 제한된 관심 범위가 이 진단 그룹의 특징이다. 제한된 관심 영역에서 반복적 행동은 흔하다. 이 범주는 DSM-5가 자폐증 스펙트럼 장애라고 부르는 것을 포함하여 이전에 범발달 장애로 분류되었던 것 전체 범위를 포함한다.

스펙트럼의 한쪽 끝에는 의존적이고, 관심과 상호 작용을 위한 역량이 거의 없고, 종종 '자신의 세상'에 있는 것처럼 보이는 아이들이 있다. 그들은 그들을 참여시키려는 시도에 응 답하지 않는 것처럼 보인다. 지능과 적응 능력이 크게 저하되고, IQ 점수가 70점 미만이고, 자기 관리 능력이 매우 떨어지는 경우가 많다. 정서적 표현은 무덤덤할 수 있다 그들은 느리게 움직이고 그들의 관심을 끈기있게 유지한다. 이 아이들은 학교 환경에서 아이들을 관리하는 데 도움을 주기 위해 개인 보조자과 함께 지속적이고 고도로 전문화된 행동과 교육 프로그램을 필요로 할 것이다. 발전은 매우 느리고, 장기간의 예후는 좋지 않다.

스펙트럼의 다른 쪽 끝에는 DSM-IV가 아스퍼거 장애라고 칭한 것과 우리가 아스퍼거 증후군이라고 부르는 것이 있다. 그들의 전반적인 기능은 많은 동일한 영역에서 약화되지만, 정상 기능과는 크게 다르지 않다. 자폐 스펙트럼과 다른 사람과 구별하는 것은 그들의 온전한 지능과 상당히 우회적인(예: 어조, 톤, 미묘함을 놓침) 의사소통의 어려움의 성격이며, 이는 전형적인 같은 나이의 아동보다 훨씬 제한적이다.

아스퍼거 증후군으로 진단된 아이들은 종종 '괴이한' 또는 '변덕스러운'으로 묘사된다. 그들은 전형적으로 친구가 있고 종종 어른들과 좋은 관계를 맺지만, 상호 관계에 필수적인 비언어적 수화를 포함한 많은 사회적 단서들을 놓친다. 하지만 많은 사람들은 결국 어른이 되어 스스로 일하고 생활하면서 상당히 독립적으로 기능할 수 있다.

비록 정신적 충격과 스트레스를 포함한 환경도 관련이 있지만, 이 범주의 모든 장애는 중요한 생물학적 및 타고난 기원을 가진 것으로 생각된다. 감각 및 운동 기능이 크게 저하되고, 이러한 어린이들 중 많은 수가 촉각 및 기타 감각 민감도를 포함하여 언어 지연(또는 억제)과 감각운동 통합에 어려움을 겪고 있다. 그들은 때때로 자극을 갈망한다; 다른 때에는 그들은 자극에 전혀 반응하지 않는 것처럼 보인다.

DSM-5는 별도의 진단으로서 아스퍼거 장애를 제거했다. 그러나 출판 전후에 광범위한 메타 분석(Kulage, Smaldone, & Cohn, 2014; Tsai, 2013; Tsai & Ghaziuddin, 2014)을 포함한 상당한 연구는 아스퍼거의 장애/아스퍼거 증후군과 고기능의 자폐증(High-functioning autism, HFA) 사이의 구분이 실제적이고 측정 가능하며 유효하다고 제시하였다.

연구원들은 고기능 자폐를 가진 사람들과 아스퍼거 증후군을 가진 사람들을 구별할 수 있는 양적, 질적 방법을 모두 연구했다. 많은 사람들이 아스퍼거 증후군의 초기 언어 지연의 부족을 언급했다; 하지만 그러한 지연은 고기능 자폐에서도 존재하고 중요하다. Noterdaeme, Wriedt, and Höne (2010) 등은 아스퍼거 증후군에서 언어 IQ가 더 높다는 지적도 나왔다. Woodbury- Smith and Volkmar (2009)는 아스퍼거 증후군에서 다른 수행 IQ와 비교했을 때 우수한 언어 IQ의 일관된 패턴을 강조했으며 고기능 자폐에서는 이것이 바뀐 패턴이라 했다. 대신 아스퍼거 증후군의 언어성 및 동작성 IQ 사이의 관계는 비언어적 학습 장애에서 관찰된 것과 매우 유사하다. 마지막으로, 두 개의 진단을 구분하기 위해 Behavior Rating Inventory of Executive Function (BRIEF)를 사용해 실행 기능을 연구하였다(Blijd-Hoogewys, Bezemer, and van Geert, 2014). 이 연구는 빠짐없이 조사하지는 않았다.

사회/의사소통 영역은 상당한 탐색을 보였으며, 일부 연구는 고기능 자폐의 사회적 고립과 대조적으로 아스퍼거 증후군에서의 더 큰 사회적 탐색 행동을 강조한다. 아스퍼거 증후군을 가진 아이들은 사회적으로 서툴 수 있지만, 그들은 고기능 자폐를 가진 아이들보다 사회적 관계에 훨씬 더 관심이 있는 경향이 있다 사실, 몇몇은 아스퍼거 증후군을 사회적 동기가 있는 자폐로 특징지었다. 주제 관리, 시선 관리, 억양 및 상호성과 같은 변수를 포함한 대화 패턴이 연구되었다.

현재의 연구는 분명하지 않지만, 아스퍼거 진단을 없애기는 아직 이르다. 그것은 상당한 표면적 타당성을 가지고 있다. 기존의 연구는 일관성 없는 정의와 진단 절차, 작은 표본 크기 및 순환 논리에 의해 방해를 받았다. 이 시점에서 아스퍼거 증후군을 다양한 차원이 추가 연구와 설명을 할 가치가 있는 유효한 진단 개체로 취급하는 것이 이치에 맞는다.

임상 양상(Clinical Illustration)

6살 소년은 3살 때 발달 소아과 의사로부터 자폐증으로 진단받았다. 그가 업데이트 평가에 참가했을 때, 그는 고개를 숙인 채 조심스럽게 검사자에게 다가갔다. 그의 정동은 무덤덤했고, 그의 얼굴에는 어떤 표현도 없었다. 그는 눈을 마주치지 않았다. 그러나 그는 주저하지 않고 검사실에 들어갔다. 그는 검사자의 요청에 간헐적으로 응했지만, 상호 작용에 대한 자기 주도적인 관심이 없었다. 때때로, 그의 대답이 부족해서 그는 그 질문을 듣지 못한 것처럼 보였다. 그는 활동적이고, 안절부절못하며, 때때로 자신을 자극하였다. 손뼉치는 소리가 두드러졌다. 그의 전반적인 수행은 아동 웩슬러 지능지수의 유효한 적용을 불가능하게 만들었다. 그의 놀이는 목적이 없고 무작위인 것처럼 보였다.

그의 발달 병력은 언어, 운동 기능, 사회적 상호 작용에 있어 상당한 지연으로 특징지어졌다. 그는 4살까지 눈도 마주치지 않았고 이해할 수 있는 말들도 없었고, 전반적인 운동 발달 이정표도 모두 상당히 지연되었다. 그의 걸음걸이는 어색했고 점프, 줄넘기, 깡충깡충 뛰기와 같은 단순한 총동력 운동에 서툴러 보였다. 운동 순서 및 계획이 명백히 손상되었다. 때때로 그는 감각적으로 반응이 없는 것처럼 보였고, 다른 때에는 감각 자극을 찾는 것 같았다. 그는 달래기가 어려웠다. 그는 발표 및 언어치료, 직업치료, 응용행동분석 등을 포함한 지역 공공 서비스부터 3가지 프로그램에 이르기까지 가정에서 서비스를 받았다. 그는 결국 학교에 의해 평가되어 전문 유치원 프로그램에 배치되었고, 그 후 유치원 특별 프로그램에 등록되었다. 그는 교실에서 그와 일대일 보좌관을 두었고, 그 밖의 다른 학교 시설들은 그의 학교생활 내내 계속될 것으로 예상되었다.

SC126.2 아스퍼거 증후군(Asperger syndrome)

위에서 언급했듯이, 아스퍼거 증후군으로 진단된 사람들은 종종 '괴이한' 또는 '변덕스러운'으로 묘사된다. 사회적 관계와 의사소통에 있어서 그들의 어려움은 존재하며 명백하지만, 고기능 자폐에서 보이는 것보다 더 미묘하다. 이 아이들은 친구가 있을 수 있고 종종 어른들과 잘 지내지만, 상호 간의 사회적 상호작용에 필수적인 많은 사회적 단서들을 놓친다. 이러한 개인들 중 많은 수가 스스로 일하고 생활하는 면에서 성인으로서 꽤 독립적으로 일할 수 있을 것이다. 다시, 비록 DSM-5가 아스퍼거 장애를 별도의 진단에서 제거했지만, 우리는 그것이 고기능 자폐와 구별되는 실체로서 현실적이고, 측정가능하며, 타당하다고 느낀다. 자세한 내용은 위의 고기능 자폐 대 아스퍼거 증후군에 대한 논의를 참조하라.

임상 양상(Clinical Illustration)

6살 소년은 미소지으며 검사자를 맞이했고, 어머니로부터 떨어져 평가실로 들어가는 데 어려움이 없었다. 사실, 그는 그 분리를 거의 눈치채지 못했다. 그는 불규칙한 눈맞춤을 했고, 적어도 표면적으로는 개인적으로도 관련이 있는 것처럼 보였다. 그는 수다스럽고 약간 불안해 보였다. 그의 지능 및 발달 평가 점수는 대부분 평균에 달했다. 언어 지능은 비언어적 지능보다 더 높았다. 그는 노래를 부르는 목소리로 말했다.

그는 검사자의 지시와 제안에 반응했지만, 외부의 개입을 추구하거나 환영하지 않는 것 같았다. 그의 놀이는 활발했고, 그는 혼자 하는 것이 더할 나위 없이 행복했다. 대체로 그의 기분은 쾌활했다. 그는 상호 관계와 관련된 비언어적인 신호를 보여주었지만, 의미 있는 방법으로 지속적인 대화를 지속할 수 없었다. 대화는 빠르게 독백으로 악화되었다. 이 평가 동안 그는 자동차, 동물, 요리 용품을 포함한 다양한 물건들을 가지고 놀았다. 그는 잠시 동안 놀이 재료를 계속 사용할 수 있었고 너무 산만해 보이지 않았다. 그의 활동은 일반적으로 자료를 정리하는 것이었다. 예를 들어, 그는 차들을 일렬로 세우고, 정렬한 것을 분해한 다음, 의식적이고 끈질긴 태도로 다시 정렬했다. 그는 자신의 놀이에서 그 차들을 상징적으로 사용하지 않았다.

그의 발달 병력은 일상적이고 상호적인 사회적 상호작용에 참여하는 제한된 능력으로 특징지어졌다. 그는 감정이입을 거의 보이지 않았고, 자신이 다른 사람들에게 미치는 영향에 대해 모르는 것처럼 보였다. 그는 소리와 촉감에 과민반응하고 매우 활동적이라고 묘사되었다. 그는 근력이 약했다. 그는 차를 줄세우면서 자기 자극적인 소리를 냈다. 그는 그의 일상의 변화를 싫어했다. 부모는 그에 대하 특정 사실에 대한 기억이 주목할 만한 사실이라는 것을 알았다. 그의 특이한 행동 때문에 소아과 의사는 그에게 조기 개입을 요구했다. 그는 가정 내에서 지속적인 서비스를 받았고 결국 발달 소아과 의사로부터 아스퍼거 증후군을 가지고 있다는 진단을 받았다.

계속적인 도움과 함께, 그 소년은 덜 별난 것처럼 보이기 시작했지만, 전혀 이상한 행동이 없는 것은 아니었다. 그는 눈을 더 잘 마주쳤고, 더 긴 사회적 상호작용을 유지할 수 있었고, 자동차 브랜드와 모델 분야의 전문가가 되었다. 그는 표면적으로는 친구와 적절하게 관계를 맺고 정규 교실에서 공부를 잘했다. 주말에 그는 놀이 친구 상대를 거의 하지 않았고 그런 것에 관심을 보이지 않았다.

SCApp 임상적 주의를 필요로하는 심리적 경험(Appendix: Psychological experiences that may require clinical attention)

인구통계학적 소수 집단과 관련된 이슈는 3장(pp. 201~204)를 참조하라.

SCApp3 젠더 부조화(Gender incongruence)

어린 시절 조기 발병한 젠더 부조화는 사춘기와 성인기에 처음 나타나는 젠더 부조화와 다르다. 젠더 부조화를 가진 대부분의 아이들은 트랜스젠더(transgender)로 자라지 않는다. 대부분의 아이들은 동성애자(gay), 양성애자(bisexual), 시스젠더(cisgender)로 자란다. 몇몇은 이성애자, 시스젠더가 될 수도 있다. 아동 성 불편증(gender dysphoria) 문제가 청소년기에까지 계속되면, 개인은 사춘기 억압을 받고 나중에는 호르몬과 외과적 치료를 받을 수 있다. 어떤 경우에는 사춘기 억압 후 젠더 부조화가 생기고, 치료가 중단되며, 아이가 사춘기를 지연시키는 경우가 있다. 늦게 발병하는 (청소년) 젠더 부조화는 그만둘 가능성이 낮다; 성 재배치는 종종 선택적 치료다.

젠더 부조화 명칭은 논란이 되고 있으며, 어린 시절에는 더욱 그러하다. 청소년 및 성인 진단을 유지하자는 것에 대해 의료 전문가들 사이에서는 거의 보편적인 지지가 있지만, 어린이 진단 유지에 관한 의견은 분분하다. 어떤 이들은 젠더 부조화나 성 다양성은 정신질환이 아니며 과거에 동성애였던 것처럼 모든 성 진단은 삭제되어야 한다고 주장한다. 이 입장은 진단이 아이들에게 불필요하게 낙인을 찍거나 의학적 필요를 충족시키지 못하는 것으로 간주한다. 아동 진단 유지에 찬성하는 사람들은 젠더 부조화 아이들은 의학적 치료가 필요하지 않지만, 그들과 그들의 가족은 종종 정신 건강 전문가들로부터 상당한 심리사회적 지원을 필요로 한다고 주장한다.

사춘기 이전의 아이들을 젠더 부조화로 치료하는 임상적 접근법도 논란이 되고 있으며, 특정 병원의 프로토콜과 아이 부모의 희망에 따라 다를 수 있다. 한 가지 전통적인 접근법은 성 별의 비일관성에 대한 불쾌감을 줄이고 교차-성 행동과 정체성을 감소시키기 위해 어린이와 보호자와 협력하는 것을 포함한다. 이는 부조화가 청소년기에까지 지속될 가능성을 감소시키며 사회적 낙인과 호르몬 및 수술의 위험성과 미용 때문에 바람직하지 않은 결과로 간주되는 성인 성전환증을 감소시킨다. 많은 아이들의 젠더 부조화를 개입하지 않고 혐오하기 때문에, 이 접근법에 반대하는 사람들은 그러한 치료가 지속성의 비율을 줄이고 성전환 성관계를 예방한다는 경험적 증거가 없다고 말한다. 그들은 그것을 성인들의 동성애를 바꾸거나 '동성애 이전' 아동들의 동성애를 막으려는 노력을 뜻하는 용어인 '회복 치료법 (reparative therapy)' 에 비유한다.

네덜란드인에 의해 개척된 대안적 접근법은 젠더 부조화나 성별에 전형적인 행동을 줄이기 위한 직접적인 노력을 기울이지 않는다. 유년기에 진단된 부조화는 보통 청소년기에 지속되지 않고, 어떤 아이가 지속할 것인지 예측할 수 있는 믿을 만한 지표가 없기 때문에, 성 정체성 결과에 관한 치료적 목표는 없다. 성 정체성의 발달 궤도는 어느 누구도 특정 결과를 추구하거나 장려하지 않고 자연스럽게 전개될 수 있다. 사춘기 억제(puberty suppression)는 임박한 신체 변화에 대해 불안해하는 아이들에게 제공되지만, 완전한 사회적 변화는 사춘기로 억압 된 아이의 젠더 부조화가 지속된 후에만 이루어진다. 이 접근방식을 비판하는 사람들은 그것이 어린 시절에 사회적 변화를 허용하지 않았다고 비난했다.

세 번째 접근법은 원하지 않는 이차 성 특성의 발달을 억제하기 위해 사춘기의 내분비적 치료 선택과 함께, 교차되는 역할로 전환함으로써 어린이의 교차 성 정체성을 확인한다. 이 접근법은 아이들을 단순히 성별의 변종이라고 부르도록 진단하는 것을 막는다. 찬성론자들은, 이러한 변화가 전적으로 사회적 수준에서 그리고 의학적 개입 없이 이루어지기 때문에, 이 변화가 부조화를 방지한다면, 원래 할당된 성별으로 되돌아갈 수 있다고 가정한다. 비평가들은 어린 시절에 성전환을 지원하는 것은 지속 가능성과 의학 치료의 평생의 가능성을 증가시키고, 또한 모순이 없는 아이의 선천적인 성으로 다시 돌아가는 것의 복잡성을 줄였다고 믿는다.

DSM-IV-TR에서, 성적 발달장애를 갖는 것은 성 정체성 장애 진단(예전에 불리었던)을 만들기 위한 배제 기준이었다. 반대로, DSM-5는 일부 중간 간성(intersex) 아이들이 현재 성불편증(gender dysphoria)이라고 부르는 것을 발달시킨다는 것을 인식하고 있다 그것은 불편증과 성 발달 장애를 가진 환자들을 위한 다섯 번째 숫자 지정을 추가했다.

젠더 부조화 아동에서의 주관적 경험

젠더 부조화는 주관적으로 경험하는 개인의 성과 출생(타고난) 성 사이의 뚜렷하고 지속적인 일치의 결여로 특징지어진다. 일부 아동은 2세부터 할당된 성별을 거부한다. DSM-5는 어린 시절의 성불편증을 진단하기 위해 8가지 기준 A 증상 중 6개를 요구한다. 예를 들어, 다른 성별이 되기를 강력히 원하거나 다른 성별이라고 선언하는 것을 포함한다. 이 A1 요건은 성별에 문제가 있는 아동과 다른 성별의 어린이와 관련된 장난감과 활동을 선호하거나 다른 성별 놀이를 가지고 노는 것과 같이 단지 성별에 맞지 않는 관심사를 가진 아이들을 구별하기 위한 것이다.

정서 상태(Affective States)

정서 상태에는 불안하고 우울한 기분이 포함되는데, 다른 성으로 놀거나 자신을 식별하려는 노력에 대한 좌절감에서 비롯된다. 성 정체성 클리닉에서 아이들의 혼합된 불안과 우울을 평가하는 것이 일반적인 관행이다. 아이가 경험되는 성별로 표현할 수 없으면 아동의 신체나 외부 요인 또는 성 표현을 방해하는 것으로 보이는 사람에 대한 분노로 이어질 수 있다. 아이들은 일반적으로 자신이 경험하는 성을 표현하는 것을 사적이거나 공개적으로 허용될 때 만족감과 기쁨을 보고한다.

사고 및 환상(Thoughts and Fantasies)

인지 패턴은 성에 대한 선입견, 강박관념에 대한 경계를 포함한다. 어린 아이들은 언어적으로 신체적 불쾌감을 표현할 가능성이 적다. 자폐 스펙트럼 장애는 젠더 부조화 아이들에게 나타날 수 있다.

신체 상태(Somatic States)

신체 상태는 선천적인 신체에 대한 불편함으로 특징지어진다. 단지 소수의 어린 아이들만이 공개적으로 그들의 성적 해부학에 대해 불편함을 표현하거나 그들의 성별을 바꾸고 싶다고 말한다. 젠더 부조화의 표현은 좀 더 흔한 행동이다. 예를 들어, 선천적인 소년들은 앉아서 오줌을 누는 것을 고집할 수 있다. 반면에 타고난 여성들은 서서 소변을 볼 수 있다.

관계 패턴(Relationship Patterns)

관계 패턴은 다양하다. 아이들은 그들 자신이 경험하는 성과 또래 친구들이 성에 대해 기대하는 것을 균형을 맞추려고 노력하면서 사회적 어려움에 직면할 수도 있다. 비전형적인 성에 대한 관심은 사회적 고립으로 이어질 수 있다.

임상 양상(Clinical Illustration)

건강하며 성적 발달에 아무런 지장이 없는 4살 난 남자 아이는 2살 때부터 어머니의 보석과 신발을 신어왔다. 그는 종종 치마로 타월을 입었고 손톱에 크레용을 칠했다. 그렇게 하지 말라고 하면 그는 울면서 위축되었다. 그는 여자들과 노는 것을 더 좋아했고 남자아이들과 거칠게 노는 것을 피했다. 아버지는 그의 다른 성에 대한 흥미를 단념시켰다. 어머니는 이것을 무해하고 지나가는 단계로 보았다. 그녀는 그가 게이로 자랄 수 있다고 생각했지만, 그것은 그녀에게 문제가 아니었다. 소년이 소변을 보는 동안 자신의 성기를 숨기고 계속해서 앉아 있겠다고 고집하자, '적절한' 반응에 대한 부모의 긴장이 고조되었다. 그들은 온라인에서 다양한 임상적 접근법을 연구했고 소아과 의사와 논의했다. 둘 중 어느 쪽도 아이가 여자로 변하게 하고 싶지 않았다. 아버지는 다른 성에 대한 흥미를 저하시키는 병원과 상담하는 것을 선호했지만, 그는 아내의 더 관대한 길을 따랐고, 그것은 그들이 사회적 전환 없이 아이의 다른 성에 대한 관심사를 받아들이도록 도울 것이다.

표 6.2. 아이들에서 PDM-2 및 ICD-10/DSM-5 진단 기준의 일치

<table>
<tr><th colspan="2">PDM-2</th></tr>
<tr><td colspan="2">SC0 Healthy responses
SC01 Developmental crises
SC02 Situational crises</td></tr>
<tr><th colspan="2">PDM-2</th></tr>
<tr><td colspan="2">SC2 Mood disorders
SC22 Depressive disorders
SC24 Bipolar disorder
SC27 Suicidality
SC29 Prolonged mourning/grief reaction</td></tr>
<tr><td>ICD-10</td><td>DSM-5</td></tr>
<tr><td>F30-39. Mood (affective) disorders
F32. Depressive episode
F33. Recurrent depressive disorder
F34. Persistent mood [affective] disorders
F31. Bipolar affective disorder
F92.0. Depressive conduct disorder
NB: Depressive conduct disorder is included in F90-98. Behavioral and emotional disorders with onset usually occurring in childhood and adolescence.</td><td>Depressive disorders
F32. Major depressive disorder
F34.1. Persistent depressive disorder (dysthymia)
F34.8. Disruptive mood dysregulation disorder
Bipolar and related disorders
Conditions for further study. Suicidal behavior disorder
Conditions for further study. Persistent complex bereavement disorder</td></tr>
<tr><th colspan="2">PDM-2</th></tr>
<tr><td colspan="2">SC3 Disorders related primarily to anxiety
SC31 Anxiety disorders
SC31.1 Phobias
SC32 Obsessive-compulsive and related disorders
SC32.1 Obsessive-compulsive disorder</td></tr>
<tr><td>ICD-10</td><td>DSM-5</td></tr>
<tr><td>F40-48. Neurotic, stress-related, and somatoform disorders
F41.1. Generalized anxiety disorder
F42. Obsessive-compulsive disorder
F93.1. Phobic anxiety disorder of childhood
NB: Phobic anxiety disorder of childhood is included in F90-98. Behavioral and emotional disorders with onset usually occurring in childhood and adolescence.</td><td>Anxiety disorders
F41.1. Generalized anxiety disorder
F40.2x. Specific phobias
Obsessive-compulsive and related disorders
F42. Obsessive-compulsive disorder</td></tr>
<tr><th colspan="2">PDM-2</th></tr>
<tr><td colspan="2">SC4 Event- and stressor-related disorders
SC41 Trauma- and stressor-related disorders
SC41.1 Adjustment disorders (other than developmental)</td></tr>
<tr><td>ICD-10</td><td>DSM-5</td></tr>
<tr><td>F43. Reaction to severe stress, and adjustment disorders
F43.1. Posttraumatic stress disorder
F43.2 Adjustment disorders</td><td>Trauma- and stressor-related disorders
F43.1. Posttraumatic stress disorder (includes posttraumatic stress disorder for children 6 years and younger)
F43.2. Adjustment disorders</td></tr>
</table>

표 6.2.(계속)

<table>
<tr><th colspan="2">PDM-2</th></tr>
<tr><td colspan="2">SC5 Somatic symptom and related disorders
SC51 Somatic symptom disorder</td></tr>
<tr><td>ICD-10</td><td>DSM-5</td></tr>
<tr><td>F45. Somatoform disorders
F45.0. Somatization disorder</td><td>Somatic symptom and related disorders
F45.1. Somatic symptom disorder</td></tr>
<tr><th colspan="2">PDM-2</th></tr>
<tr><td colspan="2">SC8 Psychophysiological disorders
SC81 Feeding and eating disorders
SC81.1 Anorexia nervosa
SC81.2 Bulimia nervosa</td></tr>
<tr><td>ICD-10</td><td>DSM-5</td></tr>
<tr><td>F50. Eating disorders
F50.0. Anorexia nervosa
F50.2. Bulimia nervosa</td><td>Feeding and eating disorders
F50.0 - .02. Anorexia nervosa
F50.2. Bulimia nervosa</td></tr>
<tr><th colspan="2">PDM-2</th></tr>
<tr><td colspan="2">SC9 Disruptive behavior disorders
SC91 Conduct disorder
SC92 Oppositional defiant disorder
SC93 Substance-related disorders</td></tr>
<tr><td>ICD-10</td><td>DSM-5</td></tr>
<tr><td>F90 - 98. Behavioral and emotional disorders with onset usually occurring in childhood and adolescence
F91. Conduct disorders
F91.3. Oppositional defiant disorder
F10 - 19. Mental and behavioral disorders due to psychoactive substance use</td><td>Disruptive, impulse-control, and conduct disorders
F91.1. Conduct disorder (childhood-onset type)
F91.3. Oppositional defiant disorder

Substance-related and addictive disorders</td></tr>
<tr><th colspan="2">PDM-2</th></tr>
<tr><td colspan="2">SC11 Disorders of mental functioning
SC111 Motor skills disorders
SC112 Tic disorders
SC113 Psychotic disorders
SC114 Neuropsychological disorders
SC114.1 Visual - spatial processing disorders
SC114.2 Language and auditory processing disorders
SC114.3 Memory impairments
SC114.4 Attention-deficit/hyperactivity disorder
SC114.5 Executive function difficulties
SC114.6 Severe cognitive deficits
SC115 Learning disorders
SC115.1 Reading disorders
SC115.2 Mathematics disorders
SC115.3 Disorders of written expression
SC115.4 Nonverbal learning disabilities
SC115.5 Social-emotional learning disabilities</td></tr>
</table>

표 6.2. (계속)

ICD-10	DSM-5
F82. Specific developmental disorder of motor function	Motor disorders F82. Developmental coordination disorder
F95. Tic disorders F95.1. Chronic motor or vocal tic disorder F95.2. Combined vocal and multiple motor tic disorder (de la Tourette's syndrome)	Tic disorders F95.1. Persistent (chronic) motor or vocal tic disorder F95.2. Tourette's disorder
F20-29. Schizophrenia, schizotypal and delusional disorders	Schizophrenia spectrum and other psychotic disorders
F80. Specific developmental disorders of speech and language F80.0. Specific speech articulation disorder F80.1. Expressive language disorder F80.2. Receptive language disorder	Communication disorders F80.9. Language disorder F80.0. Speech sound disorder
F90.0. Disturbance of activity and attention	F90. Attention-deficit/hyperactivity disorder
F70-79. Mental retardation	F70-79. Intellectual disability (intellectual developmental disorder)
F81. Specific developmental disorders of scholastic skills F81.0. Specific reading disorder F81.2. Specific disorder of arithmetical skills F81.1. Specific spelling disorder	F81. Specific learning disorder F81.0. With impairments in reading F81.2. With impairments in mathematics F81.81. With impairments in written expression

PDM-2
SC12 Developmental disorders SC121 Regulatory disorders SC122 Feeding problems of childhood SC123 Elimination disorders SC123.1 Encopresis SC123.2 Enuresis SC124 Sleep disorders SC125 Attachment disorders SC126 Pervasive developmental disorders SC126.1 Autism SC126.2 Asperger syndrome

ICD-10	DSM-5
F98.2. Feeding disorder of infancy and childhood F98.0. Nonorganic enuresis F98.1. Nonorganic encopresis	F98. Elimination disorders F98.0. Enuresis F98.1. Encopresis
F51. Nonorganic sleep disorders F51.0. Nonorganic insomnia F51.4. Sleep terrors (night terrors) F51.5. Nightmares	Sleep-wake disorders G47.00. Insomnia disorder F51.4. Non-rapid eye movement sleep arousal disorder, sleep terror type F51.5. Nightmare disorder
F94. Disorders of social functioning with onset specific to childhood and adolescence F94.1. Reactive attachment disorder of childhood	Trauma- and stressor-related disorders F94.1. Reactive attachment disorder F94.2. Disinhibited social engagement disorder
F84. Pervasive developmental disorders F84.0. Childhood autism F84.5. Asperger's syndrome F84.8. Other pervasive developmental disorders	F84.0. Autism spectrum disorder

표 6.2.(계속)

PDM-2	
SCApp Appendix: Psychological experiences that may require clinical attention SCApp3 Gender incongruence	
ICD-10	DSM-5
F64.2. Gender identity disorder of childhood	F64.2. Gender dysphoria in children

참고문헌

General Bibliography

American Psychiatric Association. (2000). *Diagnostic and statistical manual of mental disorders* (4th ed., text rev.). Washington, DC: Author.

American Psychiatric Association. (2013). *Diagnostic and statistical manual of mental disorders* (5th ed.). Arlington, VA: Author.

Interdisciplinary Council on Developmental and Learning Disorders (ICDL). (2005). *Diagnostic manual for infancy and early childhood.* Bethesda, MD: Author. Panksepp, J., & Biven, L. (2012). *The archaeology of mind.* New York: Norton.

World Health Organization. (1992). *The ICD 10 classification of mental and behavioural disorders: Clinical descriptions and diagnostic guidelines.* Geneva: Author.

Zero to Three. (2005). *Diagnostic classification of mental health and developmental disorders of infancy and early childhood* (rev. ed.). Washington, DC: Zero to Three Press.

SC0 Healthy Response

Freud, A. (1965). *The writings of Anna Freud: Vol.6 . Normality and pathology in childhood: Assessments of development.* New York: International Universities Press.

Hartmann, H. (1939). Psychoanalysis and the concept of mental health. *International Journal of PsychoAnalysis, 20,* 308-321.

SC2 Mood Disorders

SC22 Depressive Disorders

Barish, K. (2006). On the role of reparative processes in childhood: Pathological development and therapeutic change. *Journal of Infant, Child, and Adolescent Psychotherapy, 5,* 92-110.

Bhardwaj, A., & Goodyer, I. M. (2009). Depression and allied illness in children and adolescents: Basic facts. *Psychoanalytic Psychotherapy, 23,* 176-184. Birmaher, D., & Brent, D. (2007). Practice parameter for the assessment and treatment of children and adolescents with depressive disorders. *Journal of the American Academy of Child and Adolescent Psychiatry, 46,* 1503-1526.

Costello, A., Mustillo, A., Erkanli, A., Keeler, A., & Angold, A. (2003). Prevalence and development of psychiatric disorders in childhood and adolescence.

Archives of General Psychiatry, 60, 837-844. Dunn, I. M., & Goodyer, I. M. (2006). Longitudinal

investigation into childhood and adolescence onset depression: Psychiatric outcome in early adulthood. *British Journal of Psychiatry, 188,* 216-222. NolenHoeksema, S. (2000). The role of rumination in depressive disorders and mixed anxiety/depressive symptoms. *Journal of Abnormal Psychology, 109,* 504-511.

Scourfild, P., Rice, P., Thapar, P., Harold, P., & McGuffin, P. (2003). Depressive symptoms in children and adolescents: Changing etiological influences with development. *Journal of Child Psychology and Psychiatry, 4 4,* 968-976.

SC24 Bipolar Disorders

Adelson, S. (2010). Psychodynamics of hypersexuality in children and adolescents with bipolar disorder. *Journal of the American Academy of Psychoanalysis and Dynamic Psychiatry, 38*(1),27–35.
Akiskal, H. S. (1998). The childhood roots of bipolar disorder. *Journal of Affective Disorders, 51*,75–76.
Axelson, D., Birmaher, B., Strober, M., Gill, M.K.,Valeri, S., Chiappetta, L., . . . Keller, M. (2006). Phenomenology of children and adolescents with bipolar spectrum disorders. *Archives of General Psychiatry, 63*, 1139–1148.
Axelson, D., Findling, R. L., Fristad, M. A., Kowatch, R. A., Youngstram, E. A., Horwitz, S. M., . . . Birmaher, B. (2012). Examining the proposed disruptive mood dysregulation disorder diagnosis in the Longitudinal Assessment of Manic Symptoms Study. *Journal of Clinical Psychiatry, 10*, 1342–1350.
Birmaher, B. (2013). Bipolar disorder in children and adolescents. *Child and Adolescent Mental Health,18*(3), 140–148.
Faedda, G. I., Baldessarini, R. J., Glovinsky, I. P., & Austin, N. B. (2004). Pediatric bipolar disorder: Phenomenology and course of illness. *Bipolar Disorders, 6*, 305–313.
Henin, A., Biederman, J., Mick, E., Sachs, G. S., HirshfieldBecker, D. R., Siegal, R. S., & Niernberg, A. A. (2005). Psychopathology in the offspring of parents with bipolar disorder: A controlled study. *Biological Psychiatry, 58*, 554–561.
Hunt, J., Birmaher, B., Leonard, M., Strober, M., Axelson, D., Ryan, N., & Keller, M. (2009). Irritability without elation in a large bipolar youth sample: Frequency and clinical description. *Journal of the American Academy of Child and Adolescent Psychiatry, 48*, 730–739.
McClellan, J., Kowatch, R., Findling, R. L., & Work Group on Quality Issues. (2007). Practice parameters for the assessment and treatment of children and adolescents with bipolar disorders. *Journal of the American Academy of Child and Adolescent Psychiatry, 46*(1), 107–125.
Youngstrom, E. A., Birmaher, B., Axelson, D., Williamson, D. E., & Findling, R. L. (2008). Pediatric bipolar disorder: Validity, phenomenology, and recommendations for diagnosis. *Bipolar Disorders, 10*, 194–214.

SC27 Suicidality

Brent, D. A. (2011). Preventing youth suicide: Time to ask how. *Journal of the American Academy of Child and Adolescent Psychiatry, 50*(8), 738–740.
Bruffaerts, R., Demyttenaere, K., Borges, G., Haro, J. M., Chiu, W. T., Hwang, I., . . . Nock, M. K. (2010). Childhood adversities as risk factors for onset and persistence of suicidal behavior. *British Journal of Psychiatry, 197*(1), 20–27.
Cavanagh, J. T., Carson, A. J., Sharpe, M., & Lawrie, S. M. (2003). Psychological autopsy studies of suicide: A systematic review. *Psychological Medicine,33*(3), 395–405.
Gureje, O., Oladeji, B., Borges, G., Bruffaerts, R., Haro, J. M., Hwang, I., . . . Nock, M. K. (2011). Parental psychopathology and the risk of suicidal behavior in their offspring: Results from the World
Mental Health surveys. *Molecular Psychiatry, 16*,1221–1233.
Nock, M. K. (2012). Future directions for the study of suicide and selfinjury. *Journal of Clinical Child and Adolescent Psychology, 41*(2), 255–259.
Nock, M. K., Borges, G., Bromet, E. J., Alonso, J., Angermeyer, M., Beautrais, A., . . . Williams, D. (2008). Cross national prevalence and risk factors for suicidal ideation, plans, and attempts. *British Journal of Psychiatry, 192*(2), 98–105.
Nock, M. K., & Kessler, R. C. (2006). Prevalence of and risk factors for suicide attempts versus suicide gestures: Analysis of the National Comorbidity Survey. *Journal of Abnormal Psychology, 115*(3),616–623.
Spence, M. K. (1995). Children's concept of death. *Michigan Family Review, 1*(1), 57–69.

SC29 Prolonged Mourning/Grief Reaction

American Psychiatric Association. (2012). Proposed criteria for the persistent complex bereavementrelated disorder. Retrieved from *www.dsm5. o rg / Pro po s e d R e v i so n / Page s / p ro po s e d re v i s i o n . aspx?rid=577.*
Brown, E. J., AmayaJackson, L., Cohen, J., Handel, S., Thiel De Bocanergra, H., Zatta, E., . . . Mannarino, A. (2008). Childhood traumatic grief: A multisite empirical examination of the construct and its correlates. *Death Studies, 32*, 899–923.
Dowdney, L. (2000). Childhood bereavement following parental death. *Journal of Child Psychology and Psychiatry, 41*(7), 819–830. Harris, T., Brown, G. W., & Bifulco, A. (1986). Loss of parent in childhood and adult psychiatric dis-

order: The role of adequate parental care. *Psychological Medicine, 16*, 641–659.

Kaplow, J. B., Howell, K. H., & Layne, C. M. (2014). Do circumstances of the death matter?: Identifying socioenvironmental risks for griefrelated psychopathology in bereaved youth. *Journal of Traumatic Stress, 27*(1), 42–49.

Kaplow, J. B., Layne, C. M., Pynoos, R. S., Cohen, J. A., & Lieberman, A. (2012). DSMV diagnostic criteria for bereavementrelated disorders in children and adolescents: Developmental considerations. *Psychiatry, 75*(3), 243–265.

Kaplow, J. B., Prossin, A. R., Shapiro, D., Wardecker, B., & Adelson, J. (2011). Cortisol, posttraumatic stress, and maladaptive grief reactions in parentally bereaved children. In J. B. Kaplow (Chair), *Cortisol and mental health outcomes in infants and children*. Symposium presented at the 58th Annual Meeting of the American Academy of Adolescent and Child Psychiatry, Toronto, ON, Canada.

Layne, C. M., Beck, C. J., Rimmasch, H., Southwick, J. S., Moreno, M. A., & Hobfoll, S. E. (2009). Promoting "resilient" posttraumatic adjustment in childhood and beyond: "Unpacking" life events, adjustment trajectories, resources, and interventions. In D. Brom, R. PatHorenczyk & J. Ford (Eds.), *Treating traumatized children: Risk, resilience, and recovery* (pp. 13–47). New York: Routledge.

Lieberman, A. F., Compton, N. C., Van Horn, P., & Ghosh Ippen, C. (2003). *Losing a parent to death in the early years: Guidelines for the treatment of traumatic bereavement in infancy and early childhood*. Washington, DC: Zero to Three Press.

Nader, K. O., & Layne, C. M. (2009). Maladaptive grief in children and adolescents: Discovering developmentally linked differences in the manifestation of grief. *Stress Points, 23*(5), 12–15.

Shapiro, D. N., Howell, K. H., & Kaplow, J. B. (2014). Associations among motherchild communication: Quality, childhood maladaptive grief, and depressive symptoms. *Death Studies, 38*(1–5), 172–178.

Shear, M. K., Simon, N., Wall, M., Zisook, S., Neimeyer, R., Duan, N., . . . Keshaviah, A. (2011). Complicated grief and related bereavement issues for DSM5. *Depression and Anxiety, 28*(2), 103–117.

Spence, M. K. (1995). Children's concept of death. *Michigan Family Review, 1*(1), 57–69.

SC3 Disorders Related Primarily to Anxiety

SC31 Anxiety Disorders

Beesdo, K., Knappe, S., & Pine, D. S. (2009). Anxiety and anxiety disorders in children and adolescents: Developmental issues and implications for DSMV. *Psychiatric Clinics of North America, 32*(3),483–524.

Beesdo, K., Lau, J. Y. F., Guyer, A. E., McClureTone, E. B., Monk, C. S., Nelson, E. E., . . . Pine, D. S., (2009). Common and distinct amygdala function perturbations in depressed vs. anxious adolescents. *Archives General of Psychiatry, 66*(3), 275–285.

Biederman, J., Rosenbaum, J. F., BolducMurphy, E. A., Faraone, S., Chaloff, J., Hirschfeld, D. R.,& Kagan, J. (1993). Behavioral inhibition as a temperamental risk factor for anxiety disorders. *Child and Adolescent Psychiatric Clinics of North America, 2*, 667–684.

Chorpita, B. (2001). Control and the development of negative emotions. In M. W. Vasey & M. R. Dadds (Eds.), *The developmental psychopathology of anxiety* (pp. 112–142). New York: Oxford University Press.

Freud, S. (1926). Inhibitions, symptoms, and anxiety. *Standard Edition, 20*, 77–178.

HigaMcMillan, C. K., Francis, S. E., & Chorpita, B.F. (2014). Anxiety disorders. In E. J. Mash & R. A. Barkley (Eds.), *Child psychopathology* (3rd ed., pp. 345–428). New York: Guilford Press.

Jovanovic, T., Nylocks, K. M., & Gamwell. K. L. (2013). Translational neuroscience measures of fear conditioning across development: Applications to highrisk children and adolescents. *Biology of Mood and Anxiety Disorders, 3*, 17.

Joyce, A. F. (2011). Interpretation and play: Some aspects of the process of child analysis. *Psychoanalytic Study of the Child, 65*, 152–168.

Knappe, S., Lieb, R., Beesdo, K., Fehm, L., Low, N. C.P., Gloster, A. T., & Wittchen, H. U. (2009). The role of parental psychopathology and family environment for social phobia in the first three decades of life. *Depression and Anxiety, 26*(4), 363–370.

Midgley, N., & Kennedy, E. (2011). Psychodynamic psychotherapy for children and adolescents: A critical review of the evidence base. *Journal of Child Psychotherapy, 37*(3), 232–260.

Ohman, A. (2000). Fear and anxiety: Evolutionary, cognitive, and clinical perspectives. In M. Lewis & J. M. HavilandJones (Eds.), *Handbook of emotions* (2nd ed., pp. 573–593). New York: Guilford Press.

Pine, D. S., Helfinslein, S. M., Bar-Haim, Y., Nelson, E., & Fox, N. A. (2009). Challenges in developing novel treatments for childhood disorders: Lessons from research on anxiety. *Neuropsychopharmacology, 34*(1), 213-228.
Reiss, S., Silverman, W., & Weems, C. (2001). Anxiety sensitivity. In M. W. Vasey & M. R. Dadds (Eds.), *The developmental psychopathology of anxiety* (pp. 92-111). New York: Oxford University Press.

SC31.1 *Phobias*

Beidel, D., & Turner, S. (1998). *Shy children, phobic adults: Nature and treatment of social phobia*. Washington, DC: American Psychological Association.
Freud, S. (1909). Analysis of a phobia in a fiveyearold boy. *Standard Edition, 10*, 5-149.
Greenacre, P. (2010). The predisposition to anxiety: Part II. *Psychoanalytic Quarterly, 79*, 1075-1101. Schneider, F. R., Blanco, C., Antia, S. X., & Liebowitz, M. R. (2002). The social anxiety spectrum. *Psychiatric Clinics of North America, 25*(4), 757-774.
Yorke, C., Wiseberg, S., & Freeman, T. (1989). *Development and psychopathology: Studies in psychoanalytic psychiatry.* New Haven, CT: Yale University Press.

SC32 Obsessive-Compulsive and Related Disorders

SC32.1 *Obsessive-Compulsive Disorder*

Chused, J. F. (1999). Obsessional manifestations in children. *Psychoanalytic Study of the Child, 54*,219-232.
Esman, E. H. (1989). Psychoanalysis and general psychiatry: Obsessive-compulsive disorder as paradigm. *Journal of the American Psychoanalytic Association, 37*, 319-336.
Esman, E. H. (2001). Obsessive-compulsive disorder: Current views. *Psychoanalytic Inquiry, 21*,145-156.
Freud, S. (1894). The neuropsychoses of defence. *Standard Edition, 3*, 45-68.
Freud, S. (1907). Obsessive actions and religious practices. *Standard Edition, 9*, 117-127.
Freud, S. (1909). Notes upon a case of obsessional neurosis. *Standard Edition, 10*, 153-252.
Piacentini, J., Chang, S., Snorrason, I., & Woods, D.W. (2014). Obsessive-compulsive spectrum disorders. In E. J. Mash & R. A. Barkley (Eds.), *Child psychopathology* (3rd ed., pp. 429-475). New York: Guilford Press.

SC4 Event- and Stressor-Related Disorders

SC41 Trauma- and Stressor-Related Disorders

Bleiberg, E. (2001). *Treating personality disorders in children and adolescents: A relational approach*. New York: Guilford Press.
Briere, J., & Elliott, D. (1994). Immediate and longterm impacts of child sexual abuse. *The Future of Children, 4*, 54-69.
Cook, A., Spinazzola, J., Ford, J., Lanktree, C., Blaustein, M., Cloitre, M., & van der Kolk, B. (2005). Complex trauma in children and adolescents. *Psychiatric Annals, 35*, 390-398.
De Bellis, M. (2001). Developmental traumatology: The psychobiological development of maltreated children and its implication for research, treatment and policy. *Development and Psychopathology,13*, 539-564.
Fellitti, V., Anda, R., Nordenberg, D., Williamson, D., Spitz, A., & Edwards, V. (1998). Relationship of childhood abuse and household dysfunction to many of the leading causes of death in adults: The Adverse Experiences (ACE) Study. *American Journal of Preventative Medicine, 14*(4), 245-258.
Foa, E. B., Keane, T. M., Friedman, M. J., & Cohen, J. A. (Eds.). (2009). *Effective treatments for P T SD* (2nd ed.). New York: Guilford Press.
Fonagy, P., Gergely, G., Jurist, E., & Target, M. (2002). *Affect regulation, mentalization, and the development of self.* New York: Other Press.
Furman, E. (1986). On trauma: When is the death of a parent traumatic? *Psychoanalytic Study of the Child, 41*, 191-208.
Furst, S. (1978). The stimulus barrier and the pathogenicity of trauma. *International Journal of Psychoanalysis, 59*, 345-352.
Hesse, E. (1999a). *Unclassifiable and disorganized responses in the Adult Attachment Interview and in the infant Strange Situation procedure: Theoretical proposals and empirical findings*. Unpublished doctoral dissertation, Leiden Univer-

sity, Leiden, The Netherlands.

Hesse, E . (1999b). The Adult Attachment Interview: Historical and current perspectives. In J. Cassidy & P. R. Shaver (Eds.), *Handbook of attachment: Theory, research, and clinical applications* (pp. 395-433). New York: Guilford Press.

Hesse, E ., & Main, M. (1999). Secondgeneration effects of unresolved trauma in nonmaltreating parents: Dissociated, frightened, and threatening parental behavior. *Psychoanalytic Inquiry, 19,*481-540.

Jurist, E ., Slade, A., & Bergner, S. (Eds.). (2008). *Mind to mind: Infant research, neuroscience and psychoanalysis*. New York: Other Press.

Kestenberg, J. S., & Brenner, I. (1996). *The last witness: The child survivor of the Holocaust*. Washington, DC: American Psychiatric Press.

Khan, M. R. (1963). The concept of cumulative trauma. *Psychoanalytic Study of the Child, 18,*286-306.

Kris, E . (1956). The recovery of childhood memories in psychoanalysis. *Psychoanalytic Study of the Child, 11,* 54-88.

Krystal, H. (1978). Trauma and affects. *Psychoanalytic Study of the Child, 33,* 81-116.

Marans, S. (1996). Psychoanalysis on the beat: Children, police and urban trauma. *Psychoanalytic Study of the Child, 51,* 522-541.

Marans, S. (2014). Intervening with children and families exposed to violence (Part I). *Journal of Infant, Child, and Adolescent Psychotherapy, 13,*350-357.

Marans, S., & Adelman, A. (1997). Experiencing violence in a developmental context. In J. Osofsky (Ed.), *Children in a violent society* (pp. 202-222). New York: Guilford Press.

Osofsky, J. D. (2003). Psychoanalytically based treatment for traumatized children and families. *Psychoanalytic Inquiry, 23,* 530-543.

Parker, B., & Turner, W. (2013). Psychoanalytic/psychodynamic psychotherapy for sexually abused children and adolescents: A systematic review. *Cochrane Database of Systematic Reviews, 31*(7), CD008162.

Pruett, K. D. (1984). A chronology of defensive adaptations to severe psychological trauma. *Psychoanalytic Study of the Child, 39,* 591-612.

Pynoos, R., Frederick, C., Nader, K., Arroyo, W., Steinberg, A., Eth, S., . . . Fairbanks, L . (1987). Life threat and posttraumatic stress in schoolage children. *Archives of General Psychiatry, 4 4,*1057-1063.

Riviere, S. (1996). *Memory of childhood trauma: A clinician's guide to the literature*. New York: Guilford Press.

Schore, A. (2001). The effects of early relational trauma on right brain development, Affect regulation, and infant mental health. *Infant Mental Health Journal, 22*(1-2), 201-269.

Schwartz, E . D., & Kowalski, J. M. (1991). Malignant memories: PTSD in childhood and adults after a school shooting. *Journal of the American Academy of Child and Adolescent Psychiatry, 30,*936-944.

Shengold, L . L . (1979). Child abuse and deprivation: Soul murder. *Journal of the American Psychoanalytic Association, 27,* 533-559.

Steele, B. F. (1994). Psychoanalysis and the maltreatment of children. *Journal of the American Psychoanalytic Association, 42,* 1001-1025.

Sugarman, A. (2008). The use of play to promote insightfulness in the analysis of children suffering from cumulative trauma. *Psychoanalytic Quarterly, 77,* 799-833.

Terr, L . C. (1991). Childhood traumas: An outline. *American Journal of Psychiatry, 148,* 10-20.

van der Kolk, B. (2005). Developmental trauma disorder: Toward a rational diagnosis for children with complex trauma histories. *Psychiatric Annals, 35,*401-410.

SC5 Somatic Symptom and Related Disorders

SA51 Somatic Symptom Disorder

Bonnard, A. (1963). Impediments of speech: A special psychosomatic instance. *International Journal of PsychoAnalysis, 4 4,* 151-162.

Kradin, R. L . (2011). Psychosomatic disorders: The canalization of mind into matter. *Journal of Analytical Psychology, 56,* 37-55.

Merskey, H. A., Evans, P. R. (1975). Variations in pain complaint threshold in psychiatric and neurological patients with pain. *Pain, 1,* 73-79.

Milrod, B. (2002). A 9yearold with conversion disorder, successfully treated with psychoanalysis. *International Journal of Psychoanalysis, 83*(3),623－631.

Schulte, I. E., & Petermann, A. (2011). Somatoform disorders: 30 years of debate about criteria!: What about children and adolescents? *Journal of Psychosomatic Research, 70*(3), 218－228.

SC8 Psychophysiological Disorders

SC81 Feeding and Eating Disorders

Agras, W., Bryson, S., Hammer, L., & Kraemer, H. (2007). Childhood risk factors for thin body preoccupation and social pressure to be thin. *Journal of the American Academy of Child and Adolescent Psychiatry, 46*(2), 171－178.

Chatoor, I., Ganiban, J., Hirsch, R., BormanSpurrell, E., & Mrazek, D. (2000). Maternal characteristics and toddler temperament in infantile anorexia. *Journal of the American Academy of Child and Adolescent Psychiatry, 39*(6), 743－751.

Chatoor, I., Ganiban, J., Surles, J., & DoussardRoosevelt, J. (2004). Physiological regulation and infantile anorexia: A pilot study. *Journal of the American Academy of Child and Adolescent Psychiatry, 43*(8), 1019－1025.

Eddy, K., Le Grange, D., Crosby, R., Hoste, R., Doyle, A., Smyth, A., & Herzog, D. (2010). Diagnostic classification of eating disorders in children and adolescents: How does DSM I VTR compare to empiricallyderived categories? *Journal of the American Academy of Child and Adolescent Psychiatry, 49*(3), 277－287.

Jacobi, C., Agras, W., & Hammer, L. (2001). Predicting children's reported eating disturbances at 8 years of age. *Journal of the American Academy of Child and Adolescent Psychiatry, 40*(3), 364－372. Steiner, H., & Lock, J. (1998). Anorexia nervosa and bulimia nervosa in children and adolescents: A review of the past 10 years. *Journal of the American Academy of Child and Adolescent Psychiatry,37*(4), 352－359.

Wonderlich, S., Brewerton, T., Jocic, Z., Dansky, B.,& Abbot, D. (1997). Relationship of childhood sexual abuse and eating disorders. *Journal of the American Academy of Child and Adolescent Psychiatry, 36*(8), 1107－1114.

SC9 Disruptive Behavior Disorders

SC91 Conduct Disorder

Bird, H. R. (2001). Psychoanalytic perspectives on theories regarding the development of antisocial behavior. *Journal of the American Academy of Psychoanalysis, 29*, 57－71.

Blair, R. J. R., Budhani, S., Colledge, E., & Scott, S. (2005). Deafness to fear in boys with psychopathic tendencies. *Journal of Child Psychology and Psychiatry, 46*, 327－336.

Kendziora, K. T., & O'Leary, S. G. (1993). Dysfunctional parenting as a focus for prevention and treatment of child behavior problems. In T. H. Ollendick & R. J. Prinz (Eds.), *Advances in clinical child psychology* (Vol. 15, pp. 175－206). New York: Plenum Press.

Patterson, G. R. (1982). *Coercive family process*. Eugene, OR: Castalia.

Patterson, G. R., DeBaryshe, B. D., & Ramsey, E. (1989). A developmental perspective on antisocial behavior. *American Psychologist, 4 4*(2), 329－335. Pettit, G. S., Bates, J. E., & Dodge, K. A. (1993). Family interaction patterns and children's conduct problems at home and school: A longitudinal perspective. *School Psychology Review, 22*, 401－418.

SC92 Oppositional Defiant Disorder

Bambery, M., & Porcerelli, J. H. (2006). Psychodynamic therapy for oppositional defiant disorder: Changes in personality, object relations, and adaptive function after six months of treatment. *Journal of the American Psychoanalytic Association,54*(4), 1334－1339.

Cavanagh, M., Quinn, D., Duncan, D., Graham, T.,& Balbuena, L. (2014). Oppositional defiant disorder is better conceptualized as a disorder of emotional regulation. *Journal of Attention Disorders.* [Epub ahead of print]

Gross, J. J. (1998). The emerging field of emotion regulation: An integrative review. *Review of General Psychology, 2*(3), 271－299.

Gross, J. J. (Ed.). (2014). *Handbook of emotion regulation* (2nd ed.). New York: Guilford Press.

Hoffman, S. G. (2007). Cognitive factors that maintain social anxiety disorder: A comprehensive model and its treatment

implications. *Cognitive Behaviour Therapy, 36,* 193-209.
Rice, T. R., & Hoffman, L . (2014). Defense mechanisms and implicit emotion regulation: A comparison of a psychodynamic construct with one from contemporary neuroscience. *Journal of the American Psychoanalytic Association, 62*(4), 693-708.
Stringaris, A., & Goodman, R. (2009a). Longitudinal outcome of youth oppositionality: Irritable, headstrong, and hurtful behaviors have distinctive predictions. *Journal of the American Academy of Child and Adolescent Psychiatry, 48,* 404-412.
Stringaris, A., & Goodman, R. (2009b). Three dimensions of oppositionality in youth. *Journal of Child Psychology and Psychiatry, 50,* 216-223.
Winkelmann, K., Stefini, A., Hartmann, M., GeiserElze, A., Kronmüller, A., Schenkenbach, C., . . . Kronmüller, K. T. (2005). Efficacy of psychodynamic shortterm psychotherapy for children and adolescents with behaviour disorders. *Praxis der Kinderpsychologie und Kinderpsychiatrie, 54*(7),598-614.

SC11 Disorders of Mental Functions

SC111 Motor Skills Disorders

Fliers, E ., Vermeulen, S., Rijsdijk, F., Altink, M., Buschgens, C., Rommelse, N., . . . Franke, B. (2009). ADHD and poor motor performance from a family genetic perspective. *Journal of the American Academy of Child and Adolescent Psychiatry, 48*(1),25-34.
Kadesjo, B., & Gillberg, C. (1999). Developmental coordination disorder in Swedish 7year old children. *Journal of the American Academy of Child and Adolescent Psychiatry, 38*(7), 820-828. van Meel, C., Oosterlaan, J., Heslenfeld, D., & Sergeant, J. (2005). Motivational effects on motor timing in attentiondeficit/hyperactivity disorder. *Journal of the American Academy of Child and Adolescent Psychiatry, 4 4*(5), 451-460.

SC112 Psychotic Disorders

Burgin, D., & Meng, H. (2004). *Childhood and adolescent psychosis.* Basel, Switzerland: Karger.
Carlson, G. A. (2013). Affective disorders and psychosis in youth. *Child and Adolescent Psychiatric Clinics of North America, 22,* 569-580.
Driver, D. I., Gogtay, N., & Rapoport, J. L. (2013).
Childhood onset schizophrenia and early onset schizophrenia spectrum disorders. *Child and Adolescent Psychiatric Clinics of North America,22*(4), 539-555.
McClellan, J., & McCurry, C. (1999). Early onset psychotic disorders: Diagnostic stability and clinical characteristics. *European Child and Adolescent Psychiatry, 8*(1), 13-19.
Rutter, M., Bishop, D., Pine, D., Scott, S., Stevenson, J., Taylor, E ., & Thapar, A. (2008). *Rutter's child and adolescent psychiatry* (5th ed.). Malden, MA: Blackwell.

SC114 Neuropsychological Disorders

SC114.1 *Tic Disorders*

Bennett, S., Keller, A., & Walkup, J. (2013). The future of tic disorder treatment. *Annals of the New York Academy of Sciences, 130 4,* 32-39.
Bloch, M., Panza, K., LanderosWeisenberger, A., & Leckman, J. (2009). Metaanalysis: Treatment of attentiondeficit hyperactivity disorder in children with comorbid tic disorders. *Journal of the American Academy of Child and Adolescent Psychiatry,*
48(9), 884-893.
Khalifa, N., & von Knorring, A. L . (2006). Psychopathology in a Swedish population of school children with tic disorders. *Journal of the American Academy of Child and Adolescent Psychiatry, 45*(11),1346-1353.
Robertson, M. (2008). The prevalence and epidemiology of Gilles de la Tourette syndrome: Part 1. The epidemiological and prevalence studies. *Journal of Psychosomatic Research, 65*(5), 461-472.
Spencer, T., Biederman, J., Harding, H., Wilens, T.,& Faraone, S. (1995). The relationship between tic disorders and To-

urette's syndrome revisited. *Journal of the American Academy of Child and Adolescent Psychiatry, 34*(9), 1133 - 1139.
Swain, J., Scahill, L., Lombroso, P., King, R., & Leckman, J. (2007). Tourette syndrome and tic disorders: A decade of progress. *Journal of the American Academy of Child and Adolescent Psychiatry,46*(8), 947 - 968.

SC114.2 *Visual - Spatial Processing Disorders*

Greene, J. D. (2005). Apraxia, agnosias, and higher visual function abnormalities. *Journal of Neurology, Neurosurgery & Psychiatry, 76*, 25 - 34.
Rourke, B. P. (2000). Neuropsychological and psychosocial subtyping: A review of investigations within the University of Windsor laboratory. *Canadian Psychology, 41*, 34 - 51.
Solan, H. A., Larson, S., ShelleyTremblay, J., Ficarra, A., & Silverman, M. (2001). Role of visual attention in cognitive control of oculomotor readiness in students with reading disabilities. *Journal of Learning Disabilites, 34*, 107 - 118.
Vidyasagar, T. R., & Pammer, K. (1999). Impaired visual search in dyslexia relates to the role of the magnocellular pathway in attention. *NeuroReport, 26*, 1283 - 1287.

SC114.3 *Language and Auditory Processing Disorders*

Beitchman, J. H., & Brownlie, E. (2014). *Language disorders in children*. Boston: Hogrefe.
Bishop, D. V., & Snowling, M. J. (2004).Developmental dyslexia and specific language impairment: Same or different? *Psychological Bulletin, 130*, 858 - 886.

SC114.4 *Memory Impairments*

Baddeley, A. D. (1993). Shortterm phonological memory and longterm learning: A single case study. *European Journal of Cognitive Psychology,5*, 129 - 148.
Baddeley, A. D., Gathercole, S. E., & Papagno, C. (1998). The phonological loop as a language learning device. *Psychological Review, 105*, 158 - 173.
Baddeley, A. D., & Wilson, B. A. (1993). A developmental deficit in shortterm phonological memory: Implications for language and reading. *Memory, 1*, 65 - 78.
Cornoldi, C., Barbieri, A., & Gaiani, C. (1999). Strategic memory deficits in attention deficit disorder with hyperactivity participants: The role of executive processes. *Developmental Neuropsychology,15*, 53 - 71.

SC114.5 *Attention-Deficit/Hyperactivity Disorder*

Gilmore, K. (2000). A psychoanalytic perspective on attentiondeficit/hyperactivity disorder. *Journal of the American Psychoanalytic Association, 48*,1259 - 1293.
LeuzingerBohleber, M., Laezer, K. L., PfennigMeerkoetter, N., Fischmann, T., Wolff, A., & Green, J. (2011). Psychoanalytic treatment of ADHD children in the frame of two extra clinical studies: The Frankfurt Prevention Study and the EVA Study. *Journal of Infant, Child, and Adolescent Psychotherapy, 10*, 32 - 50.
Martin, N. C., Piek, J. P., & Hay, D. A. (2006). DCD and ADHD: A genetic study of their shared etiology. *Human Movement Science, 25*, 110 - 124.
Migden, S. (1998). Dyslexia and selfcontrol: An egopsychoanalytic perspective. *Psychoanalytic Study of the Child, 53*, 282 - 299.
Palombo, J. (1993). Neurocognitive deficits, developmental distortions, and incoherent narratives. *Psychoanalytic Inquiry, 13*, 85 - 102.
Palombo, J. (2001). The therapeutic process with children with learning disabilities. *Psychoanalytic Social Work, 8*, 143 - 168.
Pitcher, T. M., Piek, J. P., & Hay, D. A. (2003). Fine and gross motor ability in males with ADHD.
Developmental Medicine and Child Neurology,45, 525 - 535.
Salomonsson, B. (2004). Some psychoanalytic viewpoints on neuropsychiatric disorders in children. *International Journal of Psychoanalysis, 85*, 117 - 136.
Salomonsson, B. (2006). The impact of words on children with ADHD and DAMP: Consequences for psychoanalytic technique. *International Journal of Psychoanalysis, 87*, 1029 - 1044.

Salomonsson, B. (2011). Psychoanalytic conceptualizations of the internal object in an ADHD child. *Journal of Infant, Child, and Adolescent Psychhotherapy, 10*(1), 87–102.

SC114.6 *Executive Function Difficulties*

Barkley, R. A. (2012). *Executive functions: What they are, how they work and why they evolved.* New York: Guilford Press.

Denckla, M. B. (2007). Executive function: Binding together the definitions of attentiondeficit/ hyperactivity disorder and learning disabilities. In L. Meltzer (Ed.), *Executive function in education: From theory to practice* (pp. 5–18). New York: Guilford Press.

Gioia, G. A., Isquith, P. K., Kenworthy, L., & Barton, R. M. (2002). Profiles of everyday executive function in acquired and developmental disorders. *Child Neuropsychology, 8*, 121–137.

Meltzer, L., & Krishnan, K. (2007). Executive function difficulties and learning disabilities: Understandings and misunderstandings. In L. Meltzer (Ed.), *Executive function in education: From theory to practice* (pp. 77–105). New York: Guilford Press.

Pennington, B. F. (2009). *Diagnosing learning disorders: A neuropsychological framework.* New York: Guilford Press.

SC114.7 *Severe Cognitive Deficits*

Ellison, Z., van Os, J., & Murray, R. (1998). Special feature: Childhood personality characteristics of schizophrenia: Manifestations of, or risk factors for, the disorder? *Journal of Personality Disorder, 12*, 247–261.

Hodapp, R. M., & Dykens, E. M. (1996). Mental retardation. In R. J. Mash & R. A Barkley (Eds.), *Child psychopathology* (pp. 362–389). New York: Guilford Press.

Pennington, B. F. (2009). *Diagnosing learning disorders: A neuropsychological framework.* New York: Guilford Press.

SC115 Learning Disorders

SC115.1 *Reading Disorders*

Gletcher, J. M., Foorman, B. R., Shaywitz, S. E., & Shaywitz, B. A. (1999). Conceptual and methodological issues in dyslexia research: A lesson for developmental disorders. In H. TagerFlusberg (Ed.), *Neurodevelopmental disorders* (pp. 271–305). Cambridge, MA: MIT Press.

Migden, S. (2002). Selfesteem and depression in adolescents with specific learning disability. *Journal of Infant, Child, and Adolescent Psychotherapy, 2*(1), 145–160.

Pennington, B. F. (2009). *Diagnosing learning disorders: A neuropsychological framework.* New York: Guilford Press.

SC115.2 *Mathematics Disorder*

Geary, D. C. (1993). Mathematical disabilities: Cognitive, neuropsychological, and genetic components. *Psychological Bulletin, 114*, 345–362.

Pennington, B. F. (2009). *Diagnosing learning disorders: A neuropsychological framework.* New York: Guilford Press.

Shalev, R. S., & GrossTsur, V. (2001). Developmental dyscalculia. *Pediatric Neurology, 24*, 337–342.

SC115.3 *Disorders of Written Expression*

Beeson, P. M., & Rapcsak, S. Z. (2010). Neuropsychological assessment and rehabilitation of writing disorders. In J. M. Gurd, U. Kischka, & J. C. Marshal (Eds.), *The handbook of clinical neuropsychology* (2nd ed., pp. 323–348). New York: Oxford University Press.

Beeson, P. M., Rising, K., Kim, E. S., & Rapcsak, S. Z. (2008). A novel method for examining response to spelling treatment. *Aphasiology, 22*,707–717.

SC115.4 *Nonverbal Learning Disabilities*

Little, S. S. (1993). Nonverbal learning disabilities and socioemotional functioning: A review of the recent literature. *Journal of Learning Disabilities, 26*, 653–665.
MolenaarKlumper, M. (2002). *Nonverbal learning disabilities: Characteristics, diagnosis and treatment with an educational setting*. London: Jessica Kingsley.
Pally, R. (2001). A primary role for nonverbal communication in psychoanalysis. *Psychoanalytic Inquiry, 21*, 71–93.
Palombo, J. (1996). The diagnosis and treatment of children with nonverbal learning disabilities. *Child and Adolescent Social Work, 13*, 311–333.
Palombo, J. (2006). *Nonverbal learning disabilities: A clinical perspective*. New York: Norton.
Rourke, B. P. (1989). *Nonverbal learning disabilities: The syndrome and the model*. New York: Guilford Press
Rourke, B. P., & Tsatsanis, K. D. (2000). Nonverbal learning disabilities and Asperger syndrome. In A. Klin, F. R. Volkmar, & S. S. Sparrow (Eds.), *Asperger syndrome* (pp. 231–253). New York: Guilford Press.
Stein, M. T., Klin, A., Miller, K., Goulden, K., Coolman, R., & Coolman, D. M. (2004). When Asperger's syndrome and a nonverbal learning disability look alike. *Journal of Developmental and Behavioral Pediatrics, 25*, 190–195.
Tanguay, P. B. (2001). *Nonverbal learning disabilities at home: A parent's guide*. London: Jessica Kingsley.
Tanguay, P. B. (2002). *Nonverbal learning disabilities at school: Educating students with NLD, Asperger syndrome, and related conditions*. London: Jessica Kingsley.

SC115.5 *Social-Emotional Learning Disabilities*

Adolphs, R. (2003a). Cognitive neuroscience of human social behavior. *Nature Reviews Neuroscience, 4*, 165–178.
Adolphs, R. (2003b). Investigating the cognitive neuroscience of social behavior. *Neuropsychologia, 41*, 119–126.
Bryan, T. (1991). Assessment of social cognition: Review of research in learning disabilities. In H.
L. Swanson (Ed.), *Handbook on the assessment of learning disabilities: Theory, research, and practice* (pp. 285–312). Austin, TX: PROED.
Palombo, J. (1996). The diagnosis and treatment of children with nonverbal learning disabilities. *Child and Adolescent Social Work, 13*, 311–333.
Palombo, J. (2006). *Nonverbal learning disabilities: A clinical perspective*. New York: Norton.

SC12 Developmental Disorders

SC125 Attachment Disorders

Juffer, F., & van IJzendoorn, M. H. (2009). International adoption comes of age: Development of international adoptees from a longitudinal and metaanalytical perspective. In G. M. Wrobel & E. Neil (Eds.), *International advances in adoption research for practice* (pp. 169–192). Chichester, UK: WileyBlackwell.
O'Connor, T., & Zeanah, C. H. (2003). Attachment disorders: Assessment strategies and treatment approaches. *Attachment and Human Development, 5*(3), 223–244.
Richters, M. M., & Volkmar, F. R. (1994). Reactive attachment disorder of infancy or early childhood. *Journal of the American Academy of Child and Adolescent Psychiatry, 33*(3), 328–332.
Steele, H., & Steele, M. (2014). Attachment disorders.
In M. Lewis & K. Rudolph (Eds.), *Handbook of developmental psychopathology* (3rd ed., pp. 357–370). New York: Springer.
van IJzendoorn, M. H., & Juffer, F. (2006). The Emanuel Miller Memorial Lecture 2006: Adoption as intervention: Metaanalytic evidence for massive catchup and plasticity in physical, socioemotional, and cognitive development. *Journal of Child Psychology and Psychiatry, 47*(12), 1228–1245.
Zeanah, C. H., & Gleason, M. M. (2010). *Reactive attachment disorders: A review for DSMV.* Report presented to the American Psychiatric Association.

SC126 Pervasive Developmental Disorders

BlijdHoogewys, E. M., Bezemer, M. L., & van Geert, P. L. (2014). Executive functioning in children with ASD: An analysis of the BRIEF. *Journal of Autism and Developmental Disorders, 44*(12), 3089–3100.
Byars, K., & Simon, S. (2014). Practice patterns and insomnia treatment outcomes from an evidencebased pediatric behav-

ioral sleep medicine clinic. *Clinical Practice in Pediatric Psychology, 2*(3),337 – 349.

Greenspan, S., & Shanker, S. (2004). *The first idea: How symbols, language and intelligence evolved from our primate ancestors to modern humans*. Boston: Da Capo Press.

Kulage, K. M., Smaldone, A. M., & Cohn, E . G. (2014). How will DSM5 affect autism diagnosis?: A systematic literature review and metaanalysis. *Journal of Autism and Developmental Disorders,44*(8), 1918 – 1932.

Levy, A. J. (2011). Psychoanalytic psychotherapy for children with Asperger's syndrome: Therapeutic engagement through play. *Psychoanalytic Perspectives, 37*, 72 – 91.

Noterdaeme, M., Wriedt, E ., & Höhne, C. (2010). Asperger's syndrome and highfunctioning autism: Language, motor and cognitive profiles. *European Child and Adolescent Psychiatry, 19*(6), 475 – 481. Paul, R., Orlovski, S. M., Marcinko, H. C., & Volkmar, F. (2009). Conversational behaviors in youth with highfunctioning ASD and Asperger syndrome. *Journal of Autism and Developmental Disorders, 39*(1), 115 – 125.

Tsai, L . Y. (2013). Asperger's disorder will be back. *Journal of Autism and Developmental Disorders,43*, 2914 – 2942.

Tsai, L . Y., & Ghaziuddin, M. (2014). DSM5 ASD moves forward into the past. *Journal of Autism and Developmental Disorders, 4 4*(2), 321 – 330.

Volkmar, F. R., State, M., & Klin, A. (2009). Autism and autism spectrum disorders: Diagnostic issues for the coming decade. *Journal of Child Psychology and Psychiatry, 50*(1 – 2), 108 – 115.

WoodburySmith, M. R., & Volkmar, F. R. (2009). Asperger syndrome. *European Child and Adolescent Psychiatry, 18*(1), 2 – 11.

SCApp Appendix: Psychological Experiences That May Require Clinical Attention

SCApp3 Gender Incongruence

Byne, W., Bradley, S. J., Coleman, E ., Eyler, A. E ., Green, R., Menvielle, E . J., . . . Tompkins, D. A. (2012). Report of the American Psychiatric Association Task Force on Treatment of Gender Identity Disorder. *Archives of Sexual Behavior, 41*(4),759 – 796.

CohenKettenis, P. T., & Pfäfflin, F. (2010). The DSM diagnostic criteria for gender identity disorder in adolescents and adults. *Archives of Sexual Behavior, 39*(2), 499 – 513.

Drescher, J. (2014). Controversies in gender diagnoses. *Journal of Lesbian, Gay, Bisexual and Transgender Health, 1*(1), 9 – 15.

Drescher, J., & Byne, W. (2013). *Treating transgender children and adolescents: An interdisciplinary discussion*. New York: Routledge.

Drescher, J., CohenKettenis, P., & Winter, S. (2012). Minding the body: Situating gender diagnoses in the ICD11. *International Review of Psychiatry,24*(6), 568 – 577.

Drescher, J., & Pula, J. (2014). Ethical issues raised by the treatment of gender variant prepubescent children. *Hastings Center Report, 4 4*(Suppl. 4), S17 – S22.

MeyerBahlburg, H. F. (2010). From mental disorder to iatrogenic hypogonadism: Dilemmas in conceptualizing gender identity variants as psychiatric conditions. *Archives Sexual Behavior, 39*, 461 – 476. Zucker, K. J. (2010). The DSM diagnostic criteria for gender identity disorder in children. *Archives of Sexual Behavior, 39*(2), 477 – 498.

Zucker, K. J., CohenKettenis, P. T., Drescher, J., MeyerBahlburg, H. F. L., Pfäfflin, F., & Womack, W. M. (2013). Memo outlining evidence for change for gender identity disorder in the DSM5. *Archives of Sexual Behavior, 42*, 901 – 914.

PART III

Infancy and Early Childhood

CHAPTER 7

PSYCHODYNAMIC DIAGNOSTIC MANUAL

유아기와 초기 아동기의 정신건강과 발달장애, IEC 0-3

| 정자현 |

서론

유아기와 초기 아동기의 정신 발달은 정서적, 사회적, 언어적, 인지적, 조절감각처리능력(regulatory-sensory processing)과 운동능력을 포함한 인체기능(human functioning)의 여러 영역들 간의 역동적 관계를 반영한다. 유아기와 초기 아동기 장애들을 포괄적으로 분류하기 위해서는 이런 영역들과 관계 패턴의 문제들을 고려할 필요가 있다.

유아 연구가들과 발달정신병리(developmental psychopathology), 관계정신분석학(relational psychoanalysis), 애착이론(attachment theory), 신경과학(neuroscience)를 연구하는 임상가들은 이러한 생물학적 요인과 심리학적 요인, 그리고 삶에서 경험하게 되는 발달에 영향을 주는 사회적 상황 요인 사이의 상호작용을 설명하기 위해 노력해왔다. Sameroff의 거래모형(transactional model)에서 제시된 바와 같이, 유아의 건강과 장애는 아이와 환경 사이의 지속적이고 상호적인 발달변화의 결과이다. 이러한 영향들의 양방향적인 특성을 아는 것은 다양한 장애들을 이해하고, 발달 과정을 추적하고, 의미 있는 사례개념화(case formulation)와 치료 계획수립을 위해서 필수적이다.

Greenspan의 독창적인 연구에 서술된 바에 따라 초기 발달의 생물심리사회적 모델에서 보면, 이 모델에는 1) 정서적, 사회적, 지적 기능의 발달 수준; 2) 체질적인 차이와 생물학적 기반에 따른 개인 처리과정의 차이; 2) 아동-양육자-가족 혹은 다른 관계 패턴을 포함한 관계 등이 포함된다. 유아의 경험은(그들의 인생행로 동안 겪게 되는) 관계, 사회, 문화적 틀 내에서만 이해될 수 있다. 게다가 발달 과정은 유적적 요소, 환경적 요소, 발달력, 그리고 현재 진행 중인 생리학적, 신경심리학적, 인지적, 사회적, 정서적, 그리고 표상적(representational) 영역의 상호작용 측면에서 이해된다. 장애와 발달의 부적응적 패턴은 적응 기관의 이전 형태와 각 단계의 발달과업특성이 어떠했는지를 모두 반영하는 어떤 특정 유형을 취한다.

이 장에서 소개하는 유아기와 초기 아동기 분류(The Infancy and Early Childhood, IEC)에서는 유아기와 초기 아동기에서 가장 흔한 장애들을 다룬다. 우리는 유아와 초기 아동기에 관한한 가장 잘 알려진 분류시스템인 the Interdisciplinary Council on Developmental and Learning Disorders(ICDL) Diagnostic Manual for Infants and Young Children(ICDK-DMIC; ICDL, 2005)와 the Diagnostic Classification of Mental Health and Developmental Disorders of Infancy and Early Childhood, revised edition(DC: 0-3R; Zero to Three, 2005)를 따르고 장애에 대한 일반적 구조와 접근방식 모두에 대해 ICDL-DMIC를 따랐다.

이 장의 초안이 이미 작성된 동안, the DC: 0-5™(Zero to Three, 2016)이 이미 출판되었다. 우리는 DC: 0-5에서 제시한 모든 내용을 통합할 수는 없었으나 이 시스템의 핵심적인 부분을 언급하고, 우리의 접근 방식으로 소통하기 위해서 노력했다.

The IEC 분류는 우선적으로 유아기 장애의 다면적 진단에 결정적 구성요소인 기능적 정서 발달 능력(Axis II), 조절감각처리 능력(regulatory-sensory processing capacities)(Axis III), 관계패턴과 이에 관한 장애(AxisIV) 그리고 기타 내과적 신경과적 진단(Axis V)을 포함한 발달적이고 포괄적이면서 다면적인 접근법을 사용했다(**그림 7.1**).

IEC 분류는 첫 번째 PDM과 약간 다르다. 첫째, 진단 프로파일에 있어 다른 축의 기여도에 더 중점을 두었다. 아동기의 증상적 패턴 평가는 아이의 감각 처리 능력, 기능적 정서 발달 능력 그리고 우세한 관계패턴에 대한 정확한 평가 없이는 불가능하다.

이런 이유로, IEC 분류의 축들은 아동, 청소년 그리고 어른들 각각의 PDM-2와는 조직(organizations)과 구조(constructs)가 다르게 되어있다. 우리는 이 장에서 이 시기의 특별한 성질과 이론적 임상적 뼈대를 이해하는데 있어서 IEC 분류와 다른 다축체계를 유지했다. 가능하다면, 축들간의 상호참조를 통하여 개념적 차이를 줄이기 위해 노력했다. 예를 들면, 유아기에 관찰되는 사회, 인지, 정서 기능의 두드러진 변화들은(Axis II) MC axis와 연관지어 봤을 때, 그 아이가 나이가 들면서 특정한 정신기능으로 이어지는 경향이 있다 (Chapter 7을 참조). 그래서 PDM-2는 소아와 청소년의 증상적 패턴으로의 발달경로를 보여주기 위해 노력했다. 동시에, 체질적인 감각처리능력(sensory processing ability)(Axis III)과 관계패턴, 그리고 장애는, 비록 세 가지 모두 최근 신생 인격 발달에 기여하는 바는 있으나 모두 PC Axis에 쉽게 동반이환 되지는 않는다 (Chapter 8을 참조).

또한 임상가들이 유아나 소아에 대해 임상적으로 적절한 윤곽을 잡을 수 있는, 사용자에게 친숙한 평가 척도를 소개하고 적절한 평가 도구들을 열거해두었다.

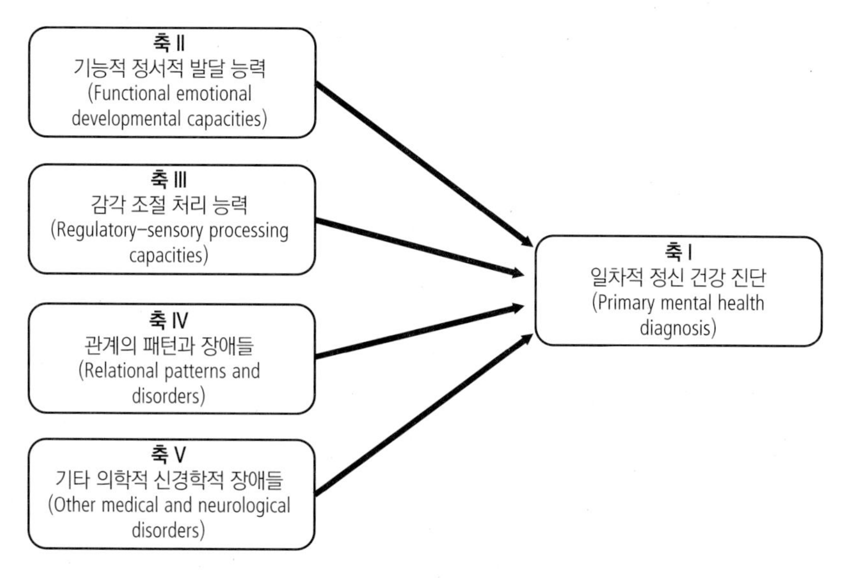

■ 그림 7-1. The IEC 분류의 다축적 접근

다축 체계의 개관(Overview of the Multiaxial System)

유아기와 초기 아동기 장애의 분류는 각 개인의 독특한 특성을 잡아내는 종합적인 평가가 필요하다. IEC의 I축에 설명된 바에 따르면 드러나는 문제들과 증상들은 정신 생리학적 기능의 장애로 시작되고, 정동 장애, 외상 사건과 관계된 장애, 행동 장애 등으로 이어진다고 한다. 우리는 이 선택이 MC Axis (Chapter 7을 참조)와 SC Axis (Chapter 9)와 굉장한 연속성을 가질 것이라고 생각한다. 1차 진단(Primary diagnosis)에 덧붙여, 임상가는 여섯가지 기본적인 기능적 정서적 발달 능력(Axis II); 체질, 성숙 차이(조절-감각 처리 패턴, Axis III); 양육자와 유아 혹은 양육자와 소아, 그리고 가족 상호 패턴과 장애들 (Axis IV); 그리고 그 외 내과적 신경과적 진단들(Axis V)에 대한 서술을 포함한 다축 발달 개요에 따라 각 소아와 가족들의 독특한 특성을 잡아내야 한다.

다섯 축에 대한 간략한 서술은 다음과 같다.

- *Axis I: 1차 정신 건강 진단(Primary mental health diagnoses).* 이 축에서는 유아와 초기 소아기에 관찰되는 주요 진단적 카테고리와 장애의 유형을 서술한다. 그리고 적절하다면 국제 질병 분류 체계(International Classification of Diseases, 10th revision), 정신 장애의 진단 통계 열람(Diagnostic and Statistical Manual of Mental Disorders, 5th edition)과 같은 다른 현존하는 진단 시스템을 추가할 수 있다.
- *Axis II: 기능적 정서 발달 능력(Functional emotional developmental capacities).* 이 축은 공유된 주의력과 조절능력을 포함하여, 참여와 관계, 양방향으로의 의도된 정서적 신호 보내

기, 의사소통, 함께 조절되는 정서적 신호 보내기와 공유된 사회적 문제 해결의 긴 사슬, 상징과 생각의 창조, 그리고 생각과 논리적 사고 사이의 연결고리 만들기 등을 포함한 어린 소아의 정서적, 사회적 기능을 서술한다.

- *Axis III: 감각조절처리능력(Regulatory-sensory processing capacities).* 이 축은 감각 조절(sensory modulating), 감각 식별, 자세 조절과 운동계획(motor planning)을 포함한 감각을 바탕으로 한 운동능력 측면에서 아이의 조절-감각 처리 유형을 기술한다. 아이들은 각각 감각 처리 조절에 있어서 독특한 유형을 가지고 있다. 이렇게 각 아이에게 다르게 관찰되는 패턴은 정상변이부터 장애까지의 연속선 상에 존재한다. 후자의 경우 개인의 감각 차이가 일상생활 능력과 연령에 기대되는 정서적, 사회적, 인지적 혹은 학습능력을 방해할 정도로 충분히 심각해졌을 때 일어난다.
- *Axis IV: 관계 패턴과 장애(Relational patterns and disorders).* 이 축은 유아/소아와 양육자 간의 상호작용 패턴과 가족 패턴의 특징을 기술한다. 부모-유아 관계는 양육 패턴, 상호작용 방식, 주관적 경험에 의해 평가되고, 잘 조절된 상호작용에서 관계 장애까지의 연속체를 따라 배치된다.
- *Axis V: 기타 내과적 신경과적 진단들(Other medical and neurological diagnoses).*

종합적 평가를 하기 위해서 각 축의 기여도를 고려하는 것은 필수적이다. 각 축은 임상가가 소아의 기능에 대한 종합적 견해를 갖는 것을 도와줄 뿐만 아니라 병리발생에 어떤 역할을 하는지 이해하는데도 도움이 된다. 예를 들어 섭식장애의 경우, 아이가 새로운 음식을 받아들이는데 취약하게 만드는 어떤 특정 감각 처리의 문제(Axis III)의 영향을 받거나, 위식도역류 같은 내과적 상태로 인한 것일 수 있고(Axis V), 아이와 양육자 간의 갈등적인 관계 패턴이 표현된 것일 수도 있다(Axis IV). 각 차원 자체가 독특하거나 빈번한 요인일 수도 있지만 다른 차원들과의 관계성을 보는 것이 가장 중요하다. 따라서 우리는 임상가들이 1차 진단 자체에만 집중하기 보다는 다섯 가지 모든 축에 대한 평가를 완벽하게 하길 제안한다.

임상적 평가를 위한 종합적 접근(A Comprehensive Approach to Clinical Evaluation)

유아 및 초기 소아기의 임상적 평가는 몇 가지 필수 단계를 포함한 역동적이고 지속적인 과정이다. 첫 번째 단계는 한가지 이상의 특정 장애에 대한 진단(아이의 고유한 발달과 운동, 감각, 언어, 인지, 정서, 상호작용 패턴에 대한 개인차를 잡아내는 진단)이 포함되어야 한다. 임상가는 기질적 특징과 성숙과정의 특징, 정서, 인지, 사회기능적 레벨, 가족체계의 기능, 어른과 소아의 관계, 상호작용 패턴을 반드시 고려해야 한다.

유아, 초기 아동기 동안, 뇌(결과적으로 마음)는 그 뒤 어떤 시기보다도 빠르게 성장할 뿐만 아니라 말 그대로 다른 요소들 사이에서 관계를 형성한다. 이러한 상호 연관된 요소들에 주의를 기울이는 것은 장애가 의미 있게 치료되고 연구되도록 개념화하는데 있어 필수적이다.

IEC 분류체계는 유아 및 초기 소아기의 발달과 기능의 모든 요소들을 통합한다. 이 분류체계는 아이의 발달, 가족, 환경 등의 다른 여러 요소들간의 상호작용을 이해하는데 이정표를 제공하고 임상적 처치의 가이드가 될 수 있다. 이 분류는 각 아이들의 고유 기능 패턴을 묘사하는데 있어 체계적인 접근법을 제공한다. 일차 진단은 두드러진 기여 인자에 대한 임상적 판단을 통해 이루어 진다. 일차 진단을 하기 전에, 임상가는 반드시 현존하는 문제에 기여하는 다양한 차원들을 밝혀내기 위해 모든 축을 평가해야 한다. 이 모든 정보들이 고려되고 나면 임상적인 추론이 임상가를 우세한 패턴을 선택하게끔 안내해 준다.

임상가는 유아와 어린 소아를 평가하는데 있어서 자신만의 방법을 개발할 것이다. 그러나 모든 평가는 아이가 각 발달 영역에서 어떻게 기능하는지를 이해하기 위한 여러 세션을 필요로 한다. 그러므로 임상적 평가는 다음과 같이 요약될 수 있는 많은 정황과 평가 도구에 대한 고려를 내포한다.

- *유아 혹은 소아 기능에 대한 관찰(Observation of infant or child functioning).* 사회, 정서적, 인지적, 언어적, 관계적, 감각적, 그리고 운동능력의 수준과 특성(level and quality)은 자유 놀이(free play)부터 구조화된 관찰 혹은 평가 범위에 이르는 관찰기술을 통해서 조사될 수 있다.
- *양육자-유아 혹은 양육자-소아 상호관계 패턴의 관찰(Observation of caregiver-infant or caregiver-child interactive patterns).* 가족 기능을 직접 관찰하는 것이 중요하다. (예: 가족과 부모 역동, 양육자-소아 관계, 상호작용 패턴) 상호작용의 특성을 평가하기 위해 구조화되지 않은 관찰 and/or 표준화된 절차가 이용될 수 있다.
- *부모와의 임상적 면담(Clinical interviews with parents).* 이러한 면담은 아이의 발달력, 아이의 강점과 약점, 아이 혹은 양육자로써의 자신에 대한 부모의 묘사, 그리고 부모의 상호적 기능(reflective function) 등에 대한 평가를 포함해야 한다.

임상적으로 이용되는 평가 도구는 축 2부터 4까지, 각 축에 대해 각 장 마지막에 나열되어 있다.

축 I: 일차 진단 (Axis I: Primary Diagnosis)

축1은 유아와 초기 아동기에서 관찰되는 주 진단 범주와 장애의 유형을 기술한다. PDM-1과 다르게, "상호작용 장애(interactive disorder)"는 여기에 포함되지 않는다. 비록 유아/소아-양육자 상호관계 패턴이 이런 시도에 중요한 역할을 하는 것은 명백하나 적응과 부적응 패턴에는 많은 다른 경로가 존재한다. 임상가는 한 아이에게서 관찰된 각 패턴의 의미를 이해하기 위해 사회-정서적 발달, 갈등, 기질과 성숙의 차이, 그리고 양육자, 가족 구성원들과의 경험의 역할을 고려해야 한다. 생물학적, 기질적, 혹은 관계 패턴은 모든 장애에 영향을 미칠 수 있기 때문에, 모든 일차 진단은 이 축에 포함된다.

표 7.1. 유아 및 초기 아동기의 주 진단 범주들과 관찰된 장애의 유형들

- IEC01 수면장애(Sleep disorders)
- IEC02 급식 및 식이장애(Feeding and eating disorders)
- IEC03 배설장애(Elimination disorders)
- IEC04 불안장애(Anxiety disorders)
- IEC05 감정의 범위와 안정성의 장애(Disorders of emotional range and stability)
- IEC06 우울장애(Depressive disorders)
- IEC07 기분조절장애: 양극성 패턴이 특징인 상호적이고 혼재된 조절-감각 처리 장애의 독특한 유형(Mood dysregulation: A unique type of interactive and mixed regulatory-sensory processing disorder characterized by bipolar patterns)
- IEC08 지속애도반응(Prolonged grief reaction)
- IEC09 적응장애(Adjustment disorders)
- IEC10 외상성스트레스장애(Traumatic stress disorders)
- IEC11 반응성애착장애(Reactive attachment disorders)
- IEC12 파괴적행동 및 반항장애(Disruptive behavior and oppositional disorders)
- IEC13 젠더 부조화(Gender incongruence)
- IEC14 감각조절처리장애(Regulatory-sensory processing disorders)
  - IEC14.01 과잉민감성 혹은 과잉반응성 장애(Hypersensitive or overresponsive disorder)
    - IEC14.01.1 과잉민감성 혹은 과잉반응성: 걱정하고, 불안해하는 패턴 (Hypersensitive or overresponsive: Fearful, anxious pattern)
    - IEC14.01.2 과잉민감성 혹은 과잉반응성: 부정적인, 고집스러운 패턴 (Hypersensitive or overresponsive: Negative, stubborn pattern)
  - IEC14.02 과소민감성 혹은 과소반응성(Hyposensitive or underresponsive: Self-absorbed pattern)
    - IEC14.02.1 A 패턴: 자기 몰두적이고 관계를 맺기 어려운 유형(Pattern A: Self-absorbed and difficult-to-engage type)
    - IEC14.02.2 B 패턴: 자기 몰두적이고 창조적인 유형(Pattern B: Self-absorbed and creative type)
  - IEC14.03 활동적, 감각 추구 패턴(Active, sensory-seeking pattern)
  - IEC14.04 부주의한, 혼돈된 패턴(Inattentive, disorganized pattern)
    - IEC14.04.1 감각 식별 장애를 동반한(With sensory discrimination difficulties)
    - IEC14.04.2 조절 장애를 동반한(With postural control difficulties)
    - IEC14.04.3 행동곤란을 동반한(With dyspraxia)
    - IEC14.04.4 세 가지 모두가 조합된(With combinations of all three)
  - IEC14.05 학교생활 그리고/혹은 학업 수행이 저해된 패턴(Compromised school and/or academic performance pattern)
    - IEC14.05.1 감각 식별 장애를 동반한(With sensory discrimination difficulties)
    - IEC14.05.2 자세 조절 장애를 동반한(With postural control difficulties)
    - IEC14.05.3 행동곤란을 동반한(With dyspraxia)
    - IEC14.05.4 세 가지 모두가 조합된(With combinations of all three)
  - IEC14.06 혼재된 감각-조절 처리 패턴(Mixed regulatory-sensory processing patterns)
    - IEC14.06.1 신체적 호소와 주의, 정서, 행동 문제를 동반한 혼재된 감각-조절 처리 패턴(Mixed regulatory-sensory processing patterns with evidence of somatic complaints and attentional, emotional, and behavioral problems)
    - IEC14.06.2 행동이나 정서 문제를 동반하지 않은 혼재된 감각-조절 처리 패턴(Mixed regulatory-sensory processing patterns without evidence of behavioral or emotional problems)
- IEC15 관계와 의사소통의 신경발달장애(Neurodevelopmental disorders of relating and communicating)
  - IEC15.01 Type I: 제약이 동반된 초기 상징성(Type I: Early symbolic, with constrictions)

IEC15.02 Type II: 제약이 동반된, 목적 있는 문제 해결(Type II: Purposeful problem solving, with constrictions)
IEC15.03 Type III: 간헐적으로 참여 하고 목적 있는(Type III: Intermittently engaged and purposeful)
IEC15.04 Type IV: 방향 없고 목적 없는(Type IV: Aimless and unpurposeful)

일차 진단을 교정함에 있어서 우리는 발달적 불안 장애와 선택적 함구증을 둘 다 불안장애 범주에 넣었고, 조절감각처리장애(regulatory-sensory processing disorder) 내에 명시된 다른 장애의 증상으로써 주의력 문제를 고려했다. ICDL-DMIC에 따라 우리는 축1의 각 장애들을 보여지는 패턴(presenting pattern), 발달 경로(Developmental pathway), 치료적 영향(therapeutic implication) 면에서 기술하였다.

"보여지는 패턴"은 소망, 느낌, 동기, 생각 면에서 아이의 주관적 경험만큼이나 증상적인 패턴을 기술한다. 심지어 어린 아이가 경험을 표현하거나 상징화 할 수 있기 전이라도, 따뜻함과 의존성에 연관된 것과 고집과 분노에 연관된 것처럼 정서와 행동들을 구분해서 정리할 수 있다.

"발달 경로"는 특정 장애와 그 장애로 발달 궤도가 이어질 수 있는 위험요인과 기본적인 기전 모두를 기술한다. 가급적이면 PDM-2는 동형과 이형의 연속성(homotypic and heterotypic continuity)를 강조했다. "동형 연속성(Homotypic continuity)"은 장애가 시간이 지나면서도 상당부분 동일하게 지속되는 상태를 정의한다(예를 들어 동일 진단이 소아기부터 성인기까지 유지되는 것). 대신, "이형 연속성(Heterotypic continuity)"에서는 행동이나 기질이 시간이 지날수록 달라지는 양상을 보여준다. 후자의 경우, 어떤 부적응적 행동 양상들이 임상적으로 명백하게 다른 의미를 가지는데도 동일한 발달적, 정신병리적 과정으로 뒷받침이 되는 것처럼, 발달과정이 다른 부적응적인 행동 양상을 연결시켜주는 것으로 추정된다. 정신기능, 인격, 발달 역동을 고려해서 정신병리의 과정을 구별하는 것은 개개인의 진단적 예측을 더 정확하게 만들어 준다. 이 장에서 보고된 연속성에 관한 경험적이고 임상적인 연구에서 우리는 소아, 청소년, 그리고 성인에서의 적절한 시기/ 축(chapters/axes)을 언급한다.

각 장애들에 대한 "치료적 영향들"은 임상적 문헌에 따라 서술되었다.

Axis I 장애에 대해 상세히 서술하기 전에, 첫 번째 세 범주에 대한 예비 참고사항-수면, 섭식과 식이, 배설 장애-이 먼저 제시되어 있다. 어린이들에게 보이는 수면이나 식이의 어려움, 그리고 배변 훈련과 배변의 어려움은 유아와 초기 소아기에서는 흔한 일이다. 때로는 이런 문제들이 그저 아이가 마주한 도전과제로만 보이기도 하나 종종 심리적 외상, 불안, 이행기/질병/심리사회적 스트레스에 대한 적응 반응과 같이 상호적 어려움(interactive challenges)에 대한 반응으로 발생하기도 한다. 증상은 대개 발달적 불안 그리고/혹은 상호작용적 패턴들과 결합되어 기저의 감각 그리고/혹은 운동적 취약성에 의해 결정된다. 수면, 식이, 배변훈련, 그리고 배변의 어려움은 절-감각 처리 장애(regulatory-sensory processing disorders)와도 관계가 있다. 아이의 발달 특성은 항상 기질-성숙적 다양성(constitutional-maturational variation), 소아-양육자의 상호작용, 그리고 가족과 환경적 요인들의 영향을 반영한다.

IEC01 수면장애(Sleep Disorders)

수면-각성 주기를 확립하는 것은 생후 첫 3년의 핵심 발달 과업이다. 유아는 이 시기에 종종 일시적인 혹은 장기간 지속되는 수면의 어려움을 경험하게 된다. 수면의 조절, 수면 타이밍 모두 상당한 발달적 변화를 겪게 되고 하루 동안의 주기적 리듬뿐만이 아니라, 각 수면 상태에 소요되는 시간의 비율과 총 수면시간에도 변화가 일어난다.

비록 이런 많은 변화들이 성숙의 문제이지만, 아이들이 적응해야만 하는 환경적 상황은 수면 각성 패턴의 발달에 영향을 준다. 환경(일차 양육자들, 가족)에 의해 제공되는 정서적, 사회적 조절은 수면 패턴의 자가 조절 발달을 촉진시킨다. 매일 수면과 각성 사이에서 수많은 변화들이 일어나고, 각각의 변화들은 항상성(배고픔, 체온, 건조함)과 정서(헤어짐, 재회, 편안함, 안도감) 조절을 위한 기회를 제공한다. 이러한 변화 중에, 양육자가 우연히 보이는 반응성은 자기 조절의 발달을 돕고 안정적인 애착 관계를 발전시킨다. 이 변화 동안 양육자가 아이를 돕기 위해 지속적으로 혹은 예측 가능하게 반응하는데 실패하면 조절을 잘 못하게 되거나 조절장애가 생길 수 있다.

많은 요인들이 이 영역의 문제에 영향을 미친다. 질병, 장소의 변화, 발달 상의 이행기, 그리고 다른 스트레스로 인해 2차적으로 수면 패턴의 손상이 발생할 수 있는데, 수면 패턴은 대개 안심시켜주고 달래주면서 다시 회복되곤 한다. 그러나 때로는 건강한 수면 일과는 처음부터 생기지 않기도 하는데 이것은 비일관적인 수면 시간이나 세팅 때문이거나, 부모들이 아이들이 스스로 잠들도록 배우는 것을 도와주는 게 어려워서 이기도 하다. 어떤 유아들은 잠을 취하기 위해 안기거나 병을 빠는 행위에 의존하기도 한다. 대개 부모들은 아이들이 독립적으로 조용히 잠들도록 도와줄 수 있는 다른 기술을 배우지 않는다. 어떤 유아들은 초기 유아기의 정신 없고 신경질적(fussy, irritable)이었던 기간에서 비롯된 와해된 경향을 유지하는데, 심지어 이 기간의 다른 이슈들이 해소되는 성숙의 과정이 나타난 후에도 그렇다. 다른 경우에, 환경이 일과나 안정감을 유지하기엔 너무나 혼란스러워서 와해된 수면 패턴이 발생하기도 한다.

고려해보아야 할 다른 요인으로 가족 문화가 있다. 수면 장애는 어느 정도는 다른 사람의 눈에도 띈다. 수면 장애 호소는 불규칙적이고 손상된 수면 패턴에 다양한 관용을 가지거나 혹은 그들 자신이 비슷한 패턴을 가지고 있는 양육자의 지각과 느낌을 반영할 수 있다. 아이와 같이 자는 것이 받아들여지고 정상적인 문화에서는 아이를 따로 자게 가르치는 것이 이상할 수 있다. 어떤 부모에게는 수면의 어려움(sleep disturbance)이라고 표현되는 것이 다른 이에게는 그렇지 않을 수 있다. 그러므로 상당한 정도의 개인별 다양성이 수면발달에 영향을 주므로, 무엇이 "정상"인지를 추정하는 것은 복잡한 일이다.

증상 패턴 (presenting pattern)

유아와 어린 소아들은 처음 침대에 갔을 때 잠들기 어렵거나, 깨서 스스로 다시 잠드는데 어려움을 겪을 수 있다. 참을성 없고, 예민한 아이들은 밤새 자주 깨기도 한다. 많은 아이들이 입면(입면 수면이상)과 야간 각성(야간 각성 수면이상)을 모두 가지고 있어서 아형별 명확한 분류가 잘 되지 않는다. 수면의 어려움은 아이가 좀더 상징적으로 되어갈 때, 악몽에서 일어나 무엇이 현실인지 분간이 가지 않을 때 발생할 수 있다. 잠자는 아이를 깨우는 악몽(nightmare)과 불안한 꿈(anxiety dream)은 꿈 수면(REM) 동안 일어날 수 있고 아이가 완전히 깨서 꿈의 내용을 떠올리고 말하게 할 수 있다. 8세 이전의 꿈 내용은 대게 짧고 구체적이다. 악몽(REM parasomnia)은 야경증(night terror)과 구분되어야 하는데 야경증은 깊은 수면(NREM stage 3-4)에서 깨어날 때 발생하고 종종 인지적 혼미(disorientation), 자율 처리 (autonomic processes – 자율신경반응을 의미하는 듯하나 너무 임의적 해석일 듯하여 직역하였습니다), 골격근 장애(skeletal muscle disturbances)를 동반한다. 학령전기 아이들에게 가장 흔한 사건 수면인 야경증은 나이가 들면서 점차 호전된다- 중추신경계의 성숙과 관계 있는 현상이라고 여겨지고 있다.

어린 소아들은 진단 기준에 정확히 맞기 힘들기 때문에, "원수면이상(protodyssomnias)" (국내판사전에 없어 "원수면이상"이라고 임의로 적었음) (입면 원수면이상/ 야간-각성 원수면이상(sleep-onset protodysomnia/night-waking protodysomnia))이라는 용어가 후에 완전한 수면 이상으로 발전될 잠재적 전조상태를 말할 때 사용된다(DC; 0-3R). 원수면이상은 1세 이전엔 진단될 수 없다. 지속기간에 대한 진단기준은 세분화된다: "작은 변화(Perturbations)" (1달간 적어도 주 1번의 삽화)는 정상 발달 범주의 변이로 여겨진다; "방해(disturbances)"(1달간 적어도 주 2-4번의 삽화)는 자기 제한(self-limiting)이 될 수 있는 위험한 컨디션이라 여겨진다; "장애(disorders)"(1달간 적어도 주 5-7의 삽화)는 지속되어서 조치를 필요로 하는 상태이다. 1세 이전에도 문제성 수면을 가진 아이들이 분명히 있긴 하다; 그러나 이런 경우 유아의 수면문제보다는 유아-양육자 관계, 가족, 환경적인 상황에 좀 더 주의가 기울여져야 한다. 아주 어린 아이들의 경우 수면 문제에서 중이 감염, 충혈, 위식도역류, 알러지, 아토피 피부염, 천식 같은 내과적 원인을 배제하는 것이 중요하다. 그러나 때로는 의학적 치료를 받고 난 뒤조차 급성 질환의 이환기간 동안 일어난 부모-유아의 상호작용 패턴으로 인해 수면 문제가 지속되는 경우도 있다.

양육자와 소아 사이의 상호작용은 수면 장애에 영향을 줄 수 있다. 이런 문제가 있는 아이들의 관계는 다른 아이와 가족들에서 두드러지는 이 패턴의 다른 부분과 함께, 종종 애정에 굶주리거나(neediness) 거부증, 충동성 등으로 특징지어질 수 있다. 어떤 부모들은 자녀가 다른 사람들과는 잠들 수 있지만 자신들과는 잠들지 못한다는 것을 알면 부적절하다고 느낀다. 특히 부모들 사이에 기존의 갈등이 있다면, 부모들은 아이가 잠들지 못하는 것에 대해 서로를 탓할 것이다. 아이는 양육자들 간의 긴장을 알기 때문에 갈등 역시 수면 장애를 지속시킨다.

연구들은 야간 각성은 그 자체로는 문제가 되지 않는다고 서술해왔다(Anders & Dahl, 2007; Anders, Goodlin-Jones, & Sadeh, 2000; Goodlin-Jones & Anders, 2004). 일반적으로 유아들은 생후 첫 1년간 매일 밤 평균 1-3번 정도 깬다고 한다. 12개월까지, 70%의 유아들은 그들의 부모를 깨우지 않고 스스로도 다시 잠들 수 있다. 그러므로 30% 정도의 유아들이 울면서 부모를 깨우거나 다시 잠들기 위해 도움을 필요로 하는 것이다; 이 아이들은 "신호수(signalers)"라고 불린다. "자기 위안가(self-soothers)" 라고 불리는 다른 아기들은 깬 뒤에 훨씬 쉽게 스스로 다시 잠이 든다. 걸음마기 아이들 중에도 밤새 통잠을 자는 아이는 거의 없다.

그러나 대개 유아들은 자라면서 자연스럽게 신호를 보내는 쪽에서 자기 위안하는 쪽으로 변한다. 흥미롭게도 추적 연구는 6에서 12개월 사이의 아이들 중 지속적인 신호수(표본의 33%)들은 입면 장애의 진단 기준에 들어맞고 2세까지 부모와 같이 자는 경우가 많았다. 12개월에 부모의 방에서 자는 것은 2세에서의 야간 각성의 예측인자였다. 25% 가까이 되는 아이들이 각 추적 관찰마다 부모와 같이 자는 것으로 보고되었지만, 그들 중 33%의 부모들만 이것을 문제로 보았다.

수면 패턴은 아이의 특성과 양육 환경 사이의 상호작용/교류/거래(transaction)을 통해 발달한다. 어떻게 수면 패턴이 발달하는지 이해하기 위해서, 아이의 행동과 특성; 부모-아이 상호작용; 그리고 부모의 기대치, 문화적 가치, 심리적인 행복을 포함한 상호작용적/거래적 모델의 모든 구성요소들을 고려하는 것이 중요하다. 수면 장애가 있는 아이의 엄마들에 대한 연구는 이들을 대조군 엄마집단에 비해 애착과 관련하여 불안정한 군으로 분류하였다.

부모의 특성, 특히 어머니의 기분장애가 유아의 수면 문제의 발달에 미치는 영향은 많은 관심을 받아왔으며, 여러 연구 결과에 따르면 산모의 우울증이 유아의 수면장애와 관계가 있다고 한다. 모성 우울증은 8개월에서 3세 사이의 아이들 중 수면 문제가 없는 아이들보다 있는 아이들에게서 더 흔하고, 엄마의 우울감이 심할수록 1세 미만의 유아가 수면 중 스스로 달래는 능력이 적은 것과 관계 있었다. 덧붙여, 분리불안이 심한 1세미만 아이의 엄마일수록 아이들이 밤에 잘 깨는 것과 연관이 있었다. 부모들의 불안도가 높은 경우, 자신의 걱정거리에 몰입되어 있다가 한번씩 아기의 신호를 놓치는 것을 빼고는 아이에 대한 자신의 불안에 집중한다. 그들은 자기 아이가 일반적인 도전들에 대처하는 능력에 걱정이 많고 아이가 스스로 조절하게 하는 기회를 주는 것이 어렵다는 것을 알게 되면서 아이를 과잉보호 하거나 아이가 어려운 경험을 피하도록 권한다. 이런 경우 아이의 걱정 많고 도전을 피하는 경향이 늘어나서 아이의 취약성에 대한 부모의 예민한 지각을 강화시키고 부모는 아이를 더욱 더 보호하려고 애쓰게 된다.

엄마의 우울증상은 3년의 궤적 중 15-24개월 및 24-36개월 사이의 아이의 수면 중 각성이 더 길어지게 하는 예측인자라는 사실이 밝혀진 바 있다. 이 기간들은 아이의 자율성, 자기 인식, 자기 조절 능력이 증가하는 시기라고 알려져 있고, 수면 통합에(sleep consolidation) 중요한 시기로 알려져 있다. 우울한 엄마의 아이들에 대한 연구는 이런 엄마들은 아이에게 더 회피적이거나 간섭적인 것을 밝혀냈다. 엄마의 그런 행동들은 외부적인 진정 전략들을 방해할 수 있어서 아이가 내적으로 스스로 달래는 방법을 발전시키지도 못하게 될 수 있다. 모성 우울증은 부정적인 환경에서 살거나 심한 부부갈등을 경험하는 것, 지지를 잘 받지 못하는 것과 연관성이 있다고 알려졌다. 그런 상황에서는 부성 우울증 과/혹은 정신신체증상의 유병률도 높아진다.

연구는 효과적인 개입 없다면, 초기 소아기에 수면 문제를 가진 아이들은 이후에도 그 수면 문제가 유지된다는 것을 보여준다. 수면의 어려움들은 정서, 주의력, 인지, 언어 발달에 영향을 미칠 수 있고 후기의 행동 조절 문제를 예측할 수 있다는 것이 밝혀졌다. 분리 불안 장애는 조금 더 나이가 들어서는 흔치 않아지는데, 범 불안장애와 사회 공포증은 더 빈번하게 관찰된다. 청소년기와 성인기까지 진행된 종단적 연구는 소아기에 지속된 수면문제를 가졌던 아이들은 추후에 불안하거나 우울한 상태로 발전될 위험이 상당히 커진다는 사실을 밝혀냈다. 이런 연구들은 수면과 정동 장애 사이의 복잡하고 양방향적인 관계를 강조한다.

치료적 영향(Therapeutic Implications)

소아 정신 클리닉을 방문한 아이들의 부모 중 10-47%에 가까운 사람들이 수면 곤란을 보고한 바 있다. 흥미롭게도 평가 당시 아이들의 평균 연령은 30개월 이상이었다. 비록 소아과 의사는 생후 첫 5년 동안 이를 예방하고 교정할 기회가 있지만, 어떤 전문가들은(그리고 부모들은) "기다려 보는 접근법(wait-and-see approach)"에 의존한다. 그러므로, 임상가들은 종종 수면 장애를 학령전기에 처음으로 다루게 된다.

수면 문제가 있는 아이를 평가할 때는 세심한 수면 내력을 얻어야 한다. 그러나 그와 더불어 행동문제가 있는 모든 아이들에서는 수면 습관을 물어야 한다. 어떤 주의력 결핍 및 과잉행동장애 증상들은 실제 증상들보다는 문제성 수면의 양상으로 나타나기도 하고, 발육 지연 또한 수면 장애와 연관되어 있을 수 있다. 4가지 영역을 평가해야 하는데: 1) 수면 문제 및 그것이 문제인 사람에 대한 세부사항; 2) 유아의 기질과 질환 등의 특성; 3) 부모-아이 상호작용 패턴; 4) 가까운 요인(부모 특성, 가족 환경)과 먼 요인(문화, 환경)을 모두 포함한 주변환경요인.

강화과정에서 수면-각성 이행의 중요한 "조절기관"으로써 부모-아이 상호작용의 영향은 초기 소아기 수면문제에서 일관적으로 관찰되는 결과 중 하나이다. 상호작용적 모델의 관점에서 볼 때, 중재는 관계를 기반으로 하거나 긍정적인 부모-아이 조절에 영향을 주는 요소에 중점을 두어야 하는데, 다시 말해, 각 중재는 특정 아이와 가족에게 개별적으로 맞춰져야 한다는 것이다. 그러나 입면 문제를 가진 모든 아이들에게 도움이 되는 몇 가지 일반적인 지침들은 있다. 부모들이 규칙적으로 취침시간과 규칙적인 수면 일과를 설정하도록 도와주는 것이 중요하다. 어린 아이들의 경우, 목욕을 하고 부모가 아이와 방에 같이 앉아 한 두 권의 책을 읽는 것을 의미할 수도 있다. 부모는 몇 권의 책을 읽을지 미리 정해두는 것이 좋은데 아이들은 더욱 더 많은 책을 요구하면서 잠들기를 미루고 싶어하기 때문이다. 아이가 부모가 책을 읽는 동안 안고 있을 봉제인형을 고르도록 하고 부모는 책 내용 속에 그 봉제 인형을 포함시키는 것도 도움이 된다. 예를 들어, 부모는 "네 작은 토끼가 너랑 같이 듣고 있어."라고 말하는 것이다. 이야기가 끝나면, 부모는 아이에게, "이제 너희 둘 다 자려면 이불 속으로 들어가야 하니까, 네 작은 토끼 친구를 꼭 안아주도록 하자."라고 말해주는 것이다. 아이들이 잠을 청할 때 부드러운 음악을 틀어주면 입면 동안 조건화(conditioning)가 될 수 있어서 도움이 된다. 부모들은 이런 방법을 시작하기 전에 이런 일과를 설명해주고, 아이들이 잠들면 자신들은 나갈 것이라고 미리 말해주는 것이 중요하다.

임상적 예시(Clinical illustration)

2세 여아인 마리아는 심한 야간 각성 문제가 있었고 잠 자러 가기를 거부했다. 마리아가 취침시간에 버티고, 눕길 거부하고, 울고 매일 밤마다 1-3시간 가량을 반항하면 부모들은 속수무책이었다. 마리아의 아빠는 아이가 저항해서 반듯이 눕힐 수가 없다고 했는데 아이 아빠는 자기가 억지로 하면 아이의 등을 다치게 될 까봐 걱정했다. 엄마는 자신이 겪었던 임신 중 우울증의 결과로 생겼을 수 있는 기질적 문제들을 마리아의 수면문제와 연관시켰는데, 그래서 그녀는 아이를 편하게 해주기 위해서 최선을 다했고 효과적으로 감정을 안심시키기 보다는 신체적인 편안함을 강조했다. 마리아는 분노발작, 과도한 울음, 엄마와 떨어질 때면 매달려 떨어지지 않고 어린이 집에서 낮잠을 자지 않는 것으로 이어지는 등의 분리 불안 증상을 보였다. 마리아의 엄마는 아이를 어린이집에 맡겨 두고 올 때마다 죄책감과 두려움을 느꼈다. 마리아는 대체로 부모와의 싸움에서 이기는 편이었다. 아빠 엄마 모두 딸아이가 자신을 컨트롤하려 한다는 것에 굉장히 화도 나고 좌절감을 느끼는 상황이었다.

이 문제가 치료 상황에서 다루어지면서, 엄마는 자신을 괴롭히던 무력감, 무능하다는 느낌을 드러냈다. 이에 대한 이해는 마리아가 엄마와의 상호작용 패턴 중 전능, 통제, 강압적인 감각을 유지해온 것을 바꾸고 처리하는데 사용되었다.

치료는 마리아의 자율성이 중요하다는 것에 대한 교육과 엄마가 자신이 임신 중 자기 딸에게 손상을 입혀서 잘못이 있다고 믿는 그 믿음을 살펴보기 위해 임신 중 일어나는 일들을 재정립하는 것이 포함되었다. 정신역동적 추론에서 아이의 아빠의 경우 공격성, 경쟁심에 몰입되어 있다는 것이 드러났다. 그는 스스로에게 제한설정을 심하게 해서 그는 딸에게 자신의 주장을 말하길 꺼렸다. 그는 취약성에 대한 자신의 감정을 이해하고, 마리아가 약하고 취약하다는 자신의 관점이 왜곡되어 있었다는 것을 알게 되었다. 2년 간의 치료 끝에 수면-각성 조절을 포함한 관계의 모든 영역이 호전되었다.

IEC02 섭식과 식이 장애(Feeding and Eating Disorders)

수면 장애처럼, 식이장애는 많은 상호작용의 장애의 증상으로 나타날 수 있다. 혹은 감각 과민과 구강 운동 곤란과 같은 조절기관의 장애를 나타내는 것일 수도 있다. 또한 소화기 장애, 역류 혹은 불안감과 식사와 관련된 흥미 결핍을 일으킬 수 있는 다른 질환 같은 생물학적 문제가 해결되고 난 뒤 보이는 잔여 불안일 수도 있다. 섭식은 관계에 포함되어 있는 현상인데, 유아는 날이 갈수록 자신의 식이를 스스로 조절할 수 있게 되고 부모는 이러한 정상적인 변화가 진행되도록 환경을 제공해준다. 그러나 섭식과 식이 장애에 관련된 많은 진단 기준이 식이를 진행하는 관계가 아닌 오로지 유아에게만 집중되어 있다. 관계 현상을 포함시키지 않는 것은 유아의 섭식장애와 식이장애를 둘러싼 양육 환경과 연관된 강력한 증거들을 무시하는 것이다. 정상 발달 유아의 25%와 발달 장애를 가진 유아들의 80% 이상에서 섭식 문제가 보고되고 있다. 게다가 1-2% 정도의 유아들은 체중 증가 실패로 이어지는 심각한 섭식 문제가 있다고 알려져 있다. 섭식 장애는 유아의 초기 발달을 저해할 뿐만 아니라 후기 인지 발달의 결핍, 행동 문제, 불안, 소아기의 식이 장애와 연관이 있다. 양육자와 아이 사이의 상호작용은 식이 장애에 상당한 영향을 준다. 예를 들어, 적절한 양육이 없는 경우 아이는 안정감과 자기 위안을 위해 식이에 지나치게 의존하게 될 수 있다. 상징적 표현 없이, 공포, 분노, 거절은 음식을 거부하는 것으로 이어질 수 있다.

증상 패턴(Presenting pattern)

식이 장애는 부족한 혹은 불규칙한 섭식, 음식 거부, 토하기, 제한적인 식이, 혹은 만족할 줄 모르는 식이 등을 포함한다. 아기의 건강과 체중은 "좋은" 양육으로 보여지기 때문에, 아이의 식이 문제는 양육자로 하여금 심한 염려, 스트레스, 무능감을 느끼게 한다. 과거에 "성장장애(failure to thrive, FTT)"라는 용어는 모든 섭식 장애를 두루 포함하는 진단명이었다. 임상가들은 이것을 처음에 "기질성(organic)"과 "비기질성(nonorganic)"의 두 가지 형태로 나눴었다. 기질성 성장장애(organic FTT)는 진단 가능한 내과적 원인을 추정할 수 있는 성장 실패(growth failure)를 말했다. 비기질성 성장장애(nonorganic FTT)는 모성결핍이나 부모의 정신병리를 반영한다고 여겨졌다. 세 번째 카테고리는 그 후에 추가되었는데 기질성과 환경적 요인의 혼합과 관계된 성장 실패를 의미했다. 최근에는 FTT라는 용어를 사용하는데 상당히 비판적이다. 첫 번째 우려는 섭식 장애를 가진 모든 유아들이 성장 실패로 이어지지는 않는다는 것이다. 이런 관점에서, 어떤 임상가들은 FTT가 진단 범주 보다는 어떤 증상을 보여주는 것이라고 주장한다.

어떻게 다양한 심각한 섭식 문제들을 일시적이거나 경한 섭식 문제들로부터 각각 분류를 할 것인가에 대한 문제를 해결하기 위해서 DC: 0-3R에서는 현상학을 기술하고 섭식장애의 6가지 아형에 대한 진단기준을 기술한 분류 체계를 개발하였다. 모든 것을 포함하진 않았지만 행동 증상과 연관된 대부분의 섭식 장애를 다루고 있다.

심리상태 조절에 연관된 섭식장애(Feeding disorder of state regulation)는 출생 후에 시작되고 불규칙하고, 불충분하고, 부적절한 음식 섭취가 특징이다. 유아들은 정신적 상태를 조절하는데 어려움을 보인다. 어떤 아이들은 너무 예민하고, 심하게 울고, 젖을 먹기 위해 스스로를 진정시키지 못한다. 어떤 아이들은 너무 많이 자고 깨질 못하거나 제대로 먹기 위해 깨어있지를 못한다. 부모는 종종 유아의 과민함과 수유 곤란으로 스트레스를 받고, 불안해지거나 우울해지거나 혹은 둘 다이거나 혹은 심각한 정신병리를 보이기도 한다. 종단적 연구들은 심리상태 조절 및 수유에서 일찍부터 문제가 있는 유아가 후에 식이장애를 보일 가능성이 높다는 사실을 입증한 바 있다.

양육자-유아 상호관계와 연관된 섭식장애(Feeding disorder of caregiver-infant reciprocity)는 적절치 못한 음식 섭취와 성장 실패로 이어지는 양육자와 유아 사이의 유대감 결핍으로 특징지어진다. 이때 주 문제는 유아와 양육자가 서로 친해지지 못하는 데서 비롯된다. 2-6개월 사이, 대개 유아와 양육자의 상호작용은 수유를 둘러싸고 일어나고 음식 섭취의 조절은 아이의 양육자와의 감정적 유대감과 밀접한 연관이 있다. 만약 유아와 양육자가 서로 교감하지 않는다면, 수유와 성장은 고통스러워질 것이고 유아의 정서적 사회적 발달은 손상될 것이다.

유아 식욕 부진증(Infantile anorexia)은 스스로 먹기 시작하고, 부모와 아이 사이에서 자율성과 의존성의 문제가 서로 협상되어야 하는 시기인 3세 이전에 뚜렷해지기 시작한다. 식욕부진 유아는 음식을 아주 조금 베어 먹고는 더 이상 입 열기를 거부하곤 한다. 이 아이들은 음식이나 식기를 던지고 이유식 의자를 벗어나려고 애쓴다. 대부분의 부모들은 이런 아이들이 활동적이고, 장난기 많고, 호기심이 많고 매력적이라고 보고하지만 배고픔에 대한 신호나 먹는 것에 대한 흥미를 찾기가 힘들다고 한다. 이 아이들은 수시간에서 하루 종일 배고프다는 신호 없이 지낸다고 묘사된다. 어떤 부모들은 아이들이 입을 벌릴 때마다 음식을 먹이려 하면서 예민해지기도 하고 어떤 부모들은 억지로 먹이는데 너무 지치기도 한다. 유아기 식욕부진을 겪었던 걸음마기 아이들은 더 높은 수준의 생리적 각성을 보이고, 각성된 상태를 하향조절하기가 어렵다는 사실이 밝혀졌다. 왜 이 아이들이 배고픔을 잘 못 느끼는가는 이것으로 설명할 수 있을 것 같다. 이들은 놀고, 말하는 것을 즐기면서 굉장히 흥분되지만 이런 유쾌한 활동에서 다른 쪽으로 관심을 돌리기가 힘든 것으로 여겨진다. 각각 다른 센터들에서 진행된 연구들은 걸음마기 아이의 기질적 차이, 불규칙한 섭식, 수면 패턴, 부정적이고 고집 센 행동들과 이유/수유(feeding) 중 엄마-아이 갈등 사이에 유의한 상관관계가 있다는 사실을 밝혀냈다. 동시에, 엄마의 부모와의 불안정한 애착, 날씬해지고 싶은 욕구, 엄마의 과식증(maternal bulimia), 불안, 우울증 또한 섭식 중 엄마-아이 갈등과 유의미한 상관관계를 가진다. 마지막으로 이유/수유 갈등은 아이의 체중과 강력한 상관성을 가지므로 엄마와 아이 사이의 갈등이 심화될수록 체중이 더 감소하게 된다.

음식 감각 혐오(Sensory food aversion)는 특정한 음식의 맛, 질감, 온도, 혹은 냄새와 연관된 음식 거부를 포함한다. 유아가 특정한 음식을 먹을 때 혐오 반응은 얼굴 찡그리기부터 음식을 뱉기, 혓바닥 혹은 입을 닦기, 구역질하고 토하기까지 포함된다. 유아들은 른 맛과 질감의 이유식을 시작하거나, 2세 무렵 다른 종류의 음식들을 시작하는 동안 혐오반응을 가장 흔하게 보이기 시작한다.

이런 아이들은 음식 감각 혐오뿐만이 아니라 다른 영역(젖은 음식을 만지기 싫어하고 머리를 감거나 라벨이 붙은 옷을 입기를 거부하기, 모래 위나 풀밭 위를 걷길 거부하는 등) 에 대해서도 감각과민을 경험하는 일이 많다. 만일 부모들이 아이의 음식 거부를 잘 이해하지 못하고 아이들이 음식을 먹도록 구슬리고, 협상하고, 협박하고, 혹은 강제로 먹이게 된다면, 아이는 굉장히 음식 먹기를 공포스러워하거나 제한하려 하게 될 것이다.

현재의 내과적 상태와 연관된 식이 장애(Feeding disorder associated with a concurrent medical condition) 는 기질적 문제와 심리적 어려움이 결합된 것으로 특징지어지고, 심각한 식이 문제와 성장 실패로 이어진다. 예를 들어, 목에 걸림/ 구역, 음식 거부, 뒤로 제끼는 행동 등을 포함한 아이의 섭식 상의 문제와 엄마의 고통은 역류성식도염을 가진 유아가 음식을 먹는 동안 엄마-유아 상호관계 관찰 시 볼 수 있다. 유아는 음식을 먹는 것을 통증과 연관시켜서 밥을 먹는 게 예측되면 울고, 모든 식사를 거부하고, 외상 후 식이 장애(posttraumatic feeding disorder)로 발전하게 되는 것이다.

위장관 손상과 연관된 식이장애(Feeding disorder associated with insults to the gastrointestinal tract) (외상 후 식이장애[posttraumatic feeding disorder of infancy]라고도 부른다)는 구강인두(oropharyngeal)나 위장관(gastrointestinal)의 외상적인 경험 후 발생하는 음식 거부 상태를 말한다. 목에 걸리거나, 구역, 구토 혹은 구강인두 부위의 외상(oropharyngeal impingement)을 경험하고 나면, 아이가 먹는 것과 연관하여 어떤 위험한 경험을 했는지에 따라 먹기를 두려워하게 되고, 병으로 마시거나 고형 음식을 먹는 것을 거부한다. 어떤 아이들은 종종 그런 일이 일어나기 전부터 기저에 어떤 불안을 느끼고, 식사의 위험에 불안의 초점을 맞추곤 한다. 아이의 음식 거부는 너무 강렬해서 부모가 심한 불안을 느끼게 한다. 그래서 부모는 아이를 구슬리려고 하거나 혼란스럽게 만들기도 하고, 여러 가지 음식을 줘보고, 성공하지 못하는데도 하루 종일 아이에게 음식을 먹이려 하곤 한다. 깨어 있는 동안 병에 음료를 마시길 두려워하는 아주 어린 유아의 경우, 잠들면 마시기도 한다. 그러나 대부분 아이가 깨서 병을 보면, 바로 병을 밀어내고 울곤 한다.

발달 경로(Developmental pathways)

수유에 대한 자율적 내부 조절능력(autonomous internal regulation of feeding)의 획득은 생후 첫 1년간의 중요한 발달과업이다. 유아는 점점 더 배고픔과 포만감을 인식하게 되어서, 배고플 때는 먹는 것에 관심을 보이고 배가 부르면 받아먹기를 중단하는 것으로 반응한다. 이러한 자율적 내부 조절능력의 발달은 세 단계로 나타난다. 1) 상태 조절, 2) 두 개체 사이의 상호작용(dyadic reciprocity) 3) 스스로 먹고 감정을 조절하는 것으로의 이행(transition to self-feeding and regulation of emotions)

대부분의 유아들은 통증, 공포, 지쳤을 때와 같은 다른 상황에서의 울음과 배가 고플 때의 울음이 구별된다. 이상적으로 이런 구별되는 울음은 생후 1주가 지나는 동안 부모들이 더 구별하기 좋게 변하고, 그렇게 함으로써 의사소통 시스템이 발달해서 아이가 자신의 요구사항을 표현할 수 있게 된다. 그러나 잘 먹이기 위해서, 유아는 반드시 차분하게 깨어있는 상태가 되어야만 한다. 만약 유아가 먹는 동안 스스로 차분하게 있지 못하면 유아와 부모 모두에게 괴로운 수유가 될 것이다.

유아의 배고픔 신호가 약하거나 읽어내기 어려울 때, 혹은 부모들이 그들 자신의 요구사항에 몰입되어 있거나, 아이들에게 맞춰주지 못할 때, 상호간에 조절되는 양육자-유아 수유 과정이 발달되지 못하거나 혹은 실패할 수도 있다. 부모와 아이는 상호적인 관계를 발달시키지 못할 수 있고 유아는 실패된 상호관계로 인한 섭식 장애의 위험에 놓이게 된다.

6개월에서 3세 사이에 운동과 인지적 성숙은 유아로 하여금 신체적으로, 정서적으로 더 독립적으로 변하게 만든다. 자율성과 의존성의 대립은 매일의 부모-유아 섭식 상호작용 동안 협상된다. 유아가 더 경쟁적이면 아이의 부모들은 아이 스스로 먹는 것을 배우도록 촉진시켜 주어야 한다. 이렇게 스스로 먹도록 이행되는 과정 동안, 유아는 그저 배고픔과 포만감 사이의 차이를 이해하는 것뿐만이 아니라, 감정적 경험을 통해 배고픔과 포만감의 신체적 감각을 구분하게 된다(예, 편안함, 애정, 분노, 좌절). 부모가 아이의 감정 신호를 잘못 해석 해서 수유해서 편안하게 해주는 것으로 반응하면, 유아는 감정 경험과 배고픔을 혼돈하게 되고 먹는 것을 정서적 편안함과 연관 짓게 된다. 배고픔 신호를 약하게 주는 유아들은 부모를 불안하게 만들곤 한다. 유아의 영양적 필요성에 대한 우려로, 부모는 유아가 먹는 것에 관심이 없고, 입을 벌리지 않는데도, 유아의 신호들을 아이에게 먹이는 것으로써 무시하는 경우도 있다. 이러한 상황은 식사 전쟁으로 이어질 수 있고, 유아의 음식 거부를 더 악화시킬 뿐이다. 반대로, 유아가 포만감에 대한 신호를 약하게 보내고 괴로울 때 음식으로 쉽게 편안해진다면, 부모들은 아이가 정서적으로 괴로울 때나 기쁨을 찾을 때 먹는 것이라고 학습하도록 돕게 되는 것이다.

각 발달 단계 동안, 유아와 양육자의 특성은 내적으로 조절된 식이의 발달에 비해 상호적인 식이 조절의 발달을 저해할 수 있고 이런 일이 일어나면, 부적응적인 수유 패턴이 생기게 된다.

최근에 소수의 연구에서 섭식장애가 있는 아이들을 추적관찰 했는데, 유아 식욕부진증을 연구한 두 연구를 제외하고 식이 장애가 있는 아동의 발달에 초점을 맞춘 나머지 종단적 연구들은 섭식 장애의 아형을 구분하지 않았다. 그 결과, 초기 아동기에 발생하는 특정 섭식 장애가 어떻게 청소년기와 성인기의 식이 장애와 관계가 있는지는 잘 알려지지 않았다.

유아 식욕부진증은 최근 문헌에서 가장 많이 평가되고 잘 알려진 섭식장애이다. 단면적 연구들은 수유 동안 보이는 역기능적인 엄마-아이 상호작용을 강조했고 특히 둘의 갈등을 강조했다, "다른 기질" 그리고 아이들의 정서 조절의 어려움; 우울증이나 역기능적인 식습관으로 특징지어지는 아이 엄마의 정신병리적 특성 등이 그것이다. 이런 식사 습관을 방해하는 패턴과 아이와 엄마 모두의 정서적인 증상들은 엄마와 아이 사이의 상호 갈등, 엄마의 정신병리, 아이의 까다로운 기질, 아이의 정서적인 문제가 유아 식욕부진의 발생과 유지에 상호적으로 개입되어 있다는 최근의 연구결과를 뒷받침해준다. 이탈리아에서 진행된 대규모 종단연구는 유아 식욕부진을 가졌던 걸음마기 아동들을 건강한 대조군과 매칭해서 5세, 8세, 11세에 추적관찰 했다. 식욕부진이 있던 아이들은 거의 치료를 받지 않았고, 결과적으로 섭식장애의 자연경과로 이어지는 경우가 많았다. 소아 식욕부진에 걸린 아이들을 추적관찰 했을 때 약 70%가 대조군에 비해 식이 장애와 높은 수준의 불안, 까다로운 기질, 공격적인 행동, 신체적 호소를 보였다. 이 연구는 또한 어머니의 식이와 아이의 정신병리, 그리고 내면화 문제(internalizing problem)사이에 유의한 상관관계를 보여주었다. 워싱턴에서 1세에서 3세반의 걸음마기 아이들을 대상으로 한 연구는 이러한 연구결과를 바탕으로 한 것이다. "식이의 내적 조절을 촉진하는" 치료 모델은 부모 훈련을 포함하는데, 여기에는 부모가 규칙적인 식사 시간을 수립하고, 딴 데 주의를 돌리거나 아이가 밥을 먹도록 구슬리는 것을 참고, 식사시간의 부적절한 행동을 제한할 수 있도록 도와주는 내용이 포함되어 있다.

이 아이들이 7-13세가 되었을 때 진행된 추적관찰 연구(Chatoor, 2005, 2009)에서는 3분의 2의 아이들이 자신들의 섭식과 성장 문제를 극복해낸 반면에 나머지 3분의 1은 식욕저하와 식사에 흥미를 보이지 않거나, 성장이 저해된 상태가 지속되었고, 수면, 불안 장애로 발전되기도 했다. 규칙적인 가족 식사와 학교에서 점심 식사를 하지 않는 것은 둘 다 성장이 저해된 집단과 회복한 집단 사이를 유의하게 구분 짓는 특성이었다.

치료적 영향(Therapeutic Implications)

유아의 섭식장애 평가는 유아의 섭식 곤란, 발달력, 내과적 과거력, 가족력을 평가하기 위해 반드시 양육자와의 포괄적인 임상 면담으로 시작되어야 한다. 이 면담은 섭식을 방해했던 내과적 컨디션이나 섭식 문제를 유발한 외상적 경험같이 언제 섭식 문제가 시작되었는지를 확실하게 확인하기 위해 필수적이다. 이 면담은 섭식과 놀이 중인 일차 양육자와 아이를 직접 관찰하는 과정으로 이어져야 한다. 그 목적은 언제, 그리고 어떻게 섭식의 상호작용이 빗나가기 시작하는지 평가하기 위해서다. 이러한 관찰은 서로 조절된 섭식의 상호작용이 어떻게 발전되는지를 임상가가 이해는데 필수적이다. 놀이 상호작용 관찰은 임상가로 하여금 문제성 섭식 상호작용이 유아와 부모 관계에서 더 근본적인 문제를 반영하진 않는지를 결정할 수 있게 해준다. 예를 들어, 어머니가 지나치게 간섭적이거나 놀이 동안 상호 갈등을 보이는 것은 진단과 치료 계획 수립 시 고려될 필요가 있는 심각한 문제를 시사한다.

무엇보다도 다양한 섭식 장애와 연관된 유아와 부모의 성격에 대한 더 많은 연구들이 예방과 치료 방법을 개선을 위해 필요하다. 예비 연구들은 한가지 유형의 섭식 장애에 효과를 보인 치료법은 다른 유형에서는 효과가 없거나 심지어 금기시되는 것을 보여준 바 있다. 특히, 소아 식욕부진의 사례에서 치료적 접근법은 아이와 부모에게 이중으로 초점을 맞출 필요가 있다. 게다가 부모 훈련을 통해 내적인 식이 조절을 촉진시키는 것은 유아 식욕부진을 가진 걸음마기 소아에게 효과적인 치료법이다. 반대로, 위장관의 손상과 연관된 섭식 장애에서, 치료는 아이를 위한 탈감작 치료와 부모를 위한 심리적 지지를 포함해야 한다. 상호작용의, 개인적인 변수가 포함되어서 덜 심각한 섭식 장애라고 알려진 바 있는 음식 감각 혐오(sensory food aversion)의 사례에서는, 부모가 아이의 맛, 식감, 온도, 혹은 특정 음식의 냄새에 대해 경험하는 감각적 어려움을 이해하도록 돕는 것이 효과적일 수 있다.

임상적 예시(Clinical illustration)

Albert는 15개월 때 음식거부와 불안정한 성장으로 의뢰되었다. 그의 엄마는 아이가 8개월 되었을 때부터 Albert의 식이에 대해 걱정하기 시작했다고 보고했다. 아이는 운동 발달이 매우 조숙했고 그 무렵 이미 가구를 잡고 걷기 시작했다. 아이 엄마가 그를 데리고 왔을 때, 아이는 입을 벌리기를 거부하고, 엄마에게서 스푼을 빼앗아 집어 던졌다. 아이 엄마는 이유식 의자에서 먹이기를 포기하고 아이가 걸어 다니거나 장난감을 가지고 노는 동안 먹이기 위해 노력했다. 평가 당시, 엄마는 지쳐있었고 Albert의 이유 패턴에 옭아 매인 것처럼 느꼈다.

부모 면담 중 Albert의 엄마는 어렸을 때 잘 먹지 않았고 소아 청소년 기간 동안 "음식배틀(food battles)"을 부모와 벌였던 것으로 기억해냈다. 그녀는 너무 바쁠 때면 종종 먹는 것을 잊곤 했고 스트레스를 받으면 아예 먹을 수가 없었다. 아이 아빠는 식욕이 좋았고 언제나 키가 크고 건장했다고 보고했다.

부모들은 Albert가 세상을 탐험하느라 바빠서 자신의 내적인 배고픔 신호에 주의를 기울이기 바빠 보이는 명랑한 소년이고 치료적 도전은 Albert가 자신의 배고픔을 알아채고, 자기 배가 불러질 때까지 이유식 의자에 앉는 것을 배우도록 돕는 것이라는 것을 이해하기 위해 도움을 받았다. 그들은 Albert가 세끼 식사와 한번의 간식을 먹고, 중간에 물을 제외한 다른 것은 먹지 않도록 해서 배고픔을 느낄 수 있도록 매일의 일과를 만들도록 조언을 받았다. 그들은 적은 양의 음식을 주면 아이가 먹는 것에 흥미를 유지할 수 있다는 것을 알게 되었다. 아이 아버지는 가족 식사를 위해 저녁에 집으로 돌아오는 것을 기대하기 시작했고, Albert에게 제한 설정하는 것을 더 편안하게 여기게 되었다. Albert는 어떤 때는 식사 후 배고픔을 느꼈지만, 그의 대부분의 식사 패턴은 잘 먹고 나면 다음 번엔 적게 먹는 식이었다. 무엇보다도, Albert의 식사량은 향상되었고, 식사 중 더 차분해졌다. 부모들은 Albert가 자신의 배고픔, 배부름에 반응하도록 도와줌으로써 얻어낸 진전에 용기를 얻었고, 다 함께 즐거운 저녁식사를 시작하게 되었다고 보고했다.

IEC03 배설장애(Elimination Disorders)

배설장애는 기능적 야뇨증(enuresis)과 유분증(encopresis)을 포함한다. 연령에 기대되는 정상 범주를 넘어서는 수준으로 소변이나 변 조절을 획득하지 못하는 일차성 배설장애와 조절이 가능했는데 그 후에 조절 능력을 잃어버리게 된 경우를 이차성 배설장애가 있다. 대변이나 소변을 참는 아이들은 배변 장애가 있다고 간주된다. 이차성 야뇨증은 부모와의 분리나 불화 같은 불행한 사건의 발생빈도가 높은 것과 관계 있는 것으로 여러 차례 밝혀진 바 있다. 어떤 부모들은 소변을 눠서 적시고, 오염시키는 것은 아이가 조절해야 하는 것이라고 굳게 믿어서, 이를 견디질 못해 아이의 증상을 악화시키기도 한다.

증상 패턴(Presenting pattern)

배설장애가 있는 아이들은 어떤 범주의 정서적 상태를 경험하곤 한다. "사고"에 대한 두려움, 수치스러움, 당혹감이 쉽게 관찰된다. 좀더 깊은 주관적인 단계에서 아이는 종종 자신의 신체에 대해서 의심스러운 느낌을 가진다. 신체 기능에 대한 불안감이 만연해 있고, 예기치 못한 요의에 대해 "통제 불가능하다"는 데 대한 불안이 있다. 이런 우려 때문에 어떤 아이들은 배설에 대한 신체직 신호를 받아들이길 거부하고 신체적 요구를 숨기거나 부정하기도 한다. 이들은 주변 사람들을 조절하려고 함으로써 이를 보상하곤 한다. 어떤 아이들은 요의나 변의를 "너무 늦어질"때까지 충분히 알아차리지 못하기도 한다. 이런 아이들은 근 긴장도 저하와 함께 신체의 신호를 감지하는 능력이 떨어져 있어 당혹감과 혼란스러움을 느끼기 쉽다. 다른 사람들에게 있어서 배변조절이 숙달된 다는 것은 아기로 남고 싶다는 소망과 충돌되는 "자라남"의 기대가 요구된다는 것을 의미한다. 이 갈등은 근본적으로 아이 혹은 부모에 의한 것으로 보이나, 대개는 상실, 분리, 무능력, 관계의 변화(예: "아기들은 엄마의 것이지만 큰 애들은 아빠에게 간다."), 혹은 다른 갈등에 대한 두려움을 동반한 양육자와 아이 간의 갈등과 같은 상호적인 주제가 된다.

놀이나 대화 속에서 보이는 아이의 정신적인 내용물은 위에 서술된 정서 패턴을 반영하는 경향이 있다. 놀이 주제는 강렬한 감정을 회피하거나, 감정적인 내용을 폭발적으로 터뜨리거나 혹은 그 둘 사이를 오가는 특징을 보일 수 있다. 아이는 의식적이지 않은 거부증이나 간헐적인 충동성을 동반한 채, "잘하고", 양육자를 기쁘게 하고 싶은 소망을 수시로 말로 표현하곤 한다. 기능적 발달 역량을 평가하는 것은 이러한 문제들에 영향을 주는 제약과 관계된 구체적인 역동 공식을 감별하는 데 도움이 될 수 있다. 자아 동조적인 특성과 증상이 요구하는 바를 이해하는 정신역동적 이해가 적절한 치료를 위해 필수적이다.

발달 경로(Developmental pathways)

아이가 독립적인 배변을 하기 전에 의사소통 기술, 사회적 정서적 발달, 소근육과 대근육 운동 발달, 그리고 인지기능의 발달 등 다양한 영역에서의 적절한 발달이 반드시 이루어 져야 한다. 그러므로 항상 아이의 배변문제를 평가할 때 첫 번째 단계는 종합적인 발달이 준비가 되었는지를 평가하는 것이다. 특히, 의사소통 기술은 양육자에게 배변 욕구가 있다는 것을 알리는데 필요하고 사회 정서적 발달은 아이가 부모와 사회적 기대에 어느 정도 부응할 필요가 있다는 것을 아는 정도까지는 도달해 있어야 한다. 소근육과 대근육 운동 기술은 옷을 입고, 요구되어 지는 자세를 따라 하고, 화장실 휴지를 사용하는 등의 정도는 되어야 하고, 인지적 기술은 연관된 신체 감각의 의미를 이해하고, 배변 욕구를 만족시킬 때 계획능력과 자기 조절 능력을 보이는 정도가 되어야 한다. 상호작용적인 과제와 결합된 감각과 운동의 내재된 취약성은 배변 곤란에 영향을 줄 수 있다. 예를 들어, 어떤 아이들은 낮은 근육긴장도(low muscle tone), 취약한 운동계획능력(poor motor planning)과 낮은 감각 반응도(sensory underreactivity)를 가지고 있기 때문에 기본적인 신체 기능을 감지하고 운동 조절을 수행해내기가 어려울 수 있다. 어떤 아이들은 수세식 변기에 지나치게 예민하거나 두려워하기도 한다. 신체 상태는 아이가 증명하는 특정한 유형의 정서나 신체적 저항을 표현하는 경향이 있다. 어떤 아이들은 느낌을 전달하기 위해 상징적으로 언어나 놀이를 사용하지 못하는 상황에서 분노나 반항을 표현하기 위해 소변이나 변을 참기도 한다. 관계는 종종 결핍(neediness), 거부증, 충동성 사이를 오가며 특징지어지는데, 아이와 가족들마다 두드러지는 부분은 다르다.

치료적 영향(Therapeutic Implications)

유병률은 배변장애 아이들의 반수 이상이 9세가 되면 "스스로 돌볼 수 있게 된다"는 것으로 나타났다(Fishel & Liebert, 2000). 평균적으로 초등학생의 나이가 되어서는 배변 문제를 가진 아이는 12개월 이내에 스스로 이를 해결할 확률이 12%에 불과하다. 이를 고려할 때, 부모와 아이들은 자연적으로 나아지기를 기다려서는 안 된다. 배변장애는 심각한 수치감, 자존감 저하, 사회적 위축으로 이어질 수 있기 때문이다.

많은 수의 연구들이 침대를 적시는 아이들이 그렇지 못한 아이들에 비해 겪게 되는 내현화 혹은 외현화되는 문제들(internalizing and externalizing problems), ADHD, 낮은 자존감 등을 포함한 높은 수준의 심리적인 문제를 증명하는 결과물을 보여주고 있다. 특히 Avon Longitudinal Study를 모집단으로 하는 8천명의 평균 8세 아동을 포함하는 최근 코호트 연구는 복합성(주간과 야간) 야뇨증은 외현화 문제의 위험도를 높이는데 기여한다는 결과를 보여준 바 있다. 나아가 만성적인 유분증을 가진 아이와 가지지 않은 아이 사이의 심리학적 차이는 유분증이 있는 아이는 불안과 우울 증상이 더 많고, 덜 따뜻하고 덜 화합(organization)되어 있고, 주의력 장애가 더 많고, 심한 사회적 문제를 갖고 있으며, 학업 수행 능력이 떨어진다는 점을 보여줬다. 이러한 문제들은 증상에 초점을 맞춘 개입을 방해했다. 우리는 이러한 쟁점들을 찾아내고 좀더 광범위한 치료 프로그램으로 해결해야 한다.

초기 치료 프로그램은 아이들이 신체 기능에 대한 불확실성과 불안정성을 다루는 것을 도와줄 수 있다. 감각 그리고 운동 과정은 감각, 운동, 시간 및 공간 활동의 혼합을 통해 아이의 신체능력에 대한 이해를 촉진시키는데 도움을 줄 수 있다. 부모들이 배설에 대한 자신들의 감정을 다루는 것(그것이 자신들에게 어떤 의미이고, 어떻게 느끼는 지, 그리고 아이를 돕기 위해 효과적인 방법을 실행할 수 있는 방법은 무엇인지)을 돕는 것 또한 필수적이다. 아이가 분노와 자기 주장에 대한 두려움을 탐색하도록 도와주고, 양육자와 가족이 안정감과 자주성을 모두 제공할 수 있는 공감적인 분위기를 제공하도록 돕는 것 또한 중요하다.

임상적 예시(Clinical illustration)

2차 야뇨증을 주소로 내원한 4세 여아 Pauline은 2세 반 무렵까지는 문제가 없었으나 어린 남동생이 태어나면서 야뇨증이 시작되었다. 부모님은 아이의 공격적인 행동과 분노에 대한 염려를 표현했다. 벨-패드를 사용하는 것은 초반에 도움이 되었고, Pauline은 벨-패드 방법을 사용한 조건화 테크닉(conditioning techniques)에 반응을 보였다. 그러나 1년 사이에 야뇨증은 다시 재발을 했고 Pauline은 일주일에 수 차례 이불을 적셨다. Pauline이 태어난 뒤 엄마는 출산 후 우울증으로 2년 가까이 고생했었다. 우울할 때 엄마는 Pauline에게 화가 나면 종종 아이를 때리러 다가왔다가 아이를 둔 채 방을 나갔다고 한다. Pauline의 아버지는 Pauline이 다정하고 상냥했다고 설명했다. 그는 자신의 아내가 Pauline을 지나칠 정도로 싫어했고, 아이는 자신이 엄마에게 미움받는 것을 이해할 수 없었다. Pauline은 엄마가 안아주길 원했지만, 동시에 공격적인 감정 폭발로 자신의 엄마를 사로잡는 법을 배웠다. 계속적인 야뇨증은 메말랐던 그들 관계 사이에 공공연한 접촉과 친밀감을 가지고 왔다. 소변을 싸는 퇴행된 행동은 유아기적 친밀감을 향한 자아 동조적이고 보상적인 행동임이 증명되었다.

부적응적인 행동을 통해 친밀감을 얻으려는 패턴은 Pauline의 경험이 부모들에게 엄마의 산후우울증과 출생 초기에 친밀감과 애착 형성의 실패와 관계 있다고 해석되어 전해졌다. 그

후, 추적관찰 세션은 감소된 공격성과 야뇨증 횟수의 감소로 이어졌다. Pauline에 대한 어머니의 태도가 변하면서 증상의 호전을 가지고 온 것이다. 엄마는 Pauline을 대할 때 점점 더 여유가 생겼다. 아이가 필요로 하는 것을 적절할 때 가장 먼저 제공하고, Pauline과 그녀의 남동생을 구분해서 더 많은 신체적 접촉과 시간을 제공했다. Pauline의 엄마가 처음에는 이런 변화의 필요성을 인지적인 수준에서 받아들였던 반면(친밀감이 아이와의 갈등과 야뇨증보다는 덜 파괴적이라는 것을 알아차리는 정도), 점차적으로 이러한 행동들을 정서적인 측면에서도 받아들이게 되었고 Pauline이 먼저 친밀감을 위한 접촉을 시도하는 일이 줄어들었다. 또한 Pauline의 부모님들은 부부간의 긴장감도 줄어들었고 함께 일을 하는 능력도 좋아졌다고 보고했다.

IEC04 불안장애(Anxiety Disorders)

불안은 인간이 발달과정에 적응하도록 해주는 정상적이고 필수적인 감정 상태이고, 자기 보호적인 행동을 증가시켜주는 기능이 있다. 유아와 어린 아이들은 일상적 기능과 정상 발달을 저해할 수 있는 비정상적으로 과도하고, 왜곡되고, 지속적인 형태의 불안뿐만이 아니라 정상적인 패턴의 불안을 보여주곤 한다. 불안은 진화적으로 포유류의 공포와 밀접한 관계가 있고 아이에게 위협적이거나 위험한 상황을 깨닫게 해줄 수 있다.

전형적인 발달과정에서, 6에서 12개월 사이에서 보이는 외인 불안과 양육자와의 분리 불안은 낯선 어른이나 혼자 있게 되는 상황으로 대표되는 위험에 대한 적응적인 반응이다. 그러한 불안들은 대부분의 아이들이 30개월이 되면서 감소하고 아이가 양육자와 애착이 형성되고 애착대상과 타인을 구분하는 능력이 있다는 것을 반영한다.

불안은 그것이 발달적으로 적응적인 행동을 제약할 때 증상적이라고 할 수 있다. 이런 경우, 불안은 아이에게 비정상적인 행동: 지나친 분노발작, 강박행동, 신체적 과다행동 혹은 회피 (실어증, 징징거리며 매달림, 자기 조절능력의 저해 등을 포함하는)뿐만 아니라 특정한 것에 대한 공포감이나 지나친 염려, 강박 혹은 집착을 발달시키게 한다. 아이들은 어딘가 아프다고 하거나 통증 혹은 식욕의 변화 같은 신체적 증상의 발현으로 불안을 표현하기도 한다. "충분히 좋은" 양육은 아이로 하여금 새롭고, 친숙하지 못한 경험을 탐험하는데 기반이 되는 안정적인 애착을 형성할 수 있게 한다. 일차 양육자와의 둔감한 관계는 불안정한 관계, 감정 조절의 어려움, 불안 증상으로 발전될 수 있다. 유아와 소아들은 어른들보다 자기 불안의 근원이 무엇인지 파악하기가 훨씬 힘들 것이고, 장애가 되는 불안으로 인해 새로운 경험을 탐색하고 찾아내지 못할 때 받는 고통이 상당할 것이다. 80% 이상의 예민한 아이들이 유전과 환경 모두에 영향을 미칠 수 있는 예민한 부모를 가졌다는 관련 증거가 많이 제시된 바 있다.

PDM 초판의 해당 섹션과 다르게 이 섹션은 지속적이고 아이의 기능이나 발달에 손상을 주는 경우에만 불안 장애로 고려되는, 분리 불안(separation anxiety)이나 낯가림(fear of strangers)같은 "발달상의 불안(developmental anxiety)"을 포함한다. 이 섹션에서는 선택적 함구증(selective mutism)을 불안 장애의 증상이나 표현 중 하나로 보고 그 자체로는 장애로 보지 않았다.

증상 패턴(Presenting pattern)

아이의 정서적인 삶을 인정해주고 아이에게 반영해줄 수 있는 "충분히 좋은 부모"와 함께하는 초기 유아기의 전형적인 발달은 5에서 8개월 사이에 일차 양육자로부터 떨어지면 나타나는 정상적인 분리 불안으로 설명되곤 하는 '일차 양육자와의 유대감(the connectedness to primary caregivers)'과 '타인에 대한 경계심(wariness of others)'에 더하여, 일차 양육자와의 애착과 자기와 타인을 인식하는 능력을 획득(awareness of self and other)하는 것을 포함한다. 이례적으로, 아이가 전반적인 고통을 표현하기도 하고, 부모로부터 떨어질 수가 없거나 너무 쉽게 분리되어 버리는 경우가 있다. 이들의 덜 발달된 언어나 추상적인 추론 능력은 자신들의 고통을 심각한 분노발작이나 안절부절, 회피, 염려 등으로 표현하도록 한다. 모든 연령의 아이들에게 불안과 생리적 공포 반응은 서로 연관된 것이기 때문에, 행동 표현을 "싸우거나, 도망가거나, 얼어붙는(fight, flight, or freeze)" 반응으로 간주할 수 있다. 아이들은 커갈수록 공포감을 유발하거나 이에 접근하기도 하고, 자신에게 익숙하게 만들어서 통제할 수 없는 불안을 완화시키려고 하는 등의 역공포적인 반응을 발전시킨다. 싸우거나 도망가거나 얼어붙는(fight, flight, or freeze system) 반응의 활성화는 아주 어린 유아조차 하루 종일 초롱초롱한 상태로 만들 수 있게, 극도로 집중하고 극도로 예민한 상태로 만든다.

이렇게 수위가 높아진 상태에서의 기능은 정상발달에 필요한 상호작용과 경험을 상당히 지연시킬 수 있다. 아이들은 발달 과정과, 수유, 식이 장애, 수면의 어려움, 친구들과 노는 것에 대한 불안, 놀이 중 받는 위협에 대한 지나치게 공격적인 반응, 등교 거부, 활동에 참여하기 위해 부모와 떨어지는데 어려움을 겪는 것, 신체 집착, 배설 장애 같은 타인과의 상호작용에서의 장애를 보일 수 있다.

소아기 불안 장애는 일반적으로 처음에는 분리 불안과 특정 공포증(specific phobia)으로 나타나 사회 공포증(social phobia)의 발병으로 이어지곤 한다. 이것은 불안정한 애착 패턴의 발전에 이어서 나타나거나, 심하게 예민하거나 우울한 엄마가 충분히 달래거나 편안하게 해주지 못할 때 드러날 수 있는 기질과 관계가 있거나, 기질적 부조화로 인해 아이의 요구를 양육자가 잘 이해하지 못해서 나타날 수 있다.

불안은 비이성적이고 환상을 기반으로 했기 때문에, 아이의 묘사를 통해 불안의 근원을 설명해내려는 일반적인 부모의 시도는 효과가 없다. 또한 양육자들은 종종 신경질적이고 자기 아이들에게 혹은 양육자 스스로의 "양육에 실패한" 경험이나 아이에 대한 내적 경험에 대해 조심스러워 하거나 과민한 방식으로 방식으로 반응하곤 한다.

DC: 0-3R은 초기 유아기에서 가장 중요한 불안 장애를 다음과 같은 기준으로 감별한다:

- *분리불안장애(Separation anxiety disorder).* 아이가 학교 가기, 혼자 있기, 잠을 혼자 자는 것을 꺼려하거나 거부할 정도로 걱정할 수 있다. 아이는 또한 반복적인 악몽을 겪고 두통, 복통, 구역, 구토와 같은 신체적 증상을 호소할 수도 있다.
- *특정공포증(Specific phobia).* 아이는 공포 상황 혹은 대상을 피하거나 혹은 그것과의 접촉을 피할 수 없을 때 강렬한 불안이나 괴로워하는 모습을 보인다. 공포 자극에 노출되는 것은 공황, 울음, 발작, 굳어버리는 모습(freezing)이나 매달리는 행동과 같은 즉각적인 불안반응을 일으킬 수 있다.
- *사회 불안 장애(Social anxiety disorder(Social phobia)).* 아이는 친숙하지 못한 사람들이 포함된 사회 상황 혹은 수행 상황(social or performance situations) 혹은 타인에 의해서 검사를 받는 것에 대한 현저하고 지속적인 공포를 보인다.
- *범불안장애(Generalized anxiety disorder).* 아이는 어떤 사건이나 상황과 관계없이 심각한 불안을 경험한다. 그 혹은 그녀는 수없이 많은 것들에 대해서 – 가족의 건강부터 학교에서의 수행, 그리고 미래의 사건들- 굉장히 괴로워한다.

앞서 나열한 데 덧붙여, DC: 0-5는 자극 억제 장애/ 새로움 억제 장애 (inhibition to novelty disorder)라는 새로운 불안 장애를 규정한다. 아이는 새로운 상황, 새로운 장난감들, 새로운 활동과 사람들에게 접근하는데 종합적이고 전반적인 어려움을 보인다. 아이들은 새롭거나 친숙하지 못한 대상과 접하면 얼어붙거나, 물러나거나 만연한 부정적 정서를 보이는 등의 공포반응을 보인다. 이 장애는 추후 불안 장애가 발병할 위험을 높이는 것으로 보인다.

위에서 지적했듯이, 선택적 함구증은 장애 그 자체로 고려되지 않고, 학교와 같은 특정 사회 상황에서 효과적으로 말하기, 의사소통하기에서 어려움을 겪는 아동의 복합적인 불안 장애로 간주된다. 선택적 함구증을 가진 아이들은 자신들이 편안하고, 안전하고 여유롭다 여기는 환경에서는 말하고 소통하는 것이 가능하다. 또한 선택적 함구증을 가진 아이들은 대개 사회 불안이나 사회 공포를 동시에 가지고 있다.

함구증과 마찬가지로, 이 질환들의 높은 동반 이환율을 증명한 연구가 있다.

임상가들은 감각, 운동, 혹은 그 외의 다른 정보처리과정의 문제가 잘 알지 못하는 상황을 다루는 아이의 능력을 저해하는 것은 아닌지를 우선적으로 평가해야 한다. 이런 경우, 유아는 화를 내거나 예민해지고 과하게 반응할 수 있지만 그 불안은 일차적으로 조절감각처리장애와 관계가 있다. 둘째로, 임상가는 불안이 일차적으로 기대되는 발달적인 이행에 연관된 것은 아닌지 혹은 아이가 발달 과업을 마스터하는데 어려움을 겪고 있는 것은 아닌지를 평가해야 한다. 마지막으로 유아-양육자 관계와 연관된 불안도 고려되어야 한다.

임상 평가에서 더 정확한 평가를 하기 위해서, 임상가는 단순히 증상만 고려해선 안되며 정서적 기능의 장애과 아이의 주관적인 경험과 대인관계 경험에서의 장애 여부를 고려해야 한다.

발달 경로(Developmental pathways)

불안 장애의 발병과 유지에 기여하거나 이를 예측할 수 있는 주 요인들에 대한 보고는 여러 발달 경로와 생물학적, 유전적, 환경적 그리고 관계적 요소들의 복잡한 상호교류 등을 제시하고 있다.

기질적으로 내향적인 유아나 걸음마기 아이는 분리 불안 혹은 공포감이 많은 아이가 되고, 사회적으로 불안한 아이가 되어서 후에 매사 불안한 어른이 되는 경향이 있다는 사실을 뒷받침하는 강력한 증거들이 있다. 불안한 기질은 환경적 스트레스에 반응해야 할 때 느리게 반응하고, 조심스럽고 예민한 패턴 혹은 행동억제처럼 더 과도한 표현 등의 행동으로 표출되는, 불안에 대한 낮은 역치 같은 생물학적 소인을 반영한다. 불안에 대한 표현은 아이의 발달 단계를 반영한다. 세상에 대한 경험이 불확실하고 잘 이해되지 않은 언어 습득 이전의 아이는 과민함, 발작, 식사나 수면의 장애, 그리고 연령에 적합한 활동에 잘 참여하지 못하는 모습을 보인다. 아이가 성숙하고 좀더 복잡한 언어 기술이 발달하면, 아이는 걱정, 두려움, 공포를 잘 설명할 수 있게 되고 더 회피적이고 퇴행된 모습이 된다. 체질적-성숙적 그리고 상호작용적-상황적인 모든 기여 인자를 분석하는 것이 진단에 필수적이다.

일차 양육자와의 안정적 애착은 회복탄력성을 구축하고 유아와 걸음마기 아이들에게 스트레스 경험에 반응할 수 있는 자원을 제공할 수 있다는 사실이 밝혀졌다. 반대로, 불안정-저항적 애착은 소아청소년의 우울장애와 불안장애의 위험인자가 될 수 있다. 불안정-저항적 애착을 가진 미취학 아동들은 날카롭고 신경질적이고 겁이 많고 쉽게 좌절하고, 수동적이며, 성인에게 의지하는 것으로 묘사된다. 이들은 편안하거나 안심하지를 못하고, 화내고, 괴로워하고, 불안해하는 모습을 자주 보인다. 불안정 애착은 회피적인 성향을 강화시킬 수 있는데 특히 두려워하는 상황을 피하거나 좌절에 대해서 반항적으로 반응하는 예민한 아이들에서 더 그렇다.

어머니가 예민한 아이가 불안 위험도가 높다는 것에 대한 증거도 있다. 잘 맞지 않아서이든 자기 자신의 어려움으로 인한 것이든 간에 아이들에게 자기조절능력을 발전시킬 기회를 주지 못한 양육자들과 안전함과 안정감을 느낄 수 있는 환경을 아이들에게 제공하지 못한 양육자들은 아이들에게 불안이 발전하는 것을 예방해주지 못한다. 역기능적 양육 방식은 집착, 참견, 비판, "천재지변처럼 최악인", 정서적 따뜻함이 부족한, 부정적 정서, 등으로 특징지어지고, 아이의 주도성을 방해하는 경향은 자율성을 지향하는 아이의 정서적 발달을 저해하고 불안 장애를 야기할 수 있다.

불안 장애들은 이어지는 발달 단계들에서 정신병리적 연속성에 대한 유의한 임상적 위험성을 대표한다고 볼 수 있다. 이 발견은 종적 연구 데이터에서 나타났는데, 이 연구는 심지어 동반질환이 통제된 상황에서조차 불안에서 우울까지의 이형적 연속성을 증명했다. 이 이형적 연속성은 여자아이들에서 더 빈번하게 나타났다.

치료적 영향(Therapeutic Implications)

후기 소아기와 성인기의 불안은 초기 아동기 불안이나 기질적 성향이 선행하는 경우가 많으므로 조기 발견과 개입을 통해 보호할 수 있다. 그리고 어린이가 스스로 자기 조절 능력을 발전시키도록 돕는 환경과 양육자의 역할이 제공되는 것이, 치료적 중재의 좋은 기회가 될 수 있다. 예민한 아이들은 안전하고, 평온한 환경에서 큰 도움을 받을 수 있는데, 매일 아침 같은 음악을 들으며 깨는 것 같은 안정적이고 의지할 수 있는 의식이나, 매일 저녁 목욕, 독서, 조명과 같은 익숙한 의식을 하며 잠을 자는 것 같은 친숙한 의식 등이 이러한 환경에 포함된다. 아이들이 자신의 두려움이 어디에서 왔는지 이해해서 환상과 현실을 잘 구분할 수 있게 되는 것도 도움이 될 수 있다. 또한 아이들은 자신의 일차 양육자로부터 분리되거나 자립하는 능력과 분리 과정을 도와주는 양육자의 능력에서도 도움을 받을 수 있다. 새로운 상호작용 모델을 제시해줄 수 있는 치료자와의 관계와 부모-자녀 치료를 통해 많은 증상이 경감되고 발달 궤도가 복원될 수도 있다.

임상적 예시(Clinical illustration)

Nina는 2세 여아로 이민자인 부모가 아이를 병원에 데리고 온 것은 먹기를 거부해서였다. 부모들은 아이가 정상 임신, 출산과정을 거쳤고, 일반적인 성장과 발달을 거쳤다고 이야기 했다. Nina는 젖을 먹고 음식으로 이행하는데 아무 문제가 없었다. 그녀는 지난 몇 달까지만 해도 행복하고, 밝은 아이로 묘사되었다. 내과적 과거력 상 3개월전 위장관염을 앓은 것이 두드러졌고 아이는 그 동안 토하고 수일간 꽤 우울했었다. 입원 1주 전, 그녀는 바이러스 감염으로 다시 아프고 구역질을 하게 되었다. 그녀는 먹는 것을 멈추고 다시 토하게 되는 것에 대해 두려워했다. 그녀의 사회력에서는 처음으로 아프기 얼마 전 언니가 되었다는 것이 주목할 만했다. 입원 기간 동안, 그녀는 먹기를 계속 거부했고 체중 저하가 심해서 결국 G-tube를 삽관하게 되었다. Nina는 tube로 먹는 것에 꽤 만족하는 것 같았다. 퇴원할 때 그녀는 2주 간격 치료를 시작했고, 매주 부모 치료를 함께 받았다. 그녀는 처음에 엄마와 떨어지는데 상당한 저항을 보여서 엄마는 아기(동생)를 시터와 함께 두고 Nina와 함께 하게 되었다. 치료가 진행되면서 Nina가 아기를 데리고 온 부모들에 대하여 상당한 화나고 분노했지만 말하지 못했다는 것이 분명해졌다. 처음에는 공격적이었지만 이후 말로 표현하는 놀이를 통해, 그녀는 자신의 분노를 약간 표현할 수 있게 되었다. 그녀는 엄마를 더 오래 떠나있을 수 있게 되었고 학교와 다른 활동에 참여하고 식사를 할 수 있게 되었다. G-tube는 제거되었다.

IEC05 감정의 범위와 안정성의 장애(Disorders of Emotional Range and Stability)

유아는 출생하면서부터 자신의 양육자들과 의사소통하고 협력하는 관계에 감정을 느끼고 표현하곤 한다. 그들의 감정이 강렬하기 때문에, 유아들과 어린 아동들은 너무 과하게 혹은 부족하게 느끼곤 하는 감정 상태를 조절하는데 도움을 받기 위해 일차 양육자에게 의존하게 된다. 초기 유아기부터 학령전기까지, 아이들은 점차적으로 자신의 감정 범위가 넓어지고(분화) 안정되는 것을 경험한다. 2-3개월 유아는 포괄적인 감정을 보인다 – 기쁨, 괴로움, 분노, 두려움- 그리고 한가지 감정에서 다른 감정으로 매우 빠르게 전환할 수 있다. 굉장히 고통스러워하던 아기가 빨리 부모를 통해 위로를 받으면, 금방 웃으며 옹알이를 하곤 한다. 자기의 감정적 경험을 파악하고 형성하고 의미를 부여하려는 보호자의 노력을 느끼는 아기는 더 다양한 감정을 구별하고 표현할 수 있는 걸음마기 아기로 성장할 것이다. 16개월이 되면 이 아기는 온정, 기쁨, 호기심, 즐거움, 조심스러움, 두려움, 짜증스러움, 고집, 공감, 슬픔, 그리고 다른 여러 가지 애매한 감정적 상태들을 표현하게 될 것이다. 적응적인 걸음마기 아이는 관계에서 기대할 수 있는 경험을 상대적으로 예측 가능하고 차분한 방식으로 경험하고 표현한다. (예: 미소 짓는 부모가 나타날 때의 행복감, 그리고 좋아하는 장난감을 잘 시간이라서 선반 위에 올려둘 때의 분노)

연령에 기대되는 모든 범위의 감정을 경험하고 이를 안정적인 방법으로 조절하는 아이의 능력은 미래의 사회적 그리고 지적 발달에 중요한 기반이다. 잠재적이고 장기적인 중요성 때문에, 연령에 기대되는 감정의 범위와 안정성 상의 어려움을 파악하는 것은 중요하다.

아이가 연령에 적절한 감정의 범위와 안정성 상에 어려움을 겪고 있는지 판단하기 위해서, 임상가는 유아들과 어린 소아들에서 기대되는 정서적 발달에 대한 로드맵을 갖고 있어야 한다. 아이들의 정서적 발달은 연령에 적합한 놀이 능력뿐만 아니라 그들의 몸짓, 관계, 타인과의 상호작용을 통해 관찰될 수 있다. 가장 처음 관찰되는 감정 표현은 신체 상태(포만감, 건조함, 따뜻함, 피곤하지 않음)와 양육자와의 사회-정서적 경험(안정감, 기쁨, 명랑함)과 관계가 있다. 유아기의 부정적인 감정은 대개 반응적으로 나타난다(예: 굶주림의 고통, 혹은 너무 빠르게 눕혀졌을 때 위험하다는 느낌). 좀더 부정적인 감정들은 아이들이 다른 사람, 그리고 자신의 능력에 대해 현실에 내재된 한계를 직면할 때 발생한다. 아이들은 분노, 질투, 형제간의 경쟁, 공격심을 느끼고, 타인을 통제하고 지배하고 싶은 소망을 갖게 된다. 그들은 스스로 기량과 성공이 부족함에 수치스러움을 느낄 수 있다. 양육자가 아이의 행동에 대한 정서적 기반을 잘 이해하지 못하고 관계가 인간 감정의 모든 범위를 포용해주지 못한다면 이러한 "부정적인" 감정은 아이-양육자 상호작용에 걸림돌이 될 수 있다. 아이가 현실검증력을 완전히 터득했을 때, 가능성에 따라 타협에 적응하고, 더 높은 발전 수준에 도달하면서, 감정은 우정, 충성, 정의 그리고 도덕성으로 확장된다. 이러한 감정들은 아이가 양가감정과 갈등적인 감정, 그리고 그 이유같이 복잡한 감정을 설명하는 것이 가능해지면서 점점 더 많이 분화하게 된다. 2살 남자아이는 어린 여동생을 때릴 수 있다. 3세가 되었을 때 여동생의 장난감에 말로 시비를 걸 수 있다. 4세가 되면, 그는 자신은 여동생을 사랑하지만 엄마가 자기와 시간을 보내지 않고 아기가 늘 우선이라고 말 할 수 있게 된다. 5세에서 6세 사이, 그는 보호하고 도와주기도 하면서도 자신의 질투심에 대해서 이야기 할 수 있다.

그러므로 감정의 범위와 안정성의 장애는 이러한 정상적인 감정의 분화, 범위, 안정성의 결핍으로 인한 것이다. 발달적인 불안을 가진 아이들과 다르게, 이 진단을 받은 아이들은 영향력이나 관심의 범위가 좁고, 그들의 겪은 불안반응의 강도가 부족할 것이다.

증상 패턴(Presenting pattern)

이 범주의 장애들은 다양한 방식으로 나타날 수 있다. 유아는 두드러지게 낮은 강도로 아주 제한적인 범위의 감정을 보이거나, 급격하게 번지거나 갑자기 소멸되어버리는 부정적인 감정을 보일 수 있다. 걸음마기 아이는 감정이나 감정적인 신호를 잘 알아채지 못하거나 불연속적인 감정들(흥분한 것과 화난 것 같은)을 혼돈해서 부적절한 감정을 보이는(예: 엄마가 다쳤을 때 웃어버리는 행동) 역효과를 낼 수 있다. 좀더 나이가 든 아이는 감정에 대한 질문에 답하는데 어려움을 겪을 수 있고 생각, 감정 그리고 행동 상의 연결을 생각하는 게 불가능해 보일 수도 있다.

이런 아이들의 기능은 꽤 심하게 제한적이다. 그들이 감정 조절을 발전시키는 능력은 감정 상태를 이해하고 나이가 예상할 수 있는 방식으로 좌절과 고통을 견뎌내기엔 제한적인 능력에 의해 방해 받을 수 있다. 주의를 기울이고, 사회적 학습에 참여하고, 인과관계를 만드는 것 같은 실행능력도 영향을 받을 수 있다. 예를 들어, 감정의 불안정성은 일정 시간 동안 어딘가 집중하는 갓난 아기의 능력에조차 영향을 줄 수 있다; 걸음마기 아기의 관심사는 몇 가지 영역으로 제한될 수 있으며, 그러한 관심을 동반할 수 있는 감정적 드라마는 없는 것으로 보일 수 있다. 아이의 레퍼토리 상 좁은 감정범위가 대인관계에 영향을 줄 수 있기 때문에 다른 아이들과의 노는 것도 영향을 받는다. 예를 들어, 이런 아이는 감정에 근거한 생각을 잘 못하고, 다른 사람들의 상징적인 놀이에는 관심이 적기 때문이다. 어린 아이가 타인의 마음을 이해하는 능력(theory of mind)을 발달시키는 것도 그 혹은 그녀 자신의 감정이나 타인의 감정들을 구별하지 못하는 것의 영향을 받을 수 있는데, 감정을 구분하는 것은 범위, 신뢰성 및 안정성, 예측 가능성에 영향을 미치기 때문이다.

요약하자면, 1) 임상가는 연령에 기대할 만한 두려움, 염려, 혹은 불안의 부재가 눈에 띄게 있는 경우, 2) 방해될 정도의 강렬한 감정, 상황에 반대되는, 혹은 부적절한 감정 3) 상기 두 가지가 적합한 기능을 방해할 수 있는 경우들을 잘 관찰해야 할 것이다.

발달 경로(Developmental pathways)

아이는 범위와 안정성의 장애들을 다른 경로로 발전시킬 수 있다. 그러나 환경적인 요인들이 중심적인 역할을 한다.

감정적인 상태를 이해하기 위해 요구되는 마음과 마음의 발판(mind-to-mind scaffolding)을 갖지 못한 아이는 감정을 알아차리고, 명명하고, 이해하고, 조절하는 능력을 발전시킬 수 없는데 그 결핍이 영향을 줄 수 있다. 덧붙여서, 유아는 부모와의 대화에서 어떤 감정을 제외시키는 법을 배우곤 한다. 부모들과 유아들은 언어적으로도 비언어적으로도 감정을 소통한다. 예를 들어, 아기는 부모들에게 부정적인 감정이 받아들여질 수 없다는 것을 "무서워할 것 없어!" 혹은 "슬퍼하지 마."와 같은 타이름이나 부모의 무표정, 차가운 목소리, 혹은 몸을 돌려버리는 행동 등을 통해서 배울 수 있다. 자신의 감정이 알아차리거나 표현하는 것에 거부감을 느끼는 부모들은 자기 아이들의 그런 감정들을 피하는데 예를 들어, 행복한 시간만을 나누려고 할 수도 있다. 부모들이 모든 범위의 감정의 표현을 억제할 때, 혹은 특정한 감정만 받아들일 수 있을 때, 그 아이는 자신의 감정 세계를 탐험하고 탐색할 기회가 거의 없어진다.

부모들은 자신들이 아이에게 주고 있는 단서들을 알지 못할 것이기 때문에, 이 "협의"는 의식 밖에서 일어나고 따라서 존재와 관련성의 패턴으로 형성되게 된다. 유아 혹은 어린 아이의 경우 적응과 방어 또한 이 장애가 발전하는데 중요한 역할을 할 수 있다. 예를 들어 아기에서 부정적인 상태가 어른에 의해 경감되지 못한다면, 유아는 아이답지 못한 방어를 사용해서 스스로 조절하기 위해 고군분투하게 될 것이다. 유아는 감정과 행동을 억제하려 할 것이고 따라서 제한된 범위의 감정을 보일 것이다; 걸음마기 아이는 부적절한 감정을 보임으로써 역효과를 줄 수도 있다(Fraiberg, 1982; A. Freud & Burlingham, 1943, 1944; Spitz, 1961의 연구를 참고하라).

부모의 의사소통과 부모-유아의 합의는 감각 조절 문제(과소 혹은 과민반응, 혹은 혼재된 패턴; 축3 참조)와 상호작용하여 기능적 정서 발달 능력이 안정되고 통제된 방식으로 이루어지기 어렵게 만들 수 있다(후자의 능력에 대해 설명한 축2를 참조하라). 예를 들어, 아이가 감정과 연관된 신체 감각에 과소 반응할 수 도 있다(예: 화가 났을 때 근육이 수축하는 것을 느끼지 못하거나 두려울 때 가슴이 철렁 내려앉는 느낌을 느끼지 못하는 것).

치료적 영향(Therapeutic Implications)

가장 중요한 치료는 아이들에게 수용적이고 세심하게 반응할 수 있는 어른들과 안정적인 관계를 경험하게 하는 것이다. 가능하다면 일차 양육자는 이런 방식으로 유아와 대화할 수 있도록 도움을 받아야 한다. 부모들은 자신이 아이의 특별한 감정적 신호를 알아차리고, 반영하고 혹은 반응할 수 있고, 아이가 자기 감정을 알아차리고 표현할 수 있게 도와줄 수 있는 능력을 발전시킬 수 있는 방법을 제공받을 수 있다. 자기 아이를 도와줄 수 있는 감정적 범위와 능력을 넓히기 위해, 부모들은 어떤 감정이 자신의 삶 속에서 가진 의미와 어떤 느낌에 대한 갈등이나 자신만의 불편함을 탐색할 수 있게 도움을 받을 필요가 있다(Baradon, Biseo, James, & Joyce, 2016; Beebe, Knoblauch, Rustin, & Sorter, 2005; Fonagy & Target, 1997; Midgley & Vrouva, 2012).

부모가 아이와 이런 측면의 관계를 형성할 수 없는 경우, 대체적인 대인관계 환경이 제공될 필요가 있다.

임상적 예시(Clinical illustration)

6개월된 Zita는 "좋은 아기"로 묘사되는데, 그녀가 엄마에게 별로 요구를 하지 않기 때문이다. 그녀의 아빠는 아이가 출생하기 얼마 전에 사망했고 그녀의 엄마는 자신이 한 부모가 되었다는 사실을 깨달았을 때 압도되는 감정을 느꼈다고 이야기 했지만 딸을 가지게 되어 기뻤다고 했다. 건강 전문가들은 유아의 발달이정표 성취 여부는 크게 염려하지 않았으나, Zita가 엄마와 눈맞춤을 피하는 것을 보고 부모-유아 정신치료를 의뢰했다.

첫 세션에서, 치료자는 Zita의 심각한 수동성을 관찰할 수 있었다. 그녀는 꽤 긴 시간 동안 엄마의 무릎 가장자리에 앉아있었고, 엄마와 접촉을 시도하지 않았다; 아이는 치료자를 처음 보고도 불안도 보이지 않았고 관심도 보이지 않았다. 그녀는 낯선 방을 둘러보지도 않았고 자기 옆에 유혹적으로 널려있는 장난감에도 접근하지 않았다. 치료자는 아이를 참여시키기 위해 적극적으로 엄마 같은 몸짓을 사용했고, 흥미를 끌기 위해 장난감도 사용했다. Zita는 무표정하게 쳐다보았다. 치료자의 진단적 인상 상 Zita는 새로운 상황에서의 불안감, 안전, 호기심, 쾌락 혹은 새로운 관계에 대한 열정을 포함한 자신의 감정 영역을 어머니에 대한 의존과 함께 억제하고 있는 것 같았다.

그 다음 세션에서 그녀의 엄마는 치료자가 Zita와 상호작용하면서 보여줬던 활기참을 보고 놀랐다고 말했고, 자신은 여동생과 엄마가 했던 것처럼 대부분의 시간 동안 Zita를 그냥 자신의 무릎에 앉혀 두었었다고 말했다. 치료자는 엄마에게 Zita와 얼굴을 마주보고 있도록 권했고 자신의 얼굴과 목소리로 Zita의 주의를 유지시키라고 했다. 치료자는 Zita를 엄마와의 감정 교류에 들어오도록 하는 것이 중요하다고 설명했고 아기의 매우 사소한 감정 표현(기쁨, 놀람, 혹은 불쾌함)이라 할 지라도 알아차리고 반응해주도록 당부했다. 시간이 지날수록, Zita는 더 활기차고 표현이 풍부한 아이가 되었고; 엄마의 참여를 요구하기까지 했다. 그녀의 엄마는 자기 딸이 흥미롭고 재미있는 아이라는 것을 알게 되었다. Zita는 또한 클리닉의 접수 담당자와의 관계에도 치료자와의 관계 만큼이나 흥미를 갖게 되었다.

IEC06 우울 장애(Depressive Disorders)

건강한 발달과정에서 영유아는 점차 감정표현 능력과 감정의 범위에 대한 경험을 확장해 간다. 사랑받고 특별한 한 사람으로써 자기 자신만의 개성이 점점 자라간다. 이러한 확장되는 능력들은 유아-양육자의 관계에서 비롯된다. 적응적인 상호작용 패턴은 유아가 각각이 기능적 정서 발달 능력들을 성사할 수 있게 하고, 그렇게 함으로써 걸음마기까지 즐거움, 기쁨, 열정에서부터 슬픔과 공포로까지 이행되는 광범위한 감정들을 경험할 수 있게 해준다. 또한 기능적 정서 발달능력들은 자기주장, 탐험 및 자신들의 정신적, 도덕적, 사회적 능력에 대해 늘어나는 호기심을 즐길 수 있게 한다. 자신과 타인("좋은 대상[good object])"에 대한 기본적인 신뢰감이 발달한다.

증상 패턴(Presenting Pattern)

의존우울증을 앓고 있는 아주 작은 유아를 그린 Spitz(1965)의 유명한 그림이나 "hospitalism", 그리고 Robertson and Robertson의 1970년대 인상깊은 영상 덕분에, 초기의 유기나 트라우마가 아주 초기 아동기에 우울증을 유발할 수 있다는 것은 잘 알려져 있다. 우울증을 앓는 영유아들은 식이장애, 수면장애, 감염, 그리고 스트레스로 인한 통증 등과 같은 다양한 정신신체 증상을 보인다. 그들의 감정적, 인지적, 사회적인 발달은 붕괴되고, 감정표현과 감정경험을 위한 성장능력을 잃게 된다. 걸음마기가 될 때까지, 그들의 감정의 범위는 제한적이다. 슬픔과 공포가 두드러지며, 기쁨, 즐거움, 열정, 탐색의 만족감 그리고 사회적 소통는 보이지 않는다.

우울한 영유아는 그들의 나이와 발달과정에서 기대되는 감정상태의 범위 보다는 지속적인 감정 패턴을 보이기 시작한다. 어떤 걸음마기 아동들과 미취학아동들은 지속적인 슬픔과 우울한 감정을 보인다. 그들의 감정에 대해 묻거나, 슬퍼하거나 우는 누군가를 봤을 경우, 그들은 종종 그들이 슬프다고 하기도 하고, 눈물이 고이기도 한다. 그들은 일반적으로 즐거운 활동에 대해 즐거움이나, 흥미를 거의 보이지 않고, 즐거운 활동을 시작하지 않는다. 그들은 일반적으로 슬픈 상황에서도 슬픔을 말하거나 드러내는데 어려움을 겪거나, 혹은 울고 있거나, 슬퍼 보이는데도 행복하다고 주장할 수 있다. 그들이 상징적인 표현이 가능해지면, 우울한 주제에 대한 이야기를 하거나 놀이로 표현 할 수도 있다. 예를 들어, 미취학아동들은, 지속되는 좋지 못한 느낌을 놀이로 표현하고 혹은, 이야기 할 수도 있다. 약간 나이가 든 아이들은 죽었으면 좋겠다는 말을 하거나, 사별 혹은 트라우마가 없음에도 불구하고 놀이 중에 죽음에 대한 주제를 보이곤 한다.

영유아들은 지속적인 초조감과 예민함을 보일 것이고, 어떤 것도 이들을 기쁘게 할 수 있다. 또는 거의 움직이지 않고, 무기력한 모습을 보이며 한번 즐겼던 것 같은 활동도 거부할 수도 있다. 다른 아이들은 다양한 스트레스의 자원과 관계된 흔한 증상이 수면 장애나 식이 장애(체중 감소나 증가를 동반한)를 가진다.

기분 장애의 중증도는 그냥 위에서 서술한 몇 가지 행동들의 강도에서 반영될 수 도 있고, 혹은 아이가 긴 시간 우울함을 느꼈을 만큼 증가하는 장애의 개수로 반영될 수도 있다. 유아 양육자 상호작용 패턴은 아이의 기분 조절의 어려움에 주요한 역할을 할 것이다. 아이는 그것이 부모 자신의 트라우마 경험, 심각한 우울증 혹은 다른 정신적 혹은 정신사회적 제약으로 인한 것이든 아니든, 부모가 아이의 모든 범위의 행동과 감정들을 수용해줄 수 없을 때, 사랑과 지지의 상실을 느낄 수 있다. 부모들은 순종하고 착한 행동에 대해서는 큰 사랑으로 반응할 것이나, 아이가 화를 내거나 공격적일 때는 떠날 수도 있다. 그들은 자기 스스로의 갈등이 유발되면 아이에게 반응할 수 없게 될 수 있다.

발달경로(Developmental Pathways)

우울한 엄마들은 자기 아기들과 기쁘고, 반응적이고, 감싸주고, 참아주는 관계를 형성하는 게 어렵기 때문에, 초기 발달의 자기애적이고 감정적인 자기 조절에 큰 충격을 줄 수 있다. Stern (1995, p. 100 ff.)은 우울한 엄마와의 상호작용 속에 만들어진 "함께 있음의 스키마(schemas-of-being-with, internal constellations of "what it is like to be in relationship with someone")" 혹은 지속 가능한 정신 구조(sustainable psychic structures)의 독특한 특성들을 다음과 같이 묘사하였다: 1) 유아의 반복되는 "미세 우울증(microdepression)" 경험(우울장애의 발달을 촉진하는), 2) 유아의 "되살리는 사람(reanimator)"이 되는 경험 (부모화를 촉진하는), 3) "어딘가 다른 곳에서 자극을 찾을 때 배경환경이 되곤 하는 엄마"의 경험(ADHD나 적대적 반항 장애[ODD]의 발달을 촉진하는), 4) 가짜 엄마가 되고 가짜 자기가 되는 경험(거짓 자기의 발달을 촉진하는)

Tronick and Reck (2009)은 우울한 엄마를 가진 영아는 엄마-유아 상호작용의 흐름을 방해하는 부정적인 감정의 분위기를 지속적으로 마주하게 된다는 것을 밝혔다. 아이는 불과 몇 초 동안에도 반복되는 관계의 상실이나 관계의 결렬을 경험한다. 이런 짧은 상실감은 강렬한 감정과 연관되게 된다. 기대가 형성되고 패턴이 만들어지면, 아이는 자신의 강렬한 느낌에 대한 반응으로 상실 그리고/혹은 공허함을 예상한다. 아이가 좀더 상징적이 되면, 이 패턴은 상실의 장면에 관한 것으로 경험될 수 있고, 나중에, "내가 나쁜 짓을 하거나 화를 내거나 요구한 것 때문에 나는 다 잃어버리게 될 게 틀림없어."라고 경험할 수 있다. 따뜻하고, 위로해주고, 위안을 주는 이미지와 기대로 이루어진 내적인 보호 담요 대신에, 아이는 공허함, 상실, 슬픔을 경험한다. 우울증은 시간이 지나 아이가 타인과 몇 번의 상실이나 갈등을 겪으면 명백해지고, 진정하고 편안해지려고 내재화된, 양육의 이미지에 기대는 것이 불가능해진다. 누군가 말을 걸어오지 않으면, 이런 어려움들은 성인기까지 지속될 수 있다(see, e.g., Leuzinger-Bohleber, 2015).

우울증으로 가기까지 다양한 경로들이 있다(see, e.g., Bleichmar, 1996). 많은 연구들이 초기의 방임이나 학대가 우울장애를 발달시킬 가능성을 높인다는 사실을 밝혀온 바 있다. 트라우마를 입고, 우울하고, 정신적으로 아픈 혹은 폭력적인 부모와 함께 자라는 것은 특히 한 편으론 유전 요인과 다른 한 편으론 사회적 요인들과(가난, 이민, 박해, 전쟁 등) 결합된 경우 잘 알려진 위험 요인이다. 그러나 회복과 후성유전학(epigenetics, 유전 외적인)에 대한 연구가 인상 깊게 보여준 것처럼, 이렇게 "위험에 빠진 아이들"에게는 대안적인 집중적 관계들이 굉장히 중요해서 종종 아이들이 자신의 우울 장애를 극복하는 게 가능하기도 하다(see Emde & Leuzinger-Bohleber, 2014).

치료적 영향(Therapeutic Implications)

우울 경향을 가진 작은 아이들(특히 아기들)과의 치료작업의 한 차원은 그들의 양육자가 유아의 신호들을 적절히 받아들이고, 필요하다면 일시적으로 철수하거나 얼어붙기 보다는 따뜻한 열정으로 아이를 끌어당겨주는, 동시 조절되고(co-regulated, simultaneously regulated along with another), 감정적인, 공감적인 상호작용을 유지하도록 도와주는 것이다. 동시에, 치료자는 양육자가 무엇이 이런 경향들을 만들어낼 수 있는지 이해하도록 도와야 한다. 목표는 유아가 분노, 특권의식(feeling of entitlement), 상실의 공포를 포함한 광범위한 감정들을 경험하고, 표현하고, 탐색할 수 있게 되도록 도와주는 것이다. 아이가 양육해주는 부모를 상상하는 법을 배우도록 돕는 것은, 아주 초기 상호작용에서 조차 상실감을 약화시키고, 자기 위로를 격려해주고, 적응적인 반응을 돕는다.

Schechter and Rusconi Serpa (2014)는 심각한 트라우마를 겪은 십대 엄마들과 함께 치료작업을 했다. 이들은 트라우마를 입은 엄마들에게 아기들(혹은 걸음마기 아이들)이 그들이 방을 떠났을 때 어떻게 반응하는지, 혹은 유아가 조절되지 않고, 감정적으로 과부하가 걸린 상황에서 절박하게 그들을 필요로 하는 때를 비디오로 녹화한 세션을 보여주었다. 엄마들은 강렬한 부정적 감정들이 무의식적으로 그들에게 그들 자신의 트라우마를 떠오르게 하기 때문에, 절망에 빠져 우는 유아들을 참아낼 수 없었다. 치료자들은 엄마가 자신의(무의식적으로 결정되는) 행동을 이해하고 좀더 적합한 행동을 만들어내도록 돕고, 아기들은 그들 자신의 강렬한 부정적 감정들을 조절하게 도왔다. 그렇게 그들은 트라우마와 우울증의 전세대간의 전파를 막기 위해 노력한다.

아래 임상적 예시(Sandell, 2014에 의해 서술된 사례를 수정한)는 22개월의 Hilda와 그녀의 엄마의 치료 과정을 요약한 것이다. 이것은 무엇이 문제인지 이해하려고 하는 치료자의 노력의 가치와 더불어, 치료자와 공감적이고, 감정 조절적인 관계가 Hilda와 그 부모들에게 얼마나 귀중한 것이었는지를 보여준다.

좀더 나이가 있는 아이와, 좀 더 분화된 상징적 내적 세계는 치료자와의 전이 관계에서 관찰될 수 있다. 그러나 좀 더 성숙한 우울한 환자와의 작업에서조차, 환자는 여전히 치료 관계 속에서, 자신의 독특한 환상들, 갈등들 그리고 경험된 트라우마를 이해하고 훈습해야만 한다. 우울한 환자들은 그들의 (대개 트라우마적) 초기 관계 경험을 이해하고, 능동적이고 일관된 자기와 신뢰할 수 있고 공감적인 "좋은 대상(good object)" 속에서 신뢰감을 다시 얻어야 한다.

임상적 예시(Clinical Illustration)

치료자가 Hilda를 처음 만났을 때, 그녀는 22개월이었다. 그녀의 엄마는 치료자를 찾아왔고 간략하게 자신의 걱정을 들려주었다. Hilda는 11개월 차이나는 오빠가 있었다. 엄마는 오빠가 좀더 튼튼하다고-좀더 회복력 있고 참을 성 있다고- 설명했다. 그 애한테는 별 문제가 없는 것 같다고, 엄마는 말했다. 엄마는 Hilda가 엄마와 같이 있을 때조차 차분하고, 안정되거나 평화로워 보인 적이 단 한번도 없다고 치료자에게 말했다. 그녀는 스스로를 편안한 고요함에 자신을 맡겨본 적이 없는 것 같았고, 편안하게 마음 놓고 자본 적은 더 없는 것 같았다. Hilda의 생후 첫 6개월 동안, 엄마는 그녀를 늘 끼고 다녔지만 여전히 차분했던 적은 없었다. 6-7개월 무렵, 비명을 지르지 않은 상태로 그녀를 내려 놓는 게 가능해졌지만, 그녀는 아무것도 보지 않고 그저 가만히 누워만 있었다.

부모들이 그녀를 살피려고 할 때마다, 밤낮으로 그녀는 똑같았다. 그녀의 남동생도 Hilda 만큼 돌봄이 필요했지만, 부모는 지쳐있었다.

부모님과 함께 자는 것은 대체로 Hilda에게 도움이 되지 않았다. 그녀는 여전히 그냥 째려보면서 누워있었다. 불행한 부모들은 이 행동이 외롭고, 이해할 수 없고, 기괴하다는 것을 발견했다. Hilda는 충격적인 방법으로 자기 안으로 침잠하고, 모든 것을 차단하는 경향이 있었다. 그녀는 닿기 어려웠다. 그녀는 종종 단조롭고, 목적 없이 물건을 고르고 분류하는 일에 매달렸다. 집에서, 먹는 것 대신에, 그녀는 자기 접시의 식기나 음식을 분류했다. 유치원에서, 그녀는 레고 조각을 분류했다. 쌓기 보다는 그녀는 조각들을 쌓아 놓았다. 분류하는 일을 할 때는 그녀에게 손을 댈 수 없었고 그녀는 그냥 분류를 계속 했다. 비록 물건을 분류하는 것이 어린 아이에게 정상적인 것일 지라도, Hilda는 그것을 주간 보호 직원이 걱정할 방식으로 했다.

Hilda의 삶은 트라우마로 시작되었다: 엄마는 Hilda가 태어났을 때 거의 죽을 뻔 했고, 회복이 되기까지 몇 주가 걸렸다. 딱한 아버지는 충격을 받았었고 몹시 괴로워했고, 갓 태어난 Hilda와 다른 아기를 집에 데리고 있는 자신을 발견하고 완전히 무력하다 느끼고 겁에 질려 있었다.

IEC07 기분 조절 장애: 양극성 패턴이 특징인 상호적이고 혼재된 조절-감각 처리 장애의 독특한 유형(Mood Dysregulation: A Unique Type of Interactive and Mixed Regulatory-Sensory Processing Disorder Characterized by Bipolar Patterns)

최근 몇 년간, 소아에서 양극성 유형의 기분조절장애를 조기에 발견하고 치료하는 것에 대한 관심이 증가해왔다 (Blader & Carlson, 2007; Leibenluft & Rich, 2008; McClellan, Kowatch, Findling, & Work Group on Quality Issues, 2007; Renk et al., 2014; Van Meter, Moreira, & Youngstrom, 2011). 아주 어린 환자들에게서, 조증이나 경조증 상태는 어른들에게서 흔히 보이는 제정신이 아닌 것 같거나 과대한 생각보다는 공격적인 행동이나 초조를 자루 유발한다. 조증과 우울증 상태 사이의 갑작스러운 전환은 좀더 나이가 든 아이들이나 청소년에 비해서 좀 더 빈번하고 극적으로 나타날 수 있다. 따라서 이들의 행동은 종종 초기에 감정 조절 능력의 결함으로 잘못 진단 되거나 ADHD가 발전하는 신호로 해석되기도 한다. 아이들에게 양극성 패턴을 진단하는 것은 어렵다(Carlson & Klein, 2014; Mitchell, Loo, & Gould, 2010). 비록 언어 발달, 운동 발달, 지각, 실행 기능 및 사회적 기능의 문제를 포함하여 신경심리적 취약성이나 결함들이 제시된 바 있지만. 우리는 선행된 변수들을 명확히 이해하기 어렵다. 게다가 생화학적 치료를 포함한 가족 상호관계와 교육적인 주제들에 기반을 둔 포괄적인 개입 프로그램은 공식화되지 않았다.

초기 양극성 패턴과 ADHD의 전구단계, 파탄적 기분조절장애(Disruptive mood dysregulation disorder[DMDD])는 모두 6세가 지나야 진단이 가능하다는 점(SA축에 대한 3장과 SC축에 대한 6장을 참조하라)에서 이를 구분할 수 있는 명확한 진단기준이 개발하기 위해 더 많은 연구가 필요하다.

증상 패턴(Presenting pattern)

Greenspan과 Glovainsky(2002)는 아이들에서 양극성 패턴을 감각 처리와 운동 기능, 어린 아이와 부모의 상호작용패턴, 인격 형성의 초기 상태를 포함한 선행사건의 독특한 배열로 비롯된 것이라 보았다. 특히 이들은 양극성 유형의 기분조절장애로 발전할 위험이 높은 아이들은 다음과 같은 특성을 가진다고 제안했다:

1. 드물게 소리, 촉각 혹은 둘 다에 과반응적인(overresponsivity) 처리 패턴과 함께 감각 자극, 특히 움직임(대부분의 과반응적인 아이들은 겁이 아주 많고 조심성이 많다)에 대한 갈망이 공존한다. 감각 갈망은 대개 활동량이 많고 공격적이고, 초조해하거나 충동적인 행동과 연관이 있다. 자극 과부하가 걸리면, 이렇게 특이한 처리 차이의 조합을 가진 아이들은 조심성 많은 아이들이 그렇듯, 물러서서 스스로 조절하지 못한다. 대신 이들은 초조해하거나 공격적이고 충동적으로 변해서 자기 스스로 더 과부하가 걸리게 만들어버린다.
2. 아동기까지 이어지는 상호작용의 초기 패턴은 함께 충분히 조절되는 상호 간의 정서 교류가 부족한 것으로 특징지어진다. 특히, 양육자들은 이런 유아 혹은 아이들이 의기소침하거나 초조해 하는 감정 상태를 조절하기 위해 기분을 좋아지게 하거나 진정하게끔 도와주는 식의 상호교류를 하지 못한다(이런 어려움은 엄마가 심각한 우울이나 트라우마를 겪고 있을 때 자주 관찰된다.)
3. 5번째, 6번째 기능적 정서 발달 단계가 완성되지 않은 인격 조직(축2를 참조). 상징적 단계에 기반을 두지 않고 행동적이고 신체적인 수준에 머무르고, 통합적 형태보다는 포괄적이고 양극화된 감정 상태로 대표되는 감정.

또 다른 그럴 듯한 설명이 실험적인 수면 연구를 통해 가능하다(e.g., Weinstein & Ellman, 2012). 유전적 요인들이 수면-각성 주기와 REM 수면을 결정하는 아기들의 내부 자극을 아주 다르게 만들 수 있다. 부모들은 공감적이고 효율적인 방법으로 유아 특유의 생물학적 리듬에 반응해줄 필요가 있다. 아기의 요구에 맞추지 못하고 잘못 해석하는 것은 초기의 감정 조절 실패를 일으킬 수 있고, 양극성 유형의 기분조절장애를 증가시킬 수 있다.

치료적 영향(Therapeutic Implications)

아이와 가족에 대한 세심한 평가가 이런 환경이 실제로 영향을 주게 될 지를 결정한다. 발달에 근거한 중재 프로그램은 반드시 위에서 언급한 모든 문제들을 다루어야 한다. 프로그램은 아이의 감각 처리의 어려움을 강화시킬 수 있는 상호작용 경험을 막을 수 있고, 아이가 자신의 특별한 처리과정의 어려움을 이해하고 이로 인해 문제가 생길 수 있는 상황을 준비할 수 있게끔 설계되어야 한다. 생애 초기의 전상징적(presymbolic level) 수준의 쌍방의 정서적 상호작용에 문제가 있는 아이는 (아마도 이런 프로그램을 통해서, 라는 말이 생략된 듯) 보다 안정된 기분을 유지하는데 필요한 동시에 조절되는 정서적 교류의 긴 신호를 만드는 능력을 습득하는데 도움을 받을 수 있다.

예를 들어 만약 어떤 유아기의 여자 아이가 자신의 목소리와 움직임에 더 초조함을 보이기 시작한다면, 치료자가 그 감정의 강렬함를 줄여주기 위해 좀 더 달래는 톤으로 바꿔줄 것이다. 아이가 좀 더 무관심하고 자신에게만 몰입되어 있는 모습이라면, 치료자는 아이의 기분을 나아지게 하려고 좀 더 힘있는 리듬의 전언어적(preverbal), 언어적(verbal) 교류를 사용하고, 더 빠르게 말하고 좀 더 활기찬 제스처를 쓸 것이다. 말할 수 있는 아이의 경우, 치료자는 여기에 추가로 아이가 이런 감정적 리듬과 강도의 변화에 대해서 어떻게 느끼는지 탐색할 수 있을 것이다. 이러한 토론 동안, 아이는 자신이 경험한 느낌을 상징화 하고 반영하는데 도움을 받을 수 있다.

행동에 대해서는 단어를 사용하지만 감정에 대해서 말하지 못하는 아이는 축2에 묘사된 발달 단계로 이동해가도록 도움 받을 수 있는데, 첫째, 동작을 요하는 구체적인 정신 상태처럼 감정을 묘사하기 위해 단어를 사용하도록 한다("나는 미쳤어" "나는 배가 고파"); 그리고, 두 번째로, 내적 경험의 신호로 감정을 사용하게 한다("나는 미쳤다고 느껴.""나는 배고프다고 느껴."), 그렇게 함으로써 성찰과 문제해결이 가능하게 만들게 된다.

양극성 장애가 의심되는 패턴을 가진 아이들을 위한 발달 근거 치료 프로그램은 여러 요소를 포함할 수 있다: 아이의 발달을 촉진시키는 가정 환경을 만들 수 있도록 돕기 위해 일주일에 1번 혹은 2번 부모들과 함께하는 개인 정신치료; 아이를 이해하고 받아들일 수 있도록 직원을 돕는 학교와 함께하는 과제 등이 그것이다. 여기에는 학교 세팅에서 아이의 취약점을 강화하고 사회적 정서적 성장을 촉진하는 특성화된 교육 프로그램도 포함되어야 할 것이다.

부모들이 자기 아이의 발달적 특성과 치료 목표를 완전히 이해하도록 함으로써, 치료자는 부모들이 양극성 패턴을 가진 아이를 돕는데 필요한 장기적이고 포괄적인 접근을 지지할 가능성을 높일 수 있다. 복잡한 심리학적 과정을 포함하긴 하지만(예: 아이는 이름 붙여주기를 시작하고, 후에 여기에 강렬한 감정을 반영한다), 쉽게 이해할 수 있는 아주 특별한 목표를 갖는 것은 부모로 하여금 자기 아이의 경과에 효율적으로 참여하고 관찰할 수 있도록 도와준다. 치료자는 또한 부모가 과거에 장기 치료에 전념하지 못하게 방해해왔던 갈등이 있었다 하더라도 계속 해나갈 수 있도록 도와주어야 한다.

이러한 종합적인 접근으로 양육자-아기 상호작용 비디오 촬영을 이용한 "우는 아기들을 위한 외래 서비스"를 들 수 있다. 엄마와의 상호작용 비디오를 보고 토론하는 것은 그들이 자기 아기들과 보이는 특유의 리듬과 문제들을 이해하고 관찰하는데 도움이 된다는 것을 증명한다. 증례연구들은 이런 접근이 엄마가 유아들에게 발생한 양극성 패턴을 다룰 수 있게 돕는다는 것을 보여준다.

임상적 예시(Clinical illustration)

엄마에 따르면 Ahib가 12개월 때, 밤새도록 울곤 해서 아파트에서 쫓겨나기 직전이었다고 한다. 이웃들은 경찰을 불러서 이 피난민 집단을 다른 곳으로 보내달라고 요청했다. 그녀는 Ahib가 밤 동안 공황발작을 경험했었다고 이야기 했다. Ahib는 울고 또 울면서 "엄마, 엄마,

엄마… 어디 있어요, 엄마?"- 엄마가 자신을 팔에 안고 있는 순간에 조차도 이렇게 울었다.

연구자들은 결국 Ahib가 옳았다는 사실을 이해했다: 그의 엄마는 "그곳"에 없었다. 그녀는 자신의 외상적 경험으로 인해 마비된 상태였고, 심각한 해리 상태에 빠져서 정신적으로는 그곳에 있지 않았다. 그녀의 남편은 에리트레아(Eritrea)에 있을 때 바로 눈앞에서 살해 당했다. 다음 날 그녀는 Ahib를 낳았고, 독일로 도망치는데 성공했다. 그녀는 아기였던 아들의 초기의 감정과 충동을 받아들여줄 여력이 없었다. 그 결과, 그의 발달은 지체되었고 낮에는 반복적이고 기이한 행동을 보이거나 밤에는 공황발작을 보이곤 했다. 그는 스스로 진정시킬 여력이 없었고 엄마 역시 그랬다.

Danieal Schechter과 그의 팀의 치료모델에 따른 정신분석적 위기개입이 도움이 되었다.

IEC08 지속애도반응(Prolonged Grief Reaction)

초기 소아기에 겪는 일차 양육자의 상실은 아이의 발달궤도에 치명적인 손상을 주는 엄청난 재앙이다. 이러한 상실이 일어나면, 아이의 기본적인 안정감, 통일감, 자기감(sense of self)의 연속성(continuity)이 위협받게 된다. 어린 아이일수록 대체로 자신의 안정감이나 신체적 정신적 건강을 부모에게 전적으로 의존하기 때문에 그 위험도는 더 높아진다. 게다가, 아이들은 애도 과정이 진행되는 동안 적절하게 타인으로부터 도움을 받거나 적절한 감정적 대처 방법을 사용할 수가 없다.

애도 과정 동안, 아이들은 여러 단계의 슬픔을 경험한다. 주변의 적절한 지지를 받는 아이의 경우 시간이 지나면서 서서히 죽은 부모가 돌아온다는 등의 환상적인 소망을 포기하고 부모에 대한 기억들을 자신의 발달 중인 자기감에 통합할 수 있게 된다.

이런 아이는 후에 또 다른 애착대상에게 의지하여 도움, 애정, 안정감을 얻을 수 있다. 아이들은 연령별로 다양한 방식으로 애도를 보이지만 반응의 심각성과 각 아이들에게 미치는 영향은 명백하게 외부와 내부에서 일어나는 여러 상황들의 영향을 받으므로 임상적 관심을 필요로 한다.

가족 구성원을 잃을 뿐 아니라, 사별을 겪은 아이는 대개 가족의 삶 속에서 살아남은 부모의 행동에서 심각한 변화를 경험하게 되고 이로 인해 발달에 추가적인 부정적 영향을 받을 수 있다. 이러한 사별의 2차적인 측면은 불안, 우울, 혹은 외상성 스트레스 장애 같은 다른 동반 질환을 일으킬 수 있다.

증상 패턴(Presenting pattern)

중요한 상실에 대한 반응은 다양한 형태를 띠고 긴 시간 동안 진행된다. 양육자를 잃는 것은 일시적일 수도 영구적일 수도 있지만 어린 아이의 관점에서, 아이의 안정감과 연속감(sense of continuity)의 필수적인 부분이 이해할 수 없이 없어진 것이다.

지속적인 애도반응은 이것이 지속적이고 다양한 증상을 보인다는 점에서 정상적 애도와 구별된다. 아이의 나이와 발달 특성이 정상 애도의 기간을 결정짓고, 그에 따라 아이의 정서 상태를 지속적인 애도 반응이나 장애로 간주할지 말지에 대한 시간적 기준을 결정한다.

상실이 일시적인지 혹은 영구적인지는 유의미한 진단 이슈다. 일시적인 상실에 대한 슬픔을 장애로 보기 쉬울 수 있는데, 잃어버린 양육자가 다시 나타나도 안도하고 안심하진 않기 때문이다. 아이가 영구적인 상실을 겪는 경우, 이 아이의 정상적인 애도 반응 기간이 어느 정도가 자연스러운 것인지 알기 어려울 수 있다. Robertson and Bowlby (1952)는 어린 아이들의 엄마에 대한 일시적 상실 반응에 대해서 서술하고 분리에 대한 반응을 처음에는 항의하고, 절망하고, 그리고 결국에는 부정하거나 무심해지는 3단계로 나누어 묘사했다. 대부분의 경우 유아나 어린 아이가 일차 양육자를 잃으면, 첫 번째 반응은 없어진 사람을 찾고 양육자의 부재에 시끄럽게 항의하곤 한다. 아이는 점점 위축되고, 더 수동적이고 자신에게만 몰두하는 상태가 되며 기대되는 혹은 즐거운 활동들을 피한다. 상실 후의 공포, 불안, 그리고 초조감은 상실의 기간, 아이의 반응의 강도, 그리고 자신이 얻을 수 있는 지지의 정도에 따라 낙담과 자기몰두에 빠질 수 있다. 어떤 아이들은 반응하지 않고, 다른 가족들을 웃기거나 요구를 함으로써 자신의 슬픔이 아닌 다른 곳으로 주의를 돌리거나 편안하게 만들려고 할 수 있다.

영구적인 상실에서, 반응의 양상, 기간, 그리고 강도의 차이는 그 죽음이 예기치 않았는지, 아이가 그 사건을 목격했는지, 그리고 아이의 환경 중 제공될 수 있는 정서적 지지의 정도와 같은 여러 요인들의 영향을 받는다. 이러한 요인들은 아이의 발달 단계, 성격, 그리고 기분조절능력, 의사소통능력과 같은 개인의 특성들과 상호작용한다.

DC: 0-3R 은 지속적인 사별/애도반응(울고, 없어진 양육자를 찾고, 안정을 주기 위한 어떠한 시도도 거부하고, 정서적으로 위축되고, 발달이 퇴행되거나 정지되고, 제한된 범위의 정동을 보이고, 수면, 식이 패턴이 망가지고, 상실을 떠올리는 상황을 마주하는데 현저한 어려움을 보이는 것)의 8가지 증상을 묘사한다.

이 장애의 진단은 3가지 이상의 증상이 2주 이상 지속되는 경우 가능하다.

지속적인 애도 반응의 임상양상은 분리불안이 심해지거나, 새로운 공포(낯선 사람, 어둠, 혼자 있는 것, 소음 등의)와 같은 다른 반응을 포함한다. 어떤 아이들은 남은 다른 양육자에게 매달리고 분리를 견디지 못한다. 어떤 아이들은 살아남은 부모에게 자신의 분노와 공격성을 표현하고 잃어버린 부모를 이상화한다. 어떤 경우, 아이들은 어떤 환경에서는 이것을 "계속하면서"(예, 유치원이나 탁아소) 다른 곳에서는 하지 않는다.(예, 집)

어린 아이들은 지속적인 부정적 감정을 견뎌내지 못하고 다른 활동에 참여하는 기간과 슬픔을 표현하는 기간을 교대로 표현할 수도 있다. 많은 아이들은 수면과 식이 장애, 체중감소/증가, 질병, 신체적 증상, 좌절에 대한 내성 감소, 혹은 최근에 마스터했던 기술을 다시 못하게 되는 등의 퇴행을 겪는다. 어떤 경우 슬픔이 너무 강렬해서 재경험(re-experience), 회피(avoidance), 정서적 둔마(affective numbness)그리고 상실과 연관된 어떤 자극에도 쉽게 자율신경계의 각성이 증가하는 등의 외상적 반응과 신체적 어려움을 포함한다. 말할 수 있는 아이가 부모가 돌아오길 기대하는 말을 하거나 죽은 양육자가 어딘가에 살아있을 것이라 추측하거나, 재회할 것이라는 환상을 표현하는 것은 드문 일이 아니다. 어떤 아이들은 잃어버린 양육자를 떠오르게 하는 것에 현저한 고통을 보이는 반면, 어떤 아이들은 아무것도 바뀌지 않았거나 떠나지 않았다는 것을 떠오르게 해줄 것을 찾아 헤맨다.

부모들과 다른 사람들은 어떻게 유아들이 상실을 경험할 수 있는지 의아해 한다: 무엇이 이들이 기억할 수 있게 하는가? 위에서 설명한 많은 반응을 보일 수 있는 중대한 발달 지연을 가진 유아, 걸음마기 아이, 소아들은 상실을 기억하기에는 너무 어리고 그래서 별로 충격을 받지 않을 것이라고 잘못 이해되는 경우가 많다. 비록 아주 어린 아이들이 상실의 영구성에 대한 개념이 발달하지 않았을지라도, 이들은 심각하게 영향을 받을 수 있다는 사실은 이미 널리 알려져 있다. 아이가 부모에 대해 갖고 있는 기억들은 본능적이고, 암묵적이며, 부모와 유아가 함께 무언가를 해나갈 때 사용했던 방식에 기초한 상호작용이다.위안과 자극의 신체적 경험의 상실은 유아들의 자기감과 안정감에 깊게 영구적으로 영향을 준다.

발달 경로(Developmental pathways)

너무 이른 시기의 슬픔은 아이가 자율적이고, 논리 정연하게, 조직적인 자기감을 완성하기 전에 발생한 일이기 때문에, 본질적으로 외상적인 사건으로 여겨질 수 있다. 상실에 대한 의미를 만들어가는 것은 진행 중인 과정이다. 아이들의 반응은 여러 다양한 요인(장점과 취약점, 가족의 변화, 대체 양육자와 환경적 지원이 제공되는지 여부)의 영향을 받기 때문에 슬픔의 과정은 특히 생애 첫 해에는 예측할 수 없다. 죽음이 폭력적이고 예기치 못한 것이었다면, 그리고 가족 사이의 관계가 심하게 단절되었었다면 반응의 가변성은 훨씬 더 커진다. 사별한 아이들은 발달과 여러 기능 영역에서 지연되고 정서, 사회, 인지적 영역에서 심한 장애를 보일 수 있다.

아이가 부모를 잃고 이를 애도하는 것이 적절하게 도움 받지 못하면, 이차적인 스트레스가 발생할 수 있어서, 우울증, 외상성 스트레스 장애, 불안과 같이 아이의 정서적 건강이 심각한 위험에 놓일 수 있다. 애도반응이 무시되거나 아이가 여러 가지 상실을 한꺼번에 겪는 경우 – 방임적인 가족들과 여러 위탁 시설을 옮기는 것 같은 – 비인격적인 관계 패턴으로 특징지어지는 대처 전략, 공격적인 행동, 혹은 둘 다 점차적으로 정착될 수 있다.

부모의 죽음으로 충격을 받은 아이들에게서 해리성 과정과 궤도가 일어날 것으로 예상된다. 아이가 부모로부터 보호받지 못하고 투쟁 도주 반응 (flight or fight) 같은 스스로를 지키는 반응을 할 수 없다고 느낄 때 생후 1년 이내에 해리 반응들이 일어날 수 있다는 연구 및 임상적 증거가 있다.

치료적 영향(Therapeutic Implications)

아이들의 지속적인 애도반응에 대한 치료는 각 아이들의 연령을 고려하여 유연하고 다중적이어야 한다. 치료는 반드시 아이의 발달 수준, 상실 상황, 그리고 그에 대한 아이의 반응에 대한 평가를 포함해야 한다. 치료법을 알리고 안내하기 위해서, 치료자는 반드시 아이의 일차적인 관계들과 일상적인 환경의 강점과 한계들을 평가해야 한다.

부모나 일차양육자를 잃어버린 아이의 반응이 무엇이든지, 아이는 그 의미를 이해하려고 하지만, 아이에게 자기 나이에 적절한 방법으로 상실의 이유를 이해하고, 이것은 돌이킬 수 없다는 것을 인정하게끔 도와주는 것은 중요하다. 양육자의 상실이 영구적인 것이든 일시적인 것이든, 아이가 다시 안정감을 찾을 수 있도록 양육해 줄 대체 양육자를 포함하는 것이 필수적이다.

양육자의 상실이 영구적인 경우, 아이와 생존 양육자의 단위에 초점을 맞추는데 양자 치료 모델이 필요하다. 마찬가지로 엄청난 상실을 경험한 생존 부모에 대한 정서적 지원도 필요하다. 양육자들이 어떻게 애도 반응을 알아차리고 발전적 관점에서 상실에 대해 이야기 할 수 있는지에 대한 안내가 필수적이다. 투병기간이 긴 말기 질환으로 인하여 죽음이 예측되는 경우, 귀중한 준비 작업을 아이와 함께 해 나갈 수도 있다 (대화하고, 필요하다면 새로운 일차 양육자를 구하고, 그 관계를 만드는 것을 돕는).

치료적 요인들은 아이가 모든 범주의 감정들을 표현하고 상실감만큼이나 괴로운 두려움을 버릴 수 있는 기회를 포함한다. 치료자는 희망을 회복하고 감정적 친밀감, 즐거운 경험에 마음을 열 수 있도록 촉진시키는 활동을 제안할 수 있다. 아이가 잃어버린 사랑의 대상을 "잊어 버릴" 것을 기대해선 안 된다. 아이는 사라진 사람이 기억에서 사라진 것이 아니라는 것과 그 느낌, 생각들, 기억들이 타인과 공유될 수 있다는 사실을 알아야 한다. 대체 양육자가 중요하지만, 사별을 겪은 아이가 잃어버린 대상을 "대체"할 것을 기대할 수는 없다. 비록 점차 받아들여지고 사랑 받게 된다 할 지라도 새로운 사람은 늘 그 사람이 아닌 다른 사람이다.

가족 구성원들에게는 일상적 편안함, 일상 생활과 놀이 시간의 안정성, 그리고 상징 놀이와 대화 시간이 늘어나는 것의 가치가 얼마나 중요한 지를 조언해주어야 한다. 가능하다면 가족들은 갑작스럽게 이사를 하지 말아야 한다. 아이와 살아남은 가족 구성원들의 정신치료가 필요할 수도 있다.

IEC09 적응 장애(Adjustment Disorders)

나이가 있는 소아들과 어른들처럼, 유아와 어린 소아들도 변화, 상실 그리고 스트레스에 적응하는데 어려움을 겪을 수 있다. 양육자의 변화, 학교를 다니기 시작함, 친구들과의 갈등, 가족 구성원의 질병, 형제의 출생, 부모의 별거, 이혼 혹은 이사를 가는 것 같은 경험은 적응 반응을 일으킬 수 있다. 유아와 어린 아이들의 경우, 적응 장애는 이전의 적응행동과 눈에 띄게 달라진 행동들로 의심해볼 수 있다.

유아와 어린 소아들에서의 적응 장애는 기본적으로 주요 장애(예, 불안 장애나 외상성 스트레스 장애)를 배제하고, 스트레스 사건이나 변화와의 연관성과 발생 시기(사건 발생 후 1개월 이내)와 지속 기간(증상이 2주 이상 지속됨)에 의해 정의되어야 한다(DC:0-3R).

증상 패턴(Presenting pattern)

적응 장애는 유아 혹은 어린 소아가 확연한 심리 사회적 혹은 환경적 시도에 적응할 수 없을 때 일어난다. 아이의 대처 전략은 역효과를 주거나 부적응적일 수 있고, 스트레스에 압도당한 아이는 정서적 그리고/혹은 행동 증상으로 고통을 전달한다.

임상의는 관찰하기 쉬운 수면과 식이의 일시적인 변화, 언어나 행동 상의 경미한 퇴행, 기분 변화, 낮은 좌절 내성, 불안, 공포의 증가, 반항적인 행동, 혹은 충동 조절 패턴뿐만 아니라 현재 기능적 정서 발달 능력을 습득하는 중 보이는 미묘한 변화를 찾아내야 한다 (Axis II의 후반 고찰에서 언급된다). 이 진단을 할 때는 저항의 원인(예, 출장으로 인한 부모의 부재), 이전 기능과 비교해 발생한 행동과 정서상의 변화, 그리고 저항이 기능적 정서발달 능력의 습득을 저해하는 방식(예, 아이의 전형적인 낙관주의와 행복감)이 무엇인지 파악하는 것이 중요하다. 장애로 진단되기 위해 적응 반응의 증상들은 반드시 아이의 기능 상 임상적으로 유의한 손상을 포함해야 한다.

발달 경로(Developmental pathways)

적응 반응들은 아이의 기질과 이전 적응상태 따라 다른 발달 단계를 가질 수 있다. 분리 혹은 배변 훈련 같이 최근에 익힌 발달 과업이 손상될 수도 있다. 아이의 예상할 수 있는 감정에 대한 부모의 과민반응을 특징으로 하는 아이-양육자 상호관계 패턴은 아이의 그 단계를 현재의 도전에 대한 두려움으로 가득 차게 만든다. 적응 장애를 가진 아이는 양육자와 과민하고/긴장되거나 과도하게 간섭적인 관계를 특징적으로 보일 수 있다.

치료적 영향(Therapeutic Implications)

적응 장애의 치료에 대한 실질적 자료는 부족한 편인데, 특히 소아기의 자료가 부족하다. 스트레스 상황으로 인한 충격을 제거하거나 최소화시키는 것이 적절할 것으로 보이나 가장 중요한 것은 그 스트레스가 아이에게 어떤 영향을 주는지를 이해하고 아이와 양육자가 겪을 어려움의 정도를 줄여주고 유연한 대처전략을 찾아주는 것이다.

일반적으로, 양육자를 자주 만날 수 있게 하고, 안정성, 상호작용의 기회, 상징적 놀이를 할 시간을 늘리는 것은 아이가 자기 걱정거리를 다루는데 도움이 될 수 있다. 아이를 지지해 줄 지속적인 방법들이 문제를 완화시켜주지 않는다면, 다른 일차적 진단을 고려해봐야 한다.

임상적 예시(Clinical illustration)

소아기 적응 장애의 예시는 Steven의 사례에서 찾아볼 수 있다.(online으로 가능하다, 이 메뉴얼 테이블의 마지막 부분에 있는 박스를 보라)

IEC10 외상성 스트레스 장애(Traumatic Stress Disorders)

유아나 어린 소아들은 외상이나 심각한 스트레스에 아주 즉각적으로 반응하기 때문에 "외상 후 스트레스 장애(posttraumatic stress disorder(PTSD))"라는 용어 보다는 "외상성 스트레스 장애(traumatic stress disorders"라고 칭할 것이다. 아래 언급되는 여러 요인들에 의해 반응은 지속적일 수도 있다. 외상적 스트레스는 아이들의 정서적, 사회적, 언어적, 그리고 지능적 발달을 심각하게 손상시킬 수 있다. 그러한 스트레스들은 끔찍한 사건을 목격하는 것(예, 사고들, 동물에 의한 공격, 화재, 전쟁, 자연 재해) 혹은 압도적으로 충격적인 대인관계 사건들(예, 자신이나 사랑하는 대상이 심각하게 학대당하는 것, 부모의 살해를 목격하는 것, 양육자의 강간을 목격하거나 혹은 약에 중독된 부모의 성행위를 목격하는 것)들을 포함할 수 있다.

수 십 년 동안, 아동기 외상에 대한 문헌은 일차적으로 특정한 유형의 학대에만 집중되어 있으나(예, 성적 학대) 지금은 복합적이고 만성적인 외상 경험의 충격으로 "외상"이 좀 더 넓게 정의될 필요가 있다는 인식이 늘어나고 있다. 일시적인 외상과 지속적이고, 누적되는, 혐오스러운 사건들("압박 외상(strain trauma)", "축적된 외상", "연관된 외상(relational trauma)", "복합 외상(complex trauma)", "발달적 외상") 사이의 차이는 청소년과 성인들의 외상과 스트레스에 관계된 장애들을 기술한 성인편 3장과 청소년편 3장의 S와 SA축 부분에 설명되어 있다(성인편 pp. 178~188, 167에 각각 설명되어 있다.)

복합 외상은 복합적이고 만성적인 대인관계 외상 경험으로 정의되며, 일반적으로 정서적 학대와 방임, 성적 학대, 신체적 학대, 가정폭력을 목격하는 것, 그리고 모성 우울과 같이 양육 시스템 내에서 발생한다. 이런 혐오스러운 사건들은 한꺼번에 혹은 차례대로 일어날 수 있다. 이런 사건들이 연속적이고 축적되기 때문에, 아이의 발달에 엄청난 영향을 미친다.

축적된 외상 경험들은 긴 시간에 걸쳐 심각한 신체적 정신적 건강 문제로 이어질 수 있는데, DSM-5같은 현존하는 진단 체계의 PTSD 진단으로는 특별히 어린 시절의 이런 문제를 잡아내어 진단할 수가 없다(American Psychiatric Association, 2013). 만성적으로 외상을 경험하는 다수의 아이들은 PTSD의 진단기준을 모두 만족시키지 못해서, 이때까지는 그저 행동적, 정서적, 관계적 문제가 결합된 상태를 보이거나, 우울증, ADHD, ODD, 행실장애, 불안장애, 식이와 수면의 장애, 의사소통장애, 분리 불안 장애, 반응성 애착 장애와 같은 다른 진단의 증상을 보인다. 발달적 외상 체계는 여러 영역에 걸친 아이의 자기-조절, 관계 손상의 복잡함을 고려하기 때문에, 만성적 대인관계 외상에 노출된 아이들이 보이는 복합적인 증상 군을 좀더 적절하게 잡아낼 수 있다.

확인된 외상이나 연속적인 외상적 사건들이 아이의 연령 기대적 정서적, 사회적, 언어적 그리고/혹은 인지 능력들의 즉각적 혹은 지연된 손상과 연관될 수록, 외상적 스트레스 장애의 진단이 고려되어야 한다. 외상적 경험들에 아이들이 노출된 후 즉각적인 결과와 긴 시간이 지난 뒤 나타나는 결과를 모두 고려해야 한다. 소아와 성인들에 걸친 전 연령에서 급성(사건 발생 후 36-48시간 이내의 즉각적인), 주변외상성(peritraumatic)(잠재적인 외상적 사건 수일부터 4-6주까지), 장기적(6주 이상-일반적으로 PTSD 혹은 연관된 장애라고 칭한다) 외상 반응을 3단계로 구분한다. 이렇게 시기-특이적 방법으로 이 현상을 정의하는 것은 유용하기도 하고, 장기 PTSD의 DSM진단기준보다 좀더 정확하고 임상적으로 적절한 진단적 기술을 제공할 수 있다.

임상패턴(Presenting Pattern)

외상적 경험의 영향은 다면적이고 아이의 나이, 발달 단계 그리고 다른 외적 내적인 환경에 따른 여러 유형의 반응들을 포함한다. Dc: 0-3R에서 PTSD 진단은 아이가 외상적 사건에 노출되고 적어도 1개월간 그 사건을 재경험하는 증거를 보이고(외상 후의 놀이(posttraumatic play), 놀이 외에도 반복적이고 침습적인 외상 사건의 기억, 악몽, 신체적 장애, 반복되는 생생한 회상 혹은 해리 경험), 적어도 한 가지 이상의 둔마증상 혹은 발달 문제(심해진 사회적 위축, 제한된 정동, 활동에 대한 흥미 저하, 외상과 연관된 활동, 장소, 사람들, 생각, 느낌, 대화를 피하기 위한 노력들)와 증가된 각성 증상(집중 혹은 수면의 어려움, 과각성, 심해진 놀람 반응, 증가된 흥분성) 중 적어도 두 가지를 보여야 한다.

DC:0-3R뿐만 아니라, 성인의 외상 및 스트레스 관련 장애(Trauma-and stressor-related disorders)(다시 한번, 3장의 이에 대한 고찰을 보라)는 아이들의 복합 외상 후 스트레스 장애(complex PTSD)의 증상을 이해하는데 도움이 된다. 문헌을 검토해보면 복합적인 외상으로 고통 받는 어린 환자에서 일어날 수 있는 손상의 일곱 가지 주요 영역(애착, 생물학, 감정 조절, 해리, 행동 조절, 인지, 자아개념(self-concept))을 확인할 수 있다.

외상적 스트레스 장애의 증상은 수면, 식이, 배변, 주의, 충동조절, 기분 등 기본적인 능력의 손상을 포함한다. 외상을 경험한 아이들에서 흔히 관찰되는 신체적 손상은 정신적 외상이 어린 아이의 자율 기능(autonomic function), 그리고 기본적인 상태를 조절하는데 있어서 강력한 충격을 줄 수 있다는 것을 보여준다(깜짝 놀랐을 때 심장박동수가 증가하고, 숨을 몰아쉬고, 떨리거나 식은 땀을 흘리는 것에서 보여지듯이). 청각 처리든, 시공간 처리든 혹은 운동 계획이든 일차 조절-감각 처리 기능이 모두 악화될 수 있고 아이의 기능을 망가뜨려서 아이가 지시에 따르는 게 어려워지거나, 어찌할 바를 모르거나 혼란스러워 하거나, 혹은 문제를 해결하기 위한 상호작용을 이어가는 게 불가능해질 수도 있다. 이러한 경험들은 새로운 불안이나 불안정감을 일으킬 수 있고 우울한 느낌이나 공격적인 행동을 증가시킬 수 있다. 어떤 아이들은 외상적 경험을 후 몸이 아프거나 애정결핍 상태가 되기도 한다. 아이들은 집중하기 힘들어지거나 경계적이고 예민해지거나 혹은 일상 생활이나 활동이 불가능해질 정도로 회피적으로 변하기도 한다. 외상을 입은 어린 아이들은 의존적이거나 떼를 많이 쓰거나 혹은 반대로 자신들의 일차적 관계나 정상적으로 발달 과업을 익히면서 즐거워질 기회를 제공하는 활동들조차 불가할 정도로 위축되기도 한다. 외상적 손상을 입으면, 일반적으로 가장 최근에 획득한 기술들부터 잃어버리게 된다.

정신적 외상 이전에는 존재하지 않았던 공포감은 아이가 모든 것들에 대해 걱정하게 되고 외상적 사건이 재발할 두려움을 다른 대상으로 전치하면서 드러나게 된다. 이러한 공포감들은 악몽과 동반될 수 있다. 어떤 아이들은 사건에 대해서 끊임없이 질문하고, 이미 답을 알고 있는 것들에 대해서 질문을 반복하기도 한다. 상징 놀이를 하는 아이들은 자신의 놀이 상황에서 반복해서 변하지 않고 의례적인 방식으로 그 외상 사건을 재현한다.

아이의 외상에 대한 초기 반응이 아이가 다시 빠르게 안정될 수 있게 도와주는 부모의 능력으로 완화되었다 할 지라도, 외상 반응은 나중에 나타날 수 도 있다. 이미 진행 중이던 기능적 정서 발달 능력의 습득을 손상이 발생할 수 있다. 집중의 어려움 그리고/혹은 과각성은 아이가 외상과 그 후 이어지는 불안정감을 느끼고 다루는데 어려움을 줄 수 있다. 아이는 자신이 보호받지 못했다는 것에 대한 불신 혹은 분노를 느낄 수 있고 혹은 떼를 쓰거나, 겁을 먹거나 혹은 슬퍼할 수 있다.

몇몇 외상을 경험한 아이들은 서서히 말수가 줄어들고, 더 무력해지고, 좀더 긴 전후 문제 해결 상호작용을 이어갈 수 없게 된다. 위에 언급했듯이 상징적 놀이가 가능한 아이는 외상을 재현해내는데, 자신이 피해자일 수도 있고 가해자일 수도 있다. 현실검증력은 아이가 부정하면서 더 왜곡되어서, 어떤 게 기억된 것인지 혹은 마술적 사고로 퇴행된 것인지 혼란스러워진다.

애착은 아이-양육자 관계가 그 자체로 외상의 원인이 되는 경우 심각하게 위태로워진다. 많은 임상적, 신경과학적 연구들에 따르면 학대 받은 아이들은 일련의 모순, 혼란, 공포, 이상하거나 명백하게 대립되는 행동을 보이는 등 애착의 붕괴를 보이게 되고, 해리성 정신병리에 취약해지게 된다. 이러한 혼동형 애착 패턴(disorganized-disoriented attachment pattern)은 통합적인 정신 기능의 발달을 방해하고 감정을 처리하고 조절하는 우뇌의 능력을 손상시킨다.

복합 외상 반응은 감정, 충동 조절장애, 자기 인식, 신체화, 애착, 대인관계의 어려움, 주의력과 의식의 변화, 의미체계 상의 문제(challenges with systems of meaning) 등을 포함한다. 통제되지 않거나 과도하게 통제되는 행동패턴 역시 연관이 있고, 2세 무렵에도 관찰될 수 있다. 과도하게 통제된 패턴은 경직된 통제 행동, 어른의 요구를 강박적으로 따르는 것, 규칙적인 틀을 바꾸는 것에 저항을 보이는 것, 융통성 없는 화장실 의식들, 음식섭취의 엄격한 통제 등도 포함할 수 있다. 과도하게 통제되거나 통제되지 않은 행동들은 외상적 경험의 특정 측면을 재연하는 것, 기억을 떠올리는 것들에 대한 자동적인 행동 반응들, 지배감을 얻으려는 시도들, 견딜 수 없는 수준의 정서적 각성 상태를 피하려는 시도들, 혹은 수용과 친밀감을 성취하려는 시도들과 같은 몇 가지 기능을 가질 수 있다.

가족의 정황은 증상과 결과를 파악하는데 있어 중요한 매개 요인이다. 가족의 지원과 부모의 정서적 기능은 아이가 부정적인 경험에 대처하는 자원과 능력을 키워줄 수 있다. 양육자들 스스로가 괴로워서 자기 자신의 정서적 반응을 관리하지 못 하거나 아이들의 필요와 감정에 적절하게 반응하지 못하면 아이들은 영향을 받게 될 것이다. 그런 상황에서 아이들은 부모의 고통을 줄여주기 위해서 부모를 피하거나, 자기 감정과 행동을 억제하거나 자신이 양육자인 것처럼 행동하려 할 수 있다.

발달경로(Developmental Pathways)

소아기의 외상적 스트레스 장애는 쉽게 경감되지 않고 정신적 외상의 발달적 영향은 동형적 이형적 연속성 측면에서 다양한 형태를 보인다. 여러 연구들은 복합적인 대인관계에서의 정신적 외상이 아이들로 하여금 평생 지속되는 기능적, 정신건강문제에 처하고, 추가적인 외상 노출과 소아기부터 청소년기, 성인기까지 이어지는 축적된 손상이 발생할 위험을 높인다는 것을 보여준다. 소아기의 복합 외상은 특히 감정 충동조절 장애, 공격적인 행동, 그리고 대인관계의 어려움이 발생할 가능성을 높이는 데 관계가 있다.

위에 언급했듯, 복합 외상은 종종 양육 시스템 자체와 관계가 있다. 애착이 심하게 손상된 경우, 스트레스 취약성을 높일 수 있는데 주의력 장애와 각성, 외부의 도움 없이는 감정을 조절할 수 없는 것, 그리고 과도하게 도움을 찾는 것, 의존성 혹은 사회적 고립, 철수 등으로 나타날 수 있다. 지속적이고 반복적인 대인관계 외상 경험은 힘없고 결핍되고 불쾌한 자기감이 발전되게 할 수 있다. 아이들이 결핍된 자기감을 얻게 되면, 그들은 자기 자신을 무능하게 지각하게 되고 타인들에게 거절당할 것이라고 여기게 된다.

결과적으로 아이들은 사회적 지원을 이끌어내거나 이에 반응하는데 문제가 생기게 되고, 부정적인 경험에 대해 자기 자신을 탓하게 된다.

외상적 경험이 있는 아이들은 주요 우울증과 자살 시도 위험이 높아진다. 이들은 스트레스에 대한 감정 반응을 조율하는데 필요한 뇌의 기능을 발전시키는데 실패할 것이다. 감정 조절에 미친 영향은 장기간 이어진다. 복합적인 소아기의 정신적 외상은 해리와 의식 변화와도 관계가 있는데, 이는 아이들이 추가적인 괴롭힘에 놓일 위험에 처하게 하고, 다른 종류의 외상과 어려움을 겪게 한다. 복합 외상과 관계된 감각적 정서적 박탈은 인지 발달과 표현 수용 언어 발달, 전체 IQ의 손상과도 관계가 있는 것으로 보인다. 이런 아이들은 창의력과 유연성이 부족하고 표준화된 검사와 학업 성취를 나타내는 다른 지수들에서도 낮은 점수를 보인다.

치료적 영향(Therapeutic Implications)

외상적 경험이 있는 아이들의 안전을 회복하는 것이 가장 중요하고 여기에는 즉각 자기 아이들의 안전을 빨리 회복시키도록 노력할 수 있는 가족 구성원의 기본적인 안전 보장을 포함된다. 어린 아이들은 특히 자기 양육자들의 정신 상태에 민감하다. 외상적 사건이 발생했을 때 양육자도 마찬가지로 그 외상을 경험하고 매우 예민한 상태일 것이므로 최적의 상호작용을 하는 것은 어려울 것이다.

어린 아이들에게 최적의 도움을 주기 위해서 임상가들은 양육자들의 반응을 평가하고 양육자들의 고통을 반영하고 아이들의 회복을 방해하는 그들의 증상적 영역과 일상의 변화를 알아챌 필요가 있다. 증상, 일상, 기분과 느낌, 그리고 지속되고 있는 스트레스 요인이 존재하는 것에 대한 체계적인 평가는 치료 혹은 중재를 계획하는데 있어서 필수적이다. 이 과정은 외상으로 인한 조절장애로 피해를 입은 구조와 자신과 타인을 관찰할 수 있게 해준다. 가족 구성원과 아이들이 안정감을 느끼고 두려움을 다룰 수 있도록 도와줄 수 있는 다른 관계들도 필요하다. 양육자들이나 대리인들은 안정적이고 양육적인 환경 조건을 제공하고, 정서적인 상호작용을 조절하고, 필요하다면 단호하지만 부드러운 한계설정을 해야 한다. 놀이와 대화의 기회는 아이들이 트라우마를 훈습하고 전반적인 발달 능력을 강화하는데 도움을 줄 수 있다.

외상성 반응에 대한 정보를 찾는 것이 양육자와 아이 모두에게 중요하다. 트라우마를 훈습하는 데에는 더 많은 보살핌과 상호적인 정서 교류가 필요하며, 적절한 규제와 침착한 위로와 함께 점차적으로 아이의 자주성을 지지해주어야 한다. 급성인지, 주변외상성인지, 혹은 장기간의 반응인지 정하는 것은 임상가가 각 단계별로 다른 집중 중재 전략을 강조하는데 도움이 될 수 있다. 급성과 주변외상적 시기에, 가상놀이(pretend play)에 초점을 맞춘 임상적 중재는 금기 시 되어 있다.

장기적인 치료 중, 광범위한 외상에 초점을 맞춘 양육자-아이 치료의 맥락에서, 가상놀이는 연령에 가장 적합하게 아이의 경험에 대한 이해를 높일 기회가 될 수도 있고, 감정, 충동, 외상을 떠오르게 하는 것, 그리고 그 반응 등이 말로 표현되는 토론의 장이 될 수 있다. 부모를 비롯한 다른 양육자들은 아이들이 곰곰이 생각하고, 감정에 이름을 붙일 수 있게 하고, 아이들이 다시 안전하다고 느낄 수 있게 도와주기 위한 모든 것들이 이루어지고 있다는 것을 확신하게 하는 위로의 대화에 참여하도록 할 수 있다. 그들은 아이들이 침착해질 수 있고, 보호받을 수 있고, 점차 두려움을 포함한 모든 감정을 표현하거나 탐색할 수 있다는 사실을 전달함으로써 두려움에 빠진 아이들을 도와줄 수 있다. 감각에 더 예민한 아이들은 좀 더 높은 수준의 위로와 구제를 필요로 한다.

국립 아동 외상 스트레스 네트워크의 복합 외상 작업 그룹(The Complex Trauma Workgroup of the National Child Traumatic Stress Network)은 순차적이고 단계 지향적인 방법으로 서로를 기반으로 하는 복합 외상 개입의 여섯 가지 핵심 구성 요소를 밝혔다: 안전, 자기 규제, 자기 반영적 정보처리, 외상적 경험의 통합, 관계적 개입, 긍정적 정서 향상 등이 그것이다. 이러한 핵심 요소들은 오직 시스템 접근과 다양한 유형의 개입으로 특징지어지는 치료 전략의 유연한 적용을 통해 실행될 때만 성공할 수 있다.

아이를 놀라게 할 수 있는, 트라우마를 경험한 부모나 아이-부모 관계를 고려한 정신역동과 애착에 기반을 둔 개입은 세대 간 전파를 막고, 새로운 안전함을 경험하게 할 수 있다.

IEC11 반응성 애착 장애(Reactive Attachment Disorders)

감정적으로 신뢰하는 관계를 형성하는 것은 건강한 정서 발달이 성취되는 것을 기본으로 한다. 양육이 박탈되거나 결핍된 극한 상황에서, 아이들은 심각한 발달 궤도의 이상을 겪거나 건강한 관계 패턴을 형성하거나 유지하는 것이 위태로워 지는 위험에 높이게 된다. 이렇게 손상된 관계 패턴은 "애착 장애"라고 불린다.

애착의 장애를 식별해내기 위해서는 애착의 구조를 이해해야 한다. 7-9개월이 되면, 어린 아이는 스트레스 상황이나 고통스러울 때, 부모들에게 선택적으로 애착 행동을 보이기 시작한다. 이러한 과정은 여러 문화권에서 발생하는데, 많은 저서들은 각 종별 전형적인 양육 조건 하에서 애착의 다양성과 변동성에 대해서 설명하고 있다. 안정적으로 애착이 되었을 때, 어린 아이는 부모에게 편안함, 지지, 양육, 혹은 보호 등을 바라고 접근하고 부모와 신체적으로 밀착될 때 효과적으로 안정이 된다. 안정적인 애착은 좀 더 민감하고 반응적인 양육이 뒷받침 될 때 잘 발달된다. 안정적으로 애착된 아이들은 좀 더 정상적 생리 상태를 갖게 되고, 더 긍정적인 심리적 결과를 얻을 가능성이 높다. 반대로, 비록 혼돈된 애착 패턴이 그 자체로 정신 병리적인 증거는 아니고 위험도가 낮은 15%에서도 정신 병리가 발생하곤 하지만, 이런 애착패턴은 정신 병리의 위험과 밀접한 연관이 있다. 이런 분류의 아이들은 양육자로부터 편안함을 이끌어 내기 위한 일관성 있는 전략이 없음을 증명하는 행동들을 보여준다. 아이가 신뢰할 수 있는 애착을 형성하는 것을 방해하는 시설 양육처럼, 예측 가능한 환경에서의 극단적인 학대는 애착의 장애가 발전할 수 있는 조건들을 조성해줄 수 있다.

증상 패턴(Presenting pattern)

애착의 문제는 광범위한 어려움을 포함한다. 어떤 유소아들은 사회적 정서적 상호작용에 참여하지 못하고 편안함을 찾거나 반응하지 못하며, 의기소침하고, 내성적이거나 자신에게만 몰입되어 있다. 어떤 아이들은 산만하고 난잡한 관계를 갖는다. 또 다른 아이들은 친밀감, 공감, 교섭하거나 관계를 유지하는 능력의 정도와 질적으로 좀 더 미묘한 다양성을 보인다.

어린 시절의 애착장애는 적절치 못한 양육환경에서 비롯된다는 것이 널리 인정되고 있다. 이러한 반응의 가장 심각한 형태는 적절한 정서적 양육을 제공받지 못한 채 고아원에서 자란 아이들과 가족들과 자랐음에도 지속적으로 방임을 겪은 아이들에게서 관찰된다.

그러나 박탈이나 학대 속에서 자란 아이들 중 일부만이 애착 장애를 겪는다는 것을 강조할 필요가 있다. 박탈이나 병적 양육은 이런 장애가 발전하는데 필요할 순 있지만 이런 장애를 일으키기에 충분조건은 아니다.

애착장애는 감정적으로 철수된/ 억제된 표현형(emotionally withdrawan/inhibited phenotype)과 무분별하게 사교적인/ 탈억제적 표현형(indiscriminately social/disinhibited phenotype)의 두 가지 패턴으로 나뉜다. 두 표현형 모두 관계에서의 감정과 행동이 너무 방해를 받기 때문에 그 결과 심각하고 지속적인 정신 기능의 변화가 일어날 수 있다(Zeanah, Mammen, & Lieberman, 1993). 사회적 무관심 상황에서 발생한다는 공통점이 있으나, 반응성 애착 장애의 두 유형은 별도의 임상 실체를 나타내고 표현형적 특성, 상관관계, 과정, 치료적 중재에 대한 반응 등을 포함하여 중요한 부분에서 다르다(Rutter, Kreppner, & Sonuga- Barke, 2009; Zeanah & Smyke, 2015). 실제로 DSM-5와 DCL 0-5에서 반응성 애착장애(reactive attachment disorder)와 탈억제 사회관계 장애(disinhibited social engagement disorder)의 두 가지 개별적인 장애로 분류된다.

어린 아이들에서 보이는 감정적으로 철수된/억제된 반응성 애착장애(emotionally withdrawan/inhibited reactive attachment disorder)의 핵심적 특징은 좋아하는 양육자를 향해 집중된 애착 행동이 없는 것, 고통스러울 때 도움을 요청하거나 도움에 반응하지 못하는 것, 사회적 감정적 상호성의 감소, 그리고 감소된 긍정적 감정과 설명할 수 없는 두려움 혹은 과민성을 포함한 감정 조절의 어려움 등을 포함한다. 감정적으로 철수된/ 억제된 장애의 본질은 선택적인 애착이 부족하다는 것이다. 우울증과 일부 임상 증상을 공유하지만 우울장애와 독립적으로 일어날 수 있다. 지속적인 박탈 상태에 놓인 아이들의 경우, 장애의 징후는 상당히 안정적이고 모든 연령대에서 상당한 기능적 손상과 연관이 있다(Gleason et al., 2011).

DSM-5와 DC: 0-5에서 탈억제 사회관계 장애(disinhibited social engagement disorder)로써 정의되고 있는 패턴의 핵심적인 행동 특성들은 (이전의 무분별하게 사교적인/ 탈억제 반응성 애착 장애) 낯선 어른들을 경계심 없이 부적절하게 접근하고 낯선 사람과 거리낌없이 같이 다니는 등의 행동을 포함한다. 또한 이런 유형의 아이들은 조절되지 않고 무분별한 사교적 행동과 적절한 사회적 육체적 경계가 없는 듯 보인다. 이 아이들은 낯선 어른들과 지나치게 가깝고 근접한 상태로 상호작용하고(성인들에서는 침습적인 것으로 경험되는) 밀접한 신체 접촉을 추구할 수 있다. '탈억제'된 것은 그들이 집중적인 애착 행동을 보이고 우선적으로 편안함을 찾는 모습을 보이는 대상이 그들의 추정된 애착 대상과의 행동이 아닌, 낯선 어른들이라는 것이다. 이러한 사회적으로 탈억제된 행동은 반드시 ADHD에서 동반되는 충동성과는 구분되어야 하는데, 여러 증거들이 ADHD의 몇몇 징후들과 탈억제 사회관여 장애의 징후들이 겹치는 면이 있다는 것을 보여준 바 있기 때문이다. 아이들이 사회적으로 무분별한 행동을 동반하지 않는 ADHD나, ADHD를 동반하지 않는 사회적으로 무분별한 행동을 가질 수 있다는 사실은 명백하지만, 두 증상 개요 사이에는 꽤 강력한 상관관계가 있다(Gleason et al., 2011; Roy, Rutter, & Pickles, 2004).

극단적으로 초기 애착의 손상은 언어, 인지, 사회적 어려움의 결합과 연관이 있을 수 있다. 그러나 많은 경우, 유소아기에서 보이는 애착과 관계 문제는 극단적이지 않다. 감정적 깊이, 범위, 신뢰 및 안정감의 적절한 수준이 결핍된 초기 관계는 여러 면에서 미묘한 차이가 있을 수 있다. 유소아에서의 좀더 미묘한 애착과 관계 문제를 볼 때, 임상가들은 유아-양육자 애착의 영향을 기능적 감정 발달능력을 습득하는 각 유아들의 역량에 비추어 생각해야 한다. 애착관계는 연령에 기대되는 감정들의 전 범위와 안전성을 고려하면서 볼 필요가 있다.

이러한 장애들은 DSM-5(American Psychiatric Association, 2013)뿐만이 아니라, ICD-10(World Health Organization, 1992)에도 서술되어 있다. DC: 0-5에서는 반응성 애착장애와 탈억제 사회관여 장애를 인정하고 있다.

비록 반응성 애착 장애와 탈억제 사회관여 장애의 표현형적 상태에 대해서는 어느 정도 합의된 바 있으나, 후자가 실제로 애착 장애를 나타내는 것인지에 대한 문제는 해결되지 않았다. 아이의 조기 애착 관계의 어려움들은 장애가 발생하는데 필요한 것으로 여겨지지만 반응성 애착 장애의 징후와는 다르고, 탈억제 장애의 징후들은 아이가 더 좋은 양육 환경으로 옮겨져서 안정적인 애착을 형성한 후에도 지속될 수 있다. 따라서 반응성 애착 장애가 애착을 형성할 수 있는 아이에게 애착이 부재한 것을 나타내는 것처럼 보일 수 있는 반면, 탈억제 사회관여 장애는 애착이 형성되지 않은 아이들과 불안정한 애착을 가진 아이, 심지어 안정적인 애착을 아이들에게서도 나타날 수 있다. (Bakermans- Kranenburg, Dobrova- Krol, & van IJzendoorn, 2011a; Bakermans- Kranenburg et al., 2011b; Zeanah & Gleason, 2015).

여러 연구들이 낯선 상황 실험(Strange situation procedure)에서 파생된 분류가 높은 수준의 무분별한 행동을 배제하지는 않는다는 것을 보여준다. 선택적인 애착이 충분히 형성된 아이들이 반응성 애착 장애의 징후를 보일 것으로 여겨지진 않는다. 반응성 애착 장애를 가진 아이들은 그들이 누구에게든 선택적이거나 조직적인 애착을 형성하지 못했다고 여겨지는 행동이 거의 발견되지 않는다. 비록 회피적인 애착을 가진 아이들은 안락함을 탐색하는 능력이 결핍된 것으로 보일 수 있고 저항애착(resistant attachment)을 가진 아이들은 감정 조절 문제를 가질 수 있지만 두 아이들 모두 반응성 애착 장애에서 보이는 전반적인 선호함의 결핍(the pervasive lack of preference), 정동 장애, 반응의 결핍을 보일 수 있다. 어떤 경우에도, 실험적인 패러다임에 짜맞추듯 요약된 아이의 행동만을 가지고 진단을 내려선 안 된다. 애착의 장애와 애착의 분류나 패턴을 구분하는 것은, 전자는 문맥상 단면적으로 명백한 임상적 상태이고 아이가 양육자나 익숙하지 않은 어른들 모두와 행동상의 현저한 장애를 보인다는 점이다(O' Connor & Zeanah, 2003; Zeanah, Berlin, & Boris, 2011; Zeanah et al., 1993). 불안정하거나 혼란된 애착은 동시에 혹은 그 이후에 대인관계의 어려움과 연관될 수 있지만 그것은 특정 관계에 특징적인 것이라 한 성인과 아이의 패턴은 안정적이면서 다른 어른과는 불안정할 수도 있다. 애착 장애의 징후들은 그 강도에서 기복이 있을 수 있지만 다른 개인들과 다른 상황에서의 상호작용에 따라 변하는 것으로 여겨진다. 기본적으로 애착 장애는 부적응의 위험 요인이지 내재적 부적응을 의미하는 낙인이 아니다.

발달 경로(Developmental pathways)

불충분한 양육이 두 표현형으로 이어지는 메커니즘이나 이러한 장애들의 장기적인 후유증에 대해서 알려진 것은 거의 없다. 이러한 장애로 발달하는 데에는 초기의 박탈 경험이 필요할 것으로 여겨지나 추가적인 연구가 필요하다.

어린 시절 애착 장애의 경과에 대한 가장 좋은 자료들은 반응성 애착 장애와 탈억제 사회관여 장애의 징후들은 동시에 평가된 30개월부터 42개월 사이의 사회적 능력의 결핍과 54개월에서의 기능적 손상과 연관이 있다는 부쿠레슈티의 초기 상호작용 프로그램(the Bucharest Early Intervention Program)에서 나왔다. 기관에 계속 머무는 아이들의 경우, 징후의 영속성이 훨씬 더 컸다(Gleason et al., 2011).

애착장애의 장기적 결과는 전반적인 감정 조절 결핍, 충동조절의 어려움, 자기 조절 능력 부족, 과잉행동, 낮은 좌절 내성 등이지만, 폭력적인 행동, 공감능력 결여, 인격 장애 (Kay Hall & Geher, 2003)나 두드러진 학습 장애일 수도 있다 (Schwartz & Davis, 2006). 시설에서 양육된 아이들에 대한 여러 종단연구들에서 반응성 애착 장애의 징후를 가진 많은 아이들이 함축적으로 수년 후에 기능적 손상을 (특히 대인관계의 문제에 대하여) 가질 수 있다고 보고하였다(Chisholm, 1998; Hodges & Tizard, 1989; Rutter et al., 2007).

낯선 사람들과 무분별하게 어울리는 행동을 보이는 걸음마기 아이들은 유치원에서 좀 더 공격적이고 더 과활동적인 행동문제를 보였다 (Lyons-Ruth, Bureau, Riley, & Atlas- Corbett, 2009). 보호시설에서 입양된 아이들의 경우, 탈억제 사회관여 장애의 징후들이 입양 된 후 몇 년이 지났는데도 지속되는 경우가 소수 있었다(Chisholm, 1998). 이 장애는 기능 장애, 친밀한 관계의 어려움, 특수 교육과 정신건강서비스의 필요성 증가와 관계가 있다(Gleason et al., 2011; Rutter et al., 2007). 과거 시설에 입소된 적 있는 아이들의 경우, 초-중기 아동기부터 청소년기까지 무분별한 사회적 행동과 주목을 끌려는 행동은 일관성이 있게 지속되고 게다가, 일단 한번 확립되고 나면 특히 무분별한 행동은 잘 고쳐지지 않는 것으로 보인다(Tizard & Hodges, 1978; Tizard & Rees, 1975). 청소년기에, 양육자에게 보이는 무분별한 행동은 전보다 덜 뚜렷하지만 친구들 사이에서는 명백해질 수 있다. 또래 관계는 좀 더 피상적(예, 최근에 만난 지인을 가장 친한 친구라 칭함)이고 갈등적일 수 있다(Hodges & Tizard, 1989).

현존하는 문헌들에 따르면 발달 지연이 두 하위유형 모두의 징후를 설명하진 못한다. 부쿠레슈티 연구에서, 22, 30, 그리고 42개월 아이들에서 반응성 애착 장애는 발달지수/IQ와 큰 연관성을 보이지 않았고, 54개월에서는 아예 연관성을 보이지 않았다. 박탈 상태는 애착 장애와 인지 지연을 가지고 왔고, 두 가지 중 한가지만 나타나기도 했다.

일반적으로 탈억제 사회관여 장애에 대한 연구들에서, 인지 발달은 어린 아이들의 무분별한 행동과 관계가 없거나 약한 연관성을 가진다(Bruce, Tarullo, & Gunnar, 2009; Chisholm, 1998; O'Connor, Bredenkamp, & Rutter, 1999). 반응성 애착 장애에서의 정서적 장애와 탈억제 사회관여 장애에서의 침습적 행동들을 미루어 볼 때, 우리는 전자와 내재화 문제, 그리고 후자와 외재화 문제 사이의 근사점을 의심해볼 수 있고 몇몇 연구들에서 약함에서 중간 정도의 상관관계를 확인한 바 있다(O'Connor & Zeanah, 2003; Smyke, Dumitrescu, & Zeanah, 2002; Zeanah, Smyke, & Dumitrescu, 2002).

치료적 영향(Therapeutic Implications)

이러한 두 유형의 애착 장애를 위한 치료적 개입에 대해 설계된 연구는 제한적이다. 애착 장애의 징후들은 시설에서 양육된 어린 아이들에게서 발견되었기 때문에(Smyke et al., 2002; Tizard & Rees, 1975; Zeanah, Smyke, Koga, Carlson, & the BEIP Core Group, 2005), 적절한 양육이나 입양이 장애의 징후들을 서서히 없애거나 상당부분 감소시킬 것이라는 기대가 합리적이다. 입양 이후의 나아진 양육이 애착 장애의 징후를 개선시킬 것이라는 말이다.

두 유형의 애착 장애는 예후도 서로 다르다. 예를 들어, 반응성 애착 장애는 적절한 애착 대상과 가까워지면 거의 완벽하게 회복이 되는 반면에, 탈억제 사회관여 장애는 적절한 양육과 선택적인 애착 관계가 있음에도 지속될 수 있다.

부쿠레슈티 초기 상호작용 프로젝트(Bucharest Early Intervention Project)에 따르면, 입양 양육이 잘 지원되는 경우 반응성 애착 장애의 징후가 빠르고 완전하게 제거될 수 있다(Smyke et al., 2012). 반응성 애착 장애 아이가 한번 적절한 돌봄을 받으면, 그들의 증상은 상당히 감소하고 대개 사라진다. 입양이나 섬세한 양육자에 의한 양육관리는 반응성 애착장애가 있는 아이들에게 최선의 치료(Treatment of choice)가 될 수 있다(see Bernard et al., 2012; Hoffman, Marvin, Cooper, & Powell, 2006; Juffer, Bakersman- Kranenburg, & van IJzendoorn, 2007).

탈억제 사회관여 장애가 있는 아이들 중 일부만이 숙련된 양육자가 제공하는 만큼 반응한다. 그럼에도 불구하고 우리가 판단할 수 있는 최선은, 아이의 요구를 알아채고 반응해 줄 수 있는 양육자에 의한 섬세하고 반응적인 양육이 이런 아이들에게 가치가 있을 것이라는 것이다. 나아진 양육이 빨리 제공될수록, 탈억제 사회관여 장애의 징후의 감소폭도 커진다는 데 대한 증거들이 있다(Smyke et al., 2012). 비록 적절한 양육이 이 장애를 예방하고 경감시키기도 하지만, 어떤 아이들에게는 이 장애 징후의 지속성이 양육에 대한 반응성의 개인차에 의한 것임(see Drury et al., 2012)을 반영하거나 혹은 처음에 가장 심하게 영향을 받은 아이들에게는 불완전한 치료법임을 반영하는 것일 수 있다. 탈억제 사회관여 장애가 있는 아이들의 적절한 양육에 대해 감소된 반응성에는 양육자의 개선을 넘어선 추가적인 전략과 접근이 필요하다. 이들이 갖는 사회적, 인지적 이상이 장애를 특징짓는 경계위반과 탈억제의 기반이 된다는 것을 고려할 때, 이러한 특징들을 목표로 하는 개입이 적절할 수 있다.

IEC12 파괴적 행동 및 반항장애(Disruptive Behavior and Oppositional Disorders)

유소아기의 파괴적이고 반항적인 행동들은 소아청소년기의 파괴적 외현화 장애의 전구체가 될 수 있다. PDM-2의 SC축에 따르면, 우리는 이러한 행동들을 수정되지 않은 감각과 기질적인 어려움의 결과로 장애가 생긴 감정 조절 시스템의 결과물로 본다. 마찬가지로, DC: 0-5는 초기 소아기의 조절되지 않는 분노와 공격성의 장애(the disorder of dysregulated anger and aggression of early childhood[DDAA])를 조절되지 않은 행동으로 이어지는 감정 조절장애의 표현으로 나타나는 과민함과 분노의 패턴이라고 소개한다.

유아기에서 걸음마기로, 후기 소아기로의 이행은 아이가 '부정'을 기반으로 하는 감정 조절 전략(denial-based emotion regulation strategy)에서 투사적 기반의 감정조절전략(projective-based one, 자신의 주관을 반영하는 감정 조절 전략)으로 옮겨간다는 점에서 독특한 과정이라고 할 수 있다. 이러한 이행은 파괴적인 행동과 반항적인 행동의 출현과 일치하고 –"미운 두 살(terrible twos)"- 이것은 파괴적 행동과 외현화 장애가 일어나는 것의 발판으로써 특별히 고려되어야 할 사항이다.

증상 패턴과 발달경로 (Presenting pattern and Developmental pathways)

Phebe Cramer(1991, 2006)는 유아 관찰과 기타 경험적 연구를 통해 방어기제의 발달 궤도를 밝혀냈다. 최근에 밝혀진 방어기제들과 암시적 감정 조절 시스템(implicit emotion regulation system)의 유사성은 이러한 발달적 지도가 신경생물과학과의 명백한 관련성과 함께 입체적인 뇌를 기반으로 한 패러다임(dimensional, brain-based paradigm)을 통해 이해될 수 있게 해준다(Rice & Hoffman, 2014). Cramer(2006)는 요인분석연구들(factor-analytic studies)을 통해 다수의 방어기제들이 부정, 투사, 그리고 동일시(denial, projection, and identification)의 세 가지 무리의 방어들로 정리될 수 있다는 사실을 밝혀냈다.

Stern의 유아관찰분석(1985)과 Tronick의 최근 실험들(2007)은 다급한 시선피하기(time-sensitive gaze deviation)와 이원적 조절의 발생으로부터 떨어지려는 것(detachment in the production of dyadic regulation), 부정을 기반으로 하는 방어의 강화와 발전을 복합적으로 이용한다는 사실을 증명해냈다. 오락(distraction)과 엄지손가락 빨기, 입을 앙 다물기(lip compression), 혹은 눈썹 찌푸리기(knitting the brow)같은 자기위안기제(self-soothing mechanism)는 부정(denial)을 통해 위협적인 외부 자극으로부터 방어해준다. 이러한 기제의 사용은 주의력과 각성(attention and arousal)을 조율하는 두정엽 부위에 매개된 신경 체계(parietally medicate neural system)과 일치한다.

유아의 중추신경계 발달은 부모의 상호작용과 양자적 뼈대를 포함한 체질적인 요인과 환경적 결정요인들을 통해, 좌절적인 자극으로부터 주의를 철수시키는 능력으로까지 확장될 수 있게 된다.

> 좌절적 사건을 보는 유아의 경향은 2세 이후에 나타나는 공격적인 행동으로의 강한 경향성과 연관이 있는데, 비록 여자아이들에게 국한되었지만 시간이 지나서 좌절적 사건에서 주의를 돌리고 뭔가 더 적응적인 쪽을 향하기만 해도 덜 공격적인 행동으로 이어질 수 있다는 것을 보여준다. 이어서, 어머니 행동으로 인해 악화된 결과는 좌절적 사건에 대한 초기 기질적 반응과 이어지는 공격적인 행동이 연속적일 수도 불연속적일 수도 있다는 사실에 대해 의미 있는 정보를 제공한다. 이것은 발달의 결과를 예측하는 데 있어 유아의 특성과 사회 환경이 서로 맞는지를 강조하는 맥락의 접근법과 일치한다(pp. 52).

유아관찰연구들은 유아와 양육자 사이의 "적합성(goodness of fit)"이 암시적 감정 조절 과정(implicit emotion regulation processes)의 성숙에 필수적이라는 것을 밝혀냈다. 몇몇 양육자들은 유아의 기쁨이나 두려움 신호를 읽어내고 대해 적절한 상호적인 몸짓으로 반응하지만(아이의 미소에는 미소를, 공포에는 안락함을), 아이가 짜증을 내거나 화를 내기 시작하면, 일시적인 불안으로 인해 비반응적이거나 과잉반응적이 될 수도 있다. 때때로 양육자들은 아이가 점점 더 심하게 화를 내거나 떼를 쓰거나 물면 "무표정한(stone-faced)" 상태가 되기도 한다. 또 어떤 양육자들은 순식간에 처벌적으로 변하기도 한다. 흔치 않게 어떤 양육자는 다른 양육자가 과도하게 처벌적인 동안 얼어버려서(freeze) 아이에게 섬세한 상호적인 조절이나 한계 설정을 해주지 못하고 그 자리를 떠나버리기도 한다.

이러한 양자적 자기 조절 과정(process of dyadic self-regulation)은 자기 성찰적 암시적 감정 조절(intrapersonal implicit emotion regulation)을 위한 적절한 신경망(neural network)의 활

성화를 통해 아이의 자기 조절 기술의 내재화를 가지고 온다. "충분히 좋은(good enough)" 양육자(Winnicott, 1973)는 "사용하지 않으면 잃는다(Use it or lose it)"이라는 속담처럼, 반복된 활성화를 통해 강화된 신경적 가소성과 신경망의 학습과정(Hebb, 1949)을 불러 일으키는데 충분할 것이다. 조절 과정의 내재화와 대인관계적(interpersonal)조절에서 자기성찰적(intra-personal) 조절로의 이행은 성공적인 분리-개별화 과정(separation-individuation process)을 동반한다(그리고 그러한 이행의 가장 기본적인 결정요인일 것이다). 양육자에 의해 촉진된 발달적 획득은 걸음마기 아이에게 공격적인 행동이나 방어적인 붕괴(defensive breakdown)(예: 조절되지 않고 와해된 분노발작)를 포함한 부적응적인 방어기제를 피할 수 있는 충분한 감정 조절 능력을 제공할 것이다.

다시 말해서, 생후 첫 일년 동안, 혼란스러운 외부 자극으로부터 벗어나기 위한 유아의 노력이 점차 발달 하는 데에는 양육자의 개입이 필요하다는 것이다.

좌절적인 자극에 회피(부정) 반응을 보이는 아주 반응적이고 쉽게 좌절하는 유아들은 좀 더 감정 조절 기술을 발전시키게 돕기 위한 좀 더 섬세한 개입이 필요하다. 유아가 걸음마기, 중기 소아기로 자라면서 투사적 방어기제(projective defense)의 사용이 증가한다는 Cramer의 연구결과처럼, 점차 좀더 복잡한 감정 조절 기술이 발달한다.

이 과정은 전전두엽 매개의 변연계 약화 능력(prefrontally mediated limbic attenuation capacities)과 일치한다(Lewis, Granic, & Lamm, 2006; Rothbart, Sheese, Rueda, & Posner, 2011). 이 방어들은 위협적인 내적 혹은 외적 자극의 존재를 단순히 부정하지 않고 오히려 자극의 근원을 뒤집고 재검토해서 위협적이고 고통스러운 감정에 책임 있는 사람을 용서하기도 하므로 좀더 복잡하다. 걸음마기 아이들이 추가적인 운동 기술과 힘을 얻음으로써, 이들이 정상적으로 투사적 방어를 선호하는 면은 공격적이고 파괴적이고 반항적인 행동을 부추기게 된다. "방어전(on the defense)"에서 "공격전(on the offense)"으로 가게 되는 것이다.

걸음마기에 감정 조절능력 획들에 실패하는 것은 자해 위험을 동반한 심각한 분노발작을 포함한 부적응적이고 통제 불가능한 공격적 행동으로 이어질 수 있다. 공격성의 입체적인 특성은 부적응적인 파괴 행동과 걸음마기에 보이는 "정상적" 파괴행동을 구별하기 어렵게 만든다.

걸음마기에서 더 성숙할수록, 전조작기(preoperational)에서 구체적조작(concrete-operational) 과정으로의 이행은 아이들로 하여금 방어 과정을 개념적으로 이해할 수 있게 해준다(Cramer, 2006). 초기 학령기까지, 정상적이고 병적이지 않은 발달에서 부정(denial)의 개념적 감퇴 때문에, 투사(projection)가 우세적인 방어기제가 된다. 이 때문에 파괴적 행동장애에서 투사적 방어기제가 두드러지게 나타난다면 0-3세에서도 똑같이 적용할 수 있지만, 아래 서술한 치료적 중재법은 특히 초기 학령기 아이들에게 유용하다(SC축, 9장의 pp. 352-354 참조).

가족 시스템, 사회 시스템, 그리고 지역사회적 요인들은 암시적 감정 조절 과정의 성숙에 직접적이고 간접적인 영향을 미친다. 예를 들어, 기질적으로 강하거나 조절되지 않는 아이는 종일 혼자 아이를 돌보는 양육자를 지치게 만들 수 있고, 특히 사회적 지지가 없거나 거의 없는 한부모들에서 더 그렇다. 발달은 가정의 확대된 가족구성원(extended family members)과의 경험이나 주간보호센터나 유치원 선생님과의 경험과 연관해서 이해될 수 있다.

이러한 암시적 감정 조절 능력의 발달은 유아, 걸음마기, 그리고 이후 삶의 다른 다양한 과업들에 광범위한 효과를 미친다. 파괴적 행동은 자신감 있고, 자율적인 존재로써 협상하는 능력, 가짜 놀이(pretending play)에 참여하는 능력, 필요한 것과 느낌을 표현하고 갈등을 해결하는 능력, 그리고 만족감을 지연시키는 등의 성숙한 언어 사용 능력을 방해하는 경향이 있다. 여기에 설명한 이런 과정들은 PDM-2의 다른 섹션들과도 상당히 관계가 있다.

치료적 영향(Therapeutic Implications)

유아와 걸음마기의 파괴적 행동을 발달적 상황 내에서 이해하는 것은 소아기와 초기 청소년기의 파괴적 장애들의 치료 전략을 세울 수 있게 해준다. 이는 부모들로 하여금 자기 아이들이 자기 조절 기술을 발전시킬 수 있게 가이드해줄 수 있게 해주는데, 특히 좌절적 자극에 쉽게 반응하고 산만해지는 아이들에게 도움이 된다. 이런 아이들은 PDM-2의 6장에서 아주 자세하게 서술되어 있으나 이 장과도 관계가 있다.

임상적 예시(Clinical illustration)

2세 5개월된 Johnny는 공격성에서 심각한 문제가 생기기 시작했다. 그는 엄마를 자주 물어서 공격했다. 그들의 상호작용을 관찰하면서, 임상가는 Johnny가 "일상적 좌절(frustratios of daily life)"을 다루는데 어려움이 있다는데 주목했다. 엄마는 집을 나서야 할 때 기저귀를 갈거나 옷을 입혀주는 게 어려웠는데, 그럴 때마다 겉으로 보기에는 아이가 한바탕 끝없이 소리를 지르거나 엄마가 자신의 걸음마기 이를 떠나버리는 패턴이 번갈아 나타났다.

관찰에서는 엄마가 필요하지만 즐겁지 않은 일에서 아이의 주의를 돌리는데 어려움이 있다는 것이 드러났다. 엄마는 기저귀를 갈아주면서 매력적인 장난감이나 다른 자극을 주지 않고 그냥 말만 하면서 아이가 불쾌한 자극 동안 자신의 좌절을 조절하길 바랬다. Johnny가 이후 좌절 사건에 과잉반응하고, 불쾌한 감정을 억제하기 위한 자기 조절 기전을 발전시키는데 도움을 받지 못해서 PDM-2의 6장에서 서술한 것 같은 고통스러운 자극에 반응할 때 공격성의 문제를 보이는 것으로 발전할 수 있다는 것은 쉽게 추측할 수 있다. 파괴적 행동 장애를 가진 아이에의 정신역동적 접근은 그 장에 상세하게 설명되고 있고 유아기와 걸음마기의 같은 문제들과 관련되어 참조될 수 있다.

아마도 0-3세 연령대에서 가장 중요한 것은 부모들과 다른 가족구성원들이 치료에 통합되는 것이며, 부모들이 그들의 유아와 걸음마기 아이들을 정상적인 대인관계적 감정 조절 과정을 통해 도울 수 있도록 돕는 것에 중점을 둔다. 종합적인 프로그램은 기저의 감정 조절 능력과 감정을 이해하는 능력을 강화시키기 위해서 해당된다면 특정치료 뿐만이 아니라 가족과 교육 시스템도 포함할 필요가 있다.

IEC13 젠더 부조화(Gender Incongruence)

20세기 중반에, 성 정체성 발달에 대한 이론이 성 발달의 장애를 가지고 태어난 아이들에 대한 연구로부터 발전하기 시작했다(역사적으로 "자웅동체(hermaphroditic)"나 "중성(intersex)" 상태라고 언급된다). John Money(1994)는 이 영역에서 매우 큰 영향을 미쳤다. 성 정체성이 3세까지 형성된다는 그의 이론은 초기의 중성 아이들에게 빠른 수술적 중재가 이루어지게 했다. 또 다른 권위자로는 정신분석가인 Robert Stoller(1964)가 있는데, 그는 "성 정체성"이라는 단어를 성전환자들에 대한 연구를 통해 만들어냈다.

그러나 현존하는 연구들은 무엇이 아이가 성 불쾌감증(gender dysphoria)이나 젠더 부조화(gender incongruence)로 발전하게 만드는지 설명하지 못한다(PDM-2에서도 이제야 이런 상태를 언급하듯이). 정신분석적이든 혹은 그 밖의 것이든, 어떤 연구자들도 어떻게 시스젠더(Cisgender, 신체적 성과 사회적 성이 일치하는 사람들을 일컬음, 성전환자[transgender]나 젠더변이[gender-variant]가 아닌 사람) 정체성이 발달하는지 명확하게 밝혀내지 못했다.

PDM 초판에서는 현상의 어떤 이론적 정신역동적인 원인에 초점을 맞추고 임상적 개입을 위한 어떤 입증되지 않은 권고안들을 만들었었다. 예를 들어:

- PDM 초판은 성 역할의 "건강한" 탐구의 일부로써 넓은 범위의 패턴들을 언급했으나, 너무 강하고 지속적으로 반대 성의 역할과 장난감들을 선호하고 자신의 성기를 혐오하고, 자신들의 해부학적 구조가 잘못되었다고 주장하는 "건강한 탐구를 넘어서는" 아이들은 구분해냈다. PDM은 만약 다른 성이 되는 것을 선호하는 것과 타고난 성을 거부하는 것이 다루어 지지 않는다면 이런 패턴들은 지속될 것이라고 주장했다.

현재 임상적 중재가 젠더 부조화의 지속을 예방할 수 있다는 믿음에 대해서는 경험적 증거가 거의 없다.

- 또한 PDM초판은 "양육자-아이 상호작용과 가족 패턴뿐만 아니라 독특한 체질적 성숙의 변이(unique constitutional-maturational variations)도 아이의 성 정체성 장애에 기여할 수 있다"고 주장했다(PDM Task Force, 2006, p. 338). PDM초판은 성적 혼란에 기여하는 것으로 다음과 같은 것들을 언급했다. 1) 아이가 반대의 성이 되길 바라는 부모의 소망, 2) 한쪽 부모가 나약하고 평가절하 당하고 있다는 지각, 3) 이차 양육자로부터 분리될 수 있다는 기저의 염려, 4) 공격성과 자기주장을 둘러싼 갈등, 그리고 5) 동일성을 가진 부모와의 동일시에 갈

등이 있거나 동일성의 부모와 긍정적 관계가 부재한 경우. 이러한 공식들은 이런 아이들과 함께하는 한 개인이나 가족과의 작업을 통해 만들어졌다. 이 공식들은 이런 특수한 경우에 적용될 수 있지만, 이런 공식들이 좀더 다양하게 뒤섞인 임상 집단에서의 젠더 부조화(gender incongruence)를 설명할 수 있다는 증거는 없다.

DMS-5는 성 정체성 장애(gender identity disorder)를 소아 청소년들의 젠더 불쾌감(gender dysphoria)의 진단과 함께 위치해뒀다. DSM-5는 진단에 대해 연령 하한선을 두지 않았다. 그러나 진단은 A와 B 진단 기준 세트를 만족해야만 이루어질 수 있다. 기준 A에는 8가지 가능한 임상양상이 있는데 그 중 적어도 6가지 이상이 맞아야 한다. 중요한 것은, A1기준인 "다른 성이 되고픈 강렬한 욕구나 자신이 다른 성이라는 주장 (혹은 자신이 부여 받은 성별과 다른 대안적인 성별 [관습적으로 여성도 남성도 아닌])"이 반드시 맞아야 한다는 것이다.

다른 7가지 A진단기준은 복장도착(cross-dressing)을 선호하고 부여 받은 성별의 관습적인 복장을 거부하는 것, 가상놀이(make-believe play)를 할 때 반대 성을 선호하는 것, 전형적으로 다른 성과 연관된 장난감/게임/활동하기를 더 좋아하는 것, 다른 성을 가진 아이들과 노는 것을 더 좋아하는 것 등을 포함한다. 이런 아이들은 빈번하게 자신의 성적 해부구조를 싫어하고 자신이 경험한 성의 일차 그리고/혹은 이차 성징을 원할 수 있다.

진단기준B는 사회, 학교 혹은 다른 중요한 기능 영역에서 임상적으로 유의한 고통이 동반되어야 한다. DSM의 이전 버전에서 주목할만한 변화는 DSM-5는 더 이상 다축 체계가 아니라는 것이다. DSM-IV와 IV-TR에서 성 발달 장애가 Axis III에 포함되었던 반면에, DSM-5의 소아의 성 불쾌감증(gender dysphoria)은 새로운 다섯 번째 specifier를 포함한다: "성 발달의 장애를 동반한".

다가오는 ICD-11은 소아기의 성 정체성 장애를, 사춘기전의 아이들에게 개인의 경험된/표현된 성과 부여 받은 성 사이의 뚜렷한 부조화로 정의되는 '소아기의 젠더 부조화(gender incongruence of childhood)'로 명칭을 다시 지을 것이다(Drescher, Cohen-Kettenis, & Reed, 2016). 뚜렷한 부조화는 반드시 1) 아이의 일부가 부여 받은 성으로부터 다른 성이 되고 싶은 강렬한 욕구, 그 혹은 그녀가 부여 받은 성과 다른 성에 속하고 싶다는 주장, 2) 그 혹은 그녀의 성적 해부학적 구조나 기대되는 이차 성징에 대한 강한 혐오, 경험된 성별에 맞는 일차 그리고/혹은 기대되는 이차 성징을 향한 강한 욕구, 그리고 3) 가상(make-believe) 혹은 환상(fantasy) 놀이, 장난감, 게임 혹은 활동, 그리고 놀이친구도 전형적인 부여 받은 성별보다는 경험된 성의 것을 원하는 것으로 나타나야 한다. 부조화는 적어도 2년 이상 지속되어야 하기 때문에 유아를 젠더 부조화로 진단하는 것은 ICD-11에서 허가되지 않을 것이다. 그러므로 대략 5세가 되기 전에는 진단 내려질 수 없다. DC: 0-3R과 DC: 0-5는 더 이상 성 정체성 장애를 포함하지 않는다.

증상 패턴(Presenting Pattern)

젠더 부조화를 가진 아이들에게서, 성에 비전형적인 옷차림, 놀이, 놀이친구에 대한 강한 흥미는 가장 이르게 2세 무렵부터 나타날 수 있다. 그러한 관심이 지속될지를 결정하는 것은 대개 불가능하다. DSM와 ICD 두 진단 기준 중 하나라도 맞는 나이 든 아이들은 강렬한 해부학적 불쾌감과 부여 받은 성별에 대한 거부를 보인다. 3장과 6장은 SA와 SC축 부분에서 각각 젠더 부조화의 주관성을 논하고 있다.

발달 경로(Developmental pathways)

성 클리닉을 방문한 아이들에 대한 연구는 이런 아이들의 대부분이 청소년 혹은 성인이 되었을 때 성전환자가 되지 않는다는 사실을 밝혀냈다. 대다수는 시스젠더 정체성을 지닌 게이나 양성애자로 자라났다. 몇몇은 이성애자인 시스젠더가 되었다. 그러나 현재까지 개인적인 수준에서 아이들의 젠더 부조화가 사라지고(퇴색되고) 아이의 그런 특성은 지속되지 않는다는 것을 결정하는 공인된 평가 도구는 없다. 네덜란드의 최근 연구에서는 어떤 요인이 성 불쾌감의 지속을 이끌어낼 수 있는지를 밝히고자 했고, 아동기 불쾌감의 강도와 지속성 사이의 연결성과 태생이 여자인 아이들에서 지속될 가능성이 더 높은지를 알아냈다.

젠더 부조화가 사춘기가 시작될 무렵까지 지속되는 아이들에게서, 원치 않는 생리학적 변화를 호르몬 차단제로 억압하려는 시도는 상당히 흔하다. 어떤 경우에는 젠더 부조화가 사춘기 억압 이후에 중단되고 치료도 중단되고 아이는 지연된 사춘기를 경험한다. 부조화가 지속되는 아이들에게는, 사춘기 억압(puberty suppression)이 나이가 들었을 때 호르몬 그리고/ 혹은 수술과 함께 신체적 전환을 더 완화시켜 줄 수 있다.

치료적 영향(Therapeutic Implications)

사춘기 전 아이들의 젠더 부조화의 치료는 논란의 주제다. 6장은 성 클리닉에서 제공하는 세 가지 다른 치료적 접근법의 개요를 제시했다.

IEC14 감각-조절 처리 장애(Regulatory-Sensory Processing Disorders)

감각-조절 처리 장애(표 7.2)는 감각 자극에 대해 체질적으로 부적응적인 반응으로 까다로운 행동을 야기할 수 있고, 아이와 환경의 상호작용을 복잡하게 만들 수 있다. 아이들이 다른 감각들(접촉, 소리)에 대해서 어떻게 반응하고, 이런 자극들을 이해하고, 행동을 계획하는 방식은 다양하다. 아이들이 여러 감각 기관을 통해 얻은 정보들을 어떻게 점차적으로 감지하고 정리하는지는 차후에 각 아이들마다 독특한 "감각-조절 특성"을 결정짓게 된다.

Lester(1998)는 "A의 네 가지(four A's)"를 어린 아이들의 행동 조절의 핵심 영역들로 제시했다(각성[Arousal], 주의[Attention], 정동[Affect], 행동[Action]). 그러나 어떤 아이들은 집, 학교에서의 일상적 기능과 친구나 어른들과의 다른 상호작용, 그리고 자기 관리, 수면, 식사 같은 일상 기능을 방해할 정도로 극명한 처리 상의 차이점을 가진다. 감각-조절 처리의 개인별 차이점을 이해하는 것은 치료자와 가족들이 어떤 아이들에서든 건강한 정서적, 사회적, 지능적 기능을 촉진시켜줄 방법을 찾는 데 도움을 준다.

표 7.2. 감각-조절 처리 장애(IEC14)

IEC-14.01	과잉민감성 혹은 과잉반응성 장애 (Hypersensitive or overresponsive)	
	IEC-14.01.1	과잉민감성 혹은 과잉반응성: 걱정하고, 불안해하는 패턴 (Hypersensitive or overresponsive: Fearful, anxious pattern)
	IEC-14.01.2	과잉민감성 혹은 과잉반응성: 부정적인, 고집스러운 패턴 (Hypersensitive or overresponsive: Negative, stubborn pattern)
IEC14.02	과소민감성 혹은 과소반응성 (Hyposensitive or underresponsive)	
	IEC14.02.1	A 패턴: 자기 몰두적이고 관계를 맺기 어려운 유형 (Pattern A: Self-absorbed and difficult-to-engage type)
	IEC14.02.2	B 패턴: 자기 몰두적이고 창조적인 유형 (Pattern B: Self-absorbed and creative type)
IEC14.03	활동적, 감각 추구 패턴 (Active, sensory-seeking pattern)	
IEC14.04	부주의한, 혼돈된 패턴 (Inattentive, disorganized pattern)	
	IEC14.04.1	감각 식별 장애를 동반한 (With sensory discrimination difficulties)
	IEC14.04.2	자세 조절 장애를 동반한 (With postural control difficulties
	IEC14.04.3	행동곤란을 동반한 (With dyspraxia)
	IEC14.04.4	세 가지 모두가 조합된 (With combinations of all three)
IEC14.05	학교생활 그리고/혹은 학업 수행이 저해된 패턴 (Compromised school and/or academic performance pattern)	
	IEC14.05.1	감각 식별 장애를 동반한 (With sensory discrimination difficulties)
	IEC14.05.2	자세 조절 장애를 동반한 (With postural control difficulties)
	IEC14.05.3	행동곤란을 동반한 (With dyspraxia)
	IEC14.05.4	세 가지 모두가 조합된 (With combinations of all three)
IEC14.06	혼재된 감각-조절 처리 패턴 (Mixed regulatory-sensory processing patterns)	
	IEC14.06.1	신체적 호소와 주의, 정서, 행동 문제를 동반한 혼재된 감각-조절 처리 패턴(Mixed regulatory-sensory processing patterns with evidence of somatic complaints and attentional, emotional, and behavioral problems)
	IEC14.06.2	행동이나 정서 문제를 동반하지 않은 혼재된 감각-조절 처리 패턴(Mixed regulatory-sensory processing patterns without evidence of behavioral or emotional problems)

감각-조절 처리 장애의 개념은 1980년대부터 1990대 초에 Greenspan의 조절 장애 개념으로부터 발전하기 시작했다(Greenspan, 1992; Greenspan et al., 1987). Ayre(1963, 1972)의 감각 처리 장애 개념도 수십 년 동안 나란히 발전되어 왔다. DC: 0-3(Zero to Three, 9174) 초판에서, 조절 장애는 진단적 독립체로써 포함되었고 DC: 0-3R에서는 각 패턴을 특징짓는 특정한 장애들에 대한 관심을 얻기 위해, 저자는 이 카테고리를 감각 처리의 조절 장애라고 새롭게 명명했다. DC: 0-5는 이를 감각 처리 장애라고 정의했다.

2004년에, 감각 처리 문제의 고전적인 패턴과 아형들의 새로운 분류가 제시되었다(Miller, Cermak, Lane, Anzalone, & Koomar, 2004). 더 최근에는, ICDL의 감각-조절 처리 연구 그룹(the Regulatory-Sensory Processing Work Group of the ICDL)이 새롭게 만들어졌고, 감각-조절 처리 장애에 대한 기술을 유소아기 정신건강의 발달적 모델, 개인별 모델, 관계기반모델(DIR)을 동반한 개인작업요법 문헌과 통합시키는 것으로 확장시켰다(Greenspan, 1992).

감각-조절 처리 장애는 아이의 운동감각 패턴이 연령에 기대되는 정서적, 사회적, 언어적, 인지적(주의력을 동반한), 운동 혹은 감각 기능을 방해할 때에만 고려되어야 한다. 이 장애는 악몽, 위축, 공격성, 공포감, 불안, 수면, 식이 문제, 또래 관계 어려움과 같이 Axis I에서 논의되는 다른 일차 진단들에서도 일부 동일한 증상을 보일 수 있는 것이 특징이다.

이런 장애들과 대조적으로, 감각-조절 처리 장애는 명백하게 구분 가능한 아이들의 체질적 성숙 요인들을 포함한다.

감각-조절 처리 차이의 임상적 증거와 유병률(Clinical Evidence and Prevalence of Regulatory-Sensory Processing Differences)

지금은 정신건강, 발달, 학습의 어려움을 가진 아이들에서 감각-조절 처리 차이의 존재의 증거는 많이 있다. 이 연구의 개요를 보려면 ICDL-DMIC(ICDL, 2005)에서 감각-조절 처리 장애를 다룬 섹션을 보라. 감각-조절 처리 차이가 아이들의 기능에 어떻게 영향을 미치는지 이해하려면, 포괄적이고, 발달적이고, 생물정신사회적인 중재 프로그램의 일부로써 이 과정들에 주의를 기울인 연구(Greenspan & Wieder, 2003)와 특정 감각 처리적 측면의 중재에만 초점을 맞춘 연구들을 구분해야만 한다.

감각-조절 처리 장애의 진단(Diagnosis of Regulatory-Sensory Processing Disorders)

감각-조절 처리 장애의 진단은 뚜렷한 행동 패턴 그리고 감각 조절, 감각운동, 감각식별(sensory discrimination), 혹은 주의 처리의 어려움을 모두 필요로 한다. 행동과 감각 패턴이 둘 다 존재하지 않으면, 다른 진단이 더 적합하다. 예를 들어, 과민하고 학대당한 후 위축되어 있는 유아는 애착의 문제로 고통을 받고 있을 수 있다. 과민하고 일상적인 대인관계 경험에도 과잉

반응적인 유아에서, 명확하게 식별되는 감각, 감각운동, 혹은 처리 장애가 부재하다면, 이 아이는 불안 장애나 기분 장애를 가진 것일 수 있다. 이 장애의 진단은 처리과정의 손상이 아이가 차분하고, 기민하고, 정서적으로 긍정적인 상태로 유지하는 능력에 상당히 방해하는 것을 의미한다.

"과도하게 민감한", "까다로운 기질", 혹은 "반응적인"과 같은 용어들은 일반적으로 비전형적인 운동과 감각 처리를 보이는 유소아들을 묘사할 때 쓰인다. 그러나 임상가들은 이런 용어들을 해당되는 감각 시스템이나 운동 기능을 명시하지 않은 채 사용하는 경향을 보여왔다. 체질적인 패턴과 초기 성숙 패턴이 이런 아이들의 어려움에 기여한다는 증거들이 점차 늘어나고 있지만, 초기의 양육 패턴이 체질적-성숙 패턴이 어떻게 발달하고 아이의 인격의 일부가 되는지에 상당한 영향을 미칠 수 있다는 것도 분명하다. "적합하다(Goodness of fit)"의 개념은 어떻게 부모의 표상이 아이의 체질적 성격과 "맞"을 수도 맞지 않을 수도 있는 "사회 환경"의 요구를 결정할 수 있는지를 보여주는 전형적인 예를 보여주는데, 다시 말해 아이의 의사소통 신호를 기반으로 하는 부모의 상호작용 조율 방식은 인격의 생물학적 근간이 되는 아이의 감각통합에 영향을 미친다.

이런 아이들에 대한 관심이 증가함에 따라, 관여할 것이라고 여겨지는 양육 패턴뿐만 아니라, 각 아이의 감각, 운동, 그리고 통합 패턴에 대한 체계적인 기술도 중요하다. 감각-조절 처리 장애가 적절하게 진단되기 위해서, 임상가는 반드시 아이가 주의, 각성, 정동, 행동의 네 가지 영역의 통합을 통해 자기 조절력을 발전시키는 방법을 잘 관찰하고, 그 결과 초래된 이러한 감각 조절, 감각운동 기능, 감각 식별 혹은 주의력의 문제 같은 행동적인 어려움을 잘 평가해야만 한다.

임상가의 관찰을 돕기위한 더 정교한 자료들이 이 장의 Axis III 섹션에 제시되어 있다.

증상 패턴(Presenting pattern)

아래에 세 가지 주요 차원들(감각 처리 손상, 행동 특성, 양육자의 태도)을 활용한, 감각-조절 처리 장애의 증상 패턴들을 서술해두었다. 비록 이런 장애들이 초기 아동기의 다른 많은 장애들의 연속선 상에 있거나 혹은 동반되어 나타나지만, 특정 아형의 진단은 치료와 이후 추적 관찰에 도움이 되는 유용한 정보를 제공한다. 진단을 내릴 때, 임상가들이 다른 도구들을 활용한 평가를 통합하기를 권고한다(체크리스트, 설문지, 부모 보고서).

감각 조절 장애(Sensory Modulation Difficulties [Type I])

감각처리손상(Sensory Processing Impairments)

감각-조절 처리 장애의 첫 번째 그룹은 감각 조절에서의 장애를 가지며, 주어진 감각의 반응

정도, 강도, 특성의 등급을 나누는데 어려움을 겪는 것을 특징으로 한다. 아이의 반응들은 그 상황에서 요구되는 바와 맞지 않는 경우가 빈번하다. 그래서 아이는 일상적인 도전을 적절한 정도로 수행하고 적응해내고, 이를 유지하는데 어려움을 겪는다. 감각 조절 문제의 세 가지 아형에는 과잉민감성(hypersensitive) 혹은 과잉반응성(overresponsive) 장애 (IEC14.01), 과소민감성(hyposensitive) 혹은 과소반응성(underresponsive): 자기 몰두적 패턴(self-absorbed pattern)(IEC14.02), 그리고 활동적, 감각 추구적 패턴(active, sensory-seeking pattern)(IEC14.03). 등이 있다.

IEC14.01 과잉민감성 혹은 과잉반응성 장애(Hypersensitive or Overresponsive Disorder)

IEC14.01.1 과잉민감성 혹은 과잉반응성 장애: 걱정하고, 불안해하는 패턴(Hypersensitive or Overresponsive Disorder: Fearful, Anxious Pattern)

어떤 아이들은 좀 더 강렬한 감각 자극일 수록, 다수의 아이들이 같은 상황을 겪을 때보다 더 빠르게 혹은 긴 시간 동안 반응한다. 그들의 반응들은 특히 자극을 예측하지 못했을 때 더 확실하다. 아이들은 한 가지 감각 시스템에서만 과잉반응성을 보이거나(예, 청각 방어 혹은 촉각 방어), 여러 감각 시스템에서 보인다. 자극에 대한 여러 감각 시스템의 과잉반응성은 종종 "감각 방어(sensory defensiveness)"라고 언급되곤 한다. 이런 문제를 가진 아이들은 한 영역 내에서 모든 자극에 다 반응하기 보다는, 특정 타입의 감각 자극에 특별하게 반응할 수 있다(예, 촉각 영역에서, 가벼운 접촉에 대해서는 방어적으로 반응하나 심부-압력에 대해서는 그렇지 않다). 감각 자극들에 대한 반응은 스펙트럼을 따라 발생한다. 어떤 아이들은 자신들의 과잉반응성 경향을 관리하지만, 어떤 아이들은 거의 지속적으로 과잉반응을 보인다. 반응들은 비일관적일 수 있는데 과잉반응성은 굉장히 상황의존적이기 때문이다. 비록 아이들이 특정 감각 경험을 피하려고 해도, 민감성은 하루 중에도 달라질 수 있고, 하루 하루 다를 수 있다. 감각 입력이 누적효과를 갖는 경향이 있고, 감각 자극에 대한 반응을 조절하고자 하는 아이의 노력은 점차 강해지기 때문에, 겉보기에 사소해 보이는 자극에도 갑작스러운 행동 중단으로 이어질 수 있다.

불편한 자극을 경험할 때 아이의 행동 특성은 넓은 범위에 속할 수 있다. 한편에서, 아이가 많은 감각 경험을 피하는 등의 모습으로 두려움과 불안을 보일 수 있다. 다른 한편에서는, 아이가 부정적 성향과 고집 혹은 완고함을 보일 수 있고, 환경을 통제하려는 시도들이 그 예가 될 수 있다. 후자의 경향은 아래에 분리형이라고 서술된다. 이 범주의 반응들은 "투쟁, 도피, 겁먹음, 경직 (fight, flight, fright, freeze)"반응이라고 불리고 교감 신경 활성화의 결과이다.

이차적 행동 특성들에는 과민함, 신경질적임, 열악한 적응력, 까다로움, 슬픔을 가누지 못하는(inconsolability), 그리고 열악한 사회화 등이 포함된다. 일반적으로 감각에 과잉반응적인 아이들은 전환(transitions)과 기대치 못한 변화에 어려움을 겪는다.

감각 과잉반응성은 종종 다른 감각 반응 패턴과 함께 관찰된다. 예를 들어, 고유감각자극(proprioceptive stimuli)을 추구하면서 촉각 자극에는 과잉반응을 보일 수 있다. 감각 과잉반응성은 감각식별문제(sensory discrimination), 행동곤란(dyspraxia)과 공존할 수 있다.

행동특성(Behavioral Profiles)

행동 특성에는 지나친 신중함, 금지, 걱정 등이 포함된다. 이런 아이들은 기대치 못하게 들어오는 자극을 통제하려 노력하면서 감각을 피한다. 초기 유아기에, 아이는 제한된 범위에서만 탐색하고 주도성을 보이고, 일상의 변화를 싫어하고 겁먹고 매달리는 경향을 보인다. 감각 과잉반응성을 가진 걸음마기와 학령기 초기 아이들의 행동은 또래 관계를 형성하거나 새로운 어른과 만나는 등의 새로운 상황에서 지나치게 걱정하고 겁먹는 모습을 특징으로 한다. 때때로 아이는 과부하가 걸리거나 겁먹게 될 때 충동적으로 행동하기도 하고, 쉽게 화를 내고 잘 진정하지 못하고, 좌절하거나 실망하고 난 뒤 회복이 느린 모습을 보이는데, 특히 여러 가지 강렬한 감각 자극이 동반된 환경에서 그렇다. 겁이 많고, 신중한 아이는 통합되기 보다는 분열된 내적 표상 세계를 가지고 있을 것이고, 그래서 다른 자극들에 의해 방해를 받게 된다.

양육자의 태도(Caregiver Attitudes)

아이의 민감성을 존중하고 아이가 "나쁜 행동"을 한다는 생각을 전하지 않는, 달래고 상호작용을 조율해주 방식의 양육 태도가 도움이 된다. 지지적인 부모들은 해로운 환경을 예측하고 이를 최소화 시켜주거나 아이를 준비시킨다. 겁이 많은 아이들은 유연성과 주도성을 높이기 위해서는 아이의 감각과 정서적 경험을 공감해주는 것이 필요하다. 새로운 경험을 탐색하는데 억제된 지지를 제공하고 또한 온화하지만 확고한 제한설정을 하는 부모가 이런 아이들을 잘 돌본다. 양육자가 아이를 너무 방임하다 어떨 땐 과잉보호하고, 또 다른 때는 처벌적이거나 너무 참견적인 등 비일관적인 양육 패턴은 이런 아이들의 장애를 강화시킨다.

IEC-14.01.2 과잉민감성 혹은 과잉반응성: 부정적인, 고집스러운 패턴(Hypersensitive or overresponsive: Negative, stubborn pattern)

과도하게 민감하고, 부정적이고, 고집스러운 패턴을 가진 아이들은 과잉반응적이고, 겁이 많고, 예민한 아이들에게서 묘사된 것과 동일한 생리적 반응의 증거를 보일 수 있다. 그러나 이런 아이들은 자신의 감각 환경을 통제할 방법을 찾고, 반복되고 변화가 없는 상황(혹은 변하더라도 예측 가능한 페이스로 천천히 변하는 정도)을 선호한다. 이들은 겁이 많고, 예민하고 조심스러운 아이들보다 공포와 불안을 최소화 시키기 위해 자신들의 환경을 통제하길 시도한다.

행동특성(Behavior Profiles)

행동특성들은 부정적이고, 고집스럽고, 통제적으로 나타날 수 있다. 아이는 감각 자극에 대해서 종종 요청되거나 기대되는 것과 반대로 행동하고, 공격적이고 충동적으로 반응하게 될 수 있다.

이런 패턴을 가진 유아들은 신경질적이고, 까다롭고, 이행과 변화들에 대해서 저항하는 경향이 있다. 학령전기 아이들은 강박적이고 완벽주의적일 뿐만 아니라 부정적이고, 화를 내고, 고집스러운 경향이 있다. 그러나 이런 아이들은 어떤 상황에선 밝고, 유연한 행동을 보이기도 한다.

겁이 많거나 조심성이 많은 아이와 반대로, 부정적이고 고집스러운 아이는 분열되지는 않고, 부정적인 패턴을 중심으로 통합된 자기감(sense of self)을 조직한다. 충동적이고, 감각 추구적인 아이(아래에 서술된)와 반대로, 부정적이고 고집스러운 아이는 좀 더 통제적이고, 새로운 경험을 갈망하기 보다는, 회피하거나 참여하길 늦추곤 하는 경향이 있고, 일반적으로 도발해도 공격적이지는 않다.

양육자의 태도(Caregiver Attitudes)

유연성을 높이고, 공감적 지지를 제공하고, 천천히 변화에 접근하며, 힘겨루기(power struggles)를 피하는(아이에게 선택권을 주고, 언제든 가능한 협상 기회를 제공함으로써) 양육자의 태도가 도움이 된다. 양육자의 온화하고 단호한 지도와 제한 설정과 결합된 따뜻함-거절처럼 느껴지는 부정적이거나 충동적인 반응과 맞닥뜨렸을 때 조차-은 반항적인 아이를 돕는데 필수적이다. 감정의 상징적 표현(특히 의존, 분노, 그리고 짜증)을 장려하는 것 또한 이런 아이들이 좀 더 유연해지게 하는데 도움이 된다. 침투적이고 지나치게 요구하고 과도하게 자극하거나 처벌적인 양육자 패턴은 부정적이 패턴을 강화시키는 경향이 있다.

IEC14.02 과소민감성 혹은 과소반응성: 자기 몰두적인 패턴(Hyposensitive or underresponsive: Self-Absorbed Pattern)

감각 자극에 대해 과소민감성이거나 과소반응적인 아이들은 대개 조용하고 수동적이다. 이들은 자신의 환경에서 오는 감각입력(sensory input)을 등록(register)하지 않기 때문에 위축되고, 어울리기 힘들어하고, 혹은 자기 몰두적인 것처럼 보일 수 있다. 아이들이 유입되는 감각 정보를 발견하거나 "등록"하지 않는 것으로 여겨지는 그들의 행동을 묘사할 때 "취약한 등록(poor registration)"이라는 용어가 자주 사용된다. 아이들은 또한 무관심하고(apathetic) 무기력하게(lethargic) 보일 수도 있는데, 이런 아이들은 대개의 아이들이 가지고 있는 사회화와 운동 탐색을 위한 동기가 부족하다는 인상을 줄 수 있다. 이들은 자기 주위를 둘러싼 활동의 가능성들을 눈치채지 못한다. 이들의 촉각과 자기수용적 자극입력에 대한 과소반응성은 제대로 발전하지 못한 신체에 대한 감각(poorly developed sense of their bodies), 어설픔(clumsiness), 제대로 조율되지 못하는 움직임(poorly modulated movement)으로 이어질 수 있다. 이들은 부딪힘, 떨어짐, 베임, 긁힘, 혹은 데이거나 오싹하게 만드는 사물들에 제대로 반응하지 못할 수 있다. 이들의 감각 문제 측면은 심각한 위험을 초래할 수 있다. 과소반응성을 가진 아이들은 또한 감각 식별 문제(sensory discrimination problem)와 행동곤란(dyspraxia)를 겪을 수도 있다.

과소반응성 아이들은 종종 이상적인 성숙에 요구되는 강도의 감각입력(sensory input)이 되지 않는다. 이들은 타인과 환경의 다른 것들에게 요구하는데 어려움을 겪기 때문에 "착한 아기(good babies)" 혹은 "돌보기 쉬운 아이(easy children)"으로 간과될 수도 있다. 이 아이들이 종종 적극적으로 환경, 작업, 혹은 상호작용에 참여하기 위해 높은 강도와 아주 두드러진 정도의 입력(input)이 필요하다. 감각 자극에 쉽게 과부하가 걸리는 몇몇 아이들은 사실은 굉장히 과잉반응적일 때, 과소반응성을 보일 수도 있다. 움츠러들어 있거나(withdrawal) 정지된(shutdown) 것 같은 모습이 관찰될 수 있고, 이것은 아마도 방어기제일 것이라 여겨진다. 과소반응성 패턴을 가진 아이들 중 일부는 자기 몰두적(self-absorbed)이고, (주변자극을) 잘 알지 못하고(unaware), (무리에서) 떨어져 있을 수 있고(disengaged), 어떤 아이들은 동일하게 자기 몰두적이지만 아주 창조적인 자신만의 판타지 세계에 굉장히 몰입되어 있다. 따라서 PDM-2는 과소반응성 자기 몰두적 패턴의 두 가지 아형을 서술했다.

IEC14.02.1 A 패턴: 자기 몰두적이고 관계를 맺기 어려운 유형(Pattern A: Self-absorbed and difficult-to-engage type)

행동특성(Behavior Profiles)

이 아이들은 관계를 탐색하거나 도전적인 게임 혹은 대상에 참여하는데 흥미가 없는 듯 보인다. 이들은 무관심하고, 쉽게 소진되고 동떨어져 보일 수 있다. 이들의 흥미, 주의 그리고 감정적 참여를 끌어오기 위해서는 높은 감정적 톤(high affective tone)과 눈에 띄는 점(saliency)이 요구된다. 유아들은 지연되거나 우울해 보일 수 있고, 운동 탐색(motor exploration)과 사회적 접근(social overture)이 결핍되어 보일 수도 있다. 학령전기의 아이들은 언어적 대화가 감소되어 보일 수도 있다. 이들의 행동과 놀이는 제한된 범위의 사고와 환상들로 나타날 수 있다. 때때로 이 아이들은 빙빙 돌기, 흔들기, 혹은 침대에서 위아래로 점프하기 등의 반복적인 감각 활동에 참여함으로써 자신들이 바랐던 감각 입력을 추구하곤 한다. 아이들이 이런 활동들을 충분히 경험하기 위해서는 이 활동의 강렬함이나 반복성이 필요하다.

양육자의 태도(Caregiver Attitudes)

높은 에너지의 상호작용 입력을 제공하는 양육자의 태도는 아이가 활동과 관계들에 개입하고, 이들의 자율성을 촉진시키는 것을 도와준다. 여기에는 아이의 희미한 신호에 대한 열정적인 호소와 강한 반응이 포함된다. 반대로, 억제되고, "느긋한(laid back)" 혹은 우울한 톤과 리듬의 양육자 패턴은 이런 아이들의 위축된 패턴을 강화시키는 경향이 있다.

IEC14.02.2 B 패턴: 자기 몰두적이고 창조적인 유형(Pattern B: Self-absorbed and creative type)

행동특성(Behavior Profiles)

창조적인 유형의 자기 몰두적인 아이들은 타인과의 의사소통에 참여하기보단 자신만의 감각, 생각, 감정들에 맞추려는 경향이 있다. 유아들은 환경적인 상호작용 보다는 고독한 탐색을 통해 사물들에 대한 흥미를 보이게 될 수 있다. 이들은 부주의하고, 쉽게 산만해지거나 집착적으로 보일 수 있는데, 특히 어떤 과업이나 상호작용에 개입되지 않았을 때 더 그렇다. 이런 패턴을 가진 학령전기 아동들은 요구되는 활동이나 또래와의 경쟁과 같은 외부적인 도전들을 맞닥뜨렸을 때 환상으로 도피하는 경향이 있다. 이들은 다른 사람들이 자신들이 짜놓은 대로 상상 놀이에 적극적으로 참여하려 들지 않는 이상, 혼자서 노는 것을 선호한다. 이들의 환타지 세계 속에서, 아이들은 굉장한 상상력과 창의력을 보일 수 있다.

양육자의 태도(Caregiver Attitudes)

유익한 양육자의 태도에는 일상적인 대화에 아이가 참여하게 돕는 노력, 즉 "대화의 원을 열고 닫는" 노력이 포함된다. 양육자들은 환상과 현실 사이의 적절한 균형을 장려해주어야 하고, 환상으로 자꾸 도망가려고 하는 아이를 현실의 땅을 밟고 서도록 도와주어야 한다(아이의 흥미와 느낌에 민감하게 반응하고, 일상적 사건들, 느낌들, 그 외 현실 세계의 주제들에 대해 토론하도록 촉진하고, 환상 놀이를 혼자만의 활동보다는 부모와 아이 사이의 협력적인 시도로 만드는 노력 등을 통해). 양육자들의 자기 몰입은 혼란스러운 가족 대화의 패턴을 강화시켜서, 아이의 어려움을 강화시킬 수 있다.

IEC14.03 활동적, 감각 추구 패턴(Active, sensory-seeking pattern)

어떤 아이들은 적극적으로 감각 자극을 추구한다. 이들은 감각 입력에 대한 채울 수 없는 욕구를 갖는 듯 보인다. 아이들은 좀더 강렬한 "느낌"을 추가하는데 맞추어진 활동에 정열적으로 참여한다. 이들은 지속적으로 움직이고, 부수고, 부딪히고, 뛰어오르는 경향이 있고, 모든 것을 만지고 이런 행동을 억제하는데 어려움을 겪는다. 또한 음악을 듣거나 텔레비전을 볼 때 볼륨을 크게 하거나 시각 자극이 주어지는 사물에 시선을 고정시키거나 독특한 냄새나 맛을 찾아 헤맨다. 이들의 감각 경험들은 일반적인 감각 반응성을 가진 아이들보다 좀 더 강렬하고 오래 지속된다.

비전형적인 반응들이 스펙트럼을 따라 발생하는데, 어떤 감각 추구 행동은 정상적이다. 감각 추구 유형의 연속체 상 끝에 위치한 아이들의 경우 어른들이 보통 주어진 상황에서 적절하다고 여기는 것보다 좀더 높은 수준의 각성을 선호한다. 감각 인식이 감소된 이런 아이들에게, 감각 추구는 자신들의 각성 정도를 증가시키려는 시도일 수 있다. 감각추구형 아이들에게, 지속적인 자극의 필요성은 채워지기 힘들고 특히 아이들이 조용히 앉아있길 기대하는 환경에서는 더 문제가 될 수 있다(예, 학교, 공연, 영화, 도서관 등). 인기 있는(sought-after) 감각 자극들은 체계가 없을 때, 아이의 전반적인 각성 상태를 증가시키고 혼란스러운 행동을 유발할 수 있다. 그러나 지시에 따른다면, 체계화된 결과를 가지고 올 수 있다.

감각 요구가 만족되지 않을 때, 이 아이들은 조르고 고집부리는 경향이 있다. 이들은 감각의 할당량을 채우기 위한 시도 중에는 충동적일 수 있는데, 거의 폭발적일 수 있다. 이런 아이들의 이차적 행동 특성을 형용사적으로 "과도하게 적극적이거나 공격적(overly active or aggressive)", "충동적인(impulsive)", "강렬한(intense)", "요구가 많은(demanding)", "차분해지기 힘든(hard to calm)", "쉬지 못하는(restless)", "과도하게 애정이 넘치는(overly affectionate)", 그리고 "주목 받길 갈망하는(attention-craving)" 등으로 표현될 수 있다. 끊임없이, 혹은 극도의 감각입력을 갈망하는 것은 아이가 주의를 유지하고 학습하는 능력을 손상시킬 수 있다. 일상생활의 활동들도 종종 손상 받는다. 이런 패턴을 가진 아이들은 수업 집중을 방해하는 다른 기타 감각 자극에 대한 욕구로 인하여 학교에서도 문제가 있을 수 있다.

행동패턴(Behavior Profiles)

행동특성들은 과잉활동과 신체 접촉, 신체 자극의 추구– 예를 들어 강한 압력과 격렬한 움직임 등을 통한 – 를 포함한다. 자극을 갈망하는 운동적으로 혼돈된 아이들은 파괴적인 행동으로 유명하다(예, 물건을 부수고, 이유 없이 때리고, 다른 사람들의 물리적 공간에 침범하는 등). 자극을 갈망한 결과로 시작되는 행동은 타인들에게 흥분보다는 공격으로 해석될 수 있다. 한번 타인들이 공격적으로 대응하면, 아이 자신의 행동은 그에 반응해 공격적으로 변할 수 있다. 이 그룹의 유아들은 대부분 움직임, 소리, 접촉, 혹은 시각적 자극의 형태로 강렬한 감각이 제공되면 대개 만족한다. 이들은 안겨있거나 흔들어줄 때만 만족할 수도 있다. 걸음마기 아이들은 아주 활동적이다. 학령전기 아동들은 가상 놀이(pretend play)를 할 때 공격적인 주제에 대한 집착을 보일 뿐 아니라 종종 공격적이고, 거슬리는 행동 그리고 저돌적이고, 위험한 방식을 보이곤 한다. 예민하거나 스스로 자신이 없는 어린 아이들은 맞을 것 같으면 먼저 다른 아이를 때리거나 그만 두라고 부탁을 받은 뒤 오히려 받아들여지지 않을 행동을 반복하는 것 같은, 자신이 먼저 공포스러운 상황을 일으키는(counterphobic) 행동방식을 사용하기도 한다. 좀더 나이가 들고, 자기 성찰(self-reflection)이 가능해지면, 아이들은 살아있고, 생기 있고, 힘있다는 것을 느끼는 방법으로 자극을 필요로 한다는 것을 표현할 수도 있다. 이런 패턴을 가진 아이들은 다른 사람들이 자신을 나쁘게 혹은 위험하게 보는 상황을 만들어내서, "어려움에 처하는(get in trouble)" 경향이 있다.

양육자의 태도(Caregiver Attitudes)

꾸준하고, 따뜻하게 대하고, 보살펴주고, 공감하는 특성의 양육자의 태도가 명확한 체계와 제한설정과 동시에 주어진다면, 유연성과 적응력을 높일 수 있다. 양육자들은 가급적이면 아이에게, 상호적이고 조절된 놀이를 통해 더 많은 자극을 얻을 기회를 제공한다. 환경과 세밀한 감정을 탐색하기 위하여 상상력과 말로써 하는 대화를 사용하도록 격려하는 것은 아이의 유연성을 좀더 향상시켜줄 것이다. 집 밖의 상황에서의 변호(advocacy)는 다른 사람들이 아이의 행동을 이해하고 이러한 양육패턴을 받아들이고, 아이에게 "행동문제"라는 딱지가 붙지 않게 피하도록 하기 위해 필요할 수 있다. 따뜻함, 지속적인 개입이 부족한 양육 패턴(예, 양육자가 빈번하게 바뀌는), 아이를 과잉 혹은 과소평가하고, 과도하게 처벌적이고, 혹은 가혹한 결과와 불충분한 제한 설정 사이에서 자꾸 바뀌는 것 등은 아이의 어려움을 더 강화시킬 수 있다.

감각 식별 장애(Sensory Discrimination Difficulties) [Type II]

자세 조절 장애(Postural Control Difficulties) [Type III]

감각 처리 손상(Sensory Processing Impairments)

감각 조절 문제(Sensory modulation)와 더불어, 감각 식별(Sensory discrimination)과 감각을 기반으로 하는 운동 기술들(Sensory-based motor skills)의 어려움을 포함한 감각 조절 처리 장애(Regulatory-sensory processing disorders)가 있다(예, 자세 조절 장애(postural control difficulties), 행동곤란(dyspraxia)). 감각 식별 장애를 가진 아이들은 자신들이 만지는 것이 무엇인지, 혹은 타인에게 얼마나 가까이 서 있어야 하는 건지 결정하는데 어려움을 겪을 수 있다. 행동곤란(운동을 계획하고 순서를 결정하기 어려움)를 가진 아이들은 여러 단계의 작업을 수행하는 게 어렵다는 사실을 깨달을 수 있다. 이 두 유형의 감각 조절 처리 장애는 부주의하고, 혼돈된 행동 패턴과, 학업 수행 문제와 연관되어 있다. 이들은 감각 식별과 감각을 기반으로 한 운동 수행, 혹은 두 가지 다에서의 어려움을 복합적으로 포함할 수 있다.

IEC14.04 부주의한, 혼돈된 패턴(Inattentive, disorganized pattern)

IEC14.04.1 감각 식별 장애를 동반한(With sensory discrimination difficulties)

IEC14.04.2 자세 조절 장애를 동반한(With postural control difficulties)

IEC14.04.3 행동곤란을 동반한(With dyspraxia)

IEC14.04.4 세 가지 모두가 조합된(With combinations of all three)

행동특성(Behavior Profiles)

감각 식별, 운동 계획, 그리고/혹은 자세조절 등과 연관된 행동특성은 부주의하고 혼돈된 경향을 포함한다. 아이는 작업을 완수하는 데 어려움을 경험한다. 아이나 숙제나 가사일을 하는 도중에, 외견상 원래 할 일을 잊고, 다른 활동으로 빠질 수 있다. 극단적으로는 아이의 행동이 조각난 것처럼 보일 수도 있다. 이러한 도전들이 계속 지속될 때, 아이들은 의기소침해지고, 우울해지고 혹은 화난 상태가 될 수도 있다. 이들은 충동적이거나 반항적인 행동, 수동성, 회피를 보일 수 있고 비디오 게임 같은 활동을 더 선호할 수 있는데, 게임은 순서를 정하거나 행동의 복잡한 계획을 준비하는 것이 적게 요구되기 때문이다.

이런 아이들에게 어려운 작업을 시도하길 기대한다면, 아이들은 종종 회피, 분열, 혼돈, 그리고 "부주의"가 증가하는 것으로 보이곤 한다. 아이스크림 가게나 비디오 가게를 가기 위해서 준비할 때는 "조직적인" 그리고 "주의를 기울이는" 것처럼 보이면서, 여러 단계의 수학 문제를 풀 때는 "분열되고", "부주의하고", "혼돈된" 모습을 보인다는 부모의 보고는 드문 일이 아니다. 양육자들뿐만이 아니라 임상가들 역시 종종 이런 패턴들이 집중력 문제나 ADHD와 다른 것인지 질문하는 경우가 종종 있다. "동기"와 목표에 도달하기까지 충분히 긴 시간 집중을 기울이는 능력 사이의 연결은 감별진단을 위한 기준이다. 임상가들은 특정 감각 조절 처리 패턴과 일반적인 집중 능력들 사이의 관계를 관찰하고, 다른 상황에서의 변화나 기복에 집중해야 한다.

양육자의 태도(Caregiver Attitudes)

아이의 기저의 문제들(underlying challenges)을 알아챈 양육자들은 아이가 장애에 영향을 줄 수 있는 처리 영역을 강화하는 것을 도와줄 수 있다. 아이가 기저의 처리 기술을 향상시키기 위해 노력하는 동안, 도움을 줄 수 있는 양육자와 교육자들은 복잡한 작업들을 다룰만한 단계로 분해해서 환아에게 제공할 수 있고, 다감각적 지원(시각, 청각, 그리고 운동신호)이 아이가 더 진보하도록 도와줄 수 있다. 아이를 "의지가 없고", "나쁘고", 혹은 "게으르다"고 특징짓는 양육 패턴과 압박하고 벌주는 양육패턴은 아이의 문제를 돌이킬 수 없게 강화시킨다. 건설적인 양육 패턴의 열쇠는 이 장의 후반부에 서술된 도움이 되는 처리 기능을 이해하고 강화시켜주는 것이다(하단의 축III의 고찰을 보라).

IEC14.05 학교생활 그리고/혹은 학업 수행이 저해된 패턴(Compromised school and/or academic performance pattern)

IEC14.05.1 감각 식별 장애를 동반한(With sensory discrimination difficulties)

IEC14.05.2 자세 조절 장애를 동반한(With postural control difficulties)

IEC14.05.3 행동곤란을 동반한(With dyspraxia)

IEC14.05.4 세 가지 모두가 조합된(With combinations of all three)

행동특성(Behavior Profiles)

행동곤란, 자세 조절 문제, 감각식별장애와 연관된 행동특성은 제한된 영역에서 보이는 학업수행의 어려움을 포함한다. 운동 계획과 자세 조절의 어려움은 필기를 어렵게 만든다. 감각 식별 문제는 모양과 글자를 구별하기 어렵게 만든다. 시공간 능력의 장애는 수학에서 기두을 세우거나 그래프나 도표를 이해하기 어렵게 한다. 운동 계획과 순서 정하기의 장애는 연속적인 생각을 문장으로 만드는 것을 방해할 수 있다. 이런 유형의 문제들에 대한 처리의 기여(Processing contribution)가 다루어지지 않는다면, 아이는 점차 회피적이고, 무관심하고, 혹은 의기소침해질 것이다. 학교를 실패의 장소로 여겨지고, 학교활동(혹은 학교 그 자체로)을 피하게 될 것이다.

양육자의 태도(Caregiver Attitudes)
아이의 학업수행에 처리의 기여를 알아차리고, 지지해주고, 단계적으로 돕는 양육자의 태도는 아이의 전반적인 기능을 향상시킬 수 있다. 그 도전을 아이가 70-80프로의 숙달감을 경험할 수 있을 정도로 충분히 작은 단계로 나누어 줄 수 있는 양육자는 특히 도움이 된다.

처벌적이고, 거부적이고 혹은 너무 기대감이 큰 사람들은 어려움을 더 증가시킬 수 있다. 날 때부터 활동적인 아이들과 다르게, 운동 혹은 감각 식별 작업으로 힘들어하는 아이는 이를 수행하면서 기쁨을 느끼지 못한다. 지지, 안내, 동기를 유발하는 자극(incentive), 도전을 쉽게 달성할 수 있는 스텝으로 나누어 주는 것 등은 아이가 한계를 극복하고 자부심과 성취감을 느낄 수 있게 돕는 데 필수적이다.

IEC14.06 혼재된 감각-조절 처리 패턴(Mixed regulatory-sensory processing patterns)

IEC14.06.1 신체적 호소와 주의, 정서, 행동 문제를 동반한 혼재된 감각-조절 처리 패턴(Mixed regulatory-sensory processing patterns with evidence of somatic complaints and attentional, emotional, and behavioral problems)

감각 처리 손상(Sensor Processing Impairments)
많은 아이들이 혼재된 감각-조절 처리 패턴을 가진다. 아형들의 결합은 같은 아이의 감각 영역이 차이만큼이나 흔하다. 예를 들어, 아이가 촉각에 대해 감각 과잉반응성을 보이고 전정기관과 자기수용 시스템에서는 감각 추구를 보이는 것은 드문 일이 아니다. 비전형적인 반응 패턴은 시간, 상황, 스트레스, 피로, 각성 수준, 그리고 다른 요인들의 함수에 따라 다양하다.

행동특성(Behavior Profiles)
이렇게 혼재된 감각 조절 처리 패턴은 때때로 행동적 정서적 합병증을 동반해서 나타난다. 다음 단락에서 설명될 것이지만, 어떤 증상 패턴들은 혼재된 유형의 감각 조절 처리 문제와 연관되어 있다. 우리는 이들이 처리 문제 대신에(혹은 더불어) 상호작용의 장애와 혹은 독특한 운동, 감각 처리 문제와 연관될 수 있다는 점을 우선적으로 주목해야 한다. 양육자-아이 관계 패턴이 장애의 주요 근원으로 여겨진다면, 상호작용 혹은 관계의 장애가 진단되어야 한다. 일차 기여요인이 독특한 운동 혹은 감각 처리 패턴이라면, 임상가는 반드시 감각 조절 처리 장애를 생각해야 하고, 어떤 경우에도 특정 패턴(감각 과잉반응성같은)이 될지 혹은 혼재된 패턴이 될 지를 정해야 한다.

일반적으로 다른 강도의 각 증상과 함께 이런 패턴의 감각 처리 장애와 연관된 문제들은 사회 환경이 아이의 손상에 어떻게 반응했는지에 기반을 두고, 집중력의 장애, 파괴 행동패턴, 수면 문제, 식이 문제, 배변 문제, 그리고 수용 언어 장애 등을 포함한다.

IEC14.06.2 행동이나 정서 문제를 동반하지 않은 혼재된 감각-조절 처리 패턴(Mixed regulatory-sensory processing patterns without evidence of behavioral or emotional problems)

생애 초기에, 혼재된 감각 조절 처리 문제를 가진 많은 아이들은 아직 정서적, 사회적, 그리고/혹은 행동적 문제를 보이지 않는다. 예를 들어 접촉 시 과잉반응을 보이고 운동 반응 순서를 정하는데 어려움을 겪는 모습을 부모, 초기 아동기 교육자, 혹은 일차 의료인이 볼 수 있고 이들에 의해 아이들의 어려움이 주목 받을 수 있는 것이다.

이런 어려움을 알아채는 것은 그러한 영역들의 기능을 향상시키는데 맞춰진 가족 안내 기회를 제공하고, 그렇게 함으로써 감정적, 사회적, 그리고/혹은 행동 문제를 예방할 수 있게 된다. 많은 부모들과 교육자들은 직감적으로 이런 전략을 실행한다. 그러나 이런 패턴들을 구별해내는 것은 이러한 노력들을 체계화하고 도움 받는 아이들의 수를 늘리는데 도움이 될 수 있다.

발달경로(Developmental Pathways)

몇몇 연구들은 감각 조절 처리 장애와 그 이후의 장애들 사이에 예측되는 연관성을 조사했다. Kinnealey와Fuiek(1999)은 내재화된 영역의 사회-정서적 문제들과 연결된 과잉민감성 패턴을 찾아냈다(예, 불안, 우울, 위축). 감각 과잉반응성과 내재화 증상 사이의 연관성은 자폐 스펙트럼 장애를 가진 아이들과 같은 임상군(Pfeiffer, Kinnealey, Reed, & Herzberg, 2005)뿐만 아니라, 일생 동안 전형적으로 발달하는 일반 인구에 대한 연구들에서 기록되기도 했다(Aron & Aron, 1997, Carter, Briggs-Gowan, Jones, & Little, 2003; Goldsmith, Van Hulle, Arneson, Schreiber, & Gernsbacher, 2006; Kagan & Sindman, 1991)

비록 많이 보고되진 않았지만, 과잉민감성 패턴은 전형적으로 발달한 걸음마기 아이들에서의 외현화 행동과 그리 많지 않은 연관성을 가진다(Carter et al., 2003; Goldsmith et al., 2006). 다른 연구들은 학령기 아이들에서 감각 조절 처리 장애를 후향적으로 학문적 기술과 사회적 참여와 연관지었다(Stagnitti, Raison, & Ryan, 1999). 이 저자들은 좀더 자극적인 학교의 사회 환경에 들어가면, 아이들이 감각 정보를 처리하고, 환경적 도전들을 다루고, 일상 생활을 수행하는 등의 자기 능력을 통제하지 못할 수 있다는 의견을 제시한다.

다른 증거는 울기, 자기, 수유에서의 어려움들 같은 혼재된 감각 조절 처리 문제의 초기 증상들이 부모의 스트레스(Calkins & House, 2004)와 문제가 있는 유아-부모 상호작용들

(problematic infant-parent interactios)(Lindberg, Bohlin, Hagekull, & Palmerus, 1996)과 관계가 있다는 것을 보여준다. 이런 요인들은 능숙한 자기 조절 능력의 발달을 약화시킴으로써, 아동기동안 행동 조절(behavioral dysregulation across childhoold)의 위험성을 증가시킬 수 있다(Olson, Bates, Sandy, & Schlling, 2002). 아동기의 조절장애 증후군(childhood dysregulation syndrome)(Althoff, Verhulst, Rettew, Hudziak, & van der End, 2010; Holtmann, Becker, Banaschewski, Rothenberger, & Roessner, 2011a; Holtmann et al., 2011b)- Child Behavior Cheklist(CBCL)의 예민한/우울한, 충동적인/공격적인, 그리고 주의력 문제 척도의 합으로 계산될 수 있는 - 은 불안, 기분, 그리고 파괴적 행동 장애, 약물 남용(Althoff et al., 2010), 자살성(Holtman et al., 2011b), 그리고 인격 장애(Halperin, Rucklidge, Posers, Miller, & Newcorn, 2011)등을 포함한 청소년기와 성인기의 부정적인 결과를 예측할 수 있다. 아동기 조절장애 특성은 7세, 10세, 그리고 12세 아동기 동안 지속적으로 나타난다(Boomsma et al., 2006, Hemmi, Wolke, & Schneider, 2011).

초기 부모-아이 관계 혹은 가족 구성의 질은 유아 조절 문제가 이후 행동 조절장애로 이어질 수 있게 하는 한 가지 요인이다(Kelly, Kelly, & Sacker, 2013; Sroufe, 1997; Wolke, Gray, & Mayer, 1994). Maestro 등은(2012) 초기 아동기에 감각 처리의 조절 장애로 진단 받은 28명의 아이들의 추적 연구에서 DC: 0-3R 진단기준에 근거하여 42.8%의 학령기 참여자들이 더 이상 어떤 어려움도 보이지 않고 있고, 21.4%는 여러 다른 종류 장애로 발전하고(불안 장애, 언어 장애, 그리고 ADHD), 그리고 나머지(35.7%)는 심각한 자폐스펙트럼 장애와 지적 장애로 발전했다는 결과를 보고했다.

후향적으로, 이 아형은 CBCL, 부모 스트레스 지수(Parenting Stress Index), 그리고 DC: 0-3R이_축2로 평가한 부모-유아 관계에서 낮은 점수를 얻었었다.

대부분의 연구들이 감각 조절 처리 장애와 행동 장애 사이의 예측 가능한 연관성을 딱 한 시기에만 평가하는 방법으로 조사해왔다. 그러므로 초기의 장애가 시간이 지나 나타나는 행동 조절장애 같은 특성의 발달적 전구체인지는 확실하지 않다. 몇몇 종적 연구들에서 감각 통합 결핍과 불량한 운동조직이 과잉활동, 집중 장애, 그리고 우울, 수면장애, 신체적 호소, 공격적인 행동들과 같은 정서행동 조절 문제들 등 좀더 복합적인 임상 증상이 있을 때 지속된다는 것이 확인되었다 (Briggs- Gowan, Carter, Bosson- Heenan, Guyer,& Horowitz, 2006; DeGangi, Breinbauer, Roosevelt, Porges, & Greenspan, 2000; DeGangi, Porges, Sickel, & Greenspan, 1993). Masten과 Cicchetti(2010)에 의해 제안된 발달의 종속모델(cascade model)은 초기의 감각 조절 처리 장애가 서로 다른 연령대에서 서로 다른 표현형으로 나타나는 방법에 대한 통찰(insight)을 제공한다(Shrout & Bolger, 2002).

이 시점에, 우리는 1) 충분히 균등한 임상군(sufficiently homogeneous clinical populations)을 모으기 위한 타당한 조작적 분류 시스템(valid operational classification system), 2) 체질적 손상이 발달 과업 단계들을 방해함으로써 아이들의 궤도에 어떤 영향을 미치는지를 탐색하는 단일 사례 연구(예, 감각 자극에 쉽게 과부하가 걸리는 걸음마기 아이는 학령전기에 들어가면 명백한 분리 불안으로 발전될 수 있다), 3) 특정 치료를 포함한 환경적 변수들(조기 개입, 부모양육방식)이 아이의 취약성을 교정하거나 강화시킬 수 있는지에 대한 증거 등이 필요하다.

치료적 영향(Therapeutic Implications)

자기 조절은 타인과 관계하는 아이들이 능력, 말을 사용하기 전 상호적인 정서 교류 능력, 감정적 갈등을 표현하기 위해 상징을 사용하는 능력, 주관을 표현하기 위한 언어적 능숙도 등을 포함한다. 자기 조절을 성취하는 것은 자신감(self-confidence)을 준다, 따라서 자존감(self-confidence)의 생물학적 근원이라 여겨질 수 있다. 아이의 생물학적 자질 또한 부모들의 생각과 믿음을 형성하는데 어떤 역할을 할 수 있는데, 그것은 사회적 문화적 상황에 의해 영향을 받아 양육 방식을 결정할 것이다. 감각 조절 처리 장애의 치료는 반드시 아이들이 자신들의 취약점에 대처하고 자신감을 높일 수 있도록 돕고, 그들의 적응 능력을 향상시키기 위한 사회와 비사회적 환경을 지원하고 형성하는데 목표를 두어야 한다. 감각 통합 관점에서, 1) 부모와 양육자들이 아이의 행동에 있어 감각의 기여를 이해하도록 돕는 것, 2) 아이의 특별한 요구에 맞게 환경을 적응시키는 것, 그리고 3) 필요하다면 확인된 문제들을 교정해주기 위해 디자인된 특화된 개입을 제공하는 것 등이 필요하다.

치료의 목적은 아이와 중요한 다른 인물 사이의 성공적이고 만족스러운 관계를 촉진하고, 아이가 자신의 의사(intention)가 어떤 영향을 가지고 오는 지에 대한 자각(인식, perception)을 높이는 것이다. 치료의 일반적인 원칙의 개요는 Greenspan과 Wieder(2003)의 포괄적이고 발달적인, 생물정신사회적 개입 프로그램을 참고하자. 직업 치료 분야는 특정한 감각 처리 차원에 초점을 둔 효과적인 행동 치료법을 개발했다. 감각치료 및 연구(STAR) 모델(Miller et al., 2007b)은 다음과 같은 요소들을 포함한다.

- 집중형 모델(3-5회/주)을 한 세트로, 비교적 짧은 시간 동안(예, 20-40 세션)
- 부모교육에 대한 강조(5-6세션 마다 1회 정도 부모와 따로)
- 소아과 의사, 심리학자, 언어/언어치료사 및 작업치료사를 포함한 다분야적 접근방식
- 각성 조절, 관계, 참여, 감각 통합에 초점을 맞춘 중재 모델

이런 접근에서, 감각 혹은 운동 기능을 수정하는 것은 다음과 같은 전체적 치료 목표를 위한 수단이 된다. 전체적 치료목표에는 사회적 참여, 자기 조절, 자존감, 자신감 등이 포함된다.

감각, 조절 처리 장애의 조기 발견은 감각 자극에 대한 아이의 기질적 반응과 부모의 부적응적인 상호작용 패턴 사이의 부조화를 예방할 수 있다, 예를 들어, 까다로운 아이는 부모의

자신감을 떨어트릴 수 있고 그렇게 함으로써 부모의 불안을 높이고, 양육을 더 힘들게 만들고, 아이의 조절 장애를 더 강화시킬 수 있다. 전문가는 상호작용 패턴 중 감각 통합의 역할을 평가하기 위해서 반드시 아이를 부모와 함께 있을 때를 포함해, 각기 다른 상황 속에서 관찰해야 한다. 부모의 모습과 아이의 행동과 상태에 대한 해석을 탐색하는 것은 효과적인 중재의 기본이다. 체크리스트와 부모 보고서는 결과와 치료를 평가하기 위한 기준을 제공하기 위해서 임상관찰과 통합되어야 한다.

IEC15 관계 및 의사소통의 신경발달장애(Neurodevelopmental Disorders of Relating and Communicating)

관계 및 의사소통의 신경발달장애(NDRC)는 사회적 관계, 언어, 인지 기능과 감각운동처리를 포함한 여러 측면의 아이의 발달 문제를 포함한다. 이 카테고리는 DC: 0-3R에서 특징짓는 관계 및 의사소통의 장애뿐만 아니라 다중시스템 발달 장애의 초기 개념도 포함한다. 이것은 자폐 스펙트럼 장애의 DSM-5카테고리를 초기 징후로써 포함한다. 이 진단과 다른 진단의 주된 차이는 NDRC framework는 임상가들이 어린 아이의 사회적, 지적, 정서적 기능과 이와 연관된 감각 조절 처리 특성들로써 관계 및 의사소통의 장애를 좀 더 정확하게 분류할 수 있도록 한다는 점이다.

여기 제시한 시스템은 다른 분류 전략들과 제한된 연결점을 가진다. 이것은 굉장히 이론적이고, 정신병리와 중재에 대한 Greenspan의 모델을 따른다(Greenspan & Wieder, 2009). 이 접근법을 뒷받침하는 자료가 있지만(National Research Coucil, 2001) 이런 자료들은 다른 치료들의 자료들에 비해 매우 제한되어 있다(Volkmar, Reichow, & Doehring, 2011). 여기 제시된 접근법은 많은 잠재적 한계뿐만 아니라 잠재적 유용성도 갖고 있다. 분류 전략들은 그들의 방향성과는 다르다(예, 임상 실무, 연구, 혹은 인구학적 자료들). 진단에 예후에 대한 측면이 포함되면, 방향성 문제는 복잡해진다.

어떤 진단 체계이든지, 진단기준은 반드시 명확하고 폭넓게 쓸 수 있어야 한다. 여기 제시된 모델은 이론적으로 흥미로운데, 특히 관계라는 주제를 강조한다는 점에서 특히 그렇다.

이 점은 실제 진단 기준에 있어서는 덜 구체적이다. 진단은 임상적 목적의 공식화에서 한 가지 측면일 뿐이다(Volkmar & McPartland, 2014). 사례구조화(case formulation)는 반드시 임상적 상황에 대한 상세한 묘사와 중재에 관련된 강점과 약점 측면을 포함해야만 한다. DSM과 IC같은 체계들은 지나치게 광범위한 것과 너무 한정되는 것 사이의 균형을 유지하기 위해 노력한다. 진단적 접근의 주요 변화들은 연구(종적 연구, 역학)와 임상적 활용 모두를 복잡하게 할 것이다. 예를 들어, 새로운 DSM-5상 사회적(사교적[pragmatic]) 의사소통 장애를 가진 아이가 일반적으로 DSM-5의 자폐스펙트럼장애를 가진 사람에게 일반적으로 제공

되는 것과 동일한 수준의 서비스를 이용할 수 있을 것인가?(Rutter, 2011a, 2012)

여기서 제시하는 시스템에서 이론의 역할은 ICD-10, DSM-IV, DSM-5에서의 역할과 상당히 다르다. DSM(1980년 전)의 두 가지 초기 버전은 본질적으로 굉장히 이론적이어서, 실용적인 문제가 있었고, 심하게 제한된 연구였다(Spitzer, Endicott & Robins, 1978). 여기에서의 자세한 발달적 서술들은 특히 발달적 변화 영역에서 추가적인 연구를 제안한다. 그러나 우리는 특히 원인론과 의미의 추론에서 이론적 문제에 다시 한번 직면하게 된다. 예를 들어 자폐에 대한 초기 접근법은 반향어를 아이가 사회적 상호작용을 피하려는 시도라고 여겼지만, 그 후 연구는 그것이 어떤 측면에서는 정상적인 것이지만(일반적으로, 아이들이 언어를 배울 때 똑같이 따라 한다), 좀더 일반적인 "게슈탈트(형태적) 학습 스타일(Gestalt learning style)"의 일부나 자폐의 반복적인 행동 특성의 경향일 수도 있다고 보았다(Volkmar & Wiesner, 2009).

모든 진단적 접근에 관해서, 동반질환의 문제는 아이들의 나이에 따라 심각한 문제를 제시한다. 이 문제는 먼저 기존의 Wight 연구에서 강조되었고 (Rutter, Tizard, Yule, Graham, & Whitmore, 1976), 그 후 DSM과 ICD에게 시련을 안겨주었다(동반 질환과 임상적 vs 연구적 진단기준과 관련하여 다소 다른 접근 방식을 채택함). 유전 연구와 뇌영상을 통해 우리의 기초 신경생물학과 유전학에 대한 지식이 발전하면서 다른 진단적 문제들이 생겨났다. 이 문제들은 알려진 원인론에서 임상 양상, 경과 및 정신건강과 행동적 문제들의 다른 패턴들과 관련하여 이미 표면화된 바 있다(Dankner & Dykens, 2012; Hodapp & Dykens, 2012). 진단 체계는 시간에 따라 달라지고 변화되어 왔다. 예를 들어 레트 장애(Rett's disorder)는 DSM-IV에 포함되었지만 이 진단과 연관된 유전자가 발견되면서 DSM-5에서는 제외되었다.

신경발달적 기반을 둔 관계 및 의사소통의 장애들의 진단과 분류 문제는 특히 초기 소아기에 복잡하다. 그러나 이런 유형들의 심각한 문제들은 이어지는 많은 영역에서의 주요문제들의 기초가 되는 것처럼 보인다는 것에는 일부 합의가 이루어 졌다(예, 학습, 적응 기술/일반화, 사회적 발달) (National Research Council, 2001; Volkmar, Reichow, & McPartland, 2012). 1994에서 2014년 사이는 출판된 연구만 30000건 이상으로 폭발적인 연구들로 주목 받은 시기로, ICD-10(World Health Organization, 1994) 및 DSM-IV(American Psychiatric Association, 1994)에서 자폐증에 대한 통합된 정의를 통해 20년 간 진단적 안정성을 제공한 바 있다. 역설적으로 DSM-5에서의 변화들은(American Psychiatric Association, 2013) 진단에 대한 주요 논쟁을 유발시켰는데, 부분적으로는 새로운 진단기준들이 유아들에서는 제대로 연구되지 못한 것 같다는 몇몇 증거 때문이었다(Barton, Robins, Jashar, Brenna, & Fein, 2013).

동시에, DC: 0-3R은 다중시스템의 발달 장애 진단기준을 변경했다. 자폐스펙트럼 장애와 달리, 이것은 여전히 치료가 가능한 것으로 여겨진다. DC: 0-5는 대신에 심한 사회-의사소통의 이상들과 자폐스펙트럼 장애의 진단기준을 만족시킨 적이 없는 9개월에서 36개월 사이의 영유아들에서 나타나는 제한적이고 반복적인 증상을 진단하기 위해서 초기 비전형적 자폐

스펙트럼 장애(early atypical autism spectrum disorder)를 소개했다.

DSM과 같은 시스템에서 자폐 스펙트럼 장애의 진단이 어려움이 있었던 반면에(특히 유아기에서), 발달적으로 기반을 두었거나(Rogers et al., 2012) 혹은 발달적으로 정보를 얻은(Voos et al. 2013) 새로운 중재 모델은 최종적인 아동의 결과, 아이-부모 관계와 심지어 사회적 자극을 처리하면서 보이는 뇌의 변화와 함께 신경 생물학적 상태에 까지도 상당한 영향을 미칠 수 있다(Dawson et al., 2012).

비록 DSM-5는 단일의 진단적 라벨로 바뀌었지만(자폐 스펙트럼 장애), 현재 이 용어의 스펙트럼이라는 측면은 약간 오해의 소지가 있다는 사실은 분명하다. 제안된 진단 체계는 사실 "고전적(classic)" 자폐증에 초점을 맞추었다. 우리가 NDRC에서 제안하는 것은 어떤 의미에서 아형들을 포함한 DSM-IV 모델에 가깝다. 관계의 신경생물학적 기반을 둔 상태에서의 문제는 어떻게 하면 유아가 본래부터(Primarily) 장애가 있었다는 가정하에 관계의 모델을 잘 포함시킬 수 있을까 이다. 앞서 잠시 언급했듯이, 다른 차원의 모델을 이용하는 것이 대안을 제공하는데 도움이 될 수 있을 것이다(예, 부모의 적합성(parental goodness of fit)과 아이의 사회 정서적 어려움의 심각도와 같은 이슈를 평가하는데 있어서).

다른 모델은(현재의 접근법에서 명시하고 있는 것처럼) 단계들을 명시할 수도 있다. 이런 모델은 상호적 관심(mutual attention), 사회적 접근에 대한 반응 등 잘 알려진 발달적 이슈들과 관련된 아이의 어려움의 정도를 다룰 것이다. 이런 접근은 상호 주의 기울이기(joint attention)과 상호 정서적 관계(mutual affective engagement)의 발달 등을 예로, 이와 관련하여 치료를 안내할 때 추가적인 이점을 가질 수 있다(Mundy, Gwaltney, & Henderson, 2010). 이미 언급했듯이, 상당한 진전에도 불구하고(Egger & Emde, 2011), 영유아의 분류는 여전히 도전 과제로 남아있다. 이러한 framework는 타당성과 신뢰성을 확보하면서, 동시에 유아의 장애들에 대한 학문 간 특성과 유아-양육자 상호작용의 필수적 역할을 존중해야 한다 (Fitzgerald, Weatherston & Mann, 2011).

NDRC를 가진 아이들은 감각 반응성(sensory reactivity), 처리(processing), 운동 계획(motor planning)의 생물학적 패턴이 매우 다르다는 증거를 보이고 있다. 이런 차이점은 진단적, 예후적 가치를 갖고 있어서 이 질환을 서술하는 데 도움이 될 것이다. 이런 아이의 경향성은 Table 10.3에 제시된 framework에 간략하게 요약되어 있다. NDRC 진단을 가진 대부분의 아이들은 언어(language)와 시각-공간적 사고(visual-spatial thinking)에 상당한 어려움을 갖고 있다. 다음 페이지의 Table 10.3에 아이마다 서로 다른 경향을 갖는 그런 어려움의 패턴들을 서술해 두었다. 이것은 임상가들이 모든 패턴을 확인하고 각 특성들을 1-3 척도(1이 최소, 3이 최고의 정도를 나타냄)로 매겨 그 정도를 파악하는 데 유용할 것이다.

IEC15.01 Type I: 제약이 동반된 초기 상징성(Type I: Early Symbolic, with Constrictions)

Type I NDRC를 가진 아이들은 함께 공유된 주의(shared attention), 참여(engagement), 상호적 정서적 의사소통의 입문(initiation of two-way affective communication), 그리고 공유된 사회적 문제 해결(shared social problem solving)등의 능력들에 제약을 가진다. 이들은 정서적이 상호작용의 흐름을 유지하는데 어려움이 있고 겨우 4-10회 정도의 연속적인 의사소통 순환(consecutive circles of communication)을 시작(open)하고 마칠(close) 수 있다(아래에 나오는 축2 섹션을 볼 것). 고집(perseveration)과 자기 몰입(self-absorption) 등이 흔하다. 초기 평가에서 그림에 라벨을 붙이거나 암기 된 스크립트를 반복하는 것과 같은 기억을 바탕으로 한 상징적 사용의 영역(islands of memory- based symbol use)을 보겠으나 아이는 연령에 따라 예상되는 범주의 감정을 나타내지 않으며 상징 사용을 다른 핵심 발달 능력과 통합하고 모든 처리과정에 동시 참여하는 데 어려움을 겪는다.

표 7.3. 운동과 감각 처리 특성(Motor and Sensory Processing Profile) / 평가 척도(1-3)

	Rating scale (1-3)
감각 조절(sensory modulation)	
• 소리나 촉각 같은 감각에 과잉반응하는 경향(예, 약한 소리에도 귀를 막고, 가벼운 접촉에 조절에 장애가 생김)	________
• 감각 경험을 갈망하는 경향(예, 적극적으로 접촉, 소리, 그리고 다양한 움직임 패턴을 찾음)	________
• 감각에 과소반응하는 경향(예, 눈치 채거나 주의를 끌게 하려면 굉장히 힘있는 소리나 촉각 지원이 필요함)	________
운동 계획 및 순서	
• 운동계획과 순서의 상대적 강점(예, 장애물 코스를 점고, 복잡한 블록 디자인을 쌓는 것 같은 여러 단계의 행동패턴을 수행함)	________
• 운동계획과 순서의 상대적 약점(예, 간단한 움직임도 힘들게 수행함, 블록이나 다른 1단계 혹은 2단계 행동패턴을 쉽게 실패할 수 있음)	________
청각 기억	
• 청각 기억의 상대적 강점(긴 책, TV, 노래들의 긴 문장이나 소재들을 기억하거나 반복함)	________
• 청각 기억의 상대적 약점(간단한 소리나 단어도 기억하기 어려움)	________
시각 기억	
• 시각 기억의 상대적 강점(책 표지나 그림, 단어까지도 본 것을 기억함)	________
• 시각 기억의 상대적 약점(단순한 사진이나 사물도 기억하기 어려움)	________

Type 1의 임상 삽화(Clinical illustration of Type I)

2돌 반인 David는 자기 몰입적이고 고집 세고, 자기 자극에 빠지곤 했다. 그는 부모와 눈 맞춤을 하거나 함께 있는다고 기쁨을 보이지도 않았으며, 다른 아이들과 놀지도 않았다. 그를 평가하는 동안, David는 대부분의 시작을 숫자나 편지들을 순서대로 암송하거나 빙빙 돌다가 갑자기 뛰고, 자기 자극적인 소리를 내면서 장난감과 차들을 순서대로 줄 세우는데 대부분의 시간을 보냈다. 극도로 하고 싶은 게 생기면, 자신이 원하는 것을 불쑥 말해줄 순 있었다. 그는 때때로 그의 부모를 안음으로써 감정을 보이곤 했는데 비록 부모를 바라보진 않았지만 그들이 자신을 안는 것을 참아냈다. 그는 행동, 소리, 단어를 흉내 낼 수 있었고, 그림이나 모양을 알아차렸다. David의 감각 조절 처리 특성은 약점과 강점이 모두 나타났다. 그는 굉장히 활동적인 아이였고, 세상에 대해 배우는데 흥미가 있었다. 비록 이리 저리 휙휙 돌아다니고, 팔짱을 낀 채 익숙한 것을 찾아 다니는 등 분열되고 일시적인 방식으로밖에 할 수 없었지만. 그의 강한 움직임은 그의 근긴장과 에너지를 증가시켰다. 어떤 물체가 그의 주의를 끌면, 그는 아주 잠깐 그것을 탐색하고 어떨 땐 그 상표를 불쑥 말하곤 했으나 거기엔 어떠한 의사소통의 의도가 없었다. 그는 외운 편지와 숫자들을 암송할 수 있었지만 다른 사람들이 자신에게 하는 말이 뭔지 처리-process(이해-comprehend)할 순 없었다. 그가 3살이 되었을 때, 그는 더 자기 몰두적이 되어서 암송을 하며 스스로 흥분을 느끼곤 했지만 자기 이름에 반응하지 못했고, 양방향 의사소통에는 훨씬 더 참여하지 않게 되었다.

David는 또한 그의 환경 속에 있는 사물들을 식별할 수 있었고, 나중에 그것들을 다시 재위치에 둘 수 있는 어떤 시공간적 강점을 보여주었다. 다른 사람에게서 오는 청각적 피드백을 처리할 수 없었기 때문에, 그는 그가 무엇을 하고 있는지 비춰보기 위해 거울을 찾았고, 시각적 피드백을 위해 거울을 이용했다. 그는 장난감을 조작하고 그것들이 무엇을 나타내는지 이해한다는 것을 보여주는 간단하게 이어지는 장면들에서 그것들을 사용했는데(예를 들면, 그는 장난감 음식을 먹는 척 하거나 장난감 차를 미는 척 했다), 그것은 David가 목적이 있는 의도를 운동 계획에 연결시키는 기반이 있다는 것을 나타낸다. 장난감으로 새로운 행동을 시작하고 노래를 위한 의식적 움직임을 만들 수 있는 능력에서도 찾아 볼 수 있다. David는 강렬한 감정을 가지고 있었다. 행복할 때는 굉장한 기쁨을 보였다- 비록 자기 몰두적인 일 속에서였지만- 그리고 좌절했을 땐 강렬한 분노나 회피를 보였다. 감정을 시작하고, 의도와 감정을 연결하는 능력은 가장 강력한 자산이었다. 비록 청각적 시각적 처리 능력은 상당히 약화되었지만, 상대적인 강점들은 그에게 좋은 징조였다.

IEC15.02 Type II: 제약이 동반된, 목적 있는 문제 해결(Type II: Purposeful Problem Solving, with Constrictions)

처음 증상이 나타날 때(2세에서 4세 사이에 자주), Type II NDRC를 가진 아이들은 세 번째, 네 번째 핵심 능력에서 상당한 제약을 가진다. 1) 목적이 있는, 양방향의 전상징적 의사소통(purposeful, two-way presymbolic communication), 2) 사회적 문제 해결 의사소통(social problem- solving communication). 그들은 이런 수준의 간헐적인 상호작용에만 참여할 수가 있고,

최대 2-5번의 연속적인 의사소통의 순환을 완료할 수 있다. 좋아하는 쇼에서 암기된 소수의 대본들을 반복하는 것 외에, 진정한 상징적 활동의 영역(islands of true symbolic activity)은 보이지 않는다.

표 7.4 관계 및 의사소통의 신경발달장애의 개관(Overview of Neurodevelopmental Disorders of Relating and Communicating [NDRC])

IEC15.01 Type I: 제약이 동반된 초기 상징성(Type I: Early Symbolic, with Constrictions)	간헐적으로 참여하고 관계하는 능력; 호혜성 상호작용(reciprocal interaction); 그리고 도움 받는다면, 공유된 사회 문제 해결(shared social problem solving)과 의미 있는 생각의 사용(the beginning use of meaningful ideas)이 시작됨(예, 도움을 받으면, 아이는 관계하고 상호작용이 가능하고 심지어 몇 가지 단어를 사용할 수도 있으나, 연속적이고 안정된 연령에 기대된 방식으로 사용할 수는 없음) 이런 패턴을 가진 아이들은 그들의 독특한 운동 및 감각 처리 특성에 맞게 의미 있는 정서적 상호작용(meaningful emotional interactions)을 조정하는 종합적인 프로그램에 빠른 진전을 보이곤 한다.
IEC15.02 Type II: 제약이 동반된, 목적 있는 문제 해결(Type II: Purposeful Problem Solving, with Constrictions)	공유된 사회적 문제해결이 아주 잠깐 가능하고 몇 가지 단어들을 반복하는 능력과 함께, 간헐적으로 집중, 관계, 그리고 약간의 호혜적 상호작용하는 능력 이런 패턴의 아이들은 지속적이고 체계적인 진전을 보이는 경향이 있음.
IEC15.03 Type III: 간헐적으로 참여 하고 목적 있는(Type III: Intermittently engaged and purposeful)	잠깐만 집중하고 참여할 수 있는 능력. 상당한 도움이 동반되면, 때때로 약간의 호혜적 상호작용도 가능함. 비록 아이가 몇 가지 단어들을 기억해내서 (의미를 갖고 쓴다기 보다) 반복할 수 있다고 해도, 단어들을 반복하거나 생각을 사용하는 능력이 없는 상태가 잦음. 이 패턴을 가진 아이는 아주 느리지만 꾸준한 진전을 보이는 경향이 있는데, 특히 기본적으로 따뜻한 관계를 맺고, 호혜적 상호작용에 길고 연속적으로 참여하는 법을 배우는 데 있어 긴 시간 동안, 이들은 점진적으로 몇 가지 단어들과 구절을 익히게 될 것이다.
IEC15.04 Type IV: 방향 없고 목적 없는(Type IV: Aimless and unpurposeful)	Type III와 유사하지만 다방면의 퇴행 패턴이 동반됨(능력 상실). 또한 신경학적 장애와 연관된 다수의 증거들이 동반됨(경련, 두드러진 근육 톤의 저하[hypotonia]). 이런 패턴을 가진 아이들은 극도로 느린 진전을 보이는 경향이 있고, 퇴행적 경향의 원인들이 식별되면 향상될 수 있음.

많은 경우 어느 정도의 참여 능력을 보여주지만, 이들의 참여는 포괄적이고(global), 필요 위주이고(need-oriented), 자기 생각대로 하는 식(on-their-own-terms-quality)이다. 이들은 다수 영역에서 중등도의 처리 장애를 가질 수 있다.

이런 아이들은 Type I NDRC를 가진 아이들보다 더 심한 어려움에 직면하게 된다. 정서적 상호작용의 느린 발달은 상징적 능력이 충분하게 발달하는 것을 막는다. 이 또한 호전되지만, 아이들은 언어와 상상 놀이의 기초로써 책과 비디오를 모방하는데 의존하는 경향이 있다. 아이들이 각각의 새로운 역량을 통해 발전하면, 아이디어를 만들고 심지어 관심분야들에 제한된 아이디어들 사이에 연결다리를 만들기 시작한다. 그러나 연령에 적절한 정도의 감정의 깊이와 범위를 보이지는 않으며, 추상적 사고는 제한적이고 실제 삶에서 필요한 것에 집중되어 있다.

Type II 의 임상 삽화(Clinical illustration of Type II)

3세인 Joey는 굉장히 회피적이고, 언제나 양육자로부터 멀리 떨어져 있었으며 아주 잠깐 눈맞춤이 가능했다. 그는 좋아하는 책들의 페이지를 빠르게 넘기거나 자기 장난감 기차를 트랙에서 반복해서 미는 것 같은 집요하게 반복하는 행동(perseverative behavior)과 자기 자극적인 행동(self-stimulatory behavior)을 보였다. 그는 또한 책과 사물을 Barney 혹은 Winnie-the-Pooh 같이 자신이 좋아하는 쇼들에서 선택했는데, 그것들을 자기 기차에 탑승시켰다. 아무도 감히 그의 물건에 손을 댈 수 없었는데, 누가 가져갈 것 같다는 생각이 들면 그가 즉각적으로 성질을 부리기 시작했기 때문이다. 그는 의도적으로 주스에 손을 뻗고, 옷을 입기 위해 팔을 빼고, 부모님에게 물건을 주거나 그들로부터 받을 수 있었다. 그러나 약간의 소리를 낼 수 있었음에도 불구하고, 그는 복잡한 언어 전 상호작용(preverbal interaction)으로 협상하거나 소리를 흉내 낼 수는 없었다. 그는 거친 집안일, 간지럼 게임, 엄마의 자장가 등에만 그의 부모와 함께 기뻐하는 모습을 보였다.

Joey는 그의 환경을 다루기 위해 시각 정보에 의존했다. 사물이나 장소에 대한 그의 기억은 놀랄만했다. 그는 단어에는 과소반응을 보였지만 갑작스럽고, 높은 톤인 혹은 떨리는 소리에는 과잉반응을 보여서, 그것들은 그를 산만하게 하거나 깜짝 놀라게 하고 계속 경계하게 만들었다. 이상에서, 그는 의례적인 패턴에 의존하고 그가 이해할 수 없는 변화들에 저항했다. 그는 어떻게든 자기가 좋아하는 책이나 사물들을 찾을 수 있었지만, 계획된 방법으로 찾을 수가 없어서 쉽게 좌절하고 성질을 부렸다. 장애물 코스는 그의 능력 밖이었고 유치원 체육관에서 다른 아이들을 따라가기 보다는 바닥에 누워서 그들을 지켜보았다. 이러한 패턴들은 과잉 혹은 과소반응과 저긴장으로 혼합된 다수의 감각과 운동 처리의 어려움(청각, 시공간, 및 운동계획)을 반영했다. 그가 관계들을 끊고 그가 나이 듦에 따라 동반되는 기대들이 좌절되면서, Joey와 가족들에게 삶은 점점 더 어려워지고 있었다.

IEC15.03 Type III: Type III: 간헐적으로 참여 하고 목적 있는(Intermittently engaged and purposeful)

Type III NDRC 그룹의 아이들은 상당히 자기 몰두적이다. 이들의 타인과의 관계는 굉장히 간헐적이고, "들쭉날쭉한(in-and-out)" 특성을 가진다. 이들은 대체로 구체적인 필요나 기본적인 감각운동 경험(뛰기, 간지럼)을 좇는 매우 제한된 범위의 목적 있는 양방향 의사소통을 보인다. 이들은 흉내를 낼 수도 있고 심지어 몇 가지 암기된 문제 해결 행동을 시작할 수도 있지만, 보통 공유된 문제 해결이나 정서적 교류의 계속적인 흐름을 할 능력은 거의 없거나 없어 보인다.

이들은 간단한 느낌을 전달할 수 있지만("행복해", "슬퍼", "화나"), 그들의 관계성(relatedness)의 "들쭉날쭉한(in-and-out)" 특성이 그들이 나눌 수 있는 감정의 범위와 깊이를 제한한다. 시간이 지나면, 전상징적인 목적 있는 행동(presymbolic purposeful behavior)과 문제해결 행동(problem-solving behavior)의 영역을 배울 수 있다.

이 그룹의 어떤 아이들은 그것이 진짜인 것처럼 장난감을 사용할 수 있다. 예를 들어, 아이들은 음식인 척 먹거나 실물 크기의 아기 인형에게 음식을 먹이려고 할 수 있고, 혹은 마치 자신들이 수영을 할 것처럼 가짜 수영장에 발을 넣을 수도 있다. 그러나 이들은 대개 장난감이나 인형을 사용하여 진정한 자신을 나타내는 수준까지 이르진 못한다. 다수의 심각한 처리 장애는- 심한 청각 처리(auditory processing)와 시공간 처리(visual-spatial processing)의 장애 및 중등도에서 심한 정도의 운동계획 문제(motor planning problems)를 포함한 – 목적 있는 의사소통의 연속적인 흐름을 지연시키고, 문제 해결 상호작용을 막는다. 이 그룹의 아이들 중 일부는 심각한 구강 운동 행동곤란(oral-motor dyspraxia)가 있어서, 만약 조금이라도 말한다면, 겨우 몇 마디 하는 정도이다. 그러나 그림이나 좋아하는 장난감을 이용해서 의사 소통하거나 몇 가지 신호를 사용하는 것을 배울 수는 있을 것이다.

Type III 의 임상 삽화(Clinical illustration of Type III)

3살인 Sarah는 Winnie-the-Pooh를 찾기 위해 놀이방으로 뛰어 들어왔다. 그녀는 선반 앞에 있는 스툴에 올라갔지만 자기가 좋아하는 캐릭터를 찾기 위해 바구니 안에 있는 사물들을 옮길 수가 없었다. 그녀는 무심결에 바구니를 선반에서 빼내서 내용물이 다 떨어지게 만들었다. 바닥을 제대로 보지도 않고, Sarah는 그 다음 바구니를 찾았다. 그녀의 엄마는 두 번째 바스켓이 떨어지는 것을 막기 위해 뛰어와 도와줬다. Sarah는 "도와줘요!"라고 소리쳤고, 엄마의 손을 잡아서 바구니에 넣었다. 엄마는 Sarah가 보기 전에 Pooh 피규어를 가리켜야만 했다. 그녀는 그것을 움켜쥐고 소파에 누우려고 달려갔다. 엄마가 Tigger를 데리고 왔고 Sarah는 Tigger를 움켜쥐고 방 반대쪽으로 달려갔다. 그녀는 자신의 물건을 꽉 쥐고 엄마가 자신에게 다가오면 뒤로 돌아 도망갔다. 그러면 엄마는 Eeyore(Winnie-the-Pooh에 등장하는 늙은 당나귀)을 들고 인형을 위 아래로 움직이면서 "Ring around the Rosie"라는 노래를 불렀다. 그러면, Ssarah가 쳐다보고 노래의 "We all fall down."이라는 가사의 "down"부분을 같이 불렀다. 그러고는 재빨리 도망가서 거울로 갔다. 이후에 뭘 해야 할지 몰라서 원하는 것을 얻으면 도망가서 회피하는 패턴은 전형적인 것이다.

IEC15.04 Type IV: 방향 없고 목적 없는(Aimless and unpurposeful)

Type IV NDRC 그룹의 아이들은 수동적이고 자기 몰입적이거나 활동적이고 자극 추구적이며, 일부는 두 가지 패턴을 다 가지고 있다. 이들은 감각운동 놀이에는 참여함에도 불구하고 공유된 집중력과 참여에 심한 장애를 가지고 있었다. 그들은 굉장히 느린 진전을 보이는 경향이 있다. 그래서 이들에게 표현 언어를 발달 시키는 것은 극단적인 도전이다.

Type IV 특성을 가진 몇몇 아이들은 반구조화된 게임을 하거나 이를 닦거나 옷을 입는 것 같은 자구책을 수행하기 위해 필요한 조직화된 연속적인 행동들을 완성하는 법을 배운다. 이런 아이들의 다수는 스케이트를 타거나, 수영하거나, 자전거를 타거나, 공을 갖고 놀거나 기타 운동적 성취에 참여하며 자신의 몸을 의도적으로 사용할 때 자신이 경험한 기쁨을 다른 사람과 공유할 수 있다. 이러한 의미 있는 활동들은 공유된 집중력과 참여, 그리고 목적 있는 문제 해결 등을 격려하는데 이용될 수 있다.

이 그룹의 아이들은 모든 처리 영역에서 가장 심각한 어려움을 겪는다. 다수는 구강 운동 행동곤란을 포함한 상당한 운동적 결핍이 있다. 그들은 복합 문제 해결 상호작용(complex problem-solving interactions), 표현언어, 그리고 운동 계획 등에 심각한 장애를 가진다.

증상의 진전은 퇴행으로 인해 주기적으로 멈춰지는 경향이 있고, 그 원인은 알기 어렵다. 때때로 환경이 충분히 아이의 처리 특성을 맞춰주지 못해서 퇴행하는 것으로 여겨진다.

Type IV 의 임상 삽화(Clinical illustration of Type IV)

Harold는 소리나 단어를 따라 하는 것도 아주 느린 진전을 보였고 심지어 모방을 촉진하기 위한 집중 프로그램에도 그랬다. 그는 화가 나거나 뭔가를 얻고자 고집 부릴 때에는 한 두 개의 단어를 자발적으로 말할 수 있었지만 그 외에는 누군가 말하도록 유도하거나 압박해야만 했다. 모든 말들이 그를 패배시키는 것으로 보였다. 그는 때때로 양육자의 입을 응시하고 같은 움직임을 만들어 보려고 시도하곤 했다. 그의 얼굴 표정, 특히 부모님과 장난기 많은 상호작용 중에 그의 눈 속에 보이는 반짝거림으로부터, 우리는 그가 약간의 "속임수"를 하며 논다는 것을 추측할 수 있었음에도 불구하고 그의 심각한 행동곤란은 그가 가상놀이 참여하는 것을 방해했다. 그는 때때로 의례적인 방법으로 부드러운 칼이나 마술 지팡이 같은 장난감을 사용했지만 새로운 아이디어를 진행하는데 사용하지는 못했다.

그는 기쁨과 감정의 표현을 포함한 감각운동 상호작용에 참여하고 심지어 자신이 시작할 수도 있었다. 비록 형과 하는 게임은 잘 조직화되어야 했지만, 학교운동장과 수영장을 다른 친구들과 뛰어다니는 것을 즐길 수는 있었다. 5살이 되어 치료 2년차에 접어들었을 때는 자신이 원하는 바에 대해 3~4회 정도 주거니 받거니 하며 의사소통이 가능해졌다. 예를 들어 아버지를 냉장고로 끌고 가서 핫도그를 찾으며 "핫도그."라고 할 때, "또 뭐가 있지?"하고 아버지가 물으면 "French Fries."라고 답할 수 있었다. Harold는 시간이 지남에 따라 점점 더 지속적으로 참여할 수 있게 되었고, 전상징적 능력 영역(islands of presymbolic ability)이 발달하고, 자신의 주변에 무슨 일이 일어나는지 감지하게 되었다. 그는 더 이상 목적 없이 배회하지 않았고, 소형 오픈 트럭을 밀고, 간단한 퍼즐을 맞추거나 다른 인과관계 놀이(cause-and-effect play)에 참여하는 모습을 보일 수 있었다. 그는 다른 사람들이 자신과 함께 어울리게 내버려 뒀지만, 항상 상호작용을 감각 운동 놀이로 바꾸어 버리곤 했고, 그것이 그에게 큰 기쁨을 가져다 주었다.

축 II: 기능적 정서적 발달 능력 (Axis II: Functional Emotional Developmental Capacities)

축 II는 영유아들의 출생부터 전학령기까지의 발달적 관점에서 정서적이고 사회적인 기능을 기술한다. 우리는 ICDL-DMIC와 DC:0-3R의 정확한 설명을 참고하고, 이것을 임상과 신경과학적 연구결과와 통합하여 임상의에게 유아/아동의 정서적 발달 능력에 대한 명확한 임상적 설명과 발달을 기반으로 한 평가 및 진단적 접근을 뒷받침 할 유용한 평가 도구를 제공하는 것을 목표로 삼았다.

정서적 기능은 자기 조절 능력; 다른 사람들과 다양한 수준으로 관계하는 능력; 전언어적 (preverbal) 정서적 상호작용(affective reciprocity)과 의사소통(communication)에서의 분명한 정서적 단서제공 및 신호제공 능력; 공동으로 조절되는 사회 문제 해결 능력(co-regulated social problem solving); 소망과 감정을 상징화하거나 표현하는 능력; 가장 놀이에서 감정적인 주제를 자세히 설명하는 능력; 감정적 추론 능력; 자신의 느낌을 반영하고 다른 사람의 느낌에 공감하는 능력; 그리고 현실검증능력 등을 포함한다. 핵심적인 기능적 정서적 발달과 숙달은 생의 초기에 이루어지기 때문에 아이와 양육자 사이의 상호작용의 영향을 많이 받는다.

출생 시, 유아는 엄마의 얼굴과 목소리에 선택적으로 주의를 기울이고, 엄마를 좋아하는 상호작용 파트너로 인식하도록 만들어진 섬세한 지각 기관을 갖고 있다.

아이는 대인관계 상황 중 자신의 각성 상태를 조율하기 위하여 감각, 집중, 운동 및 정서적 능력과 같은 생리적 절차를 스스로 조절하는 능력을 보이는 초기 행동기구를 가진다. 자기 조절 능력을 완성하면, 유아는 풍부한 레퍼토리의 표현과 의사소통이 가능해지고 이를 통해 적극적으로 상호적 교류를 제안하거나 혹은 그것이 스트레스가 될 것 같다면 자신의 개입을 제한하기 위한 요구(need)와 감정(emotion)을 표현할 수 있게 된다. 양육자는 아이의 행동을 적절한 수준의 강도로 조절하기 위해 아이의 신호를 적절하게 해석해주는 능력으로 이러한 선천적 조절 과정(innate regulatory processes)의 기능과 발전을 도와줄 수 있다.

지난 30년 넘는 시간 동안 유아와 어린 아이들에 대한 연구들은 감정 상태를 조절하고, 경험과 적절한 행동반응을 조직화 하는 능력으로써 '조절(regulation)'이라는 개념의 중요성을 높이 평가해왔다(Lichtenberg, 1989; Sander, 1962, 1987, 1988; Stern, 1985). 조절 과정은 무수히 많은 촉각, 시각, 청각 및 자기수용 자극들을 조직화하는 아이의 선천적인 능력과 항상성의 성취를 둘러싼 아이-양육자 둘 사이의 상호작용 사이의 지속적인 상호 조화(interweaving)로부터 발전하게 된다(Sroufe, 1997). 상태 조절을 위한 전략들은 양육자에 의해 초기에 제공된 뒤 아이에게 내재화 되고, 시간이 지나면서 정서적 상태, 각성, 집중의 조절과 사회적 상호작용에 동반되는 복잡한 행동의 조직화를 포함시키며 일반화 되게 된다. 이런 방법을 통해, 긍정적인 유아-양육자 상호작용은 뇌의 구조와 기능에 기계적 변화를 유발해 유아의 발달적 결과물을 만들 수 있게 된다(Schore, 2001). Tronick(2007)에 의해 제안된 상호간의 조절 과정에 따르면 아이는 자신의 감정적 상태를 조절하는 것과 공복 출현(emergence of hunger)이나 과도한 외적 자극과 같은 내적 상태의 파열 혹은 변화를 대표하는 순간들에서 양육자와 양자 상호작용에 개입하는 이중 작업을 거친다. 유소아들은 풍부한 생물정신사회적 역량을 가지고 타인의 의도와 감정의 의미에 반응할 수 있다. 이러한 생물정신사회적 역량을 통해, 아이들은 세상 사람들과 사물들, 그리고 자신들의 관계에 대한 의미를 만든다. 만일 이 과정에서 일탈적인 혹은 비전형적인 형태의 의미를 만드는 것이 지속된다면, 유아들이 자기 조절 능력을 발전시키고, 양육자와 애착을 형성하고 자율성을 획득하는 등 연령에 기대되는 발달적 과업들을 마스터하는 방식이 왜곡될 수 있다(Tronick & Beeghly, 2011).

축II의 기능적 정서적 발달 구조는 또한 운동, 감각, 언어 및 인지 기능을 포함한 발달의 다른 여러 측면들을 통합하기 위한 조직화된 구조물로써의 역할을 한다. 기능적 정서적 발달 구조(The functional emotional developmental framework)는 정서적 기능을 특징 짓는 방법을 제공하고, 동시에 발달의 모든 구성 요소들이 각 레벨에서 제시되는 정서적 목표로 조직화된 기능적인 방식(정신적 팀으로써)으로 함께 일하는 방법을 제공한다.

각 발달 단계는 다른 발달과업 혹은 발달 목표를 포함한다. 그러므로 체질적-성숙적(constitutional-maturational), 환경적(environmental) 혹은 상호작용적(interactive) 변수들의 상대적인 효과들은 그들이 관련된 발달 수준을 따르고 같은 수준의 맥락에서만 이해될 수 있다.

축II의 목표는 임상의가 아이-양육자 상호작용을 다른 발달 단계에 따라 볼 수 있게 하고, 그들의 상호작용에 무엇이 영향을 주는 지 고려하고, 정서적 기능이 각 발달 수준에서 적응적인 혹은 부적응적인 조직화를 이루게 하는지 결정할 수 있게 한다. 그러나 관계에서 정서적 공유나 감각 처리 능력과 같은 다른 발달적 측면들은 비록 그것들이 개념적으로 이 축과 연결되어 있다고 할 지라도 다른 축들에서도 평가된다는 점을 기억(주목)하는 것이 중요하다.

여섯 가지 발달적 기능 수준(The Six Developmental Functional Levels)

경험의 초기 구성 수준은 여섯 가지가 있다(표10.5참고). 각각은 기대되는 정서적 기능의 특성과 문제점들의 예시와 함께 아래에 서술되어 있다. Greenspan과 동료들의 세미나 연구에 따르면, PDM-2의 기능적 정서적 발달 능력의 분류와 묘사는 임상의에게 친숙한 방향으로 교정되고 새로 만들어져 왔다.

유아/소아가 도달한 발달 기능 수준의 평가는 유아/소아-양육자 상호작용의 맥락에서 평가되어야 한다. 그러한 평가는 어떻게 아주 어린 아이가 신체적, 인적 환경을 경험하는지, 아이가 자신의 자원을 사용하는 방법, 그리고 세상과 관계하기 위해 양육자가 제공하는 도움, 아이가 맞닥뜨리는 어려움들에 대한 풍부하고, 미묘한 특성을 제공한다(Greenspan, 1996).

Level 1: 공유관심 및 조절(일반적으로 출생 후 3개월 간 관찰할 수 있는)(Level 1: Shared Attention and Regulation (Typically Observable between Birth and 3 Months))

발달의 첫 번째 수준은 자기 조절과 공유관심을 포함한다-이것은 다중감각의 정서적 경험에 참여하는 능력과 동시에 차분하고 조절된 상태로 정리(organize)하는 능력이다(예, 보고, 듣고, 양육자의 움직임을 따라 하는). 항상성(Homeostasis)은 생후 첫 수 개월 동안의 기본적인 목표이다. 아이는 수면, 각성, 영양 및 배변 등의 기본적 리듬을 성취할 필요가 있고, 차분하게 깨어있는 상태(calm alertness)를 이룰 수 있어야 한다(과도한 자극이나 지속적인 졸음으로 위태로워 질 수 있지만). 배고픔 신호, 포만감, 흥미, 혹은 호기심은 아이의 자기 조절 능력을 지지해줄 양육자로부터 경험적이고(contingent) 적절한 반응들을 받을 필요가 있다. 이어지는 과정은 꾸준한 반복 속에서 아이가 다른 내적 상태들을 구별할 수 있게 해준다. 발달의 초기 단계에서, 양육자는 보통 놀이와 옷 입히기, 목욕시키기, 같은 돌봄 경험을 통해 감각 입력(sensory input)을 제공하고 어린 유아가 자기 상태를 정리하는 것(state organization)을 힘들어 하면 달래준다. 유아는 외부나 내부 자극들에 과잉 혹은 과소 반응하지 않은 채 조절된 상태로 참여하고 상호작용할 수 있다. 이것은 유아가 자신을 정리하기 위해서 양육자의 신체적 정서적 상태를 이용하면서 상호간에 동시에 조절되는 상호작용적인 과정이다. 환경에 성공적으로 적응하고 스스로 차분한 상태(self-calming), 집중(attention), 정서적 반응(emotional responsivity)을 배우기 위해서 조기의 각성과 생리 상태(physiological state)의 조절은 필수적이다.

표 7.5. 정서적 기능의 발달적 수준(Table 10.5 Developmental levels of Emotional Functioning)

수준 (level)	기대되는 정서적 기능 (Expected emotional function)	발달 수준 (Developmental level)
1	공유 관심 및 조절(shared attention and regulation)	0-3개월 이후(0-3months and beyond)
2	참여와 관계(Engagement and relating)	3-6개월 이후(3-6months and beyond
3	양방향의 목적 있는 정서적 상호작용 (Two-way purposeful emotional interactions)	6-9개월 이후(6-9 months and beyond)
4	공유된 사회적 문제 해결 (Shared social problem solving)	9-18개월 이후 (9-18 months and beyond)
5	상징과 생각을 만들어 냄 (Creating symbols and ideas)	18-30개월 이후 (18-30months and beyond)
6	아이디어들 사이의 논리적 연결고리를 만듦: 논리적 사고(Building logical bridges between ideas: Logical thinking)	30-48개월 이후 (30-48 months and beyond)

최적 수준은 상당히 다양하고 유아의 각성의 역치(threshold for arousal), 자극에 대한 저항력, 및 스스로 각성을 조절하는 능력 등에 의해 좌우된다. 양육자는 유아의 운동 계획 능력(예, 양육자를 보기 위해 고개를 돌림)뿐만 아니라 감각 조절 차이에 상호작용을 맞춰줄 필요가 있다(예, 접촉이나 소리에 과소 혹은 과잉 반응). 조절과 집중의 실패는 감각 조절 처리의 장애가 있거나 양육자가 우울하거나 자기 몰입적인 상태일 때, 비일관적이고 제멋대로인 반응하기 때문일 수 있다.

평가 척도(Rating Scale)

공유관심 및 조절과 다른 다섯 가지 기능 수준들은, 각 정신적 기능을 5에서 1로 평가하는 5점 척도로 **표 7.6** (pp. 508)에 제시되어 있다. 5, 3, 1수준의 평가 기준점에 대한 서술은 각 수준에 대한 텍스트에 제공되어 있다.

5. 유아는 시각, 청각 및 촉각에 주목하고, 풍경, 소리, 움직임 그 밖의 감각 경험에 흥미를 경험한다. 그 혹은 그녀는 진정할 수 있고 장시간 지속되는 상호작용을 유지하기 위해 감정과 상태를 조절할 수 있다. 연령에 적절한 공유관심과 조절은 완전히 습득되어있다.
3. 유아는 세상에 관심을 갖지만 진정하고 집중한 상태로 남는 능력은 단시간에 불과하다. 집중과 반응은 몇몇 경한 감각 조절 처리 장애와/혹은 양육 상황으로부터 오는 강렬한 과잉 혹은 과소 자극에 의해 영향 받을 수 있다. 몇몇 상호간의 조절 실패는 연령에 적합한 수준의 기능이 성취되는 것을 지연시킬 수 있다.
1. 유아는 목표 지향적인 움직임이나 사회적 행동들뿐만 아니라 즐거움, 기쁨 그리고 탐험의 감정적 영역을 조직화하는 데 어려움을 겪는다. 그 혹은 그녀는 진정하기 힘들어

하고 불편한 상태를 경험할 수 있고, 굉장히 분노하거나 고통스러워질 수 있다. 반대로, 유아는 극도로 강렬한 자극이 오지 않는 한 굉장히 졸리고 수동적이며 적절한 각성상태를 유지하는데 실패할 수 있다. 연령에 적합한 공유관심과 조절은 결핍되어 있다.

Level 2: 참여와 관계(일반적으로 3에서 6개월 사이에 관찰할 수 있는 (Level 2: Engagement and Relating (Typically Observable between 3 and 6 Months))

양자적 상호작용은 유아-양육자 둘 사이의 상호작용이 서로 간의 상호응시(mutual gaze), 발성(vocalization), 신체적 근접성(physical proximity) 등으로 특징지어지는 2에서 4개월 사이에 발생하기 시작한다. 유아는 점차 사회, 정서적 상호작용에 더 참여하게 되고, 위로와 안정성 그리고 기쁨을 찾게 된다. 그 혹은 그녀는 외부 환경에 반응하고, 한 명 이상의 일차 양육자와 특별한 관계를 형성하는 굉장한 능력을 보여준다. 참여(engagement)는 선택적으로 사람의 얼굴과 목소리에 집중하고 감각으로부터 오는 정보를 처리, 조직화하는 초기 성숙능력(early maturational capabilities)의 도움을 받는다. 생후 2개월까지, 유아는 양육자와 상호작용하는 동안 상호 관계(순서를 알고, 차례 주고받기 timing and turn taking)에 민감한데, 이것은 공유된 경험이나 "상호주관성(intersubjectivity)"의 감각을 제공해준다. 일차 상호주관성은 유아의 모방행동을 통해서도 표현될 수 있다. 유아와 엄마는 그들이 양방향의, 협조된 방식으로 그들의 행동 시간을 맞추는 최초의 대화 행동(proto-dialogic behavior)을 보여준다.

사회적 상호작용에 대한 선천적인 성향은 가능한 양육자에 대한 유아의 애착 결속을 통해 점차 조직화 된다 동시에, 아이는 이러한 상호관계 속에서 발생하는 넓은 범위의 긍정적이고 부정적인 감정들을 경험한다. 즐거움, 기쁨, 자기 주장(assertivenss), 호기심, 저항(protest) 및 분노 모두가 점차 관계 형성의 일부가 된다. 초기의 참여는 이후의 감정 조절을 위해서뿐만이 아니라 애착 패턴과 행동에도 영향을 미친다.

참여와 상호작용은 양육자의 정신적 어려움에 의해서도 영향 받을 수 있고(회피 혹은 과잉자극의 감정 상태에 몰입된) 혹은 아이의 특정 성격에 의해서도 영향 받을 수 있다. 자폐를 가진 아이는 사물에 기울이는 관심은 생후 첫 6개월간 정상적인 유아들과 구분이 되지 않는 반면, 사회적 자극에 대한 반응에 특별한 질적 결핍을 보인다.

평가 척도(Rating Scale)

5. 유아는 양육자와 상호작용하며 공동의 정서적 연대(보고, 즐겁게 미소 짓고, 소리 내어 웃으며 팔다리를 동시에 움직이는 모습에서 보이는)를 보인다. 발달이 진행될수록, 유아는 양육자와 함께 있으면 즐거움과 호기심뿐만이 아니라 안정감과 편안함이 자라난다는 것을 입증한다. 발생하는 감정의 모든 범주가 이런 능력의 일부가 된다(예, 양육자에 대한 기쁨과 즐거움 등의 긍정적인 감정을 따라 저항, 분노가 견뎌진다).

3. 유아는 스트레스를 받으면 머리를 돌리고, 시선을 피하거나 상호작용에 무관심하고 회피적인 모습을 보인다. 유아는 감정적 범위에서 약간의 제한을 보일 수 있고, 혹은 만약 무언가가 방해하거나, 상호적인 불화가 일어났다면 일차 양육자에 대한 초기의 관심을 되돌리는데 약간의 어려움이 있을 수 있다. 이런 제약들은 무감각하거나 깊이 없는 감정으로 확인되거나 스트레스 상황에서 보여진다.
1. 유아는 양육자와 정서적 관계를 형성하기 위한 자신들의 감각을 느끼지 못한다-소리, 접촉, 심지어 냄새까지도 회피하고 심지어 만성적인 시선회피(gaze aversion), 무감각한 정동(flat affect), 혹은 무작위적(random)이거나 비동시적인(nonsynchronous) 패턴의 밝아지는 기분과 각성반응이 동반되기도 하는 그런 때처럼. 유아는 양육자와 정서적인 접촉을 피할 수도 있고 혹은 상호작용에서 전체 범위와 깊이의 감정을 경험하지 않을 수도 있다. 아이는 대인관계의 영역에서 정서적인 것보다는 부분을 선호함을 명백하게 보여준다.

Level 3: 양방향의 목적 있는 정서적 상호작용 (일반적으로 6에서 9개월 사이에 관찰할 수 있는)

(Level 3: Two-Way Purposeful Emotional Interactions (Typically Observable between 6 and 9 Months))

다음 단계는 의도적이고 전언어적인(preverbal) 의사소통이나 몸짓(gesture)으로 구성되는 목적 있는 의사소통을 포함한다(예, 연달아 일어나는 여러 회기의 의사소통의 시작과 종료(a number of circles of communication)). 이런 몸짓들은 정서적인 의사소통을 전달하는데 여기에는 얼굴 표정, 팔다리 움직임, 가리킴, 발성 그리고 자세나 움직이는 패턴 등이 포함될 수 있다. 이 단계는 유아가 일차 양육자를 구별할 수 있고 자신의 행동을 결과로부터 구분지을 수 있게 되면서 신체적인(감각운동) 수준과 유발되는 심리적 수준에서 일어나는 과정을 의미한다. 당신은 기대되는 모든 범위의 감정과 함께 '원인과 결과 신호(cause-and-effect signaling)'를 볼 수 있을 것이다. 아이는 목적 있고, 의도적이고, 상호적인 방식으로 상호작용 할 수 있게 되고, 다른 사람의 신호에 반응할 수도 있고 이를 먼저 시작할 수도 있다. 예를 들어 유아가 한 사물을 바라보기 시작하면(의사소통의 회기가 시작된다) 양육자는 사물을 집어 올림으로써 반응해줄 수 있고, 그것을 아이의 바로 앞에 활짝 미소 지으며 두고는 "여기 있어!"하고 말할 것이다.

유아가 부모에 대한 반응으로 목소리를 내거나 다가가거나 표정을 바꾼다면, 아이는 양육자의 반응을 발판 삼아 의사소통 회기를 종료하는 것이다. 이 능력은 보통 10개월까지 성취된다.

10개월 아이의 가리키고, 사물을 집어 들기 위해 다가가고, 혹은 "주고 받는(give and take)" 놀이를 하는 것 같은 간단한 몸짓은 2년 동안 점점 복잡한 순서의 몸짓이 되어가고 아이의 언어가 발달해가면서 주거니 받거니 하는 대화(back-and-forth conversations)가 된다. 이러한 상호적이고 양방향 대화의 상호작용은 아이가 주고받는 감정적 신호에 참여할 수 있게 해주기 때문에, 감정적인 의도와 목적 있는 행동 사이의 연결이 발전하는 데 필수적인 단계로 여겨진다.

일차 양육자가 기계적이고 서먹하게 혹은 과도하게 자극적인 방식으로 반응할 때 발생하는 양육자로부터의 상호 반응의 결핍은 이 모든 발달 능력의 획득을 어렵게 만들 수 있다. 발달의 실행이상과 전반적인 발달 지연을 가진 아이들은 판에 박힌, 목적 없는 혹은 혼돈된 행동을 할 수 있고 이것은 발달 과업을 마스터하지 못함을 시사한다.

평가척도(Rating Scale)

5. 유아는 얼굴표정, 운동제스처(예, 양육자에게 무언가를 보여주는 것) 또는 발성과 같은 의도적인(purposeful) 몸짓을 상호적이고 주고받는 방식으로 사용하여(정서적 상호작용을 포함) 상호작용에 적극적으로 참여하는데 필요한 "대화"를 시작하고자 하는 자신의 의도나 욕구를 전달한다. 유아들은 이러한 몸짓들을 시작할 수 있다. 예를 들어, 아이가 딸랑이를 잡으려 손을 뻗으면서 호기심과 자기 주장을 보일 수도 있고, 의도적으로 음식을 바닥에 던지고 "이제 어쩔 건데?"라고 말하듯 양육자를 쳐다보며 분노와 저항을 보이고 수도 있고, 혹은 양육자의 반응에 자신만의 더 나아간 반응으로 답하고 의사소통의 회기를 종료할 수도 있다.
3. 유아는 어떤 감정을 전달하기 위해 의도적인 몸짓을 사용할 수 있지만, 다른 것은 불가능하다. 예를 들어, 유아는 꽉 껴안아 줬을 때 미소와 사랑의 손길로 기쁨을 보여줄 수도 있지만 분노의 표현으로 저항하거나 자기주장을 보여주지는 못할 수 있다. 유아가 의사소통을 시작하거나 다른 사람의 신호에 반응하는 게 항상 가능하진 않을 때 의도적인 의사소통의 한계가 표현된다.
1. 유아는 의도적인 상호작용의 분절된 방식만을 보여준다. 행동은 목적이 없거나 양육자와의 상호작용을 향해 조직화되지 못한 상태로 나타날 수 있다. 자기 몰입적인 행동을 보이거나 다른 사람의 신호를 잘못 해석할 수 있다. 이 모든 행동들은 이 수준에서 현저한 어려움이 있다는 신호이다.

Level 4: 공유된 사회적 문제 해결 (일반적으로 9-18개월 사이에 관찰할 수 있는) (Level 4: Shared Social Problem Solving (Typically Observable between 9 and 18 Months))

Level 4 능력은 연속적인 의사소통 회기의 흐름에 참여함으로써 증명된다. 이 능력들은 이제 복잡하고, 조직화된, 문제해결적인, 정서적 상호작용이다(예: 14개월 남자 아이는 엄마의 손을 잡을 수 있고, 그녀를 냉장고 앞으로 끌고 가서 문을 두드리고, 문이 열리면 원하는 음식을 가리킬 수 있다). 걸음마기 아이는 이제 여러 가지 소망과 의도와 관계된 원인-결과 단위를 일련의 혹은 조직화된 패턴으로 배열하고, 양육자와의 상호작용에서 상호적 관계의 발전과 유지에서 좀더 적극적인 역할을 취한다. 아이는 이제 효능감(sense of competence)과 자율성

(autonomy)을 획득하기 위하여 사회적인 신호를 사용하고 이에 반응할 수 있다(예, 전상징적 자기감). 1세가 되면, 상호 주의하기(joint attention)(사람-사람-사물 의식)와 사회적 상황 이행을 공유하는 능력(the ability to share social context transitions) 은 이차적인 상호주관성의 출현을 증명한다-이것은, 다른 사람의 의도나 감정을 이해하는 능력이다.

걸음마기 아이는 양육자와의 상호적 관계를 발전시키고 유지시키는데 좀 더 적극적인 역할을 맡게 되고, 애착 패턴은 안정감, 친밀감, 탐험, 공격성과 제한설정을 얻으려는 의도의 의사소통을 포함한 목표 지향적인 행동들로 조직된다.

안전과 안정감 대 위험, 수용과 거절, 승인과 반대의 기본 정서적 메시지들은 모두 얼굴표정, 자세, 움직임 패턴, 목소리 톤, 리듬 등을 통해 소통될 수 있다. 9~11개월 무렵 아이들은 신체적 움직임을 감정을 표현하고 목적을 가진 의도된 움직임으로 볼 수 있고 다른 사람들을 자신의 대리인으로 인식할 수 있다. 말은 이러한 기본 의사소통을 향상시키지만, 몸짓은 대화가 시작되기 전에도 감정적 메시지를 전달해서 말을 줄이게 된다.

그러므로 비언어적인 몸짓을 통한 의사소통 시스템은 자신이 누군지, 자신이 인지하는 것이 무엇인지에 대해 발달 중인 아이들의 감각에 영향을 미치는 모든 의사소통의 일부가 된다. 생후 2년째에, 걸음마기 아이들은 자기 의도를 전달할 수 있고, 다수의 의사소통 회기를 시작하고 끝냄으로써 다른 사람들의 의도를 이해하는 능력을 배우게 된다.

아이는 양육자가 과도하게 신경질적이거나, 과잉보호적이거나, 과도하게 공생적이거나, 침습적이거나 혹은 내성적이면 이러한 진전된 의사소통 능력을 성취하지 못할 수 있다. 아이는 얼굴 표정이나 대인관계적 거리를 읽어내는데 어려움을 겪을 수 있고, 사람을 신체적 접촉, 음식 혹은 다른 구체적인 만족을 충족시키는 존재로만 보는 경향이 있다.

평가 척도(Rating Scale)

5. 걸음마기 아이는 문제 해결을 위하여 운동 기술과 언어를 사용할 수 있고 여러 번의 의사소통 회기에서 다양한 정서적-주제적 영역을 연결할 수 있다. 양육자와 아이는 타인과의 주고받는 연쇄적 상호작용을 시작하고 반응하며, 연결된 의사소통 회기나 상호작용 단위를 함께 결합시킨다. 다른 감정 패턴은 통합된 문제 해결적 정서적 상호작용으로 조직화 될 수 있다. 의도적인 의사소통과 목표 지향적 행동들은 완전히 습득된 능력이다.
3. 걸음마기 아이는 의도된 문제 해결 행동 양상(islands of intentional problem-solving behavior)들을 보인다. 몇몇 스트레스 상황에서 아이는 조직화된 행동패턴에 굉장히 분절된 패턴으로 퇴행되거나 내성적이 되거나 거절적으로 변한다.
1. 걸음마기 아이는 복잡한 감정적 상호작용과 문제 해결적인 상호작용으로 이행되는데 상당한 제한을 보인다. 아이는 빈약한 사회적 상호작용과 함께 내성적이고 저 활동적인 모습을 보일 수 있고, 눈맞춤이나 정서적 접촉에 어려움을 보일 수도 있다.

Level 5: 상징과 생각을 만들어 냄 (일반적으로 18-30개월 사이에 관찰할 수 있는) (Level 5: Creating Symbols and Ideas (Typically Observable between 18 and 30 Months))

다섯 번째 수준은 경험을 표현하거나 상징화하는 능력으로, 언어의 기능적 사용, 가상 놀이, 감정적인 주제와 생각을 나누기 위해 감정에 언어적 이름표 붙이기 등으로 알 수 있다. 이것은 창조, 정교하게 만듦, 의미를 나눔 등을 포함하고, 가상 놀이에서 경험을 표현하는 걸음마기 아이의 능력, 감정의 언어적 이름표 붙이기("나는 행복해"), 그리고 언어의 기능적 사용 등에서 관찰될 수 있다.

이제 정동 혹은 감정은 상징에 투영되고, 그 상징들에 의미를 부여한다. 가상놀이는 아이의 경험을 표현하는 능력으로써 아마도 언어보다 좀 더 믿을만한 지표일 것이다. 자기감(sense of self)이 그러하듯, 생각이나 표현의 정교한 설명은 점점 더 복잡해지고, 이 설명은 이제 그저 행동만 포함하는 것이 아니라 상징을 포함하게 된다. 처음에는 복잡한 드라마적 요소들이 논리적으로 연결되지 않을 수 있지만 의존성, 기쁨, 자기주장, 호기심, 공격성, 자신에 대한 한계설정, 그리고 최종적으로 공감과 사랑을 포함한 다양한 주제들을 포함하도록 확장된다.

시간이 지날수록, 아이는 기본적인 필요와 단순한 주제들을 넘어서 두 가지 이상의 감정적 생각들을 좀 더 복잡한 의도, 소망 혹은 느낌을 통해 한 번에 전달한다(예, 친밀함, 의존성, 이별, 호기심, 자기주장 혹은 분노 등의 주제들). 아이는 생각, 견해 및 느낌들을 가상 놀이와 말을 사용한 상징을 통해 표현한다. 아이는 역할놀이, 분장 놀이를 통해 자신들이 상상하는 것이 무엇인지 전달할 수 있고, 인형이나 캐릭터 피규어를 가지고 놀 수 있으며, 이 모든 것들은 다른 자원들로부터 배운 것들뿐만 아니라 실제 삶으로부터 경험한 것을 나타낸다. 캐릭터나 연기에 자신의 느낌을 투사함으로써, 그것은 아이 자신의 것이 된다.

부모의 불안은 종종 방해, 과잉통제, 약화, 과도한 자극, 철회적이거나 구체적인 행동패턴으로 이어질 수 있다(parental anxiety often leads to intrusive, overcontrolling, undermining, overstimulating, withdrawn, or concrete behavioral patterns). 결과적으로 아이는 판단하기 위해 생각을 사용하지 않고, 행동화의 구체적이고 전표상적인(concrete-prerepresentational) 행동패턴으로 퇴행할 수 있다.

평가척도(Rating Scale)

5. 아이는 요구, 소망, 의도 혹은 느낌을 전달하기 위해 언어나 가상놀이(인형이나 캐릭터 피규어를 가지고 노는 것)를 사용한다. 심지어 언어를 기능적으로 사용하는 능력을 획득하기 전에도 아이는 자신의 느낌을 캐릭터나 연기에 투사한다.
3. 아이는 감정적 환상을 두려워할 수 있고, 특히 이별, 거절, 공격 혹은 자기 주장과 같은 특정 주제에 대해서 그럴 수 있다. 어떤 영역은 접근할 수 있지만, 핵심적인 영역은 행동적 수준에 머무른다.

1. 아이는 상호적인 가상 놀이나 기능적 언어의 사용을 통해서 연습하지 못하고 결핍이 나 제약이 발생할 수 있다. 아이는 절대 표상적인 방식을 사용해서 배우지 못하고 충동적이거나 철수된 행동을 보일 수 있고, 상징적인 방식을 자신의 우월함과 공격성에만 제한되게 쓸 수 있다. 그리고 즐거움이나 친밀함의 영역에 거의 정교화를 보이지 않는다.

Level 6: 아이디어들 사이의 논리적 연결고리를 만듦: 논리적 사고(Building Logical Bridges between Ideas: Logical Thinking(Typically Observable between 30 and 48 Months))

여섯 번째 수준은 생각과 느낌들 사이의 논리적 다리를 만들고 그러한 느낌, 생각 그리고 다른 것들과 다른 것들로부터 나오는 사건들을 가상 놀이와 현실을 기반으로 한 대화를 통해 구별하는 것을 포함한다. 생각들 사이의 논리적 연결고리가 확립되면, 현실에 대한 추론과 평가가 늘어나게 된다-진짜라고 믿고 있는 것 중 무엇이 "가짜"인지, 틀린 것 중 무엇이 맞는 것인지 구분하는 것과 갈등을 다루도록 배우고, 친사회적 결과(prosocial outcomse)를 찾는 것을 포함한다.

아이들이 감정적 사고(emotional thinking)가 가능해지면 자신의 경험, 느낌과 다른 사람들의 경험과 느낌 사이의 관계를 이해하기 시작한다(예, "네가 내 장난감을 가지고 가서 나는 화가 났다"). 아이들은 성장할수록, 환상과 현실 사이의 균형을 갖고, 시간, 공간, 그리고 인과관계를 고려하게 된다.

가상 놀이는 종종 돌봄과 의존을 시사하는 식사와 껴안기 상황에서 시작된다. 그러나 시간이 지나면, 아이가 시작할 수 있는 드라마는 (부모 상호작용의 도움 하에) 이별(예, 한 인형이 여행을 떠나면서 다른 이를 남겨두었다), 경쟁, 자기 주장, 공격성, 상처, 죽음, 회복(예, "좋은 남자는 절대 죽지 않기" 때문에, 의사 인형이 상처 입은 군인을 고쳐주었다) 등의 장면을 포함하는 것으로 확장될 수 있다. 동시에, 환상/드라마의 구조는 점점 더 논리적이고 인과적으로 관련된 것이 되어간다.

어린 아이가 차별화된 의미를 공유하는 능력을 발전시키는 것이 바로 이 시기이다. 아이는 자신만의 생각을 전달할 뿐만 아니라 다른 사람의 생각과 언급을 기반으로 하여 그들이 좀 더 폭넓은 범위의 느낌을 탐색한다. 아이는 생각의 순서를 논리적으로 연결하고 설명할 수 있고, 시간과 공간을 고려할 수 있다. 현실적인 대화와 가상놀이의 스토리는 이제 논리적으로 서로 연결된 생각으로 구성된다. 이야기는 대개 시작, 중간, 그리고 끝을, 그리고 명확한 동기와 예상되는 결과를 갖게 될 수 있을 것이다. 아이는 이제 다양한 감정을 추상화 하고 반영할 수 있다. 게다가 이 단계의 아이들은 자신들의 관계를 좀더 현실을 기반으로 한 대화로 협상하기 시작한다-예를 들어, "이거 해도 돼?" 혹은 "저거 해도 돼?" 또는 "내가 벽에 공을 차면 어떻게 할 거야?" 같이. 이들은 토론에 참여하고, 자신의 의견을 지향하는 대화와 혹은 좀 더 계획적이고 정교한 가상 드라마에 참여하기 시작한다.

표상적 구분은 충동과 기분을 조절하고 주의와 집중을 기울이는 능력의 기본을 제공한다.

자기 자신의 기분을 아이의 기분과 혼동하거나 제한 설정을 못하는 양육자들은 현실적응의 형성을 방해할 수 있다. 또한 청각-언어 혹은 시각-공간적 상징의 추상적 능력들과 같은 아이의 감각 처리 능력의 결핍은 이런 수준의 추론능력의 성취(the achievement of this level of reasoning)에 영향을 줄 수 있다.

평가척도(Rating Scale)

5. 아이는 논리적으로 연관된 보다 복잡한 의도, 소망 혹은 느낌들을 전달해야 하는 때에, 두 가지 이상의 감정적 사고내용을 전달하기 위해 상징적 의사소통(가상 놀이 혹은 실제 대화)을 사용할 수 있다-예를 들면, 친밀함 혹은 의존, 이별, 탐험, 두려움, 자기주장, 분노, 공격성, 자신감, 혹은 과시 등의 주제들
3. 아이는 일부 논리적으로 연결되고 현실에 기반을 두고 있는 두 가지 이상의 생각들에 대해 가상놀이 장면(pretend play sequences)을 사용하나 다른 것들은 가상놀이를 사용하지 못한다. 예를 들어, 분노나 성적호기심은 피하고, 상대적으로 미분화된 상태로 남아있을 수 있다.
1. 아이가 비인격적이거나 감정적인 정보를 조직화하는 능력은 제한되어 있거나 약화되어 있다. 간단한 가상 장면이나 상징적 능력은 사용할 수 있지만, 아이는 대체로 자기 몰입적이고 회피적이다. 연령에 적절한 상호적 혹은 상징적 능력은 숙달되어 있지 않다.

기대되는 정서적 기능의 요약(Summary of Expected Emotional Functioning)

Axis II는 아이가 도달한 발달 기능 수준의 평가를 위한 설명을 제공한다(표 7.6). 많은 설명들은 IDCL-DMIC에서 Greenspan과 그 동료들이 정의한 것들이다. 임상적 진단 특성을 정의하기 위해 임상의들이 아이의 강점과 결핍을 체계적으로 정리하도록 돕고자, 연령에 적합한 임상적 묘사는 위에 제시했고, 가장 적절한 평가 도구들의 목록은 아래에 제시하였다.

가장 적합한 평가 도구(Most Relevant Assessment Tools)

유-소아를 위한 기능적 정서적 평가 척도(Functional Emotional Assessment Scale for Infancy and Early Childhood)

유-소아를 위한 기능적 정서적 평가 척도(Functional Emotional Assessment Scale for Infancy and Early Childhood, FEAS; Greenspan, DeGangi, & Wieder, 2001)는 임상의, 교육자, 연구자들이 유아와 소아들, 그리고 가족들에서의 정서적인 기능과 사회적인 기능을 관찰하고 측정할 수 있게 해 준다. 이것은 3개월에서 48개월 사이 아이들의 정서적인 범위와 감각운동 감정적 범위(affective and sensorymotor emotional range), 그리고 관련된 운동, 감각, 언어 그리

고 인지 능력 등 일차 정서 능력을 체계적으로 평가한다. 이 검사는 특히 자기 조절, 애착, 의사소통, 집중력 및 행동 조절에서 어려움을 겪는 영유아들에게 적합하게 만들어졌다. 이 척도는 신뢰할 수 있고 타당한 방법으로 영유아와 양육자에서 집과 학교를 포함한 다양한 환경에서 유아/어린이와 양육자 사이의 자연스러운 상호작용과 쉽게 관찰되는 정서적 행동들, 미묘하고, 깊은 수준의 정서적 기능 모두를 포함한 모든 범위의 정서적 기능을 개념화하고, 조작할 수 있게 한다. 이것들은 자기 조절, 관계(애착), 상호 정서적 상호작용, 정서적 범위와 안정성, 사회 정서적 문제 해결, 자기감의 발현(emergence of a sense of self), 상징화하거나 감정을 표현하는 능력과 감정적 경험, 상상력과 창의력, 가상 놀이(pretend play), 감정적 사고, 현실감(appreciation of reality), 소망, 흥미, 아이의 인격과 양육자와의 상호작용을 특징짓는 정서적 주제의 범위 등을 포함한다. FEAS는 네 가지 표본의 7에서 48개월 사이의 영유아들에서 타당하다고 평가되었고 어린 아이들의 사회-정서적 기능에 대한 타당하고 신뢰할 수 있는 도구로 여겨진다.

표 7.6. Summary of Expected Emotional Functioning

Level	기대되는 정서적 기능(Expected emotional function)	평가척도(Rating scale)
1	공유된 주의와 조절 (Shared attention and regulation)	5 4 3 2 1
2	참여와 관계 (Engagement and relating)	5 4 3 2 1
3	양방향의 목적 있는 정서적 상호작용 (Two-way purposeful emotional interactions)	5 4 3 2 1
4	공유된 사회적 문제 해결 (Shared social problem solving)	5 4 3 2 1
5	상징과 생각을 만들어 냄 (Creating symbols and ideas)	5 4 3 2 1
6	아이디어들 사이의 논리적 연결고리를 만듦: 논리적 사고(Building logical bridges between ideas: Logical thinking)	5 4 3 2 1

Greenspan 사회-정서 성장 차트: 영유아 선별 설문지(Greenspan Social-Emotional Growth Chart: A Screening Questionnaire for Infants and Young Children)

Greenspan 사회-정서 성장 차트: 영유아 선별 설문지(Greenspan, 2004)는 아이의 부모, 교육자 혹은 기타 양육자가 완성하는 35문항의 설문지이다. 이 설문지의 이름이 보여주듯, 이것은 영유아들에서 사회-정서적 발달 이정표, 결핍 및 손상(compromise)을 측정하는 선별 도구로 고안되었다. 이 차트는 출생부터 42개월 사이 아이들의 사회 정서 성장의 여섯 가지 영역을 구분한다. 이 여섯 단계는 여덟 가지 기능 정서적 이정표들을 포함한다(0-3개월, 4-5개월,

6-9개월, 10-14개월, 15-18개월, 19-2개월, 25-30개월, 31-42개월). 진행시간은 10분 정도다. 항목들은 5점 척도로 매겨지고, 일반적으로 해당 항목이 숙련되는 연령 범위에 따라 발달적 순서로 되어있다. 이 간략한 도구는 초기의 능력에 숙련도를 결정하고, 사회-정서적 성장과 기능 상의 결핍이나 어려움을 발견하기 위한 것이다. 이것은 또한 초기 중재 프로그램의 목표를 정하고 진행상황을 감시하는 데 쓰일 수 있다.

신생아 행동 평가 척도(Neonatal Behavioral Assessment Scale)

신생아 평가 척도(NBAS; Brazelton & Nugent, 1995, 2011)는 아기의 행동 레퍼토리와 환경 자극에 대한 반응을 조절하는 능력을 평가하기 위해 만들어진 다면적 평가 척도이다. NBAS는 재태 연령 36주부터 만기출생 2개월까지의 아기들을 평가하는데 사용되며 53개 항목으로 구성되어 있다(18개의 신경반사, 28개의 행동 항목, 7개의 추가 항목들). NBAS 평가자는 각 아이들이 최상의 수행을 얻어낼 수 있도록 훈련된다. 평가 말미에, 평가자는 아기의 강점, 적응 반응, 가능한 취약점들 등을 포함한 유아의 행동적인 "초상화(portrait)"를 갖게 된다. 유아 행동의 평가를 비교하기 위해서, 비슷한 방법으로 상호작용하는 항목들은 Lester, Als, 및 Brazelton(1982)에 따라 전반적인 기능(global functions) 군 7개로 나누어졌다. 이 군들은 반사(예, 족저반사[plantar grasp], 바빈스키[Babinski], 발목긴장[ankle tonus]), 운동 시스템(근 긴장, 운동 성숙, 당겨서 앉히기[pull-to-sit, 생후 4개월 무렵 누운 상태에서 팔목을 당겨 앉히면 머리를 앞으로 숙이는 반사], 방어 움직임[defensive movement], 활동수준[level of activity]), 자율적 안정성(autonomic stability)(진전[tremors], 깜짝 놀람[startles], 피부색[skin color] 등을 포함), 습관화(habituation)(빛, 소리, 촉각 자극에 의한 반응 감소를 포함), 사회적 상호작용 조직(social-interactive organization)(생물적인 그리고 무생물적인 시각 지향[visual orientation], 청각 지향[auditory orientation] 및 각성도[alertness]), 상태 범주(range of states)(최고조의 흥분[peak of excitement], 급속도의 성장[rapidity of buildup], 과민함[irritability], 상태의 불안정성[lability of states]), 상태 조절(껴안기[cuddliness], 위로하기[consolability], 자기 진정 행동[self-quieting activity], 손가락을 입에 가져다 대는 행동[hand-to-mouth activity]) 등을 포함한다. NBAS를 시행하는 데는 20-30분 정도가 소요되고, 점수를 매기는 데 10-15분 정도가 걸린다. 각 행동들은 9점 척도로 점수가 매겨지고, 반사들은 4점 척도로 매겨진다.

신생아 행동 관찰 체계(Newborn Behavioral Observations System)

신생아 행동 관찰 (NBO) 체계(Nugent, Keefer, Minear, John-son, & Blanchard, 2007)는 임상의와 부모들이 유아의 행동 능력을 함께 관찰하고 유아가 성공적으로 성장하고 발달하는 데 필요한 도움의 종류를 파악하도록 돕기 위해 만들어진 관찰 결과들의 세트로 구조화되었다. 이것은 관계를 기반으로 한 도구로써 부모-유아 관계를 촉진시키기 위해서 디자인 되었다. NBO 체계는 출생 후 3개월동안 신생아의 능력과 행동 적응을 묘사하는 18가지 신경행동적 관찰 세트로 구성되어 있다.

항목들은 외부 빛과 소리 자극에 익숙해지는 유아의 능력(수면 보호)에 대한 관찰, 운동 톤의 정도 및 활동 수준(the quality of motor tone and activity level), 자기 조절 능력(울음과 달램을 포함한), 스트레스에 대한 반응(유아의 자극에 대한 역치의 지표), 그리고 시각, 청각, 사회적 상호작용 능력(각성도와 사람 및 사람이 아닌 자극들에 대한 반응 정도) 등을 포함한다. 유아의 강점과 어려움들에 대한 이런 행동 특성을 제공함으로써, NBO 체계는 임상의에게 부모들이 자기 아기들의 요구를 맞춰줄 수 있도록 도울 수 있는 개별화된 가이드를 제공할 수 있다. 결과적으로 이것은 부모들에게 자기 아기의 발달을 도울 필요가 있고 새로운 부모가 된다는 경험을 즐길 수 있는 확신을 가질 수 있도록 도와줄 것이다. 그러므로 NBO 체계는 관계를 만드는 방법으로 설계되어 있고 유연하게 적용될 수 있다.

NICU 네트워크 신경행동 척도(NICU Network Neurobehavioral Scale)

NICU 네트워크 신경행동 척도(NNNS; Lester, Tronick, & Brazelton, 2004)는 상태에 따라 좌우되는 "패키지"로 그룹 지어진 45가지 개별 항목(추가적인 21가지 요약 항목과 함께)으로 구성된 신경행동 평가 척도로 연구자들과 임상의가 만삭아 혹은 조산아들에서의 신경학적 통합, 행동 기능, 스트레스 행동의 종합적 평가를 제공하도록 설계되었다. NNNS는 사전평가 관찰(pre-examination observation)과 함께 정해진 순서에 따라 진행이 되고, 신경학적 구성요소와 행동적 구성요소로 이어진다. NNNS 항목들은 습관화, 집중력, 각성, 조절, 처리 과정의 수, 움직임의 질, 흥분성, 무기력, 우회적인 반사 수, 비대칭 반사 수, 과다 긴장성, 과소 긴장성, 및 스트레스/억제 신호 등 다음의 13개의 요약 점수로 매긴다. 신경학적 검사는 능동적인 톤과 수동적인 톤, 원시 반사, 중추신경계의 완전함(integrity of CNS) 및 유아의 성숙도를 포함한다. 행동적인 요소는 NBAS(Brazelton & Nugent, 1995; see above)를 기본으로 하고 상태, 감각 그리고 상호작용 반응에 대한 평가를 포함한다. 스트레스 요소는 검사를 통해 관찰된 징후들의 체크리스트다. NNNS 검사의 완성은 아기 침대나 미숙아 보육기 내 같이 의학적으로 안정적인 상태에서 이루어 져야 하고 30분 정도 소요된다. 재태연령 30주 미만의 유아들에게는 아마 적합하지 않을 것이고 상한 연령은 46에서 48주(교정된 혹은 개념적 연령으로) 사이로 다양하다. 이 검사는 125명의 만기 출생의 건강한 유아들을 통해 표준화 되었다.

유아와 걸음마기 아이 발달의 Bayley 척도, 3판(Bayley Scales of Infant and Toddler Development—Third Edition)

유아와 걸음마기 아이 발달의 Bayley 척도 3판(Bayley-III; Bayley, 2006)은 자주 사용되고 잘 알려진 유아 발달의 Bayley 척도 2판의 개정본이다(Bayley, 1993). 그 전 버전처럼, Bayley 3판은 1개월에서 42개월 사이의 유아, 걸음마기, 어린이들의 발달적 기능을 측정하기 위해 개별적으로 적용되는 도구다. 아이의 연령에 따라 검사 시간은 30분에서 90분 정도 걸린다. Bayley 3판은 인지, 언어, 운동, 적응 및 사회 정서적 발달 등의 영역에 대한 5가지 척도를 제공한다. 특히 Bayley 3판은 특정하게 혹은 고립된 감정이나 사회적 기술뿐만이 아닌, 사회 정서적 패턴과 중요한 성취들을 광범위하게 나타내는 기능적 사회 정서적 이정표의 획득에 집중한다.

그러므로 척도는 다양한 감정 신호를 이해하고 말이나 상징을 통해 느낌의 범위를 묘사할 뿐만이 아니라 참여하는 능력과 사용하는 감정의 범위, 경험 및 표현을 포함한 연령과 연관된 중요한 이정표의 획득을 평가한다. 평가는 자연스러운 세팅에서 일어나는 행동에 초점을 맞춘다. 그러므로 Bayley 3판 사회 정서적 척도는 부모를 포함한 일차 양육자에 의해 제공된 정보에 의존하게 된다. 이 척도의 항목들은 Greenspan 사회 정서 성장 차트에서 비롯되었다, 유소아를 위한 선별 설문지는 위에 설명되어있다. 덧붙여, Bayley 3판 사회 정서적 척도는 감각처리의 평가를 포함하고 선택된 감각 처리 패턴에 대해 간략한 설명을 제공한다.

유아-걸음마기 사회 정서 평가(Infant–Toddler Social and Emotional Assessment)

유아-걸음마기 사회 정서 평가(ITSEA; Carter et al., 2003; Carter & Briggs-Gowan, 2006)는 12개월에서 36개월까지 아이들의 넓은 범주의 사회 정서적인 문제와 행동 문제를 평가하기 위해 개발된 부모 보고 설문지다. ITES는 166가지 항목을 포함하고 외현화, 내현화, 조절장애, 그리고 능숙도 등 4가지 넓은 영역의 행동을 평가한다. 외현화 영역은 활동/충동성, 공격성/반항, 그리고 또래 공격성 척도로 구성되어 있다. 내현화 영역은 우울/철수, 일반적인 불안, 분리 곤란 및 새로운 것에 대한 억제에 대한 척도를 포함한다. 조절장애 영역은 수면, 부정적 정서성(negative emotionality), 식이(eating) 그리고 감각 감수성(sensory sensitivity) 척도를 포함한다. 일차 양육자는 아이의 행동의 각 특정 측면을 3점 척도로 점수를 매긴다(0, 사실이 아닌/드문; 1, 약간/가끔; 2, 매우 맞는/자주). "기회가 없는" 부호는 양육자가 자신들이 어떤 행동들을 볼 기회가 없었음을 나타낼 수 있다. ITSEA에 나타나는 행동에는 일반적인 발달의 일부인 행동이나 지나치게 혹은 너무 자주 드러나면 문제가 되는 행동들 모두를 포함하고 이 행동들은 드물게 정상적이 코스에서의 일탈을 보여주는 문제 행동들을 일으킨다.

간략한 유아 걸음마기 아동의 사회 정서적 평가(Brief Infant Toddler Social and Emotional Assessment)

간략한 42개 항목의 ITSEA(the Brief Infant–Toddler Social and Emotional Assessment, or BITSEA; Briggs-Gowan & Carter, 2006)는 12개월에서 36개월 사이의 어린 아이들의 사회 정서적 문제와 행동 문제나 지연, 그리고 사회 정서적 기능을 평가하는 데 용이하다. 이것은 31개 항목의 문제 척도와 11개 항목의 기능 척도를 포함한다. 높은 점수일수록 후향적으로 더 많은 사회 정서적 혹은 행동 문제, 혹은 더 좋은 사회 정서적 기능을 나타낸다. 다양한 연구들이 BITSEA의 심리 측정적 속성들을 평가해왔고, 이 검사가 강력한 내적 합치도(internal consistency reliability)와 좋은 시간적 합치도, 내용, 수렴, 차별성, 동시성 및 예측 타당도를 확인해왔다.

조기 사회 의사소통 척도(Early Social Communication Scales)

조기 사회 의사소통 척도(ESCS; Mundy et al., 2003)는 비디오로 녹화하는 구조화된 관찰 측정도구로 15-25분 정도가 소요된다.

이것은 일반적으로 8개월에서 30개월 사이 아이들에서 일어나는 비언어적 의사소통 기술에서 개별적인 차이의 측정을 위해 개발되었다. ESCS를 녹화한 비디오는 관찰자로 하여금 아이들의 행동을 상호주의하기행동(joint attention behaviors), 행동적 요구(behavioral requests) 및 상호작용행동들(interaction behaviors) 등의 세 가지 초기 사회적 의사소통 행동들의 상호배타적인 범주들 중 하나로 분류할 수 있게 해 준다:

또한 행동들은 아이가 시작한 노력인지, 검사자의 노력에 아이가 반응한 것인지에 따라 분류될 수 있다(공동관심을 시작/ 공동관심에 대한 반응, 행동적 요구를 시작/행동적 요구에 대한 반응, 사회적 상호작용을 시작/상호작용에 반응). 마지막으로, ESCS에서 아이가 검사자가 보여주는 가리키거나, 박수치는 동작을 흉내 내는 횟수를 더해서 사회적 의사소통 모방의 정도를 알 수도 있다.

연령 및 단계 설문지: 사회-정서(Ages and Stages Questionnaires: Social-Emotional)

연령 및 단계 설문지: 사회-정서(ASQ:SE; Squires, Bricker, & Twombly, 2002)는 부모 반응을 통해 아이의 사회-정서적 발달을 구체적으로 살펴보는 연령 및 단계 설문지의 동반 도구이다. ASQ:SE는 아이의 부모 혹은 다른 일차 양육자와 함께 사용하기 위해 개발된 일련의 설문지로 아이 평가를 위한 6, 12, 18, 24, 30, 36, 48, 60개월의 8번의 구분된 구간이 있다. 각 ASQ:SE 설문은 일곱 가지 사회적, 정서적 영역에 초점을 맞춘 항목들로 구성되어 있다(예, 자기 조절, 유연성, 의사소통, 적응 행동, 자율성(autonomy), 정동, 사람들과의 상호작용). 설문지들은 양육자들이 자신의 아이가 그 행동을 "대부분의 시간 동안", "가끔", 혹은 "전혀 또는 드물게."하는지를 나타내는 간단하게 표현된 항목들로 구성된 표준 서식을 사용한다.

추가적인 열은 부모들이 질문 받은 행동들에 대한 염려를 가지고 있는지를 표시할 수 있게 한다. 낮은 수는 아이의 사회적 정서적 행동이 일반적이고 그 연령에 기대되는 수준이라는 것을 나타내나, 높은 총점은 위험도를 나타낸다. 도구의 정신계측적 특성에 대한 연구는 ASQ:SE의 타당도와 신뢰도를 뒷받침해준다.

영아기 증상 정검표(The Infant/Toddler Symptom Checklist)

영아기 증상 점검표 (ITSC; DeGangi, Poisson, Sickel, & Wiener, 1995)는 매일 아이의 행동들에 대한 중요한 정보를 얻기 위해 고안된 부모 보고 척도이다. ITSC는 자기 조절에서 어려움을 겪는 7에서 30개월 사이의 영아들을 위해 개발되었다. 체크리스트와 일반적인 선별검사 양식이 다섯 가지 연령별로 버전이 나뉘어져 있다. 체크리스트는 다음에 제시되는 범주에서 유아의 반응에 초점을 맞춘다.: 자기 조절(신경질적이고/까다로운 행동들[울기와 성질부리기를 포함], 부족한 자기 진정 능력(poor self-calming), 만족 지연 불능(inability to delay gratification), 활동 간 전환의 어려움(difficulties with transitions between activities), 기타 통제의 필요성(need for other-regulation)); 집중력(산만함, 집중을 시작하기와 전환의 어려움(difficulty initiating and shifting attention)); 수면(수면 유지와 입면의 어려움); 식이(역류나 기타 구강 운동 문제와 연관된 구역 혹은 구토, 식품 선호(food preferences), 식이 중 문제 행동); 옷 입기, 목욕, 접촉(옷 입기, 목욕과 관계된 촉각 과민성, 촉감으로 탐색하기를 싫어함, 운동 계획과 균형의 장애, 공간 이동에서의 불안정성(insecurity in movement in space), 듣기, 언어 및 소리(소리에 대한 과민성(hypersensitivities to sound), 청각 산만성(auditory distractibility), 청각 처리 장애(auditory processing problems), 표현 및 수용 언어 장애); 보기 및 시야; 애착/정서 기능(시선회피(gaze aversion), 감정통제불능(mood deregulation), 정동 둔마(flat affect), 놀이와 상호작용의 미성숙, 분리 장애, 제한 수용의 어려움 및 기타 행동 문제).

울음-식이-수면 면접(The Cry–Feed–Sleep Interview)

울음-식이-수면 면접(CFSI; McDonough, Rosenblum, Devoe, Gahagan, & Sameroff, 1998)은 유아의 울음, 신경질, 섭식 및 수면 패턴의 세부사항과 이에 대한 부모들의 지각을 생후 첫 1년, 초기에 평가하기 위해 개발된 56 항목 척도로 출간되지는 않았다. 이것은 유아의 초기 정서 및 생리 조절을 생후 3개월부터 1년까지에 평가하도록 고안되었다. CFSI의 점수는 연구자의 목적에 기반을 두고 매기게 된다. 울음과 수면 항목은 두 가지 초기 평가를 기반으로 한다. 첫째, 울음 패턴 설문지는 유아기의 총 울음 시간을 평가한다(CPQ; St. James- Roberts & Halil, 1991). 5 항목의 울음 척도는 하루 중 다양한 시간대에 유아가 우는 시간이 총 몇 분인지 측정한다(아침, 점심, 저녁, 밤), 그리고 3 항목의 섭식 문제 척도는 유아의 식욕, 까다로운 식습관 및 먹이기의 어려움('1'은 아무 문제가 없다는 것이고, '3'은 분명한 문제가 있음을 의미함)을 3점 반응 척도를 사용하여 평가한다. 둘째, 수면 습관 척도(Seifer et al., 1994; Sameroff, Barrett, & Krafchuk, 1994) 는 유아의 수면 문제를 평가한다. 3 항목의 수면 문제 척도는 3점 반응 척도를 사용하여 유아가 잠을 너무 적게, 적당히, 혹은 매일 같은 시간 동안 자는지를 평가한다('1'은 드물게, '3'은 자주를 의미한다).

경험 기반 평가의 아헨바흐 시스템, 학령전기의 유형 및 특성(Achenbach System of Empirically Based Assessment Preschool Forms and Profiles)

경험 기반 평가의 아헨바흐 시스템(ASEBA), 학령전기의 유형 및 특성(Achenbach & Rescorla, 2000)은 부모 보고 양식(Child Behavior Checklist for Ages 1½–5, or CBCL/1½–5), 양육자-교사 보고 양식(Caregiver–Teacher Report Form, C-TRF) 그리고 언어발달설문지(Language Development Survey, LDS)를 포함한다. 이것은 CBCL/4-18을 기반으로 한 이전 CBCL/2-2의 확장형이다. The CBCL/1½–5와 C-TRF는 행동, 정서, 사회 기능문제의 경험적인 범위를

포함하기 위해 유사하게 구성되어 있다. 두 가지 다 100가지 문제 항목들(99개는 폐쇄형, 1개는 개방형 항목들이고 이들은 앞의 목록에 제시되지 않은 문제들도 추가하도록 요청하고 있다)을 절충하고 있다. 낮 동안 아이를 맡는 주간보호 실무자나 기타 양육자 등은 C-TRF를 작성하고, 가족 등 아이와 같이 살고 있는 부모 혹은 다른 어른들은 CBCL/1½–5를 작성한다. 응답자들은 지난 3개월을 바탕으로 '0'은 "그렇지 않다, '1'은 약간 혹은 가끔 그렇다, '2'는 매우 그렇다 혹은 자주 그렇다."로 각 항목의 점수를 매기도록 요청 받는다. C-TRF는 17가지 항목을 각 그룹의 상황에 특징적인 가족 상황에 맞춘 것으로 대신한다. CBCL/1½–5은 아이의 건강에 관련된 보충정보를 요청한다. C-TRF는 응답자가 아이를 얼마나 잘 알고, 아이가 평가 받을 상황에 대해서 얼마나 잘 아는지를 포함하여, 주간 돌봄의 종류와 아이와 관련되어 응답자의 역할이 무엇인지에 대한 정보를 요청한다. 증상을 정확한 진단 기준과 연결시키기 위한 목적과 문화권 사이의 비교를 위해, DSM에서 비롯된 다섯 가지 다른 척도들이 구성되어 있다: 정서적 문제(affective problems), 불안 문제(anxiety problems), 전반적 발달 문제(pervasive developmental problems), 주의력 결핍/과잉행동 문제(attention-deficit/hyperactivity problems) 및 적대적 반항 문제(pervasive developmental problems).

유아 기질평정척도(Infant Behavior Questionnaire—Revised)

유아 행동 설문지-교정본(IBQ-R; Gartstein & Rothbart, 2003)은 3-12개월 사이 유아들의 기질을 평가하는 191가지 항목 척도이다. 부모들은 0-7점 척도를 이용하여 각 항목별로 자기 아이의 점수 매긴다(0, 해당되지 않는다; 1, 행동에 관여하지 않는다; 7, 항상 행동에 관여한다). IBQ-R은 14가지 하위척도와 세 가지 고차원 요인들(higher order factors)이 도출될 수 있다: 활동성(Surgency)/외향성(extraversion), 부정적 정서(negative affectivity) 그리고 지향(orienting)/조절(regulation). 활동성/외향성은 접근, 음성반응성, 고강도 즐거움, 미소, 웃음, 활동 수준, 그리고 지각적 예민성의 하위척도를 포함한다. 부정적 정서는 슬픔, 제한에 대한 고통, 두려움, 반응감소율(falling reactivity, 고조된 고통, 흥분, 일반적 각성으로부터 회복되는 비율)의 하위척도를 포함한다. 지향/조절은 저강도 즐거움(low-intensity pleasure), 잘 안기려 함(cuddliness), 지향 지속성(duration of orienting), 달래기 쉬움(soothability)의 하위척도의 조합이다.

영아 기질평정척도(Early Child Behavior Questionnaire)

영아 기질평가척도(The Early child Behavior Questionnaire(ECBQ; Putnam, Gartstein, & Rothbart, 2006))는 18개월에서 36개월 사이 아이들의 기질을 평가하는 201문항 척도이다. 0-7점 척도가 모든 문항에서 사용되고, 18개의 하위척도와 세 가지 고차원 요인들이 파생될 수 있다. 활동성/외향성 요인은 충동성, 활동 수준, 고강도 즐거움, 사교성(sociability) 그리고 긍정적 기대(positive anticipation)의 하위척도를 포함한다. 부정적 정서는 불편감, 두려움, 슬픔, 좌절, 달래기 쉬움(역산 문항, reverse coded), 운동 활성화(motor activation), 지각적 민감성(perceptual sensitivity) 및 수줍음의 하위척도를 포함한다. 지향/조절 요인은 억제 조절(inhibitory control), 주의 전환(attentional shifting), 저강도 즐거움, 잘 안기려 함(cuddliness) 및 주의 집중(attentional focusing)의 하위척도로 구성된다.

축 III: 감각 조절-처리 능력(Axis III: Regulatory–Sensory Processing Capacities)

축 III는 아이의 감각-조절 처리 특성을 서술한다. 영유아가 감각 경험에 반응하고 이를 이해하고, 어떤 행동을 계획하는 방식에는 여러 가지 기질적-성숙적 차이가 있다. 각각의 관찰되는 패턴들은 비교적 정상적인 변이(normal variation)에서 장애(disorder)로 이어지는 연속선상에 존재한다. 후자의 경우(장애) 개인의 감각 차이가 일상 생활 능력과 연령에 기대되는 정서적, 사회적, 인지적 혹은 학습 능력을 방해할 정도로 충분히 심각한 정도일 때 발생한다. 장애로 구분되면, 감각-조절 처리 장애의 일차 진단이 내려지고, 임상의는 위에 설명된 축I에서 다양한 패턴들을 찾아볼 수 있다. 다른 경우, 장애가 있는 감각-조절 처리는 다른 일차 진단과 연관 있을 수 있다(예: 자폐 스펙트럼 장애 혹은 불안 장애). 그런 경우, 축 III은 질환을 이해하고 치료를 계획하는데 유용할 수 있는 조절의 차이를 적용할 수 있도록 해준다(예, 섭식 장애에서 감각 차이, 자폐에서의 저감각 처리, 집중력 장애의 감각 추구, 수면 장애의 과감각 처리). 많은 경우, 감각-조절 처리 능력은 그저 정상적 변이로 서술될 수 있다.

감각-조절 처리 능력의 개념적 모델은 각 감각 시스템들(다섯 가지 잘 알려진 감각 영역[청각, 시각, 촉각, 후각, 미각]에 전정/움직임, 자기 수용/신체 위치 기능을 더한 총 일곱 가지 영역)에서는, 신경 역치(neurological thresholds)와 행동 반응들(behavioral responses) 사이에는 지속적인 상호작용이 존재한다고 가설을 세운다. "신경 역치"는 신경 체계가 반응하기 위해 요구되는 자극의 양을 의미한다.

연속선의 한쪽 끝에서, 역치값은 매우 높다(즉, 역치값을 충족시키려면 많은 자극을 필요로 하고, 아이들은 대개 과소반응하는 경향이 있다); 다른 한쪽 끝에서, 역치값은 매우 낮다(즉, 역치값을 충족시키는데 매우 적은 자극이 필요하고, 아이들은 대게 과잉 반응적인 경향이 있다). "행동 반응"은 사람들이 자기 역치에 따라 행동하는 방식을 의미한다. 연속체의 한쪽 끝에서, 아이들은 자신의 역치에 맞게 반응한다(즉, 역치가 너무 높으면, 아이들은 신경 체계가 아주 빠르게 반응하거나 혹은 반응하지 않도록 하는 경향이 있다); 다른 한쪽 끝에서, 아이들은 자기 역치에 대응한다(즉, 자기 역치에 반대로 한다-신경 역치가 매우 높으면 자극을 찾고, 혹은 역치가 너무 낮으면 자극을 찾지 않는다).

신경 역치의 높은 극단은 "습관화(habituation)"이라고 불리는데, 이것은 세상의 무수한 자극들에 대처하기 위해 필요하다. 습관화가 어려운 아이들은 산만하고, 동요하며 부주의할 수 있다. 신경 역치의 낮은 극단은 "민감화(sensitization)"라고 불리며, 놀이나 다른 학습에 참여하는 동안 아이의 환경에 주의를 기울이기 위해 필요하다. 민감화에 어려움이 있는 아이들은 회피적으로 보일 수 있다. 아이는 적응적인 행동을 돕고 환경의 요구에 적절하게 반응하게 위해 습관화와 민감화 사이의 균형을 발달시켜야 한다.

신경 역치와 행동 반응 사이의 지속적인 관계는 표 7.7에 제시된 것처럼 4 사분면으로 조직화된다(Dunn, 1997). 이 표를 활용하는 임상의는 각 아이들을 하나의 4 사분면에 위치시킬 수 있게 된다. 예를 들어 어떤 아이들은, 배경의 음악이 감각적 자원을 제공하고, 다른 아이들에게는 배경의 음악이 산만함을 유발하여 생각과 수행을 방해한다.

축 III의 임상 평가

축 III의 임상 평가는 아이를 직접 관찰한 바와 양육자 면담 및 설문이 보충되어 구성된다. 관찰이 이루어 지면, 감각 기능의 몇 가지 원칙들을 마음 속에 새기는 것이 중요하다. 첫째, 감각 기능은 발달 수준의 영향을 받을 수 있다. 어린 아이들은 일반적으로 독립적으로 자기를 조절하는 능력이 떨어지고 다양한 감각 시스템은 전체적으로 작용한다. 둘째, 임상의는 어떤 주어진 환경에서 아이의 기대되는 행동을 고려해야 한다.

표 7.7. 행동 반응과 신경 역치 사이의 관계

신경 역치 연속체 (Neurological threshold continuum)	행동 반응 연속체 (Behavioral response continuum)	
	역치에 상응하는 반응 (Responds in ACCORDANCE with threshold)	역치에 대응하는 반응 (Responds to COUNTERACT the threshold)
높음(습관화) HIGH(habituation)	등록이 잘 안됨 Poor registration	감각 추구 Sensation seeking
낮음(민감화) LOW(sensitization)	자극에 민감함 Sensitivity to stimuli	감각 회피 Sensation avoiding

Note. Based on Dunn (1997)

감각 추구형 아이는 놀이터에서 관찰하면 약간 난폭해 보일 수도 있지만, 조용한 사무실 공간에서 관찰하면 감각 요구가 매우 다르게 나타난다. 유사하게, 감각 자극 회피형 아이는 임상의와 양육자만 있는 사무실로 국한된 환경에서는 심하게 문제적인 행동을 보이지 않을 수 있으나 교실에서는 이 아이의 위축이 좀 더 명확하게 나타날 수 있다. 셋째, 감각 자극에 대한 반응은 자극을 만들어낸 사람의 영향을 받을 수 있다: 임상의는 양육자에게 그 행동이 아이에게 일반적인 것인지 혹은 일시적인 감정적 생리적 상태의 영향을 받은 것인지를 물음으로써 행동 관찰을 확인해 보아야 한다.

관찰 세션은 반드시 아동 주도적이고, 놀이를 기반으로 하고 유연해야 한다. 관찰 동안, 다음과 같은 것들이 필요하다: (1) 아이와 장난스러운 상호작용; (2) 부모/양육자의 참여에 의지; (3) 임상의가 관찰한 것이 다양한 상황에서 아이에게 일반적인 것인지에 대한 부모/양육자의 피드백 (대기실, 사무실, 놀이터, 교실, 식당, 집); (4) 단일 행동보다는 다양한 행동 집합에 대한 평가 (예, 얼굴과 머리를 씻기 싫어하는 것 하나로 촉각에 대한 감각 과잉반응성(overresponsivity)이라고 판단하진 않음); 그리고 (5) 단순히 드러나는 기본 기술이 아니라 아이의 반응 특성(quality)을 관찰함.

어떤 임상의든지 감각 조절(과잉 혹은 과소반응성), 감각 식별 및 감각을 기반으로 하는 운동 장애를 관찰(혹은 양육자의 정보)하기 위한 실제 재료들(혹은 질문들)을 포함할 수 있는 도구상자를 준비할 수 있다. 감각 시스템의 각 유형에 대한 재료들은 검사가 시작되기 전에 함께 수집되어야 한다(촉각 바구니, 시각 바구니, 청각 바구니, 전정/자기수용 바구니, 후각 바구니 같은). 임상의는 검사 재료가 각 아이에게 적절한지 결정하기 위해 자기 스스로 판단을 내려야 한다.

관찰은 아이의 감각 특성에 대한 검사자의 평가를 용이하게 해줄 기록 양식이 동반될 수 있다. ICDL-DMIC (ICDL, 2005)는 감각조절(과잉반응성, 과소반응성, 감각 추구), 감각 식별, 감각을 기반으로 하는 운동 장애(자세장애[postural disorder], 행동곤란[dyspraxia])에 대한 임상의의 관찰 기록을 포함한다. 총 여섯 가지 기록 양식과 요약 양식이 제공된다; 각 항목마다, 표는 아이의 수행을 문제가 아님, 문제가 될 가능성, 혹은 문제임으로 서술한다. 여섯 가지 기록 양식이 완성되면, 요약 기록 양식(이 양식을 바탕으로 한 양식이 다음 페이지의 표 7.8에 제공되어 있다)을 쓸 수 있다. 각 범주에서 각 아형은 1에서 4사이 Likert 척도로 점수 매겨질 수 있고, 높은 점수는 더 좋은 수행을 의미한다.

아이에 대한 직접적 관찰을 보완하기 위해, 판단을 기반으로 한 양육자 설문지가 사용될 수 있다.

가장 관련성 높은 평가 도구들(Most Relevant Assessment Tools)

영유아 사회 정서 평가(Infant–Toddler Social and Emotional Assessment)

축 II 세션에서 설명한 바 있던 The ITSEA (Carter et al., 2003; Carter & Briggs-Gowan, 2006)의 하위척도 중 한 가지가 감각 처리에 대한 구체적인 정보를 제공한다. 조절장애 영역에는 4가지 하위척도들이 포함된다(수면, 식이, 부정적 정서, 감각 감수성). 감각 감수성 하위척도의 항목들은 감각 처리에 대한 조사를 위한 것이다: 촉각, 청력, 시각, 후각, 자기수용 시스템; 구강 민감도; 자극에 대한 반응 강도. 이 하위척도에서 식별 가능한 장애들은 주로 새로운 경험에 적응하는 것이 어려운, 낮은 역치를 가진 아이들을 묘사한다(예, 그들은 촉각 방어 때문에 옷을 갈아입어야 할 때마다 매번 성질을 부린다).

표 7.8. 조절 감각 처리능력의 요약

범주 (category)	아형 (subtype)	이 영역에서의 장애			
		해당 없음; 전혀 혹은 드물게 문제	약간의 문제 혹은 그저 한 번씩 문제	중등도 문제 혹은 빈번하게 문제	심한 문제 혹은 대개 항상 문제
감각 조절	감각 과소반응성	4	3	2	1
	감각 과잉반응성	4	3	2	1
	감각추구	4	3	2	1
감각 식별	촉각	4	3	2	1
	청각	4	3	2	1
	시각	4	3	2	1
	미각/후각	4	3	2	1
	전정/자기수용	4	3	2	1
감각을 기반으로 한 운동 기능	자세 장애	4	3	2	1
	행동곤란 장애	4	3	2	1

Note. Based on Interdisciplinary Council on Developmental and Learning Disorders (2005).

영유아 감각 특성(Infant/Toddler Sensory Profile)

영유아 감각 특성(The Infant/Toddler Sensory Profile [Dunn, 2002; Dunn & Daniels, 2002])은 유아 혹은 걸음마기 아이의 감각 처리 능력을 평가하는 부모 설문지이다. 이것은 출생부터 6개월 사이 아이들을 위한 36 문항과 7개월에서 36개월 사이의 아이들을 위한 48개 문항으로 구성되었다. 이것은 표 7.7에 서술된 4 사분면의 점수를 제공하고(등록이 잘 안됨, 감각 추구, 감각 민감성, 감각 회피) 각 감각 시스템(시각, 촉각 등)에 대해서 아이들의 감각 처리 능력을 다음과 같이 서술한다: 일반적 수행(평균에서±1SD 이하 점수, 장애가 없는 아이들에서); 차이가 있을 수 있는(평균에서 ±1-2SD 점수); 분명한 차이(평균에서 ±2 SD 이상).

그러므로 이것은 임상의가 실제 감각 조절 처리 장애 뿐만이 아니라 개인의 감각 특성에서 정상 변이도 식별할 수 있도록 해준다. 신뢰도 분석은 앞서 1997년 Dunn의 어린이들의 감각 처리 모델에서 구별된 집단에서의 결과 일치했다.

영유아 증상 체크리스트(Infant/Toddler Symptom Checklist)

축 II 섹션에서도 서술되었던 ITSC(DeGangi et al., 1995)은 부모가 자신의 아이의 하루하루 행동에 대한 유용한 정보를 제공할 수 있게 해주는 척도이다. 체크리스트는 다음과 같은 영역들에서 유아의 반응에 초점을 맞춘다: (1) 자기 조절; (2) 집중; (3) 수면; (4) 섭식; (5) 옷 입기, 목욕, 접촉; (6) 움직임; (7) 듣기, 언어 및 소리; (8) 보기 및 시력 (9) 애착/정서적 기능. ITSC는 자기 조절에 어려움을 겪는 7개월에서 30개월 사이 영유아를 위해 개발되었다. 일반적인 선별 양식도 있다. ITSC는 154명의 정상 유아들과 67명의 조절 장애를 가진 유아들에게서 타당화 되었다.

유아들의 감각 기능 검사(Test of Sensory Functions in Infants)

유아들의 감각 기능 검사(TSFI; DeGangi & Greenspan, 1989)는 유아들의 감각 처리와 반응성을 측정하기 위해 개발된 24 항목 검사이다. 이 검사는 심부 압력 촉각에 대한 반응(tactile deep pressure), 시각-촉각 통합(visual–tactile integration), 적응적 운동 기술(adaptive motor skills), 안구 운동 조절(ocular motor control), 전정기관 자극에 대한 반응(reactivity to vestibular stimulation)의 평가에 초점을 맞춘다. TSFI는 288명의 정상 유아, 27명의 발달 지연을 가진 유아들 및 27명의 조절 장애를 가진 유아들에서 타당화 되었고 모두 4개월에서 18개월 사이었다. 18개월 표준이 19개월에서 24개월 연령 그룹의 데이터를 해석하는데 사용되었다. 도구의 심리측정 연구들은 지연되거나 조절 장애를 가진 유아들에게서 임상적 결정을 지도하는데 이 검사가 믿을 수 있고 타당하게 사용될 수 있다는 것을 보여준다.

감각 경험 설문지(Sensory Experiences Questionnaire)

감각 경험 설문지(SEQ; Baranek, David, Poe, Stone, & Watson, 2006)는 2세에서 12세 사이의 아이들에게서 감각 특성을 특징짓기 위해 설계된 105문항의 양육자 보고 도구이다. SEQ는 향상된 지각 구성, 감각 반응 패턴, 감각 양식들 및 통제 항목을 포함하여 발전하는 개념적 모델에 맞추기 위해 개발되었다. SEQ 3.0 항목들은 감각 반응패턴, 양식들, 그리고 사회적 혹은 비사회적 맥락에 걸쳐 감각 행동의 빈도를 측정한다. 첫 97개의 항목들의 빈도는 높은 점수일수록 더 많은 감각 특성들을 의미하는 5점 Likert 유형의 척도로 측정된다. 마지막 8가지 항목들은 아이의 감각 특성에 대한 광범위한 질문을 묻고, 양육자가 계수적 반응으로 설명할 수 있게 한다. 요인 분석은 과소반응성(HYPO, hyporesponsiveness), 과잉반응성(HYPER, hyperresponsiveness), 감각 관심/반복/추구 행동(SIRS, sensory interests, repetitions, and seeking behaviors) 및 향상된 지각(EP, enhanced perception) 등 4가지 감각 요인들의 존재를 확인했다.

FYI (First Year Inventory)

FYI (FYI; Reznick, Baranek, Reavis, Watson, & Crais, 2007)는 자폐 위험이 있는 유아를 식별하기 위해 개발된 설문지이다. 이 검사는 2가지 주요 영역(사회-의사소통 영역과 감각/조절 영역)으로 종합될 수 있는 63가지 항목(46개는 Likert 척도로 측정되고 17개는 선다형 항목들)으로 구성되었다. 각 영역은 4개의 다른 세트 항목으로 구성된다. 감각/조절 영역은 다음 4가지 세트를 포함한다: 감각 처리, 조절 패턴, 행동 반응, 반복 행동.

울음-식이-수면 인터뷰(Cry–Feed–Sleep Interview)

축 II 섹션에서 서술된 울음-식이-수면 인터뷰(The CFSI [McDonough et al., 1998])는 3개월

에서 1년 사이에 이 패턴들에 대한 부모들의 지각뿐만이 아니라, 울음/까다로움, 식이, 수면 패턴을 포함한 유아의 초기 정서 생리적 조절을 평가한다. 이것은 출판되지 않은 56 항목 척도이다. CFSI의 점수는 연구자의 목적을 기본으로 하여 매겨진다. 높은 총점은 좀 더 기능적 조절 문제가 있다는 것을 의미한다.

평가척도(Rating Scale)

임상의는 감각 조절 패턴이 장애보다 정상변이를 대변하는 정도를 나타내기 위해 다음과 같은 평가 척도를 사용할 수 있다:

5. *정상 변이의 범주 내:* 아이는 좋은 수준의 집중을 얻고, 목표를 달성하고, 관계를 유지하기 위해 그 고유의 조절 패턴을 사용한다.
3. *경도에서 중등도의 손상:* 아이는 자신의 감각 특성 상 높은 수준의 스트레스를 포함한 어떤 환경을 제외하고는 목적 있는 행동과 의사소통이 가능하다; 아이는 옷을 입어야 할 때 예민해지거나, 자극적인/학습 세팅에서 과소반응성을 보이는 것 같은 꾸준한 증상을 보인다.
1. *중증도 손상:* 감각 장애는 아이가 관계에 참여하고, 의사소통의 기본 패턴을 형성하고, 혹은 학습하고 생각하는 것을 어렵게 만든다.

축 IV: 관계의 패턴과 장애(Axis IV: Relational Patterns and Disorders)

축IV는 유아 혹은 아이의 삶에서 중요한 관계들의 전반적 기능을 기술하고, 각 발달 수준에서 양육자가 아이의 기능적 능력을 지지해줄 수 있는 정도와 이런 관계들에서 아이의 독특한 기여도를 모두 고려한다. 양육자-유아 관계와 상호활동 패턴을 평가함에 있어, 임상의는 아이의 특정한 능력들이나 어려움과 양육자의 느낌, 소망 및 갈등이 모두 영향을 줄 수 있는, 이 관계의 상호성을 고려할 필요가 있다.

발달의 정신병리, 관계 정신분석, 그리고 애착 이론 모두 자기의 발달은 개별적인 과정이 아니라 대인관계적이고 상호주관적인 것이라는 생각을 지지해준다. 아이의 인격이 자라고, 방어와 감정을 조절하는 능력이 구성되고, 자기와 타인의 표상이 아이의 일차 관계들 속에서 만들어진다. 동시에, 신경과학 연구들은 초기 관계의 어려움이 정서 회복을 조절하는 신경 시스템을 바꿀 수 있어서 장기적 취약함으로 이어질 수 있음을 말하고 있다. 그러므로 아이의 증상 혹은 장애에 관계없이 유아/아이-양육자 관계의 질을 이해하는 것은 영유아기의 진단 절차의 필수적 부분이다.

서로 다른 양육(상호작용) 방식은 감각 유입을 조절하고, 차분하고 긍정적인 정서상태를 유지하고, 감정과 행동을 조절하는 능력을 발달시키는 데 강력한 영향을 줄 것이다. 예민함의 패턴과 높은 반응성은 세심한 양육을 통해 변화될 수 있고(적어도 부분적으로는), 상호 조절의 긍정적 경험들이 아이의 뇌와 인격의 발달에 영향을 미칠 것이라는 것이라고 추정된다. 반대로, 아이의 정서 사회적 기능은 부정적 양육 경험으로 망가질 수 있고, 비공감적인 관계들로 인해 부적응적인 패턴이 증가할 수 있다. 양육자-아이 관계를 살펴볼 때, 임상의는 상호적 조절의 과정(즉, 관계와 단절의 상호작용 패턴)이 진행중인 과정임을 생각해야 하는데, 때로는 회복을 위한 노력에 뒤따르는 실패들이 아이가 상호작용적 스트레스를 다루기 위한 자기 조절 기술과 회복력을 발달시키는 것을 도와줄 수 있기 때문이다. 반대로, 의사소통의 오류, 수정이 없는 상호작용 실패, 혹은 경직된(위축되거나 침투적인) 양육 방식은 역기능적 방어 전략을 강화시킬 수 있고 정신병리 발생의 기반이 될 수 있다.

늘어나는 다수의 연구들은 이제 아이와 양육자 간의 초기 상호작용의 질이 한 쌍의 파트너들의 개인적이고 독특한 특성에서부터 시작하지만, 상호적으로 구성됨의 중요성을 설명한다. 그러므로 상호 조절 과정(Tronick, 1989)은 초기 관계 패턴 구조의 기초로써 공동-조절, 조화, 협동의 행동들을 강조한다.

아이와 양육자는 서로에게 상호적으로 영향을 미치기 때문에, 임상의는 반드시 행동적이고 표상적 수준의 영향과 관찰 가능한 변화들을 넘어선 초기 상호작용의 부적응과 이후의 장애들 사이의 깊은 관계성 및 주관적 경험과 이어지는 관계 패턴 사이의 연속성을 고려해야 한다. 분명히 드러난 징후학과 관계없이, 관계적 과정들은 몇몇 정신과 장애의 병인학적 기전들로 고려되어야 한다.

일반적으로, 축 IV의 평가는 다음과 같은 연속선 상에서 임상의가 일차적 관계의 중요한 변화들을 파악하도록 도와줘야 한다:

1. 영유아와 양육자가 즐거운 순간을 공유하는 건강하고, 상호적이며 동시발생적인 상호작용들.
2. 발달 과업을 고려하였을 때 경한 변화나 패턴이 완고하게 고착되진 않거나 한 가지 상호작용 영역에만(예, 수면 장애) 관계가 있는 역기능적인 상호작용들로 특징지어지는 동요 혹은 방해되는 상황들(Anders, 1989)
3. *양육자-아이 상호작용이 보통 문제적이거나 지속적으로 역기능적이 상황들은 DC: 0-5*에서 정의된 것만큼 불안정한 애착 패턴이나 관계의 장애[relational disorders](Sameroff & Emde, 1989), 혹은 심지어 관계 장애[relationship disorders]와 함께 발생할 수 있다. 그런 상호작용 패턴은 발달적 위험을 야기한다.
4. 마지막으로, 양육 상황은 마치 복합 외상 장애나 반응성 애착 장애에서처럼 양육자와 아이가 안전하고 신뢰할 만한 관계를 형성하는 것이 매우 어려워서 매우 문제적이고 결핍되어 있다.

이 연속선상에 따라, PDM-2는 축 IV를 "관계의 패턴과 장애."라고 이름 붙였다. 이 관점은 양육자-아이 관계에서의 어려움들을 평가해야 할 현상이자, 필요하다면 아이의 증상의 존재여부를 떠나 진단해야 할 요소(parameter)로 여긴다. 또한 이것의 평가는 반드시 관찰된 상호작용 행동뿐만이 아니라 아이와 양육자의 주관적 경험과 놀이에서 역동적 요소들의 영향을 고려해야 한다는 점을 강조한다. 평가는 관계의 전반적 기능 수준; 불안의 수준과 아이와 부모 모두의 적응적 유연성; 양육자-아이 갈등과 갈등을 해소하는 능력의 수준; 관계가 아이의 발달에 줄 수 있는 영향 등을 포함해야 한다.

첫 PDM에서의 해당 파트와 비교했을 때, PDM-2의 축 IV은 다음 임상의들에게 도움이 되곤 한다(아이들의 증상에 관계없이 양육자-아이 관계를 평가하고; 양육 패턴, 정서적 분위기의 질, 상호작용 방식 및 주관적 경험을 기반으로 하여 관계의 명확한 특성을 정의하는; 관계를 질적으로 방해하는 부모의 병, 모성 우울증, 결혼 적응, 스트레스 혹은 사회적 환경과 같은 주요 위험 요인을 파악하는; 애착과 관계의 패턴을 정의하려 하는 임상의들에게).

축 IV는 임상의에게 초기 관계를 특정 짓는 다양한 측면의 광범위한 관점을 제공하고자 한다. 현실적인 이유로, 개인적 측면들은 분리되어 논의되지만, 임상의는 관계적 이슈에 대한 종합적 관점을 유지할 필요가 있다. 유아/아이-양육자 관계의 평가는 각 자원이 관계 기능에 대한 독특한 정보를 제공하기 때문에 여러 자원들을 통합해야만 한다.

자원들은 상호작용 패턴의 직접적 관찰을 포함하고, 양육자 인터뷰와 설문지를 통해 보충된다. 또한 이 절에서는 고려할 수 있는 다양한 평가 도구들과 관찰 절차들을 설명한다.

다시 한번, 축 IV 패턴과 장애들은 양육자-아이 관계가 위험요인이나 아이의 사회-정서적, 적응적 기능의 자원으로써 고려되어야만 하는 것인지를 알기 위해, 아이의 개인적 증상들과 무관하게 평가되어야 한다. 임상의는 역기능적 양육자-아이 관계를 아이의 정신병리와 분리된 임상적 문제로 생각해야 한다. 관계의 문제들은 양육자와 아이 사이의 적합도와 상호작용의 질에 좌우되기 때문에, 장애는 관계에서 특징적이다. 이것은 각 아이의 주요 양육자와의 관계(일반적으로 엄마, 혹은 아빠이지만 양육한 부모, 조부모, 선생님, 적합하다면 그 외)가 평가되어야 함을 나타낸다. 존재하는 진단 분류가 개인에서 장애를 지나치게 강조하는 반면에, 축 IV는 관계에서의 장애들을 고려하는 것이 중요함을 강조하는 게 목적이다.

관계의 패턴과 장애의 평가(Assessment of Relational Patterns and Disorders)

많은 측면들이 양육자-아이 관계와 배우자들의 상호적 영향에 영향을 준다는 것이 제시되었기 때문에, 이런 요인들을 그들의 특이성 안에서 고려하는 것이 중요하다. 지난 수십 년 간의 연구들과 임상 연구들은 양육자-유아 상호작용의 패턴과 관계에 영향을 주는 양육 패턴, 상호작용 방식, 정신 표상 및 주관적 경험의 몇 가지 중요한 특성을 알아냈다.

일반적 관찰로써, 유아의 요구를 알아채고 유아의 발달을 촉진시키는 방식으로 반응하는 관계 환경(성장-촉진적 환경)과 발달을 억제하고, 혼란스럽게 하거나 탈선시키는 환경들(성장-억제적 환경)을 구분하는 것이 가능하다. 성장을 돕는 양육자-아이 관계는 양육자의 섬세함, 반영 능력(reflective capacity), 유아에게 맞게 반응하는 능력으로 특징지어진다. 예를 들어, 아기가 울면 부모는 궁금해진다, "뭐가 문제지? 피곤한가? 배고픈가? 혼자 충분히 놀았나? 아빠가 보고 싶은가?" 부모는 아기의 신호에 의미를 부여하며 동시에 아이의 고통에 대한 구체적인 해결방법을 찾는다. 이 관계에서 아기가 가장 우선시 하는 경험은 이해하려 하고 자신의 고통을 공감과 도움으로 마주하는 어른의 노력이며, 이때 그 결과로 유아는 "기분이 좋은" 기억을 축적하게 된다.

이러한 상호작용은 아기의 세계에 영향을 미치는 자기감(sense of self)과 통제감(sense of agency)을 강화시킨다. 아기를 위로하려는 부모의 시도가 한번에 듣지 않는다면, 부모와 아기는 상호적 교정이 일어나도록 함께하는 시도(부모의 접근과 아기의 인도와 단서제공)를 계속할 것이다.

이와 대조적으로, 성장을 억제하는 환경은 상호적 교정 없는 과잉 혹은 과소 자극으로 특징지어 진다. 부모는 유아의 행동들을 의사소통으로 이해하지 않거나 그 의미를 오해하고, 왜곡된 방식으로 반응하거나 심지어 유아의 필수적이고, 진심 어린, 특유의 애착 의사소통을 막아버리곤 한다. 예를 들어, 아기가 울면, 아기에 대한 부모는 "밥도 먹고 기저귀도 갈아줬어. 너는 버릇없고 나를 짜증나게 만드는 아기야."라는 식으로 반응한다. 부모는 공갈 젖꼭지를 아기의 입에 물리고 방을 나간다. 유아는 두려움과 절망과 같은 부정적 감정에 휩싸이고 자기를 보호하기 위한 방어 전략에 의지한다. 유아에서, 이러한 방어전략은 회피, 억제, 얼어붙음, 해리 등이 포함될 수 있다. 좀 더 연령이 높은 아이에선, 외현화 행동(남아에서 좀더 흔함)과 우울증(여아에서 좀더 흔함)이 이러한 초기 경험으로 뒷받침 된다.

평가를 돕는 질문들(Questions to Aid in Assessment)

양육자-유아 상호작용 관찰 시, 임상의는 아래와 같은 질문들을 고려할 것이다. 독자들은 여기서 강조하는 것이 양육자-아이-양육자 혹은 아이-양육자-아이 순서라는 점을 주목해야 한다. 아기의 반응이 임상의에게 유아의 정신 상태와 경험에 대한 정보를 주기 때문에, 양육자와 아기의 상호작용을 모두 고려하는 것은 중요하다.

- 양육자가 어떻게 아이에게 말을 하는지? 신체적 단서들(목소리 톤, 몸짓들)뿐만이 아니라 코멘트들과 사용되는 형용사들도 주로 긍정적인, 양가적인, 혹은 부정적인 그 아이의 표상(representations of the child)을 나타낼 수 있다. 그리고 아이가 양육자의 목소리와 코멘트들에 어떻게 반응하는가? 흥미를 갖고? 곤혹스러워하며? 두려워하며?
- 많은 의사소통이 비언어적으로 이루어 지는데, 양육자와 아이의 비언어적 참여(non-verbal engagement)의 특성은 무엇인가? 호감이 가는가? 즐거운가? 거슬리는가? 거친가? 아이는 양육자의 접촉에 어떻게 반응하는가? 아이는 접촉에 관심을 보이는가? 불안이나 경계심을 보이진 않는가? 흠칫 놀라는가?

- 양육자와 유아/영아 사이에서 지배적인 상호작용 방식(interactive style)은 무엇인가? 특히 "주고 받고" - 신호를 주고 반응하는 흐름 - 의 순서가 상호작용 안으로 구조화될 수 있도록, 상호성으로 특징지어지는지? 어른-아이(세대적)의 역할이 명확한가, 어른의 요구에 신경 쓰는 아이보다는 어른이 아이를 돌보는 것으로? 유아의 요구가 특권을 갖는가?
- 양육자-유아 관계에서 지배적인 감정적 분위기(affective tone)는 무엇인가? 영유아가 자발적이고 연령에 적합하게 편안함과 사회적 정보("참조", social referencing, 영유아가 상황에 대한 타인의 해석을 이용하여 자신의 해석을 구성하는 행동)를 어른에게 의지하고 있는가? 공유되는 즐거움이 있는가? 긍정적이고 부정적인 것 모두를 포함한 광범위한 감정이 양육자에게 받아들여지는가? 특정 감정들이 "허락되지" 않는가(예, 유아의 항의, 분노)?

양육패턴과 상호작용 방식들(Caregiving Patterns and Interactive Styles)

양육패턴과 상호작용 방식은 양육자-유아 관계를 다른 방식으로 특징짓는다. ICDL-DMIC에서 양육행동에 관하여 제시한 것처럼, 임상의는 각 양육자의 아이와의 상호작용을 관찰하기 위해 다음 가이드라인을 고려해볼 수 있다:

- 양육자는 유아/어린이를 편안하게 해주는 편인지, 특히 아이가 화가 났을 때(편안하고, 부드러운, 단호하게 붙드는, 리듬감 있는 음성이나 시선 접촉으로), 아이를 더 날카롭게 하기보다는(과도하게 염려하거나, 긴장된 혹은 불안해 보이는, 또는 기계적인, 신경질적으로 과잉 혹은 과소자극적으로).
- 양육자는 과잉자극하고 간섭하기(예, 주의를 끌기 위해 아이를 찌르거나 흔듦으로써)보다는 유아/어린이가 세상에 흥미를 가질 수 있는 자극의 적합한 수준을 찾으려고 하는 경향이 있다(적합한 수준의 소리, 시각, 접촉[양육자의 얼굴을 포함한]을 제공하는 것을 포함시켜 흥미를 갖고, 의식하고 반응하도록 함으로써).
- 양육자는 유아 혹은 어린이를 무시하기(우울해져 있고, 무기력하고, 집착적이고, 위축되어있고, 무관심한 등으로)보다는 유아/어린이와의 관계에 즐겁게 참여하는 편인가(보고, 음성을 내고, 부드럽게 만지는 등으로)?
- 양육자는 신호들을 오해하거나 한가지 감정적 요구에만 반응하기 보다는, 유아/어린이의 대체로 정서적인 영역에서의 감정적 신호와 요구를 읽고 반응하는 편인가(예, 적극적이고, 탐험적이고, 독립적이 되고자 하는 욕구뿐만 아니라 친밀함에 대한 욕구에 반응한다)? 예를 들어, 전자의 경우 양육자는 아이가 접근할 때는 안아줄 수 있으나 그 외에는 아이 주위를 맴돌고 적극적인 탐색에 참여하지 못한다.
- 양육자는 아이의 발달적 욕구를 오해하고 과잉 보호하고, 저지하고, 어린애 취급하고, 과도하게 억압적이거나 처벌적이 되고, 분열되거나 와해되고, 혹은 과도하게 구체적

이 되기 보다는, 유아/어린이가 발달해 나아갈 때 용기를 북돋아줄 수 있다.

예를 들어:

a. 양육자는 유아의 진취성에 반응하여 기고, 소리를 내고, 몸짓하는 것을 도와줄 수 있다(유아의 요구를 과잉예측하고 모든 것을 대신 다 해주기보다는).

b. 양육자는 걸음마기 아기가 가까운 데서 이동하는 것을 도와주고, 독립해나가는 동안 좀 더 안정감을 느끼게 신체적 의존을(예, 안아줌) 도울 수 있다(예, 양육자는 아기가 방 반대편에서 탑을 쌓을 수 있도록 언어적이고 시각적인 접촉을 유지해준다).

c. 양육자는 2-3세 아이가 관계에서 운동하기와 몸짓을 사용한 방법에서 가상 놀이(상상)와 감정적 주제에 관한 언어를 쓰도록 격려함으로써 "생각"을 사용하는 쪽으로 옮겨가도록 도와준다.

d. 양육자는 3-4세 아이가 "매번 해주기", 어린아이 취급하기, 혹은 과도하게 처벌적이기 보다는, 행동에 대한 책임감을 갖고 현실을 대하도록 도와준다.

위에서 설명된 양육자의 특성은 발달에 기본을 둔 다양한 적응 패턴들을 다룬다. 이러한 패턴을 고려할 때 양육자의 패턴이 이상적이지 못하다는 인상이 있다면, 다음과 같은 특성들을 고려해보는 게 도움이 될 것이다.

양육자가 이런 경향이 있는지:

- 과잉 자극적인지?
- 위축되었거나 도움이 되지 않는지?
- 즐거움, 열정 혹은 열의가 부족한지?
- 유아의 신호를 읽거나 반응하는 데 있어서 불규칙적이거나 혼란스러운지?
- 분열되어 있거나 혹은 분위기에 무감각한지?
- 과도하게 경직되고 통제하려고 하는지; 유아를 경직된 의무에 따르게끔 하려 하는지?
- 의사소통 내용을 읽거나 반응하는 것이 과도하게 구체적인지?
- 유아의 의사소통을 읽거나 반응하는 것이 비논리적인지?
- 선택적인 감정 영역에서 회피적인지(안정감과 안전함, 의존, 즐거움/흥분, 진취성과 탐색, 공격성, 사랑, 공감, 제한 설정)?
- 강렬한 감정을 마주할 때 불안정해지는지?

상호작용 패턴과 표상적 수준(Interactional Patterns and Representational Level)

양육자-유아 관계의 질을 평가할 때, 임상의는 반드시 상호작용 패턴과 표상적 수준을 모두 고려해야 하고, 양육자-유아 상호작용 쌍은 모든 측면들이 얽혀있는 상호적으로 조절되는 시스템임을 고려해야 한다.

다음 측면들은 임상 연구에서 관심을 받아왔고, 다른 평가 도구들에서(아래에 서술되어 있다) 이용 가능하도록 만들어져 왔으므로, 이것들을 고려하는 것이 임상의에게 도움이 될 것이다.

상호작용 패턴들(Interactional Patterns)

상호작용 패턴을 고려하였을 때, 임상의는 다음과 같은 것을 고려할 수 있다(표시된 것처럼 5에서 1척도로):

5. 세심함(sensitivity)은 유아의 행동에서 내비치는 신호와 의사표현을 정확하게 지각하고 해석하는 양육자의 능력이며, 이를 이해함으로써 아이들에게 적절하고 신속하게 반응할 수 있게 한다. 이 능력은 양육자의 관심, 왜곡이 없음, 공감이 기초가 되고, 유아의 관점에서 사물을 바라보고, 의사표현을 양육자 자신의 필요와 방어로 인한 왜곡 없이 해석하는 능력이다.
3. 세심함이 부족하면 양육자가 반응에 실패했을 때, 다른 방식으로 나타날 수 있다; 다른 것들에 집착하고 혹은 유아의 신호에 접근하지 못한다(과소자극, understimulation); 혹은 침습적이고 과다자극적인(hyperstimulating), 그리고 통제적인 행동(과잉자극, overstimulation), 유아의 탐색적이고 자율적인 행동을 막으려는 식으로 나타날 수 있다. 세심함이 부족하면 유아에게서 부적 정서적 반응을 일으킬 수 있어서, 유아는 분노, 적극적인 회피 혹은 수동성을 표현할 수 있다. 과소 혹은 과잉자극 때문에 반복되는 상호작용 교정의 실패는 역기능적 관계와 정신병리로 이어질 수 있다.
1. 결국, 겁먹은/무서운 행동들은 위협적이고/혹은 겁먹은 행동들이어서 행동적이고/혹은 언어적인 의사표현("정서적 의사표현 오류")과 트라우마를 입은 부모가 소심한/공손한, 성적인, 혹은 와해된/ 혼란스러운 행동들처럼 약간 해리된 상태(종종 자녀에 대한 두려움과 관련됨)를 보이는 다른 징후들과 상충된다.

임상의는 정서적 연결을 공유하고 상호적으로 충족되고 건강한 관계를 즐기는 한 쌍의 능력으로써 정서적 가용성(EA, emotional availability)을 언급할 수도 있다. EA는 상호 정서적 관심, 지각, 경험 및 표현을 위한 한 쌍의 혹은 관계의 능력을 묘사한다.

아래의 "가장 적절한 평가 도구들"에 제시되어 있는 다양한 연구 방법들은 임상의들이 양육자의 행동과 한 쌍들의 상호작용 방식을 묘사할 때 사용될 수 있다. 이런 경험적으로 타당화된 평가 도구들은 양육자-아이 관계의 더 미묘하고 세밀한 묘사를 위해 다른 임상 정보와 통합될 수 있다.

표상적 수준과 주관적 경험(Representational Level and Subjective Experience)

양육자의 표상적 수준과 주관적 경험과 관련하여, 임상의는 반드시 양육자가 자신의 역할을 표현하고, 지각하고, 경험하는 방식과 아이와의 관계 특성, 아이의 독특하고 구별되는 특성에 대한 양육자의 느낌 – 현재와 과거의(긍정적, 부정적 혹은 외상적) 경험들이 양육자의 표상적 세계와 양육 태도의 형성에 영향을 주어온 역할을 강조하며 – 을 고려해야 한다.

양육자의 반영 능력(즉, 자기 자신과 유아/어린이의 행동을 그 행동 아래 있는 정신 상태의 측면에서 이해하는 사람의 능력) 특별한 강조 되어야 한다. 3-4세의 아이에서, 임상의는 아이의 자기와 중요한 관계에 대한 정신적 표상을 탐색하기 위해 이야기를 바탕으로 한 작업을 사용할 수 있다. 부부와 가족 시스템의 기능에도 관심이 필요한데 아이의 발달에 이런 시스템이 영향을 주기 때문이다.

다양한 평가 도구들이 정신 표상을 평가하는 데 적절하다; 다시 말해, 이 중 많은 것들이 아래 섹션의 "가장 적절한 평가 도구들"에 포함된다는 것이다. 이 인터뷰와 설문지들은 임상의가 양육 역할과 유아/어린이 표상들에 관한 양육자의 내적 세계를 이해하는데 도움이 될 수 있다. 묘사적 이야기를 바탕으로 한 기법들은 3세 이상의 아이들에게 사용될 수 있다.

평가 척도(Rating Scale)

임상의는 패턴이 건강한/적응된 관계와 장애 사이에 어떤 것을 나타내는지 정도를 평가하기 위해 표 7.9의 평가 척도를 사용할 수 있다.

표 7.9. 유아/어린이-양육자 관계(Infant/Child-Caregiver Relationship)

유아/어린이-양육자 관계	평가 척도				
양육자의 아이에 대한 표상의 질과 유연성	5	4	3	2	1
양육자의 반영 기능의 질	5	4	3	2	1
양육자와 아이의 비언어적 참여의 질	5	4	3	2	1
상호작용 패턴의 질(상호성, 동시성, 상호작용적 교정)	5	4	3	2	1
양육자-유아 관계의 정서적 분위기	5	4	3	2	1
양육자의 행동의 질(세심함 vs 위협적인 and/or 무서운 행동)	5	4	3	2	1
양육 패턴의 질(편안한, 자극, 유아의 감정 신호에 반응, 격려 vs 위축, 과잉자극, 통제 행동, 둔감함)	5	4	3	2	1
중요한 관계에 참여하고 관계를 형성하는 유아/아이의 능력(vs 이런 능력을 손상시키는 특정 어려움들)	5	4	3	2	1

위험 요인들과 관계 문제에 연관된 다른 상태들(Risk Factors and Other Conditions Related to Relational Problems)

부모와 가족의 위험 요인의 존재는 양육에 깊은 충격을 줄 수 있고 그 다음으로 유아의 발달과 기능에 영향을 줄 수 있는데, 여러 가지 위험 요인들이 존재하면, 관계 장애를 일으킬 수 있다. 몇 가지 주요한 부모의 위험 요인들은 다음과 같이 문헌에서 조사된 바 있다:

- 모성 그리고/혹은 부성 우울증
- 부모의 정신병리(정신증 등)
- 중독(알코올 중독, 약물 중독 등)
- 일탈 행동들(반사회적인 인격, 수감된 여성 등)
- 한 부모
- 청소년 부모
- 부부 갈등
- 사회적 지지 부족

이런 부모의 위험요인들은 아이의 특성들과 함께(미성숙, 감각 조절 처리 장애와 같은 기질적 까다로움 등) 아이와 양육자 사이의 건강한 관계의 발달을 방해할 수 있다. 임상의는 한쪽의 양육자의 기대와 능력과 다른 한쪽의 유아의 기질과 적성, 및 요구 사이에 "적합도(goodness of fit)"의 개념을 인용할 수 있고, 양육의 질로 아이의 기질적 까다로움을 완화하거나 혹은 악화시킬 수 있고 양육자-아이 관계의 발달을 결정지을 수 있다(위에 언급된 축 III의 고찰을 참고). 임상의는 또한 유아/어린이와 가족에 의해 경험되는 스트레스의 다양한 원인을 식별하기 위해, DSM-5의 "임상적 주의의 초점이 될 수 있는 기타의 상태(Other Conditions That May Be a Focus of Clinical Attention),"와 DC: 0-3R과 DC: 0-5의 축 IV를 참조할 수 있다.

애착 패턴과 관계의 평가(Assessment of Attachment Patterns and Relationships)

PDM-2의 축 IV는 첫 번째 PDM의 해당 부분과 비교했을 때 애착의 평가에 좀 더 특별한 관심을 기울여서 – 다량의 관찰적이고 대표적인 자료, 임상 보고들, 애착 연구자들과 이론가들에 의해 만들어진 도구들을 고려했다. 진단적 평가에 있어서 두 가지 중요한 측면들은 반드시 애착과 함께 이루어 져야 한다: 안정감(sense of security)(1세의 애착 패턴에서 관찰될 수 있고 점진적으로 내적 작용 모델의 대표적인 측정방법을 통해 평가되는)과 이와 연관된 정서 조절의 질(quality of affect regulation). 애착을 평가하는 표준 도구들은(낯선 상황 실험[the Strange Situation], the Crowell procedure, 묘사적 이야기 줄거리 기법[narrative story stem techniques]) 아이가 자신의 안정감과 자신과 타인들에 대한 신뢰감을 조절하는 방법, 아이의 정서적 관계와 내적 작용모델의 질, 그리고 이것들이 정서 조절 방식을 나타내는 데 기여하는 방법들에 대한 중요한 진단적 규준을 제공한다.

이번 장의 이 부분에서 강조된 것처럼, 아이-양육자 관계는 많은 측면에서 특징지어진다(상호주관성[intersubjectivity], 의도적 의사소통[intentional communication, 전달하는 사람이 그 신호가 듣는 사람에게 어떤 영향을 주게 될지를 인식한 채 행해지는 신호행동], 놀이, 학습 등). "애착"은 아이가 안전하고, 안심할 수 있고, 보호받고 있다고 느끼게끔 하는데 관여하는 관계의 특징적이고 한정된 측면을 말한다. 아이는 양육자를 탐험할 수 있는 안전한 기반으로 사용하고 필요할 때 안전한 피난처이자 편안함의 원천으로 사용한다. 일반적으로, 애착의 질은 신체적 혹은 감정적 위협과 같은 내적 혹은 외적 자극에 의해 애착 시스템이 "활성화된" 때에 유아에 대한 양육자의 반응에 의해 상당히 좌우된다.

애착은 아이의 이어질 사회적 정서적 결과에 대한 가장 강력한 예측인자 중 하나이다. 광범위한 연구는 애착이 정서 조절(affective regulation), 정신화(mentalization), 반영 기능(reflective functioning), 친밀감(intimacy), 자존감(self-esteem), 내적 경험(internal experience), 방어 기능(defensive functioning) 및 회복력(resiliency)과 같은 정신적 능력들과 연관이 있다는 것을 보여준다(이들은 모두 청소년과 후기 소아들에서 각각 MA와 MC축에 포함된다, 1장과 4장을 참고하라)

애착 원형(Attachment Prototypes)

비록 애착의 표준화된 평가는 일반적으로 임상 상황에서 이루어지지 않지만, 임상의는 아이의 애착의 과거력(접근 가능한 애착 대상, 돌봄 중단, 유기, 자꾸 교체된 양육자 등)과 아이의 애착 행동들(도움 혹은 편안함을 구하는 행동들, 애착 대상의 식별, 편안함을 위해 양육자를 사용하는 능력, 새로운 환경에서 탐색하고 놀수 있는 능력, 양육자와 상호작용의 질 등)을 포함한 애착에 대한 평가에 착수해야 한다.

아래 애착의 패턴은 1세의 낯선 상황 실험(Ainsworth, Blehar, Waters, & Wall, 1978)에서 평가된 것으로 묘사하였고, 이후의 행동들과 내적 작업 모델에 관해서는 재회 과정(reunion procedures)과 묘사적 이야기 줄거리(narrative story stems)에서 평가된 것을 서술했다. 임상의는 높은 점수가 원형과 더 잘 맞음을 의미하는 5점 Likert 유형 척도를 사용할 수 있다.

안정적(Secure)

부모(혹은 다른 가족 양육자)와 안정적으로 애착이 된 1세 아이는 양육자가 있는 동안 자유롭게 탐색을 하고 부모가 떨어지면 눈에 띄게 속상해했고, 일반적으로 양육자가 다시 돌아오면 행복해 했다. 분리의 고통은 대개 즉각적으로 감소했고, 재회하면서 활발한 탐색이 다시 시작되었다. 안정적 애착은 대개 세심한 양육과 연관이 있었다. 이 애착 전략은 아이가 자신이 안정감을 느낄 때까지 양육자와 근접해있으려 하고 접촉을 유지하려고 하는 식으로 세심한 양육자와 무엇을 해야 하는지 정확히 "알고" 있기 때문에 "조직화"되어 있었다. 아이의 애착과 탐색 사이의 균형은 양육자의 보호함과 탐색을 격려함 사이의 균형으로 반영되었다.

안정적으로 애착된 3세 아이는 탐색할 수 있고, 소망과 느낌을 전달하기 위해 가상 놀이와 상징적 의사소통을 할 수 있다. 긴 이별 후에도, 아이는 따뜻하고 개인적인 대화를 시작하면서 양육자와 따뜻하고 친밀한 관계를 보이는 것을 지속한다. 표상적 수준에서, 아이는 인형가족 상호과정을 긍정적이고, 지지적이며 따뜻하게 묘사하는 경향이 있고, 자신을 인정받고 가치 있는 사람으로 묘사한다. 이야기들은 일관성 있고, 애착 이야기는 아이는 관심 받고, 도움받고, 돌봄을 받는 등 대개 좋은 결말을 가진다. 서사적 이야기 줄거리(narrative story stem)를 긍정적으로 이어가면서, 안정적인 아이는 갈등을 직면함으로써 그 존재를 알아차릴 수 있고 자신 혹은 가족을 완벽하고 문제가 전혀 없는 것으로 언급하진 않는다.

5 ··············· 4 ··············· 3 ··············· 2 ··············· 1

불안정-회피(Insecure–Avoidant)

불안정-회피 애착 패턴을 가진 1세 아이는 분리에 고통을 거의 느끼지 않았고, 재회 시 접촉을 이끌어내거나 관심을 끌려는 양육자의 노력을 회피하거나 무시했다. 이 외관상으로 차분한 행동은 아마도 양육자나 혹은 그의 부재로부터의 "계획된 관심의 전환"을 나타낼 수 있으나, 사실은 고통의 가면이다. – 나중에 이 가설은 회피적인 유아들의 심장박동수를 측정한 연구에 의해 뒷받침 되었다. 회피는 유아의 애착 신호에 대한 양육자의 거절과 연관 있을 수 있다. 이 사례에서, "계획된" 전략은 고통스러울 때 아이가 양육자를 회피해서, 부정적 감정 보이기를 최소화 시키게 만든다.

양육자와 재회 시 놀이에 초점을 맞추고 신체적 심리적 친밀감을 감소시키는 회피적으로 애착된 3세 아이는, 동시에 서사적 이야기에 참여하거나 흥미를 느끼는데 어려움을 보이고, 특히 이야기가 애착 소재에 관한 것인 경우 그렇다. 이야기 속에서 묘사되는 아이는 종종 고립되고 사랑 받지 못하고 빈번하게 벌을 받는 상태로 그려진다. 다른 때에는, 이야기 속의 갈등은 단순하게 받아들여지지 못하고, 결과적으로 가능한 해결책들에 대해서 아무런 조치도 취해지지 않는다. 전반적으로, 회피적인 아이에게 애착과 관계된 소재는 감정적 어려움을 불러일으켜서 방어 기제를 활성화시키는 것으로 보인다.

5 ··············· 4 ··············· 3 ··············· 2 ··············· 1

불안정-양가적/저항적(Insecure–Ambivalent/Resistant)

불안정-양가적/저항적 애착 패턴을 가진 1세 아이는 심지어 양육자가 있을 때, 일반적으로 탐색하는 모습을 보이지 않고(낯선 상황에서), 종종 낯선 사람을 경계한다. 아이는 양육자에게 집착하고, 분리 동안 극심한 고통을 보이며, 양육자와 재회 후 고양된 감정과 무감각한 모습을 보여준다. 이 애착 전략은 예측 불가능하게 반응하는 양육에 대한 반응으로 추정되며, 재회 시 양육자에 대한 분노 혹은 무력감의 표현은 예방적으로 상호작용을 통제함으로써 양육자의 가용성을 유지하기 위한 조건화된("조직화된") 전략으로 간주될 수 있다: 격렬한 부정적 감정들은 비일관적으로 반응하는 양육자의 관심을 끌게 된다.

양가적으로 애착된 3세 아이는 재회 시 과민함이나 신경과민을 표현할 수 있고 부적절한 감정을 보일 수 있다: 아이는 양육자와의 친밀감과 그에 대한 의존심을 과장하는 것으로 보이고, 상대적으로 미성숙한 태도를 보인다. 양면성의 증거는 친밀함, 의존심 등을 가장한 명백한 노력들과 결합된 적대감으로 관찰될 수 있다. 서술적 이야기들은 접근성 부족(lack of accessibility), 과도한 의존성(excessive dependence), 거절감과 도움을 얻기 위해 강압적인 행동을 하는 아이가 느끼는 죄책감으로 특징지어 아이를 묘사한다. 또한 감정적 표현은 과장되고 부적절하거나 비일관적이다.

5 .... 4 .... 3 .... 2 1

혼란(Disorganized/Disoriented)

낯선 상황 동안, 1세 아이는 양육자가 있을 때에도 혼란된 행동을 보여서, 행동 전략의 일시적 붕괴를 나타낸다. 아이는 특히 양육자와의 재회 시, 접근, 회피, 그리고 "최면상태(trance-like)" 행동이 혼재된 모습을 보인다. 이런 패턴은 학대 혹은 겁주는/겁먹은 양육자의 행동들과 관계가 있고, 양육자의 공포로 인해 발생하는 것으로 추정된다.

3세 아이는 양육자의 행동을 지시하고자 하는 목적으로 처벌적이거나(양육자가 수치심을 느끼게 하고, 당황스럽게 만들거나 거절함) 양육하고/세심하게 돌보려고(양육자를 배려하고 보호하려 하고, 양육자가 아이에게 의존한다고 추측하게 하는 방식의 염려나 돌봄을 보인다) 하는, 양육자에 대한 역할 반전 혹은 "혼돈된/통제하는" 행동을 보인다.

혼돈된 서술적 이야기들은 대개 적대적이거나 부정적인 주제를 가진다. 아이 혹은 가족의 다른 어떤 구성원은 폭력적이고, 적대적이거나 기이한 행동을 하는 것으로 묘사된다.

유아의 혼돈 애착은 어린이와 청소년에게서 심각한 정신병리와 학대의 강력한 예측인자로 알려져 있다.

5 .... 4 .... 3 .... 2 1

관계의 패턴과 장애의 요약(Summary of Relational Patterns and Disorders)

관계의 패턴과 장애의 요약(표 7.10)은 임상의가 중요한 관계의 전반적인 질을 파악하고 어디에 어려움이 있고 그것이 어디서 비롯되었는지를 생각할 수 있게 돕는다. 가족력과 가족의 기능은 그들이 어떻게 현재 관계에 기여하는 가에 대한 임상 공식을 따른 임상적 서술을 통해 묘사될 수 있다. 관계의 평가에서, 임상의는 상호작용의 행동적 특성, 감정적 분위기(affective tone), 및 유아-양육자 관계의 심리적 관여 등을 고려하는 척도로써 PIR-GAS(DC: 0-3R, 위의 "가장 적절한 평가 도구"를 보라)을 언급할 수 있다. PIR-GAS와 비교해서, 축 IV는 양육 패턴, 부모의 상호작용 방식, 아이-양육자 상호작용 방식, 애착 및 관계의 정신표상의 질을 고려하기 위해 노력한다.

가장 적절한 평가 도구의 목록은 임상의가 아이의 관계 관찰을 체계적으로 구성하도록 돕고, 관계의 패턴과 장애의 임상적 진단 개요를 정의하는 방법으로 제공된다.

가장 적절한 평가 도구들(Most Relevant Assessment Tools)

이 섹션에는 양육자-아이 관계와 상호작용의 평가 척도, 그리고 가장 중요한 표준화 관찰 절차의 일부와 마지막으로 아이와 양육자의 정서적이고 표상적인 상태를 평가하기 위한 평가 도구가 포함된다.

표 7.10. 관계의 패턴과 장애의 요약(Summary of Relational Patterns and Disorders)

R01. 건강한/적절한 관계 패턴(Healthy/adapted relational patterns (range = 36 – 40)) 양육자-아이 관계는 아주 잘 적응되고 분명하게 아이와 양육자 모두의 성장을 촉진시킨다. 상호작용은 즐겁고, 상호적이고, 동시적인 상호작용이 관찰된다. 양육자는 아이의 연령에 적합한 기능적 능력을 충분히 도와줄 수 있다. 아이의 양육자 표상은 중등도 혹은 높은 수준의 반영 기능을 동반하고 풍요롭고, 세심하고 유연하다. 애착 패턴은 안정적이다.
R02. 일부 영역의 어려움을 동반한 적절한 관계 패턴(Adapted relational patterns with some areas of difficulty (range = 29 – 35)) 일부 영역의 어려움이 관찰되지만 그럼에도 불구하고 양육자-아이 관계는 여전히 적절하고 경미한 혼선을 보인다. 가끔은 양육자와 아이가 갈등을 겪을 수 있지만 어려움은 수 일을 넘기지 않고 관계는 적절한 유연성을 유지한다(예, 갈등을 협상하는 능력). 아이가 몇 가지 어려움을 보이거나(예, 분리에서), 양육자가 과잉보호를 보이고 아이의 안녕, 행동, 발달에 관한 약간의 염려를 표현할 수 있다. 다른 경우, 아이는 적합한 관계를 유지하는 양육자의 능력을 손상시키는 약간의 기질적 까다로움을 가질 수 있다. 이러한 약간의 어려움에도 불구하고, 양육자-아이 관계는 아이의 기능에 도움이 될 수 있다. 애착 패턴은 여전히 안정적이다.
R03. 관계 패턴의 중등도 동요 혹은 장애(Moderate perturbation or disturbance in relational patterns (range = 22 – 28)) 양육자-아이 관계에 동요나 장애가 있을 수 있지만, 기능의 한 가지 영역에 제한되어 있거나(섭식, 놀이, 조절 등) 양육자가 아이의 기능 중 두 가지 이상의 영역을 돕지 못한다. 때로 양육자의 표현된 아이에 대한 태도와 관찰된 상호작용의 질 (예측가능성, 상호성 혹은 모두) 사이에 일관성이 부족하다. 상호작용은 경하게 자극적이고 통제적이거나 혹은 활력과 서로 즐거움이 결여되어 있다. 양육자는 중등도로 둔감하고 혹은 아이의 신호에 무반응적일 수 있고 혹은 아이의 내적 정서 상태를 적절하게 반영해주지 못할 수 있다. 갈등의 해소가 어렵고, 양육자와 아이에게 고통을 유발할 수 있다. 애착 패턴은 불안정-회피 혹은 불안정-저항이다. R04. 관계패턴의 심각한 장애(Significant disturbance in relational patterns (range = 15 – 21))

대부분의 아이-양육자 상호관계는 갈등적이고 부부의 고통과 관계가 있다. 양육자는 종종 아이의 목표와 욕구를 방해하거나 아이의 신체적 정서적 요구를 무시한다. 양육자는 아이를 개인적 욕구와 기능의 영역(자기주장 혹은 자율성)을 가진 구분된 사람으로 인식하지 못한다. 갈등은 여러 기능영역에 퍼져있을 수 있다. 관계에서 감정은 무미건조하고, 제한적이고 철수와 슬픔으로 특징지어지거나 상호작용이 편안한 즐거움이나 상호성 없이 날카로워져 있다. 애착 패턴은 불안정하거나 혼돈되어 있을 수 있다.

R05. 관계 패턴의 주요 손상, 혹은 관계 장애(Major impairments in relational patterns, or relational disorders (range = 8 – 14))
관계는 역기능적 패턴에 깊이 뿌리내려 있는 6ㅎ것으로 보이고 가혹하고 돌발적인 상호작용으로 특징지어 지며, 종종 정서적 상호성이 결핍되어 있거나 심지어 아이가 위험으로 느낄 정도로 적대적이고 분노에 차 있거나 무서울 수 있다. 아이는 공포스러움, 경계적이고 회피적인 행동을 보이거나 명령에 순종적이거나 반항적인 행동을 보일 수 있다. 이러한 손상들은 아이의 건강한 기능의 기초를 약화시킨다. 혼돈된 애착이 일반적이다.

전반적 부모-유아 관계 평가 척도(Parent–Infant Relationship Global Assessment Scale)

전반적 부모-유아 관계 평가 척도(PIR-GAS; Zero to Three, 2005)는 DC: 0-3R에서 추가된 전반적 평가 도구이다. 이것의 목적은 부모(혹은 다른 양육자)와 0-5세 사이의 아이의 관계를 평가하는 것이다. 세 가지 요소들이 PIR-GAS에 의해 평가 된다: 부모-유아 상호작용(parent-infant interaction)의 행동특성, 정서적 분위기(affective tone), 심리적 관여(psychological involvement). 점수는 양육자와 아이의 고통 6ㅎ수준, 부모아이 모두의 적절한 유연성과 갈등과 그 해소 수준을 포함한 부모-유아 쌍의 전반적인 기능을 고려한다.

명백하게 손상됨(10)에서부터 잘 적응됨(100)까지, 90점 척도의 총점이 검사자에 의해 매겨진다.

Ainsworth 모성 민감성 척도(Ainsworth Maternal Sensitivity Scale)

Ainsworth 모성 민감성 척도(AMS6; Ainsworth, Bell, & Stayton, 1974)는 엄마의 민감성(다시 말해 자기 아이의 신호를 지각하고 해석하는데 있어서의 엄마의 정확성과 즉각적이고 적합한 방식으로 반응하는 엄마의 능력)에 대한 국제적 평가도구이다. 모성 행동의 네 가지 측면이 평가된다: (1) 자기 아기의 신호들을 엄마가 알아차리는지, (2) 신호를 정확하게 해석하는지, (3) 적절하게 반응하는지, (4) 반응을 촉구하는지. 점수는 5개로 고정된 9점 척도로 매겨진다(1, 아주 둔감한; 3, 둔감한; 5, 비일관적으로 민감한; 7, 민감한; 9, 아주 민감한). 마지막 점수는 이 네 가지 구성 요소들이 상호작용 중에 관찰된 정도를 나타낸다. 불안정-양가적 유아로부터 불안정-회피 형태의 엄마를 구별해내기 위해서, Ainsworth와 동료들(1974)은 3가지 추가 척도를 개발했다(협동-방해, 수용-거절, 접근 가능함-무시함). 상호작용을 관찰하고 기록할 때 이상적인 세팅에 대한 지침이 제공되지 않았고, AMSS는 다양한 시간의 자유 놀이, 식이 혹은 가르치기 같은 다양한 상호작용 작업의 상황에서 적용이 가능하다.

감정적 유용성 척도: 유아에서 초기 아동기 버전(Emotional Availability Scales: Infancy to Early Childhood Version)

감정적 유용성 척도: 유아에서 초기 아동기 버전(EAS; Biringen, Robinson, & Emde, 1993, 2000)은 양자 상호작용의 평가를 위한 국제적 평가 시스템이다. 이것은 아이에 대한 부모의 그리고 부모에 대한 아이의 감정적 유용성을 평가한다. 유아에서 초기 아동기 버전은 0-4세를 위한 것이다. 이것은 관계의 전반적인 정서적 직을 평가하는 정서에 초점을 둔 평가로, 특정 행동을 수량화 하지 않지만, 부모-아이 쌍의 상호작용 방식을 분석한다. 척도는 4가지 부모 측면(민감도, 구조화, 비침습성[non-intrusiveness], 비적대성[non-hostility])과 2가지 유아 측면(반응성과 관여)로 구성되어 있다. EAS는 좀 더 짧은 기간을 사용하지만, 자료는 적어도 20분의 상호작용을 비디오로 녹화해서 얻어진다. 각 6가지 측면들은 9-, 7-, 혹은 5-점 Likert 척도로 점수화 된다.

겁주는/겁먹은(FR) 코딩시스템(Frightening/Frightened Coding System)

겁주는/겁먹은(FR) 코딩시스템(Hesse & Main, 2006; Main & Hesse, 1992a, 1992b)은 부모 자신의 과거 경험에서 해소되지 않은 상실 혹은 트라우마와 관계가 있을 것이라 여겨지는 부모의 행동을 평가하고자 하는 척도이다. 코딩시스템(coding system)은 부모-유아 자유 놀이 상호작용이나 다른 환경에서 구조화된 상호작용에서의 관찰에 적용될 수 있다. 이 코딩시스템은 여섯 가지 FR 행동들의 하위범주로 구성된다. 첫 세 가지 하위범주는 FR행동들의 일차적 형태로, 유아에 의해 직접적으로 경험되는 것으로 보인다(예, 다가오거나 공격하려는 자세를 취하는 것).

다른 세 가지 하위범주들은 이차적인 것으로, 유아를 눈에 띄게 겁을 주는 것으로 보이지는 않는다: 소심한/존중하는 행동(예, 아이를 애착 대상처럼 다루는 것, 유아에 대한 순종적인 행동), 성적인 행동(예, 입맞춤을 넘어선, 성적이거나 로맨틱한 애무), 그리고 혼돈된 행동들(예, 갑작스러운 감정의 변화, 모순된 신호, 움직임의 장애). FR행동 수준은 9점 척도로, 이런 행동이 발생할 때마다 매겨지며, 총점은 각 부분에서 전부 그런 행동이 발생한 것이 최고 점수라고 하고, 관찰된 모든 부분(segment)에 대해서 매겨진다. 5점 이상의 점수는 FR이라고 분류된다.

평가와 분류를 위한 비전형적인 모성 행동 도구(Atypical Maternal Behavior Instrument for Assessment and Classification)

평가와 분류를 위한 비전형적인 모성 행동 도구(AMBIANCE; Bronfman, Madigan, & Lyons-Ruth, 2008; Bronfman, Parsons, & Lyons- Ruth, 1993)는 Main과 Hesse의 FR Coding System을 확장한 점수체계(coding system)이며 유아의 혼돈 애착과 관계 있는 비전형적인 양육자와 유아 행동들의 정도를 평가하기 위해 고안되었다. 원래 2-18개월 아이 양육자의 비전형적인 행동을 평가하기 위해 고안되었으나, 4개월 유아와 24개월 걸음마기 아이들의 양육자들에게 함께 사용되어 왔다AMBIANCE는 5가지 측면(정서적 의사소통 장애, 역학/경계 혼란, 혼돈된 행동, 부정적/침습적인 행동, 철수)에 대해 유아와의 상호작용 동안 양육자를 통해 보여지는 다양한 비전형적인 행동들의 기록을 포함한다. 각 측면에 대한 행동들은 점수화되고 7점 척도의 손상 수준의 총점이 매겨진다.

일관성 없고 극도로 무관심한 부모 척도(Disconnected and Extremely Insensitive Parenting Measure)

비일관적이고 극도로 무관심한 부모 척도(DIP; Out, Bakermans-Kranenburg, & van IJzendoorn, 2009) 는 엄마의 행동에 대한 코딩시스템(coding system)이다. 이것은 일관성 없는 행동과 극도로 무관심한 행동의 두 가지 차원을 강조한다. 첫 번째 차원인 비일관적인 부모 행동은 Main과 Hesse의(1992a, 1992b) coding instrument에서 각색되고 재배치된 항목들로 구성되고 부모 행동의 다섯 가지 범주를 포함한다: 겁주고 위협하는 행동; 아이의 두려움을 나타내는 행동; 변화된 의식 상태의 흡수(absorption) 혹은 침입(intrusion)을 나타내는 해리행동; 아이와 상호작용이 소심하고, 순종적이고 혹은 공손한 태도임; 성적이고 로맨틱한 행동; 혼돈된 행동들. 각 행동은 점수가 주어지기 전에 충족될 필요가 있는 특정 기준과 동반된다. 두 번째 차원은 부모의 철수와 방임, 그리고 침습적이고, 부정적인, 공격적이거나 그렇지 않으면 가혹한 부모의 행동의 두 가지 형태의 극단적인 부모의 무관심함을 강조한다. 평가는 행동이 일어난 상황뿐만 아니라 행동의 기간, 빈도, 질, 그리고 심각성을 기반으로 한다. 이 차원은 AMBIANCE의 항목들을 골라내서 개조한 것이다. 구별되는 비일관적이고, 극도로 무관심한 행동들은 그 행동이 일어날 때마다 9점 척도로 매겨지고 두 차원 모두에 대한 최종 점수가 결정된다.

LoTTS 부모-유아 상호작용 코딩 시스템(LoTTS Parent–Infant Interaction Coding System)

이 척도(LPICS; Beatty et al., 2011)는 간략하고, 단순한 그리고 쉽게 가르칠 수 있는 마주보고 자유 놀이를 하는 동안 부모-유아 상호작용을 관찰하는 척도이다. 이 척도는 잘 정의된 연속체에 따라 포착된 일반적인 느낌을 허용하고, 특정 핵심 행동의 빈도를 기록할 수도 있다. LPICS는 상호작용의 핵심 요소(반응성, 민감성, 따스함)를 파악한 세 가지 주관적/전반적 점수와 핵심적인 부모 행동(유아를 보고, 만지고, 말 걸고, 미소 짓기)의 네 가지 행동 계수를 포함한다. 약간만 훈련 받으면 되는데다 연구 환경보다는 임상의에게 상당히 유용하게 개발되었으며, 비록 간단한 척도이지만 신뢰할 수 있고 타당한 도구라고 여겨진다.

공동육아 가족 평가 척도(Coparenting and Family Rating Scale)

이 척도(CFRS; McHale, Kuersten-Hogan, & Lauretti, 2000)는 비디오로 녹화된 가족 놀이 세션을 통해서 공동육아와 가족을 일곱 가지 차원에서 평가하도록 개발된 평가도구이다.

CFRS는 우선 5점 Likert 척도로 매겨진 공동육아의 네 가지 차원으로 구성된다: 경쟁, 협동, 말싸움, 공동육아의 온기. 경쟁 차원은 부모가 아이와 다른 사람의 상호작용을 방해하는 빈도를 평가한다(예, 다른 사람의 제안을 무시하거나 아이를 산만하게 함으로써). 협동 차원은 부모 사이의 지지와 공동작업의 정도를 측정한다. 말싸움 차원은 가벼운 괴롭힘에서 드러나는 비난이나 폄하의 범위에서 서로에 대한 부모의 비꼬는 혹은 적대적 발언의 빈도와 정도를 평가한다. 공동육아의 온기 차원은 부모 사이의 긍정적 감정의 빈도와 강도를 평가한다(예, 농담, 따뜻한 시선, 언어적 혹은 신체적 애정). 다섯 번째 차원은 (1) 아이 중심에서부터 (5) 부모 중심까지의 범위로, 어느 가족 구성원이 주로 가족 놀이의 방향을 정하는지를 나타낸다. 여섯 번째 차원은 (1) 낮은- 에서 (7) 높은 부모-아이 온기까지의 범위에서 부모와 아이 사이의 긍정적 감정의 빈도와 강도를 평가한다. 마지막으로 부모-아이 투자의 차원은 완전히 이탈함 (1)에서 과잉간섭(7)까지 범위에서, 각 부모가 아이와 함께 있는데 얼마나 적극적이고, 열심히 인지, 즐겁고, 집중하는지를 평가한다.

낯선 상황(Strange Situation)

낯선 상황 절차(Ainsworth et al., 1978)은 12개월에서 18개월 사이 유아의 애착 행동과 자기 양육자에 대한 전략을 밝히고 분류하기 위해 개발된 반구조화된 절차 실험이다. 양육자와의 분리와 재회를 포함한 다른 에피소드 동안 유아의 행동과 친절하지만 친숙하지 못한 낯선 여성과의 상호작용이 관찰된다. 각 에피소드는 적어도 3분간 지속되고 유아의 행동은 분리, 불안, 탐색하고자 하는 마음, 낯선 이 불안, 재회 행동에 관하여 관찰된다. 각 에피소드들에 대한 유아의 반응은 세 가지 조직화된 애착 그룹으로 나뉘어 진다: 안정적(B), 회피적(A), 혹은 저항적(C). Main과 Solomon에 행해진 이후 작업(1986)은 비일관적이고 혼란스러운 행동을 보이는 혼돈된(D) 아이의 네 번째 그룹을 정의했다.

애착 Q분류(Attachment Q-Sort)

애착 Q분류(AQS; Vaughn & Waters, 1990; Waters & Deane, 1985)는 유아와 걸음마기 아이의 부모 혹은 양육자에 대한 애착 안정성을 평가하기 위해 고안된, 낯선 상황의 대체적인 평가방법이다. 이것은 조금 연령이 높은 아이들에게도 사용될 수 있고(특히 12-48개월) 낯선 상황처럼 침습적이거나 스트레스를 주지 않는다. AQS는 높은 수의 카드들(75, 90, 혹은 100)로 구성되어 있고, 각 카드에는 아이들의 특정행동이 묘사되어 있다. 몇 시간 동안 집에서 아이와 양육자의 관찰한 뒤, 관찰자는 카드들을 "가장 주제를 잘 설명하는"에서부터 "가장 주제를 잘 설명하지 못하는"까지 여러 개 더미로 정렬한다(더미의 수와 각 더미에 들어갈 수 있는 카드의 수는 고정되어 있다). 마지막에, 애착 안정성의 점수가 산출된다. AQS는 충분한 타당도를 보여서 적절한 애착 평가 도구로 여겨진다.

Crowell 절차(Crowell Procedure)

Crowell 절차(Crowell & Feldman, 1988, 1991; Crowell, Feldman, & Ginsburg, 1988)는 임상 상황에서 양육자-아이 상호작용을 관찰하는 방법을 제공한다. 이 절차는 임상의가 "실제 생활(real-life)" 혹은 자연스러운 상호작용이 허용되기에 충분히 구조화 되지 않은 임상 환경에서 아이와 양육자 사이 관계에 초점을 둘 수 있는 행동들을 이끌어 내게끔 설계된 연속적인 8가지 시리즈의 에피소드를 포함한다. Crowell 절차는 완료까지 45-60분이 걸린다. 8 가지 에피소드들은 자유로운 놀이, 청소하기, 비누방울 에피소드, 네 가지 굉장히 어려운 문제 해결 과제, 분리-재회 에피소드를 포함한다. 이 에피소드들은 아이와 양육자가 함께 있는 것이 서로에게 얼마나 편안하고 친숙한지, 아이와 양육자 쌍이 얼마나 변화를 잘 넘기는지, 함께 문제를 해결해 나가는 한 쌍의 능력, 공유된 감정(긍정적이고 부정적인)의 의사소통에 사용하는 것, 그리고 애착 행동들을 임상의가 볼 수 있게 해준다. 이 절차는 양육자의 표상의 유형이 다른 것과 연관이 있고(Aoki, Zeanah, Heller, & Bakshi, 2002; Crowell & Feldman, 1988), 임상군과 대조군 걸음마기 아이들 사이에도 차이가 있고(Crowell & Feldman, 1988), 발달이 지연되고 지연되지 않은 걸음마기 아이들 사이에도 차이가 있으며(Crowell & Feldman, 1988), 주어진 쌍(given dyad)에 따라서도 달라지는 것(Aoki et al., 2002)으로 나타났다.

아동-성인 관계 실험 지수(Child–Adult Relationship Experimental Index)

아동-성인 관계 실험 지수(이하 CARE Index, Crittenden, 2003)는 엄마의 섬세함과 애착 행동에 특히 초점을 두면서 엄마-유아 상호작용의 질을 부호화하는데 사용된 평가 척도이다. 이 부호화 절차(coding procedure)는 생후 36개월까지 유아들에게 적합하다. 대개 3-5분의 자유로운 놀이가 비디오로 녹화되고, 엄마와 아이는 장난감을 받지만, 그것을 갖고 놀게 강요받지는 않는다. CARE Index는 양자 행동(dyadic behavior)의 일곱 가지 차원(얼굴 표정, 언어 표현, 자세와 신체접촉, 감정, 교대 사건(turn-taking contingencies), 통제, 활동의 선택)에 관해 조직화된 52가지 항목으로 구성되었다. 각 어른과 유아들은 이러한 상호작용 행동의 일곱 가지 차원들에 대해 별도로 평가되었다. 각 차원에 대해 어른의 행동의 질을 서술하는 3가지 항목과, 유아 행동을 서술하는 4가지 항목들이 있다. 어른에서 한 가지 항목은 예민한 행동을, 하나는 통제하는 행동을, 하나는 무반응적인 행동을 묘사한다. 4가지 항목들은 협조적인, 순응하는, 까다로운, 수동적인 유아의 상호작용 행동의 질을 묘사한다.

비록 어른과 유아는 따로 점수 매겨지지만, 유아와 엄마는 각각 상대편의 관점에서 점수가 매겨진다. 비록 이것은 연구 목적으로 개발되었지만, CARE Index는 임상 상황에서 적용될 수 있고, 비디오 녹화는 실험실, 클리닉 혹은 집과 같이 다양한 상황에서 수행될 수 있다.

Lausanne 삼인극(Lausanne Trilogue Play)

Lausanne 삼인극(Fivaz-Depeursinge & Corboz-Warnery, 1999)은 두 부모 사이의 조화와 다른

두 쌍의 가족의 아단위들(subunits) 사이의 조화, 그리고 전체로써 가족의 조화를 평가할 수 있다. 이 도구는 생후 첫 1년 동안 가족들을 연구하기 위해 개발되었다. 이 방법의 핵심적 요소는 Lausanne 삼인극 상황이다. 이 상황 동안 부모와 아이들은 엄마-유아, 아빠-유아, 엄마-아빠, 그리고 하나의 "셋이 함께"의 네 가지 형태로 함께 놓여지게 된다.

서사적 이야기 줄거리 기법(Narrative Story Stem Techniques)

어린 아이들의 표상은 서사적 이야기 줄거리 완성 작업을 통해 평가될 수 있다. 프로토콜은 인형 등의 도구와 함께 일반적인 가족 상황과 갈등을 묘사하는 구조화된 이야기 줄거리를 제공한다. 아이는 이야기들의 서사적 시작 세트에 반응하도록 요청 받고, 각 이야기들은 내재하는 딜레마가 동반된다. the Attachment Story Completion Task(Bretherton, Ridgeway, & Cassidy, 1990b)와 MacArthur Story Stem Battery(Bretherton & Oppenheim, 2003; Bretherton, Oppenheim, Buchsbaum, Emde, & the MacArthur Narrative Group, 1990a), 이 두 프로토콜은 원래 Bretherton과 동료들에 의해 개발되었다. 그 후 the Story Stem Completion Task (Hodges, Hillman, & Steele, 2004), Manchester Child Attachment Task (Goldwyn, Stanley, Smith, & Green, 2000; Green, Stanley, Smith, & Goldwyn, 2000)과 같은 다른 방법들이 많은 연구자들에 의해 개발되었다. 이 평가도구들은 모두 애착의 분류가 가능하게 하고 자신과 관계들에 대한 아이의 정신적 표상의 임상적 묘사를 제공해준다.

성인 애착 인터뷰(Adult Attachment Interview)

성인 애착 인터뷰(AAI; George et al., 1984, 1985, 1996)는 개인의 양육자와의 애착 경험과 애착과 관계된 그 혹은 그녀의 현재 마음 상태를 알아내기 위해 설계된 반구조화된 인터뷰이다. 이 인터뷰는 1-2시간 동안 수행된다. 대상자는 자신들의 초기 아동기의 부모들과의 관계에 대해 묘사하고, 이 관계를 설명할 형용사와 사례들을 제시하고, 초기의 분리, 상실들, 편안함을 찾았던 방법들을 회상하도록 요청 받는다. 그들은 또한 부모들의 행동 이면의 이유들을 생각해보고, 시간이 지난 뒤 부모들의 관계에서의 변화를 묘사하도록 요청 받는다. AAI에서 카테고리 분류는 연속적인 낮음(1)에서 높음(9)까지의 9점 척도를 기반으로 한다. 추론된 경험들과 관련된 척도들은 사랑, 거절, 개입/철회(involving/reversing), 성취를 위한 압력, 방임 등이다. 애착 대상에 대한 마음 상태에 대한 척도들은 이상화, 연관된 분노, 폄하 등이다. 다른 척도들은 애착을 모두 폄하하거나, 회상의 결핍을 주장하고, 전인지적 관찰, 이야기의 수동성, 상실의 두려움, 해소되지 않은 상실, 해소되지 않은 트라우마, 마음의 일관성 및 인터뷰 기록의 일관성 등과 같이 애착과 관계된 전반적인 마음 상태를 고려한다.

AAI 기록의 점수를 매긴 뒤, 안정-자율적, 불안정-묵살된, 불안정-집착하는, 과거의 상실 혹은 트라우마와 관련되어 해소되지 않은, 혹은 분류되지 않는 등급이 기록에 할당된다.

아이의 작업 모델 인터뷰(Working Model of the Child Interview)

아이의 작업모델 인터뷰(WMCI; Zeanah, Benoit, Hirshberg, Barton, & Regan, 1994)는 부모의 유아의 개인적인 특성과 그들의 관계에 대한 지각과 주관적 경험을 평가하기 위해 개발된 유아와 1시간짜리 반구조화된 인터뷰이다. 처음에는 연구 목적으로 개발되었으나, 이제는 임상 상화에서도 사용된다. 인터뷰는 임신, 출산, 유아의 발달, 유아의 인격 및 행동, 부모와 유아의 관계에 대한 질문들을 포함한다. 인터뷰 기록은 8가지를 5점 평가 척도로 등급을 매길 수 있다(풍부한 지각, 변화에 개방됨, 관여의 강도, 일관성, 양육의 세심함, 수용, 유아의 어려움 및 유아 안전에 대한 두려움). 이 등급들로부터, 부모의 표상은 균형 잡힌, 이탈된, 혹은 왜곡된 등으로 분류될 수 있다. 부모의 반응의 정서적 분위기(즉, 기쁨, 자부심, 분노, 죄책감, 그리고 다른 표현된 감정들) 또한 등급화될 수 있다.

부모 발달 인터뷰-교정본(Parent Development Interview—Revised)

부모 발달 인터뷰-교정본(PDI-R; Aber, Slade, Berger, Bresgi, & Kaplan, 1985; Slade, Aber, Bresgi, Berger, & Kaplan, 2004a)은 자기 아이에 대한 부모의 표상과 부모로써의 그들 자신에 대한 지각, 그리고 그들의 관계에 대한 그들의 경험들을 알아내기 위해 디자인 된 45 문항의 반구조화된 임상 인터뷰다. 인터뷰는 현재의 경험과 기억들을 일으키고자 하고, 부모-유아 관계와 관계의 다른 측면에 대한 부모의 정신적 표상을 탐색하기 위한 도구로 사용될 수 있다. 인터뷰에서, 부모는 아이의 행동과 다양한 상황에서의 느낌을 묘사하고, 실제 생활에서의 예시를 제공하도록 요청 받는다. 부모는 또한 이러한 상황들에서 아이에 대한 반응들 설명하고, 그 혹은 그녀 자신을 부모로써 묘사하고, 또 부모로써 그 혹은 그녀가 경험하는 감정들을 논의하도록 요청 받는다. 인터뷰는 수행되는데 거의 90분 가까이 걸리고, 인터뷰를 부호화할 수 있게 해주는 훈련이 요구된다.

부모 발달 인터뷰에서 반영기능(Reflective Functioning in the Parent Development Interview)

“반영기능”(Reflective functioning[RF])은 자기 자신의 그리고 타인의 행동을 그 행동 이면에 깔린 정신적 상태 측면에서 이해할 수 있는 개인의 능력을 말한다. 이것은 또한 정신적 상태의 상호주관적 특성을 이해하는 능력을 말하기도 한다. 원본 PDI(부모발달인터뷰, Parent Developmental Interview)와 함께 사용하기 위해, Slade, Bernbach, Grienenberger, Levy, and Locker (2004b) 등은 Fonagy, Target, Steele, and Steele (1998)등이 AAI (성인애착인터뷰, Adult Attachment Interview)와 함께 사용하려고 개발한 RF 부호화 매뉴얼의 부록을 개발했다. PDI에서 RF는 4가지 광범위한 범주들(정신 상태 특성의 인식, 행동의 기저에 있는 정신 상태를 알아내려는 명백한 시도, 정신 상태의 발달적 측면에 대한 인식, 조사자(interviewer)와 관계된 정신상태들)에서 평가된다. 이것은 RF가 없는 상태(negative RF)에서 완전한 혹은 예외적인 RF까지의 11점 척도이다. 채점은 PDI에서 읽은 버바팀 기술내용을 바탕으로 한다.

마음-마음자세 부호화 도식(Mind-Mindedness Coding Scheme)

마음-마음자세 부호화 도식(Meins & Fernyhough, 2010)은 엄마의 말을 부호화 하기 위해 개발되었다. 이것은 기록된 엄마-유아 놀이 세션 verbatim에 적용되며, 자신의 아이를 자율적인 생각과 의사, 감정, 욕구를 가진 의식이 있는 행위자(intentional agent)로 보는 엄마의 경향을 평가하려고 한다. "마음과 관계된" 언급들은 지식, 생각, 욕구, 그리고 흥미같이 마음 상태에 대한 언급과 마음의 과정에 대한 언급, 유아의 감정적 참여수준에 대한 언급, 사람들의 생각을 조종하려는 유아의 시도들에 대한 언급, 엄마 혼자서 하는 말이 대화의 형태를 취하게끔 하는 엄마의 "putting words into the infant's mouth(아이가 말하려는 것과 관계없이 엄마 의도대로 해석하는 것)" 등을 의미한다. 각 마음과 관계된 언급은 적절하거나 혹은 적절치 못한 마음과 관계된 언급으로 분류될 수 있다.

육아 스트레스 지수(Parenting Stress Index)

육아 스트레스 지수(PSI; Abidin, 1983, 1995)는 부모-아이 관계에서의 상대적 스트레스 정도를 측정하기 위해 고안된, 부모를 위한 자가 보고식 설문지이다. 이 도구는 아이 영역에서 적응성, 수용성, 요구성, 기분, 산만함/과활동성 및 부모에 대한 강화(reinforcement to parents)를 측정하는 47가지 항목들과 부모 영역에서 우울, 애착, 역할의 제한, 효능감, 사회적 고립, 배우자와의 관계 및 부모 건강을 측정하는 54가지 항목들을 포함한다. PSI는 부모가 부모 역할을 하면서 경험하고 있는 괴로움을 측정하는 양육 고통; 부모의 기대에 부합하지 못하는 아이에 대한 부모의 지각에 초점을 맞추는 부모-아이의 역기능적 상호작용; 아이를 다루기 쉽게 혹은 어렵게 만드는 아이의 기본 행동 특성을 평가하는 까다로운 아이의 3가지 하위 척도로 구성되어 있다. 마지막으로 총 점수에 포함되어 있지 않은 방어 응답은 응답자가 질문에 진실하게 답변한 정도를 평가한다. 총 원점수가 90점을 초과하면 임상적으로 유의한 스트레스 수준을 나타낸다. 모든 항목별 점수는 높은 내적 일관도를 보인다. 짧은 36개 항목 버전 역시 사용 가능하다.

교정된 부부 적응 척도(Revised Dyadic Adjustment Scale)

교정된 부부 적응 척도(RDAS; Busby, Christensen, Crane, & Larson, 1995)는 결혼 적응을 평가하기 위해 설계된 자가 보고형 설문지이다. RDAS는 기존의 부부 적응 척도(Dyadic Adjustment Scale[DAS; Spanier, 1976])의 32 항목 중 14 항목을 골라내 구성되었다. RDAS는 부부 적응을 의견일치, 만족, 화합의 세 가지 차원을 평가할 수 있다 하위 척도들의 점수를 합산하여 전체 부부 적응을 대표하는 총 점수를 만들어낼 수 있다. 이것은 여러 연구들에서 좋은 신뢰도를 보였고 DAS와도 높은 상관관계가 있었다. 또한 이전 연구는 RDAS가 성공적으로 스트레스 받은 상태와 스트레스 받지 않은 상태를 구분할 수 있다는 것을 보여준다.

공동양육 관계 척도(Coparenting Relationship Scale)

공동양육 관계 척도(CRS; Feinberg, Brown, & Kan, 2012)는 공동양육의 각 영역을 나타내는 하위척도뿐만 아니라 공동양육의 질의 종합 점수를 산출해내는 35개 항목의 자가 보고 척도이다. 항목들은 양육 협동과 공동양육에 대한 이전 척도들로부터 선택되고 조정되었으며 추가 항목들이 만들어졌다. 이것은 공동양육 의 일치도, 공동양육의 친밀도, 갈등 노출, 공동양육의 지지도, 공동양육의 위태로움, 파트너의 양육에 대한 지지, 노동 분담 등 7가지 하위척도로 구성된다.

각 항목은 첫 30개 항목은 "우린 그렇지 않다"에서 "우리는 굉장히 그렇다."까지 범위의 7점 척도로 매겨지고, 마지막 5개 항목들은 "전혀"에서 "매우 자주"까지로 매겨진다.

축 V: 기타 의학적 신경학적 진단들(Axis V: Other Medical and Neurological Diagnoses)

정신 건강, 발달적, 감각 조절 처리, 언어 그리고/혹은 학습 장애의 증거를 가진 아이들은 빈번하게 그들의 장애에 기여하는 질병의 증거를 보인다. 예를 들어, 알러지를 가진 아이들은 호흡기 혹은 피부과 반응뿐만 아니라 행동 반응을 보일 수도 있다. 위장관 장애들은 전반적 발달 문제를 가진 아이들에게선 드물지 않다. 의학적 문제들이 명확하게 영향을 주었거 그렇지 않건, 임상의가 의심되는 어떠한 질환을 알리는 것은 중요하다. 세심한 질환 목록을 작성하는 것은 철저한 조사와 아이의 정신건강, 발달, 혹은 학습 장애들과의 관계 가능성을 찾아내는 것을 가능하게 한다.

참고문헌

Aber, J., Slade, A., Berger, B., Bresgi, I., & Kaplan, M. (1985). *The Parent Development Interview.* Unpublished protocol, City University of New York.

Abidin, R. R. (1983). *Parenting Stress Index manual*. Charlottesville, VA: Pediatric Psychology Press. Abidin, R. R. (1995). *Parenting Stress Index: Professional manual* (3rd ed.). Odessa, FL: Psychological Assessment Resources.

Achenbach, T. M., & Rescorla, L . A. (2000). *Manual for A SEBA Preschool Forms and Profiles*. Burlington: University of Vermont, Research Center for Children, Youth, and Families.

Ainsworth, M. D. S., Bell, S. M., & Stayton, D. (1974). Infant-mother attachment and social development: "Socialization" as a product of reciprocal responsiveness to signals. In P. M. Richards (Ed.), *The integration of a child into a social world* (pp. 99-135). Cambridge, U K: Cambridge University Press.

Ainsworth, M. D. S., Blehar, M. C., Waters, E ., & Wall, S. (1978). *Patterns of attachment: A psychological study of the Strange Situation.* Hillsdale, NJ: Erlbaum.

Althoff, R. R., Verhulst, F. C., Rettew, D. C., Hudziak, J. J., & van der Ende, J. (2010). Adult outcomes of childhood dysregulation: A 14year followup study. *Journal of the American Academy of Child and Adolescent Psychiatry, 49,* 1105-1116.

Alvarez, A. (2012). *The Thinking Heart: Three levels of psychoanalytic therapy with disturbed children.* London: Routledge.

American Psychiatric Association. (1994). *Diagnostic and statistical manual of mental disorders* (4th ed.). Washington, DC: Author.

American Psychiatric Association. (2013). *Diagnostic and statistical manual of mental disorders* (5th ed.). Arlington, VA: Author.

Ammaniti, M., Lucarelli, L., Cimino, S., D'Olimpio, F., & Chatoor, I. (2010). Maternal psychopathology and child risk factors in infantile anorexia. *International Journal of Eating Disorders, 43,* 233–240.

Ammaniti, M., Lucarelli, L., Cimino, S., D'Olimpio, F., & Chatoor, I. (2012). Feeding disorders of infancy: A longitudinal study to middle childhood. *International Journal of Eating Disorders, 45,* 272–280.

Anda, R. F., Felitti, V. J., Bremner, J., Walker, J. D., Whitfield, C., & Perry, B. D. (2006). The enduring effects of abuse and related adverse experiences in childhood: A convergence of evidence from neurobiology and epidemiology. *European Archives of Psychiatry and Clinical Neuroscience, 256*(3), 174–186.

Anders, T. F. (1989). Clinical syndromes, relationship disturbances and their assessment. In A. J. Sameroff & R. N. Emde (Eds.), *Relationship disturbances in early childhood* (pp. 125–144). New York: Basic Books.

Anders, T. F., & Dahl, R. (2007). Classifying sleep disorders in infants and toddlers. In W. E. Narrow, M. B. First, M. S. Sirovatka, & D. A. Regier (Eds.), *Age and gender considerations in psychiatric diagnosis* (pp. 215–226). Arlington, VA: American Psychiatric Association.

Anders, T. F., GoodlinJones, B., & Sadeh, A. (2000). Sleep disorders. In C. H. Zeanah (Ed.), *Handbook of infant mental health* (2nd ed., pp. 326–338). New York: Guilford Press.

Aoki, Y., Zeanah, C. H., Heller, S. S., & Bakshi, S. (2002). Parent–infant relationship global assessment scale: A study of its predictive validity. *Psychiatry and Clinical Neurosciences, 56,* 493–497. Aron, E. N., & Aron, A. (1997). Sensory-processing sensitivity and its relation to introversion and emotionality. *Journal of Personality and Social Psychology, 73*(2), 345–368.

Ayres, A. J. (1963). Tactile functions: Their relation to hyperactive and perceptual motor behavior. *American Journal of Occupational Therapy, 18,* 6–11.

Ayres, A. J. (1972). *Sensory integration and learning disabilities.* Los Angeles: Western Psychological Services.

Ayres, A. J. (1979). *Sensory integration and the child.* Los Angeles: Western Psychological Services. BakermansKranenburg, M. J., DobrovaKrol, N., & van IJzendoorn, M. H. (2011a). Impact of institutional care on attachment disorganization and insecurity of Ukrainian preschoolers: Protective effect of the long variant of the serotonin transporter gene (5HTT). *International Journal of Behavioral Development, 36,* 1–8.

BakermansKranenburg, M. J., Steele, H., Zeanah, C.H., Muhamedrahimov, R. J., Vorria, P., DobrovaKrol, N. A., & Gunnar, M. R. (2011b). III. Attachment and emotional development in institutional care: Characteristics and catchup. *Monographs of the Society for Research in Child Development, 76*(4), 62–91.

BakermansKranenburg, M., & van IJzendoorn, M. (2007). Genetic vulnerability or differential susceptibility in child development: The case of attachment. *Journal of Child Psychology and Psychiatry, 48*(12), 1160–1173.

Baradon, T. (Ed.). (2009). *Relational trauma in infancy: Psychoanalytic, attachment and neuropsychological contributions to parent–infant psychotherapy.* London: Routledge.

Baradon, T., with Biseo, M., Broughton, C., James, J.,& Joyce, A. (2016). *The practice of psychoanalytic parent–infant psychotherapy: Claiming the baby* (2nd ed.). Abingdon, UK: Routledge.

Baradon, T., & Steele, M. (2008). Integrating the AAI in the clinical process of psychoanalytic parent–infant psychotherapy in a case of relational trauma. In H. Steele & M. Steele (Eds.), *Clinical applications of the Adult Attachment Interview* (pp. 195–212). New York: Guilford Press.

Baranek, G. T. (1994). Tactile defensiveness in children with developmental disabilities: Responsiveness and habituation. *Journal of Autism and Developmental Disorders, 24,* 457–471.

Baranek, G. T. (2002). Efficacy of sensory and motor interventions for children with autism. *Journal of Autism and Developmental Disorders, 32*(5), 397–422.

Baranek, G. T., David, F. J., Poe, M. D., Stone, W.L., & Watson, L. R. (2006). Sensory Experiences Questionnaire: Discriminating sensory features in young children with autism, developmental delays, and typical development. *Journal of Child Psychology and Psychiatry, and Allied Disciplines, 47,* 591–601.

Barton, M. L., Robins, D., Jashar, D., Brenna, L., & Fein D. (2013). Sensitivity and specificity of proposed DSM5 criteria for autism spectrum disorder in toddlers. *Journal of Autism and Developmental Disorders, 43*(5), 1184–1195.

Bayley, N. (1993). *Bayley Scales of Infant Development— Second Edition.* San Antonio, TX: Psychological Corporation.

Bayley, N. (2006). *Bayley Scales of Infant and Toddler Development—Third Edition.* San Antonio, TX: Harcourt Assess-

ment.
Beatty, J., Stacks, A. M., Partridge, T., Tzilos, G. K., Loree, A., & Ondersma, S. (2011). LoTTS parent–infant interaction coding scale: Ease of use and reliability in a sample of highrisk mothers and their infants. *Children and Youth Services Review,33*(1), 86–90.
Beebe, B., Knoblauch, S., Rustin, J., & Sorter, D. (2005). *Forms of intersubjectivity in infant research and adult treatment*. New York: Other Press.
BeesdoBaum, K., & Knappe, S. (2012). Developmental epidemiology of anxiety disorders. *Child and Adolescent Psychiatric Clinics of North America,21*(3), 457–478.
BeesdoBaum, K., Knappe, S., & Pine, D. (2009). Anxiety and anxiety disorders in children and adolescents: Developmental issues and implications for DSMV. *Psychiatric Clinics of North America,32*(3), 483–524.
BenSasson, A., Carter, A. S., & BriggsGowan, M. J. (2010). The development of sensory overresponsivity from infancy to elementary school. *Journal of Abnormal Child Psychology, 38*(8),1193–1202.
Bernard, K., Dozier, M., Bick, J., LewisMorrarty, E., Lindhiem, O., & Carlson, E. (2012). Enhancing attachment organization among maltreated children: Results of a randomized clinical trial. *Child Development, 83,* 623–636.
Berthelot, N., Ensink, K., Bernazzani, O., Normandin, L., Luyten, P., & Fonagy, P. (2015). Intergenerational transmission of attachment in abused and neglected mothers: The role of traumaspecific reflective functioning. *Infant Mental Health Journal, 36*, 200–212.
Biederman, J., Rosenbaum, J. F., BolducMurphy, E.A., Faraone, S. V., Chaloff, J., Hirshfeld, D. R., & Kagan, J. (1993). A 3year followup of children with and without behavioral inhibition. *Journal of the American Academy of Child and Adolescent Psychiatry, 32*(4), 814–821.
Biringen, Z., Robinson, J., & Emde, R. N. (1993). *Emotional Availability Scales.* Unpublished manuscript, Health Science Center, University of Colorado, Denver, CO.
Biringen, Z., Robinson, J., & Emde, R. N. (2000). Appendix B: Emotional Availability Scales (3rd ed., abridged infancy/early childhood version). *Attachment and Human Development, 2*, 256–270.
Blader, J. C., & Carlson, G. A. (2007). Increased rates of bipolar disorder diagnoses among U.S. child, adolescent, and adult inpatients, 1996–2004. *Biological Psychiatry, 62*(2), 107–114.
Bleichmar, H. (1996). Some subtypes of depression and their implications for psychoanalytic treatment. *International Journal of Psychoanalysis, 77,*935–961.
Boomsma, D. I., Rebollo, I., Derks, E. M., van Beijsterveldt, T. C. E. M., Althoff, R. R., Rettew, D. C., & Hudziak, J. J. (2006). Longitudinal stability of the CBCLjuvenile bipolar disorder phenotype: A study in Dutch twins. *Biological Psychiatry,60*(9), 912–920.
Bouchard, M. A., Target, M., Lecours, S., Fonagy, P., Tremblay, L. M., Schachter, A., & Stein, H. (2008). Mentalization in adult attachment narratives: Reflective functioning, mental states, and affect elaboration compared. *Psychoanalytic Psychology, 25*(1), 47–66.
Bowlby, J. (1958). The nature of the child's tie to his mother. *International Journal of PsychoAnalysis,39,* 350–373.
Bowlby, J. (1960). Grief and mourning in infancy and early childhood. *Psychoanalytic Study of the Child, 15,* 9–52.
Bowlby, J. (1979). *The making and breaking of affectional bonds*. London: Tavistock.
Bowlby, J. (1980). *Attachment and loss: Vol. 3. Loss.* New York: Basic Books.
Bowlby, J. (1988). *A secure base: Parent–child attachment and healthy human development*. New York: Basic Books.
Brandt, K. A., Perry, B. D., Seligman, S., & Tronick, E. (Eds.). (2013). *Infant and early childhood mental health: Core concepts and clinical practice*. Arlington, VA: American Psychiatric Publishing.
Brazelton, T. B. (1979). Evidence of communication during neonatal behavioural assessment. In M. Bullowa (Ed.), *Before speech: The beginning of human communication* (pp. 79–88). Cambridge, UK: Cambridge University Press.
Brazelton, T. B., & Nugent, J. K. (1995). *The Neonatal Behavioral Assessment Scale* (3rd ed.). London: MacKeith Press.
Brazelton, T. B., & Nugent, J. K. (2011). *The Neonatal Behavioral Assessment Scale*. Cambridge, UK: MacKeith Press.
Bretherton, I., & Oppenheim, D. (2003). The MacArthur Story Stem Battery: Development, administration, reliability, validity, and reflections about meaning. In R. N. Emde, D. P. Wolf, & D. Oppenheim (Eds.), *Revealing the inner worlds of young children: The MacArthur Story Stem Battery and parent–child narratives* (pp. 55–80). New York: Oxford University Press.
Bretherton, I., Oppenheim, D., Buchsbaum, H., Emde, R. N., & the MacArthur Narrative Group. (1990a). *The MacArthur Story Stem Battery (MSSB)*. Unpublished manual, University of Wisconsin, Madison, WI.
Bretherton, I., Oppenheim, D., Emde, R. N., & MacArthur Narrative Working Group. (2003). The MacArthur Story

Stem Battery. In R. N. Emde, D. P. Wolf, & D. Oppenheim (Eds.), *Revealing the inner worlds of young children: The MacArthur Story Stem Battery and parent–child narratives* (pp. 55–80). New York: Oxford University Press.

Bretherton, I., Ridgeway, D., & Cassidy, J. (1990b). Assessing internal working models of the attachment relationship: An attachment story completion task for 3yearolds. In M. Greenberg, D. Cicchetti, & E. M. Cummings (Eds.), *Attachment during the preschool years* (pp. 272–308). Chicago: University of Chicago Press.

BriggsGowan, M. J., & Carter, A. S. (2006). *The Brief Infant–Toddler Social and Emotional Assessment BI T SE A).* San Antonio, TX: Harcourt Assessment.

BriggsGowan, M. J., Carter, A. S., BossonHeenan, J., Guyer, A. E., & Horwitz, S. M. (2006). Are infant–toddler socialemotional and behavioral problems transient? *Journal of the American Academy of Child and Adolescent Psychiatry, 45*(7), 849–858.

Brisch, K. H. (2012). *Treating attachment disorders: From theory to therapy* (2nd ed.). New York: Guilford Press.

Bronfman, E., Madigan, S., & LyonsRuth, K. (2008). *Atypical Maternal Behavior Instrument for Assessment and Classification (A M BIA NCE): Manual for coding disrupted affective communication* (2nd ed.). Unpublished manual, Harvard Medical School.

Bronfman, E., Parsons, E., & LyonsRuth, K. (1993). *Atypical Maternal Behavior Instrument for Assessment and Classification (A M BIA NCE): Manual for coding disrupted affective communication.* Unpublished manuscript, Harvard Medical School.

Bruce, J., Tarullo, A. R., & Gunnar, M. R. (2009). Disinhibited social behavior among internationally adopted children. *Development and Psychopathology, 21,* 157–171.

BryantWaugh, R., Markham, L., Kreipe, R. E., & Walsh, B. T. (2010). Feeding and eating disorders in childhood. *International Journal of Eating Disorders, 43,* 98–111.

Busby, D. M., Christensen, C., Crane, D. R., & Larson, J. H. (1995). A revision of the Dyadic Adjustment Scale for use with distressed and nondistressed couples: Construct hierarchy and multidimensional scales. *Journal of Marital and Family Therapy, 21*(3), 289–308.

Butler, R. J. (2008). Wetting and soiling. In M. Rutter, D. V. M. Bishop, D. Pine, S. Scott, J. Stevenson, E. Taylor, & A. Thapar (Eds.), *Rutter's child and adolescent psychiatry* (5th ed., pp. 916–929). Malden, MA: WileyBlackwell.

Byne, W., Bradley, S. J., Coleman, E., Eyler, A. E., Green, R., Menvielle, E. J., . . . Tompkins, D. A. (2012). Report of the American Psychiatric Association Task Force on Treatment of Gender Identity Disorder. *Archives of Sexual Behavior, 41*(4),759–796.

Calkins, S. D., & Hill, A. (2007). Caregiver influences on emerging emotional regulation: Biological and environmental transactions in early development. In J. J. Gross (Ed.), *Handbook of emotion regulation* (pp. 229–248). New York: Guilford Press.

Calkins, S. D., & House, R. (2004). Individual differences in selfregulation: Implications for childhood adjustment. In P. Philipot & R. Feldman (Eds.), *The regulation of emotion* (pp. 307–332). Mahwah, NJ: Erlbaum.

Carlson, G. A., & Klein, D. N. (2014). How to understand divergent views on bipolar disorder in youth. *Annual Review of Clinical Psychology, 10*(1),529–551.

Carter, A. S., BenSasson, A., & BriggsGowan, M.J. (2011). Sensory overresponsivity, psychopathology, and family impairment in schoolaged children. *Journal of the American Academy of Child and Adolescent Psychiatry, 50*(12), 1210–1219.

Carter, A. S., & BriggsGowan, M. J. (2006). *The Infant–Toddler Social and Emotional Assessment (I T SE A) manual.* San Antonio, TX: Harcourt Assessment.

Carter, A. S., BriggsGowan, M. J., Jones S., & Little T. D. (2003). The Infant–Toddler Social and Emotional Assessment (ITSEA): Factor Structure, Reliability, and Validity. *Journal of Abnormal Child Psychology, 31,* 495–514.

Casey, P. (2014). Adjustment disorder: New developments. *Current Psychiatry Reports, 16*(6), 1–8. Chatoor, I. (2002). Feeding disorders in infants and toddlers: Diagnosis and treatment. *Child and Adolescent Psychiatric Clinics of North America, 11,* 163–183.

Chatoor, I. (2005). Diagnostic classification of feeding disorders. In Zero to Three, *Diagnostic classification of mental health and developmental disorders of infancy and early childhood* (rev. ed.). Washington, DC: Zero to Three Press.

Chatoor, I. (2009). *Diagnosis and treatment of feeding disorders in infants, toddlers, and young children.* Washington, DC: Zero to Three Press.

Chatoor, I., & Ganiban, J. (2004). The diagnostic assessment and classification of feeding disorders. In R. DelCarmen-Wiggins & A. Carter (Eds.), *Handbook of infant, toddler, and preschool mental health assessment* (pp. 289–305).

New York: Oxford University Press.
Chisholm, K. (1998). A threeyear followup of attachment and indiscriminate friendliness in children adopted from Romanian orphanages. *Child Development, 69,* 1092-1106.
Cicchetti, D., & Cohen, D. J. (Eds.). (2006). *Developmental psychopathology: Theory and method* (3 vols., 2nd ed.). Hoboken, NJ: Wiley.
Clayden, G. (2001). The child who soils. *Current Paediatrics, 11,* 130-134.
Coates, S., & Wolfe, S. (1995). Gender identity disorder in boys: The interface of constitution and early experience. *Psychoanalytic Inquiry, 51,* 6-38.
Cook, A. C., Spinazzola, J., Ford, J., Lanktree, C., Blaustein, M., Cloitre, M., . . . van der Kolk, B. (2005). Complex trauma in children and adolescents. *Psychiatric Annals, 35*(5), 390-398.
Cooper, P. J., Whelan, E., Woolgar, M., Morrell, J., & Murray, L. (2004). Association between childhood feeding problems and maternal eating disorders: Role of the family environment. *British Journal of Psychiatry, 184,* 210-215.
Costello, E. J., Burns, B. J., Angold, A., & Leaf, P.J. (1993). How can epidemiology improve mental health services for children and adolescents? *Journal of the American Academy of Child and Adolescent Psychiatry, 32,* 1106-1113.
Costello, E. J., Erkanli, A., Fairbank, J. A., & Angold, A. (2002). The prevalence of potentially traumatic events in childhood and adolescence. *Journal of Traumatic Stress, 15,* 99-112.
Costello, E. J., Mustillo, S., Erkanli, A., Keeler, G., & Angold, A. (2003). Prevalence and development of psychiatric disorders in childhood and adolescence. *Archives of General Psychiatry, 60*(8), 837-844.
Cox, D. J., Morris, J. B., Borowitz, S. M., & Sutphen, J. L. (2002). Psychological differences between children with and without chronic encopresis. *Journal of Pediatric Psychology, 27,* 585-591.
Cramer, P. (1991). *The development of defense mechanisms: Theory, research and assessment.* New York: SpringerVerlag.
Cramer, P. (2006). *Protecting the self: Defense mechanisms in action.* New York: Guilford Press.
Crittenden, P. M. (2003). *CAR EIndex manual.* Unpublished manuscript, Family Relations Institute, Miami, FL.
Crockenberg, S. C., Leerkes, E. M., & Bárrig Jó, P. S. (2008). Predicting aggressive behavior in the third year from infant reactivity and regulation as moderated by maternal behavior. *Development and Psychopathology, 20*(1), 37-54.
Crowell, J. A., & Feldman, S. S. (1988). Mothers' internal models of relationships and children's behavioral and developmental status in mother-child interaction: A study of mother-child interaction. *Child Development, 59,* 1275-1285.
Crowell, J. A., & Feldman, S. S. (1991). Mothers'working models of attachment relationships and mother and child behavior during separation and reunion. *Developmental Psychology, 27*(4), 597-605.
Crowell, J. A., Feldman, S. S., & Ginsberg, N. (1988). Assessment of motherchild interaction in preschoolers with behavior problems. *Journal of the American Academy of Child and Adolescent Psychiatry, 27*(3), 303-311.
Cuthbert, B. N., Insel, T. R., Charney, D. S., Buxbaum, J. D., Sklar, P., & Nestler, E. J. (2013). Toward precision medicine in psychiatry: The NIMH Research Domain Criteria Project. In D. S. Charney, J. D. Buxbaum, P. Sklar, & E. J. Nestler (Eds.), *Neurobiology of mental illness* (4th ed., pp. 1076-1088). New York: Oxford University Press.
D'Andrea, W., Stolbach, B., Ford, J., Spinazzola, J.,& van der Kolk, B. A. (2012). Understanding interpersonal trauma in children: Why we need a developmentally appropriate trauma diagnosis. *American Journal of Orthopsychiatry, 82*(2), 187-200.
Dankner, N., & Dykens, E. M. (2012). Anxiety in intellectual disabilities: Challenges and next steps. In R. M. Hodapp (Ed.), *International review of research in developmental disabilities* (Vol. 42, pp. 57-83). San Diego, CA: Elsevier Academic Press.
Dawson, G., Jones, E. J., Merkle, K., Venema, K., Lowy, R., Faja, S., & Smith, M. (2012). Early behavioral intervention is associated with normalized brain activity in young children with autism. *Journal of the American Academy of Child and Adolescent Psychiatry, 51*(11), 1150-1159.
de Vries, A. L., & CohenKettenis, P. T. (2012). Clinical management of gender dysphoria in children and adolescents: The Dutch approach. *Journal of Homosexuality, 59*(3), 301-320.
DeGangi, G. A. (2000). *Pediatric disorders of regulation in affect and behavior: A therapist's guide to assessment and treatment.* San Diego, CA: Academic Press.
DeGangi, G. A., Breinbauer, C., Roosevelt, J. D., Porges, S., & Greenspan, S. (2000). Prediction of childhood problems at three years in children experiencing disorders of regulation during infancy. *Infant Mental Health Journal, 21*(3), 156-175.
DeGangi, G. A., & Greenspan, S. I. (1989). The development of sensory functions in infants. *Physical and Occupational Therapy in Pediatrics, 8*(4),21-34.

DeGangi, G. A., Poisson, S., Sickel, R. Z., & Wiener, A. S. (1995). *Infant/ Toddler Symptom Checklist: A screening tool for parents*. Tucson, AZ: Therapy Skill Builders.

DeGangi, G. A., Porges, S. W., Sickel, R. Z., & Greenspan, S. I. (1993). Fouryear followup of a sample of regulatory disordered infants. *Infant Mental Health Journal, 14*(4), 330-343.

Drescher, J. (2014). Controversies in gender diagnoses. *Journal of LGBT Health Research, 1*(1), 9-15. Drescher, J., & Byne, W. (2013). *Treating transgender children and adolescents: An interdisciplinary discussion*. New York: Routledge.

Drescher, J., CohenKettenis, P. T., & Reed, G. M. (2016). Gender incongruence of childhood in the ICD11: Controversies, proposal, and rationale. *Lancet Psychiatry, 3*, 297-304.

Drescher, J., & Pula, J. (2014). Ethical issues raised by the treatment of gender variant prepubescent children. *Hastings Center Report, 4 4*(Suppl. 4), S17-S22.

Drury, S. S., Gleason, M. M., Theall, K. P., Smyke, A. T., Nelson, C. A., Fox, N. A., & Zeanah, C. H. (2012). Genetic sensitivity to the caregiving context: The influence of 5httlpr and BDNF val66met on indiscriminate social behavior. *Physiology and Behavior, 106*(5), 728-735.

Dunn, W. (1997). The Sensory Profile: A discriminating measure of sensory processing in daily life. *SISIS Quarterly, 20*(1), 1-3.

Dunn, W. (2002). *Infant/ Toddler Sensory Profile*. San Antonio, TX: Psychological Corporation.

Dunn, W., & Daniels, D. B. (2002). Initial development of the Infant/ Toddler Sensory Profile. *Journal of Early Intervention, 25*(1), 27-41.

Dunn, W., Myles, B. S., & Orr, S. (2002). Sensory processing issues associated with Asperger syndrome: A preliminary investigation. *American Journal of Occupational Therapy, 56*(1), 97-102.

Easterbrooks, M., Bureau, J. F., & LyonsRuth, K. (2012). Developmental correlates and predictors of emotional availability in mother-child interaction: A longitudinal study from infancy to middle childhood. *Development and Psychopathology, 24*(1),65-78.

Egger, H. L., & Angold, A. (2006). Common emotional and behavioral disorders in preschool children: Presentation, nosology, and epidemiology. *Journal of Child Psychology and Psychiatry,47*(3-4), 313-337.

Egger, H. L., & Emde, R. N. (2011). Developmentally sensitive diagnostic criteria for mental health disorders in early childhood. *American Psychologist,66*(2), 95-106.

Ehrensaft, D. (2012). From gender identity disorder to gender identity creativity: True gender self child therapy. *Journal of Homosexuality, 59*(3),337-356.

Emde, R. M., & LeuzingerBohleber, M. (Eds.). (2014). *Early parenting and prevention of disorder*. London: Karnac.

Fabrizi, A., Costa, A., Lucarelli, L., & Patruno, E. (2010). Comorbidity in specific language disorders and early feeding disorders: Mother-child interactive patterns. *Eating and Weight Disorders, 15*, 152-160.

Feinberg, M. E., Brown, L. D., & Kan, M. L. (2012). A multidomain selfreport measure of coparenting. *Parenting: Science and Practice, 12*, 1-21.

Ferdinand, R. F., & Verhulst, F. C. (1995). Psychopathology from adolescence into young adulthood: An 8 year followup study. *American Journal of Psychiatry, 152*, 1586-1594.

Figley, C. R., Bride, B. E., & Mazza, N. (1997). *Death and trauma: The traumatology of grieving*. London: Taylor & Francis.

Finkelhor, D., Ormrod, R. K., & Turner, H. A. (2007). Polyvictimization: A neglected component in child victimization. *Child Abuse and Neglect,31*(1), 7-26.

Fishel, J. E., & Liebert, R. M. (2000). Disorders of elimination. In A. J. Sameroff, M. Lewis, & S. M. Miller (Eds.), *Handbook of developmental psychopathology* (pp. 625-636). New York: Springer. Fitzgerald, H. E., Weatherston, D., & Mann, T. L. (2011). Infant mental health: An interdisciplinary frame for early social and emotional development. *Current Problems in Pediatric and Adolescent Health Care, 41*, 178-182.

FivazDepeursinge, E., & CorbozWarnery, A. (1999). *The primary triangle: A developmental systems view of mothers, fathers, and infants*. New York: Basic Books.

Fonagy, P., Gergely, G., Jurist, E. L., & Target, M. (2002). *Affect regulation, mentalization, and the development of the self*. New York: Other Press.

Fonagy, P., Moran, G. S., Edgcumbe, R., Kennedy, H.,& Target, M. (1993). The roles of mental representations and mental processes in therapeutic action. *Psychoanalytic Study of the Child, 48*, 9-48.

Fonagy, P., & Target, M. (1997). Attachment and reflective function: Their role in selforganisation. *Development and Psy-*

chopathology, 9, 679–700.

Fonagy, P., Target, M., Steele, H., & Steele, M. (1998). *Reflective Functioning Manual, Version 5.0, for application to Adult Attachment Interviews.* Unpublished manuscript, University College London.

Ford, J. D., & Courtois, C. A. (Eds.). (2013). *Treating complex traumatic stress disorders in children and adolescents: Scientific foundations and therapeutic models.* New York: Guilford Press.

Ford, J. D., Elhai, J. D., Connor, D. F., & Frueh,B. (2010). Polyvictimization and risk of posttraumatic, depressive, and substance use disorders and involvement in delinquency in a national sample of adolescents. *Journal of Adolescent Health,46*(6), 545–552.

Fraiberg, S. H. (1982). Pathological defenses in infancy. *Psychoanalytic Quarterly, 51,* 612–635. Freud, A., & Burlingham, D. (1943). *War and children.* New York: Medical War Books.

Freud, A., & Burlingham, D. (1944). *Infants without families.* New York: International Universities Press.

Frick, S. (1989). Sensory defensiveness: A case study. *Sensory Integration Special Interest Section Newsletter, 12*(2), 1–3.

Gartstein, M. A., & Rothbart, M. K. (2003). Studying infant temperament via the Revised Infant Behavior Questionnaire. *Infant Behavior and Development, 166*, 1–23.

George, C., Kaplan, N., & Main, M. (1984, 1985, 1996). *The Adult Attachment Interview.* Unpublished manuscript, Department of Psychology, University of California, Berkeley, CA.

Gillberg, C., & Kadesjo, B. (2003). Why bother about clumsiness?: The implications of having developmental coordination disorder (DCD). *Neural Plasticity, 10,* 59–68.

Ginsburg, G. S., Kendall, P. C., Sakolsky, D., Compton, S. N., Piacentini, J., Albano, A. M., . . . March, J. (2011). Remission after acute treatment in children and adolescents with anxiety disorders: Findings from the CAMS. *Journal of Consulting and Clinical Psychology, 79*(6), 806–813.

Gleason, M. M., Fox, N., Drury, S. S., Smyke, A. T., Egger, H. L., Nelson, C. A., . . . Zeanah, C. H. (2011). The validity of evidencederived criteria for reactive attachment disorder: Indiscriminately social/disinhibited and emotionally withdrawn / inhibited types. *Journal of the American Academy of Child and Adolescent Psychiatry, 50,* 216–231.

Goldsmith, H. H., Van Hulle, C. A., Arneson, C. L ., Schreiber, J. E ., & Gernsbacher, M. A. (2006). A populationbased twin study of parentally reported tactile and auditory defensiveness in young children. *Journal of Abnormal Child Psychology,34*(3), 393–407.

Goldwyn, R., Stanley, C., Smith, V., & Green, J. (2000). The Manchester Child Attachment Story Task: Relationship with parental A AI, SAT and child behaviour. *Attachment and Human Development, 2*(1), 71–84.

GoodlinJones, B. L ., & Anders, T. F. (2004). Sleep disorders. In R. DelCarmenWiggins & A. Carter (Eds.), *Handbook of infant, toddler, and preschool mental health assessment* (pp. 271–288). New York: Oxford University Press.

GoodlinJones, B. L ., Burnham, M., Gaylor, E ., & Anders, T. (2001). Night waking, sleep–wake organization, and self-soothing in the first year of life. *Journal of Developmental and Behavioral Pediatrics, 24,* 226–233.

Grandin, T. (1995). *Thinking in pictures and other reports from my life with autism.* New York: Doubleday.

Green, J., Stanley, C., Smith, V., & Goldwyn, R. (2000). A new method of evaluating attachment representations in young schoolage children: The Manchester Child Attachment Story Task. *Attachment and Human Development, 2*(1),48–70.

Green, R. (1987). *The "sissy boy syndrome" and the development of homosexuality.* New Haven, CT: Yale University Press.

Greenspan, S. I. (1992). *Infancy and early childhood: The practice of clinical assessment and intervention with emotional and developmental challenges.* Madison, CT: International Universities Press.

Greenspan, S. I. (1996). Assessing the emotional and social functioning of infants and young children. In S. J. Meisels & E . Fenichel (Eds.), *New visions for the developmental assessment of infants and young children* (pp. 231–266). Washington, DC: Zero to Three.

Greenspan, S. I. (2004). *Greenspan socialemotional growth chart.* Bulverde, TX: Psychological Corporation.

Greenspan, S. I., DeGangi, G., & Wieder, S. (2001). *The Functional Emotional Assessment Scale (FE A S) for infancy and early childhood, clinical and research applications.* Bethesda, MD: Interdisciplinary Council on Developmental and Learning Disorders.

Greenspan, S. I., & Glovinsky, I. (2002). *Children with bipolar patterns of dysregulation: New perspectives on developmental pathways and a comprehensive approach to prevention and treatment.* Bethesda, MD: Interdisciplinary Council on Developmental and Learning Disorders.

Greenspan, S. I., & Wieder, S. (1998). *The child with special needs: Encouraging intellectual and emotional growth.* Reading, MA: AddisonWesley.

Greenspan, S. I., & Wieder, S. (2003). Infant and early childhood mental health: A comprehensive developmental approach to assessment and intervention. *Bulletin of Zero to Three: National Center for Infants, Toddlers, and Families, 24,* 6-13.
Greenspan, S. I., & Wieder, S. (2009). *Engaging autism: Using the floortime approach to help children relate, communicate, and think*. Cambridge, MA: Da Capo Lifelong Books.
Greenspan, S. I., Wieder, S., Nover, R. A., Lieberman, A. F., Lourie, R. S., & Robinson, M. E. (1987). *Infants in multirisk families: Case studies in preventive intervention* (Clinical Infant Reports No.3). Madison, CT: International Universities Press. Gregory, A. M., Caspi, A., Eley, T. C., Moffit, T.E., O'Connor, T. G., & Poulton, R. (2005). Prospective longitudinal associations between persistent sleep problems in childhood and anxiety and depression disorders in adulthood. *Journal of Abnormal Child Psychology, 33,* 157-163.
Gregory, A. M., & O'Connor, T. G. (2002). Sleep problems in childhood: A longitudinal study of developmental change and association with behavioural problems. *Journal of the American Academy of Child and Adolescent Psychiatry, 41,* 964-971.
Halperin, J. M., Rucklidge, J. J., Powers, R. L., Miller, C. J., & Newcorn, J. H. (2011). Childhood CBCL bipolar profile and adolescent/young adult personality disorders: A 9year followup. *Journal of Affective Disorders, 130,* 155-161.
Hebb, D. (1949). *The organization of behavior.* New York: Wiley.
Hembree, W. C., CohenKettenis, P., Delemarrevan de Waal, H. A., Gooren, L. J., Meyer, W. J., 3rd, Spack, N. P., . . . Montoril V. M. (2009). Endocrine treatment of transsexual persons: An Endocrine Society clinical practice guideline. *Journal of Clinical Endocrinology and Metabolism, 94*(9),3132-3154.
Hemmi, M. H., Wolke, D., & Schneider, S. (2011). Associations between problems with crying, sleeping and/or feeding in infancy and longterm behavioural outcomes in childhood: A metaanalysis. *Archives of Disease in Childhood, 96*, 622-629.
Hesse, E., & Main, M. (2006). Frightened, threatening, and dissociative parental behavior in lowrisk samples: Description, discussion, and interpretations. *Developmental Psychopathology, 18*(2),309-343.
Hill, P. (2002). Adjustment disorders. In M. Rutter & E. Taylor (Eds.), *Child and adolescent psychiatry* (4th ed.). Oxford, U K: Blackwell.
Hobson, P. (2002). *The cradle of thought: Exploring the origins of thinking*. London: Macmillan.
Hodapp, R. M., & Dykens, E. M. (2012). Genetic disorders of intellectual disability: Expanding our concepts of phenotypes and of family outcomes. *Journal of Genetic Counseling, 21*(6), 761-769.
Hodges, J., Hillman, S., & Steele, M. (2004). *Little Piggy narrative story stem coding manual.* Unpublished manual, Anna Freud Centre, London.
Hodges, J., & Tizard, B. (1989). Social and family relationships of exinstitutional adolescents. *Journal of Child Psychology and Psychiatry, 30,* 77-97.
Hofer, M. A. (1996). On the nature and consequences of early loss. *Psychosomatic Medicine, 58,* 570-581.
Hofer, M. A. (2003). The emerging neurobiology of attachment and separation: How parents shape their infant's brain and behavior. In S. Coates, J. L. Rosenthal, & D. S. Schechter (Eds.), *September 11: Trauma and human bonds*. Hillsdale, NJ: Analytic Press.
Hoffman, K., Marvin, R., Cooper, G., & Powell, B. (2006). Changing toddlers' and preschoolers'attachment classifications: The Circle of Security intervention. *Journal of Consulting and Clinical Psychology, 74,* 1017-1026.
Holliday, R. P., Clem, M. A., Woon, F. L., & Surís, A.M. (2014). Developmental psychological trauma, stress, and revictimization: A review of risk and resilience factors. *Austin Journal of Psychiatry and Behavioral Sciences, 1*(7), 5.
Holtmann, M., Becker, A., Banaschewski, T.,Rothenberger, A., & Roessner, V. (2011a). Psychometric validity of the Strengths and Difficulties Questionnaire-Dysregulation Profile. *Psychopathology, 44,* 53-59.
Holtmann, M., Buchmann, A. F., Esser, G., Schmidt, M. H., Banaschewski, T., & Laucht, M. (2011b). The Child Behavior Checklist-Dysregulation Profile predicts substance use, suicidality, and functional impairment: A longitudinal analysis. *Journal of Child Psychology and Psychiatry, 52*, 139-147.
Houts, A. C., Berman, J. S., & Abramson, H. (1994). Effectiveness of psychological and pharmacological treatments for nocturnal enuresis. *Journal of Consulting and Clinical Psychology, 62*, 737-745.
Hurry, A. (1998). *Psychoanalysis and developmental therapy.* London: Karnac.
Insel, T. R. (2014). Mental disorders in childhood: Shifting the focus from behavioral symptoms to neurodevelopmental trajectories. *Journal of the American Medical Association, 311*(17), 1727-1728.
Interdisciplinary Council on Developmental and Learning Disorders (ICDL). (2005). *Diagnostic manual for infancy and*

early childhood. Bethesda, MD: Author.

Ippen, C. G., Lieberman, A. F., & Osofsky, J. D. (2014). My daddy is a star in the sky: Understanding and treating traumatic grief in early childhood. In P. Cohen, K. M. Sossin, & R. Ruth (Eds.), *Healing after parent loss in childhood and adolescence: Therapeutic interventions and theoretical considerations* (pp. 73–93). Lanham, MD: Rowman & Littlefield.

Joinson, C. J., Heron, J., Butler, U., von Gontard, A., & the Avon Longitudinal Study of Parents and Children Study Team. (2007). Psychological differences between children with and without soiling problems. *Pediatrics, 117,* 1575–1584.

Joinson, C. J., Heron, J., Emond, A., & Butler, R. J. (2007). Psychological problems in children with bedwetting and combined (day and night) wetting: A U K populationbased study. *Journal of Pediatric Psychology, 32*, 605–616.

Joinson, C. J., Heron, J., & von Gontard, A. (2006). Psychological problems in children with daytime wetting. *Pediatrics, 118,* 1985–1993.

Juffer, F., BakersmansKranenburg, M. J., & van IJzendoorn, M. H. (2007). *Promoting positive parenting: An attachment-based intervention*. Mahwah, NJ: Erlbaum.

Kagan, J., Reznick, J. S., & Snidman, N. (1988). Biological bases of childhood shyness. *Science, 240,* 167–171.

Kagan, J., & Snidman, N. (1991). Temperamental factors in human development. *American Psychologist, 46*(8), 856–862.

Kay Hall, S. E ., & Geher, G. (2003). Behavioral and personality characteristics or children with reactive attachment disorder. *Journal of Psychology: Interdisciplinary and Applied, 137,* 145–162.

Kelly, Y., Kelly, J., & Sacker, A. (2013). Time for bed: Associations with cognitive performance in 7yearold children: A longitudinal populationbased study. *Journal of Epidemiology and Community Health, 67,* 926–931.

Kennedy, E ., & Midgley, N. (Eds.). (2007). *Process and outcome research in child, adolescent and parent–infant psychotherapy: A thematic review.* London: North Central London Strategic Health Authority.

Kinnealey, M., & Fuiek, M. (1999). The relationship between sensory defensiveness, anxiety, depression, and perception of pain in adults. *Occupational Therapy International, 6*, 195–206.

Kisiel, C. L., Fehrenbach, T., Torgersen, E ., Stolbach, B., McClelland, G., Griffin, G., & Burkman, K. (2014). Constellation of interpersonal trauma and symptoms in child welfare: Implications for a developmental trauma framework. *Journal of Family Violence, 29,* 1–14.

Kisiel, C., Fehrenbach, T., Small, L ., & Lyons, J. S. (2009). Assessment of complex trauma exposure, responses, and service needs among children and adolescents in child welfare. *Journal of Child and Adolescent Trauma, 2*(3), 143–160.

Kreppner, J., Kumsta, R., Rutter, M., Beckett, C., Castle, J., Stevens, S., & SonugaBarke, E . J. (2010). I V. Developmental course of deprivationspecific psychological patterns: Early manifestations, persistence to age 15, and clinical features. *Monographs of the Society for Research in Child Development, 75*(1), 79–101.

Leibenluft, E ., & Rich, B. A. (2008). Pediatric bipolar disorder. *Annual Review of Clinical Psychology,4*(1), 163–187.

Lester, B. M. (1998). The Maternal Lifestyles Study. *Annals of the New York Academy of Sciences, 846*(1), 296–305.

Lester, B. M., Als, H., & Brazelton, T. B. (1982). Regional obstetric anesthetic and newborn behavior: A reanalysis towards synergistic effects. *Child Development, 53,* 687–692.

Lester, B. M., Tronick, E . Z., & Brazelton, T. B. (2004). The Neonatal Intensive Care Unit Network Neurobehavioral Scale procedures. *Pediatrics,113,* 641–667.

LeuzingerBohleber, M. (2015). *Finding the body in the mind: Psychoanalysis, neurosciences and embodied cognitive science in dialogue*. London: Karnac.

Lewis, M. D., Granic, I., & Lamm, C. (2006). Behavioral differences in aggressive children linked with neural mechanisms of emotion regulation. *Annals of the New York Academy of Sciences, 1094,* 167–177.

Lichtenberg, J. D. (1989). *Psychoanalysis and motivation.* Hillsdale, NJ: Analytic Press.

Lieberman, A. F., Compton, N. C., Van Horn, P., & Ghosh Ippen, C. (2003). *Losing a parent to death in the early years: Guidelines for the treatment of traumatic bereavement in infancy and early childhood*. Washington, DC: Zero to Three Press.

Lieberman, A. F., Silverman, R., & Pawl, J. H.(2000). Infant–parent psychotherapy: Core concepts and current approaches. In C. H. Zeanah (Ed.), *Handbook of infant mental health* (2nd ed., pp. 472–484). New York: Guilford Press.

Lindberg, L ., Bohlin, G., Hagekull, B., & Palmerus, K. (1996). Interactions between mothers and infants showing food refusal. *Infant Mental Health Journal, 17,* 334–347.

Lucarelli, L ., Cimino, S., D'Olimpio, F., & Ammaniti, M. (2013). Feeding disorders of early childhood: An empirical study of diagnostic subtypes. *International Journal of Eating Disorders, 46*, 147 – 155.

LyonsRuth, K. (1999). The two person unconscious: Intersubjective dialogue, enactive relational representation, and the emergence of new forms of relational organization. *Psychoanalytic Inquiry, 19*(4), 576 – 617.

LyonsRuth, K., Bronfman, E., & Parsons, E. (1999). Maternal frightened, frightening, or atypical behaviour and disorganised infant attachment patterns. *Monographs of the Society for Research in Child Development, 64*(3), 67 – 69.

LyonsRuth, K., Bureau, J. F., Riley, C. D., & AtlasCorbett, A. F. (2009). Socially indiscriminate attachment behavior in the Strange Situation: Convergent and discriminant validity in relation to caregiving risk, later behavior problems, and attachment insecurity. *Development and Psychopathology, 21*(2), 355 – 372.

LyonsRuth, K., Zeanah, C. H., & Gleason, M. M. (2015). Commentary: Should we move away from an attachment framework for understanding disinhibited social engagement disorder (DSED)?: A commentary on Zeanah and Gleason. *Journal of Child Psychology and Psychiatry, 56*, 223 – 227.

Maestro, S., Felloni, B., Grassi, C., Intorcia, C., Petrozzi, A., Salsedo, H., & Muratori, F. (2012). Regulatory disorders: A followup study. *Minerva Pediatrica, 64*(3), 289 – 301.

Maestro, S., Rossi, G., Curzio, O., Felloni, B., Grassi, C., Intorcia, C., . . . Muratori, F. (2014). Assessment of mental disorders in preschoolers: The multiaxial profiles of Diagnostic Classification 0 – 3. *Infant Mental Health Journal, 35*(1), 33 – 41.

Main, M., & Hesse, E. (1992a). Frightening, frightened behavior in lowrisk samples: Description, discussion, and interpretations. *Development and Psychopathology, 18*(2), 309 – 343.

Main, M., & Hesse, E. (1992b). *Frightening, frightened, dissociated or disorganised behavior on the part of the parent: A coding system for parent – infant interaction*. Unpublished manuscript.

Main, M., & Solomon, J. (1986). Discovery of an insecuredisorganised/disorientated attachment pattern. In T. B. Brazelton & M. W. Yogman (Eds.), *Affective development in infancy* (pp. 95 – 124). Norwood, NJ: Ablex.

Masten, A. S., & Cicchetti, D. (2010). Developmental cascades: Part 1. *Development and Psychopathology, 22*, 491 – 495.

McClellan, J., Kowatch, R., Findling, R. L., & Work Group on Quality Issues. (2007). Practice parameter for the assessment and treatment of children and adolescents with bipolar disorder. *Journal of the American Academy of Child and Adolescent Psychiatry, 46*(1), 107 – 125.

McDonough, S. C., Rosenblum, K., Devoe, E., Gahagan, S., & Sameroff, A. (1998). Parent concerns about infant regulatory problems: Excessive crying, sleep problems, and feeding difficulties. *Infant Behavior and Development, 21*, 565.

McHale, J. P., KuerstenHogan, R., & Lauretti, A. (2000). Evaluating coparenting and familylevel dynamics during infancy and early childhood: The Coparenting and Family Rating System. In P. Kerig & K. Lindahl (Eds.), *Family observational coding systems: Resources for systemic research*. Hillsdale, NJ: Erlbaum.

Meins, E., & Fernyhough, C. (2010). *Mind – mindedness coding manual, version 2.0*. Unpublished manuscript, Durham University, Durham, UK.

Midgley, N., & Vrouva, I. (Eds.). (2012). *Minding the child: Mentalizationbased interventions with children, young people and their families*. London: Routledge.

Mikkelsen, E. J. (2001). Enuresis and encopresis: Ten years of progress. *Journal of the American Academy of Child and Adolescent Psychiatry, 40*, 1146 – 1158.

Miller, L. J., Anzalone, M. E., Lane, S. J., Cermak, S.A., & Osten, E. T. (2007a). Concept evolution in sensory integration: A proposed nosology for diagnosis. *American Journal of Occupational Therapy, 61*(2), 135 – 140.

Miller, L. J., Cermak, S., Lane, S., Anzalone, M., & Koomar, J. (2004, Summer). Position statement on terminology related to sensory integration dysfunction. *S.I. Focus*, pp. 6 – 8.

Miller, L. J., Coll, J. R., & Schoen, S. A. (2007b). A randomized controlled pilot study of the effectiveness of occupational therapy for children with sensory modulation disorder. *American Journal of Occupational Therapy, 61*(2), 228 – 238.

Miller, L. J., Schoen, S. A., James, K., & Schaaf, R.C. (2007c). Lessons learned: A pilot study on occupational therapy effectiveness for children with sensory modulation disorder. *American Journal of Occupational Therapy, 61*(2), 161 – 169.

Milrod, B., Busch, F., Cooper, A., & Shapiro, T. (1997). *Manual of panicfocused psychodynamicpsychotherapy*. Washington, DC: American Psychiatric Press.

Milrod, B., Leon, A. C., Busch, F., Rudden, M., Schwalberg, M., Clarkin, J., . . . Shear, M. K. (2007). A randomized controlled clinical trial of psychoanalytic psychotherapy for panic disorder. *American Journal of Psychiatry, 164*(2), 265 – 272. Milrod, B., Markowitz, J. C., Gerber, A. J., Cyranowski, J., Altemus, M., Shapiro, T., . . . Glatt, C. (2014). Childhood separation anxiety and the pathogenesis and treatment of adult anxiety. *American Journal of Psychiatry, 171*(1), 34 – 43. Mitchell, P. B., Loo, C. K., & Gould, B. M. (2010). Diagnosis and monitoring of bipolar disorder in general practice. *Medical Journal of Australia, 193*, 10–13.

Money, J. (1994). The concept of gender identity disorder in childhood and adolescence after 39 years. *Journal of Sex and Marital Therapy, 20*, 163–177. Moran, G., Bailey, H. N., Gleason, K., DeOliveira, C. A., & Pederson, D. R. (2008). Exploring the mind behind unresolved attachment: Lessons from and for attachmentbased interventions with infants and their traumatized mothers. In H. Steele & M. Steele (Eds.), *Clinical applications of the Adult Attachment Interview* (pp. 371–398). New York: Guilford Press.

Mundy, P., Delgado, C., Block, J., Venezia, M., Hogan, A., & Seibert, J. (2003). *A manual for the abridged Early Social Communication Scales*. Coral Gables, FL: University of Miami.

Mundy, P., Gwaltney, M., & Henderson, H. (2010). Selfreferenced processing, neurodevelopment and joint attention in autism. *Autism, 14*(5), 408–429. Murray, L., Cooper, P., Creswell, C., Schofield, E ., & Sack, C. (2007). The effects of maternal social phobia on mother–infant interactions and infant social responsiveness. *Journal of Child Psychology and Psychiatry, 48*(1), 45–52.

Murray, L ., Stanley, C., Hooper, R., King, F., & FioriCowley, A. (1996). The role of infant factors in postnatal depression and mother–infant interaction. *Developmental Medicine and Child Neurology, 38*(2), 109–119.

National Research Council. (2001). *Educating young children with autism*. Washington, DC: National Academy Press.

National Scientific Council for the Developing Child. Harvard University. Available online at *http://developingchild.harvard.edu/activities/council.*

Neuman, I. D., Wigger, A., Krömer, S., Frank, E ., Landgraf, R., & Bosch, O. J. (2005). Differential effects of periodic maternal separation on adult stress coping in a rat model of extremes in trait anxiety. *Neuroscience, 132*(3), 867–877.

NicolHarper, R., Harvey, A. G., & Stein, A. (2007). Interactions between mothers and infants: Impact of maternal anxiety. *Infant Behavior and Development, 30*(1), 161–167.

Nugent, J. K., Keefer, C. H., Minear, S., Johnson, L .C., & Blanchard, Y. (2007). *Understanding newborn behavior early relationships. The Newborn Behavioral Observations (NBO) system handbook*. Baltimore: Brookes.

Nugent, J. K., Petruaskas, B., & Brazelton, T. B. (2009). *The infant as a person: Enabling healthy infant development worldwide*. Hoboken, NJ: Wiley.

O'Connor, T. G., Bredenkamp, D., & Rutter, M. (1999). Attachment disturbances and disorders in children exposed to early severe deprivation. *Infant Mental Health Journal, 20*, 10–29.

O'Connor, T. G., & Zeanah, C. H. (2003). Assessment strategies and treatment approaches. *Attachment and Human Development, 5*, 223–244.

Olson, S. L ., Bates, J. E ., Sandy, J. M., & Schilling, E . M. (2002). Early developmental precursors of impulsive and inattentive behavior: From infancy to middle childhood. *Journal of Child Psychology and Psychiatry, 43*, 435–447.

Ornitz, E . M. (1989). Autism at the interface of sensory processing and information processing. In G. Dawson (Ed.), *Autism: Nature, diagnosis, and treatment* (pp. 174–207). New York: Guilford Press.

Oster, H. (2005). The repertoire of infant face expressions: An ontogenetic perspective. In J. Nadel & D. Muir (Eds.), *Emotional development* (pp. 261–292). Oxford, U K: Oxford University Press.

Out, D., BakermansKranenburg, M. J., & van IJzendoorn, M. H. (2009). The role of disconnected and extremely insensitive parenting in the development of disorganized attachment: Validation of a new measure. *Attachment and Human Development, 11*(5), 419–443.

PDM Task Force. (2006). *Psychodynamic diagnostic manual.* Silver Spring, MD: Alliance of Psychoanalytic Organizations.

PérezRobles, R., Doval, E ., Jané, M. C., da Silva, P.C., Papoila, A. L ., & Virella, D. (2013). The role of sensory modulation deficits and behavioral symptoms in a diagnosis for early childhood. *Child Psychiatry and Human Development, 44*(3), 400–411. Pfeiffer, B., Kinnealey, M., Reed, C., & Herzberg, G. (2005). Sensory modulation and affective disorders in children and adolescents with Asperger's disorder. *American Journal of Occupational Therapy, 59*, 335–345.

Pine, D. S., Cohen, P., Gurley, D., Brook, J., & Ma, Y. (1998). The risk for early adulthood anxiety and depressive disorders in adolescents with anxiety and depressive disorders. *Archives of General Psychiatry, 55*, 56–64.

Ponizovsky, A. M., Levov, K., Schultz, Y., & Radomislensky, I. (2011). Attachment insecurity and psychological resources associated with adjustment disorders. *American Journal of Orthopsychiatry, 81*(2), 265–276.

Porges, S. W. (1996). Physiological regulation in highrisk infants: A model for assessment and potential intervention. *Developmental Psychopathology, 8*, 43–58.

Putnam, S. P., Gartstein, M. A., & Rothbart, M. K. (2006). Measurement of finegrained aspects of toddler temperament: The Early Childhood Behavior Questionnaire. *Infant Behavior and Development, 29*(3), 386–401.

Pynoos, R. S., Steinberg, A. M., & Piacentini, J. C. (1999). A developmental psychopathology model of childhood traumatic stress and intersection with anxiety disorders. *Biological Psychiatry, 46*, 1542–1554.

Ramsauer, B., Lotzin, A., Mühlhan, C., Romer, G., Nolte, T., Fonagy, P., & Powell, B. (2014). A randomized controlled trial comparing Circle of Security intervention and treatment as usual as interventions to increase attachment security in infants of mentally ill mothers: Study protocol. *BMC Psychiatry, 14*(1), 24.

Reid, H., & Bahar, R. (2006). Treatment of encopresis and chronic constipation in young children: Clinical results from interactive parent–child guidance. *Clinical Pediatrics, 45*, 157–164.

Renk, K., White, R., Lauer, B. A., McSwiggan, M., Puff, L., & Lowell, A. (2014). Bipolar disorder in children. *Psychiatry Journal, 2014*, 928685.

Rescorla, L. A. (2005). Assessment of young children using the Achenbach System of Empirically Based Assessment (ASEBA). *Mental Retardation and Developmental Disabilities Research Reviews, 11*, 226–237.

Reznick, J. S., Baranek, G. T., Reavis, S., Watson, L.R., & Crais, E. R. (2007). A parentreport instrument for identifying oneyearolds at risk for an eventual diagnosis of autism: The First Year Inventory. *Journal of Autism and Developmental Disorders, 37*(9), 1691–1710.

Rice, T. R., & Hoffman, L. (2014). Defense mechanisms and implicit emotion regulation: A comparison of a psychodynamic construct with one from contemporary neuroscience. *Journal of the American Psychoanalytic Association, 62*(4), 693–708.

Robertson, J. (1970). *Young children in hospital* (Vol.57). New York: Routledge Kegan & Paul. Robertson, J., & Bowlby, J. (1952). Responses of young children to separation from their mothers: II. Observations of the sequences of response of children aged 18 to 24 months during the course of separation. *Courrier du Centre International de l'Enfance, 2*, 131–142.

Robles, R. P., Ballabriga, M. C. J., Diéguez, E. D., & da Silva, P. C. (2012). Validating regulatory sensory processing disorders using the Sensory Profile and Child Behavior Checklist (CBCL $1\frac{1}{2}$–5). *Journal of Child and Family Studies, 21*(6), 906–916.

Rogers, S. J., Estes, A., Lord, C., Vismara, L., Winter, J., Fitzpatrick, A., . . . Dawson, G. (2012). Effects of a brief Early Start Denver Model (ESDM)based parent intervention on toddlers at risk for autism spectrum disorders: A randomized controlled trial. *Journal of the American Academy of Child and Adolescent Psychiatry, 51*(10), 1052–1065.

Rogers, S. J., Hepburn, S. L., & Wehner, E. (2003). Parent reports of sensory symptoms in toddlers with autism and those with other developmental disorders. *Journal of Autism and Developmental Disorders, 33*, 631–642.

Rosen, G. M., Lilienfield, S. O., Frueh, C., McHugh, P., & Spitzer, R. L. (2010). Reflections of PTSD's future in DSMV. *British Journal of Psychiatry, 197*(5), 343–344.

Rosenbaum, J. F., Biederman, J., Gersten, M., Hirshfeld, D. R., Meminger, S. R., Herman, J. B., . . . Snidman, N. (1988). Behavioral inhibition in children of parents with panic disorder and agoraphobia: A controlled study. *Archives of General Psychiatry, 45*(5), 463–470.

Rothbart, M. K. (1981). Measurement of temperament in infancy. *Child Development, 52*, 569–578. Rothbart, M. K., Sheese, B. E., Rueda, M. R., & Posner, M. I. (2011). Developing mechanisms of selfregulation in early life. *Emotion Review: Journal of the International Society for Research on Emotion, 3*(2), 207–213.

Roy, P., Rutter, M., & Pickles, A. (2004). Institutional care: Associations between overactivity and lack of selectivity in social relationships. *Journal of Child Psychology and Psychiatry, 45*, 866–873.

Rutter, M. (1981). *Maternal deprivation reassessed*. New York: Penguin Books.

Rutter, M. (1993). Resilience: Some conceptual considerations. *Contemporary Pediatrics, 11*, 36–48.

Rutter, M. (2011a). Integrating science and clinical practice. *Journal of the American Academy of Child and Adolescent Psychiatry, 50*(1), 3–5.

Rutter, M. (2011b). Research review: Child psychiatric diagnosis and classification: Concepts, findings, challenges and potential. *Journal of Child Psychology and Psychiatry, 52*(6), 647–660.

Rutter, M. (2012). Gene–environment interdependence. *European Journal of Developmental Psychology, 9*(4), 391–412.

Rutter, M., Colvert, E., Kreppner, J., Beckett, C., Castle, J., Groothues, C., . . . SonugaBarke, E. J. (2007). Early adolescent outcomes for institutionallydeprived and nondeprived adoptees: I. Disinhibited attachment. *Journal of Child Psychology and Psychiatry, 48*, 17–30.

Rutter, M., Kreppner, J., & SonugaBarke, E. (2009). Emanuel Miller Lecture: Attachment insecurity, disinhibited attachment, and attachment disorders: Where do research findings leave the concepts? *Journal of Child Psychology and Psychiatry, 50*, 529–543.

Rutter, M., Tizard, J., Yule, W., Graham, P., & Whitmore, K. (1976). Research report: Isle of Wight Studies, 1964–1974. *Psychological Medicine, 6*(2),313–332.

Sadler, L. S., Slade, A., Close, N., Webb, D. L., Simpson, T., Fennie, K., & Mayes, L. C. (2013). Minding the Baby: Enhancing reflectiveness to improve early health and relationship outcomes in an interdisciplinary homevisiting program. *Infant Mental Health Journal, 34*(5), 391–405.

Sadler, L. S., Slade, A., & Mayes, L. C. (2006). Minding the Baby: A mentalizationbased parenting program. In J. G. Allen & P. Fonagy (Eds.), *Handbook of mentalizationbased treatment* (pp. 271–288). Chichester, U K: Wiley.

Sameroff, A. J. (Ed.). (2009). *The transactional model of development: How children and contexts shape each other.* Washington, DC: American Psychological Association.

Sameroff, A. J., & Emde, R. N. (Eds.). (1989). *Relationship disturbances in early childhood: A developmental approach.* New York: Basic Books.

Sameroff, A. J., Lewis, M., & Miller, S. M. (Eds.). (2000). *Handbook of developmental psychopathology* (2nd ed.). New York: Kluwer Academic/ Plenum.

Sameroff, A. J., McDonough, S. C., & Rosenblum, K. (Eds.). (2004). *Treating parent–infant relationship problems: Strategies for Intervention*. New York: Guilford Press.

Sandell, A. (2014). From nameless dread to bearable fear: The psychoanalytic treatment of a twentytwomonthold child. In R. M. Emde & M. LeuzingerBohleber (Eds.), *Early parenting and prevention of disorder* (pp. 328–343). London: Karnac.

Sander, L. W. (1962). Issues in early mother–child interaction. *Journal of the American Academy of Child Psychiatry, 1*(1), 141–166.

Sander, L. W. (1987). Awareness of inner experience: A systems perspective on selfregulatory process in early development. *Child Abuse and Neglect, 11*(3), 339–346.

Sander, L. W. (1988). The eventstructure of regulation in the neonate–caregiver system as a biological background of early organization of psychic structure. In A. Goldberg (Ed.), *Progress in self psychology: Vol. 3. Frontiers in self psychology* (pp. 64–77). Hillsdale, NJ: Analytic Press.

Saunders, B. E. (2003). Understanding children exposed to violence: Toward an integration of overlapping fields. *Journal of Interpersonal Violence, 18*(4), 356–376.

Schechter, D. S., & Rusconi Serpa, S. (2014). Understanding how traumatized mothers process their toddlers' affective communication under stress. In R. M. Emde & M. LeuzingerBohleber (Eds.), *Early parenting and prevention of disorder* (pp. 90–118). London: Karnac.

Scheeringa, M. S., Zeanah, C. H., & Cohen, J. A. (2011). PTSD in children and adolescent: Toward an empirically based algorithm. *Depression and Anxiety, 28,* 770–782.

Schore, A. N. (1994). *Affect regulation and the origins of the self.* Hillsdale, NJ: Erlbaum.

Schore, A. N. (2001). The effects of early relational trauma on right brain development, affect regulation, and infant mental health. *Infant Mental Health Journal, 22*(1–2), 201–269.

Schore, J. R., & Schore, A. N. (2007). Modern attachment theory: The central role of affect regulation in development and treatment. *Clinical Social Work Journal, 36*, 9–20.

Schwartz, E., & Davis, A. S. (2006). Reactive attachment disorder: Implications for school readiness and school functioning. *Psychology in the Schools,43,* 471–479.

Seifer, R., Dickstein, S., Sameroff, A. J., Hayden, L., Magee, K., & Schiller, M. (1994). Sleep in toddlers whose parents have psychopathology. *Sleep Research, 23,* 145.

Shrout, P. E., & Bolger, N. (2002). Mediation in experimental and nonexperimental studies: New procedures and recommendations. *Psychological Methods, 7,* 422–445.

Silver, G., Shapiro, T., & Milrod, B. (2013). Treatment of anxiety in children and adolescents: Using child and adolescent anxiety psychodynamic psychotherapy. *Child and Adolescent Psychiatric Clinics of North America, 22*(1), 83–96.

Slade, A., Aber, J. L., Bresgi, I., Berger, B., & Kaplan, N. (2004a). *The Parent Development Interview* (rev.). Unpublished manuscript, City University of New York.

Slade, A., Bernbach, E., Grienenberger, J., Levy, D.,& Locker, A. (2004b). *Addendum to Fonagy, Target, Steele, and Steele reflective functioning scoring manual for use with the Parent Development Interview.* Unpublished manuscript, City University of New York.

Slep, A. M. S., & Tamminen, T. (2013). Caregiver–child relational problems: Definitions and implications for diagnosis. In H. M. Foran, S. R. H. Beach, A. M. S. Slep, R. E. Heyman, & M. Z. Wamboldt (Eds.), *Family problems and fam-*

ily violence: Reliable assessment and the ICD11 (pp. 185–196). New York: Springer.
Smyke, A. T., Dumitrescu, A., & Zeanah, C. H. (2002). Disturbances of attachment in young children: I. The continuum of caretaking casualty. *Journal of the American Academy of Child and Adolescent Psychiatry, 41*, 972–982.
Smyke, A. T., Zeanah, C. H., Gleason, M. M., Drury, S. S., Fox, N. A., & Guthrie, D. (2012). A randomized controlled trial comparing foster care and institutional care for children with signs of reactive attachment disorder. *American Journal of Psychiatry, 169*, 508–514.
Spanier, G. (1976). Measuring dyadic adjustment: New scales for assessing the quality of marriage and similar dyads. *Journal of Marriage and the Family, 38*, 15–38.
Spinazzola, J., Ford, J. D., Zucker, M., van der Kolk, B. A., Silva, S., & Smith, S. F. (2005). Survey evaluates complex trauma exposure, outcome, and intervention among children and adolescents. *Psychiatric Annals, 35*(5), 433–439.
Spitz, R. A. (1961). Some early prototypes of ego defenses. *Journal of the American Psychoanalytic Association, 9*, 626–651.
Spitz, R. A. (1965). *The first year of life: A psychoanalytic study of normal and deviant development of object relations*. New York: International Universities Press.
Spitzer, R. L., Endicott, J. E., & Robins, E. (1978). Research Diagnostic Criteria. *Archives of General Psychiatry, 35*, 773–782.
Squires, J., Bricker, D., Heo, K., & Twombly, E. (2001). Identification of socialemotional problems in young children using a parentcompleted screening measure. *Early Childhood Research Quarterly, 16*(4), 405–419.
Squires, J., Bricker, D., & Twombly, E. (2002). *Ages and Stages Questionnaires SocialEmotional*. Baltimore: Brookes.
Sroufe, L. A. (1997). *Emotional development: The organization of emotional life in the early years*. New York: Cambridge University Press.
St. JamesRoberts, I., & Halil, T. (1991). Infant crying patterns in the first year: Normal community and clinical findings. *Journal of Child Psychology and Psychiatry, 32*, 951–968.
Stagnitti, K., Raison, P., & Ryan, P. (1999). Sensory defensiveness syndrome: A pediatric perspective and case study. *Australian Occupational Therapy Journal, 46*, 175–187.
Steensma, T. D., McGuire, J. K., Kreukels, B. P., Beekman, A. J., & CohenKettenis, P. T. (2013). Factors associated with desistence and persistence of childhood gender dysphoria: A quantitative followup study. *Journal of American Academy Child and Adolescent Psychiatry, 52*(6), 582–590.
Stein, S. M. (1998). Enuresis, early attachment and intimacy. *British Journal of Psychotherapy, 15*, 167–176.
Stephens, C. L., & Royeen, C. B. (1998). Investigation of tactile defensiveness and selfesteem in typically developing children. *Occupational Therapy International, 5*(4), 273–280.
Stern, D. N. (1985). *The interpersonal world of the infant*. New York: Basic Books.
Stern, D. N. (1995). *The motherhood constellation*. London: Karnac.
Stoller, R. J. (1964). A contribution to the study of gender identity. *International Journal of PsychoAnalysis, 45*, 220–226.
Tikotzky, L., & Sadeh, A. (2009). Maternal sleeprelated cognitions and infant sleep: A longitudinal study from pregnancy through the 1st year. *Child Development, 80*, 860–874.
Tizard, B., & Hodges, J. (1978). The effect of early institutional rearing on the development of eight year old children. *Journal of Child Psychology and Psychiatry, 19*(2), 99–118.
Tizard, B., & Rees, J. (1975). The effect of early institutional rearing on the behaviour problems and affectional relationships of fouryearold children. *Journal of Child Psychology and Psychiatry, 16*, 61–73.
Trevarthen, C. (1993). The function of emotions in early infant communication and development. In J. Nadel & L. Camaioni (Eds.), *New perspectives in early communicative development* (pp. 8–81). London: Routledge.
Trevarthen, C. (2010). What is it like to be a person who knows nothing?: Defining the active intersubjective mind of a newborn human being. *Infant and Child Development, 20*, 119–135.
Tronick, E. (1989). Emotions and emotional communication in infants. *American Psychologist, 44*(2), 112–119.
Tronick, E. (2007). *The neurobehavioral and social emotional development of infants and children*. New York: Norton.
Tronick, E., & Beeghly, M. (2011). Infants' meaningmaking and the development of mental health problems. *American Psychologist, 66*(2), 107–119. Tronick, E., & Reck, C. (2009). Infants of depressed mothers. *Harvard Review of Psychiatry, 17*(2), 147–156.
van der Kolk, B. A. (2005). Developmental trauma disorder: Toward a rational diagnosis for children with complex trauma histories. *Psychiatric Annals, 35*(5), 401–408.
van der Kolk, B. A., Roth, S., Pelcovitz, D., Sunday, S., & Spinazzola, J. (2005). Disorders of extreme stress: The empiri-

cal foundation of a complex adaptation to trauma. *Journal of Traumatic Stress, 18*(5), 389－399.

Van Meter, A. R., Moreira, A. L. R., & Youngstrom, E . A. (2011). Metaanalysis of epidemiologic studies of pediatric bipolar disorder. *Journal of Clinical Psychiatry, 71*(9), 1250－1256.

Vasey, M. W., & Ollendick, T. H. (2000). Anxiety. In A. J. Sameroff, M. Lewis, & S. M. Miller (Eds.), *Handbook of developmental psychopathology* (2nd ed.). New York: Kluwer Academic/ Plenum.

Vaughn, B. E ., & Waters, E . (1990). Attachment behavior at home and in the laboratory: Qsort observations and strange situation classifications of oneyearolds. *Child Development, 61,* 1965－1973.

Volkmar, F. R. (2014). Editorial: The importance of early intervention. *Journal of Autism and Developmental Disorders, 4 4*(12), 2979－2980.

Volkmar, F. R., & McPartland, J. C. (2014). From Kanner to DSM5: Autism as an evolving diagnostic concept. *Annual Review of Clinical Psychology, 10,* 193－212.

Volkmar, F. R., Reichow, B., & Doehring, P. (2011). Evidencebased practices in autism: Where we are now and where we need to go. In B. Reichow, P. Doehring, D. V. Cicchetti, & F. R. Volkmar (Eds.), *Evidencebased practices and treatments for children with autism* (pp. 365－391). New York: Springer.

Volkmar, F. R., Reichow, B., & McPartland, J. (2012). Classification of autism and related conditions: Progress, challenges, and opportunities. *Dialogues in Clinical Neuroscience, 14*(3), 229－237.

Volkmar, F. R., & Wiesner, L . A. (2009). *A practical guide to autism: What every parent, family member, and teacher needs to know.* Hoboken, NJ: Wiley.

Voos, A. C., Pelphrey, K. A., Tirrell, J., Bolling, D.Z., Vander Wyk, B., Kaiser, M. D., . . . Ventola, P. (2013). Neural mechanisms of improvements in social motivation after pivotal response treatment: Two case studies. *Journal of Autism and Developmental Disorders, 43*(1), 1－10.

Warren, S. L ., Howe, G., Simmens, S. J., & Dahl, R. E . (2006). Maternal depressive symptoms and child sleep: Models of mutual influence over time. *Development and Psychopathology, 18,* 1－16.

Warren, S. L ., Huston, L., Egeland, B., & Sroufe, L .A. (1997). Child and adolescent anxiety disorders and early attachment. *Journal of the American Academy of Child and Adolescent Psychiatry, 36*(5), 637－644.

Warren, S. L ., & Sroufe, L . A. (2004). Developmental issues. In T. H. Ollendick & J. S. March (Eds.), *Phobic and anxiety disorders in children and adolescents: A clinician's guide to effective psychosocial and pharmacological interventions* (pp. 92－115). New York: Oxford University Press. Waters, E ., & Deane, K. (1985). Defining and assessing individual differences in attachment relationships: Qmethodology and the organization of behavior in infancy and early childhood. In I. Bretherton & E . Waters (Eds.), Growing points of attachment theory and research. *Monographs of the Society for Research in Child Development, 50*(1－2, Serial No. 209), 41－65.

Weinstein, L ., & Ellman, S. J. (2012). It's only a dream: Physiological and developmental contributions to the feeling of reality. In P. Fonagy, H. Kächele, M. LeuzingerBohleber, & D. Taylor (Eds.), *The significance of dreams* (pp. 126－147). London: Karnac.

Williamson, G. G., & Anzalone, M. (1997). Sensory integration: A key component of the evaluation and treatment of young children with severe difficultiesin relating and communicating. *Zero to Three, 17,* 29－36.

Winnicott, D. (1973). *The child, the family, and the outside world.* London: Penguin.

Wolke, D., Gray, P., & Meyer, R. (1994). Excessive infant crying: A controlled study of mothers helping mothers. *Pediatrics, 94,* 322－332.

Woods, M. Z., & Pretorius, I. (2011). *Parents and toddlers in groups: A psychoanalytic developmental approach.* New York: Routledge.

World Health Organization. (1992). *The ICD-10 classification of mental and behavioral disorders: Clinical descriptions and diagnostic guidelines.* Geneva: Author.

World Health Organization. (1994). *Diagnostic criteria for research* (10th ed.). Geneva: Author. Zeanah, C. H., Benoit, D., Hirshberg, L ., Barton, M.L ., & Regan, C. (1994). Mothers' representations of their infants are concordant with infant attachment classifications. *Developmental Issues in Psychiatry and Psychology, 1,* 1－14.

Zeanah, C. H., Berlin, L . J., & Boris, N. W. (2011). Practitioner review: Clinical applications of attachment theory and research for infants and young children. *Journal of Child Psychology and Psychiatry, 52,* 819－833.

Zeanah, C. H., Boris, N. W., & Lieberman, A. F. (2000a). Attachment disorders of infancy. In A. J. Sameroff, M. Lewis, & S. M. Miller (Eds.), *Handbook of developmental psychopathology* (2nd ed., pp. 293－307). New York: Kluwer Academic/ Plenum.

Zeanah, C. H., & Gleason, M. M. (2015). Annual research review: Attachment disorders in early childhood— clinical presentation, causes, correlates, and treatment. *Journal of Child Psychology and Psychiatry, 56*, 207–222.

Zeanah, C. H., Larrieu, J. A., Heller, S. S., & Valliere, J. (2000b). Infant–parent relationship assessment. In C. H. Zeanah (Ed.), *Handbook of infant mental health* (2nd ed., pp. 222–235). New York: Guilford Press.

Zeanah, C. H., Mammen, O., & Lieberman, A. (1993). Disorders of attachment. In C. Zeanah (Ed.), *Handbook of infant mental health* (pp. 332–349). New York: Guilford Press.

Zeanah, C. H., Nelson, C. A., Fox, N. A., Smyke, A. T., Marshall, P., Parker, S. W., & Koga, S. (2003). Designing research to study the effects of institutionalization on brain and behavioral development: The Bucharest Early Intervention Project. *Development and Psychopathology, 15*, 885–907. Zeanah, C. H., & Smyke, A. T. (2015). Disorders of attachment and social engagement related to deprivation. In A. Thapar, D. Pine, J. F. Leckman, S. Scott, M. J. Snowling, & E . Taylor (Eds.), *Rutter's child and adolescent psychiatry* (6th ed., pp. 795–805). Chichester, U K: WileyBlackwell.

Zeanah, C. H., Smyke, A. T., & Dumitrescu, A. (2002). Disturbances of attachment in young children: II. Indiscriminate behavior and institutional care. *Journal of the American Academy of Child and Adolescent Psychiatry, 41*, 983–989.

Zeanah, C. H., Smyke, A. T., Koga, S., Carlson, E ., & the BEIP Core Group. (2005). Attachment in institutionalized and community children in Romania. *Child Development, 76*, 1015–1028.

Zero to Three. (1994). *Diagnostic classification of mental health and developmental disorders of infancy and early childhood*. Washington, DC: Author.

Zero to Three. (2005). *Diagnostic classification of mental health and developmental disorders of infancy and early childhood* (rev. ed.). Washington, DC: Author.

Zero to Three. (2016). DC: 0–5TM. *Diagnostic classification of mental health and developmental disorders of infancy and early childhood.* Washington, DC: Author.

Zucker, K. J. (2010). The DSM diagnostic criteria for gender identity disorder in children. *Archives of Sexual Behavior, 39*(2), 477–498.

Zucker, K. J., CohenKettenis, P. T., Drescher, J., MeyerBahlburg, H. F. L., Pfäfflin, F., & Womack, W. M. (2013). Memo outlining evidence for change for gender identity disorder in the DSM5. *Archives of Sexual Behavior, 42*, 901–914.

Zucker, K. J., Wood, H., Singh, D., & Bradley, S. J. (2012). A developmental, biopsychosocial model for the treatment of children with gender identity disorder. *Journal of Homosexuality, 59*(3), 369–397.

PART IV

Assessment and Clinical Illustrations

CHAPTER **8**

PSYCHODYNAMIC DIAGNOSTIC MANUAL

PDM-2 체계 안에서의 평가

| 려원기 |

서론

이번 챕터의 목표는 PDM-2 평가를 위해 특별히 고안된 도구들을 소개하는 것과, 임상가들이 진단에 대해 기술하고 임상 보고서를 꾸미고 치료계획을 세우고 연구를 수행함에 있어 PDM-2의 유용성을 향상시켜줄, 경험적으로 입증된 다양한 평가도구들을 살펴보는 것에 있다. 아울러 이렇게 다양한 도구들이 이미 정신병리 기술이나 정신치료에 적합하다고 결론이 났음을 여러 가지 방식으로 설명하겠다.

첫째, 우리는 PDM-2로부터 파생된 특정 평가 도구 몇 가지: 즉 정신진단 차트-2 (Psychodiagnositic Chart-2, PDC-2) 및 PDM-2 전 연령군을 위한 PDCs (PDCs for all the PDM-2 age groups) ; 그리고 정신역동적 진단 원형-2 (Psychodynamic Diagnostic Prototypes-2, PDP-2)를 소개하겠다. PDC-2는 전체 PDM-2 진단 체계: 즉 인격 구성, 인격 증후군이나 인격 장애, 정신 기능, 증상에 관한 주관적 경험, 발현되는 증상 및 불평의 호소, 그리고 문화적, 맥락적 및 그 밖에 연관된 고려사항들을 훑어 내려가며 임상가들이 판단을 내리는데 지침을 주게끔 만들어졌다. 정신진단차트의 초판은 (PDC; Gordon & Borntstein, 2012) PDM 1판에서 파생되었으며, 미국과 유럽의 공공 치료 환경 및 사설 환경 두 군데에서 공히 쓰였으며 타당성을 인정받아 왔다.

정신역동적 진단 원형의 초판(PDP; Gazzillo, Lingiardi, & Del Corno, 2012)에는 다양한 수준의 인격 구성, 의존적 anaclitic 심리나 내사적 introjective 심리 및 인격 장애의 주된 양상에 대한 원형적 기술과 더불어 PDM 1판의 P 축(성인)에 포함된 다양한 인격 유형이나 인격

장애의 원형적 예시가 수록되어 있다. PDP-2 (Gazzillo, Genova, & Lingiardi, 2016)에서는 P-축 차원에 따라 좀 더 정밀한 환자 평가가 가능해졌다.

이러한 특정한 PDM-2 도구들을 소개한 다음, PDM-2 분류 (인격 구성, 인격 패턴이나 장애, 그리고 정신 기능들)에 맞춰 환자 평가를 도와줄 추가적인 도구들에 대해 논의하겠다. 인격 역동의 범위를 넘어서 특정 증상이나 증후군을 살펴보는 검사들에 대해서는 대체로 논의하지 않겠다.

임상가-평가 도구들 가운데 몇몇은 두 가지 판본의 PDM을 펴내는데 공히 직접적으로 영향을 끼쳤다. 이러한 것들에는 Shedler-Westen 평가법 Shedler-Westen Assessment Procedure (SWAP; Westen & Shedler, 1999a,1999b; Westen, Shedler, Bradley, & DeFife, 2012; Westen, Shedler, Durrett, Glass, & Martens, 2003); 인격 구성에 관한 구조적 면담 Structural Interview for Personality Organization (STIPO; Stern et al., 2010); Karolinska 정신역동 프로파일 Karolinska Psychodynamic Profile (KAPP; Weinryb, Rossel, & Asberg, 1991a, 1991b); 방어기제 평가 척도 Defense Mechanism Rating Scales (DMRS; Perry, 1990); 사회적 인지 및 대상관계 척도 Social Cognition and Object Relations Scale (SCORS; Stein, Hilsenroth, Slaven- Mulford, & Pinsker, 2011; Westen, 1991a, 1991b); 그리고 대상관계 설문지 Object Relations Inventory (ORI; Blatt & Auerbach, 2001)가 포함된다.

본 챕터에서 살펴볼 또 다른 도구들로는, 이를테면 자가-보고식의 미네소타 다면적 인성 검사 Minnesota Multiphasic Personality Inventory–2 [MMPI-2; Butcher, Dahlstrom, Graham, Tellegen, & Kaemmer, 1989]) 및 수행 기반 평가도구들 (예, 로샤 잉크 반점 검사 Rorschach Inkblot Test [Rorschach, 1921/1942] 또는 주제 통각 검사 Thematic Apperception Test [TAT; Murray, 1943]) 이 있는데, 이것들은 평가를 수행하거나 (Bram & Peebles, 2014) 정신역동적 연구를 수행함에 있어서 (Bornstein, 2010) 널리 사용되는 것들이다. 이 도구들은 환자가 가진 심리적 역량과 인격 양상, 그리고 전반적 기능 수준 및 안녕감에 대해 기술하거나 이해하는데 PDM-2 체계의 유용한 보조 도구가 될 수 있을 것이다. 아울러 임상가들이 치료 상황 – 즉 종합적인 평가에 있어 적합한 직접적 정보를 얻을 수 있는 또 다른 출처 - 에서 직접 관찰함으로써 환자의 기능을 평가하는 데 도움이 될 평가 도구들을 간략히 소개하겠다. 마지막으로 이번 챕터에서 소개한 다양한 도구들의 유용성을 보이기 위해 도구들을 어떤 식으로 적용하는지 자세한 설명을 곁들인 임상 증례를 보여주겠다.

일반적으로 고려할 점들

인격의 평가는 다양한 관점에서 살펴볼 수 있다. 이 가운데 하나는 데이터가 도출된 방식에서부터 살펴보는 관점이다: (1) 임상가의 보고 (예, SWAP이나 STIPO); (2) 환자의 자가보고

(예, MMPI-2); (3) 환자에 대한 지인의 보고 ; (4) 환자와 무관한 사람이 행한 판단이나 관찰; (5) 앞서 "투사적"이라고 묘사한, 대게 구조화되어 있지 않거나 최소한으로 구조화된 검사를 수행하는 환자의 능력을 관찰한 것이 이에 해당한다.

평가에 관한 또 다른 관점은 평가가 이루어지는 내용이나 평가의 초점에 관한 것이다: (1) 환자의 내적 인격 구조; (2) 일상의 관계 중 환자에게서 보이는 외향적 행동, 환자 자신의 인격 양상에 관한 생각, 행복하다고 느끼는 정도 및 기능하는 역량; (3) 상담실 내에서 환자가 보이는 행동. 이와 더불어 더 추가해야 할 것이 있는데: (4) 정신치료 과정에서 환자가 기여하는 바가 바로 그것이다.

연구에 따르면 이러한 관점 및 방법론 사이에는 상당한 차이가 있다고 한다. (Bornstein, 2002, 2009; Hunsley & Mash, 2014). 다양한 관점과 방법들 (임상가 보고, 자가 보고, 타인 보고, 혹은 수행 기반)로 고안된 평가 결과간의 유사점 및 차이점들은 임상적인 측면에서, 즉 진단적 체계화 diagnostic formulation 와 관련하여 그리고 인격 역동이나 대인관계 기능의 개념화와 관련하여 공히 상당한 정보를 담고 있을 수 있다. (Bram & Peebles, 2014; Bram & Yalof, 2014) (Bornstein, 2010) 예를 들어 환자가 스스로 보고한 것과 수행 기반 검사 결과 사이의 차이가 클 경우, 이는 정신화의 어려움, 자기 인식을 막는 방어 과정, 또는 환자 측의 은폐와 같은 영향이 존재함을 시사하는 것일지도 모른다. 수행 기반 도구들을 통해 접근하기가 더 용이한 무의식적 동기들은, 자가 보고를 통해 접근할 수 있는 의식적 동기들에 비해 장기적인 삶의 선택을 좀 더 잘 예측하게끔 해준다고 알려져 있다. (Shedler, Mayman, & Manis, 1993; Westen, 1999)

임상가는 환자를 관찰하고 환자와 소통한다; 환자 자신, 환자의 삶, 대인관계, 그리고 평가나 치료에 임하게 된 계기에 대해 이야기해 보도록 청한다; 아울러 환자가 임상가 자신의 내면에 불러일으키는 감정들에 대해서 민감하다. 이것들은 임상가 측에서 해석이 필요한 독특한 데이터라 하겠다. 비록 그러한 해석이 대단히 가변적인 경향을 띄기는 하지만 말이다. (예, Seitz, 1966) 이러한 기술들이 아래에 소개할 믿을만한 경험적 도구들을 통해 체계화될 경우 가변성은 줄어든다. 검증된 임상가 보고 도구들은 임상적인 인상을 뒷받침하거나 증폭시키거나 수정함으로써 임상가들이 이러한 작업을 수행하는데 도움을 주며, 상호적 강화 과정을 통해 자가-보고 및 수행 기반 자료를 보완해준다. (Meehl, 1996; Westen & Weinberger, 2004) 평가 타당도 및 임상적 유용성은 다른 관점의 평가도구 배터리를 사용함으로써 향상된다. (Bornstein, 2010; Hopwood & Bornstein, 2014) 서로 다른 관점이나 방법 사이의 수렴점과 차이점을 보이기 위해서는 가급적 대비되는 방법론을 가진 도구들을 적용하여야 할 것이다. (Bornstein, 2009; Cogswell, 2008; De Fife, Drill, Nakash, & Westen, 2010).

아울러 우리가 논하려는 도구들 가운데 일부는 시간이 많이 소요되며, 따라서 실제 임상 상황에서 일상적으로 사용하기에는 힘든 면이 있다. 그럼에도 불구하고 이 도구들이 담고 있는 풍부한 정보 및 방법론적, 이론적 건실함은 다양한 경험수준의 임상가들 모두에게서 유용하다는 것이 입증될 수 있다; 그러므로 특히나 복잡한 임상 문제로 고심하게 될 경우, 좀 더 많은 시간이 소요되고 수고로움이 집중되는 평가를 시행하는 것이 타당할지도 모른다.

Bram과 Yaloff (2014)는 특히나 검사로부터 이득을 얻는 유용한 임상 주제 세 가지에 관해 논의하는데, 그 주제는: (1) 치료 적합성 여부를 평가; (2) 잘 진행되지 않는 치료에 대한 평가; (3) 치료의 성공 가능성에 긍정적, 혹은 부정적 영향을 끼치는 인격 측면 (한계점을 포함)을 고려한 치료 방식의 수정이다.

우리가 선택한 대부분의 측정법들은 단순히 증상의 패턴이나 심각성을 평가하기 위한 것이 아니라 인격 구성, 핵심적인 정신 기능들, 전반적인 적응 및 안녕감을 평가하기 위한 것이다. 수면이나 식사 형태의 변화, 우울한 기분, 설명이 어려운 통증, 성적인 어려움, 공포증 또는 공황 발작과 같은 증상들은 임상가들이 쉽게 알아 볼 수 있거나, 환자들이 분명하게 보고하는 것이기 때문에 (혹은 둘 다) 우리는 그런 식의 결정을 내렸다. 반면에, 인격 양상들 및 암시적, 무의식적 정신 과정들은 그렇지가 않다. 더욱이 정신역동적 관점에서 보자면 인격의 구성 및 양상을 평가하는 일은 다양한 증후군과 증상들이 지닌 의미, 기능, 병인 및 예후를 이해하는데 적절한 것이다. (Gazzillo et al., 2013; Thompson- Brenner, Eddy, Satir, Boisseau, & Westen, 2008; Thompson- Brenner & Westen, 2005a, 2005b; Westen, Gabbard, & Blagov, 2006; Westen & Harnden- Fisher, 2001).

이 챕터의 1부 (아래를 보라)에서는 인격 구성 및 정신 기능에 관한 PDM-2 진단을 보조하는, 임상가들이 사용하기에 가장 간편한 임상 보고 척도들을 소개하겠다. 우리는 앞서 간략히 언급한 PDM-2에서 파생된 도구들에 대해 논하는 것으로 시작할까 한다. 그 다음으로 임상가나 임상가-연구가들이 사용하기에 좀 더 훈련을 요하지만, 임상 작업에 적합하다는 경험적 결과물들이 풍부하기에 임상가들이 알아두는 것이 중요한 추가적인 도구들에 대해 논의하겠다. 이 챕터의 2부는 자가-보고에 할당하여, 먼저 인격 구조의 수준에 대해 결정하고 그 다음으로 인격 양상을 살펴보고 마지막으로 정신 기능을 다루는 PDM-2의 작업에 상응하게끔 순차적으로 도구들을 묘사하겠다.

1부. PDM-2 진단 체계를 위한 도구들

우리는 PDM/PDM-2에 알맞게 특별히 고안된 도구들을 먼저 살펴본 다음 PDM-2 진단적 체계화 과정에 도움이 될 수 있는 다른 평가방법들을 알아보겠다.

A. PDM-2에서 파생된 평가 도구들

정신진단적 차트 Psychodiagnostic Charts

2011년 Robert M. Gordon과 Robert F. Bornstein는 초판의 PDM에 대해 간략하고 사용자 친

화적인 도구가 필요하다고 하였는데, 이는 (1) PDM식 분류법의 섹션을 통해 빠짐없이 임상의들에게 지침을 제공하고; (2) 임상가들이 어떠한 이론적 배경을 갖고 있든지 간에 개별적 사례들을 반영해야 하며, 유연하며, 실용적이어야 하며; (3) PDM이 정신장애 진단 통계 편람(DSM) 또는 국제 질병 분류 (ICD)와 통합될 수 있는 도구이여야만 했다.

Gordon 및 Bornstein은 이러한 취지에서 PDC를 개발하였다. The PDC-2는 PDM-2와 모순되지 않는, PDC의 개정판이며, PDM 개정 과정에서 도입된 변화들을 포함하고 있다. 수정이 있었으나 PDC-2의 신뢰도와 타당도에는 영향이 없을 것으로 추정된다. PDC-2의 목표는 사람을 근거로 한 질병분류학을 제공하는 것으로 인격이나 정신병리 및 치료에 관한 경험적 연구에도 유용할 뿐만 아니라 PDM-2를 가르치고, 지도하고, 진단을 내리고, 치료 계획을 짜고, 예후를 보고하고, 결과를 평가하는데 쓰일 수 있을 것이다. 대단히 중요한 목표는, '증상에 초점을 둔 ICD나 DSM'을 'PDM이나 PDM-2에서 다루는 인간 정신 기능의 범위 및 깊이 전체'와 합침으로써 정신진단적 체계화를 임상가들에게 더 유용하게 만드는 것이다. (예를 들어 Bornstein, 2011; Lingiardi, McWilliams, Bornstein, Gazzillo, & Gordon, 2015a를 보라). PDC-2는 성인 환자를 대상으로 한 것이지만, PDC-2를 위한 기본 서식 및 연구는 PDM-2에서 다루어진 다양한 연령군을 대상으로 한 정신진단 차트를 위해 수정되었다: 정신역동 차트-청소년 Psychodynamic Chart-Adolescent (PDC-A), 정신역동 차트-아동기Psychodynamic Chart-Childhood (PDC-C), 정신역동 차트-영아 및 초기 아동기 Psychodynamic Chart-Infancy and Early Childhood (PDC-IEC), 그리고 정신역동 차트-노년 Psychodynamic Chart-Elderly (PDC-E). 하지만 이러한 연령대를 대상으로 한 PDC들은 각각의 타당도 및 신뢰도 연구가 시행되어야 할 것이다. 최적의 PDC-2 평가를 도출하기 위해 임상가는 진단적 면담 자료 및 심리 평가 자료를 수행 (혹은 확인)해야만 한다. 우리는 언제나 그렇게 할 수는 없음을 알고 있으며, 많은 경우 임상가는 추가적인 정보가 쌓임에 따라 다시 평가하기 보다는, 초기 인상에 근거하여 판단할 것임을 알고 있다. 만일 경과 기록지를 작성할 때 PDC-2를 이용한다면, 그 사람의 진단을 재평가하고 수정할 수 있는 기회도 생길 것이다. 본 챕터에서 제시하는 적절한 심리학적 검사들과 함께 사용한다면 이 차트의 타당도는 향상될 수 있을 것이다. 다섯 가지 PDC 버전 전체의 빈 서식은 본 매뉴얼 부록에서 찾아볼 수 있으며, 구매자들은 또한 이 서식의 확대된 버전을 다운로드하여 임상 실제에서 쓸 수 있을 것이다. (내용의 표 마지막 부분에 있는 박스를 보라) Qianna Snooks는 PDC-2 버전 8.1 뿐만 아니라 컴퓨터에서 쓸 수 있는 디지털 형식을 포맷하는데도 도움을 주었는데, 디지털 형식에서는 반복 사용을 위한 리셋 버튼과 주된 인격 양상에 대한 드롭-다운 메뉴가 존재하고, 개별적인 M-축 점수를 자동적으로 합산할 수 있으며, 더 많은 맥락적 정보를 기입할 수 있는 커다란 대화 박스가 있다. 또한 디지털 형식에서는 점수 매김이 엑셀로 추출될 수 있게 되어 연구 목적으로 자료를 수집하고 통계분석을 할 수 있게 되었다.

정신역동 차트 - 2 (Psychodynamic Chart-2)

PDC-2는 섹션 I: 인격 구성의 수준으로 시작한다. 첫째, 임상의는 네 가지 정신 기능에 대해 1(심하게 손상)에서부터 10(건강함)까지의 척도 가운데에서 점수를 매긴다.: (1) 정체성 혹은 다양한 방면에서 안정적이고, 적절한 방식으로 자신을 바라보는 능력; (2) 대상관계 혹은 친밀하고 안정적이고 만족스러운 관계를 유지하는 능력; (3) 방어의 수준; (4) 현실 검증 혹은 현실적인 것의 통상적인 개념을 인식하는 능력. 그 다음으로 임상의는 네 가지 구성 요소 척도 및 전반적 임상적 판단에 따라 자신이 내린 평가 점수를 근거로 하여 환자의 전반적인 인격 구성 (정신증적, 경계성, 신경증적, 혹은 건강함)에 대해 점수를 매긴다.

섹션 II: 인격 증후군들 (P 축)에서는 적용할 수 있는 가능한 모든 타당한 인격 양식에 체크를 하여 환자의 인격 양식이나 장애를 결정 내려야 한다. 그 다음으로 임상가는 한두 가지의 가장 주된 양식을 표기한다. 연구를 목적으로 할 때에는 각 양식에 1 (심각)에서 5 (고 기능)까지 점수를 매길 수 있다.

섹션 III: 정신 기능 (M 축)은 환자의 다양한 강점과 한계점들을 네 가지 주된 영역, 즉 인지 및 정동적 과정; 정체성과 대인관계; 방어 및 대처; 자기-인식 및 자기-방향성에 포함된 12가지 차원에 따라 자세히 고려하는 것이다. 12가지 정신 기능을 합산하여 총체적인 인격의 심각도 수준의 점수를 도출한다. 디지털 형식의 PDC-2의 경우 자동적으로 이 점수가 계산되어 나온다.

섹션 IV: 증상 패턴 (S 축)에서 임상의는 정신병적 장애, 기분 장애, 일차적으로 불안과 관련된 장애들, 사건 및 스트레스와 관련된 장애들 등에 현저히 연관된 환자의 주된 증상 패턴을 기술한다. 필요하다면 임상의는 DSM이나 ICD의 증상이나 코드를 사용할 수 있다. 주된 증상들은 1(심각)에서 5(경도)까지 5점 척도로 평가한다.

섹션 V, 즉 문화, 맥락 및 기타 적절히 고려해야 할 점들에서 임상의는 환자의 주변 환경에 관한 타당한 정보를 추가할 수 있다. PDC-2 디지털 형식에서는 대화 박스가 있어서 좀 더 자세하게 기술할 여지를 제공해 준다. 마지막으로 임상의는 모든 섹션들을 통합하여 한 사람의 모든 것을 미묘한 부분까지 이해할 수 있게끔, 응집력 있는 하나의 임상적 그림으로 나타내어야 한다.

정신진단 차트 - 영아 및 초기 아동기(Psychodiagnostic Chart—Infancy and Early Childhood)

챕터 10 (영아 및 초기 아동기 챕터)의 챕터 에디터인 Anna Maria Speranza는 성인 PDC-2를 바탕으로 하여, 챕터 10에 제시한 바와 같이 영아 및 어린이들을 평가하는데 임상가들에 지침이 되어줄 사용자 친화적인 도구의 일환으로서 PDC-IEC를 개발하였다. 특이하게도 PDC-IEC에서는 영아나 어린이에게서 보이는 문제점 및 증상군들; 즉 기능적 정서적 발달상의 역량; 조절적-감각 처리에 있어서 소인 및 성숙 상에서의 변이; 관계 양식 및 장애; 기타 의학적 및 신경학적 진단을 임상가로 하여금 평가할 것을 요구한다. 이러한 차원들 각각은 아동의 기능을 바라보는 전체적인 관점을 만드는데 기여할 뿐만 아니라, 병인론적으로 각 영역이 끼친 영향력을 시사하기도 한다. PDC-IEC의 섹션들은 다음과 같다:

- 섹션 I: (IEC 분류의 I축에 따른) 일차 진단들. 주된 IEC 진단들이 표시되며, 각 진단은 1(심각)에서 5(경증)점까지 점수를 줄 수 있다.
- 섹션 II: (II축 분류에 따른) 기능적 정서적 발달상의 여력. 이러한 능력들은 예상되는 여섯 가지 정서적 기능이라는 측면에서 1(심각한 결손)부터 5(건강함)점까지 점수를 줄 수 있다,
- 섹션 III: (III축 분류에 따른) 조절적-감각 처리 능력. 아동의 감각 조절 측면, 감각 구분 및 감각에 근거한 운동 기능을 1 (심각한 문제 혹은 거의 항상 문제를 일으킴)부터 4(징후 없음; 전혀 또는 거의 문제가 되지 않음)점까지 점수를 매긴다. 전체 조절적 감각 프로파일은 1(심각한 결손)부터 5(건강함)점까지 점수를 매긴다.
- 섹션 IV: (IV 축 분류에 따른) 관계 패턴 및 장애들. 영아/아동이 중요한 양육자 둘과 각각 관계를 맺는 측면을 여덟 개의 차원에서 평가를 한다. 그 후 각각의 양육자에 대한 종합적인 관계 패턴 및 애착 패턴 수준을 평가한다.
- 섹션 V: (V축 분류에 따른) 기타 의학적 및 신경학적 진단들. 이 섹션에서는 이 영역에서 아동의 진단과 관련된 적절한 정보 어떠한 것이라도 기록하는 것이 가능하다.

정신진단 차트-아동(Psychodiagnostic Chart—Child)

III부 (소아기) 챕터들의 챕터 에디터들인 Norka Malberg, Larry Rosenberg, 그리고 Johanna C. Malone는 성인 PDC-2를 바탕으로 하여 III부에 소개한 어린이를 평가하는데 임상가들의 지침이 되는 사용자 친화적 도구로서 PDC-C를 개발하였다. PDC-C는 섹션 I: 정신 기능 (MC 축)으로 시작하는데, 임상의로 하여금 11가지 정신 기능에 대해 환자가 지닌 강점이나 약점을 1(심각히 결손)에서 5(건강함)점까지의 척도에서 점수 매기도록 하고 있다. 그런 다음 인격 심각도의 종합적 수준을 이 11가지 점수의 합계로 평가하여 제시하도록 한다. 섹션 II: 인격 패턴 및 어려움이 야기된 수준에서는, PDC-2에서와 유사하게 정체성, 대상관계 및 현실 검증력에 대해 평가하는 것이 요구된다. 아울러 임상가는 발현되는 인격 패턴을 "정상"(건강함), 경하게 역기능적 (신경증적), 역기능적 (경계성), 또는 심각하게 역기능적 (정신증적)으로 전체적으로 평가하여 제시해야 한다. 섹션 III: 증상 패턴 (SC 축)에서 임상가는 증상이나 염려사항을 1(심각함)에서 5(경함)점까지의 척도 상에서 평가할 수 있다. 마지막으로 섹션 IV: 진단에 정보를 제공하는 영향력 있는 요소나 관련된 임상적 관찰에서는 임상가가 관련된 기타 정보를 기록할 수 있다.

정신진단 차트- 청소년(Psychodiagnostic Chart—Adolescent (PDC-A))

II부 (청소년) 챕터들의 챕터 에디터들인 Norka Malberg, Johanna C. Malone, Nick Midgley,

및 Mario Speranza는 성인 PDC-2를 바탕으로, II부에 기술한 바와 같이 청소년을 평가하는데 있어 임상가들에 지침이 될 사용자-친화적인 도구로서 PDC-A를 개발하였다. PDC-A는 섹션 I: 정신 기능 (MC 축)으로 시작하는데, 임상의로 하여금 12가지 정신 기능 각각에 대해 환자의 강점이나 약점 수준에 대해 1(심각히 결손)에서 5(건강함)점까지의 척도에서 평가하게끔 한다. 그 다음으로 인격 심각도의 종합적 수준을 이 12가지 점수의 합계로 평가하여 제시하도록 한다. 섹션 II: 인격 구성에서는, PDC-2에서와 유사하게 정체성, 대상관계, 방어의 수준 및 현실 검증력에 대해 평가하는 것이 요구된다. 아울러 임상가는 나타나는 인격 패턴을 "정상"(건강함), 경하게 역기능적 (신경증적), 역기능적 (경계성), 또는 심각하게 역기능적으로 나타나는 인격 패턴 (정신증적)으로 전체적으로 평가하여 제시해야 한다. 섹션 III: 나타나는 청소년 인격 스타일/증후군 (PA 축)에서 임상의는 환자가 내보이는 인격 패턴들에 대해 적용가능한 적절한 패턴들을 가능한 빠짐없이 체크함으로써 결정해야 한다; 그 다음으로 임상의는 한두 가지 가장 주된 패턴들을 기록한다. 연구 목적을 위해서라면 각각의 패턴은 1(심각함)에서 5 (고 기능)점까지에서 점수를 매길 수 있다. 섹션 IV: 증상 패턴 (SA 축) 및 섹션 V: 문화, 맥락 및 기타 적절히 고려할 점은 PDC-2에서 상응하는 부분과 유사하다.

정신진단 차트-노년(Psychodiagnostic Chart—Elderly)

PDM-2 V부 (노년기)의 챕터 에디터들인 Franco Del Corno와 Daniel Plotkin은 성인 PDC-2를 바탕으로, V부에 기술한 바와 같이 노인들을 평가하는데 있어 임상가들에 지침이 될 사용자-친화적인 도구로서 PDC-E를 개발하였다. 이는 섹션 I: 정신 기능 (ME 축)으로 시작하는데, 임상의는 12가지 정신 기능 각각에 대해 환자의 강점이나 약점을 평가해야 한다. 그 후 12가지 점수의 합으로서 인격 심각도 수준을 전반적으로 평가하여 제시해야 한다. 비록 대부분의 노인들이 심각한 인지 저하를 겪는 것은 아니나, 정신 기능에 영향을 끼칠 수 있는 인지 저하나 신경인지 장애의 존재에 대해 평가하는 것은 중요하다. 마찬가지로 섹션 II: 인격 구성의 수준에서는 "인격 구성의 수준을 판정함에 있어서 환자의 정신기능을 고려하십시오"라고 되어 있다. PDC-2가 그러하였듯, PDC-E는 효율적으로 인격 구성 수준을 가늠하기 위해 정체성, 대상관계, 방어 수준 및 현실 검증력을 평가한다. (1=심각함, 10=건강함); 또한 "...당신은 다음 중 한 가지 연령군에 속하는 노인을 평가하고 있음을 잊지 마십시오, 중기-노년 (65-74세), 후기-노년 (75-84세), 최후기-노년 (85세 이상)"이라고 되어 있다. 섹션 III: 인격 증후군 (PE 축); 섹션 IV: 증상 패턴들 (SE 축); 그리고 섹션 V: 문화, 맥락 및 기타 관련된 고려할 점들은 PDC-2의 상응하는 부분들과 모두 유사하다.

PDC들의 강점들

성인용 PDC-2는 높은 신뢰도 및 타당도를 보인다. 이는 모든 축을 활용하는 PDM-2 진단 모형을 통해 임상의에게 지침이 된다. 단지 3 페이지 분량이며 사용자 친화적이다. 이는 PDM-

2 성인 축에 대해 광범위한 개요를 제공해주며, ICD나 DSM 진단과 통합될 수 있다. 예비적인 결과는 오리지널판 PDM 분류의 타당성을 강하게 뒷받침해주고 있으며, 숙련자들뿐만 아니라 다양한 이론적 배경을 가진 "전형적인"임상의들이 초판 PDM을 사용하는 데에도 역시 유용하다는 것을 강하게 뒷받침해준다. (Bornstein & Gordon, 2012; Gordon & Stoffey, 2014; Gordon, Blake, et al., 2016). 또한 PDC는 인격 조사에 있어 유용한 도구임이 증명되었다. (Gordon, Stoffey, & Perkins, 2013; Huprich et al., 2015). 이같은 모든 결과들은 PDC-2에도 일반화될 수 있다. 앞서 언급하였듯, PDC-2에서 파생된 네 가지 PDC들은 각각의 타당도 및 신뢰도 연구가 수행되어야 할 것이다.

PDC들의 한계점들

PDC들은 임상가의 통찰 없이는 데이터를 산출할 수 없다는 점에서 검사라 할 수 없다. 반면에 그것들은 임상의들이 완전한 PDM-2 모형을 구조화하고 차팅하고 맥락화시키는데 도움을 주기 위해 지침을 제시한다. 즉 그것들은 진단을 체계화하고 치료 계획을 세우는 데 도움을 주기 위한, 다양한 영역에서 환자를 기술하는 방법인 것이다.

정신역동적 진단 원형-2 (Psychodynamic Diagnostic Prototypes–2)

최초 형태의 정신역동적 진단 원형 (PDP; Gazzillo, Lingiardi, & Del Corno, 2012)은 로마 Sapienza 대학의 Francesco Gazzillo와 Vittorio Lingiardi가 정신치료 연구 협회의 이탈리아 지역 그룹 전 회장이었던 Franco Del Corno와 함께 개발한 임상가 보고 도구이다. 그것은 인격장애에 대한 19개의 원형적 기술로 이루어져 있으며, 그 각각은 PDM 초판의 P 축에 해당하는 각각의 장애를 나타낸다.

PDP는 심지어 PDM에 관한 기존의 지식이 없더라도, 임상가들이나 연구자들이 P 축을 완성하는데 도움이 되게끔 고안되었다. 이러한 이유로 Gazzillo 등은 (2012)는 모든 P축 패턴/장애에 관해 PDM에 기술된 바를 택하고, 매뉴얼 내에 명시된 참고문헌들을 삭제했으며, 환자를 평가하는데 있어 필요 이상으로 복잡하거나 추론이 필요한 PDM 인격 기술들을 간략히 만들었다. 타당성이 잘 입증된 여타의 역동적 평가들 내의 기술에 대해 세심히 연구한 바를 통해 기술들은 또한 풍부해졌다.

PDP를 사용하기 위해, 임상가나 평가자는 환자가 하나 또는 그 이상의 PDP 원형들과 얼마나 유사한지를 5점 척도 상에서 점수를 매긴다. 1점은 유사점이 없다는 것인 반면 5점은 환자가 임상적으로 보이는 양상과 원형이 완벽히 합치됨을 뜻한다. 점수가 4 내지 5점일 경우 그 장애에 관한 카테고리적 진단이 필요하다. 정확한 평가를 내리기 위해 임상가가 환자에 대한 충분한 지식을 얻기 위해서는 보통 세 번 내지 다섯 번의 세션이 필요하다.

PDP 2판인 PDP-2(Gazzillo, Genova, & Lingiardi, 2016)는 PDM-2의 P 축에 맞게 PDP를 수정한 것이다. 도구의 기본적인 구조는 동일하나, PDP-2는 PDM-2의 P 축에 묘사된 인격

패턴을 고려한다. 또한 임상가들이 환자의 '인격 구성 수준' 및 '의존 혹은 내사적 주제와의 연관성'을 평가하는데 도움을 준다.

인격 구성 수준을 평가하는데 있어서, 임상가나 평가자는 PDM-2의 P축에서 유래한 인격 구성의 각 수준에 대한 원형적 기술 (건강, 신경증적, 경계성, 정신증적)을 읽어내어야 하며, 그 후 환자를 Likert 척도 8점 가운데 점수를 매겨야 한다.

의존 혹은 내사적 지향성이 존재하는 정도를 식별하기 위해, 임상가나 평가자는 '환자를 좀 더 잘 나타내는 양식인 식별된 인격 패턴' 및 '심리적 지향성 두 가지가 보이는 주된 양상에 대한 짧은 기술' 둘 다를 고려해야 하며, 이후 환자를 두 가지 5점짜리 Likert 척도에 맞게 평가해야 한다.

PDP 및 PDP-2의 강점들

대부분의 PDP 인격 패턴 혹은 장애들은 평가자간 신뢰도, 동시 타당도 및 변별 타당도, 그리고 구성 타당도가 좋은 것으로 나타났다 (Gazzillo et al., 2012). PDP 기술은 사용하기 용이하다. 특정 장애를 가진 환자에 대한 공통된 감정 반응 역시 기술되어 있다. 환자를 평가하는데 도움이 될 수 있기 때문이다. 이는 교육적인 가치 또한 제공해준다.

PDP 및 PDP-2의 한계점들

다른 모든 임상가 보고 평가들과 마찬가지로 PDP나 PDP-2의 정확도는 인격 구성 및 인격 패턴 수준에 대해 명확한 기술이 뒷받침된 임상가의 판단과 같은 정도일 수밖에 없다. 몇몇 PDP 장애들에 대해서는 수렴 타당도나 변별 타당도를 평가하는 것이 불가능하다. 다른 진단 매뉴얼에 기술된 동일한 장애를 평가할 수 있는 경험적인 도구가 존재하지 않기 때문이다.

B. PDM-2 평가를 위한 다른 임상가-평가 도구들

본 섹션에서는 인격 기능의 핵심 차원에 관해 가용한 다른 임상가-근거 평가 도구에 대해 살펴보고자 한다.

인격 구성에 관한 구조화된 면담(Structured Interview for Personality Organization)

New York, White Plains의 인격 장애 연구소 소속인 Otto Kernberg와 그의 동료들은 컨버그가 개발한 (1984) 구조적 면담을 활용하기 위해 인격 구성에 대한 구조화된 면담 Structured Interview for Personality Organization (STIPO)을 개발했다. STIPO는 인격 기능에서 다음의 영역을 평가하는데 사용되는 97 문항의 구조화된 인터뷰로 구성되어 있다.: 정체성, 대상 관계, 방어, 현실 검증, 적응 및 완고성, 공격성 및 도덕적 가치. 각 문항에 대한 환자의 답은 Likert 척도 3점 상에서, 0 (병리가 없음)부터 3(병리가 존재함)점까지 점수를 매길 수 있으며, 각 아이템마다 기술적인 점수 앵커를 달 수 있다.

나아가, 평가자는 7가지 영역마다 각각 1(건강함)부터 5(병적)점까지 5점 척도 상에서 전체적인 추정치를 매길 수 있다.

이탈리아와 미국 출신의 조사자 그룹은 청소년 버전의 STIPO인 C청소년의 인격 구성 과정에 관한 인터뷰 Interview of Personality Organization Processes in Adolescence (IPOP-A)를 개발했으며, 초기 타당성 자료는 유망하다. (Ammaniti et al., 2014).

STIPO의 강점들

STIPO와 IPOP-A는 각각 PDM-2의 P축과 PA축에 의거한 인격 구성의 수준을 평가하는데 유용할 수 있다. 5가지 영역들: 정체성, 대상 관계, 도덕적 가치/초자아의 통합, 현실검증, 그리고 적응 및 완고함/회복력은 대단히 비슷하다. 아울러 PDM-2의 P축과 M축은 좀 더 일반적인 감정적 역량 및 관계 역량들을 평가하는 데 비해, STIPO는 공격성 영역을 평가한다.

STIPO의 두 가지 가장 중요한 영역 (정체성과 대상 관계)의 내적 합치도는 높지만, 현실검증 영역에서는 겨우 납득할 정도이며, 기타 영역에 대해서는 알려져있지 않다. 평가자 간의 신뢰도는 받아들일 수 있는 정도이며, 유사한 구성의 다른 도구들과 비교했을 때 STIPO가 보이는 주요 영역의 수렴 타당도 및 변별 타당도 값은 유망하다.

STIPO의 한계점들

납득할 만한 신뢰도를 달성하기 위해 STIPO와 IPOP-A는 평가자들에게 정신역동 이론 및 컨버그의 인격 구성 모델에 대한 올바른 지식과 더불어 별도의 훈련을 요구한다. 또한 시간을 많이 필요로 한다. (STIPO에는 평균 3-4시간, IPOP-A에는 2시간)

Karolinska 정신역동 프로파일(Karolinska Psychodynamic Profile)

The Karolinska Psychodynamic Profile (KAPP)은 정신분석 이론을 근간으로 한 평가 도구이며 25년 전 스웨덴, Karolinska 연구소의 Weinryb, Rössel, 및 Åsberg (1991a, 1991b)에 의해 개발되었다. KAPP 평가를 위해서 임상가는 STIPO (위를 보라)와 같은 구조화된 진단적 면담 자료를 사용한다. 임상가의 평가는 임상적으로 관찰되는 현상들에 가까운 자세한 점수 체계를 바탕으로 이루어진다. 점수 체계는 18개의 부수척도에서 5개의 점수 (1, 1.5, 2, 2.5, 3)를 창출한다.

KAPP는 인격과 정신 기능에 있어 상대적으로 정적인 양상들, 이를테면 대상관계 (친밀도 및 상호작용, 의존 및 분리); 자아 강도 및 유연성 (좌절 내성, 충동 조절, 자아의 도움 하에 퇴행할 수 있는 역량, 공격적 정동에 대처하는 정도); 신체 상 및 신체 외양에 관한 개념; 성적 생활 (성 기능 및 성적 만족); 사회적지지 (소속감, 필요한 사람이라는 느낌, 조언과 도움을 청할 기회); 감정표현불능, 지나치게 사회적 규범을 따르려는 경향 및 지배적인 인격 특성; 그리고 인격 구성의 전반적 수준을 평가한다.

KAPP의 강점들

STIPO와 마찬가지로 KAPP는 인격 구성 수준과 그 핵심 기능들 (P축)과 정신기능의 다양한 측면들 (M축), 이를테면 대인관계와 친밀도의 역량, 충동 조절에 대한 역량, 그리고 적응, 회복력 및 강도에 대한 역량을 평가하는데 도움이 될 수 있다. KAPP는 심리검사적으로 온당하면서 최소한의 훈련만을 요구하며, 정신분석적 관점에서 인격과 정신 기능을 평가하는 일을 가능하게 해준다. KAPP 척도들은 최소한에서 중등도 정도의 훈련으로 양호한 타당도와 높은 신뢰도를 보여준다. 그 척도들은 서로 다른 임상적 장애를 가진 환자들을 구분하는 인격 양상들을 알아내고, 동일한 임상 장애를 가진 환자들의 인격 아형을 구분하고, 정신 분석이나 정신치료 과정에서 환자의 인격 변화를 평가하는데 사용될 수 있다. (Charitat, 1996; Turrina et al., 1996; Weinryb, Gustavsson, & Barber, 2003; Weinryb & Rössel, 1991; Weinryb et al., 1991a, 1991b; Weinryb, Rössel, Gustavsson, Åsberg, & Barber 1997; Wilczek, Barber, Gustavsson, Asberg, & Weinryb, 2004).

KAPP의 한계점들

KAPP를 통해서 신뢰할만한 평가를 수행하기 위해서는 기저의 정신 역동 개념에 친숙할 필요가 있다. 경험적으로 도출된 규준은 현재까지 없는 상태이다.

Shedler - Westen 평가법(Shedler–Westen Assessment Procedure)

SWAP의 첫 번째 버전인 SWAP-200 (Shedler, 2015; Westen & Shedler, 1999a, 1999b; Shedler, Westen, & Lingiardi, 2014)은 Q-분류 방법 (아래에 설명하겠다)을 사용하여 인격 스타일 및 장애들을 살펴보는 임상가-평가 도구이다. SWAP-200 항목들은 인격 장애를 치료하는데 숙련된 임상가들을 대상으로 미국 내에서 광범위하게 조사한 것을 바탕으로 개발되었다. 수많은 반복 끝에, 임상적으로 환자의 인격을 관찰하고 추론한 바를 조직화하고, 환자의 심리적 기능에 대한 심층적 초상을 제공하기 위한 200 항목의 풀이 개발되었다.

SWAP은 (1)DSM-IV 및 DSM-5의 인격 장애 진단; (2) DSM의 인격 장애 진단들보다 좀 더 임상적으로 정확하면서도 정보적인 (Q 요소들이라 불리는) 경험적으로 확인된 인격 증후군들에 관한 대안적 세트; 및 (3) 인격 기능에 관한 특정 영역들을 강조한 12 가지 특성 차원 (특별한 정보적 절차 요함)을 평가하는 세 가지 점수 프로파일 그래프들을 제공한다.

SWAP의 개정판, SWAP –II는 연구용으로 개발되었다 (Westen et al., 2012; Westen & Shedler, 2007). SWAP-II는 SWAP-200과 세 가지 측면에서 구분된다. 첫째, SWAP-II는 약간 수정된 항목 세트를 가지고 있다. 둘째, 신판에서는 경험적으로 도출된, 색다른 분류법을 제시하는데, 이는 성인의 인격 장애 분류를 네 가지 범주로 나눈다: (1) 내재화 (우울, 불안-회피, 의존-희생양화, 그리고 분열성-분열형 장애) internalizing (depressive, anxious– avoidant, dependent– victimized, and schizoid– schizotypal disorders); (2) 외재화 (반사회성-정신병질적, 자기애적, 편집증적) externalizing (antisocial– psychopathic, narcissistic, paranoid); (3) 경계성-조절이 어려운 (경계성-조절부전 장애) borderline– dysregulated (borderline– dysregulated disorder); 그리고 (4) 신경증적 (강박적 및 히스테리적-연극적 장애) neurotic (obsessional and hysteric– histrionic disorder) 셋째, SWAP-200의 타당도 표본은 단지 인격 장애를 가진 환자들만을 포함한 반면, SWAP-II에서는 더 많은 수의 표본을 통해 타당도가 확인되었고, 임상적 실제에서 일반적으로 보이는 인구를 좀 더 잘 나타내어준다.

아울러 SWAP-II의 청소년 버전인 Shedler-Westen의 청소년을 위한 평가법 Shedler–Westen Assessment Procedure for Adolescents (SWAP-II-A; Westen, Dutra, & Shedler, 2005)도 존재한다. 그것은 성인편 SWAP과 유사한 형식을 따른다(5장의 PA축). 그것은 수정된 항목 세트를 사용하며, 두 가지 인격 스타일 (건강한 기능 및 억제성-자기-비판적) 및 다섯 가지 인격 장애 (회피-위축, 반사회성-정신병질적, 연극성, 자기애성, 그리고 감정 조절부전성)를 표현하는 경험적으로 도출된 청소년 인격 분류를 사용한다. 신뢰도와 타당도는 인상적이다. (DeFife, Malone, DiLallo, & Westen, 2013).

어떤 버전의 SWAP이든지, 평가자는 200 항목 각각에 대해 환자의 인격과 기능을 얼마나 잘 묘사하는지에 따라 점수를 0(묘사하지 못함)에서 7(가장 잘 묘사함)점 사이에서 할당한다. SWAP의 모든 버전에서 임상가는 고정된 점수 분포를 사용해야만 한다. (즉 평가자는 각 점수에다 사전에 명시된 회수를 부여해야만 한다.) 고정된 점수 분포를 사용하며 평가자 바이어스를 최소로 줄이고, 신뢰도와 타당도를 최대로 하게 된다 (Block, 1961/1978).

SWAP 항목들은 웹-기반 채점 프로그램 (www.swapassessment.org에서 사용가능)을 통해 가장 편리하게 분류된다. 사용자는 세 가지 진단적 보고서를 선택할 수 있는데, 이에는 인격 진단, 임상 증례 체계화 및 권고되는 치료법뿐만 아니라 모든 검사 점수들을 종합적으로 해석한 것이 담긴 임상 해석 보고서가 포함되어 있다.

병리적인 인격 양상을 기술하는 것 이외에도, SWAP은 또한 긍정적인 정신 건강에 관한 기술도 제공하는데, 이는 200 항목 가운데 24개에서 나타난다. 그리고 건강한, 고-기능 개인에 대한 프로파일도 생성한다.

200개의 SWAP 항목 및 각 항목에 할당된 특징에 관한 7가지 단계는 복잡한 인격 패턴을 다룰 수 있는 거의 무수한 조합을 생성해 낸다 (Shedler, 2015). 이어진 연구들 (Lingiardi, Shedler, & Gazzillo, 2006; Waldron et al., 2011) 에서 가장 높은 점수를 받은 30 항목이 환자의 기능에 관한 유용한 요약을 제공한다고 밝혀졌으며 따라서 그것들은 증례를 체계화함에 있어 핵심적으로 이용될 수 있다.

환자의 건강-질환 수준 및 건강 및 질환의 영역들을 평가하는데 SWAP의 유용성을 향상시키기 위해서, 뉴욕의 연구자 그룹은 두 가지 보조적인 점수 색인들이 만들어, 타당도에 관한 증거를 제시하며 설명하였다. (Waldron et al., 2011). 첫 번째 색인, 즉 인격 건강 색인 Personality Health Index (PHI)은 200개의 SWAP 항목 점수들을 사용하여 인격 건강을 전반적으로 평가할 수 있게 하며, 다음으로 정신분석 치료 중인 환자들과 비교하여 정신 건강 점수의 퍼센타일로 전환된다. (Cogan & Porcerelli, 2004, 2005). 퍼센타일의 지표가 총체적인 심리적 건강 또는 질환을 즉각적으로, 이해할 수 있게끔 해주는 척도가 된다.

SWAP에서 파생된 두 번째 지표, RADIO는 인격 기능을 나타내는 다섯 가지 중심 영역 내에서 개인의 특정 강점과 어려움을 묘사한다: 즉 다섯가지 독립적인 차트 내의 현실 검증 Reality testing, 정동 조절 및 인내력 Affect regulation and tolerance, 방어적 구성 Defensive organization, 정체성 통합 Identity integration, 그리고 대상 관계 Object relations (따라서 머릿글자를 따 RADIO)가 그것이다. 이 영역들은 인격 기능 수준을 묘사하는 점에에서 PDM-2에서 쓰이는 영역들과 유사하다. 발간된 두 가지 증례에서 SWAP 지수들이 임상적으로 유용할 수 있음이 드러났다. 이러한 지수들은 명백히 정신치료적 연구 및 정신분석적 연구에 적용할 수 있을 뿐만 아니라 임상 작업이나 수련에도 또한 유용한 자원의 일환이 된다. (Gazzillo et al., 2014; Waldron, Gazzillo, Genova, & Lingiardi, 2013).

SWAP의 강점들

PHI와 RADIO가 PDM-2의 M축과 MA축을 평가하는데 도움이 될 수 있는 반면, SWAP의 또 다른 버전들은 PDM-2의 P축과 PA 축의 평가에 유용할 수 있다. SWAP은 임상가로 하여금 임상적 관찰을 체계적으로 기록할 수 있게끔 해주며, 이후 진단이나 임상 증례 기술을 최적화시키기 위한 방편으로 도출된 데이터를 통계적 및 심리검사적 방법을 적용함으로써 인격의 진단을 체계적으로 해주며 증례의 체계화를 제공해준다. (Lingiardi, Gazzillo, & Waldron, 2010; Lingiardi et al., 2006). 효과적인 치료적 개입에 지침이 될 수 있는, 임상적으로 풍부한 증례 체계들을 임상가들이 개발하는데 이러한 정보가 도움이 된다. 훌륭한 타당도와 신뢰도가 확인되었다 (Shedler, 2015). 임상가 및 연구자들은 치료상 서로 다른 시점에서 환자의 총체적 건강-질환 정도를 비교하는데 SWAP을 이용할 수 있는데, 이는 정신치료 과정을 통해 일어나는 변화를 보여주는데 유용한 방법이 된다 (Gazzillo et al., 2014; Waldron et al., 2013). 항목들은 평가되는 개개인에 대한, 단순하고 전문용어가 없는 임상적 문장들로 이루어져 있다. SWAP의 신뢰도 및 타당도는 지난 10년 넘게 보고되고 확장되어 오고 있다 (Shedler, 2015; Shedler & Westen, 2006; Westen & Muderrisoglu, 2006).

SWAP의 한계점들

(평가자가 도구에 친숙한 정도에 따라) SWAP을 통해 점수를 매기는데는 25분에서 40분이 소요된다; 임상 상황에서 이만큼의 시간을 쓸 수 있는 곳은 많지 않다. 더욱이 신뢰할 만한 SWAP 평가를 위해서는 임상가나 평가자가 그 환자를 잘 알고 있어야만 한다. SWAP의 제

작자들은 치료를 받는 환자의 경우, 최소 여섯 번의 임상 세션을 가질 것을 추천하였다. - 단지 평가만을 받기 위한 개인의 경우에는 인격 평가를 위한 체계적 면담, 즉 임상적 진단 면담 Clinical Diagnostic Interview을 권하는데, 이는 대략 2시간 반 내에 실시될 수 있다.

작업화된 정신역동 진단(Operationalized Psychodynamic Diagnosis)

작업화된 정신역동 진단 Operationalized Psychodynamic Diagnosis (OPD) 개발 위원회는 1992년 독일에서 일군의 정신분석가들, 정신신체 의학 분야의 전문가들, 그리고 정신치료 연구에 배경을 둔 정신과 의사들로 결성되었다. 이들이 품은 목표는 핵심적인 정신역동적인 차원을, 기술적이고 증상-중심적인 ICD-10 분류 체계에 포함시켜 영역을 넓히는 것이었다. 이 개발 위원회는 숙련된 치료자를 대상으로 수련을 위한 목적 및 임상적 목적을 위해 고안된 진단 일람 및 핸드북을 개발하였다 (Arbeitskreis OPD, 1996). 이후로 그 매뉴얼은 11개의 언어로 번역되었고 더 많은 번역판이 준비 중이다.

두 번째 판인 OPD-2 (Arbeitskreis OPD, 2006; OPD Task Force, 2008)에서는 개개인에 맞춘 치료 계획을 위해 초점을 선택하는 법을 매뉴얼화한 교과서가 포함되어 있다. 치료적 초점을 바탕으로 하여, 치료 결과 및 추적관찰에 대해 평가하는 것이 가능하다. 추가적으로 하이델베르그 구조 변화 척도 Heidelberg Structure Change Scale를 이용하여 임상적 변화를 평가할 수 있다 (Grande, Rudolf, Oberbracht, & Pauli- Magnus, 2003).

최근, 독일어로 된 아동 및 청소년 정신치료자를 대상으로 한 OPD 매뉴얼 2판이 출간되었다 (Arbeitskreis OPD-KJ, 2014). 환자의 구조적 통합 수준을 측정하는 자가 보고 도구 역시 이용할 수 있다 (Ehrenthal et al., 2012). 추가적인 자원, 이를테면 물질 남용, 법의학적 환자 및 외상에 관한 모듈들이 개발 중에 있다.

임상가는 OPD에서 5가지 축을 완성하도록 되어 있다:

- *I 축:* 질병의 경험 및 치료의 선행 조건. 질병의 심각도; 고통의 정도; 주관적으로 여기는 질병의 귀인점 (환자가 생각하는, 질병을 일으킨 원인); 변화의 모델 (치료가 어떤 식으로 도움이 될지 환자가 생각하는 바); 그리고 자원 (자아 강도, 유머, 지능, 가족 친구 동료들로부터 받는 정신사회적 지지)에 대해 임상가는 기술한다.
- *II 축:* 대인 관계. 환자의 역기능적 습관적 관계 경험을 기술하고, 치료자와의 관계 또한 묘사한다.
- *III 축:* 갈등. 임상가는 일곱 가지의 내면적 갈등에 따라 환자를 기술한다: 개별화 대 의존성; 의존성 대 자기 충족감; 통제 대 복종; 자기 가치 대 타인 가치; 죄책 갈등; 오이디푸스 갈등; 그리고 정체성 갈등.
- *IV 축:* 구조. 임상가는 여덟 가지 차원에 대해 평가하는데, 그 각각에는 3가지 국면이 존재한다. (a) 자기-지각 (스스로를 반추하고 정체감을 느끼는 환자의 능력과 관련); (b) 대상 지

각 (자기와 대상을 구분하는 환자의 능력과 관련); (c) 자기-조절 (예. 충동 조절); (d) 대상관계 및 관심의 조절; (e) 내적 소통 (판타지, 신체 인식); (f) 타인과의 소통 (접촉, 공감); (g) 내적 대상과 애착을 맺는 능력 (내사의 사용, 내사물의 다양성); 그리고 (h) 타인과 애착을 맺는 능력 (분리될 수 있는 능력 포함) 평가 점수는 전체 점수와 짝지어진다.

- *V 축:* (ICD-10의 챕터 V (F) 또는 DSM-IV/DSM-5와 더불어) 정신 장애, 인격 장애 및 정신 신체 장애.

최초의 한 두 시간에 걸친 면담 이후, 임상가 (또는 임상적 관찰자)는 OPD-2 축 및 카테고리에 의거하여 환자의 정신역동적 프로파일을 평가한다. 면담 기술은 상대적으로 구조화되지 않은 자유로운 탐색과 좀 더 구조화된 질문들 사이를 오고 간다. 면담은 피면담자의 비적응적 관계 패턴, 지속되는 동기적 갈등, 구조적 역량들에 대해 평가하기 위해 관련된 모든 정보를 유도해 내도록 고안되었다. 면담을 어떤 식으로 수행하여야 하는지에 관한 가이드라인에는 충분한 융통성이 있어, 면담은 여전히 개방적인 정신역동적인 면담처럼 진행될 수 있다. 숙련된 평가자가 수행할 경우 OPD는 상대적으로 양호한 신뢰도를 보일 수 있으며, 교육 목적으로 추천될 수 있다.

OPD의 강점들

OPD는 PDM-2의 P, M, S, PA, MA, 및 SA 축을 평가하는 목적으로 대단히 유용할 수 있다. 훈련받고 숙련된 임상가들은 임상적 면담 자료에 신뢰할 수 있을 정도로 OPD를 적용하여 평가할 수 있다 (Cierpka, Rudolf, Grande, & Stasch, 2007). 그리고 타당도를 잘 뒷받침하는 17개의 표본이 있는데, 그 중에는 2,000명 이상의 참가자로부터 얻은 데이터도 포함되었다 (Zimmermann et al., 2012). OPD 전문가의 합의 연구에 따르면 OPD의 IV축 (구조 축)이 인격 장애의 대안적 DSM-5 모델을 위해 제안된 인격 기능 수준 척도 Level of Personality Functioning Scale for the alternative DSM-5 model for personality disorders과 대단히 유사함이 확인되었다 (Zimmermann et al., 2012). OPD는 정신역동적 정신치료에 있어서 "문제-치료-결과의 일치"가 필요하다고 한 Strupp의 권고를 충족시킨다 (Strupp, Schacht, & Henry, 1988). 아울러 이 체계는 정신역동적 치료 전-후-추적 평가에 적용될 수 있다(Rudolf et al., 2002).

OPD의 한계점들

OPD 체계는 일종의 광범위한 접근법이다. 이 도구의 기본적인 사용법을 배우기 위해서는 최소한 60시간의 훈련이 필요하다. 평가지의 5가지 OPD 축 전체를 완성하기 위해서는 약 30분이 소요된다. 아울러, OPD는 이제껏 치료 계획을 세우는데에만 국한되어 사용되었으며, 치료 과정을 매뉴얼화하려는 시도는 없었다. 하지만 다양한 장애들을 위한 작업화된 정신역동 치료들이 현재 OPD 그룹에 의해 개발되고 있다.

정신역동 기능 척도(Psychodynamic Functioning Scales)

주로 노르웨이를 거점으로 한 Per Høglend 및 그의 동료들은 역동적 정신치료들의 과정과 결과에 관해 광범위한 체계적 연구를 수행하고 있다. 결과 연구들을 좀 더 개량할 필요가 있음을 인식하였기에 그들은 25년여 년 전부터 이와 같은 요구에 관한 응답으로 도구들을 개발하기 시작했다 (Høglend, 1995; Høglend et al., 2000).

정신역동 기능 척도 Psychodynamic Functioning Scales (PFS) 도구는 지난 3개월간의 심리 기능을 측정하기 위해, DSM-IV의 전반적 기능 평가 Global Assessment of Functioning (GAF)와 마찬가지로, 0-100 포맷을 가진 여섯 가지 척도를 사용한다. 이 척도 가운데 세 가지는 대인관계의 양상을 측정한다: 가족 관계의 질, 교우 관계의 질, 연애/성적 관계의 질. 또 다른 세 가지 척도들은 대인관계의 기능: 정동을 견디는 힘(tolerance for affects), 병식, 및 문제 해결 역량을 측정한다. 평가는 면담 자료를 근거로 한다. (면담에는 1-2 시간이 소요된다.) 이 척도들은 독일어, 불어 및 포르투갈어로 번역되어 있다.

PFS의 강점들

PFS는 PDM-2의 M-축 기능 (예, 관계 및 친밀감의 역량; 정동의 범위, 소통 및 이해; 심리적 마음자세) 및 전반적 정신 기능을 평가하는 목적으로 유용할 수 있다. 증상 측정으로부터 도출된 내용 타당도, 내적 영역 구성 타당도, 변별 타당도의 측면 및 역동적 치료에서의 변화를 측정하는 감수성은 다양한 환자/평가자 표본들에서 정립된 바 있다 (Bøgwald & Dahlbender, 2004; Hagtvet & Høglend, 2008; Høglend, 2004; Høglend et al., 2000). 이 도구는 간략하며, 변화 감도를 증가시키기 위한 다양한 수준이 있다. 전이 및 전이 해석의 역할에 대한 연구 결과들이 임상적 이해에 더불어 추가되었다 (Høglend et al., 2008, 2011).

PFS의 한계점들

지금까지 신뢰도는 수년간의 역동적 훈련을 받은 임상가들의 경우에 한해서만 평가되었나.

심리적 역량 척도(Scales of Psychological Capacities)

심리적 역량 척도 Scales of Psychological Capacities (SPC) 측정법은 샌프란시스코, 캘리포니아 대학 University of California, San Francisco 의 Robert S. Wallerstein과 그 동료들에 의해 개발된 면담 기반 도구이다. 이 도구는 기저의 인격 구성 내에서 치료와 관련되어 일어난 변화를 반영하기 위해 고안되었다.

SPC는 36개의 Likert형 척도로 구성되어 있으며, 훈련받은 평가자가 반구조화된 semistructured 임상 면담이나 기록된 치료 세션들에 임하여 17개의 긍정적 "역량"을 측정한다. "역량"은 적응적 기능을 달성하고 삶의 만족을 얻는데 필요한 심리적 자원으로 정의된다. 각 17개 차원의 건강한 쪽 말단에는 제목 및 정의가 달려있다. 각 차원은 자기 응집성; 자존감; 삶에 대한 열정; 희망; 유연성; 책임감; 지속성; 표준과 가치; 정동 조절; 충동 조절; 성적 조절; 주장; 공감; 신뢰; 타인에 대한 신뢰; 관계 전념; 그리고 상호 관계이다. 각 차원에는 하나에서 세 가지 사이의 건강하지 못한 대극점들 (예. 자존감 대 과대감 및 자기 비하)이 있어 36개의 부수적인 차원이 만들어지는데, 그 각각은 4점 Likert 척도로 (0)점 '완벽히 적응적으로 기능함'에서부터 (3)점 '심각하게 혹은 명백하게 손상됨'까지 점수를 매긴다.

Wallerstein은 역량 세트를 개발함에 있어 다양한 국적, 다양한 이론적 배경을 가진 임상가들의 도움을 받았다. 이 척도는 이론적으로 중립적이게끔 고안되어 광범위한 치료법 및 환자군을 대상으로 할 수 있게 적용가능성을 높였다. 모호함을 줄이고 사용 편이 및 타언어로의 번역성을 최적화시키기 위해 SPC는 일반적인 영어로 쓰였다. 스페인어 및 이스라엘어 번역판과 청소년 버전과 더불어 반구조화된 "탐색 질문들"이 포함된 매뉴얼이 출간되어 있다.

SPC의 강점들

SPC는 (증상 변화를 넘어서) 개인이 전반적으로 긍정적으로 기능하는데 중요한 영역들 및 정신과 외래 환자들에게서 전형적으로 장애가 나타나는 영역들을 다룬다. 이 측정법은 PDM-2의 M 축 및 MA 축 능력들 (특히 분화와 통합 [정체성]; 자존감 조절 및 내적 경험의 질; 적응, 회복력 및 강도; 그리고 대인관계 및 친말감에 관한 능력들)을 평가하는데 도움이 될 수 있다. 이 도구는 캘리포니아의 그룹 (DeWitt, Milbrath, & Wallerstein, 1999)과 독일 그룹 (Huber, Henrich, & Klug, 2013; Leuzinger- Bohleber & Fischmann, 2007)이 수행한 연구들에서 평가자간 신뢰도 및 검사-재검사 신뢰도, 내용 타당도 및 구성 타당도, 그리고 치료와 관련된 변화를 반영하는 능력이 양호한 것으로 나타났다.

SPC의 한계점들

평가자들이 신뢰할 수준에 이르기 위해서는 4-6시간의 훈련이 필요하다. 이 평가도구는 치료와 관련된 변화를 반영하는 잠재력을 완벽히 평가하기 위한, 충분한 수의 환자들에 적용되지 못하였다.

사회적 인지 및 대상관계 척도(Social Cognition and Object Relations Scale)

사회적 인지 및 대상관계 척도 (SCORS)는 본디 환자가 명시적으로 드러내는 양상을 넘어서 대인 관계적 기능을 매개하는 다양한 차원의 인지적, 정동적 과정들을 체계적으로 평가하기 위해 Westen (1991a, 1991b)에 의해 개발되었다. 이는 임상에 기반한 대상관계 이론을 실험적으로 창출된 사회적 인지 이론 (Stein, Slavin- Mulford, Sinclair, Siefert, & Blais, 2012)과 통합한 것이다. SCORS는 세 가지 버전이 존재한다. 본 논고는 SCORS 전반적 평가법 Global Rating Method (SCORS-G; Westen, 1995)에 초점을 맞추겠다.

SCORS-G는 7점의 고정 척도 상에서 점수를 매기는 여덟 가지 변수로 구성되어 있다; 점수가 낮을수록 더 병리적인 반응을 의미하며, 점수가 높을수록 대상 관계의 측면에서 더 건강하고 더 성숙함을 뜻한다. 여덟 가지 변수들은 다음과 같다:

1. 인물 표상들의 복잡성 Complexity of representations of people (COM), 이는 내적 상태 및 관계 범위의 존재, 정도 및 분화를 평가하는 것이다.
2. 표상들의 정동적 질 Affective quality of representations (AFF), 이는 한 사람이 자신을 둘러싼 환경을 바라보는데 쓰이는 감정이라는 렌즈를 조사하는 것이다.
3. 대인관계 상의 감정적 투자 Emotional investment in relationships (EIR), 이는 친밀도 수준 및 감정적 공유 수준을 평가하는 것이다.
4. 도덕적 기준들에 있어서의 감정적 투자 Emotional investment in moral standards (EIM), 이는 한 사람이 타인을 바라보는 방식 및 타인에 대한 도덕심과 동정심과 연관되어 행동하는 방식을 측정하는 것이다.
5. 사회적 인과 관계에 대한 이해도 Understanding of social causality (SC), 이는 한 사람에 있어 이야기의 일관성, 논리 및 추론력 뿐만 아니라 인간 행동을 이해하는 정도를 평가하는 것이다.
6. 공격적 충동들의 경험 및 처리 Experience and management of aggressive impulses (AGG), 이는 한 사람이 공격성을 참고 처리하는 능력을 탐색하는 것이다.
7. 자존감 Self- esteem (SE).
8. 자기 정체성 및 응집성 Identity and coherence of self (ICS), 이는 한 사람이 자신이 누구인지 통합된 느낌을 가진 정도를 말한다.

SCORS-G는 다양한 형태의 서술 자료에, 이를테면 정신치료 세션들, 초기 기억에 대한 묘사, 관계 일화 양식 면담 Relationship Anecdotes Paradigm (RAP) interview 및 임상 면담에 적용될 수 있다.

SCORS-G에서는 정신병리적 측면과 인격적 측면을 구분한다 (Ackerman, Clemence, Weatherill, & Hilsenroth, 1999; DeFife, Goldberg, & Westen, 2015; Stein et al., 2012). 다른 연구들에서는 SCORS-G가 애착이나 외상적 측면과 연관된 것으로 조사되었다 (Calabrese, Farber, & Westen, 2005; Ortigo, Westen, DeFife, & Bradley, 2013). 정신치료의 과정 및 결과 연구라는 측면에서 여러 연구들은 SCORS-G를 사용한 바 있다. (Fowler 등을 보라, 2004).

SCORS의 강점들

SCORS-G는 PDM-2의 M축 및 MA 축, 이를테면 내적 기준과 가치를 구성하고 사용하는 능력뿐 아니라 분화 및 통합 능력, 자존감 조절 및 내적 경험의 질, 그리고 대인관계 및 친밀도를 평가하는 목적으로 대단히 유용하다. SCORS-G는 서술자료를 평가하는데 가장 흔히 사용되는 정신역동적 측정법 가운데 하나이다. 고정점들은 다양한 입장을 지닌 임상가들에게 유용하게끔, 경험에 가까운 방식으로 기술되어 있다. 과거 연구에서 평가자 간 신뢰도 및 수렴 타당도와 변별 타당도는 일관되게 입증된 바 있다 (Stein et al., 2014).

SCORS의 한계점들

SCORS-G가 가진 가장 심각한 약점은 규범적 자료(normative data)에 한정되어 있다는 점이다. 아울러 여덟가지 변수들 간에는 중등도에서 고도의 급간상관성이 있다 (Stein 등, 2012).

정신역동적 갈등 평가 척도(Psychodynamic Conflict Rating Scales)

1980년 J. Christopher Perry가 개발한 정신역동적 갈등 평가 척도(Psychodynamic Conflict Rating Scales , PCRS)의 첫 번째 버전은 정신내적 혹은 심리적 갈등을 이해하는 전통으로부터 파생되었다; 그 후로 자기 심리학이나 대상관계와 같은 좀 더 근래에 나온 진보적 이론들을 포함하는 것으로 확장되었다. 각 척도는 동기들 (소망들과 두려움들) 가운데 몇 가지 갈등적 측면을 반영하는 일련의 문장들로 구성되어 있다. 갈등의 결과물이 증상을 형성하거나 타협을 형성하게 만들 수 있음 역시 명시되었다. 하지만 갈등은 내적인 것이며 부분적으로 또는 전적으로 무의식적이기에, 이상이나 장애의 형태로 관찰될 수 있는 것을 통해 간접적으로 추론할 수밖에 없다.

PCRS는 14가지 정의된 갈등들을 평가한다. 이들은 7가지 초점 갈등들 (발달학적으로 기원이 좀 더 늦은 것으로 추정되며, 오이디푸스 수준의 갈등과 대체로 같은 뜻이라 할 수 있는 갈등들)과 7가지 전반적 갈등들 (발달학적 기원이 더 이른 시기의 것으로 추정되며 구강기 수준의 갈등들과 대체로 같은 뜻이라 할 수 있는 갈등들)로 나뉜다.

초점 갈등에는 (1) 지배적인 타인(dominant other), (2) 지배적인 목표(dominant goal), (3) 역의존(counterdependency), (4) 아첨-실망(ingratiation– disappointment), (5) 야망-달성(ambition– achievement), (6) 경쟁-적개심(competition– hostility), 및 (7) 성적 쾌락 대 죄책감 (sexual pleasure versus guilt)이 포함된다. 전반적 갈등에는 (8) 전체적 만족 억제(overall gratification inhibition), (9) 분리-유기(separation– abandonment), (10) 감정적 욕구 및 분노의 경험과 표현(experience and expression of emotional needs and anger), (11) 대상-갈망(object-hunger), (12) 융합에 대한 두려움(fear of fusion), (13) 타인들의 거절(rejection of others), 및 (14) 타인들에 대해 좌절된 것에 대한 원한(resentment over being thwarted by others)이 포함된다. 또한 PCRS에는 각각의 갈등에 대해 건강히 적응하는 정도를 평가하는 14가지 부속 척도가 있어, 병리적 적응과 건강한 적응이 독립적으로 표현되어 있다 (Perry, 1997, 2006; Perry & Cooper, 1986).

임상적으로 사용할 경우, 역동적 면담 또는 치료 세션 내에서 이루어지는 면밀한 병력으로 충분하다. 연구 목적일 경우, 두 가지 자료 출처가 권고된다: (1) 역동적 초진 혹은 추시형

면담 및 (2) 대인관계 이야기에 초점을 둔 면담, 이를테면 RAP 인터뷰 (Beck & Perry, 2008).

최초의 PCRS 버전은 각각의 갈등에 대한 정의 및 그 갈등을 인접 갈등으로부터 구분하는 것에 관한 섹션으로 구성되어 있었다. 평가자는 쉽게 사용가능한 4점의 패턴 인식 점수를 채워 넣어야 했다. 현재의 버전은 각각의 갈등을 8-15개의 일련의 항목들로 평가하는데, 그 각각의 항목은 갈등의 몇몇 측면에 관한 덜 추정적인 문구로 (0) '없음', (1) '어느 정도는 사실', 혹은 (2) '확실히 존재하거나 사실임'으로 점수를 매기게 되어있어, 정신계측적인 면에서 향상이 있었다. 문구들은 갈등의 정동적, 행동적, 혹은 인지적 양상을 나타내며 비전문적 영어의 일반적인 단어들로 되어 있다. 각 갈등에 해당하는 점수는 최고 점수에 대한 비율을 반영할 수 있게 변환된다. (0부터 1.00까지의 조정값을 가진다.)

초기 버전을 대상으로 한 평가자간 신뢰도는 충분에서 양호한 것으로 결론이 났다 (Perry & Cooper, 1986; Perry & Perry, 2004); 더 최근의 연구에서는 내적 합치도 및 평가자간 신뢰도가 전반적으로 양호하거나 훌륭한 것으로 드러났다 (Perry, Constantinides, & Simmons, 2017). 절단점은 갈등이나 건강한 적응의 명백한 유무를 정의하다. 추가적인 독립 척도들은 각 갈등의 (1) 정동적 (2) 행동적 그리고 (3) 인지적 양상을 요약한다. 다음으로 초점 갈등, 전반적 갈등, 전체 병리적 갈등, 그리고 갈등에 대한 적응을 평가하는 척도들의 평균 요약 점수가 계산된다. 장, 단기 치료에 동반된 변화를 조사한 두 연구에서 수렴 타당도와 변별 타당도가 입증되었다 (Perry 등, 2017).

PCRS의 강점들

PCRS는 PDM-2의 P축과 PA 축을 평가하고, M축 및 MA축에서 대인관계와 친밀감의 역량을 평가하는데 유용한 자료를 제공해 줄수 있다. 임상가들은 평가에 요구되는 최소한의 시간을 들여, 최초의 패턴 인식 버전을 사용할 수 있다. 갈등들은 직관적으로 이해가능하며, 문장들은 임상가들이 다루고 있는 갈등 문제뿐만이 아니라 임상적으로 관찰한 바 역시 쉽게 반영한다. 이 방법은 시간에 따른 변화를 측정하는데 유용하다는 것이 입증되있으며, 개개인이 역동적인 면에서 회복되었다는 것을 판정하게 해 준다.

PCRS의 한계점들

훈련에는 세 가지 내지 다섯 가지의 훈련 증례들을 평가하는 것을 요하며, 의견일치 평가를 통한 간헐적 보정이 있어야 한다. 비록 PCRS는 한 차례의 역동적 면담만으로 평가는 가능하나, 자료를 적절히 반영하기 위해서는 여러 번의 면담을 거치는 것이 바람직하다. 연구 용도를 위해서는 면담의 녹음이 필요하다. 평가에는 세션 당 90-120분이 소요된다.

대상관계 설문지(Object Relations Inventory)

대상 관계 설문지 The Object Relations Inventory (ORI) 는 Blatt과 동료들이 사람의 자기 표

상 및 중요한 인물들 – 즉 한 사람의 대상 세계 – 를 평가하기 위해 개발한 구조화되지 않은 평가법이다. 이것은 애초에 대상 표상을 평가하기 위한 방법으로서 부모의 묘사를 사용하는 것에 관한 작업으로부터 유래했다. (Blatt, Wein, Chevron, & Quinlan, 1979); 이 작업은 결국 1970년대의 정신분석 내의 인지 발달 이론 및 발달적 대상 관계의 현대적 이론들에 기인한 것이었다. (예, Fraiberg, Anna Freud, Jacobson, Kernberg, Kohut, Mahler, 그리고 Winnicott의 작업). 1980년대 이래로 헤겔식 철학 (예, Aron, Benjamin, Fonagy 등)으로부터 기인한 상호주관성 이론뿐만 아니라 더 많은 발달 이론들 (예, Stern, Beebe, 그리고 Lachmann의 이론)의 영향으로 ORI는 자기 및 그 상호주관적 대인관계 틀 모두를 이해하는 한 사람으로서의 능력을 평가하기 위해 개인이 자신에게 중요한 인물을 묘사하는 바를 이용하기에 이르렀다.

지금과 같은 형식의 ORI는 Sugarman에 의해 면담의 형태로 개발되었다. (2014.8.29., J. S. Auerbach와의 개인적인 교류에 근거함) 응답자는 면담자로부터 부모, (애완동물을 포함한) 중요한 타자, 자기 자신 및 치료자에 대해 기술하도록 질문지를 통해 요구받는다.

기술한 바의 내용 및 인지 구조적 구성이 평가되는데, 이를 위해 수많은 방법이 고안되었다. 가장 잘 알려진 것으로는 피아제식 발달 진행을 기술하는 (1) 개념적 수준 척도 conceptual level (CL) scale (Blatt, Chevron, Quinlan, Schaffer, & Wein, 1988)와 (2) 현대의 관계이론에 영향을 받은 분화-관련성 척도 differentation– relatedness (D-R) scale 가 있는데 (Diamond, Blatt, Stayner, & Kaslow, 1991; Diamond, Kaslow, Coonerty, & Blatt, 1990), 분화 관련성 척도는 경계 붕괴에서부터 양극화를 거쳐 대상 영속성 및 궁극적으로 상호 주관성에 이르는 10 단계의 발달상을 묘사하고 있다. 아울러 Blatt과 동료들은 (Blatt 등, 1979, 1988; Quinlan, Blatt, Chevron, & Wein, 1992) CL의 기술들을 세 가지의 질적 혹은 주제적 요소들: 자비심, 가혹성, 및 갈망에 관해 평가하였다. 이후의 요인 분석 연구들에서는 (예, Heck & Pincus, 2001; Huprich, Auerbach, Porcerelli, & Bupp, 2016a) 주체감, 친교 및 가혹성이라는 요인들을 고안하였다.

Blatt과 동료들은 (Blatt, Bers, & Schaffer, 1993) 또한 자기를 묘사하는데 연루된 구조적 복잡성을 다루기 위한 평가 매뉴얼을 고안하였다. CL을 포함한, 신뢰할만한 18가지 차원들은 5가지 요인들로 분류된다: 주체감, 반영성, 분화도, 관련성 및 검사자와의 관련성이 그것이다. (Blatt, Bers, & Schaffer, 1993)

다양한 ORI 방법들로 도출된 연구 결과를 살펴보자면 CL이나 D-R과 같은 변인들은 구성적인 차원들 즉 한 사람의 기저에 깔린 조직화 수준을 반영하는 것으로 간주될 수 있었다. 이는 질적-주제적 요인 상에서 중요한 인물들이 대체로 긍정적 용어로 묘사되든 부정적으로 묘사되든 상관이 없었다. 예를 들어, 주요 인물에 대한 묘사가 내용면에서는 대단히 부정적일지라도 동시에 여전히 고도로 발달된 조직화 수준을 보일 수 있는 것이다.

ORI의 강점들

ORI는 PDM-2의 P축 상의 내사 또는 의존적 성향의 우세 정도를 평가하는데 유용할 수 있을 뿐만 아니라, 여러 M-축 역량들을 평가하는 데에도 마찬가지이다. (이를테면 분화와 통합, 자존감 조절과 내적 경험의 질, 대인관계와 친밀도). ORI는 적용하기가 쉽다. 이것은 한 사람이 자신의 삶 속에서 중요한 인물들을 이해하는 방식에 관한 정보를 수집하여 준다. 동시에 이것은 즉각적으로 드러나지는 않으며 기저의 인격 구성 수준을 반영하는 대상관계의 구조적 차원을 평가할 수 있게 해준다. 정신역동적이거나 정신분석적 배경이 없는 일부 평가자들은, 벨기에와 이스라엘에서 2일 내에 신뢰할 수 있을 만큼 성공적으로 훈련을 받은 바 있다. (Luyten, J. S. Auerbach와의 개인적 교신, 2014.11.14) 하지만 Diamond는 (J. S. Auerbach와의 개인적 교신, 2015.5.3.) D-R을 코딩할 능력을 갖추기 위해서는 석사학위, 정신역동 이론에 대한 임상적 경험, 그리고 이틀간의 훈련 세션이 필수적이라고 생각한다.

ORI의 한계점들

ORI 척도는 정신분석적 대상 관계 이론들과 강하게 결부되어 있으며, 이러한 결부점들이 이 이론에 친숙하지 않는 임상가들에 있어 측정도구의 일반화도와 이해도는 제한이 될 수도 있다. 아울러, ORI의 변천사와 채점의 복잡함은 바쁜 임상의들의 입맛에 맞지 않는다. 점수를 매기기 위해서는 30분 내지 60분의 면담이 반드시 버바팀 그대로 옮겨져야 하며 그 이후 믿을만한 평가자에 의해 평가되어야 하는데 – 이와 같은 방법은 일상적인 진료에서 거의 찾아볼 수 없다. 결과물을 임상적으로 이해하기 위해서는 중요 인물을 기술한 정동적 내용과 그 심리 구성 수준 간의 구분값을 이해하는 일이 필수적이다.

성인 애착 면담(Adult Attachment Interview)

Mary Main과 동료들 (George, Kaplan, & Main, 1984, 1985, 1996; Main, Hesse, & Goldwyn, 2008)에 의해 개발된 성인 애착 면담 Adult Attachment Interview (AAI) 분류 체계는 애착 경험과 대인관계에 관한 성인의 자전적 이야기에 담긴 구조적, 담화적 특징들에 대해 조사한다. AAI는 개인의 애착 표상 (즉, 내재화된 대상 관계) 및 초기 애착 관계나 경험과 관련된 현재의 마음상태를 명료화하기 위한 목적으로 초기 애착 경험에 관한 생각, 느낌, 그리고 기억을 떠올리도록 고안된 반구조화된 임상 면담이다.

면담은 정해진 순서로 질문하도록 된 표준화된 탐색문항들 20개로 구성되어 있다. 개개인은 자신의 유년기 시절 아버지와의 관계, 어머니와의 관계를 반영하는 단어 다섯 가지를 각각 제시해야 하며, 그 다음 의미론적 기술을 뒷받침하는 삽화 기억들을 표현해야 한다. 또한 자신이 육체적 또는 감정적 고통에 빠져있을 때 양친이 어떤 식으로 반응했는지, 그리고 거부당한 경험이 있었는지 답해야 한다. 추가적으로는 상실, 신체적 또는 성적 학대, 기타의 압도당하거나 위협당한 경험들에 대한 질문들이 있다. 그 밖의 질문들은 개인으로 하여금 어린 시절 부모와의 경험들이 성인기 인격에 어떤 식의 영향을 주었는지 반영하도록 격려한다. 이 테크

닉은 "무의식을 놀라게 만드는"효과가 있다고 묘사된 바 있으며, 앞서 한 말과 상충되거나 앞뒤가 맞지 않는 것에 대해 피면담자가 고민해 볼 많은 기회를 제공한다.

AAI에서는 환자의 말을 그대로 글로 옮기며, 묘사된 경험이나 관계의 속성을 평가하기 위해 숙련된 채점자가 그 필사본에 점수를 매긴다. 채점자는 어린 시절 부모와의 경험; 이야기하는 스타일 및 애착과 관련된 전반적인 마음 상태; 상실이나 외상에 대해 해결되지 않은 정도에 관해 평가자가 한 추론을 살펴보기 위해 하위척도를 사용한다. (Main & Goldwyn, 1998) 하위척도는 질문에서의 차원에 따라 1(없거나 매우 낮다)에서 9(높다)까지 점수가 매겨진다.

평가 패턴은 개개인이 주된 애착 형태 다섯 종류 가운데 하나에 해당하도록 분류하는데, 앞의 세 종류는 "조직화형"으로 간주하고 뒤의 두 종류는 "혼란형"으로 간주한다:

1. *안정-자율형*, 애착과 연관된 기억들에 쉽게 접근할 수 있고, 기억들은 일관되고, 잘 조직화되어 있으며, 생생하며, 자발적인 방식으로 표현되며, 내면적으로 조화롭고 통합된 애착 관계의 초상과 함께 하는 것이 특징이다.
2. *일축형*, 애착과 연관된 마음 상태가 평가절하되어 있거나 이상화되어 있으며, 확증적 증거가 희박하거나 애착 관련 기억 및 경험을 기억할 수 없는 것이 특징이다.
3. *몰두형*, 현재에 수반된 분노, 그리고/혹은 개인이 현재까지도 감정적으로 얽매여 있는 애착 인물에 대해 긍정적 평가와 부정적 평가가 오락가락하는 것이 특징이다.
4. *상실이나 학대 경험의 미해소형(unresolved)*, 추론이나 이야기에 있어서 자신도 모르게 탈선이 생기는 것이 특징이다. (예, 외상적 애착 관련 사건의 원인과 결과에 관해 극히 믿기 어려운 이야기; 애착 관련 외상에 관한 기억의 상실; 혹은 초기 애착의 외상이나 상실에 관한 특정 질문에 대해 침묵으로 반응하거나 뒤죽박죽 대답하는 것)
5. *분류 불가형*, 두 가지 혹은 그 이상의 상반되는 심적 애착 상태 (이를 테면 일축형과 몰두형) 또는 인터뷰 도중 애착 전략이 바뀌거나 서로 다른 애착 인물들에 대해 전략이 바뀌는 것. (Main & Goldwyn, 1998).

앞의 세 가지 성인 애착 카테고리 (안정, 일축, 몰두형)은 Ainsworth, Blehar, Waters 및 Wall (1978)가 애인스워드 낯선 상황 검사를 통해 양육자-영아 교류를 관찰함으로써 1세 아동에게서 처음 확인한 애착 유형과 상응한다. 면담자가 어머니와 아이를 만난 후, 어머니는 영아를 홀로 남겨두고 면담자와 함께 짧은 시간동안 떠나 있는다. 그리고 분리된 동안 아이가 보인 반응과 어머니와 다시 만났을 때의 반응에 근거하여 영아는 이같은 스트레스에 대한 반응에 있어 안정형, 회피형, 혹은 불안형으로 분류된다. 이같은 영아 카테고리는 애착 관계의 맥락에서 감정을 조절하는 확인할 수 있는 지속적인 특정 전략을 수반하는 면에 있어 성인 애착 분류와 상응하는 것이 밝혀졌다. 반면에 두 가지 혼란형 분류 (미해소형 및 분류 불가형) -

들은 모두 면담 속 상당 부분이 조직화형의 카테고리에 분류될 수 없기에 Main과 그녀의 동료들 (예, Hesse, 2008를 보라)이 나중에서야 확인한 것으로, 애착 체계가 통합되어 있지 않은 것이 특징이며, 애인스워드 낯선 상황에서 혼란/혼돈형 영아 애착 행동과 연관되어 있다.

Main과 동료들 (2008)은 AAI 면담 및 분류체계가, 개인이 말하는 것, 말하는 방식, 빼먹고 있는 것에 집중한다는 점에서 분석적 청취 과정과 궤를 같이한다고 말했다. AAI 분류 체계는 또한 방어 과정 및 정동을 표현하고 조절하는 양식을 추적하는 언어적 지표를 제공해주는데, 이는 공식적으로 AAI 훈련을 받지 않은 임상가일지라도 유용한 것이다.

AAI의 강점들

AAI는 PDM2 M축 상의 여러 가지 관련 능력, 이를테면 자기 관찰 (심리학적 마음가짐)이나 관계 및 친밀함에 대한 능력을 평가하는 목적에 유용할 수 있다. 기존의 연구들은 AAI이 지닌 현저한 안정성 및 예측 타당도를 보여준 바 있다. (Hesse, 2008; Waters & Hamilton, 2000). 18개 이상의 국제 연구들의 메타 분석 결과 아동 출산 전후 애착에 관한 부모의 정신적 표상이 향후 영아의 애착 상태를 예측할 수 있는 것으로 밝혀졌다. (van IJzendoorn, 1995) 따라서 AAI 상에서 나타난 애착 패턴들은 초기 부모-아동 관계의 속성을 엿볼 수 있는 창이 된다. 아울러 수년 뒤에 나타날 적응적 측면을 강력히 예측할 수 있는, 정상적 또는 장애가 생긴 내재화된 대상관계 (내적으로 작동하는 모델) 가 행동으로 발현하는 모습을 활용할 수 있게 해준다.

AAI 분류는 사실상 치료적 담화 및 과정에 영향을 끼칠 수 있으며, 다양한 형태의 정신병리 뿐만 아니라 치료적 동맹, 전이-역전이 및 치료 결과와 연관된 것으로 밝혀졌다. (리뷰를 위해서는 Slade, 2008를 보라) 예를 들어 여러 연구들에서, 경계성 인격 장애는 주로 몰두형 및 미해소형(혼란형) 애착 카테고리들과 연관된다. (Bakersman- Kranenburg & van IJzendoorn, 2009; Diamond, Stovall- McClough, Clarkin, & Levy, 2003; Fonagy et al., 1996; Levy et al., 2006). 아울러, AAI는 정신분석적 정신치료 과정동안 경계성 환자의 애착 표상 상태가 불안정에서 안정형으로, 혼란형에서 조직화형으로 변화하는 것을 평가하는데 유용한 도구이다. (예, Diamond et al., 2003; Levy et al., 2006)

AAI의 한계점들

AAI 평가자가 되기 위한 공식적인 수련은 긴 과정이다. 면담은 반드시 녹음되어야 하며, 언어적인 발성과 진행상의 침묵을 나타낼 수 있는 일련의 규칙에 맞춰 주의 깊게 글로 옮겨져야 한다. AAI를 수련 받기위해서는 공인된 AAI 수련가가 진행하는 2주간의 긴 워크샵이 필요하다; 이 워크샵은 면담을 진행하는 방법을 배우고 분류 체계의 기본적인 구조 및 그 연구적 이론적 토대를 이해할 수 있게끔 한 이후, 신뢰도를 얻기 위한 목적으로 여러 AAI 대본을 개별적으로 평가해 보는 것으로 진행된다. 이 평가 체계에도 역시 한계가 존재하는데, 하나의 전체적인 애착 분류를 제공할 뿐, 다양한 인물 (예, 어머니와 아버지)에 대한 애착 표상의 다양성은 고려하지 않는다. 마지막으로 AAI 분류 체계는 안정 혹은 비안정형 애착에 대해 차원적인 측정은 불가능하다.

성인 애착 투사적 그림 체계(Adult Attachment Projective Picture System)

성인 애착 투사적 그림 체계 Adult Attachment Projective (AAP) Picture System (George & West, 2012)는 성인 애착 상태에 관한 자유로운 반응을 평가하는 것이다. 평가는 애착 장면을 반영하는 일련의 7가지 그림에 대한 "이야기"반응들을 분석하는데 근거한다. (개인이 홀로 있는 네 장면과 애착을 보이는 2인이 함께 있는 세 장면). 개개인은 인물들에 대한 생각 및 느낌과 더불어 사건에 대한 이야기를 만들도록 유도하는 표준적 세트에 맞춰, 각 자극에 대해 표현한다. 내용과 방어 과정 전략에 근거하여 서술에 기초한 표상 통합 및 애착 관계 감수성에 대해 조사한다. 한 사람만이 있는 그림에 대한 반응의 내용은 "자기 효능감"및 "연결감"에 대해 평가하는데 사용된다. 두 사람 그림은 "동조성 synchrony"관계를 평가하는데 사용된다.

모든 반응에서 보이는 방어 과정을 코드화된다. 이렇게 코드화된 양상은 분류군 간 차이점에 대해 통찰할 수 있게 해준다. 애착 이론에서는 3가지 형태의 방어가 기술되는데 (Bowlby, 1980; George & West, 2012), 이는 AAP 상에서도 평가된다: "탈활성화(deactivation)", "인지적 분리(cognitive disconnection)" 및 "격리된 체계(segregated system)". 탈활성화는 사건이나 사람, 혹은 감정 (예, 거절)으로부터 주의를 딴 데로 옮기는 것이다. 인지적 분리는 애착의 세세한 면 및 혼란이나 모순을 초래하는 감정에 대해 주의를 단절시키는 것이다. 격리된 체계는 고통, 공포 및 무기력감으로부터 주의를 차단하는 것이다. 마지막으로, "기인적 경험"에 대해 반응을 평가한다; 이와 같은 평가는 개개인이 자타 경계를 유지할 수 있는지, 고통이나 외상에 사로잡힌 증거가 있는지 여부를 평가한다.

AAP는 네 가지 성인 애착군 표준형(안정형, 일축형, 몰두형, 미-해소형) 뿐만 아니라 병적 애도에 대해서도 표시한다; 안정 애착은 표상 통합 및 애착 관계를 중히 여기는 실질적 증거를 보이는 것이 특징이다. 일축형 및 몰두형 애착은 통합에 있어 방어적 간섭이 존재하는 것이 특징이다; 하지만, 이러한 표상들은 개인으로 하여금 일상 활동이나 인간관계를 유지하는데 도움이 된다. 미해소형 애착은 뚜렷한 애착 외상의 존재로 통합적 기능이 결핍된 모습으로 나타난다. 병적 애도는 AAP 반응 상 외상 표지자의 존재로부터 평가되며 애도 과정을 완료하지 못할 위험을 보인다; 이러한 실패는 심리적 고통 및 관계에서의 고통이 증가하는 것과 연관된다. (Bowlby, 1980)

AAP는 AAI와 비교하여 동시 타당도 및 신뢰도가 확인되었으며 (예, George & West, 2012를 보라), 조사 및 임상 용도로의 유용성 역시 확립되었다. 아울러 성인 장애의 신경심리학적 애착 토대를 조사함에 있어서도 유용한 자원임을 보여준 바 있으며 (예, Buchheim et al., 2009), 13세 이상의 청소년에게 사용하는 데에도 타당도가 확인되었다. (예, Aikins, Howes,

& Hamilton, 2009).

AAP의 강점들

AAP는 PDM-2의 다양한 M 및 MA 축 기능을 평가하는데 유용할 수 있는데, 특히나 방어 기능 및 관계의 역량과 결부된 것들에 그러하다. AAP는 발달상의 애착 패턴을 알아보는데 있어서 타당도가 확인되었고, 사용자 친화적이며, 경제적인 방법이다. 임상적으로는 치료 상의 진전과 시간 경과에 따른 변화를 평가하는데 쓰일 수 있다. 작업이 전기적인 속성을 띠고 있지 않으므로, 면담에 비해 외상에 관한 부분에서 좀 더 조심스럽게 접근할 수 있는데, 외상적 주제들은 거북하게 만들거나 그렇지 않다면 문제를 유발할 수 있다. (Spieker, Nelson, DeKlyen, Jolley, & Mennet, 2011). 자유롭게 반응하도록 하는 방법론은 간단하며, 시행법을 배우기 용이하다. 시행자는 신뢰할만한 평가자가 될 필요가 없다. 지금껏 유럽계 표본에서 밝혀진 바 있듯 AAP는 비영어권 피면담자에게도 쉽게 사용될 수 있다. 아시아어 및 아프리카어 사용자들에 대한 AAP의 유용성에 관한 연구는 진행 중이다.

AAP의 한계점들

AAP는 30-45분가량이 소요되며, 개인화된 (즉 사적인) 환경에서 시행되어야만 한다. 자극들은 코드화 및 분류법을 수련 받는 과정에서만 가용하다. 신뢰도 달성에 요하는 시간은, 증례들을 코드화하고 분류할 수 있는 신뢰할 수 있는 숙달된 판정가를 만들어내는 시간에 맞먹는다.

반영적 기능 척도(Reflective Functioning Scale)

애착 이론, 정신분석, 철학 및 발달의 정동 신경과학으로부터의 통합적 공헌으로, "반영적 기능"이나 "정신화"라는 개념은 생각, 느낌, 및 욕구와 같은 의도적 정신 상태의 측면에서 자신과 타인을 돌아보는 능력을 말하게 되었다. (Allen, Fonagy, & Bateman, 2008; Fonagy, Gergely, Jurist, & Target, 2002). 정신화 능력은 정동의 우발성 및 양육자들을 현저히 모방하는 것을 특징으로 하는 안정적 애착 경험들로 발달한다고 개념화되어 있다; 적응적 관계 역량 및 정동 조절에 있어 이는 결정적 영향을 끼친다. (Fonagy et al., 2002) 영국의 임상가-조사자들은 이러한 개념을 만들고, 지난 20년간 반영적 기능 척도 Reflective Functioning Scale (RFS)라고하는 측정 도구를 개발해왔다. (Fonagy, Target, Steele, & Steele, 1998)

정신화를 평가하는데 있어서 RFS는 AAI나 부모 발달 면담 Parent Development Interview (PDI; Slade, Aber, Bresgi, Berger, & Kaplan, 2004) 만큼이나 유력히 사용되어 왔다. RFS에서는 특히 애착 인물들과의 관계에 관한, AAI나 PDI에서와는 다른 측면의 필기본이 사용된다. 코드화하는 사람은 피면담자가 애착 관련 경험을 정신 상태의 측면으로 이해하는 정도를 평가한다. 부호화 과정은 "요구"질문과 "허용"질문을 구분하는 것에 근거하는데, 요구 질문을 좀 더 중요하게 판단한다. 요구 질문은 반영적 기능을 직접적으로 조사하는 반면 허용 질문은 그렇지 않다.

AAI에서 가져온 각 질문에 대한 답은 –1(반영을 위한 어떠한 시도도 고의적으로 묵살, 폄하하거나 적의를 보임)에서 9 (복잡한 정신 상태의 이해가 이례적으로 세련됨; 이례적인 정신화)까지 11점 척도로 평가된다. 5점은 정상적인 정신화 수준으로 제안되며, 마음의 모델이 일관성이 있다는 설득력있는 징후가 보일 경우 줄 수 있다. 전체 점수는 요구 질문과 허용 질문의 평가 점수를 각각 가중하고 합산하여 얻어지며, 면담 전체를 고찰할 수 있게 해준다.

광범위한 조사에서 전체 RFS 점수는 평가자간 신뢰도가 양호하고 시간에 따른 안정성이 좋은 것으로 나타났다. RFS를 사용한 연구들에서 이 측정법은 영아 및 성인 애착 상태와 연관성을 보였다. 나아가, RFS는 경계성 인격 장애, 우울증, 섭식 장애, 공황장애 및 정신증을 포함한 광범위한 정신병리와 연관이 있었다. 또한 RFS는 트라우마 (특히 결핍) 및 외상후 스트레스 장애와 연관이 있었다. 마지막으로, RFS를 통해 측정되는 반영적 기능은 다양한 정신치료 형태에 있어 치료 결과를 말해주거나 매개할 수도 있음을 연구들은 또한 말해주고 있다. (리뷰는 Katznelson, 2014; Luyten, Fonagy, Lowyck, & Vermote, 2012를 보라)

RFS의 강점들

RFS는 PDM-2의 M축 및 MA 축 상에서 정신화/반영 기능 및 자기 관찰에 대한 역량을 평가하고, 기본적인 인격 기능을 평가하는데 도움이 될 수 있다. 지난 20여 년 동안, 정신분석에 있어 가장 생산적인 새로운 개념은 아마 정신화의 개념이었을 것이다. 예를 들어 반영적 기능은 치료 결과에 직접적인 효과를 미친다는 것이 입증되었다. (Gullestad et al., 2013). RFS나 여타의 방식으로 반영적 기능을 측정한 연구들 (Luyten et al., 2012)은 인격 발달이나 치료 과정에서 핵심 요소로 작용하는 것이 무엇인지 실마리를 던져줄 것이다. RFS를 기반으로 한 연구는 잘 정립이 되어 있고, 빠른 속도로 성장 중이다.

RFS의 한계점들

RFS를 신뢰할 수 있을 정도로 사용하기 위한 훈련 프로그램은 광범위하며 상당한 시간과 연습이 필요하다. 그 결과 RFS는 일상의 임상 적용에서 그다지 사용되지는 않았다.

대상관계의 질(Quality of Object Relations)

대상관계의 질 Quality of Object Relations (QOR) 척도는 Piper와 동료들이 고안하였으며 (Azim, Piper, Segal, Nixon, & Duncan, 1991; Piper, McCallum, & Joyce, 1993), Høglend가 수정하였다 (1993). 한 회기의 평가 면담을 통해 대상관계의 질은 원초적에서부터 성숙함에 이르기까지의 스펙트럼 상에 놓인다. 대게 정신역동적인 측면에 초점을 맞추고 있으며, 발달 단계 및 현재 삶에서 반복되는 대인관계 패턴을 강조한다.

QOR 평가는 표준화되어 있고 1시간 내지 두 시간의 면담에 기초하는데, 면담에서 평가자는 환자의 유의한 관계에 대한 과거력을 질문하여 자발적인 방식으로 보고를 받으며, 그 후 8점 척도 상에서 대상관계의 질을 평가한다. 척도 점수의 설명은 아래와 같다. (Høglend, 1993):

8–7: 관계에 관한 과거력이 대체로 안정적이고, 만족스러우며 성숙한 것이 특징이다. 타인들을 온전하고 독립적인 사람들로 바라본다.

6–5: 최근에 대인관계 기능이 더 나빠졌을지는 모르나, 환자는 성인기, 시춘기 혹은 아동기에 있어 이전에 있었던 중요한 양질의 관계를 최소한 한 가지 자세히 예시할 수 있다. 갈등이 되는 감정들은 동성의 인물을 향해 있을 수 있으며, 상실에 대한 두려움은 이성의 인물에 대해 존재할 수 있다.

4–3: 대게의 중요한 관계가 안정적이지만 덜 만족스러우며 덜 성숙한 편이다. 수동성, 의존성, 타인을 조절하려는 욕구, 또는 분리 불안이 지배적이다. 타인을 독특한 개개인으로 묘사하는데 어려움을 보인다.

2–1: 중요하다고 생각하지 않는 인물들과 대게 불안정한 관계이다. 타인들을 욕구 충족 대상으로 간주한다. 오로지 부모 대상에게만 안정적이고 지나치게 의존적인 관계를 보인다.

QOR의 두 가지 부수적인 척도에서는 앞서 정의한 점수를 통해 친밀한 성적인 관계 및 교우 관계의 과거력을 평가한다.

QOR의 타당성은 Piper와 Duncan (1999)가 보고한 바 있다. 최근의 연구에서는 자기-개념과 관련된 치료 결과상에서 대상관계 질에 대한 수정효과를 보였다. (Lindfors, Knekt, & Virtala, 2013). 이러한 결과는 Høglend과 동료들이 확인한, 대상관계 수준에 맞춰 전이 해석을 한 효과가 보이는 차이점과 일맥상통하다(앞선 PFS에 관한 논의를 보라).

QOR의 강점들

QOR은 PDM-2의 M축 상에서 대인관계 및 친밀감의 역량을 평가하는데 유용할 수 있으며, P축을 평가하는데도 유용한 정보를 제공해 줄 수 있다. 앞서 척도 점수를 설명한 것에서 확인할 수 있듯, QOR은 SCORS나 ORI와 겹치는 부분이 많다. (후자의 두 도구에 관한 앞선 논의를 참조하라.) SCORS 및 ORI는 좀 더 엄밀히 고안되었다; 하지만 QOR에는 한번의 반구조화된 임상 면담에 기초한다는 굉장한 이점이 있으며 임상가-평가자에게 매뉴얼을 세심히 숙지하는 것 이상의 특별한 훈련을 요구하지 않는 장점이 있다.

QOR의 한계점들

QOR은 대인관계 및 대상관계 기능을 강조하기에 종종 그 밖의 정신역동적 이해 측면들, 이를테면 방어의 운용, 정체성, 반영적 기능 및 가치와 통합될 필요가 있다. 더욱이, 다른 도구들이 더 잘 만들어지고 연구되었다. 대인관계를 측정하는 여타 도구들과의 수렴 타당도를 조사하는 것이 바람직할 것이다.

계획 체계화 방법(Plan Formulation Method)

계획 체계화 방법 Plan Formulation Method (PFM; Curtis & Silberschatz, 2005, 2007; Curtis, Silberschatz, Sampson, & Weiss, 1994)은 Sampson과 Weiss의 조절-숙달 이론에 근거한 정신역동적 체계화 방법이다. 계획 체계화에는 다섯 가지 연관 요소들이 있다.

- 환자가 가진 적응적인 의식적 및 무의식적, 장단기 목표.
- (쇼크나 전해내려오는 외상에 의한 결과로서 발전한) 무의식상의 병리적 신념이나 스키마로서 목표 달성을 방해하는 것.
- 병리적 신념이나 스키마들을 유발한, 해롭거나 외상적이었던 아동기 경험.
- 병리적 신념이나 예상을 거부하기 위한 목적으로 환자가 무의식적으로 치료자를 시험하는 것
- 환자가 자신의 병리적 신념이나 스키마, 그리고 그로 인한 결과를 극복하는데 도움이 될 수 있는 새로운 정보나 통찰.

PFM의 신뢰도 및 타당도 자료는 훌륭한 것으로 보고되어 왔다. 숙달된 임상가들은 환자의 무의식적 목표나 병리적 신념과 같은 모델 차원과 관련하여 높은 수준의 평가자간 신뢰도를 보인다. (Curtis & Silberschatz, 2005, 2007) 오디오 녹음을 자세히 연구한 조사에 따르면 계획 체계화는 환자에게 치료자가 어떤 반응을 보이거나 개입하는 것이 유용하며 어떤 것이 그렇지 않은지 예측하는데 쓰여질 수 있음이 또한 밝혀졌다(예: Silberschatz & Curtis, 1993; 리뷰를 위해서는 Silberschatz, 2005를 보라).

PFM의 강점들

PFM은 PDM-2의 P축 상에서의 병리적 신념을 평가하고 M 축의 대인관계 및 친밀도에 관한 역량을 평가하는데 유용한 도움을 줄 수 있다. 이 방법은 역동을 체계화하기 위해 체계적 평가를 할 수 있게 해준다. PFM이 가진 주된 강점은 신뢰도 및 타당도가 높다는 것이다. 이 방법은 정신분석적 증례들, 단기 역동 정신치료, 인지 치료 및 위기 중재에 있어 탄탄한 신뢰도를 보여주고 있다. (Silberschatz, 2005) 또한 연구에 따르면 PFM으로부터 도출된 체계화 자료는 치료자의 개입이 적절한지, 반응성은 어떠한지를 평가하는데 이용될 수 있다고 한다. (Silberschatz, 2005).

PFM의 한계점들

체계화를 위한 다른 복잡한 접근법들과 마찬가지로, PFM을 숙달하기 위해서는 일정 시간을 투자하고 지도를 받아야만 한다. 대부분의 임상가들 및 많은 연구자들은 이 방법을 배울만한 여력이 없을지 모르며, 이러한 문제점은 당연히 연구나 수련 목적에 있어 이를 널리 사용할 수 없게끔 만든다.

핵심 갈등 관계 주제(Core Conflictual Relationship Theme)

핵심 갈등 관계 주제 Core Conflictual Relationship Theme (CCRT) 측정법이란, 한 개인이 타인과 관계하는 방식을 이해하고 이러한 관계 양식이 정신치료자와의 관계에서 어떤 식으로 펼쳐지는지 이해하는 방법이라고 Luborsky와 Crits- Christoph (1990)는 정의 내렸다. 이 방법은 우선 녹음된 원문 상에서 "관계 삽화 relationship episodes"(REs)를 확인하는 것이 필요하다. Luborsky는 환자들이 종종 한 가지 경우 이상의 핵심 소망 core wish (W); 전형적으로 예측되거나 실제로 있었던 "타인의 반응 response from other persons"(RO); 그리고 RO에 이어지는 "자신의 반응 response from the self"(RS)을 표현할 경우 이야기가 상당히 장황해진다는 점에 주목하였다.

애초에 Luborsky는 임상적 검진을 통해 주어진 관계 삽화에서 이러한 세 가지 요소를 확인하였다. W, RO, RS라는 특정한 항목들은 개별 사례의 기술로서 - 기존에 확립된 어떠한 카테고리와도 무관하며 평가자들이 보기에 가장 적절하게 말로써 묘사된 것이다. 다양한 판단기준을 사용하였을 경우, 그 사이에서 동의의 정도를 사정하는 데 어려움이 있었다. 이를 해결하기 위해, 동의된 판단기준만이 사용되었다. 이러한 절차를 통해 의견 일치된 체계를 확립하는 것이 가능해졌다. 하지만 이런 식의 체계화는 절차가 복잡하고 결과의 타당성을 가늠하기가 어렵다는 문제점이 있었다. 따라서 Luborsky의 연구진들은 세 가지 구성요소 (W, RO, and RS) 각각에 대해 표준적 카테고리 (약 30개)를 고안하였다. 이후, 독일어권의 연구진들은 CCRT 요소들을 또 다른 방식으로 카테고리화시켜 핵심 갈등 관계 주제 – 라이프지히/울름 Core Conflictual Relational Theme— Leipzig/ Ulm (CCRT-LU; Albani 등, 2002)을 만들어 내었다.

전형적으로, 치료 초기부터 일찌기 두세 세션이 녹음되며, 10가지 RE가 얻어질 때까지 RE를 확인한다. 각 RE는 생각 유닛들로 세분화되는데, 이것들은 본질적으로 문장으로 되어 있으며, 각 문장은 W, RO, 또는 RS로 구분된다. 각 RE에서 (만일 존재한다면) 가장 흔히 나타나는 W, RO 및 RS를 설정하고, 10개의 각 RE들에서 개수를 센다. 환자에 관한 CCRT, CCRT for the patient는 10가지 RE를 통틀어 가장 흔히 나타나는 W, RO, 및 RS를 단순히 합산한 것으로 정의된다.

Luborsky와 Crits- Christoph (1990)는 반응이 긍정적이냐 부정적이냐에 따라 RO와 RS를 분류하였다. 심리적 갈등은 자신이나 타인으로부터 부정적인 반응을 유발시키게끔 위협을 가하는 소망들에 의해 촉발되기에 이는 타당하다. 더욱이, 자신이 품은 소망에 대해 긍정적인 반응을 조정해나갈 수 있는 정도는 자신이 삶을 영위해 나감에 있어 충분하다고 느끼는 정도를 직접적으로 반영하는 것이다. 33명의 Penn 정신치료 표본 증례의 연구에서 저자들은 치료 초기에, 자타에 관해 부정적 태도 (RO와 RS)를 보이는 경우가 긍정적인 태도에 비해 훨씬 더 흔하다는 것을 발견했다. 두 가지 독립적인 호전 정도 측정을 통하여 좋은 결과 낸 것으로 판단된 치료에서는, 그 경과 상 부정적인 태도들은 상당히 줄어들고 긍정적인 태도들은 상당히 증가하는 것으로 나타났으나, 소망에는 유의한 변화가 없었다.

CCRT의 강점들

CCRT는 PDM-2의 P축 상에서 자신 및 타인에 대한 병리적 신념을 평가하고, M 축 상 인간관계 및 친밀감에 대한 역량을 평가하는데 유용할 수 있다. 긍정적, 부정적 반응들을 평가하는 것은 환자가 무엇을 경험하는지, 치료의 진행에 따라 어떤 종류의 변화가 일어나는지 체계적으로 평가하는 방법이 된다. 해석의 정확도 역시 얼마나 많은 W, RO, RS가 개입 중에 특징화되는지에 근거하여 평가가 된다. 환자의 자기 인식 상의 변화 또한 CCRT 요소들에 대해 그들이 인식하는 정도를 반영할 수 있다. 이러한 지표들은 치료 기록시 적용할 수 있는 대략의 눈금이 되고, 따라서 체계적인 평가가 이루어지게끔 해준다.

CCRT의 한계점들

첫째, CCRT는 점수를 매기는데 상당한 시간과 수련을 요한다. 둘째, Luborksy와 동료들은 환자(나 타인이) 보이는 순서화된 패턴의 반응이라는 측면에서 CCRT를 이해했다. 그럼에도 실제 운용되는 면에서 정의된 CCRT는 환자가 가진 관심사의 패턴을 반드시 반영해주지는 못한다. (Waldron의 예, 1995, p. 400를 보라)

방어기제 평가 척도(Defense Mechanism Rating Scales)

J. Christopher Perry와 동료들은 증례를 체계화하는 조직적 방법을 고안하고, 경계성 환자군 및 비 환자군의 기능상 차이를 확인하려는 노력의 부산물로서 방어 기제를 설명하기에 이르렀다. 기능과 일반적 적응 수준에 따라 방어를 분류함으로써, Perry는 전반적 방어기능 지표, 즉 방어 기제 평가 척도 Defense Mechanisms Rating Scales (DMRS; 챕터 2의 M축을 보라) 를 개발할 수 있었다.

DMRS 매뉴얼 (Perry, 1990)에는 비디오나 오디오로 기록된 세션이나 사본에서 30가지 방어 기제 각각을 어떤 식으로 식별하는지 설명된다. 매뉴얼에는 각 방어에 대한 정의, 방어가 어떤 식으로 기능하는지에 대한 설명, 각 방어를 감별 진단하기 위한 지침, 그리고 3점 척도가 나와 있다. 각 척도는 (0) 사용하지 않음, (1) 사용할 가능성이 있음, 그리고 (2) 방어를 확실히 사용함이라는 구체적인 예로서 명확히 확인된다. 예들로서 공식적인 정의를 확장하거나 보충해주는, 방어의 원형적 사례가 제시된다.

DMRS에서는 위계적으로 배열된 일곱 가지 방어 수준이 있으며, 각각의 방어는 각각 특정 수준에 짝지어져 있다. 방어 수준은 건강한 순서에 따라 내림차순으로, 다음과 같이 특징이 묘사된다:

7. *고도로 적응적인 수준 (또는 성숙한 방어):* 친화, 이타주의, 예견, 유머, 자기주장, 자기관찰, 승화, 억제
6. *강박적:* 격리, 지식화, 취소
5. *기타 신경증적:* 억압, 해리, 반동형성, 전치
4. *부수적인 이미지 왜곡 (또는 자기애성):* 전능, (자신이나 타인을) 이상화, (자신이나 타인을) 평가절하.
3. *부인:* 부정, 투사, 합리화, 자폐적 환상
2. *주된 이미지 왜곡 (또는 경계성):* 타인의 이미지를 분리, 자기 이미지를 분리, 투사적 동일시
1. *행동:* 행동화, 수동 공격성, 도움을 거절하는 불평

이러한 순서는 일련의 경험적 연구들에 근거한 것이다. 정신증적 방어들은 매뉴얼에는 포함되어 있지 않지만, 부록에는 포함되어 있다.

방어가 사용되는 것이 나타나면, 평가자는 본문에서 그것이 운용되는 부분을 명확히 한정하면서 이를 식별한다. 평가가 끝나면 본문 상에 보인 각각의 방어의 횟수로부터 모든 방어의 총 횟수를 나누어, 각 방어별로 퍼센트 점수를 산출한다. 그러면 각각 수준에 놓인 방어의 총 퍼센트는 "방어 프로파일"에 대한 근거가 되는데, 이는 환자가 보이는 기능의 속성을 나타내고, 치료가 경과함에 따라 초기 및 후기의 기능을 비교하는데 이용될 수 있다.

모든 방어 점수들은 "전체 방어 기능 overall defensive functioning"(ODF) 점수, 즉 모든 방이 점수에 대한 평균 점수로 요약된다. (Perry, 2014) 전체 면담에 근거한 임상 표본에서 점수는 보통 2.5에서 6.5점 범위 사이에 있었다. 대략의 ODF 참고점은 다음과 같다:

1. 5.0 미만의 점수는 인격장애, 심한 우울증, 또는 경계성 상태와 연관된다.
2. 5.0에서 5.5 사이의 점수는 신경증적 성격 및 증상 장애와 연관된다.
3. 5.5에서 6.0 사이의 점수는 평균적으로 건강한 신경증적 기능과 연관된다.
4. 6.0을 초과하는 점수는 뛰어난 기능과 연관된다.

Q-기법 버전의 도구가 최근 개발되어 타당도가 조사되었다. (Di Giuseppe, Perry, Petraglia, Janzen, & Lingiardi, 2014).

DMRS는 DSM-IV 방어 기능 척도 Defensive Functioning Scale (DFS; American Psychiatric Association, 1994; Porcerelli, Kogan, Kamoo, & Miller, 2010)를 뒷받침해준다. 여러 연구에서 DFS의 신뢰도와 타당도가 보고되었다. (리뷰를 위해서는 Perry & Bond, 2012를 보라) 인격, 정신병리 및 방어기제에 관한 연구뿐 아니라 정신치료 과정에서의 방어기제 변화에 관한 대규모 연구에서도 이 도구가 사용되었다.

DMRS의 강점들

DMRS는 PDM-2의 M 및 MA 축에 의거하여 방어 기능을 평가하는데 적합하며, 인격 구성 수준을 (P축) 평가하는데에도 유용하다. DMRS가 지닌 심리척도적 신뢰도 및 서로 다른 장애를 구분하고 기능 수준을 구분하는 능력 덕분에 정신역동적 정신치료를 받는 환자를 평가하는데 DMRS는 훌륭한 도구가 되었다. (Perry, 2014; Perry & Bond, 2012) 또한 건강-질병에 관해 전반적으로 측정할 수 있게 해주며, 치료 경과 도중 이러한 차원의 변화를 반영할 수 있게 해 준다. 정신치료에서 방어에 대해 작업하는 것이 유익한 효과가 있음을 뒷받침해주는 흥미로운 결과를 다양한 연구들이 보여준다. (Perry & Bond, 2012)

DMRS의 제한점들

DMRS를 신뢰할 수 있을 만큼 사용하려면 수일에 걸쳐 특별한 훈련이 필요하다. 그리고 비록 Q-기법 버전을 사용할 경우 필요한 시간이 상당히 줄어들긴 하지만, 평가에는 많은 시간 (50분 세션 기준 대략 2-3시간 정도)이 소요된다. 더욱이 몇몇 방어 (예, 해리)에 대해서는 완벽히 일치된 정의나 카테고리 분류가 존재하지 않는다. DFS는 DMRS에 비해 환자의 기능에 대해 덜 자세하고, 덜 정밀하며, 덜 신뢰할만한 그림을 제공해준다.

방어 기제 매뉴얼(Defense Mechanisms Manual)

방어기제 매뉴얼 Defense Mechanisms Manual (DMM)에서는 TAT 이야기에 적용되는, 발달학적으로 뿌리내린 방어들 – 부정, 투사 및 동일시를 평가한다. 방어들은 하나의 이야기 내에서 나타날 때마다 매번 코드화되는 일곱 가지 국면에 의해 표시된다. 총점이나 상대 점수는 임상적 목적이나 연구 목적으로 사용될 수 있다.

DMM의 평가자간 신뢰도는 0.80으로 보고되었으며 (Meyer, 2004), 3년 기간 동안 충분한 안정도를 보인 바 있다. DMM의 타당도는 아동, 청소년 및 초기 성인기 발달에 관한 횡단 연구 및 종단 연구들을 통해 뒷받침되었는데, 이 연구들에서는 진단군, 인격 구성 수준 및 정신역동 치료 이후의 변화에 있어서 차이가 보였다. 방어를 사용함에 있어 스트레스의 영향 또한 연구가 이루어져 왔다. (Cramer, 2006; Porcerelli et al., 2010)

DMM의 강점들

DMM은 TAT 자료를 활용할 수 있는 경우 MC 축 상에서의 방어 기능을 평가하는데 유용한 도움이 될 수 있다. DMM은 신뢰할만한 평가도구이며, 횡단적 연구, 종단적 연구 및 실험적 연구에서 그 타당성이 뒷받침되고 있다.

DMM의 한계점들

DMM은 단지 세 가지 방어기제만을 포함하며, 성인을 평가함에 있어 동일시 방어는 다른 방어들보다 덜 유용할 수 있다. 후기 청소년기 이후에는 동일시 방어의 사용이 줄어들기 때문이다. TAT를 시행하고, TAT 이야기로부터 사본을 만들고, DMM 평가 체계를 사용하는 일은 일상적 실제 상황에서는 수 시간이 소요될 수 있다.

2부. PDM-2 평가 과정에 유용한 부수적인 도구들

A. 자가 보고

미네소타 다면적 인성검사-2 (Minnesota Multiphasic Personality Inventory–2)

Hathaway와 McKinley (1943)는 환자 기록 및 기타 자료들에서 얻은 진술들의 모음으로 부터 경험에 근거한 자가 보고식 도구로서 미네소타 다면적 인성검사 Minnesota Multiphasic Personality Inventory (MMPI)를 개발하였다. 해가 지나며 많은 개선점들이 있었는데, 이에는 다양한 카테고리에서 환자들이 얻은 점수 차이를 기반으로 하는 다양한 척도들이 포함되었다. 1989년, MMPI-2 (Butcher et al., 1989)가 발표되었다; 이것은 초판 MMPI를 구성할 때 사용되었던 것과 동일한 경험적인 방법론에 기반을 둔 것이었으나, 최초의 대조군에서 비임상적 참가자의 대다수가 1930년대 미네소타의 의학적 외래 환자들이었던 것에 비해 좀 더 대표성이 있는 정상적인 표본이 사용되었다. 또한 청소년 버전의 검사, 즉 MMPI-A (Butcher et al., 1989)가 등장했는데, 이는 14세에서 18세 사이 연령의 사람들을 대상으로 한 규준으로 고안되었다.

Hathaway와 McKinley (1943)는 임상군 또는 척도군들을 비임상군과 비교했을 때 신뢰할 수 있을 만큼 구분 지을 수 있는 항목들을 바탕으로 척도들을 개발하였다. 예를 들어, 건강염려증으로 진단받은 사람들을 의학적 환자나 비임상적인 개개인들과 구분짓는 항목들은 건강염려 척도 내의 항목들이 되었다. (척도 1). 이런 식으로 우울 (척도 2), 히스테리아 (척도 3), 정신병질적 일탈 (척도 4), 남성성-여성성 (척도 5), 편집성 (척도 6), 정신쇠약 (척도 7), 조현증 (척도 8), 그리고 경조증 (척도 9)에 관한 척도들이 고안되었다. 또한 타당도 및 편향성을 측정하는 척도 역시 만들어졌다: 거짓말 척도 (L), 희소 반응 척도 (F)는 드문 정신병리 및 과장하는 정도를 측정한다. Meehl이 고안한 K 척도는 기능이 좋다고 주장하는 정도를 측정하는데, 이러한 정도는 방어적 경향을 나타내는 징후일 수 있다. 이 척도는 낮게 보고할 가능성이 높은 심리적 경향을 보이는 특정 척도들 (이를테면 척도 8)에 부분적으로, 혹은 전반적으로 덧붙여진다. 이후 Drake (1946)는 사회적 내향성 척도 (척도 0)을 고안했다.

비록 MMPI-2가 정신역동적 측면을 지향하는 검사로서 만들어진 것은 아니지만, PDM-2 진단을 내릴 때 보조적으로 유용할 수 있다. L 척도는 부정이나 분리와 같은 원초적인 방어들을 나타낼 수 있는데 (Gordon, Stoffey, & Bottinelli, 2008), 이는 경계성 인격이나 정신병적 인격 구성과 관련되는 것이다. MMPI-2의 기본적인 임상 척도들은 PDM-2 인격 증후군들을 평가하는데 도움이 되는 특징들을 측정해 낼 수 있다: 예를 들어, 척도 2 (우울)은 우울성 인격을, 척도 3 (히스테리아)는 연극성 인격을 시사할 지도 모른다. 임상 척도들을 두 가지 혹은 세 가지 쌍의 코드 형태로 해석하는 것이 가장 적절하다. 예를 들어 척도 1과 3의 상승은 "1–3/3–1"프로파일로 간주되며, 신체적인 염려가 높다는 것을 나타낸다; 이와 더불어 척도 2의 점수가 낮을 경우, 이는 흔히 전환 장애나 고전적인 히스테리에서 발견되는 프로파일을 구성한다.

MMPI-2의 강점들

MMPI-2의 기본적인 임상 척도들은 PDM-2의 인격 증후군을 평가하는데 도움이 되는 특징들을 측정한다. 세계적으로 이 도구는 다양한 환경에서 사용되고 있다. 인격 특성 및 방어 정도를 평가함에 있어 이 도구는 80-90%의 정확성을 보인다. (Butcher et al., 1989, p. 102). Bram과 Peebles (2014) 은 MMPI-2, TAT, Rorschach, 그리고 Wechsler Adult Intelligence Scale (WAIS)를 가리켜 인격을 평가하는 핵심적인 검사들을 구성한다고 간주하였다. 최소 6학년 수준의 독해 능력이 있는 사람이라면 누구나 MMPI-2 검사를 받을 수 있다.

MMPI-2는 정적인 정신병리를 측정하는 편이라 하겠다. 단편적인 치료를 반영하는 것에는 둔감하기에, 치료 결과 연구에 관한 측정법으로는 거의 사용되지 않는다. 하지만 Gordon (2001)에 따르면 평균 3년의 정신분석 치료 이후, 임상척도 점수 대부분이 유의미하게 감소하며, 자아 강도 (Es) 척도 점수가 유의미하게 증가하였다고 한다.

MMPI-2의 한계점들

MMPI-2는 그 방법론에 있어 제한점이 있는데, - 특히나 인쇄된 질문들에 대해 개개인이 답하는 "참"또는 "거짓"반응에 의존하고 있다는 점에서 그러하다. 이 검사에서는 어떤 증상이나 방어의 단서에 대해 더 이상 탐색하지 않으며, 연관된 정보를 얻어내어 특정 진단을 배재할 수 있는 가지치기 논리를 사용하지 않는다. 예를 들어, 이 검사에서는 "얼마 동안 우울한 채로 계셨나요?"혹은 "우울해지기 전에 뭔가 나쁜 일을 겪으셨나요?"또는 "우울감 이후 굉장히 에너지가 넘치는 기간이 있었나요?"와 같은 질문을 하지 않는다. 이러한 추가적인 질문들은 흔히 기분부전증, 외상 후 스트레스 장애 혹은 양극성 장애로부터 주요 우울증을 구분하는 데 유용하다.

더군다나 MMPI는 긴 검사이다: 370 문항 형식을 완전히 답하는 데에는 대략 45-60분이, 567 문항 형식을 완수하는 데에는 60-90 분이 소요된다. 마지막으로 이 검사는 적절히 훈련받은 심리학자에 의해 시행되고 해석되어야만 한다.

인격 평가 설문(Personality Assessment Inventory)

인격 평가 설문 Personality Assessment Inventory (PAI)은 334개 문항의 자가 보고식 정신병리 측정법으로, 치료 계획 수립, 수행 및 평가에 있어 핵심이 되는 심상들 constructs을 측정할 수 있도록 고안되었다. (Morey, 1991, 1996). 문항들은 ("거짓"에서부터 "매우 참"까지) 4점 리케르트 척도로 점수가 매겨진다. 청소년 버전인 PAI-A 역시 존재한다. 두 버전 모두 4학년 수준의 독해 능력을 요한다.

스물두개의 중첩되지 않는 척도를 통해 광범위한 심리학적 심상들이 측정된다: 4개의 타당도 척도 (비일관성, 이례성, 부정적 인상 처리 및 긍정적 인상 처리); 11개의 임상 척도 (신체화, 불안, 불안 관련 장애, 우울, 조증, 편집증, 조현증, 경계성 양상, 반사회적 양상, 알코올 사용 및 약물 사용); 5개의 치료적 고려 척도 (공격성, 자살 사고, 스트레스, 비-지지 및 치료 거부); 그리고 2개의 대인관계 척도 (지배성 및 따뜻함). 전체 척도 가운데 10개 척도에는 "개념적으로 도출된 하위척도들"이 포함되어 있다. (Morey, 1996, p. 3).

또한 추가적인 색인들이 존재하는데, 그 가운데 일부에는 평균적 임상 평가 (일반적 정신의학적 고통), 자살이나 폭력 가능성, 그리고 치료 과정 색인 (치료 순응도를 예측하는 종합 점수)이 포함되어 있다. 컴퓨터 채점으로 해석적인 보고 및 진단적 고려가 가능하다. 기준이 되는 데이터 속에는 인구 조사 자료에 따라 나이별로 분포된 1000명의 비 환자들, 입원 환자 및 외래 환자가 혼합된 광범위한 표본, 그리고 대규모의 대학생 표본이 포함되어 있다. 결과는 인구 조사 표본과 비교하여 T 점수로서 프로파일화 된다. PAI 프로파일에는 환자들로 이루어진 참고 표본에서 나온 자료들을 바탕으로 한 일반적이지 않은 평가 적응증이 포함되어 있다. 광범위한 타당도 및 신뢰도 자료를 여러 문헌에서 찾아볼 수 있는데, 다수는 시험 매뉴얼 개정판 (Morey, 2007) 및 여타 해석 및 개괄 서적 두 가지에 요약되어 있다 (Blais, Baity, & Hopwood, 2010; Morey, 1996).

PAI의 강점들

PAI는 시행하기 용이하며 비교적 낮은 수준의 읽기 능력만 있으면 된다. 이는 "여타의 잘 알려진 자가보고식 다중 척도 설문지들과 여러 가지 중요한 방식에서 구분이 되는데, 이는 구성개념 타당화적인 접근을 하여 검사를 구성한 것에 상당부분 기인한다."(Hopwood, Blais, & Baity, 2010, p. 1) 이 검사에서는 카테고리적 척도 (참-거짓) 대신에 (4점 리케르트) 차원적 반응 척도를 사용한다. 항목들은 중첩되지 않는다. 인적 자원 선발이나 법의학을 포함한 특수한 인구에 대한 기준 데이터가 존재한다. 여러 표본에 걸쳐 내적 합치도는 높은 수준이다; 결과는 2-4주 기간 동안 안정적이었다. 타당도 연구를 통해 50가지 이상의 다른 정신병리 측정 도구들과 견주어 수렴 타당도 및 변별 타당도를 증명하였다. 22개 전체 척도 가운데 20개 척도만을 계산하는 축약 형태, 즉 쉽게 지치는 환자나 빠른 훑어보기를 원하는 임상가를 위해 첫 160 항목을 근거로 한 형태도 포함되어 있다. 축약형은 심리검사가 갖추어야 할 속성을 훌륭히 충족시킨다. (Morey, 1991; Siefert et al., 2012; Sinclair et al., 2009, 2010).

PAI는 상태 (즉 우울이나 불안, 조증 등) 및 특질 (즉 경계성이나 반사회적 양상) 현상 두 가지 모두를 평가한다; 따라서 PDM-2 인격 양상 (P 축) 및 명백한 증상 (S 축)을 평가하는데 유용하다. 또한 PAI는 M 축을 평가하는 데에도 도움이 될 수 있다. (Blais & Hopwood, 2010)

PAI의 한계점들

PAI는 심리 기능을 광범위하게 측정하는 방법으로 널리 사용되었으나, 여타의 자가 보고 방식과 마찬가지로, 순전히 환자의 주관에 기반을 두고 있다. 또한 다루는 범위가 넓으면서 깊기에, 축약 버전이라 할지라도 긴 편이다.

밀런 임상 다축 설문(Millon Clinical Multiaxial Inventory) 및 그 밖의 밀런 설문들(Other Millon Inventories)

다양한 버전의 밀런 임상 다축 설문들은 Theodore Millon의 (2011) 인격 및 정신병리에 관한 진화 이론에 뿌리를 내리고 있다. 최초의 MCMI는 DSM-III의 I축 및 II축 장애들을 평가하고, 환자의 인격 특성 및 적응 행동을 고려하여 진단을 정하고 치료 계획을 세움에 있어 임상가들에게 도움이 되게끔 고안되었다. MCMI-III는 1994년에 처음 출간되었으며 (개정판이 이후에 나왔다 ; Millon, Millon, Davis, & Grossman, 2006a) DSM-IV에서의 변화를 반영하였다. 175개의 참-거짓 문항이 있으며, 완료하는데 대개 30분이 소요된다. 18세 이상의 환자를 대상으로 할 수 있으며 중학교 2학년 수준의 독해 능력을 요한다. 또한 합쳐진 성별 규준을 사용한다. MCMI-IV에서는 규준이 새로 정해졌으며, 몇몇 척도들은 구성이 개선되었다; 새로 만들어진 임상 척도는 한 가지 뿐이다.

MCMI-III는 15가지 인격 유형 및 아형에 대해 평가한다: 내향적/분열성, 소심한/회피적, 염세적/우울성, 협동적/의존적, 원기 왕성한/경조증, 사교적/연극적, 자신만만한/자기애성, 비순응성/반사회적, 독단적/가학적, 양심적/강박적, 회의적/부정적, 학대당한/피학적, 괴상한/분열형, 변덕스러운/경계성 그리고 의심 많은/편집증적. 아울러 MCMI-IV에는 교란 척도가 포함된다.

10개의 임상 증후군 척도 (MCMI-III에서는 DSM-IV의 I축 장애와 일치)는 불안, 신체형, 양극성 조증, 기분부전증, 알코올 의존, 약물 의존, 외상후 스트레스 장애, 사고 장애, 주요 우울증 및 망상장애이다. 5가지 타당도 척도 및 바이어스 척도가 존재한다.

MCMI-III와 IV 둘 모두, 척도를 합리적으로 구성한 후 (각 항목들이 안면 타당도를 갖추었다는 의미), 척도 상 각 장애가 있는 것으로 진단된 개인들을 대상으로 검사가 시행되었고, 참여자들 중 특정 장애에 이환된 개인들의 수에 맞춰 각 척도에 대해 다양한 수준의 절단점이 결정되었다. MCMI는 MMPI 다음으로 가장 흔히 쓰이는 자가 보고 도구이다; 이렇게 널리 쓰이게 된 이유로는 아마 컴퓨터에 의해 생성된 이야기 형식의 서술이 읽기 용이하고, 임상적으로 적용가능하며, 평이한 영어로 환자를 묘사한다는 점이 일부 작용했을 것이다. 또 다른 장점으로는 상투적인 퍼센타일이나 표준화 점수를 사용하는 대신 기본 구성 비율 점수 (base rate scores, BRs)을 사용한다는 점으로, 이는 각 장애들이 진단적 역치에 이를 가능성에 기반한 것이다.

MCMI는 청소년을 평가하기 위해 Milon 청소년기 임상 설문 Millon Adolescent Clinical Inventory (MACI; Millon, Millon, Davis, & Grossman, 2006b)이라는 이름으로 수정되었다. MACI의 구성은 항목 및 연령에 적절한 규준에서 변화가 있었고 척도 이름이 개정되었다. 아울러 해석하는 방법에 있어서도 차이가 있다. 이를테면 척도들의 전체 윤곽을 살피기보다는 개개의 척도를 해석하는데 좀 더 비중을 둔다. 비슷하게 MCMI는 Millon 전-청소년기 임상 설문 Millon Pre- Adolescent Clinical Inventory (M-PACI; Millon, Tringone, Millon, & Grossman, 2005) 라는 이름으로, 청소년기 이전을 대상으로 한 수정 역시 이루어졌다.

밀런 설문지 Millon Inventories 의 강점들

MCMI, MACI 및 M-PACI는 사실상 성인, 청소년 그리고 어린이들을 대상으로 한 모든 PDM-2 축을 평가하는데 유용한 도움이 될 수 있다. MCMI의 강점 중 하나는 병적인 인구를 기준으로 맞췄다는 것으로, BR 점수는 진단의 가능성이나 신뢰성을 나타낸다. 각각의 밀런 설문은 훌륭한 타당도 및 신뢰도를 지녔다. 몇 가지 자가 보고 척도 가 인격상의 병리 (예를 들자면 경계성)를 탄탄히 잡아내는 능력은 인상적이다.

밀런 설문지의 Millon Inventories의 한계점들

밀런 설문지는 단기간에는 대단히 안정적이다; 하지만, 장기간 추적한 자료는 존재하지 않는다. MMPI나 PAI와 마찬가지로 MCMI-III는 자가 보고 방식이며, 병식이 없는 것에 영향을 받을 수 있다. 아울러 MMPI에 비해 타당도 척도를 연구한 바가 적고, 잘된 연구 역시 부족하다. MCMI-III는 임상 표본을 기반으로 하고 있으므로 감정이나 대인관계에서 문제적인 증상을 보인다는 증거가 있거나 치료 또는 정신진단적 평가를 받고 있는 사람들에 한해 적용할 수 있다.

인격 문제 심각도 지표-118 (Severity Indices of Personality Problems–118)

인격 문제 심각도 지표-118 Severity Indices of Personality Problems–118 (SIPP-118; Verheul et al., 2008)는 인격 기능의 주요 요소들을 다루는 자가보고 설문지이다. SIPP-118이 근거로 하고 있는 가정은 인격병리란 인간의 적응 능력이 변한 결과로서 이해할 수 있다는 것으로, 이 도구가 목표하는 바는 이러한 능력을 평가하는데 있다.

118개의 항목은 16개의 영역: 즉 감정 조절, 노력적 조절, 안정적인 자기상, 자기 존중, 목적성, 즐거움 향유, 느낌 인지, 친밀감, 대인관계 유지, 책임 있는 근면성, 신용, 존중 및 협동 영역에서 각각 1점 (전혀 동의하지 않는다)에서 4점 (완전히 동의한다)까지 4점으로 된 리케르트 척도로 답하게 되어있다. 이 영역들은 5가지 임상적으로 유의한 상위 영역: 즉 자기-조절, 정체성 통합, 관계 역량, 사회적 조화, 책임감이라는 영역들에 잘 맞아떨어지는 일관된 항목군들 (즉 항목군들은 동일한 차원에 놓여 있으며, 내적으로 일치됨)로 구성되어 있다. 이 영역들은 여러 인구를 대상으로 동시 타당도가 양호하였으며, 인격 병리의 심각성에 대해 평가한 면담 점수와 관련하여 수렴 타당도가 양호하였다. 아울러 특성-기반 인격 장애 영역과 관련하여 변별 타당도 역시 양호하였다.

영역 점수는 학생 표본을 대상으로 14-21일 사이의 시간 간격 동안 안정적이었으나, 치료받은 환자 군에 있어서 2년간의 추시 기간 동안에는 변화에 민감하였다. 그러므로 SIPP-118은 (비)적응적 인격 기능의 주요 요소에 대해 신뢰할 수 있고, 타당하며, 효과적인 5가지 지표들의 집합을 제시해준다. 초기 연구에 따르면 이 도구가 국가 간 비교에서도 타당도를 보여주는 것으로 나타났다. (Arnevik, Wilberg, Monsen, Andrea, & Karterud, 2009).

SIPP-118의 강점들

SIPP-118은 청소년 및 성인 모두에게서 기본 정신적 역량을 PDM-2로 평가하는데 (M축 및 MA축) 유용한 도움이 될 수 있다. 이는 임상적으로 유의미하고, 심리검사적으로 탄탄하며, 사용자 친화적인 도구이다. 7가지 언어로 번역된 버전이 존재하며, 정신치료에 있어 임상 평가 및 연구용으로 모두 사용 가능하다.

SIPP-118의 한계점들

SIPP-118은 환자의 인격에 대한 진단이나 임상적 진단을 제공해주지는 않는다. 그러므로 지금껏 이 도구를 이용한 연구 사례는 제한적이다. 이 도구는 본 챕터의 이번 섹션에서 살펴본 여타의 자가보고 도구들에 비해 지명도가 낮고 사용빈도가 떨어진다. 현재까지 대인간 문제 설문 (아래를 보라)과 같은 다른 대인관계 측정법들과 중복되는 정도는 알려지지 않았다.

대인간 문제 설문(Inventory of Interpersonal Problems)

대인간 문제 설문 Inventory of Interpersonal Problems (IIP)은 관계 기능에서의 문제 영역을 알아내기 위해 고안된 자가 보고식 설문이다. (Horowitz, Alden, Wiggins, & Pincus, 2000; Horowitz, Rosenberg, Baer, Ureño, & Villaseñor, 1988). 풍부한 이론적, 경험적 문헌에서 도

출된 대인관계 행동의 원형이론 모델에 기반한 것이다. (리뷰를 위해서는 Alden, Wiggins, & Pincus, 1990를 보라) 이 모델은 대인관계 유형: 즉 지배 대 복종, 사랑 대 미움을 두 가지 직각 축 및 양극 축 상에서 정의내리는 2-차원 원형 모델이다. 원형 공간은 여덟 개의 8분할원으로 나누어져, 지배 및 사랑의 차원이 혼합된 둥근 배열을 형성하며, 다양한 대인관계 문제들을 반영할 수 있게 된다.

최초의 IIP (Horowitz et al., 1988)는 127 항목으로 구성되었으나, 가장 널리 사용되는 본 도구의 버전은 64 항목으로 구성된 대인간 문제 설문-원형 Inventory of Interpersonal Problems— Circumplex (IIP-C; Alden et al., 1990; Horowitz et al., 2000)이다. 많은 부가적인 축약형 (이를테면 IIP-32를 보라; Barkham, Hardy, & Startup, 1996) 및 특정 목적 (예, 인격 장애 선별)을 달성하기 위해 고안된 항목 세트를 담고 있는 파생 도구 역시 사용가능하다. 아울러 IIP의 점수를 매기는 다양한 방법이 존재한다. (Hughes & Barkham, 2005; Gurtman, 2006) 이번 논의에서 우리는 IIP-C에 초점을 맞춘다.

IIP-C의 64 항목은 개인이 과도히 나타내는 대인관계 행동이나 (예, "나는 다른 사람과 너무 많이 싸운다.") 어려워하는 영역 (예, "나는 사람들 무리에 끼는 것이 어렵다.")을 평가한다. 각 항목은 1 (전혀 아니다)에서 7 (극도로 그렇다)까지의 범위 내에서 7점의 리케르트 척도로 점수가 매겨진다. IIP-C의 총점은 전반적인 대인관계 문제의 지표로서 사용되나, 또한 IIP-C는 특정 어려움을 나타내는 8개의 하위척도: 즉 오만함, 복수심, 차가움, 사회적 억제, 자기주장 없음, 피착취성, 지나친 배려성, 침습성에 대해 점수를 산출해낸다.

IIP-C는 강력한 심리검사적 속성을 지녔다. 하위 척도들의 내적 합치도 알파 계수는 0.76에서 0.88 내에 있었으며, 척도들의 검사-재검사 신뢰도는 0.58에서 0.84 내에 속했다. (Horowitz et al., 2000) IIP-C의 하위척도들은 임상 (Gurtman, 2006; Haggerty, Hilsenroth, & Vala- Stewart, 2009) 및 비임상 (Alden et al., 1990; Horowitz et al., 2000) 표본들에서 유사한 구성을 이용한 측정법들과 비슷한 결과를 보였다. 또한 이 측정법은 변화에 민감하였고 따라서 정신치료 결과 연구에 흔히 적용되고 있다. (예, Ruiz et al., 2004).

IIP의 강점들

IIP는 PDM-2에서 일부 인격 특성 (P축) 및 M축 상의 관계 역량 및 친밀도를 평가하는데 유용할 수 있다. 시행하기가 용이하며 최소한의 훈련만을 요구한다. 훌륭한 심리평가적 속성을 지녔다; 특히나 시간이 지남에도 신뢰할 수 있으며, 변화에 민감하며 유사한 도구들과 결과가 비슷하게 수렴하며, 치료 결과를 예측하게끔 해준다. 임상 및 비임상 표본에 효과적으로 적용할 수 있다. 마지막으로 특정 관계 영역뿐만 아니라 전반적인 대인관계 기능을 평가할 수 있게 해준다.

IIP의 한계점들

IIP-C는 여타의 자가 보고 측정법과 마찬가지로 바이어스가 나타날 수 있는 점이 문제이다; 허위 보고가 가능하며, 환자가 인정하거나 정신화시키거나 소통하는데 문제가 있을 때 그 한계에 의해 영향 받을 수 있다. 더군다나 이 측정법에는 타당도 척도가 포함되어 있지 않다. 규준적인 자료나 임상적 절단점이 대규모 대표 표본을 통해 명확히 정립되지 않았다.

중심 관계 설문지(Central Relationship Questionnaire)

1998년, Barber, Foltz, 및 Weinryb은 대인관계 패턴을 측정하기 위해 중심 관계 설문지 Central Relationship Questionnaire (CRQ) 초판을 만들었다. 101 항목 중심 관계 설문지 개정판(CRQ-R; McCarthy, Connolly Gibbons, & Barber, 2008)은 앞서 설명한 CCRT 측정법의 자가 보고식 버전이다 (Luborsky & Crits- Christoph, 1990). 이는 초판 CRQ이 잡아내는 대인관계 차원을 향상시키고, 길이를 줄이고, 고차 순위 요소 구조 형태를 만들기 위해 개정이 이루어진 것이다. (McCarthy et al., 2008).

CRQ-R는 대인관계에 있어서 환자가 품은 소망을 드러내는 방식, 자신의 소망에 대한 타인의 반응을 인지하는 방식, 그리고 타인에 대해 환자 자신이 반응하는 방식을 평가하는데 이용된다. 참여자들은 자신들의 네 가지 중심적 관계 (교제하는 배우자, 어머니, 아버지, 그리고 가장 친한 친구와의 관계) 각각에 대해 3가지 주요 관계 주제라는 측면: 소망들 wishes (W), 타인이 보이는 반응들 responses from others (RO), 자신의 반응들 responses of self (RS) 에서 점수를 매기도록 지시 받는다. 참여자들은 7점 리케르트 척도 기준으로 특정한 대인관계 주제가 자신들의 중심 관계 각각에 존재할 가능성을 평가한다. 각 대인관계 주제를 반영하는 점수는 여러 관계들에 걸쳐 뭉쳐져 있을 수 있는데, 환자의 전반적인 대인관계상을 나타내는 16가지 각 주제: 즉 W의 다섯 유형 (독립적인, 친밀한, 상처받기 쉬운, 성적인, 순종적인); RO의 다섯 유형 (상처받기 쉬운, 독립적인, 사랑하는, 성적인, 순종적인); RS의 여섯 유형 (자발적인, 회피적인, 횡포한, 친밀한, 부딪히려하지 않는, 성적인) 에서 각 환자가 하나의 점수를 가질 수도 있다는 식이다.

CRQ의 강점들

두 CRQ 버전은 PDM-2의 P축과 M축 모두에서 대상관계를 평가하는데 유용한 도움이 될 수 있다. 초판 CRQ의 심리검사적 속성은 적합한 것으로 판명되었다. (Barber et al., 1998). 많은 연구들에서 CRQ-R이 정신치료 조사에 기여하는 바와 그 타당성을 보여준 바 있다. 예를 들어 여러 대인관계들에 두루 견고함이 클 경우 증상과 대인관계 문제가 더 적었다. (McCarthy et al., 2008). 아울러 환자가 치료 전 중요한 타인들에 보인 양상들은 치료 과정에서의 치료적 동맹을 상당부분 예측하게 해주었다. (Zilcha- Mano, McCarthy, Dinger, & Barber, 2014).

CRQ의 한계점들

비록 CRQ-R은 초판 CRQ에 비해 짧다고 할지라도, 여전히 많은 시간이 소요된다. 특히나 환자가 자신의 삶에서 중요한 타자 여러 명을 각각 101 항목 상에서 평가할 필요가 있을 때 그러하다. 본 도구의 어떤 버전이든 개발자 이상으로 연구를 수행하거나 임상적으로 사용한 경우는 없다.

토론토 감정표현불능증 척도 - 20 (Toronto Alexithymia Scale–20)

감정표현불능증이란 감정을 인지적으로 처리하는데 결손을 보이는 다면적인 인격 개념을 뜻한다. 이는 두 가지 더 고위 요소들: 즉 정동을 인식하는데 있어서의 결손 (느낌을 식별하고 묘사하는 것의 어려움) 및 조작적 사고의 결손 (외부 지향성 사고 및 빈약한 상상 과정)으로 구성된다(Taylor & Bagby, 2012). 이는 초기 양육자와의 상호작용에 의해 강한 영향을 받는데, 아동이 지닌 감정에 대해 반응이 불충분하였을 경우, 성인기에 이르러 감정 상태 및 신경생물학적 상태 둘 모두에 있어 자기-조절력이 지대한 영향을 받기 때문이다. (Taylor, Bagby, & Parker, 1997). 개념은 자가보고식 20문항 버전의 토론토 감정표현불능증 척도 (TAS-20; Bagby, Parker, & Taylor, 1994a, 1994b)를 통해 가장 많이 평가되는데, 이는 감정표현불능증이 지닌 세 측면: 즉 느낌 식별의 어려움, 느낌 묘사의 어려움, 외부 지향성 사고를 평가하는 자가 보고식 설문지이다. 비록 감정표현불능증이 차원적인 개념이기는 하지만, 임상에서 정한 >60점의 점수는 더 높은 감정표현불능증 범주에 속하는 응답자들을 식별해낸다.

TAS-20의 강점들

TAS-20은 정동 조절, 정동 상태 정신화에 있어서의 결손, 상징적 표현 사용 불능 및 심리적 의미로부터 해리된 감정적 각성을 PDM-2의 P축 및 M축 상에서 평가하는데 유용한 도움이 될 수 있다. (Taylor, 2010) 광범위하게 타당성이 입증된 점, 많은 국가에서 다양한 언어로 요인 구조가 번역된 점, 수행 시간이 짧다는 점, 그리고 손쉽게 사용할 수 있다는 점 등으로 인해 TAS-20은 수많은 정신과 및 의학적 환경에서 감정표현불능증을 평가하는데 표준적인 참고 자료가 되었다. (Lumley, Neely, & Burger, 2007).

TAS-20의 한계점들

감정표현불능증이 자기 보고 척도로 타당하게 평가될 수 있는지에 대한 의문들이 있다. 정의상 김정표현불능증이란 개인의 심리 상태를 표현할 능력이 없는 것이기 때문이다. 따라서 다른 방법을 통해 감정표현불능증을 측정하고자 하는 필요성이 최근 수년간 반복적으로 강조되고 있다.

정례적 평가에서의 임상 결과(Clinical Outcomes in Routine Evaluation)

정례적 평가에서의 임상 결과 Clinical Outcomes in Routine Evaluation (CORE)라는 자기보고식 방법 (CORE Outcome Measure, 또는 CORE-OM으로도 알려져 있다)는 온갖 이론을 아우르는 관점에서, 영국의 Chris Evans, Michael Barkham 및 그 동료들에 의해 고안되었다. 34 문항은 모두 최근의 7일에 대해 다루는데, 안녕감, 문제점들, 기능 및 위험에 관한 영역을 포함한다. 각 항목은 0점(전혀 그렇지 않다)에서 5점 (거의 혹은 항상 그렇다)에 이르기까지 5점의 빈도 척도 상에서 평가된다. 여덟 항목은 항목들 간에 몇 가지 변수를 보장하기 위해 거꾸로 점수를 매긴다.

다양한 접근법을 가진 정신치료자들과 상담자들, 다양한 핵심 전문가들 (심리학, 정신의학 등), 그리고 다양한 직장 환경을 대상으로 한 광범위한 설문 결과 CORE 항목들을 식별해 내었다. 심리검사로서의 최초 조사에서 용인성과 유용성; 양호한 내적 신뢰도 및 검사-재검사 신뢰도; 연령이나 성별이 미치는 영향력이 적음; 정립된 우울증의 자가 보고 방식과 비교하여 양호한 수렴 타당도; 양호한 변화 민감도; 그리고 임상 및 비임상 군들 간을 잘 식별한다는 것이 입증되었다. (Evans et al., 2002). 이러한 심리검사적 속성은 원래의 영어 버전 및 늘어가는 다른 언어 번역판을 사용한 임상 표본들에서 거듭 확인되어왔다. Jacobson과 Truax의 (1991) 신뢰할만한 변화 색인 및 임상적으로 유의한 변화를 판별하는 절단점은 영어판에 적용되었고, 점차 번역판에서 쓸 수 있게끔 되고 있다.

자가 보고식 버전은 치료 평가 서식 Therapy Assessment Form (TAF) 및 치료 종료 서식 End of Therapy (EoT)을 포함하는 수행자 완성 CORE 평가 (CORE-A)를 통해 보완된다. TAF에서는 사회적 상황, 초점이 되는 문제, 과거의 정신 건강 관리, 약물, 그리고 진단 (선택사항), 그리고 계획된 치료에 관한 부분에 대해 질문한다. EoT에서는 실제로 받은 치료에 관해 세부사항을 다룬다.

CORE의 축약본은 일반 인구를 대상으로, 비임상적 설문 작업에 쓸 수 있게 고안되었다. (CORE-GP). 심지어 더 축약된 형태인 CORE-10 역시 만들어졌고, 특정한 목적을 띈 수많은 다른 버전들이 존재한다.

최근의 개정판에는 여섯 가지 CORE-OM 항목 상의 점수를 사용하는, 실용적 “질적 등가치 quality equivalence”를 주는 점수체계가 포함되어있어, 질-보정 생애 년수 (Mavranezouli, Brazier, Rowen, & Barkham, 2013); 젊은이들을 대상으로 한 YP-CORE (11-17세; Twigg et al., 2009); 그리고 가족 체계 치료에서 (가족 내 개개인이 아닌) 가족들의 자가보고 평가인 Systemic CORE (SCORE) 상의 증가로서 변화를 표현한다. 요약물은 무료로 다운로드가 가능하며, CORE 웹사이트(www.coresystemtrust.org.uk)에서도 모든 정보를 열람할 수 있다.

CORE의 강점들

모든 CORE 도구들은 완전히 무료이다. CORE-OM은 번역판을 포함한 모든 평가에서 훌륭한 심리검사적 속성을 보여주었으며, 굉장히 광범위한 갖가지 치료법들과 더불어 사용되어 왔다. 축약된 도구가 존재한다. 학습 장애를 지닌 이들, 젊은이들, 그리고 가족들을 평가하기 위해 개작과 확장이 있었다. 또한 웹사이트에서는 CORE 체계 및 CORE 도구나 CORE 체계의 요소들을 사용한 출간물들의 색인에 관해 축적되고 있는 정보를 수집하여 제공하고 있다.

CORE의 한계점들

CORE 체계는 치료에서 일어나는 변화상을 완전한 그림으로 보여주지 못하며, 모든 자가 보고 방식에는 조작의 여지가 열려있다.

결과 설문-45(Outcome Questionnaire-45)

결과 설문-45 Outcome Questionnaire-45 (OQ-45; Lambert et al., 1996a, 1996b; Lambert, Kahler, Harmon, Burlingame, & Shimokawa, 2013)는 초진 및 치료가 진행되는 과정에서 환자의 장애 정도를 추정하기 위해 쓰이는 45문항의 자가보고 척도이다. 이 척도는 18세 이상의 성인을 대상으로 정신 및 대인관계 상의 건강함이나 안녕감에 대한 색인을 제공한다. 피검자는 입원환자, 외래환자 및 비임상 인구와 비교된다. 척도의 점수는 미국 내에서 치료받은 개개인들 11,000명의 경과에 근거한, 예측된 치료 반응을 참조로 한다. 이러한 데이터를 통해 치료에 반응하지 않는 자들이나 부정적 결과가 초래될 위험이 큰 사람들을 식별하여 성공에 대한 기준점을 마련할 수 있다. 아울러 OQ-45는 치료 성공 및 치료 종결 여부를 판단하는 표지자로서 신뢰할만한 변화나 회복을 나타내는 절단 점수를 제공해 준다. 영어 이외에도 30개국어 이상으로 번역이 되어있다. 6학년 수준의 읽기 능력이 필요하다.

치료에 임하게 되는 거의 대부분의 성인이 불안과 우울 증상을 경험하기에, OQ-45의 항목들 가운데 절반은 증상적인 고통이나 주관적인 불편감의 핵심 측면에 대해 측정한다. 만족스러운 삶의 질과 안녕감은 긍정적인 대인관계 기능에 달려있기에 1/4 항목들은 친밀한 타인들과의 대인관계 장애를 측정한다. 나머지 1/4 항목들은 사회적 역할, 이를테면 직장, 학교, 가정일, 그리고 레저 활동에서의 기능을 평가한다.

OQ-45는 정신치료의 종류, 정신치료의 형식 혹은 약물 처방 여부와 무관하게 적용될 수 있다. 이는 그 속성상 특정 이론을 배경으로 하지 않으며, 환자의 현재 정신 건강 기능을 수량화시킴으로써 임상가들이 질환을 다룰 때 사용할 수 있는 일종의 정신 건강 활력징후 내지 실험실 검사 역할을 한다. 전적으로 증상만을 기반으로 하는 측정법들과는 대조적으로, OQ-45는 특히나 환자에게 중요하고 정신역동적 배경의 임상가들이 추구하는 목표 – 즉 대인관계와 사회적 역할 기능 -인 삶의 질에 대한 요소를 측정하고자 한다.

오늘날, 이상적으로 OQ-45는 휴대용 단말기나 퍼스널 컴퓨터를 통해 온라인상에서 시행된다. (인쇄된 출력물로도 시행 및 채점이 가능하다.) 전형적으로 치료 세션에 앞서, 환자가

45문항 전부를 평가하는데 5-10분가량이 소요된다. 각 항목 (예를 들어 "나는 미래에 대해 절망적이라 느낀다.")은 환자가 지난주를 돌이켜 본 것을 바탕으로 "거의 언제나 그렇다"에서 "전혀 아니다"까지 5정 척도 상에서 답하게 된다. 소프트웨어(OQ-Analyst)가 채점을 하고, 앞선 검사 시행 시의 결과 및 기준 기능, 그리고 동일한 최초 장애 수준을 가진 타인의 예상되는 치료 반응과 비교하여 결과를 그래프로 보여준다.

OQ-45는 OQ-Analyst라고 하는 더 큰 결과 측정 체계의 일부분으로, OQ-Analyst에는 아동 기능 측정, 간략한 정신의학 평가 척도(Brief Psychiatric Rating Scale), 및 전조 징후 내담자 평가(Assessment for Signal Clients) (난해한 증례들의 문제 해결에 길잡이로 사용되는 임상적 지원 도구)가 포함된다. OQ-Analyst는 각자가 또한 특정 환자와 작업하고 있는 다직군 팀의 구성원들에게 임상 정보를 제공하게끔 설정될 수도 있다. 이렇게 정보를 공유함으로써 모든 팀 구성원들은 치료 반응이 없거나 부정적으로 나타나는 상황을 인식할 수 있고, 긍정적인 방향으로 치료 경과를 돌리도록 함께 노력을 기울일 수 있다.

OQ-45가 지닌 심리검사적 속성에 대한 수십 개의 연구가 출간되어 있다. 이는 높은 내척 합치도; 양호한 검사-재검사 신뢰도; 그리고 Symptom Checklist-90이나 Beck 우울 설문 같은 척도들과 동시 타당도를 보인다. 요인-분석 연구들이 전반적 고통 요인의 존재를 뒷받침해주고 있으며, 세 가지 종속 요인들은 하위척도들에 상응하였다. 대부분의 항목들, 하위척도들, 그리고 총점은 중재의 효과에 민감히 반응한 반면, 치료받지 않은 개개인에 있어서는 변동 없이 남아있었다.

OQ-45는 Schwartz 결과 척도-10 Schwartz Outcome Scale–10 (Blais et al., 1999; 아래를 보라) 이라고 하는, 결과를 살펴보기 위해 고안된 간략한 측정법과 개인별 수준 및 단체 수준에서 모두 유의하게 일치하였다.

OQ-45의 강점들

OQ-45는 전반적인 정신 기능 수준, 특히나 환자의 주관적인 안녕감과 적응 수준을 PDM-2 M축 상에서 평가하는데 유용한 도움이 될 수 있다. 이는 전반적인 심리적 고통, 대인관계 기능 및 역할 기능을 평가한다. 젊은이, 성인 및 심지어 그룹 치료 중인 환자를 대상으로 한 버전들을 이용할 수 있다.

OQ-45는 환자의 치료 결과를 극대화시키고 치료 실패를 감소시켜주는 OQ-45 경보 체계를 바탕으로 임상가들과 환자들에게 피드백을 제공해 줄 정도로 폭넓은, 출간된 증거들에 의해 뒷받침된다. 치료자들에게 전달된 피드백과 문제 해결 도구들이 다양한 일상 진료 현장에서 쓰인다는 것을 보여주는 11개의 무작위 대조 실험들이 완료되었다. OQ-45는 미국 국립 증거 기반 프로그램 및 진료 등록원 U.S. National Registry of Evidence- Based Programs and Practices에서 증거 기반 진료 여부를 평가받고 있다.

OQ-45의 한계점들

OQ-45는 자가 보고식 측정법으로 여타의 자가 보고식 측정도구들과 동일한 한계점을 가지고 있다. 환자가 마음먹기에 따라 이런 저런 식으로 점수를 조작하기가 용이하다. 만약 자신이 어떠한 특정 방식으로 응답할 경우 (예를 들어 치료자를 질책하려는 의도로 자신의 점수를 과장할 경우) 치료자가 어떻게 나올 것인지 시험하기 위해 환자가 악용할 수 있다. 도구 값과 채점비용이 비싸며 특별히 컴퓨터를 사용하여야 한다. 추가적으로, 이 측정법은 정신 역동적 이론으로부터 발전된 것이 아니므로, 정신분석적 정신치료자들에게 특히 중요한 개념들에 새로운 정보를 제공해주지 못한다; 또한 진단을 내리는 작업에 있어 아무런 역할도 하지 못한다. 마지막으로, 본 도구를 뒷받침하는 대부분의 연구는 20세션을 넘기지 않는 단기 치료를 바탕으로 하고 있다.

슈와르츠 결과 척도-10(Schwartz Outcome Scale–10 (SOS-10))

슈와르츠 결과 척도-10 Schwartz Outcome Scale–10 (SOS-10; Blais et al., 1999) 은 개인 및 집단 수준 모두에 있어 결과를 살펴보기 위해 고안된 독특하면서도, 덜 번거로운 측정법이다. SOS-10의 구성은 수많은 숙련된 임상가들과 환자군들로부터 얻어진 통찰을 참조하였다. 성공적 치료와 함께 일어난 변화 (증상 포함)를 찾아내기 위해 숙련된 심리사, 정신과의사 및 신경외과 의사 뿐 아니라 환자를 주시하는 집단들을 대상으로 면담이 시행되었다. 면담 및 주시 집단이 토의한 것은 기록되어 공통 주제를 찾기 위해 검토되었다. 공통 주제들은 최초의 항목 풀을 만들기 위해 사용되었다. 경험적 평가 및 개정을 통해 20개의 잘 들어맞는 항목을 골랐고, 최종 10개의 항목 버전으로 척도를 추려내기 위해 Rasch 분석이 적용되었다. (Blais et al., 1999). 비록 애초의 척도는 성인 (17세 이상)을 대상으로 사용하기 위해 고안되었으나, 최근의 연구를 통해 청소년 인구를 대상으로도 그 유용성이 확장되었다.

SOS-10은 10개 항목으로 0 (전혀 그렇지 않다)에서 6 (항상 혹은 거의 항상 그렇다) 까지의 척도 상에서 점수를 매긴다. 점수가 더 높을수록 심리적으로 더 건강하고 안녕하다는 것을 나타낸다; 낮은 점수는 감정적 고통 및 더 취약한 심리적 건강을 표현한다. SOS-10은 전통적 서면 양식이나 전자 양식으로 시행될 수 있다. 치료 약속을 잡기 이전에 환자가 척도 작성을 완수하는 것이 추천된다. 이를 통해 임상가는 SOS-10이 완료되었음을 확실히 할 수 있고, 세션 이전에 임상적 적응증에 관한 총점을 살펴볼 수 있다.

Owen과 Imel (2010)은 진행되는 임상 치료에 SOS-10을 포함하기 위한 합리적 근거 및 진료 친화적 절차에 대해 그 개요를 서술하였다. 비환자군을 참고 자료로 사용할 수 있기에, 신뢰할만한 변화 색인 및 임상적으로 유의한 호전 둘 다에 대해서 계산 할 수 있다. (Blais et al., 2011). 더 복잡한 치료 유용성 분석에도 적용할 수 있다는 점은 통상적인 치료 결과 모니터 프로그램으로부터 얻어진 정보를 향상시키고, 연구들 간의 결과물 비교를 용이하게 한다.

SOS-10의 점수들은 또한 환자의 정신적 고통이나 심리적 역기능 수준을 살펴보는데 사용될 수도 있다. 10000명이상의 외래 환자로부터 도출된 자료인, 다음의 고통 범위는 유용한 표지자가 될 수 있을지 모른다: 최소 (59-40), 경도 (39-33), 중등도 (32-23), 심각 (22-1). 치료 시작 시에 환자의 고통 수준이 정확히 파악된다면 필요한 서비스의 강도를 명확히 하는데 도움이 될 것이다. (이를테면, 주 간격 개인 정신치료, 주간 다 세션, 혹은 다양한 형태의 치료). 마지막으로 SOS-10 항목들은 정신의학적 증상과 직접적으로 연관된 것이 아니기에, 환자와 더불어 각 항목에 대한 반응을 살펴봄으로써 개인의 강점과 약점을 논의하는데 있어 온건한 방향을 제시해 줄 수가 있다.

SOS-10은 탄탄한 심리검사적 속성을 지녔으며, 강한 내적 일관성 및 검사-재검사 신뢰도를 보인다. 원판 영어 버전 및 번역본을 대상으로 한 여러 연구들에서 SOS-10은 단일 인자성임이 드러났다. 또한 축적된 연구들이 광범위한 심리 기능 평가도구로서의 SOS-10가 지닌 구성 타당도를 뒷받침해준다. (Blais et al., 1999; Haggerty, Blake, Naraine, Siefert, & Blais, 2010; Young et al., 2003). SOS-10은 OQ-45와 유의하게 일치하며, 앞서 논의하였다. (Lambert et al., 1996a, 1996b).

SOS-10의 강점들

SOS-10은 PDM-2의 M, MC, 그리고 MA 축 상에서 환자를 평가함에 있어서, 특히나 환자의 주관적인 안녕감에 대한 전반적 정신 건강의 영향에 대해 평가할 때 임상가들에게 도움이 될 수 있다. 이 도구는 신뢰할 만하며 신속히 환자의 의식적 고통 수준을 평가한다. SOS-10은 또한 굉장히 다양한 치료 양식에 대해서, 치료 초기 변화를 포함하여, 변화에 민감함을 보여주었다. (Hilsenroth, Ackerman, & Blagys, 2001). SOS-10은 정신역동적 정신치료, 변증법적 행동 치료, 난치성 강박 장애에 대한 거주 치료, 보통의 정신과 입원치료 및 보통의 물질 남용 입원 치료 연구에서 결과를 측정하는 도구로 활용되어 왔다. (Blais et al., 2011, 2013). 비록 SOS-10은 상표 등록된 도구이기는 하지만, 본 척도는 임상가나 연구자, 비영리적 건강 돌봄 조직에서 무료로 사용할 수 있다.

SOS-10의 한계점들

SOS-10은 짧은 자가 보고 도구로 인격 장애나 대인관계 기능을 평가하지는 못한다. 이러한 도구들에 필연적인 응답 양식 조작 가능성에 대한 염려로부터 자유로울 수 없으며, 응답 양식을 잡아내는 타당도 척도가 포함되어 있지도 않다. 비록 이 도구는 OQ-45 (위를 보라)에 비해 완료하기 용이한 편이나, 개발 시 참조한 범위가 그에 미치지 못한다.

B. 수행 기반 도구들

로샤 잉크 얼룩 검사(Rorschach Inkblot Test)

로샤 잉크 얼룩 검사에서는 연상들을 불러일으키는 모호한 자극들로 이루어진 10개의 잉크 얼룩 카드 세트를 순차적으로 보여준다. 참가자는 검사자와 나란히 앉아 각 카드에서 보이는 바를 묘사하도록 (이것은 무엇처럼 보이나요?) 지시받는다. 응답자가 자유롭게 답한 각 응답들은 적절한 질문 후, 피험자가 타당하다고 선택한 특징들에 의거해 점수가 매겨진다. 이같은 주된 특징들은 지각적 구성 및 통합 (위치, 발달적 질, 그리고 통합 과정); 카드에 실제로 포함된 특성 (이를테면 형태, 색깔 및 음영); 또는 주관적으로 더한 특성 (이를테면 동작 지각)과 연관된다. 자극들에 주어진 반응의 지각적 적절성 (형태의 질); 표상 내용 (동물, 사람 형상, 해부학적 지각, 성적 양상 등); 및 생각 (반응이 주어질 때의 사고 과정) 역시 평가된다. 각각의 개별적인 양상을 코드화하는 신뢰할만한 채점 기준이 제공된다.

비록 Hermann Rorschach (1921/1942)는 애초에 인격 역동을 평가하고 정신과적 진단을 가다듬기 위해잉크 얼룩 검사를 개발하였으나, 그는 이러한 자극들이 일차적으로 지각 양식 및 인지적 조직화를 측정하는 도구 - 즉 사람들이 정보를 지각하고 가공하는 방식을 평가하는 수단이라고 개념화시켰다.

로샤가 측정하였던 구성 개념들의 범위는 1922년 로샤의 죽음 이후 더 확장되었다. Beck (1937)은 로샤가 애초에 강조했던 지각과 인지 과정에서 크게 벗어나지는 않았으나 다양한 지각 및 정보 처리 점수들을 추가하였다. Klopfer (1937)는 잉크 얼룩 반응의 개별적 및 정신역동적 측면을 강조하면서 주제적 내용을 해석하고 채점하는 기준을 마련하였다. (예, 의존성, 공격성, 통제력에 집착) Rapaport, Gill 및 Schafer (1945–1946, 1968)는 검사에 대한 체계적인 정신분석적 접근법을 공식화시켰고 사고 장애라는 적응증을 대상으로 검사 언어표현을 분석하는 방법을 개발하였다. 같은 시기, Frank (1939)는 이제는 유명해진 "투사 가설"을 제안했는데, 로샤가 응답자에게 사적인 관심사들을 모호한 자극들 위에 투사함으로써 숨겨진 바람, 욕구, 공포 및 동기를 드러내도록 (따라서 "투사 검사"라 일컫는다) 종용했던 것과 유사하게 그는 구조화되지 않은 절차들을 생각해내었다. 초기 역사를 감안하면, 시긴이 흐름에 따라 로샤가 다양한 방식으로 – 즉 지각 과제, 문제 해결 과제, 연상 패턴을 나타내는 지표, 대인관계 과제 (반응들이 시험자에게 주어져야 하기 때문) 및 인격 역동의 측정법으로 보이게 된 것이 놀랍지 않다.

수 십 년 동안 로샤를 갖가지 방식으로 채점하고 해석하는 체계들이 발전되어 나왔다. 1960년대 말에 이르러, 다양한 채점법에 기인한 점수들의 임상적 유용성이나 타당성에 상당한 차이가 발생하게 되자 Exner (1969, 2003)은 이 분야의 문헌들을 조사하고, 가장 확실히 경험적인 뒷받침이 되는 로샤 변수들을 확인하고, 이러한 변수들을 그가 종합 체계 Comprehensive System (CS)라고 명명한, 단일한 지배적 채점 및 해석 체계 속에 합치기에 이른다. 이후 수 십 년간 CS는 가장 널리 사용되고 연구되는 로샤 채점 및 해석 체계가 되어, 인격 및 정신 병리를 평가하는데 폭 넓은 영향을 가지고, 심리 검사 배터리들 중 표준적인 한 부분이 되었다. (Bornstein, 2010).

비록 많은 임상가들과 연구자들이 여전히 CS를 사용하고 있지만, 2011년에는 CS에 대해 붉어져 나온 몇몇 비판 (예, Wood, Nezworski, Lilienfeld, & Garb, 2003)에 대한 응답으로 로샤의 심리검사적 토대를 강화한 대안적 로샤 채점 및 해석 체계가 만들어졌다. 로샤 수행 평가 체계 Rorschach Performance Assessment System (RPAS; Meyer, Viglione, Mihura, Erard, & Erdberg, 2011)는 가장 예측력이 큰 점수들을 식별해낸 CS 변수들을 종합적으로 메타 분석한 결과에 일부 근거하고 있다. (Mihura, Meyer, Dumitrascu, & Bombel, 2013). 비록 CS와 RPAS가 가장 영향력 있는 총괄적 로샤 채점 및 해석 체계로 나와 있으나, 더 좁은 범위의 로샤 지표들을 (이를테면, 사고 장애, 방어 양식, 일차 사고 과정, 대상관계들; Bornstein & Masling, 2005; Huprich, 2006) 산출해 낼 수 있는 기타의 여러 가지 타당도를 인정받고 임상적으로 유용한 방법들이 존재한다.

때로 로샤의 변수들은 두가지 넓은 카테고리 하에 분류된다: 주제 (내용) 변수 (예, 프로토콜 내 구강기 의존적 심상의 비율) 및 구조적 (지각적) 변수 (예, 잉크 얼룩을 해석함에 있어서 응답자가 흔한 세부사항 대 이례적인 세부사항을 강조하는 정도). 하지만, 이러한 두가지 카테고리 사이의 구분은 한때 생각했던 것보다 뚜렷하지 않으며, 임상에서나 법의학적인 예측은 전형적으로 두 가지 점수 유형들에 걸쳐져 있다. (Exner & Erdberg, 2005; Hilsenroth & Stricker, 2004). CS나 RPAS 모두에서 이러한 변수들은 흔히 "구조적 요약"이라고 불리는 표준화된 요약판 위에 요약된다; 대부분의 로샤 해석은 CS나 RPAS 구조적 요약판으로부터의 점수 조합을 분석하는데 근거하고 있다.

로샤 검사를 채점하고 해석하는 일은 복잡하고, 상당 시간의 공식적 수련과 경험을 필요로 한다. 개별적 점수와 더불어, 다양한 비율, 퍼센트 및 기타 산출된 수치들이 로샤 해석에 사용된다. 주어진 평가 상황에서 가장 주목해야하는 특정 결과 변수들은 환자의 특성, 평가 목적, 그리고 의뢰 질문에 의해 결정된다.

로샤 검사는 검사 세션 동안 응답자에게 검사의 목적이나 창출되는 결과물의 유형과 관련하여 최소한의 설명과 피드백만을 제공한 채 친숙하지 않은 작업에 몰두하게끔 요구하기에, 이 검사법은 의식적 인지나 의도적 자가 보고로는 접근이 불가능할지도 모르는 환자의 인격 및 기능적 측면을 평가하는데 유용한 수단이라고 오랫동안 간주되어 왔다. 이를 염두에 둘 때, 심리 평가에서 로샤를 최적으로 이용하기 위해서는 다른 양식의 검사들 상 환자가 수행한 것의 맥락 속에서 점수를 해석할 필요가 있다. 내성법을 통해 접근 가능한 정보와 무의식적이나 암묵적, 또는 반사적으로 행동을 만들어내는 정보들 간의 차이를 조사함으로써 기저의 인격 구조, 대처 방식 및 방어들에 관한 중요한 정보를 이끌어낼 수 있다.

로샤의 강점들

로샤는 PDM-2의 M 및 MA 축 능력을 평가하는데 유용한 도움이 될 수 있다. 적절히 시행되고 점수가 매겨진다면, 로샤는 인격 기능, 무의식적 갈등 및 치료 계획에 연관된 광범위한 심리 영역에 정보를 제공해준다. 아동, 청소년, 성인, 고령의 성인을 평가하는데 유용하다. 또한 정신치료로 인한 변화를 잡아내는데 민감하다. 상당한 임상적, 메타 분석적 증거들이 (Mihura et al., 2013; Weiner, 2003) 아래의 M 축 기능들을 평가하는데 로샤 변수를 사용하는 것이 유용하다고 뒷받침해준다:

- 인지적, 정동적 과정: 자극을 조직화하는 과정 (Z 점수), 현실 검증 (XA%와 WDA%), 사고 과정 (WSum6), 정신증적 양상 (PTI), 우울 양상 (DEPI, MOR), 그리고 정신화 활동 (M).
- 정체성 및 관계: 의존적 성향 (ROD), 대상 표상 (GHR:PHR), 대인 관계 (CDI, SumH, COP, AG), 그리고 친밀 욕구 (SumT).
- 방어 및 대처: 안정 및 상황적 스트레스 조절 및 인내력 (D 점수), 적응 자원 (EA), 불쾌한 느낌 (SumShading), 몇몇 방어적 기능 (람다 지수 및 건강염려적 우려), 충동 및 감정 조절 (WSumC, color ratio, Afr), 그리고 자아 기능 (EII2).
- 자기 인식 및 자기 방향성: 자격에 관한 자기애성양 감각 및 성숙 대 비성숙적 동일시 (H ratio).

증거에 따르면 로샤는, 특히나 언어적 보고로는 대체로 접근이 어려운 심리 과정에 중점을 둔 영역 (예, 현실 검증력, 스트레스 내성, 충동 조절)에 대해 임상 환경에서 예측을 할 때 굉장한 값어치를 지닐 수 있다고 한다. (Meyer & Handler, 1997). 따라서 로샤 점수는 진단적, 치료적 환경에서 타당도 (독특한 예측값)를 더해주는 것으로 나타났다. (Bram & Peebles, 2014; Meyer, 2000; Perry, Minassian, Cadenhead, & Braff, 2003). 더욱이, 로샤 검사에서 도출된 점수들의 심리검사적 속성들은 상당히 탄탄하다. (Bornstein, 2012): 다양한 CS 및 비-CS 로샤 채점방식을 대상으로 재검사 신뢰도를 추정하기 위해 메타 분석 과정을 거쳤고, 로샤 점수의 단기 및 장기 재검사 신뢰도는 양호한 것으로 나타났다. (Grønnerød, 2003, 2006). 다른 연구들에서는 로샤 점수들의 수렴 및 변별 타당도가 입증되었다. (Mihura et al., 2013).

로샤의 한계점들

로샤를 능숙하게 시행하고 채점하고 해석하기 위해서는 (최소한 100시간의) 지도 감독하의 훈련과 경험이 필요하다. 게다가 로샤는 보통 시행에 있어 긴 시간이 걸린다. 검사자 뿐 아니라 환자에 있어서도 노동 집약적이다; 또한 로샤는 매우 기능이 낮은 환자나 검사 시점에 조절력이 부족한 이들에게는 적합하지 않을 수 있다. 이러한 이유와 더불어, 검사 채점이나 해석의 복잡성, 정신역동 이론과 역사적으로 강하게 결부되어 있는 방법론으로 인하여, 로샤는 근래에 이르러 쓰임새가 줄어들고 있다; 설문에 따르면 과거에 비해 수련 프로그램에서의 교육도 덜 한 실정이다.

로샤의 또 다른 한계점으로는 그 해석에 관한 것과 이따금씩 오용되거나 잘못 낙인을 찍는 방법과 관련된다. 비평가들의 주장과는 달리 (예, Wood et al., 2003) 로샤는 진단 도구가 아니다; 검사 점수는 단지 PDM/PDM-2 나 DSM의 증상 및 진단과 간접적으로 연관된 기저의 심리 과정들을 묘사할 뿐이다. 로샤 점수는 감별 진단들을 한정하는데 쓰일 수 있는데, 표면적으로만 유사한 특정 장애들은 대조적인 기저 역동들을 가지고 있기 때문이다. 하지만, 점수들은 (기껏해야) 좀 더 전통적인 진단 선별검사 도구에 부가적인 역할을 할 뿐이며, 그 자체로는 진단 분류를 결정하는데 적절하지 못하다.

주제 통각 검사(Thematic Apperception Test)

주제 통각 검사는 예술가 Christiana Morgan과 정신과 의사 Henry Murray (Morgan & Murray, 1935)에 의해 만들어졌다. Murray (1943, p. 3)는 TAT를 "몇 가지 주된 욕동, 감정, 정서, 컴플렉스 및 인격의 갈등 을 밝혀내는 방법"이라고 표현했다. TAT는 애초에 응답자의 성별과 연령에 맞춰 선별되게끔 의도한 31가지 자극 카드로 구성되어 있다. 하지만, 검사가 개발된 이래로 카드의 유형과 수 모두에 있어서 그 선택에 관한 유연성이 늘어났다. 일부 임상가들은 환자에 무관하게 표준적인 TAT 카드 세트를 고수하기도 하지만, 환자에 대한 임상적 질문에 따라 카드를 선택하는 것은 달라질 수 있다. TAT 프로토콜의 구성에 관한 특정한 규칙 세트는 존재하지 않기에 TAT로부터 도출된 점수의 타당성을 조사하고 그 임상적 유용성을 경험적으로 입증하고자 하는 연구자들은 애를 먹을 수밖에 없었다.

카드는 다양한 대인관계 상황 속에 놓인 한명 내지 여러 명의 인물들로 이루어져 있는데, 그 모두는 자기나 대인 관계 주제의 감정적 교착 상태를 유발하며, "차등적으로 각성"시킨다. (Ehrenreich, 1990). 개개인은 각 그림에 근거하여 시작, 중간, 끝으로 된 이야기를 만들어내도록 지시받는다. 또한 개인들은 등장 인물(들)이 어떻게 생각하고 느끼는지 말하도록 지시받는다.

TAT 해석법에는 두 가지가 있다: 보편적 (경험적으로 검증된 채점 체계를 사용하고 규준 자료와 반응을 비교하는 것) 및 개별 사례적 방법 (개인의 반응을 검사하고, 기저의 인격 구조에 대해 이 반응들이 표현하는 바는 무엇인지 의미를 찾아내는 것). TAT 프로토콜을 해석할 때 두 가지 접근법을 혼합해 사용하는 방식이 임상가들에게 권장된다. (Aronow, Weiss, & Reznikoff, 2001).

TAT 이야기를 평가할 때 가장 흔히 쓰이는 방법 두 가지는 SCORS (Westen, 1991a, 1991b, 1995; 위를 보라) 와 DMM (Cramer, 1991, 2006; 위를 보라)이다. 주요 기여자들이 TAT에 대해 역사적으로 설명한 문헌은 Gieser와 Stein (1999)에게서 찾을 수 있다. Jenkins (2008)는 문헌에서 쓰였던 TAT 척도의 종합적인 핸드북을 만들었다.

임상가들은 이야기 자료를 코드화 시키는 특정 점수 체계 보다는 주제의 내용에 보다 더 주목한다; 일반적으로 임상가들은 카드가 지닌 자극에 의해 반응이 편향된 정도와 더불어 주된 주제에 초점을 맞춘다. (Stein et al., 2014). 반응이 특이하면 특이할수록, TAT 이야기는 좀 더 심한 정신병리나 인격 병리적 양상을 반영하는 것일 수 있다. 또한, 환자가 TAT에 접근하는 방식 (즉 모호하고, 감정적으로 각성시키는 대인 관계 상황에 대한 반응) 및 검사 시 환자가 보이는 행동이 환자의 내부 세계를 이해하는데 유용할 수 있다. (Aronow et al., 2001).

TAT의 강점들

TAT는 쉽사리 관찰되거나 명백히 표현되는 것이 아닌 암묵적인 과정들, 이를테면 사고 과정, 대인관계나 대상관계적 주제들, 주된 정동 및 감정, 방어적 기능 및 심리적 갈등을 평가하는데 유용한 도구가 될 수 있다. PDM-2의 많은 M 및 MA 축 역량들이 TAT를 통해 평가될 수 있다; 하지만, 이러한 역량 중 일부는 다른 것들보다 좀 더 평가가 수월하다. 예를 들어 TAT 이야기의 SCORS-G 평가법은 (방어적 기능만 제외한다면) M 및 MA 축 내에서 다루어지는 대부분의 정신 기능들에 관련한 정보를 얻을 수 있게 해준다. 방어적 기능에 대한 역량은 공식적으로는 DMM (위를 보라)를 통해, 혹은 그러한 기능에 친숙한 임상가에 의해 재량껏 평가될 수 있다. 정동 범위, 대화 및 이해에 대한 역량을 평가하는 일은 상대적으로 쉽게 할 수 있으며 공식적인 코딩 체계가 필요하지 않다. 주제를 확인하기만 하면 여타의 검사 결과 자료들과 기꺼이 비교할 수 있다. 정신치료 과정 및 결과 문헌 속에서 TAT의 임상적 유용성과 값어치를 보여주는 수많은 연구들이 존재하는데 (이를테면, Fowler et al., 2004) 특히나 정신 역동적 치료에서 그러하다.

연구에 따르면 여러 진단군들 (Cramer & Kelly, 2004) 및 다른 성별 간 (Cramer, 2002)에서, 장기적 맥락 (Cramer, 2012)에서 방어 기제를 평가하는 TAT의 유용성은 입증되었다.

TAT의 한계점들

TAT를 시행하는 일은 많은 시간이 소요되며 흔히 어려울 수 있는데, 특히나 참가자가 그림들을 바탕으로 이야기를 구성하고 표현하는데 어려움이 있을 때 그러하다. TAT 카드의 표준 세트가 정해져 있지 않기에, 그리고 널리 받아들여지는 TAT 채점 체계 역시 존재하지 않기에 임상 연구에서 일반화 시키는 데에는 한계가 있다. TAT를 사용하고 해석하는 대다수의 임상가들은 부수적인 장점과 잘 알려진 한계점을 감안한 채 자신의 임상적 판단에 의존한다. 종합적인 채점 체계를 TAT 해석에 사용할 경우, 이는 시간이 많이 소요되며 상당한 수련 과정이 필요하다. 아울러 문화적 감수성이나 구식의 카드 내용에 관한 의문점들이 있어왔다. 이러한 이유와 투사적 기법이 정신 역동 이론에 강하게 결부되어 있다는 이유로, 과거에 비해 심리사들이 TAT를 사용하는 빈도는 줄어들었고, 수련 프로그램에서 교육하는 빈도 역시 줄어든 것으로 설문조사 결과 나타났다.

지금까지 본 챕터에서 소개한 도구들에 대해 PDM-2 평가의 적용성을 표 8.1에 요약하였다.

표 8.1. PDM-2 평가에 대한 다양한 도구들의 적용성

임상가 보고 도구	자가 보고 도구	수행 기반 도구
P축		
PDC-2 및 기타 PDC PDP-2 KAPP OPD-2 (P축 기능 및 인격 구성 수준) PCRS CCRT (인격 양식의 갈등/관계 측면)	MMPI-2 (인격 구성 및 SWAP 인격 양식 측면) PAI MCMI (인격 양식) CRQ (인격 구조의 P축 기능 및 수준)	
M축		
PDC-2 and other PDCs SWAP (PHI and RADIO) PFS SPC SCORS ORI AAI AAP RFS QOR PCRS CCRT DMRS DMM (위의 모든 도구들은 다양한 M-축 역량을 평가하는데 유용할 수 있다)	SIPP-118 IIP TAS-20 (특정 M-축 역량들) CORE-OM OQ-45 SOS-10 (종합적 M-축 수준)	로샤 TAT

C. 치료 받는 환자를 평가하는 도구들

다음에 나오는 도구들은 치료를 평가하고, 환자가 특정 치료자와 어떤 식으로 기능하는지 결정하고, 특정 환경 속에서 환자의 심리 기능 및 건강은 어떤지 직접적으로 평가하는데 유용한 것들이다. 아울러 치료가 진행되며 환자와 치료자가 기능하는 방식의 변화는 심리적 건강 내의 변화를 반영하고 대인관계 기능을 측정하는데 한 축을 이루는 것일 지도 모른다. 물론 치료에 참여하는 두 사람 사이의 기능은 또한 치료자의 전반적인 기술 및 관계 역량, 그리고 특정 환자 개인에게 보이는 기술 및 관계 역량을 반영하는 것이기도 하다. 그럼에도 불구하고, 다양한 연구들은 환자의 특성이 치료 관계 및 결과에 차이가 나는 중요한 역할을 한다는 증거를 보여준다. (Norcross, 2011).

작업 동맹 설문(Working Alliance Inventory)

작업 동맹 설문 Working Alliance Inventory (WAI; Horvath, 1982; Horvath & Greenberg, 1986, 1989, 1994)은 치료적 동맹을 평가하는 목적으로 널리 이용되는 도구이다. 이는 동맹이라는 것이 치료 목표 및 목표 달성에 필요한 작업에 있어 내담자와 임상가 상호간 동의에 수반되는 것이며 참여자들 (환자와 치료자) 사이의 협력을 유지시키는 유대를 형성하는 것과 함께한다고 보는 전(全)-이론적 모델에 기초하고 있다. 이 설문지는 1 (전혀 아니다)에서부터 7 (항상 그러하다)에 이르는 범위를 가지는 7점 리케르트 형 척도로 점수 매겨지는 36 가지 항목으로 이루어져 있다. 설문지는 (1) 목표, (2) 작업, (3) 유대에 대하여 12 항목의 하위 척도 셋을 만들어낸다.

Horvath와 동료들은 3가지 버전의 WAI를 고안하였다: 내담자용 형식 (WAI-P), 치료자용 형식 (WAI-T), 그리고 관찰자용 형식 (WAI-O). 비록 WAI-P나 WAI-T는 치료 세션 마지막에 시행되지만, WAI-O는 정신치료 세션 채록본을 대상으로 채점한다. 여러 가지 축약된 형태 역시 고안되어왔다. 짧은 형식의 WAI-S (Tracey & Kokotovic, 1989)는 12 항목으로 구성되며 두 가지 버전 (내담자 및 치료자)이 이용가능하다. WAI의 짧은 버전은 또한 Hatcher와 Gillapsy (2006)에 의해 만들어져 타당도가 평가되었으며, 널리 사용된다.

WAI-P나 WAI-T의 3가지 하위 척도가 보이는 내적 일관성은 높은 편이며, WAI-O 하위 척도들의 내적 일관성 및 평가자간 신뢰도 값 역시 그러하다. (Horvath & Greenberg, 1986, 1989, 1994).일반적으로 3가지 차원 (유대, 작업, 목표)는 강하게 연관되어 있다. (Horvath & Greenberg, 1989, 1994). 높은 상관관계에도 불구하고 부분적으로 겹치는 차원을 제외하고는 이들은 별개의 것들이다. (Tracey & Kokotovic, 1989)

WAI의 강점들

WAI는 작업 동맹을 측정하는데 있어 내담자나 치료자 또는 참여하지 않는 관찰자가 쉽게 수행하고 빠르게 마무리할 수 있는 타당하고 신뢰할 수 있는 도구이다. 이는 어떤 식으로 동맹이 상호작용하는지 그리고 치료 과정 및 결과에 영향을 미치는지 탐구하는데 흥미를 가진, 모든 이론적 바탕을 지닌 연구자들과 임상가들에 의해 이용되어 왔다. 다양한 연구결과들은 작업동맹과 치료로부터 얻는 이득 사이에 강한 연관관계가 있음을 보여준다. (예, Horvath & Bedi, 2002; Norcross, 2011); 진실로, 환자가 바라보는 동맹 및 초기 세션에서 측정된 동맹은 평가되는 모든 종류의 정신치료에 있어 치료 결과를 예측하는 강력한 인자이자 치료 결과에 기여하는 요소이다.

WAI의 한계점들

모든 버전의 WAI는 거시적 수준에서 치료적 동맹의 질을 측정하며 따라서 환자와 치료자가 함께 관계를 형성해 나가는 방식을 미세하게 분석적으로 조사하여 세션 내에서 치료적 동맹이 요동하는 것을 (이를 테면 동맹이 깨어지고 회복하는 것) 평가하는 데에는 유용하지 않을지 모른다. WAI 점수는 대게의 자가보고 측정법들이 그러하듯 환자가 쉽게 조작하거나 가장할 수 있다.

치료자 반응 설문지(Therapist Response Questionnaire)

이전에는 역전이 설문지 Countertransference Questionnaire로 불렸던 치료자 반응 설문지 Therapist Response Questionnaire (TRQ; Betan, Heim, Zittel Conklin, & Westen, 2005)는 정신치료 중 환자를 향한 임상가의 감정 반응을 평가하기 위해 고안된 79 항목의 임상가 보고이다.

항목들은 상대적으로 구체적인 느낌 (예, "나는 그/그녀와 함께하는 세션들이 지루하다")에서부터 좀 더 복잡한 개념 (예, "대부분의 환자들과 있을 때보다 더, 나는 세션이 끝난 후에야 내가 말려들었다는 것을 깨닫는 느낌이다)에 이르기까지, 치료자가 환자를 향해 표하는 생각, 느낌 및 행동에 관한 광범위한 스펙트럼을 측정한다. 그것들은 역전이 및 관련 변수들에 관한 임상적, 이론적, 실제적 문헌들을 살펴본 것으로부터 도출되었고, 모호한 표현 없이 임상적 경험과 밀접한 명쾌한 용어로 쓰여져, 어떠한 이론적 배경을 지닌 임상가들이라 할지라도 쉽게 이해할 수 있다. 치료자는 1 (사실이 아니다)에서부터 5 (대단히 사실이다)에 이르는 5점 리케르트 척도 상에서 각 항목을 평가하게끔 되어 있다.

TRQ의 요인 구조는 임상적으로 민감하고 개념적으로 통일성이 있는 여덟 개의 감정적 차원으로 이루어져 있다: 압도된/지리멸렬한, 무력한/부적절한, 긍정적인, 특별한/과도히 연루된, 성性화된, 철수된, 어버이같은/보호하는, 그리고 비난받는/학대된. 이러한 척도들은 훌륭한 내적 일관성 및 양호한 기준 타당도를 보인다. 여러 연구들 (예, Colli, Tanzilli, Dimaggio, & Lingiardi, 2014; Gazzillo et al., 2015; Tanzilli, Colli, Del Corno, & Lingiardi, 2016를 보라)은 치료자의 감정적 반응 양식들이 치료적 접근 전반에 걸쳐 환자의 인격 병리와 예측 가능한 방식으로 관련됨을 보여주었으며, 치료적 배경이 어떤 것이든 무관하게 임상가들은 환자에 대한 자신의 감정적 반응을 진단적으로 그리고 치료적으로 사용할 수 있음을 보여주었다.

청소년 버전 TRQ (Satir, Thompson- Brenner, Boisseau, & Crisafulli, 2009)는 86개의 항목으로 이루어져 있으며, 그 요인 구조는 성인 TRQ와 유사하게 6가지 감정 반응 차원으로 구성 된다: 화난/혼란스러운, 따뜻한/충분한, 공격적인/성적인, 실패하는/무력한, 지루한/부모에 화가 난, 그리고 과도히 투자된/ 걱정스러운.

TRQ의 강점들

TRQ는 PDM-2의 P축 및 PA 축 평가에 유용한 도움이 될 수 있다. 이는 임상가들의 감정 반응을 평가하는데 타당하고 신뢰할만한 도구이다. 채점이 쉬우며 임상용도 및 연구용도 둘 다로 사용할 수 있다.

TRQ의 한계점들

TRQ의 주된 한계는 자가 보고 측정법이라면 어떤 것이든 영향을 받을 수 있는, 사회적으로 바람직한 방향으로 치우치게 되는 바이어스나 암묵적인 방어 과정에 영향을 받을 수 있다는 것이다. 임상가들의 감정 반응에 관한 경험적 조사를 시행할 때에는 연구 설계에 있어 다른 측정법이나 다른 관점을 포함한 연구 설계를 포함함으로써 도움을 받을 수 있을 것이다. (이를테면, 외부 관찰자나 지도 감독인의 관점).

정신치료 관계 설문(Psychotherapy Relationship Questionnaire)

정신치료 관계 설문 Psychotherapy Relationship Questionnaire (PRQ; Bradley, Heim, & Westen, 2005)은 치료자와의 관계 속에서 환자의 대인관계 양식을 평가하는 90항목의 임상가 설문지이다. PRQ 항목들은 환자가 치료자를 향해 노출하는 광범위한 생각, 느낌, 동기, 갈등 및 행동들을 측정한다. 항목들은 전이, 치료적 동맹이나 작업 동맹 및 관련된 구성 개념들에 관한 임상적, 이론적 및 경험적 문헌을 살펴봄으로써 도출되었고, 전문 용어 없이 일상의 언어로 쓰여져 어떠한 이론적 접근법을 가진 임상가라 할지라도 사용할 수 있다. 치료자는 각 항목을 1 (사실이 아님)에서 5 (정말로 사실임)의 범위에 이르기까지 5점 리케르트 척도 상에서 평가한다.

PRQ 요인 구조는 임상적 및 이론적으로 응집력 있는 다섯 가지 전이 차원으로 이루어져 있다: 화난/자격을 부여받은, 불안한/집착하는, 안전한/몰두된, 회피적인/반의존적인 및 성性화된. PRQ 척도는 훌륭한 내적 타당도 및 양호한 기준 타당도를 보여주었다. (즉 그것들은 체계적으로 인격 병리와 연관되어 있다.) 아울러 PRQ의 다섯 가지 관계 양식 가운데 네 가지는 AAI에서 식별된 성인 애착 양식과 유사하다. (위의 AAI 논의 부분을 보라)

PRQ의 강점들

PRQ는 PDM-2의 P, PA, M 및 MA 축의 평가 (특히나 M 및 MA 축의 관계와 친밀도에 대한 역량)에 유용한 도움이 될 수 있다. 이는 치료적 관계 속에서 떠오르는 환자의 관계 양식을 평가하는데 있어서 심리검사적으로 탄탄한 도구이다; 이는 직접적인 관찰을 통해 환자의 인격 및 전반적인 관계 역량을 살펴보는 창구를 제공해준다. 시행하기 용이하며 상대적으로 간략한 편이다.

PRQ의 한계점들

PRQ는 임상가 측의 온갖 피치 못할 바이어스들 (역전이)에 영향을 받기 쉽다. 따라서 어떠한 결과물이든 외부의 관찰자가 중복해서 평가를 할 때에 보강될 수 있다.

문제적 경험 연쇄의 동화(Assimilation of Problematic Experiences Sequence)

문제적 경험 연쇄의 동화 Assimilation of Problematic Experiences Sequence (APES)는 동화 모델에 따라 성공적인 정신치료 속에서 문제점들을 극복해 나가는 환자의 경험이라는 발달적 진전을 요약해준다. (Stiles, 2005, 2011; Stiles et al., 1991). 구체적으로 이야기하자면, 이는 문제적 경험들이, 이를테면 외상이나 역기능적 관계들이 환자의 정상적 스키마들 속으로 동화되는 것을 묘사한다. 경험들이 동화되고 나면, 그것들은 더 이상 문제적이지 않으며 삶의 도전 또는 기회와 맞닥뜨리기를 요구할 수 있는 자원이 된다. 예를 들어, 조절되지 못한 채 말이 터져 나오는 경험은 자기주장이라는 역량으로 동화될 수 있다. (Stiles, 1999).

APES는 0-7이라는 숫자가 붙은 8가지 단계에 의해 나눠지는 하나의 연속체로 해석되는데, 이는 자기의 나머지로부터 애초에 문제가 되는 경험이 변화하는 관계로 특징지어진다: (0) 도망쳐진/해리된, (1) 원치 않는 생각/적극적 회피, (2) 어렴풋한 인지/떠오름, (3) 문제 진술/명료화, (4) 이해/통찰, (5)적용/훈습, (6)풍부함/문제 해결, 그리고 (7)통합/숙달. 성공적인 정신치료에서 문제적 경험들은 이러한 연쇄 가운데 어느 지점을 통과한다.

APES의 단계들은 오디오나 비디오 기록물, 채록본, 세션 요약집, 혹은 환자가 만들어낸 자료 등 그 어떠한 임상 자료를 통해서도 평가될 수 있다. 평가자 선별 및 훈련 과정들은 연구들 마다 상당히 달랐으며, 본 도구의 버전은 양적으로나 질적으로나 여러 가지가 존재한다. (일례로는 Tikkanen, Stiles, & Leiman, 2013를 보라)

APES와 증상 강도 측정과의 관계가 연구되어 왔다. 이론적으로 고통의 정도와 증상 강도는 APES 단계에 있어 체계적으로 다양하나, 그 상관관계가 선형적인 것은 아니다. (Stiles, Osatuke, Glick, & Mackay, 2004). 도망쳐지거나 회피하게 되는 문제적 경험들 (APES 0 또는 1 단계)을 안고 치료를 시작하는 환자들은, 그 경험들이 떠오르고 이를 인정하거나 직면함에 따라 기분이 나아지기 전에 더 악화되는 경우가 많다. 가장 강렬하면서 지속되는 감정적 고통은 APES 2단계 (어렴풋한 인지/떠오름)에서 예상된다. APES의 2-6 단계를 거치는 동안의 진전은 고통이 감소하고 (2-4 단계), 그 다음 긍정적인 정동이 증가 (4-6단계)하는 것으로 특징지어진다. 가장 신속한 변화는 3-5단계를 거치는 동안 환자가 문제를 알아차리고, 문제에 이름표를 붙이고, 문제를 명확히 공식화하고; 이해하기 위해 애쓰며; 매일의 일상에서 그 이해를 적용하여 탐구해 나감에 따라 일어난다. APES 6-7단계에서의 공고화 과정은 통합과 정상화와 관련될 것으로 보이며, 문제 해결과 연관된 유쾌한 기분이 감소하는 것과 결부되어 있을지 모른다.

정신역동적 치료에서 뿐만 아니라 여러 이론적 접근법을 아우르면서 알려진 바와 같이, 통찰과 이해는 증상 강도의 감소로서 평가된 정신치료의 결과와 밀접히 연관되어 있다. (Castonguay & Hill, 2007). 따라서 동화 모델을 통해 통상적인 결과 규준을 이해해 본다면 APES 4단계 (이해/통찰)가 고통 및 증상 강도에 있어 가장 큰 감소를 보이는 지점을 나타낸다는 것을 시사한다. 이러한 분석과 일치하게, APES 4단계는 통상적으로 평가할 때 좋은 결과와 나

뿐 결과 증례를 구분할 때 중심축이 되는 것으로 보인다. (Detert, Llewelyn, Hardy, Barkham, & Stiles, 2006).

APES의 강점들

APES는 정신화 및 반영적 기능; 자기 관찰 (심리적 마음가짐); 적응, 회복성, 그리고 강도에 대한 역량으로서 PDM-2의 M, MA 및 MC 차원을 평가할 때 유용할 수 있다. 이는 넓은 범위의 환자군이나 치료 환경에 적용할 수 있다. APES는 OPD 그룹의 관점에서 때로 구조적 변화라고 묘사되는 심리적 변화의 내적 역동을 평가하며 (앞선 OPD 및 OPD-2의 논의를 보라; 또한 Grande, Rudolf, Oberbracht, & Jakobsen, 2001; Grande, Rudolf, Oberbracht, & Pauli-Magnus, 2003를 보라), 통상적인 증상 강도에 기반한 결과 측정법을 능가한다. 이는 심리가 변화하는 과정을 묘사해나가는 것과 결부되며, 광범위한 임상자료에 적용할 수 있다. APES와 본 챕터에서 이미 묘사한 인격 측정법들, 이를테면 SCORS, ORI, 그리고 RFS 사이에는 잠재적 관심사가 많은 부분 중첩된다. APES는 또한 치료 시간 내 환자의 기능을 측정하는 분석적 과정 척도 Analytic Process Scales 와도 중첩된다. (아래를 보라)

APES의 한계점들

일반적인 임상적 용례로는 잘 사용되지 않았던 APES에 맞추어 임상 자료를 평가하기 위해서는 상당 수준의 임상 경험이 요구된다. 실제로 APES는 심리 검사나 도구 그 자체가 아니다. 이 도구에 관한 대부분의 연구는 소규모의 질적 연구들로 이루어져 있다. APES는 발전하고 있는 도구이며, 적용하는 절차에 관한 많은 버전이 존재한다. 비록 모든 버전이 동일한 발달의 연쇄를 묘사하는 것에 목표를 두고 있으나, 한 가지 표준화된 절차는 존재하지 않는다.

정신치료 과정 Q-세트(Psychotherapy Process Q-Set)

정신치료 과정 Q-세트 Psychotherapy Process Q-Set (PQS; Jones, 2000)는 Q-분류법 (Block, 1961/1978)을 통해 평가된 100 문항으로 이루어져 있다. PQS 항목들은 광범위한 정신치료 과정의 차원을 다루는데, 관계적 측면과 기술적 측면 둘 다가 포함된다. 더욱이 PQS 항목들은 환자가 정신치료 과정에서 기여하는 바 (예, Q97: 환자는 자기 관찰을 하며, 기꺼이 내면의 생각과 느낌을 탐구하려 한다); 치료자가 기여하는 바 (예, Q50: 치료자는 환자가 수용할 수 없다고 여기는 감정들, 이를테면 분노, 질투, 흥분에 주의를 기울인다); 그리고 환자-치료자의 상호작용 (예, Q39: 관계에 경쟁적인 질감이 존재한다)을 기술한다.

PQS는 비교나 질적 분석에 적합하게끔 (Jones, 2000) 성인 및 청소년 치료 둘 다의 정신치료 과정을 기술하게 해 준다. 치료 시간의 채록본을 검토한 다음, 100항목의 순서에 따라 임상적 판단이 진행된다. 항목들은 본디 쉽게 조합 및 재조합이 가능하게끔 카드 위에 각각 인쇄되었으며, 최소 (카테고리 1)에서부터 최대 (카테고리 9)까지의 연속선 위에 9가지로 분류하여 쌓아올린다. 이러한 분류는 이제 컴퓨터 프로그램을 통해 좀 더 쉽게 이루어진다. PQS의 점수 매김은, 다른 Q-분류법과 마찬가지로, 선택에 있어서 규칙이 존재하여, 따라서 각 수준에서 점수 매겨지는 항목의 수는 고정되어 있으며 (극단에 위치하는 5 항목에서부터 중간 카테고리를 가지는 18 항목에 이른다.), 대략적으로 정상적 분포를 따른다.

본 도구의 신뢰도는 다양한 이론적 배경을 가진 평가자들 사이에서도 강력한 것으로 나타났다. (Jones, Hall, & Parke, 1991; Jones & Pulos, 1993). PQS 결과는 다양한 배경을 지닌 치료 세션의 채록본을 평가하는데 신뢰할 만 하였으며 치료 형태를 구분하는데도 성공적이었다. 이러한 작업의 예비 결과물에 따르면 정신역동적 치료와 인지행동 치료 표본들에 있어서 더 나은 결과는 인지행동적 측면에 비해 정신역동적 측면들과 연관되어 있었음을 보여주었다. (Ablon & Jones, 1998)

PQS의 강점들

PQS에서 떠오르는 환자-치료자 관계의 초상은 연결됨에 관한 환자의 역량을 평가한다; 이는 PDM-2의 P축 및 PA 축의 평가에 있어 도움이 될 수 있으며, 좀 더 특징적으로는 M이나 MA 축 상에서의 관계나 친밀도에 관한 역량을 평가하는데 도움이 될 수 있다. PQS는 정신치료 과정을 질적, 양적으로 평가할 수 있게끔 해주며, 한 세션이나 일정 치료 시기동안의 전반적인 그림 및 세부적인 그림을 이끌어낸다.

다른 Q-분류법들과 마찬가지로, PQS는 기질에 따라 상방이나 하방으로 점수의 오차가 발생하는 것을 방지해 주며, 환자나 치료자가 치료 과정에 기여하는 바에 대해 다양한 차원으로 평가하는데 근거하고 있다.

PSQ는 정신치료의 풍부함과 복잡성 뿐만 아니라 환자 치료자 관계의 특정한 속성을 잡아내는 데에도 유용할 수 있다. 이러한 반복되는 상호작용을 주의 깊게 알아차리고 이해하는 일은 실제 임상에서 유용한데, 이러한 양상들은 긍정적이거나 부정적인 치료 결과와 결부되어 있을 수 있기 때문이다. (Josephs, Sanders, & Gorman, 2014)

PQS의 한계점들

PQS는 치료를 체계적으로 평가하기 위해, 채록본이 만들어진, 세션의 녹음이 필요하다. 또한 PQS 평가에는 많은 시간이 소요된다. (일반적으로 채록본을 읽고 포함된 세션을 청취하는 것을 포함하여 50분 세션을 평가하는데 90분이 필요하다.) 그리고 긴 수련 기간 (평균 25시간) 이 필요하다. 아울러, 몇몇 치료 형태에 관한 프로파일들은 이제 시대에 뒤떨어진 특정 정신분석적 개념들, 이를테면 중립성, 절제 및 자신의 주관성 표현을 금하는 것을 반영한다고 간주된다. 그 결과, PQS를 이용하여 얻어진 실제의 다양한 프로파일의 효용성에 관한 결과들은 오인될 수 있다.

분석적 과정 척도(Analytic Process Scales)

분석적 과정 척도 Analytic Process Scales (APS; Waldron et al., 2004a) 도구는 1985년 이 작업을 시작한 숙련된 정신분석가들로 이루어진 연구 그룹에 의해 개발되었다. 오디오 녹음 및 채록된 정신치료 세션에 근거, 치료 과정에 대해 각기 다른 차원을 평가하기 위한 32개 척도(0-4점)가 있다. 환자가 치료에 기여한 바는 14개의 척도에 의해, 치료자의 기여도는 18개 척도를 통해 평가된다. 이 척도들 각각에 대한 정의 및 예시는 81 페이지에 달하는 코딩 매뉴얼 속에 종합되어 있다. (Scharf, Waldron, Firestein, Goldberger, & Burton, 2010). APS 코딩 매뉴얼을 통해 지침이 마련된 덕분에 측정은 좀 더 신뢰할 수 있게 된다; 또한 정신치료를 공부하는 학생들에게도 유용한데, 핵심 정신분석적 구성개념의 정의를 임상 증례와 합쳐놓았기 때문이다.

환자 척도는 환자가 자신의 경험을 전달할 수 있는지, 그것들에 관해 반추할 수 있는지, 그리고 치료자나 치료적 관계, 기타 관계에 관련하여 자신의 느낌을 전달할 수 있는지; 애정적 주제나 성적 주제에 관해 의사 표현이 폭 넓은지, 자기 주장이나 공격성, 적개심, 자존감 및 발달상의 경험; 환자가 치료자에게 유용한 태도로 반응할 수 있는지; 그리고 대화에 있어 종합적인 생산성은 어떠한지 그 정도를 평가한다. 즉, 이 척도는 환자의 대화가 얼마만큼 자기 인식 속에서 심화됨을 보이는지, 자신의 감정과 접하는지, 그리고 치료자와 협력할 수 있는지 그 정도에 초점을 맞추는 것이다.

치료자 척도는 다양한 종류의 중재(격려하며 살피기, 명료화, 해석 및 지지); 이러한 중재가 향한 다양한 목표(방어나 저항, 전이 및 갈등); 다양한 주제 영역(애정적 내지 성적인 삶, 자존감 및 발달)에 대해 평가한다. 이러한 척도들은 환자의 감정에 의해 치료자의 대화가 다듬어지는 정도 및 그것이 직면적인지, 우호적인지 혹은 적대적인지 그 정도에 대해 평가할 수 있게 한다. 마지막으로 한가지 척도는 치료자의 중재가 전반적으로 훌륭하였는지 정도를 – 즉 종류, 내용, 언어 및 시기에 있어서 그 적절성을 평가한다

애초에 APS 변수는 각 세션 속 일부분에 적용되던 것이었으나, 주어진 시간에 더 많은 수의 세션들이 연구될 수 있도록 각 세션 전체에 적용되게끔 방식이 확장되었다. 신뢰도는 세션 일부를 평가한 것(Lingiardi et al., 2010; Waldron, Scharf, Hurst, Firestein, & Burton, 2004b) 및 전체 세션을 평가한 것(Waldron et al., 2013)에서 입증된 바 있다. 전체 세션 평가 방식에서는, 측정자가 주어진 변수 상 그 세션 내에 도달한 가장 높은 수준 및 평균 수준 둘 다를 판단한다.

반복적으로 도출된 결론에 따르면 치료자가 한 대화의 전반적인 질 점수가 대화의 특정 속성과 무관하게 이득을 예측하는 가장 강력한 요소였다. (Gazzillo et al., 2014; Lingiardi et al., 2010; Waldron et al., 2004a; Waldron & Helm, 2004).

APS의 강점들

APS는 환자가 치료자와 생산적인 관계를 맺는 능력 및 자신의 정신생활에 대해 숙고하는 능력을 측정하는 수단을 제공한다; 이런 방식으로 M 축 상에서, 이를테면 정동적 범위, 대화 및 이해나 자기 관찰 (심리적 마음가짐)에 대한 역량에 대해 PDM-2 평가를 보조할 수 있다. APS는 환자나 치료자가 정신치료의 역동적 과정에 기여하는 바에 대해, 특히나 치료자가 기여하는 바의 질에 대해 핵심적 차원을 평가할 수 있다. (이는 정신치료에 적용되는 도구들 가운데 드문 특징이다.) 각 세션의 토막을 평가함으로서 시시각각 치료자가 환자에게 하는 대화나 그 역순의 대화에 대한 영향력을 탐구할 수 있다. 이 도구는 가장 직접적으로 치료자의 정신역동적 활동 (격려하며 살피기, 명료화, 해석, 방어에 대해 언급하기 등)을 다루기 때문에, 평가는 치료적 활동 및 환자의 변화 사이에 놓인 연결고리를 탐구하는 일을 촉진시킨다. 따라서 APS 치료자 척도는 연관된 기술적 기여도 및 치료 결과와의 상관관계에 대한 질문에 답을 할 수 있게 돕는다. (Waldron et al., 2013).

APS의 한계점들

APS의 세션 일부 평가에는 시간이 많이 소요되며 (50분 세션에 대해, 부분적 코딩을 하려면 대략 네 시간이 소요된다) 따라서 집중적인 연구를 위해 남겨두는 방식이다. 전체 세션 평가는 시간이 덜 소요되지만 (채록본을 읽는 동시에 듣는 과정을 포함, 50분 세션을 평가하는데 60분이 소요된다.) 치료자의 대화와 환자의 반응 사이의 관계를 세세히 살펴보는데 동등한 수준에 이르지 못한다. APS는 PQS에 비해 널리 사용되지 않고 있다.

역동적 관계 척도(Dynamic Interaction Scales)

역동적 관계 척도 Dynamic Interaction Scales (DIS; Waldron et al., 2013)라는 도구는 오디오로 녹음되고 대본으로 기록된 세션을 바탕으로 하여, 치료 과정의 전반적 관계 측면을 평가하기 위한 12 리케르트 척도 (각각은 0-4점까지 점수가 매겨진다)로 구성되어 있다. 척도는 APS (위를 보라)로 탐색하는 것 보다 좀 더 전반적이면서 관계적인 측면을 기술하기 위해 고안되었는데, APS가 처음 만들어지던 이후로 이 영역이 좀 더 관계적인 방향으로 변화되어 왔고, APS를 이용한 주요 연구 결과에서 치료자의 의사소통 질이 단기간의 이득을 얻는데 강력한 역할을 한다는 것이 밝혀졌기 때문이다. 본 도구의 항목들은 항목을 묘사하는 매뉴얼과 함께 한다.

DIS는 치료자 척도, 환자 척도, 그리고 관계 척도로 나뉜다. 치료자 척도는 치료자가 직설적인지; 따뜻하게 반응하는지; 환자의 대화나 감정 상태에 따라 즉각 반응하는지; 치료자 자신의 주관적 경험 측면을 환자에게 전달하는지; 치료자 자신의 전형적인 관계 및 느낌 패턴과 더불어 원만히 작업하는지, 그리고 환자가 이에 원만히 임하게 돕는지 그 정도를 평가한다. 환자 척도는 환자가 경험함과 반추함을 유연하게 오가는지, 의식적 각성 생활과 꿈 사이에서 유연한 상호작용을 보이는지; 그리고 자신의 전형적인 관계맺음 및 느낌의 양상과 더불어 잘 해나가는지 정도를 평가한다. 관계척도는 환자가 치료자를 공감적이라 느끼는 정도; 환자가 자각을 점차 발전시켜 나가게끔 치료자가 기여하는 정도; 치료자와의 관계를 이해하여 다른 이들과의 관계와 통합하는 정도; 양측이 치료적 관계로 맺어지는 일이 정서적으로 유의한 방식으로 진전되거나 경험되는 정도를 평가한다.

DIS의 강점들

DIS는 정신치료에서 일부 관련된 상호작용적, 대인관계적 측면을 적절하게 평가할 수 있게 해준다. 이에는 PDM-2의 M축과 P 축의 평가에 연관된 문항들이 포함되어 있다. (이를테면, 환자가 경험함과 반추함을 오갈 수 있는 능력의 정도라든지, 좀 더 폭 넓게 자기를 이해하게끔 만들어줄 수 있는 가까운 실제 관계에 참여하는 정도 등) 이 도구는 환자와 치료자 사이의 여러 가지 다양한 실제 관계적 측면을 평가하는데 이점이 있으므로, WAI (위를 참조할 것)에서 배운 바를 확장시켜준다. 이러한 종류의 변수를 측정하는 것은 흔치 않으나, 그 중요성을 시사하는 임상적 증거들은 많다. DIS는 적용하기가 용이하다; (포함된 사본을 듣고 읽으며) 50분 세션을 평가하는 데 55분가량이 소요된다.

DIS의 제한점들

DIS는 새로운 도구이며, 다른 조사자들이 사용하면서 좀 더 광범위한 신뢰도 검사와 수렴 타당도 연구를 한다면 소득이 클 것이다. 사본에 기초한 다른 도구들과 마찬가지로, 시간이 소요되며 믿을 만한 평가능력을 얻기 위해서는 수련이 필요하다.

종합적 정신치료 과정 척도(Comprehensive Psychotherapy Process Scales)

종합적 정신치료 과정 척도 Comprehensive Psychotherapy Process Scales (CPPS; Hilsenroth, Blagys, Ackerman, Bonge, & Blais, 2005)는 20개 문항, 10개의 정신 역동-대인관계적 항목 및 10개의 인지-행동적 항목, 즉 두 가지 일반적 치료 양식 간 경험적으로 구분된다고 알려진 항목들로 이루어져 있다. 치료자나 연구자들은 각 문항을 7점 리케르트 척도 상에서 0 (전혀 특징적이지 않음)에서 6 (극도로 특징적임)까지, 치료 세션의 사본이나 오디오, 혹은 비디오 기록물을 근거로 하여 점수 매긴다.

CPPS의 강점들

CPPS는 다른 치료 방법들을 분간하거나 정신치료에서 사용되는 다양한 기술적 개입을 평가하는데 신뢰할 만하고 쉽게 사용할 수 있는 도구이다.

CPPS의 약점들

CPPS는 환자가 치료 과정에 기여하는 바를 평가하지 않으며, 이를 잘 적용하기 위해서는 특별한 훈련을 요한다.

3부. 임상적 예시: 도구 기반 평가 [1]

배경 정보 및 의뢰 질문들

샬럿은 기본적인 자기 관리나 위생 관리를 못 할 정도의 심한 우울 삽화 이후 휴학한 19세의 대학교 1학년으로, 수업에 출석할 수 없었으며, 자신의 기숙사 방에 틀어박힌 채 동료들과는 최소한으로 교류하고 있었다. 이 삽화는 친숙치 않은 대학 및 사회적 압박과 맞닥뜨리는 동안 장기간 집을 떠나온 일로 인해 처음으로 촉발된 것처럼 보였다. 또한 그녀는 캠퍼스 내에서 필요한 도움을 찾는 것을 내키지 않게 느꼈거나, 도움을 찾을 수가 없었다. 한 학기의 끝 무렵 - 그녀가 낙제를 하고 학점을 이수 못했다는 사실을 가족들이 알게 되고, 학교 행정처에서 그녀의 감정적 위기 상황이 심각함을 가족들에게 알리자, (그녀는 매주 통화에서 이를 감추고 최소화했다) - 그녀는 건강상 휴학을 하고 치료를 위해 집으로 돌아오게끔 도움을 받을 수 있었다.

치료는 다양한 항우울제 및 항불안제 투약과 더불어 매주 내지 격주간의 인지-행동 치료(CBT)로 이루어졌는데, 인지행동 치료의 목표는 행동 활성화 (예를 들자면, 대인관계상의 고립으로 인해 만들어진 우울 고리에 대항할 일상적인 구조 및 활동을 만드는 것) 및 샬럿이 절망감과 무력감을 느끼도록 만들었던 비적응적 생각을 바꾸는 것이었다. 하지만 거의 6개월간의 이런 외래 치료 계획에도 불구하고 그녀의 증상이나 떨어진 기능 수준은 대게 큰 변화가 없었다. 샬럿은 당혹스러운 약물 부작용들로 인해 갖가지 약에 견딜 수 없다고 토로했다; 한편 부작용이 없을 때면, 그 약은 아무런 도움이 안 될 것이라 확신했다. 비슷한 방식으로 그녀는 치료에 대해 계속해서 "의미 없고... 시간 낭비일 뿐"이라 말했고, 치료자(존경받는, 숙련된 고령의 임상가로서 CBT의 전문가)에 대해 "무능하다"고 주장했다. 그녀는 빈번히 늦잠을 잤고 치료 세션을 빼먹거나 지각을 했다. (아침 일찍 약속 시간이 잡힌 것도 아니었다); 그녀는 치료자와 소통하지 않는 것으로 일관했다; 그리고 세션과 세션 사이의 숙제를 해오는 일이 드물었다. 마지못해 숙제를 하겠다고 동의했음에도 불구하고 말이다. 치료가 교착 상태에 빠지자, 그녀를 치료하던 정신과의사와 치료사 둘 다로부터 심리 검사를 통한 평가 요청이 있었고, 그녀의 부모들 역시 이를 지지했다. 평가 목표는 샬럿에게 증상을 유발하게 만든 요인과 기저에 깔린 요인들을 좀 더 완벽히 이해하는 것뿐만 아니라 건설적인 치료 동맹을 맺는데 걸

1 Anthony Bram이 제공. 식별 정보는 출간 증례 자료에 관한 현대적 기준에 맞추어 각색되었다. Bram 박사는 본 임상 사례 평가에 Michelle Stein 박사 (SCORS-G), Kevin Meehan 박사 (ORI), 그리고 Joseph Reynoso 박사 (ORI), 아울러 Kiley Gottschalk 씨와 Oren Lee- Parritz 씨가 기여하였음을 밝혔다.

림돌이 되는 요인들을 이해하는 것에 있었다.

샬럿은 두 자매 중 첫째로, 친부모 슬하에서 성장했는데, 부모는 둘 다 고급 학위를 가진 성공적인 전문직 종사자였다. 우울증, (공황장애를 포함한) 불안증 및 알코올 의존증의 가족력이 있었다. 샬럿은 미세 운동 기능에 있어 경한 발달 지연이 있었고, 지나친 감각 과민성(특히나 촉각 및 청각)이 있었다. 발달 지연이 있다는 것은 학령 전기 및 초등학교 저학년 기간 동안의 작업 치료가 말해주었다. 인지, 발성이나 기타 언어 발달상의 지연은 없었으며, 외상의 과거력도 없었다고 했다. 기질적으로 그녀는 이른 나이 때부터 수줍음이 많고, 내성적이며, 억제되어 있고, 불안하며, 쉽게 과도히 자극받는 것처럼 보였다. 그녀가 3세 무렵, 좀 더 순한 기질을 타고나 부모나 타인과 어우러져 유쾌하고 애정 넘치는 교류를 좀 더 쉽게 하는 여동생이 태어나자, - 샬럿은 "애교를 덜 부리고"애정을 갈구하거나 표현하는 일이 점점 줄어들었다. 아기인 동생에게 두드러지게 적대적이거나 거절적으로 행동한 것은 아니었지만, 샬럿은 자신의 삶에 동생이 출현한 일을 "미적지근"하게 보는 듯 했다고 부모는 기억했다. 돌이켜 생각할 때, 샬럿이 대인 관계에서 더 위축이 되고 감정을 닫아버린 것이 그 무렵이 아니었을까 하고 부모들은 추측했다.

학령기 아동 및 청소년 시절, 샬럿은 비슷한 흥미를 공유하는 몇 안 되는 친구들과 사귀었으나, 적극적으로 새로운 친구들을 찾거나 사귀지는 않았다. 그녀는 춤과 체육 활동에 두각을 나타내고 즐겼다. 중학교 입학 전까지 샬럿은 강하지만 목표의식이 높지는 않는 학생으로 보였는데, 중학교에 들어가면서 그녀는 좀 더 와해되었고, 제때 과제를 마무리하거나 다루는 일에 문제를 보이고, 종종 그렇게 하기를 거부하였다. 그 무렵 시행한 신경심리학적, 심리교육적 검사에서 그녀는 비록 균등하지는 않았을지라도 전반적으로 우수한 지적 능력들을 보여주었다. (아동 웩슬러 지능 척도 Wechsler Intelligence Scale for Children [WISC-IV]의 전반적인 능력 지표는 95 퍼센타일이었으며, 작업 기억 및 처리 속도는 좀 더 평균적인 수준이었다.) 완벽주의와 연관된 실행 기능상의 약점과 불안/회피는 학교 과제를 끈기 있게 조직화하고 완수하는 것을 어렵게 하는데 일조하였을 것으로 나타났다. 그녀가 거부했음에도 불구하고 그녀의 부모는 샬럿을 자그마한 사립학교에 보내 남아있는 중 고등학교 과정을 마치도록 하였다. 새로운 학교는 교과목이나 체육에 대한 압박이 적은 곳이었다; 사교적인 요구는 좀 더 대처해 나갈 만 했다; 그리고 그녀의 실행 기능에 알맞은 도움과 배려를 받을 수 있었다. 그녀의 부모는 샬럿의 인지적 약점이나 도움의 필요성에 관한 주제가 뚜렷이 화제에 오르면 그녀는 줄곧 발끈했다고 말했다. 고등학교 시절, 샬럿의 불안감을 정신치료적인 방식으로 도우려는 갖은 노력들은 오래가지 못했다. 그녀는 "거지같은 토닥토닥 나부랭이 전부 all the touchy-feely crap"를 증오한다며 세션에 참석하기를 두려워하였고 종종 세션을 거부하였다. 그녀의 부모가 다른 치료자나 치료 방법을 찾아보자고 권고했을 때 역시 샬럿은 비슷한 반응을 보였다. 결국 그녀의 부모는 두 손을 들고 이 이상으로 몰아붙이지 않기로 했다. 그녀는 자신의 숙제를 다 해갔고, 탄탄한 점수를 받았으며, 댄스와 체육 수업에 참석했다; 또한 그녀는 고등학교 친구를 여럿 사귀었다. 이러한 사실들로 인해 그녀에게 급히 치료를 찾게 할 명분이 생기지 않았다. 앞서 언급하였듯, 현재의 평가는 샬럿이 대학교에서 학문적, 사교적 요구사항들에 적응하지 못한 것과 연관된 요인들에 대해 좀 더 나은 이해를 얻고자 권고된 것이다. 일견 정확해 보이는 DSM-5 진단 - 주요 우울 장애 및 사회 불안 장애 -을 기반으로 하고 그에 맞춰 개념화시킨 치료들은 그녀를 끌어들이지 못했고 증상을 경감시키지 못했으며 기능을 향상시키지 못하고 있었다. 따라서 평가에 임함에 있어, 현존하는 DSM-5의 증상 기반 관점을 보안할 수 있도록 진단적 관점을 옮기는 것이 중요했다. 특히나 PDM-2식의 접근과 치료 중심 진단 접근 (Bram & Peebles, 2014; Peebles, 2012)을 통하여 대안적이고 보완적인 값어치 있는 토대가 마련되었다. 그러한 접근법을 통해 샬럿의 증상을 만들어내고 이끄는, 기저에 놓인 암묵적인 요인들 - 다시 말해 인격 스타일과 구조, 자아 기능 (즉 구조적인 장단점을 가진 영역들) 및 정신내적 갈등이 존재할만한 영역들 - 을 명확히 하는 것에 진단적 초점이 옮겨졌다. 또한 작업은 샬럿으로 하여금 치료적 동맹을 맺지 못하게끔 작용하는 요인들을 이해하기 위한 것이기도 했다.

측정 및 방법들

평가는 수행 기반 방식, 자가 보고 측정법 및 주변인 보고 측정법을 합친 것으로 이루어졌다.

- 수행 기반 측정법: 웩슬러 성인 지능 척도 3판 Wechsler Adult Intelligence Scale—Third Edition (WAIS-III) 가운데 선택된 일부 하위 검사; 로르샤흐 Rorschach (종합적 체계와 함께 시행되고 채점됨); 주제 통각 검사 Thematic Apperception Test (TAT, 사회적 인지 및 대상관계 척도 전반적 평가 방법 Social Cognition and Object Relations Scale Global Rating Method [SCORS-G] 및 Symons, Peterson, Slaughter, Roche, Doyle의 [2005] 정신 상태 담화 평가법 mental state discourse measure과 함께 채점); 그리고 대상관계 설문 Object Relations Inventory (ORI, 분화-관련성 척도 상 채점됨).
- 자가 보고식 측정법: 미네소타 다면적 인성검사-2 Minnesota Multiphasic Personality Inventory–2 (MMPI-2); 토론토 감정표현불능증 척도-20 Toronto Alexithymia Scale–20 (TAS-20); 외상 과거력 설문지 Trauma History Questionnaire (Hooper, Stockton, Krupnick 및 Green, 2011); 벡 우울 설문-II Beck Depression Inventory– II (BDI-II; Beck, Steer 및 Brown, 1996); 그리고 우울 경험 설문지 Depressive Experiences Questionnaire (DEQ; Blatt, D'Afflitti 및 Quinlan, 1976).
- 주변인 보고식 측정법: 발달 설문 Developmental questionnaire (부모에 의해 완성); Shedler-Westen 평가법-200 Shedler-Westen Assessment Procedure-200 (SWAP-200; 의뢰한 치료자에 의해 완성).

평가에 근거한 진단적 개요

구조적 약점들과 방어들

샬럿은 자신에 대해 심하게 취약하거나 고통을 겪고 있다고 표현하거나 내색하지 않았고, 오히려 건강하고, 밝고, 활발한 젊은 여자라고 내세웠기에, 그녀가 휴학을 할 수밖에 없도록 만든 기능상의 난제들이 지닌 심각성이나 그 속성에 대해 가족이나 치료자가 납득하기는 어려웠을지도 모른다. 평가 자료들에 따르면 그녀의 감정 및 행동 상의 어려움들은 기저에 놓인 특정한 미발달 심리 역량들(즉 구조적 약점들이나 결손들)의 총체에 기인한 것이었으며, 아울러 비적응적 성격 양상의 일부가 되어버린 방법들로 그것들을 벌충하고 그럭저럭 처리하려 학습해온 점에 기인한 것이었다.

샬럿이 보인 가장 심각한 구조적 약점 영역은 정동의 조절과 관련되어 있었다. 이는 그녀가 참을 수 없는 것으로 느껴지는 감정들에 쉽게 압도되어, 생각하기가 힘들어지고 무력해지는 상황으로 잘 나타났다. 이러한 감정 반응의 강도는 지적인 측면으로나 신체/운동 능력상으로나 대단히 유능한 젊은 여자에게는 분명 혼란스럽고 이질적인 것으로 느껴졌을 것이다. 중요한 점으로, 정동 조절에 있어서 그녀의 취약점은 감정을 잘 인지하지 못하거나 느낌을 말로 표현하지 못하는 부분에서는 덜한 편이었고, 감정을 오롯하게 느끼는 능력, 그 감정에 견디는 능력, 그리고 그 감정을 다루기 위해 어떻게 해야 하는지를 아는 능력에 좀 더 치우쳐져 있었다. 그녀는 감정에 대해 생각하거나 이야기하는 일 (이를테면 감정을 전후사정에 맞춰 헤아리고, 감정에 대해 새로운 관점을 얻고, 타인이 어떤 식으로 도와줄 수 있을지 신호를 보내는 일)이 감정을 처리하고 조절하는 잠재적인 방법이라 생각하지 않은 반면, 자신에게 휘몰아치는 불쾌한 경험이나 무력감을 불필요하게 다시 자아내는 위험성이 있는 것으로 느꼈다. 그녀는 끊임없이 감정들을 차단하고 최소화하려 노력했으나, 현재의 자료에 따르면 그녀가 계속해서 불안, 분노 및 다양한 기분들과 씨름하고 있음이 드러났다.

그 밖에 심리적인 약점으로 확인된 주요 영역은 대인 관계에 있어 기본적인 신뢰감의 미발달과 관련되어 있었다. 타인과의 관계 및 상호작용이 만족을 주고 일상을 유지해 나가게 하는 근원이 된다는 안정된 느낌을 그녀는 아직 내재화시키지 못한 채로 있었다. 그녀는 타인과 가까워지는 일을 경계했고, 타인이 가지고 있을지도 모르는 적대적 의도에 마음을 놓지 않았으며, 타인의 말이나 행동을 그런 식으로 잘못 인지하거나 해석하는 경향이 어느 정도 있었다. 아울러 그녀는 사람들과 가까워지는 일을 막고 있는 것으로 추정하는 것이 합당해 보였는데, 이는 감정적 취약성을 공유하는 것과 연관되어 있었기 때문인데, 앞서 설명한 바와 같이 그녀는 그것을 위협으로 느끼고 있었다.

평가로부터 얻어진 자료들에 따르면 샬럿은 구조적으로 취약한 이런 영역들을 다루는, 고착되고 습관적인 방식들을 고안해 왔던 것으로 보였다. 이러한 방식들은 (1) 자신의 인지 밖으로 감정을 몰아낸 채 머물고, 자신이 취약하다는 경험을 최소화시켜 말하려 하며 (2) 조심스럽게 그녀 자신에게 안전하다고 보이는 대인관계의 거리를 유지하며 개인적인 경계를 보호하려는 지속되고 자동적/반사적인 노력을 수반하였다. 특히나 그녀는 위축, 최소화, 합리화 (감정에 대해 고려하고 논의하는 것에 대해 "그게 필요하다고 느끼지 않아"), 외재화 (고통이 타인에게 있거나 타인으로 인해 초래되는 것으로 바라봄) 및 잠재적인 위협으로 보이는 타인 (아마도 그녀는 그들에 대해, 긍정적이건 부정적이건 강한 감정적 연루 가능성을 품은 것으로 느꼈기 때문일 것이다)에 대한 무시/평가절하로 두드러지는 방어 양식을 만들어왔다. 이러한 양식은 자기 보호, 일정 부분 유능감, 조절감 및 안정감을 보존하는 목적을 띄었다. 그럼에도 불구하고 이는 부적응적이었는데, 왜냐하면 다른 것들 사이에서 이는 그녀의 창조성이나 자발성, 문제 해결 선택권, 필요함의 표현 및 깊은 대인관계/감정적 몰입에서 따라오는 만족을 제한하였기 때문이다.

감정 조절

현 자료에 의하면 샬럿의 감정적 위축 및 대화가 힘든 양상은 (1) 감정 조절의 핵심 능력이 덜 개발되었거나 빈약한 것 및 (2) 아마도 자기 보호에 대한 보정적인 노력을 넘어 형성되었을 뿌리 깊은 인격 양상의 복잡한 혼합물로 개념화될 수 있다. 전자는 샬럿이 내면에서 강렬하거나 복잡한 감정들로 넘쳐나게 되어버리는 경향으로 나타난다. 즉 그녀는 감정들에 휘저어질 때, 대처하거나 문제를 해결하려 애를 쓰면서 자신의 상위 인지 기능에 접근하는 일이 힘들었고, 더욱 혼란스러워하거나 비논리적 사고에 빠지기 쉬웠으며, 상황이나 사람에 대해 오해해 버리기가 더 쉬웠다. (아래의 "추론 및 현실 검증력"을 보라) 그녀가 인지하였든 그렇지 못하였든 간에 분노는 불안의 원천이었으며 특히나 인지 능력들을 붕괴시켜버리는 것이었다. 심각하게도, 샬럿은 불안 및 고통을 느끼는 상태 나 불쾌감이 건설적으로 해결될 수 있다는 내적 감각이 거의 없었다. 평가 동안 이는 그녀의 TAT 이야기에서 가장 명백히 드러났는데, 그녀는 감정적 긴장 상태를 해소하기 힘들어 하였다; 대신 그녀는 캐릭터들이 쓸모없음을 토로하거나 무기력함, 우유부단함, 혹은 중단해 버리는 것을 표현함으로써 이야기를 끝맺었다: "... 어째서 내가 심지어 노력을 하고 있지?", "이제 뭘 해야 할까?", "... 앞으로 그녀가 뭘 해야만 할지 의문인데...", 그리고 "그녀는 자러 갈 것이야."

비록 샬럿이 자신에게 영향을 끼치는 감정에 대해 때때로 알아차리지 못하고, 따라서 그 감정들에 이름을 붙이는 일에 어려움을 겪는다는 몇 가지 증거들이 존재하기는 하지만, 다행스러운 점은 아마도 그녀가 살아온 삶으로부터 나왔을 법한 감정적 어휘들을 그녀는 실제로 훨씬 더 풍부하게 마련해 놓고 있었다. 가장 주목할 만한 점으로, 그녀의 TAT 반응 중에서 (대부분은 자발적으로 표현되었으며, 부가적인 암시가 필요치 않았다) 그녀는 고통스러운 감정 상태 (이를테면, 슬픔, 혼란, 실망, 공포, 외로움) 뿐만 아니라 유쾌한 범위에 속하는 것들 (이를테면, 행복, 즐거움, 사랑, 만족)도 표현할 수 있다는 것을 보여주었다. 이는 그녀가 TAS-20의 설문에서 보인 반응, 즉 놀랍게도 그녀가 "나는 나의 감정을 쉽게 묘사할 수 있다."는 항목에 그렇다고 답한 일과 일치하는 것이었다. 그녀는: "나는 그렇게 할 수는 있다... 많은 상황 속에서... 그저 그러길 원치 않을 뿐... 왜냐하면, 그럴 필요를 느끼지 못 하기 때문이다."라고 덧붙였다. 이는 중요한 단서였다: 그에 따르면 그녀가 감정 조절에 어려움을 겪는 일은 (비록 감정 강도가 고조된 순간에는 그리 하기가 훨씬 더 힘들어질지는 몰라도) 대게 감정 상태를 느끼지 못하거나 식별하지 못한다는 점에 기인하는 것이 아니었다. 오히려 이러한 능력이 있음에도 불구하고, 그녀는 감정에 의해 놀라게 되는 쪽이었으며, (McCullough et al., 2003의 용어로는 "정동 공포") 실제로 감정들은 휘몰아쳐 그녀를 불안정하게 만들 수 있었다.

감정들로 인해 불안정해지기 쉬운 샬럿의 취약성으로 미루어 볼 때, 그녀가 느끼는 바를 자신의 인식이나 말로부터 강하게, 습관적으로 몰아내는 방식을 만들어내었다는 것이 납득이 간다. 감정을 회피할 때 실제로 그녀의 인지적 기능이 더 나아졌다는 사실을 검사 자료들은 확증해 주었다. 따라서 그녀가 위축, 최소화, 합리화, 외재화 및 해산/평가절하를 통해 감정의 인식과 표현을 밀어내려는 목적의 이러한 양식을 고안해내어 왔다는 것은 심리적으로 그럴 듯 해 보인다. 감정을 몰아내려는 노력은 그녀로 하여금 더 큰 조절감, 유능감, 그리고 안전한 대인간의 거리를 경험할 수 있게 하였다. 하지만 이렇게 고착된 자기 보호 패턴은 그녀의 창조성, 자발성, 큰 그림을 보는 능력, 욕구를 표현하는 일, 그리고 인간관계 맺음의 깊이를 반대 급부로 내어놓아야 하는 한 결과적으로 또한 비적응적이었다.

자기와 타인들에 대한 경험

"가면", "갑옷", "헬멧"그리고 "방패"로 지각한 로샤 그림들은 그녀가 자기 보호를 중요시하고 자신 내부의 경험 및 취약성을 남들로부터 감추려는 것을 우선시함을 말해준다. 물론 샬럿이 다른 사람들에 무관심한 것은 아니었을지라도, 그녀는 타인과 감정적으로 가까워지는 것을 고도로 경계했다. 그녀가 몰두하는 어떤 주제가 있을 경우 그녀는 특별한 관계로 가는 "지점"이 된다고 믿었다. 그럴 때면, 그녀는 압력을 받거나 위협 받는 것처럼 느끼지 않았고, 일부 상호간의 소통, 균형 잡힌 조망, 생각을 나누는 즐거움, 그리고 유머 감각을 보일 수 있었다. 하지만 그녀는 자신이 진심으로 받아들이고 신뢰하는 이에 대해 경계했다. 샬럿은 타인들을 침습적이라 느끼는데 역치가 낮았으며, 주의깊게 자신의 대인관계 경계를 지켰다. 이러한 경계심이야 말로 그녀가 대학에서 학문적으로 필요한 도움이나 집행 기능에 있어 필요한 도움을 구하는데 머뭇거리게 만들었을 뿐 아니라 치료자를 이용하는데 어려움을 겪게 만드는 핵심이었다.

추론 및 현실 검증력

검사 결과 샬럿은 논리적으로 추론하고 상황을 정확히 지각하는 능력에 심각한 약점이나 만연한 약점은 보이지 않았다. 상황이 좀 더 잘 구조화되어 있을 경우 (예컨대, 예상이 명백하거나 예측 가능할 경우, 외부로부터의 모니터링과 피드백이 제공될 경우, 그리고 그녀가 손수

무언가를 이해하고 조직화해야할 필요가 적을 경우), 감정적으로 덜 성가시고 격하지 않을 경우, 사람을 상대해야할 요소가 적을 경우 그녀의 추론과 현실감은 좀 더 탄탄한 바탕 위에 놓여있었다. 앞서 시사한 바와 같이 ("감정 조절"을 보라), 상황이 좀 더 복잡하고 감정이 실릴 경우 – 특히나 그녀가 화가 나거나, 불안하거나, 어떤 방식으로든 위협을 받는다고 느낄 경우 – 이러한 심리적 역량들은 일시적으로 악화될 수 있었다. 특별히, 그러한 상황 하에서 그녀의 추론능력은 좀 더 혼란에 빠지거나 비논리적이 될 수 있었는데, 어떤 상황에서 지나치게 적대적인 의미를 읽어낸다든지, 이치에 맞지 않는 방식으로 자신의 생각을 연결시켜 불안정한 결론을 도출시킨다든지 하는 식이었다. 유사한 경우들에서 그녀가 상황이나 사람을 지각하고 경험하는 것은 더 왜곡될 수 있었고, 타인이라면 동일한 상황에서 그리 느끼지 않았을 위협을 찾아내는 방향으로 종종 향했다.

치료 적용

샬럿에 대한 주된 치료 작업은 그녀로 하여금 (1) 자신의 느낌을 견디고 말로 표현하는 능력을 개발하도록 돕고, 느낌의 강도를 줄이고 좀 더 성공적으로 다루기 위해 그녀가 할 수 있는 일들을 가르치며; (2) 친밀함을 좀 더 편하게 그리고 더 강하게 신뢰할 수 있는 느낌을 내재화시키고; (3) 위축되고, 불신하며, 회피하는 그녀의 방어 양식이 치르는 대가를 인지하고 이를 수정하게끔 돕는 것이다.

이러한 목표를 중심으로 하는 치료적 동맹은 쉽게 얻어지지 않으며 시간이 필요하다. 이전 외래 치료에서 그녀는 어려움을 겪었기에 – 기저의 불신과 정동 공포증에 기인했을 것이다 – 감정을 회피하고 대인관계에서 물러나려는 경향을 누그러뜨리기 위한 입원 치료가 처음에는 필요했다. 외래에서 한명의 전문가가 볼 때 그녀로 하여금 접근케 하고 수용케 하기가 어려웠던 것들을, 그녀가 치료적 환경 속에서 생활하고 참여함으로써 좀 더 인정하고 지지받고 피드백을 받을 수 있게 되리라는 바람 때문이었다.

입원 치료 프로그램 내의 정신치료적 접근 방식 및 이어지는 외래 치료의 접근법과 관련해서, 현재까지 평가된 바에 따라 샬럿과 그녀의 가족, 그리고 그녀의 치료 팀들이 고려해 볼 수 있는 여러 가지 (상호 배타적이지 않은) 선택지들이 제시되었다. 한 가지 선택지는 그녀로 하여금 특정한 감정이나 주제가 신체적인 긴장 상태와 연관됨을 알게 해주고, 긴장을 조절하고 해소하기 위해 그녀가 완고하게 세워놓은 전략들을 깨닫게끔 도와주는 바이오피드백을 포함하는 치료였다. 발상인 즉 그녀가 느끼는 바를 좀 더 견딜 수 있게 만든다면, 현재 그녀에게 결여되어있는 그 느낌들에 숙달되는 경험을 할 수 있으리라는 것이었다. 또 다른 선택지로는 안정된 구성원으로 이루어진 정신치료 집단 및 기술에 초점을 맞춘 방식과 과정에 초점을 맞춘 방식을 적절히 섞은 것을 들 수 있었는데, 이는 샬럿의 취약성을 잘 조율하고 그녀가 기대하는 바와 참여 속도를 조절하는데 능동적인 역할을 할 수 있는 숙련된 치료자가 이끌어나가야 한다. 입원 환경을 권고했던 것과 마찬가지로, 집단적 방식은 그녀가 타인을 대하는 관계 양식이 미치는 영향에 대해 피드백을 제공하고 직면 시킬 수 있을 뿐만 아니라 감정을 드러내고 문제를 해결함에 있어 동료를 모방할 수 있는 기회를 제공할 수 있다. 마지막으로, 그리고 아마도 그녀가 수락하기 가장 어려운 선택지로 장기간, 주 수회 빈도의 관계 집중적 정신치료 또는 정신분석이 있을 것이다. 이 또한 세심하게 속도를 조절하고, 때로는 천천히 진행해 나가야만 할 필요가 있으며, 특히나 치료자는 그녀가 위축되고 방어적이 되는데 이유가 있음을 인지하고 이를 존중해야 한다. 이 작업은 샬럿에게 서둘러 감정을 개방하라고 종용하지 않는 대신, 서서히 신뢰를 쌓고; 그녀의 강점이나 관심사를 알아내고, 논의하고, 긍정하며; 명랑하게 하고, 취약성에도 초연해질 수 있게 하며, 호기심을 느끼고, 스스로를 인식하게 하여 이를 북돋아나가는 것이다. 시간이 흐름에 따라 만남이 쌓이고 관계에 있어 안정감이 자라나면, 샬럿과 치료자 간에 지금-그리고-여기에서의 (긍정적이든 부정적이든) 감정들, 즉 견디고, 반영하고, 논의할 감정들이 교류할 기회가 늘어날 것이다. 다시 말하자면, 이는 그녀로 하여금 신뢰와 친밀함에 대한 불안과 씨름하는데 도움을 줄 뿐만 아니라, 좀 더 암묵적으로 실제 조건에서 감정을 다루고 표현하는 방법을 배우는 계기가 될 것이다.

PDC-2 및 기타 도구들을 이용한 증례 공식화에 대한 증거

샬럿에게 시행하여, 그녀의 모든 PDM-2 프로파일이 드러난 PDC-2의 완결본은 Figure 15.1에 실려있다. 이어지는 묘사들은 다른 검사 자료들로부터 얻은 점수들이 어떤 식으로 PDC-2의 일부 섹션에서 통합이 되는지 보여준다. 따라서 이는 PDC-2가 본 챕터에서 설명한, 샬럿의 내적 삶, 갈등 및 방어를 깊고 풍부하게 묘사해 주는, 다른 여러 가지 도구들에 의해 어떻게 보충될 수 있는지 설명할 것이다.

섹션 I: 인격 구조의 수준

1. **정체성**: 자기 자신을 복잡하고, 안정적이며, 정확한 방식들로 바라보는 능력 7
    - ORI, 분화-관련성, 자기-묘사 = 10점 척도 상 7점: 생각, 느낌 및 욕구가 분화되고 조율됨. 서로 다른 자기의 측면들을 통합하고 견디는 것이 증대됨.
    - SCORS-G, 정체성 및 자기-응집성 = 7점 척도 상 4.9점 (대학생 평균을 상회함): 정체성이나 자기-정의가 주된 관심사가 아님.

정신진단 차트-2 (PDC-2)

정신역동 진단 차트-2, 성인 버전 8.1

이름: 샬럿 나이: 19 성별: 여성 인종: 백인 북아메리카인

평가일: xx / xx / xx 평가자: 심리사

섹션 I: 인격 구성의 수준

인격 구성의 수준을 결정할 때에는 환자의 정신 기능을 고려하라. 다음의 네 가지 정신기능을 확인하여 효율적으로 인격 구성의 수준을 정하라. 각 정신 기능을 1점 (심각히 저하됨)에서 10점 (건강함)까지의 척도 상에서 평가하라.

심각함 중등도 건강함

1 2 3 4 5 6 7 8 9 10

1. **정체성:** 자신을 복합적이고, 안정적이며, 정확한 방식으로 바라보는 능력 7
2. **대상관계:** 친밀하고 안정적이며 만족스러운 관계를 유지하는 능력 3
3. **방어 수준** (아래의 지침을 이용하여, 한 가지 숫자를 고르시오): 4
   1 – 2: 정신증적 수준 (망상적 투사, 정신증적 부정, 정신증적 왜곡)
   3 – 5: 경계성 수준 (분리, 투사적 동일시, 이상화/평가절하, 부정, 행동화)
   6 – 8: 신경증적 수준 (억압, 반동형성, 지식화, 전치, 취소)
   9 – 10: 건강한 수준 (예상, 자기 주장, 승화, 억제, 이타주의 및 유머)
4. **현실 검증력:** 무엇이 현실적인지 보편적인 개념을 인지하는 능력 7

총체적인 인격 구성

평가 결과 및 당신의 임상적 판단에 따라, 환자의 총체적 인격 구성을 나타내는 점수에 동그라미를 치시오.

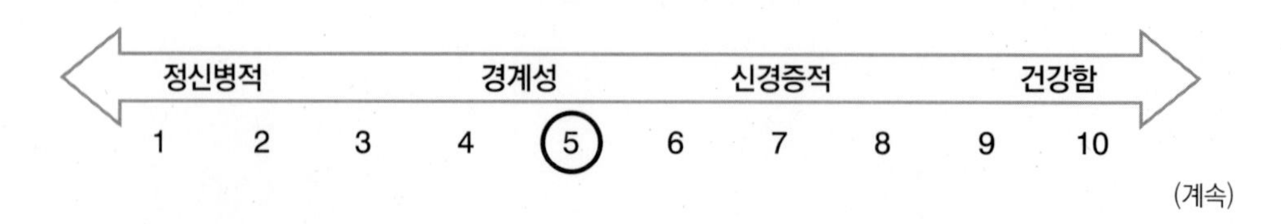

(계속)

표 8.1. 샬럿에 대한 완성된 PDC-2

건강한 인격: 대게 9–10점으로 나타남; 삶의 문제에 속수무책인 경우가 드물며, 도전적인 현실을 담아낼만한 충분한 유연성이 있음. (고기능 신경증적 수준에 있는 사람이라면 9점을 줄 것)

신경증적 수준: 대게 6–8점으로 나타남; 기본적으로 양호한 정체감, 양호한 현실 검증력, 대게 양호한 친밀감을 지님; 괜찮은 회복력, 괜찮은 정동 인내력 및 조절력; 방어 및 대응 기제가 경직되어 있거나 제한적인 범위에 있음; 억압, 반동형성, 지식화, 전치 및 취소와 같은 방어기제를 선호함. (경계성 및 신경증적 수준 사이를 지나는 사람이라면 6점을 줄 것)

경계성 수준: 대게 3–5점으로 나타남; 반복되는 관계 문제; 정동 인내력 및 조절 능력의 어려움; 불량한 충동 조절; 불량한 정체감. 불량한 회복성; 분리, 투사적 동일시, 이상화/평가절하, 부정, 전능적 조절 및 행동화와 같은 방어를 선호함.

정신증적 수준: 대게 1–2점으로 나타남; 망상적 사고; 불량한 현실 검증력 및 기분 조절; 일이나 인간관계의 기능이 극도로 어려움; 망상적 투사, 정신증적 부정 및 정신증적 왜곡과 같은 방어를 선호함 (정신증과 경계성 수준 사이를 지나는 사람일 경우 3점을 줄 것)
(카테고리들 간 뚜렷한 절단선은 없음. 임상적 판단에 따를 것)

섹션 II: 인격 증후군 (P 축)

이는 상대적으로 안정적인 사고, 느낌, 행동 및 대인 관계 양상을 뜻한다. 정상 수준의 인격 양상은 손상을 수반하지 않으나, 인격 증후군이나 장애의 경우 신경증, 경계성, 또는 정신증적 수준의 손상을 수반한다.

아래의 리스트로부터 적용할 수 있는 가능한 많은 인격 증후군을 체크하시오; 그리고 가장 주된 한 두 가지 인격 양상에 동그라미를 치시오. 없다면 비워두시오.
(연구 목적이라면, 모든 양상에 대해 1–5점 척도를 사용하여 심각성 수준을 체크할 수도 있다: 1= 심각한 수준; 3= 중등도 심각성; 5=고기능)

	심각도 수준
☐ **우울성**	___
아형:	
• 내사적	
• 의존성 (아나클리시스의)	
• 역전된 발현 양상: 경조증	
☐ **의존적**	___
아형:	
• 수동–공격적	
• 역전된 발현 양상: 반의존적	

(계속)

표 8.1. (계속)

심각도 수준

☐ **불안-회피 및 공포증적** ___

아형:

- 역전된 발현 양상: 역공포증적

☐ **강박증적** ___

☑ **분열성** 4

☐ **신체화성** ___

☐ **히스테리-연극적** ___

아형:

- 억제된
- 표현적인

☐ **자기애적** ___

아형:

- 공공연한
- 은밀한
- 악성의

☑ **편집증적** 3

☐ **사이코패스적** ___

아형:

- 수동-기생적, "사기꾼"
- 공격적

☐ **가학적** ___

☐ **경계성** ___

섹션 III: 정신 기능 (M 축)

아래 12가지 정신 기능 각각에 대해 환자의 강점 또는 약점 수준을 1에서 5점 척도 (1=심각한 결손; 5=건강함) 상에 평가하시오. 그 다음 12가지 심각도 수준 평가 점수를 합하시오.

심각한 결손	주된 장애	중등도 장애	경한 장애	건강함
1	2	3	4	5

(계속)

표 8.1. (계속)

- **인지 및 정동 과정들**
  1. 조절, 주의 및 학습 역량 3
  2. 정동 범위, 의사소통 및 이해에 관한 역량 2
  3. 정신화 및 반영적 기능 역량 3
- **정체성 및 관계**
  4. 분화 및 통합 (정체성)에 관한 역량 4
  5. 관계 및 친밀도에 관한 역량 2
  6. 자존감 조절 및 내적 경험의 질 3
- **방어 및 대처**
  7. 충동 조절 및 통제 4
  8. 방어 기능 2
  9. 적응, 회복력 및 강도 3
- **자기 인식 및 자기 방향성**
  10. 자기 관찰 능력 (심리학적 마음가짐) 2
  11. 내적 규준 및 이상을 구성하고 사용하는 능력 3
  12. 의미와 목적 3

인격 심각도의 총체적 수준 (12 정신 기능의 합): 34

[건강한/최적의 정신 기능, 54 – 60; 몇몇 어려움을 겪는 영역이 있으나 적절한 정신 기능, 47 – 53; 정신 기능의 경한 장애, 40 – 46; 정신 기능의 중등도 장애, 33 – 39; 정신 기능의 주된 장애, 26 – 32; 기본적 정신 기능의 유의한 결손, 19 – 25; 기본적 정신 기능의 주된/심각한 결손, 12 – 18]

섹션 IV: 증상 양식 (S 축)

주된 PDM-2 증상 양식들 (정신증적 장애, 기분 장애, 일차적으로 불안과 연관된 장애, 사건 및 스트레스 요인과 연관된 장애 등)을 열거하시오.

(필요시 DSM이나 ICD 증상 및 코드를 여기에 사용할 수 있다.)

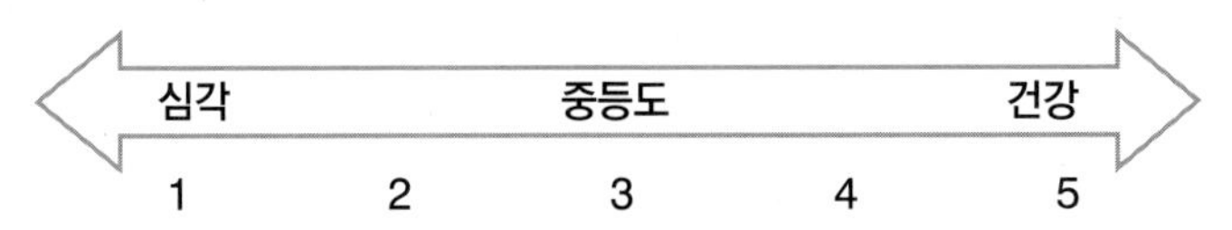

증상/염려: 우울 수준: 2

증상/염려: 사회 불안 수준: 2

증상/염려: ______ 수준: _

(계속)

표 8.1. (계속)

섹션 V: 문화적, 맥락적 고려점 및 기타 관련된 고려점들

실행 기능에 약점을 보인 병력; 높은 성취를 보이는 가족 구성원;
동생과의 경쟁적 관계

표 8.1. (계속)

2. **대상관계:** 친밀하고 안정적이며 만족스러운 관계를 유지하는 능력 **3**
   - SWAP-200: 수동 공격, 편집증 및 분열성 척도의 상승. 높은 점수를 받은 항목의 예로는 "타인들이 그녀에게 해를 끼치려 하거나 이용하려 든다고 쉽게 가정하는 경향", "이해받지 못하거나, 학대받거나, 피해자가 되었다고 느낌", "사회 기술의 결여". SWAP 특성 차원: 적개심 척도의 상승

3. **방어 수준** (아래의 지침을 이용하여 한 가지 숫자를 고르시오): **4**
   - SWAP-200: 편집증 척도의 상승. 높은 점수를 받은 항목으로는 "자신의 문제가 외적 요소에 의해 초래되었다고 믿는 경향""강한 감정으로 휘저어질 경우 비이성적이 되는 경향; 평소의 기능 수준에서부터 눈에 띄게 감퇴가 나타날 수 있음"
   - SWAP-200: 또한 높은 점수를 받은 항목으로는 "공격성을 수동적이고 간접적인 방식으로 표현하는 경향""화를 인정하고 표현하는데 어려움,""감정을 마치 부적절하거나 대수롭지 않은 것인 양 취급하는 것을 선호함""쉽게 억제되거나 위축되는 경향; 자신을 인정하거나 바람과 충동을 표현하게 허락하기가 어려움"
   - ORI, 분화-관련성, 모친과 부친에 관한 묘사 = 10점 척도 중 5점: "반쯤 분화된 상태, 분리에 의해 표상들은 미약하게 응집되어 있음... 극적일 정도로 반대되는 성질 사이를 두드러지게 오락가락함."
   - 로샤 및 TAT: 평가 절하 (예., "이게 무슨 의미가 있어요?").

4. 현실 검증력: 무엇이 현실적인지 보편적인 개념을 인지하는 능력 7

- 로샤: 형태의 질 비율은 모두 평균의 표준편차 이내에 놓여 있었으나, 현실 검증력은 정동 상태가 고조될 경우 상실될 수 있음을 보여주는 증거가 있었음; 타인을 좀 더 악의적으로 보며 지각이 왜곡될 취약성이 일부 존재함

섹션 II: 인격 증후군 (P 축)

- 샬럿의 PDC-2 중 이 섹션에서 분열성 및 편집성 인격 양식이 확인된 것은 SWAP-200에서 상응하는 척도가 상승된 것을 다시금 보여주는 바였다. 이러한 카테고리들은 환자의 성격학적 불신, 고통을 외재화시키려는 경향, 감정적 위축 및 대인관계의 소원함을 잘 나타낸다.

섹션 III: 정신 기능 (M 축)

- **인지 및 정동 과정들**

1. 조절, 주의 및 학습 역량 3
   - 주의 및 실행 기능의 약점에 대해 앞서 기술하였음.
2. 정동 범위, 의사소통 및 이해에 관한 역량 2
   - SWAP-200: 높은 점수를 받은 항목으로는 “쉽게 화가 나거나 적대적으로 되는 편”, “배신당할까 두려워 타인에게 털어놓기를 피하는 경향”, “강한 감정으로 휘저어질 경우 비이성적이 되는 경향”, “수치를 느끼거나 당혹감을 잘 느끼는 경향”, “쉽게 불안해지는 경향”, “쉽게 억제되거나 위축되는 경향; 자신을 인정하거나 바람과 충동을 표현하게 허락하기가 어려움”
   - 로샤: 정동의 위축을 보여줌.
   - TAT: 등장인물들의 감정적 긴장을 해소하는데 어려움을 겪음.
3. 정신화 및 반영적 기능 역량 3
   - TAT: 정신 상태를 인식하고 이름붙일 수 있음. 정신상태 이야기 측정= .35 (대학-연령 규준에서 1 표준편차 이내).
   - 로샤 및 TAT: 검사자에 맞추어 이야기의 흐름을 조절해나감.
   - SWAP-200: 높은 점수를 받은 항목으로는 “자신의 동기나 행동 등에 심리적 통찰이 거의 없음; 자신의 경험에 대해 대안적인 해석을 고려하지 못함”“타인의 말이나 행동에서 악의적인 의도를 지각하는 경향”, “화를 인정하고 표현하는데 어려움.”

- **정체성 및 관계**

4. 분화 및 통합 (정체성)에 관한 역량 4
   - 위의 섹션 I, “정체성”이하를 보라.

5. 관계 및 친밀도에 관한 역량 2

- 위의 섹션 I, "대상 관계"이하를 보라.

6. 자존감 조절 및 내적 경험의 질 3

- SCORS-G, 자존감= 3.9 (4 ="자존감이 밋밋하거나, 결여되어 있거나 제한적임.").
- SWAP-200: 높은 점수를 받은 항목으로는 "자기 비난적이 되기 쉬운 경향; 자신에 대해 비현실적으로 높은 기준을 설정하고, 자신의 인간적 결점에 못 견뎌함"
- 로샤: 과대성을 구조적으로 보여주는 바는 없었음.
- 방어 및 대처

7. 충동 조절 및 통제 4

- SWAP-200: 충동성과 관련해서는 높은 점수를 받은 항목이 없었음.
- 로샤와 TAT: 충동성 보다는 억제, 위축 및 회피성이 나타남.

8. 방어 기능 2

- 위의 섹션 I, "방어 수준"이하를 보라.

9. 적응, 회복력 및 강도 3

- 로샤: 위축과 회피를 통해 그녀는 감정적으로 불안정해지는 순간으로부터 회복할 수 있음을 보여주었으나 반대급부로 자발성과 창조성을 희생함.
- TAT: 등장인물들은 당혹스러워 했고, 감정적 긴장을 해소하지 못함.

- **자기 인식 및 자기 방향성**

10. 자기 관찰 능력 (심리학적 마음가짐) 2

- 평가동안 호기심 및 반추하는 모습이 제한적임

11. 내적 규준 및 이상을 구성하고 사용하는 능력 3

- SCORS-G, 가치와 도덕적 규준에 감정적 투자를 할 수 있는 역량=4.1 (평균에서 1 표준 편차 이내); 도덕적 측면에서 주목할 점이 제기되지 않음
- SWAP-200: 높은 점수를 받은 항목으로는 "자기 비난적이 되기 쉬운 경향; 자신에 대해 비현실적으로 높은 기준을 설정하고, 자신의 인간적 결점에 못 견뎌함" "쉽게 타인 비난적이 되는 경향," 및 "권위와 관련한 갈등을 빚는 경향"

12. 의미와 목적 3

- 로샤와 TAT: 여러모로 감정 및 대인관계의 위축을 보여줌

감사의 말

자문해주신 분들의 기여는 대단히 소중한 것이었습니다. 특히나 전 챕터에 걸쳐 광범위하게 기여해주신 John S. Auerbach에게 챕터 편집자들은 감사를 전하고 싶습니다.

참고문헌

Ablon, S., & Jones, E . E . (1998). How expert clinicians' prototypes of an ideal treatment correlate with outcome in psychodynamic and cognitive-behavioral therapy. *Psychotherapy Research, 8*, 71–83.

Ablon, S., & Jones, E . E . (2002). Validity of controlled clinical trials of psychotherapy: Findings from the NIMH Treatment of Depression Collaborative Research Program. *American Journal of Psychiatry, 159*, 775–783.

Ablon, S. J., & Jones, E . E . (2005). On analytic process. *Journal of the American Psychoanalytic Association, 53*, 541–568.

Ablon, J. S., Levy, R. A., & Katzenstein, T. (2006). Beyond brand names of psychotherapy: Identifying empirically supported change processes. *Psychotherapy: Theory, Research, Practice, Training, 43*, 216–231.

Ackerman, S., Clemence, A., Weatherill, R., & Hilsenroth, M. (1999). Use of the TAT in the assessment of DSM-I V Cluster B personality disorders. *Journal of Personality Assessment, 73*, 422–448.

Ackerman, S., Hilsenroth, M., Clemence, A., Weatherill, R., & Fowler, C. (2000). The effects of social cognition and object representation on psychotherapy continuation. *Bulletin of the Menninger Clinic, 6 4*, 386–408.

Aikins, J. W., Howes, C., & Hamilton, C. (2009).

Attachment stability and the emergence of unresolved representations during adolescence. *Attachment and Human Development, 11*, 491–512.

Ainsworth, M. S., Blehar, M. C., Waters, E ., & Wall, S. (1978). *Patterns of attachment: A psychological study of the Strange Situation*. Hillsdale, NJ: Erlbaum.

Albani, C., Benninghofen, D., Blaser, G., Cierpka, M., Dahlbender, R. W., Geyer, M., & Kächele, H. (1999). On the connection between affective evaluation of recollected relationship experiences and the severity of psychic impairment. *Psychotherapy Research, 9*(4), 452–467.

Albani, C., Pokorny, D., Blaser, G., Gruninger, S., Konig, S., Marschke, F., . . . Geyer, M. (2002). Reformulation of the Core Conflictual Relationship Theme (CCRT) categories: The CCRTLU category system. *Psychotherapy Research, 12*, 319–338.

Alden, L . E ., Wiggins, J. S., & Pincus, A. L . (1990). Construction of circumplex scales for the Inventory of Interpersonal Problems. *Journal of Personality Assessment, 55*, 521–536.

Allen, J., Fonagy, P., & Bateman, A. (2008). *Mentalizing in clinical practice*. Washington, DC: American Psychiatric Press.

American Psychiatric Association. (1994). *Diagnostic and statistical manual of mental disorders* (4th ed.). Washington, DC: Author.

Ammaniti, M., Fontana, A., Clarkin, A., Clarkin, J.F., Nicolais, G., & Kernberg, O. F. (2014). Assessment of adolescent personality disorders through the Interview of Personality Organization Processes in Adolescence (IPOPA): Clinical and the oretical implications. *Adolescent Psychiatry, 2*, 36–45.

Arbeitskreis OPD (Hrsg.). (1996). *Operationalisierte Psychodynamische Diagnostik: Grundlagen und Manual*. Bern, Switzerland: Huber.

Arbeitskreis OPD (Hrsg.). (2006). *Operationalisierte Psychodynamische Diagnostik OPD -2: Das Manual für Diagnostik und Therapieplanung*. Bern, Switzerland: Huber.

Arbeitskreis OPDKJ (Hrsg.). (2014). *Operationalisierte Psychodynamische Diagnostik im Kindesund Jugendalter (OPD-KJ-2): Grundlagen und Manual*. Bern, Switzerland: Huber.

Archer, R. P., & Krishnamurthy, R. (1993a). Combining the Rorschach and MMPI in the assessment of adolescents. *Journal of Personality Assessment, 60*, 132–140.

Archer, R. P., & Krishnamurthy, R. (1993b). A review of MMPI and Rorschach interrelationships in adult samples. *Journal of Personality Assessment, 61*, 277–293.

Arnevik, E ., Wilberg, T., Monsen, J. T., Andrea, H.,& Karterud, S. (2009). A crossnational validity study of the Severity Indices of Personality Problems (SIPP-118). *Personality and Mental Health, 3*, 41–55.

Aronow, E ., Weiss, K. A., & Reznikoff, M. (2001).

A practical guide to the Thematic Apperception Test: The TAT in clinical practice. New York: Routledge.

Azim, H., Piper, W., Segal, P., Nixon, G., & Duncan, S. (1991). The Quality of Object Relations scale. *Bulletin of the Menninger Clinic, 55*, 323–343.

Bagby, R. M., Parker, J. D. A., & Taylor, G. J. (1994a). The twentyitem Toronto Alexithymia Scale: I. Item selection and crossvalidation of the factor structure. *Journal of Psychosomatic Research, 38*, 23–32.

Bagby, R. M., Parker, J. D. A., & Taylor, G. J. (1994b). The twentyitem Toronto Alexithymia Scale: II. Convergent, discriminant, and concurrent validity. *Journal of Psychosomatic Research, 38*, 33-40.

Bagby, R. M., Taylor, G. J., Parker, J. D., & Dickens, S. E . (2006). The development of the Toronto Structured Interview for Alexithymia: Item selection, factor structure, reliability and concurrent validity. *Psychotherapy and Psychosomatics, 75*, 25-39.

Bakermans-Kranenburg, M. J., & van IJzendoorn, M. (2009). The first 10,000 Adult Attachment Interviews: Distributions of adult attachment representations in clinical and nonclinical groups. *Attachment and Human Development, 11*, 223-263.

Barber, J. P., Foltz, C., & Weinryb, R. M. (1998). The Central Relationship Questionnaire: Initial report. *Journal of Counseling Psychology, 45*, 131-142.

Barkham, M., Hardy, G. E ., & Startup, M. (1996). The IIP-32: A short version of the Inventory of Interpersonal Problems. *British Journal of Clinical Psychology, 35*(Pt. 1), 21-35.

Barkham, M., Rees, A., Stiles, W. B., Hardy, G. E .,& Shapiro, D. A. (2002). Dose-effect relations for psychotherapy of mild depression: A quasiexperimental comparison of effects of 2, 8, and 16 sessions. *Psychotherapy Research, 12*, 263-274.

Barron, F. (1953). An egostrength scale which predicts response to psychotherapy. *Journal of Consulting Psychology, 17*, 327-333.

Beck, A. T., Steer, R. A., & Brown, G. K. (1996). *Beck Depression Inventory-II (BDI-II)*. San Antonio, TX: Psychological Corporation.

Beck, S., & Perry, J. C. (2008). The measurement of interview structure in five types of psychiatric and psychotherapeutic interviews. *Psychiatry: Interpersonal and Biological Processes, 71*, 219-233.

Beck, S. J. (1937). *Introduction to the Rorschach method: A manual of personality study*. New York: American Orthopsychiatric Association.

Bender, D. S., Morey, L . C., & Skodol, A. E . (2011). Toward a model for assessing level of personality functioning in DSM-5: Part I. A review of theory and methods. *Journal of Personality Assessment, 93*, 332-346.

Benecke, C., Bock, A., Wieser, E ., Tschiesner, R., Lockmann, M. Kuspert, F., . . . Steinmayr-Gensluckner, M. (2011). Reliabilität und Validität der OPDKJ-Achsen Struktur und Konflikt. *Praxis der Kinderpsychologie und Kinderpsychiatrie, 60*, 60-73.

Berant, E ., Newborn, M., & Orgler, S. (2008). Convergence of Rorschach scales and selfreport indexes of psychological distress: The moderating role of selfdisclosure. *Journal of Personality Assessment, 90*, 36-743.

Bernecker, S. L ., Levy, H. K., & Ellison, W. D. (2014). A metaanalysis of the relation between adult attachment style and the working alliance. *Psychotherapy Research, 24*, 12-24.

Berney, S., de Roten, Y., Beretta, V., Kramer, U.,& Despland, J. N. (2014). Identifying psychotic defenses in a clinical interview. *Journal of Clinical Psychology, 70*, 428-439.

Besser, A., & Blatt, S. J. (2007). Identity consolidation and internalizing and externalizing problem behaviors in early adolescence. *Psychoanalytic Psychology, 24*, 126-149.

Betan, E ., Heim, A. K., Zittel Conklin, C., & Westen, D. (2005). Countertransference phenomena and personality pathology in clinical practice: An empirical investigation. *American Journal of Psychiatry, 5*, 890-898.

Blagys, P. S., Bi, W., Shedler, J., & Westen, D. (2012). The Shedler-Westen Assessment Procedure (SWAP): Evaluating psychometric questions about its reliability, validity, and impact of its fixed score distribution. *Assessment, 19*, 370-382.

Blais, M. A., Baity, M. R., & Hopwood, C. J. (Eds.). (2010). *Clinical applications of the Personality Assessment Inventory*. New York: Routledge.

Blais, M. A., Conboy, C. A., Wilcox, N., & Norman, D. K. (1996). An empirical study of the DSMI V Defensive Functioning Scale in personality disordered patients. *Comprehensive Psychiatry, 37*, 435-440.

Blais, M. A., & Hopwood, C. J. (2010). Personality focused assessment with the PAI. In M. A. Blais, M. R. Baity, & C. J. Hopwood (Eds.), *Clinical applications of the Personality Assessment Inventory* (pp. 195-210). New York: Routledge.

Blais, M. A., Lenderking, W. R., Baer, L ., deLorell, A., Peets, K., Leahy, L ., & Burns, C. (1999). Development and initial validation of a brief mental health outcome measure. *Journal of Personality Assessment, 73*, 359-373.

Blais, M. A., Malone, J., Stein, M., Slavin-Mulford, J., Renna, M., & Sinclair, S. J. (2013). Treatment as usual (TAU) for depression: A comparison of psychotherapy, pharmacotherapy and combined treatment at a large academic medical center. *Journal of Psychotherapy, 50*, 110-118.

Blais, M. A., Sinclair, S., Baity, M., Worth, J., Weiss, A., Ball, L ., & Herman, J. (2011). Measuring outcomes in adult outpatient psychiatry, *Clinical Psychology and Psychotherapy, 19*(3), 203–213.

Blatt, S. J. (1974). Levels of object representation in anaclitic and introjective depression. *Psychoanalytic Study of the Child, 29,* 107–157.

Blatt, S. J. (2008). *Polarities of experience: Relatedness and selfdefinition in personality development, psychopathology, and the therapeutic process.* Washington, DC: American Psychological Association.

Blatt, S. J., & Auerbach, J. S. (2001). Mental representation, severe psychopathology, and the therapeutic process: Affect and selfreflexivity in borderline and schizophrenic patients. *Journal of the American Psychoanalytic Association, 49,* 113–159.

Blatt, S. J., Auerbach, J. S., & Aryan, M. (1998). Representational structures and the therapeutic process. In R. F. Bornstein & J. M. Masling (Eds.), *Empirical studies of psychoanalytic theories: Vol.8. Empirical investigations of the therapeutic hour* (pp. 63–107). Washington, DC: American Psychological Association.

Blatt, S. J., Bers, S. A., & Schaffer, C. E . (1993). *The assessment of self.* Unpublished research manual, Yale University.

Blatt, S. J., & Blass, R. (1996). Relatedness and self definition: A dialectic model of personality development. In G. G. Noam & K. W. Fischer (Eds.), *Development and vulnerabilities in close relationships* (pp. 309–338). Hillsdale, NJ: Erlbaum.

Blatt, S. J., Chevron, E . S., Quinlan, D. M., Schaffer, C. E ., & Wein, S. (1988). *The assessment of qualitative and structural dimensions of object representations* (rev. ed.). Unpublished research manual, Yale University.

Blatt, S. J., D'Afflitti, J. P., & Quinlan, D. M. (1976). Experiences of depression in normal young adults. *Journal of Personality Assessment, 85,* 383–389. Blatt, S. J., & Shichman, S. (1983). Two primary configurations of psychopathology. *Psychoanalysis and Contemporary Thought, 6,* 187–254.

Blatt, S. J., Wein, S. J., Chevron, E . S., & Quinlan, D. M. (1979). Parental representations and depression in normal young adults. *Journal of Abnormal Psychology, 88,* 388–397.

Block, J. (1978). *The Q sort method in personality assessment and psychiatric research.* Palo Alto, CA: Consulting Psychologists Press. (Original work published 1961)

Bøgwald, K.P., & Dahlbender, R. W. (2004). Procedures for testing some aspects of the content validity of the Psychodynamic Functioning Scale and the Global Assessment of Functioning Scale. *Psychotherapy Research, 14,* 453–468.

Bond, M., & Perry, C. J. (2004). Longterm changes in defense styles with psychodynamic psychotherapy for depressive, anxiety, and personality disorders. *American Journal of Psychiatry, 161,* 1665–1671.

Bornstein, R. F. (2002). A process dissociation approach to objective–projective test score interrelationships. *Journal of Personality Assessment,78,* 47–68.

Bornstein, R. F. (2009). Heisenberg, Kandinsky, and the heteromethod convergence problem: Lessons from within and beyond psychology. *Journal of Personality Assessment, 91,* 1–8.

Bornstein, R. F. (2010). Psychoanalytic theory as a unifying framework for 21st century personality assessment. *Psychoanalytic Psychology, 27,* 133–152.

Bornstein, R. F. (2011). From symptom to process: How the PDM alters goals and strategies in psychological assessment. *Journal of Personality Assessment, 93,* 142–150.

Bornstein, R. F. (2012). Rorschach score validation as a model for 21st century personality assessment. *Journal of Personality Assessment, 94,* 26–38.

Bornstein, R. F., & Gordon, R. M. (2012). What do practitioners want in a diagnostic taxonomy?: Comparing the PDM with DSM and ICD. *Division/ Review: Quarterly Psychoanalytic Forum, 6,*35.

Bornstein, R. F., & Masling, J. M. (Eds.). (2005). *Scoring the Rorschach: Seven validated systems.* Mahwah, NJ: Erlbaum.

Bowlby, J. (1977). The making and breaking of affectional bonds: I. Aetiology and psychopathology in the light of attachment theory. *British Journal of Psychiatry, 130,* 201–210.

Bowlby, J. (1980). *Attachment and loss: Vol. 3. Loss: Sadness and depression.* New York: Basic Books.

Bradley, R., Heim, A. K., & Westen, D. (2005). Transference patterns in the psychotherapy of personality disorders: empirical investigation. *British Journal of Psychiatry, 186,* 342–349.

Bram, A. D., & Peebles, M. J. (2014). *Psychological testing that matters: Creating a road map for effective treatment.* Washington, DC: American Psychological Association.

Bram, A. D., & Yalof, J. (2014). Quantifying complexity: Personality assessment and its relationship with psychoanalysis. *Psychoanalytic Inquiry, 35,*74–97.

Buchheim, A., Erk, S., George, C., Kaechele, H., Ruchsow, M., Spitzer, M., & Walter, H. (2006). Measuring attachment representation in an fMRI environment: A pilot study. *Psychopathology, 39*, 144–152.

Buchheim, A., & George, C. (2011). Attachment disorganization in borderline personality disorder and anxiety disorder. In J. Solomon & C. George (Eds.), *Disorganized attachment and caregiving* (pp. 343–382). New York: Guilford Press.

Buchheim, A., George, C., Gündel, H., Heinrichs, M., Koops, E., O'Connor, M.F., & Pokorny, D. (2009). Oxytocin enhances the experience of attachment security. *Psychoneuroendochronology, 34*, 1417–1422.

Buchheim, A., Labek, K., Walter, S., & Viviani, R. (2013). A clinical case study of a psychoanalytic psychotherapy monitored with functional neuroimaging. *Frontiers in Human Neuroscience, 7*, 677.

Butcher, J. N., Dahlstrom, W. G., Graham, J. R., Tellegen, A., & Kaemmer, B. (1989). *MMPI2: Manual for administration and scoring*. Minneapolis: University of Minnesota Press.

Butcher, J. N., & Williams, C. L. (2009). Personality assessment with the MMPI2: Historical roots, international adaptations, and current challenges. *Applied Psychology: Health and Well-Being, 1*(1), 105–135.

Butcher, J. N., Williams, C. L., Graham, J. R., Tellegen, A., Ben-Porath, Y. S., Archer, R. P., & Kaemmer, B. (1992). *Manual for administration, scoring, and interpretation of the Minnesota Multiphasic Personality Inventory for Adolescents: MMPIA*. Minneapolis: University of Minnesota Press.

Calabrese, M. L., Farber, B. A., & Westen, D. (2005). The relationship of adult attachment constructs to object relational patterns of representing the self and others. *Journal of the American Academy of Psychoanalysis and Dynamic Psychiatry, 33*, 513–530.

Castonguay, L. G., & Hill, C. E. (Eds.). (2007). *Insight in psychotherapy*. Washington, DC: American Psychological Association.

Charitat, H. (1996). *Evaluation de lapersonnalite. Traduction et validation du KAPP: Profd Psychodynamique de Karolinska*. Unpublished doctoral dissertation, Universite Paul Sabatier, Toulouse, France.

Cierpka, M., Rudolf, G., Grande, T., & Stasch, M. (2007). Operationalized Psychodynamic Diagnostics (OPD): Clinical relevance, reliability and validity. *Psychopathology, 40*, 209–220.

Cogan, R., & Porcerelli, J. H. (2004). Personality pathology, adaptive functioning, and strengths at the beginning and end of psychoanalysis. *Journal of the American Psychoanalytic Association, 52*, 1229–1230.

Cogan, R., & Porcerelli, J. H. (2005). Clinician reports of personality pathology of patients beginning and patients ending psychoanalysis. *Psychology and Psychotherapy: Theory, Research and Practice, 78*, 235–248.

Cogswell, A. (2008). Explicitly rejecting an implicit dichotomy: Integrating two approaches to assessing dependency. *Journal of Personality Assessment, 90*, 26–35.

Colli, A., & Lingiardi, V. (2009). The Collaborative Interactions Scale: A new transcriptbased method for the assessment of therapeutic alliance ruptures and resolutions in psychotherapy. *Psychotherapy Research, 19*(6), 718–734.

Colli, A., Tanzilli, A., Dimaggio, G., & Lingiardi, V. (2014). Patient personality and therapist response: An empirical investigation. *American Journal of Psychiatry, 171*, 102–108.

Colli, A., Tanzilli, A., Gualco, I., & Lingiardi, V. (2016). Empirically derived relational pattern prototypes in the treatment of personality disorders. *Psychopathology, 49*(5), 364–373.

Connolly, M. B., & Strupp, H. H. (1996). Cluster analysis of patient reported psychotherapy outcomes. *Psychotherapy Research, 6*, 30–42.

Cramer, P. (1991). *The development of defense mechanisms: Theory, research, and assessment*. New York: Springer-Verlag.

Cramer, P. (1998). Freshman to senior year: A follow up study of identity, narcissism and defense mechanisms. *Journal of Research in Personality, 32*, 156–172.

Cramer, P. (2000). Defense mechanisms in psychology today: Mechanisms for adaptation. *American Psychologist, 55*, 637–646.

Cramer, P. (2002). The study of defense mechanisms: Gender implications. In R. F. Bornstein & J. M. E. Masling (Eds.), *The psychodynamics of gender and gender role* (pp. 81–127). Washington, DC: American Psychological Association.

Cramer, P. (2006). *Protecting the self: Defense mechanisms in action*. New York: Guilford Press.

Cramer, P. (2012). Psychological maturity and change in adult defense mechanisms. *Journal of Research in Personality, 46*, 306–316.

Cramer, P., & Blatt, S. J. (1990). Use of the TAT to measure change in defense mechanisms following intensive psychotherapy. *Journal of Personality Assessment, 54*, 236–251.

Cramer, P., & Kelly, F. D. (2004). Defense mechanisms in adolescent conduct disorder and adjustment reaction. *Journal of*

Nervous and Mental Disease, 192(2), 139-145.

Curtis, J. T., & Silberschatz, G. (2005). The assessment of pathogenic beliefs. In G. Silberschatz (Ed.), *Transformative relationships* (pp. 69-92). New York: Routledge.

Curtis, J. T., & Silberschatz, G. (2007). Plan Formulation Method. In T. D. Eells (Ed.), *Handbook of psychotherapy case formulation* (2nd ed., pp. 198-220). New York: Guilford Press.

Curtis, J. T., Silberschatz, G., Sampson, H., & Weiss, J. (1994). The Plan Formulation Method. *Psychotherapy Research, 4,* 197-207.

Cogswell, A. (2008). Explicitly rejecting an implicit dichotomy: Integrating two approaches to assessing dependency. *Journal of Personality Assessment, 90,* 26-35.

DeFife, J. A., Drill, R., Nakash, O., & Westen, D. (2010). Agreement between clinician and patient ratings of adaptive functioning and developmental history. *American Journal of Psychiatry, 167,* 1472-1478.

DeFife, J. A., Goldberg, M., & Westen, D. (2015).

Dimensional assessment of self and interpersonal functioning in adolescents: Implications for DSM 5's general definition of personality disorder. *Journal of Personality Disorders, 29*(2), 248-260.

DeFife, J. A., & Hilsenroth, M. J. (2005). Clinical utility of the Defensive Functioning Scale in the assessment of depression. *Journal of Nervous and Mental Disease, 193,* 176-182.

DeFife, J. A., Malone, J. C., DiLallo, J., & Westen, D. (2013). Assessing adolescent personality disorders with the Shedler-Westen Assessment Procedure for Adolescents. *Clinical Psychology: Science and Practice, 20,* 393-407.

Detert, N. B., Llewelyn, S. P., Hardy, G. E., Barkham, M., & Stiles, W. B. (2006). Assimilation in good-and poorout-come cases of very brief psychotherapy for mild depression: An initial comparison. *Psychotherapy Research, 16,* 393-407.

DeWitt, K. N., Hartley, D. E., Rosenberg, S. E., Zilberg, N. J., & Wallerstein, R. S. (1991). Scales of Psychological Capacities: Development of an assessment approach. *Psychoanalysis and Contemporary Thought, 14,* 343-361.

DeWitt, K. N., Milbrath, C., & Wallerstein, R. S. (1999). Scales of Psychological Capacities: Support for a measure of structural change. *Psychoanalysis and Contemporary Thought, 22,* 453-480.

Di Giuseppe, M. G., Perry, J. C., Petraglia, J., Janzen, J., & Lingiardi, V. (2014). Development of a Qsort version of the Defense Mechanism Rating Scales (DMRSQ) for clinical use. *Journal of Clinical Psychology, 70,* 452-465.

Diamond, D., Blatt, S. J., Stayner, D., & Kaslow, N. (1991). *Self-other differentiation of object representations.* Unpublished research manual, Yale University.

Diamond, D., Clarkin, J. F., Levine, H., Levy, K., Foelsch, P., & Yeomans, F. (1999). Borderline conditions and attachment: A preliminary report. *Psychoanalytic Inquiry, 19,* 831-884.

Diamond, D., & Dozier, M. (1990). Attachment organization and treatment use for adults with serious psychopathological disorders. *Development and Psychopathology, 2,* 47-60.

Diamond, D., Kaslow, N., Coonerty, S. & Blatt, S.J. (1990). Change in separation-individuation and intersubjectivity in longterm treatment. *Psychoanalytic Psychology, 7,* 363-397.

Diamond, D., Stovall-McClough, C., Clarkin, J., & Levy, K. N. (2003). Patient-therapist attachment in the treatment of borderline personality disorder. *Bulletin of the Menninger Clinic, 67,* 227 259.

Doering, S., Burgmer, M., Heuft, G., Menke, D., Bäumer, B., Lübking, M., . . . Schneider, G. (2014) Diagnosing personality functioning: Validity of the Operationalized Psychodynamic Diagnosis (OPD2) Axis IV: Structure. *Psychopathology, 47,* 185-193.

Dozier, M., Cue, K. L., & Barnett, L. (1994). Clinicians as caregivers: The role of attachment organization in treatment. *Journal of Consulting and Clinical Psychology, 62,* 793-800.

Drake, L. E. (1946). A social I.E. scale for the MMPI. *Journal of Applied Psychology, 30,* 51-54. Drapeau, M., & Perry, J. C. (2009). The Core Conflictual Relationship Themes (CCRT) in borderline personality disorder. *Journal of Personality Disorders, 23,* 425-431.

Eagle, M. (2003). Clinical implications of attachment theory. *Psychoanalytic Inquiry, 23,* 12-27.

Eames, V., & Roth, A. (2000). Patient attachment orientation and the early working alliance: A study of patient and therapist reports of alliance quality and ruptures. *Psychotherapy Research, 10,* 421-434.

Eells, T. D. (Ed.). (2007). *Handbook of psychotherapy case formulation* (2nd ed.). New York: Guilford Press.

Eells, T. D. (2009). Contemporary themes in case formulation. In P. Sturmey (Ed.), *Clinical case formulation: Varieties of approaches* (pp. 293-315). Hoboken, NJ: Wiley.

Ehrenreich, J. H. (1990). Quantitative studies of responses elicited by selected TAT cards. *Psychological Reports, 67,* 15-18.

Ehrenthal, J. C., Dinger, U., Horsch, L ., KomoLang, M., Klinkerfuß, M., Grande, T., & Schauenburg, H. (2012). Der OPD-Strukturfragebogen (OPD-SF): Erste Ergebnisse zu Reliabilität und Validität. *Psychotherapie Psychosomatik Medizinische Psychologie, 62*, 25-32.

Erdelyi, M. H. (2006). The unified theory of repression. *Behavioral and Brain Sciences, 29*, 499-511. Evans, C. (2012). The COREOM (Clinical Out-comes in Routine Evaluation) and its derivatives. *Integrating Science and Practice, 2*(2). Retrieved from *www.ordrepsy.qc.ca/pdf/ 2012_ 11_ 01_ Integrating_ SandP_ Dossier_ 02_ Evans_ En.pdf.*

Evans, C., Connel, J., Barkham, M., Margison, F., McGrath, G., Mellor-Clark, J., & Audin, K. (2002). Towards a standardised brief outcome measure: Psychometric properties and utility of the COREOM. *British Journal of Psychiatry, 180*, 51-60.

Exner, J. E . (1969). *The Rorschach systems.* New York: Grune & Stratton.

Exner, J. E . (2003). *The Rorschach: A comprehensive system: Vol. 1. Basic foundations and principles of interpretation* (4th ed.). New York: Wiley.

Exner, J. E ., & Erdberg, P. (2005). *The Rorschach: A comprehensive system: Vol. 2. Advanced interpretation* (3rd ed.). Hoboken, NJ: Wiley.

Falkenstrom, F., Solbakken, O. A., Moller, C., Lech, B., Sandell, R., & Holmqvist, R. (2014). Reflective functioning, affect consciousness, and mindfulness: Are these different functions? *Psychoanalytic Psychology, 31*, 26-40.

Feenstra, D. J., Hutsebaut, J., Verheul, R., & Busschbach, J. J. V. (2011). Severity Index of Personality Problems (SIPP-118) in adolescents: Reliability and validity. *Psychological Assessment, 23*, 646-655.

Finn, S. (2011). Use of the Adult Attachment Projective Picture System (A AP) in the middle of a longterm psychotherapy. *Journal of Personality Assessment, 93*, 427-433.

Fonagy, P., Gergely, G., Jurist, E . L ., & Target, M. (2002). *Affect regulation, mentalization, and the development of the self.* New York: Other Press.

Fonagy, P., Gergely, G., & Target, M. (2007). The parent-infant dyad and the construction of the subjective self. *Journal of Child Psychology and Psychiatry, 48*, 288-328.

Fonagy, P., Leigh, T., Steele, M., Steele, H., Kennedy, R., Mattoon, G., . . . Gerber, A. (1996). The relation of attachment status, psychiatric classification, and response to psychotherapy. *Journal of Consulting and Clinical Psychology, 64*, 22-31.

Fonagy, P., Target, M., Steele, H., & Steele, M. (1998). *Reflective functioning manual: Version 5 for application to the Adult Attachment Interview.* Unpublished manual, University College London.

Fowler, C., Ackerman, S., Speanburg, S., Bailey, A., Blagys, M., & Conklin, A. C. (2004). Personality and symptom change in treatment-refractory inpatients: Evaluation of the phase model of change using the phase model of change using Rorschach, TAT and DSMI V Axis V. *Journal of Personality Assessment, 83*, 306-322.

Fowler, J. C., & DeFife, J. A. (2012). Quality of object representations related to service utilization in a longterm residential treatment center. *Psychotherapy, 49*(3), 418-422.

Frank, L . K. (1939). Projective methods for the study of personality. *Journal of Psychology, 8*, 389-413. Gazzillo, F., Genova, F., & Lingiardi, V. (2016). *Psychodynamic Diagnostic Prototypes-2 (PDP2).* Unpublished manuscript, Sapienza University of Rome.

Gazzillo, F., Lingiardi, V., & Del Corno, F. (2012). Towards the validation of three assessment instruments derived from the PDM Axis P: The Psychodynamic Diagnostic Prototypes, the Core Preoccupations Questionnaire and the Pathogenic Beliefs Questionnaire. *Bollettino di Psicologia Applicata, 265*, 1-16.

Gazzillo, F., Lingiardi, V., Del Corno, F., Genova, F., Bornstein, R., Gordon, R., & McWilliams, N. (2015). Clinicians' emotional responses and PDM2 personality disorders: A clinically relevant empirical study. *Psychotherapy, 52*(2), 238-246.

Gazzillo, F., Lingiardi, V., Peloso, A., Giordani, S., Vesco, S., Zanna V., Filippucci, L ., & Vicari, S. (2013). Personality subtypes in adolescents with eating disorders. *Comprehensive Psychiatry, 54*, 702-712.

Gazzillo, F., Waldron, S., Genova, F., Angeloni, F., Ristucci, C. & Lingiardi, V. (2014). An empirical investigation of analytic process: Contrasting a good and poor outcome case. *Psychotherapy, 51*, 270-282.

George, C., & Buchheim, A. (2014). Use of the Adult Attachment Projective Picture System with a severely traumatized patient: A psychodynamic perspective. *Frontiers in Psychology, 5*, 865.

George, C., Kaplan, N., & Main, M. (1984, 1985,1996). *The Adult Attachment Interview.* Unpublished manual, University of California, Berkeley.

George, C., & West, M. (2001). The development and preliminary validation of a new measure of adult attachment: The

Adult Attachment Projective. *Attachment and Human Development, 3,* 30–61. George, C., & West, M. (2012). *The Adult Attachment Projective Picture System: Attachment theory and assessment in adults.* New York: Guilford Press.
Gieser, L ., & Stein, M. I. (Eds.). (1999). *Evocative images: The Thematic Apperception Test and the art of projection.* Washington, DC: American Psychological Association.
Goldberg, L . R. (1965). Diagnosticians versus diagnostic signs: The diagnosis of psychosis versus neurosis from the MMPI. *Psychological Monographs, 79,* 1–28.
Gordon, R. M. (2001). MMPI /MMPI2 changes in longterm psychoanalytic psychotherapy. *Issues in Psychoanalytic Psychology, 23*(1–2), 59–79.
Gordon, R. M. (2006). False assumptions about psychopathology, hysteria and the MMPI2 restructured clinical scales. *Psychological Reports, 98,* 870–872.
Gordon, R. M. (2007, Spring). The powerful combination of the MMPI2 and the Psychodynamic Diagnostic Manual. *Independent Practitioner,* pp. 84–85.
Gordon, R. M. (n.d.). Brief manual for the Psychodiagnostic Chart–2 (PDC-2). Available at *https:// sites.google.com/site/psychodiagnosticchart.*
Gordon, R. M., Blake, A., Bornstein, R. F., Gazzillo, F., Etzi, J., Lingiardi, V., . . . Tasso, A. F. (2016). What do practitioners consider the most helpful personality taxa in understanding their patients? *Division Review: Quarterly Psychoanalytic Forum.* Retrieved from *https://divisionreview. com / u n c a t e g o ri z e d /w h a t -d o -p r a c t i t i o n e r s-c o nsi d er -the -m ost -helpf ul -perso n alit y -ta x a-i n -understanding-their-patients.*
Gordon, R. M., & Bornstein, R. F. (2012). The Psy
chodiagnostic Chart (PDC): A practical tool to integrate and operationalize the PDM with the ICD or DSM. Retrieved from *www.mmpiinfo. com / pd m -bl og / 78 / t he -ps ycho d i ag no s t i c -cha r t -pdc-free-download.*
Gordon, R. M., Gazzillo, F., Blake, A., Bornstein, R.F., Etzi, J., Lingiardi, V., . . . Tasso, A. F. (2016). The relationship between theoretical orientation and countertransference awareness: Implications for ethical dilemmas and risk management. *Clinical Psychology and Psychotherapy, 23*(3), 236–245.
Gordon, R. M., & Stoffey, R. W. (2014). Operationalizing the Psychodynamic Diagnostic Manual: A preliminary study of the Psychodiagnostic Chart (PDC). *Bulletin of the Menninger Clinic, 78,* 1–15. Gordon, R. M., Stoffey, R., & Bottinelli, J. (2008). MMPI2 findings of primitive defenses in alienating parents. *American Journal of Family Therapy, 36*(3), 211–228.
Gordon, R. M., Stoffey, R. W., & Perkins, B. L . (2013). Comparing the sensitivity of the MMPI2 clinical scales and the MMPIRC scales to clients rated as psychotic, borderline or neurotic on the Psychodiagnostic Chart. *Psychology, 4,* 12–16.
Graham, J. R., BenPorath, Y. S., & McNulty, J. (1999). *Using the M M PI2 in outpatient mental health settings.* Minneapolis: University of Minnesota Press.
Grande, T., Rudolf, G., Oberbracht, C., & Jakobsen,
T. (2001). Therapeutic changes beyond the symptoms: Effects of inpatient treatment in the view of the Heidelberg Structural Change Scale. *Zeitschrift für Psychosomatische Medizin und Psychotherapie, 47,* 213–233.
Grande, T., Rudolf, G., Oberbracht, C., & Pauli-Magnus, C. (2003). Progressive changes in patients'lives after psychotherapy: Which treatment effects support them? *Psychotherapy Research, 13*(1),43–58.
GrØnnerØd, C. (2003). Temporal stability in the Rorschach method: A metaanalytic review. *Journal of Personality Assessment, 80*(3), 272–293.
GrØnnerØd, C. (2006). Reanalysis of the GrØnnerØd (2003) Rorschach temporal stability metaanalysis data set. *Journal of Personality Assessment, 86*(2),222–225.
Gullestad, F. S., Johansen, M. S., HØglend, P., Karterud, S., & Wilberg, T. (2013). Mentalization as a moderator of treatment effects: Findings from a randomized clinical trial for personality disorders. *Psychotherapy Research, 23,* 674–689.
Gurtman, M. B. (2006). Interpersonal problems and the psychotherapy context: The construct validity of the Inventory of Interpersonal Problems. *Psychological Assessment, 8,* 241–255.
Gynther, M. D. (1979). Aging and personality. In J.N. Butcher (Ed.), *New developments in the use of the M M PI* (pp. 39–68). Minneapolis: University of Minnesota Press.
Haggerty, G., Blake, M., Naraine, M., Siefert, C., & Blais, M. (2010). Construct validity of the Schwartz Outcome Scale–10: Comparisons to interpersonal distress, adult attachment, alexithymia, the five factor model, romantic relationship length and ratings of childhood memories. *Clinical Psychology and Psychotherapy, 17*(1), 44–50.
Haggerty, G., Hilsenroth, M. J., & Vala-Stewart, R. (2009). Attachment and interpersonal distress: Examining the rela-

tionship between attachment styles and interpersonal problems in a clinical population. *Clinical Psychology and Psychotherapy, 16*, 1-9.

Hagtvet, K. A., & Høglend, P. (2008). Assessing precision of change scores in psychodynamic psychotherapy: A generalizability theory approach. *Measurement and Evaluation in Counseling and Development, 41*, 162-177.

Hannan, C., Lambert, M. J., Harmon, C., Nielsen, S. L., Smart, D. M., Shimokawa, K., & Sutton, S. W. (2005). A lab test and algorithms for identifying patients at risk for treatment failure. *Journal of Clinical Psychology, 61*(2), 155-163.

Hatcher, R. L., & Gillaspy, J. A. (2006). Development and validation of a revised short version of the Working Alliance Inventory (WAISR). *Psychotherapy Research, 16*, 12-25.

Hathaway, J. C., & McKinley, S. R. (1943). *Manual for the Minnesota Multiphasic Personality Inventory.* New York: Psychological Corporation.

Haviland, M. G., Warren, W. L., & Riggs, M. L. (2000). An observer scale to measure alexithymia. *Psychosomatics, 41*, 385-392.

Heck, S. A., & Pincus, A. L. (2001). Agency and communion in the structure of parental representations. *Journal of Personality Assessment, 76*, 180-184.

Hersoug, A. G., Ulberg, R., & Høglend, P. (2014). When is transference work useful in psychodynamic psychotherapy?: Main results of the First Experimental Study of Transference (FEST). *Contemporary Psychoanalysis, 50*, 156-174.

Hesse, E. (1996). Discourse, memory, and the Adult Attachment Interview: A note with emphasis on the emerging cannot classify category. *Infant Mental Health Journal, 17*, 4-11.

Hesse, E. (2008). The Adult Attachment Interview: Protocol, methods of analysis, and empirical studies. In J. Cassidy & P. R. Shaver (Eds.), *Handbook of attachment: Theory, research, and clinical applications* (2nd ed., pp. 552-598). New York: Guilford Press.

Hilsenroth, M. J., Ackerman, S., & Blagys, M. (2001). Evaluating the phase model of change during shortterm psychodynamic psychotherapy. *Psychotherapy Research, 11*, 29-47.

Hilsenroth, M. J., Blagys, M. D., Ackerman, S. J., Bonge, D. R., & Blais, M. D. (2005). Measuring psychodynamicinterpersonal and cognitive behavioral techniques: Development of a comparative psychotherapy process scale. *Psychotherapy: Theory, Research, Practice, Training, 42*, 340-356.

Hilsenroth, M. J., & Stricker, G. (2004). A consideration of challenges to psychological assessment instruments used in forensic settings: Rorschach as exemplar. *Journal of Personality Assessment, 83*, 141-152.

Høglend, P. (1993). Transference interpretations and longterm change after dynamic psychotherapy of brief to moderate length. *American Journal of Psychotherapy, 47*, 494-507.

Høglend, P. (1995). *Dynamic Scales: Manual.* Oslo: Department of Psychiatry, University of Oslo.

Høglend, P. (2004). Analysis of transference in dynamic psychotherapy: A review of empirical research. *Canadian Journal of Psychoanalysis, 12*, 280-300.

Høglend, P., Amlo, S., Marble, A., Bøgwald, K. P., Sorbye, O., Sjaastad, M. C., & Heyerdahl, O. (2006). Analysis of the patient-therapist relationship in dynamic psychotherapy: An experimental study of transference interpretations. *American Journal of Psychiatry, 163*, 1739-1746.

Høglend, P., Bøgwald, K. P., Amlo, S., Heyerdahl, O., Sørbye, Ø., Marble, A., . . . Bentsen, H. (2000). Assessment of change in dynamic psychotherapy. *Journal of Psychotherapy Practice and Research, 9*, 190-199.

Høglend, P., Bøgwald, K. P., Amlo, S., Marble, A., Sjaastad, M. C., Sørbye, Ø., . . . Ulberg, R. (2008). Transference interpretations in dynamic psychotherapy: Do they really yield sustained effects? *American Journal of Psychiatry, 165*, 763-771.

Høglend, P., Hersoug, A. G., Bøgwald, K. P., Amlo, S., Marble, A., Sørbye, Ø., . . . Crits Christoph, P. (2011). Effects of transference work in the context of therapeutic alliance and quality of object relations. *Journal of Consulting and Clinical Psychology, 79*, 697-706.

Honos-Webb, L., Stiles, W. B., & Greenberg, L. S. (2003). A method of rating assimilation in psychotherapy based on markers of change. *Journal of Counseling Psychology, 50*, 189-198.

Hooper, L., Stockton, P., Krupnick, J., & Green, B. (2011). Development, use, and psychometric properties of the Trauma History Questionnaire. *Journal of Loss and Trauma, 16*, 258-283.

Hopwood, C. J., Blais, M. A., & Baity, M. R. (2010). Introduction. In M. A. Blais, M. R. Baity, & C. J. Hopwood (Eds.), *Clinical applications of the Personality Assessment Inventory* (pp. 1-12). New York: Routledge.

Hopwood, C. J., & Bornstein, R. F. (Eds.). (2014). *Multimethod clinical assessment.* New York: Guilford Press.

Horowitz, L. M., Alden, L. E., Wiggins, J. S., & Pincus, A. L. (2000). *Inventory of Interpersonal Problems manual.* San

Antonio, TX: Psychological Corporation.
Horowitz, L. M., Rosenberg, S. E., Baer, B. A., Ureño, G., & Villaseñor, V.S. (1988). Inventory of Interpersonal Problems: Psychometric properties and clinical applications. *Journal of Consulting and Clinical Psychology, 56*, 885-892.
Horvath, A. O. (1982). *Working Alliance Inventory (Revised).* Unpublished manuscript, Simon Fraser University, Burnaby, British Columbia, Canada.
Horvath, A. O., & Bedi, R. P. (2002). The alliance. In J. Norcross (Ed.), *Psychotherapy relations that work.* Oxford, U K: Oxford University Press.
Horvath, A. O., & Greenberg, L. S. (1989). Development and validation of the Working Alliance Inventory. *Journal of Counseling Psychology, 36*, 223-233.
Horvath, A. O., & Greenberg, L. S. (1986). Development of the Working Alliance Inventory. In L. S. Greenberg & W. M. Pinsoff (Eds.), *The psychotherapeutic process: A research handbook* (pp. 529-556). New York: Guilford Press.
Horvath, A. O., & Greenberg, L. S. (Eds.). (1994). *The working alliance: Theory, research, and practice.* New York: Wiley.
Horvath, A. O., & Symonds, B. D. (1991). Relation between working alliance and outcome in psychotherapy: A metaanalysis. *Journal of Counseling Psychology, 38,* 139-149.
Hörz, S., Clarkin, J. F., Stern, B. L., & Caligor, E. (2012). The Structured Interview of Personality Organisation (STIPO): An instrument to assess severity and change of personality pathology. In R. Levy, S. Ablon, & H. Kächele (Eds.), *Psychodynamic psychotherapy research* (pp. 571-592). New York: Humana Press.
Huber, D., Brandl, T., & Klug, G. (2004). The Scales of Psychological Capacities (SPC): Measuring beyond symptoms. *Psychotherapy Research, 14,* 89-106.
Huber, D., Henrich, G., & Klug, G. (2005). The Scales of Psychological Capacities: Measuring change in psychic structure. *Psychotherapy Research, 15,* 445-456.
Huber, D., Henrich, G., & Klug, G. (2013). Moderators of change in psychoanalytic, psychodynamic and cognitive behavioral therapy. *Journal of the American Psychoanalytic Association, 61*(3), 585-589.
Hughes, J., & Barkham, M. (2005). Scoping the inventory of interpersonal problems, its derivatives and short forms: 1988-2004. *Clinical Psychology and Psychotherapy, 12*, 475-496.
Hunsley, J., & Mash, E. J. (2008). *A guide to assessments that work*. New York: Oxford University Press.
Hunsley, J., & Mash, E. J. (2014). Evidence based assessment. In D. H. Barlow (Ed.), *The Oxford handbook of clinical psychology* (pp. 76-97). New York: Oxford University Press.
Huprich, S. K. (Ed.). (2006). *Rorschach assessment of the personality disorders*. Mahwah, NJ: Erlbaum.
Huprich, S. K., Auerbach, J. S., Porcerelli, J. H., & Bupp, L. L. (2016a). Sidney Blatt's Object Relations Inventory: Contributions and future directions. *Journal of Personality Assessment, 98,* 30-43.
Huprich, S. K., & Greenberg, R. P. (2003). Advances in the assessment of object relations in the 1990s. *Clinical Psychology Review, 23,* 665-698.
Huprich, S., Lingiardi, V., McWilliams, N., Bornstein, R. F., Gazzillo, F., & Gordon, R. M. (2015). The *Psychodynamic Diagnostic Manual (PDM)* and the *PDM2*: Opportunities to significantly affect the profession. *Psychoanalytic Inquiry, 35,* 60-73.
Huprich, S. K., Pouliot, G. S., Nelson, S. M., Pouliot, S. K., Porcerelli, J. H., Cawood, C. D., & Albright, J. J. (2016b). Factor structure of the Assessment of Qualitative and Structural Dimensions of Object Representations (AOR) scale. *Journal of Personality Assessment. 97,* 605-615.
Jacobson, N. S., & Truax, P. (1991). Clinical significance: A statistical approach to defining meaningful change in psychotherapy research. *Journal of Consulting and Clinical Psychology, 59,* 12-19.
Jenkins, S. R. (2008). *A handbook of clinical scoring systems for the thematic apperceptive techniques*. New York: Taylor & Francis.
Jones, E. E. (2000). *Therapeutic action: A guide to psychoanalytic therapy.* Northvale, NJ: Aronson.
Jones, E. E., Hall, S. A., & Parke, L. A. (1991). The process of change: The Berkeley psychotherapy research group. In L. Beutler & M. Crago (Eds.), *Psychotherapy research: An international review of programmatic studies* (pp. 98-107). Washington, DC: American Psychological Association.
Jones, E. E., & Pulos, S. M. (1993). Comparing the process in psychodynamic and cognitivebehavioral therapies. *Journal of Consulting and Clinical Psychology, 61*(2), 306-316.
Jones, E. E., & Windholz, M. (1990). The psychoanalytic case study: Toward a method for systematic inquiry. *Journal of the American Psychoanalytic Association, 39,* 985-1016.

Josephs, L ., Sanders, A., & Gorman, B. S. (2014). Therapeutic interaction with an older personality disordered patient. *Psychodynamic Psychiatry, 42*, 151-172.

Katznelson, H. (2014). Reflective functioning: A review. *Clinical Psychology Review, 34*(2), 107-117.

Kernberg, O. F. (1984). *Severe personality disorders: Psychotherapeutic strategies*. New Haven, CT: Yale University Press.

Klopfer, B. (1937). The present status of the theoretical developments of the Rorschach method. *Rorschach Research Exchange, 1*, 142-147.

Kopta, S. M., Howard, K. I., Lowry, J. L ., & Beutler, L . E . (1994). Patterns of symptomatic recovery in psychotherapy. *Journal of Consulting and Clinical Psychology, 62*, 1009-1016.

Lambert, M. J. (2010). *Prevention of treatment failure: The use of measuring, monitoring, and feedback in clinical practice*. Washington, DC: American Psychological Association.

Lambert, M. J., Burlingame, G. M., Umphress, V., Hansen, N. B., Vermeersch, D. A., Clouse, G. C.,& Yanchar, S. C. (1996a). The reliability and validity of the Outcome Questionnaire. *Clinical Psychology and Psychotherapy, 3*, 249-258.

Lambert, M. J., Hansen, N. B., & Harmon, S. C. (2010). The OQ45 system: Development and practical applications in health care settings. In M. Barkham, G. Hardy, & J. MellorClark (Eds.), *Developing and delivering practice-based evidence: A guide for the psychological therapies* (pp. 141-154). Chichester, U K: Wiley-Blackwell.

Lambert, M., Hansen, N., Umphress, V., Lunnen, K., Okiishi, J., Burlingame, G., . . . Reisinger, C. (1996b). *Administration and scoring manual for the Outcome Questionnaire (OQ -45. 2)*. Wilmington, DE: American Professional Credentialing Services.

Lambert, M. J., Kahler, M., Harmon, C., Burlingame, G. M., & Shimokawa, K. (2013). *Administration and scoring manual for the Outcome Questionnaire -45. 2*. Salt Lake City, U T: OQMeasures.

Leuzinger-Bohleber, M., & Fischmann, T. (2007). Application of the Scales of Psychological Capacities in a multiperspective, representative followup. In W. Bucci & N. Freedman (Eds.), *From impression to inquiry: A tribute to the work of Robert Wallerstein* (pp. 82-96). London: International Psychoanalytic Association.

Levy, K. N., Meehan, K. B., Kelly, K. M., Reynoso, J. S., Weber, M., Clarkin, J. F., & Kernberg, O. F. (2006). Change in attachment patterns and reflective function in a randomized control trial of transference focused psychotherapy for borderline personality disorder. *Journal of Consulting and Clinical Psychology, 74*, 1027-1040.

Levy, R., Ablon, J., Thomä, H., Kächele, H., Ackerman, J., Erhardt, I., & Seybert, C. (2012). A specimen session of psychoanalytic therapy under the lens of the Psychotherapy Process Q-Set. In R. Levy, S. Ablon, & H. Kächele (Eds.), *Psychodynamic psychotherapy research* (pp. 509-528). New York: Humana Press.

Lindfors, O., Knekt, P., & Virtala, E . (2013). Quality of object relations modifies the effectiveness of shortand longterm psychotherapy on selfconcept. *Open Journal of Psychiatry, 3*, 345-350.

Lingiardi, V., Gazzillo, F., & Waldron, S. (2010). An empirically supported psychoanalysis: The case of Giovanna. *Psychoanalytic Psychology, 27*, 190-218.

Lingiardi, V., Lonati, C., Delucchi, F., Fossati, A., Vanzulli, L ., & Maffei, C. (1999). Defense mechanisms and personality disorders. *Journal of Nervous and Mental Disease, 187*, 224-228.

Lingiardi, V., McWilliams, N., Bornstein, R. F., Gazzillo, F., & Gordon, R. M. (2015a). The *Psychodynamic Diagnostic Manual* Version 2 (PDM2): Assessing patients for improved clinical practice and research. *Psychoanalytic Psychology, 32*, 94-115.

Lingiardi, V., Shedler, J., & Gazzillo, F. (2006). Assessing personality change in psychotherapy with the SWAP-200: A case study. *Journal of Personality Assessment, 86*, 23-32.

Lingiardi, V., Tanzilli, A., & Colli, A. (2015b). Does the severity of psychopathological symptoms mediate the relationship between patient personality and therapist response? *Psychotherapy, 52*(2), 228-237.

Lowyck, B., Luyten, P., Verhaest, Y., Vandeneede, B., & Vermote, R. (2013). Levels of personality functioning in patients with personality disorders. *Journal of Personality Disorders, 27*, 320-336.

Luborsky, L ., & Crits-Christoph, P. (1990). *Understanding transference: The CCRT method*. New York: Basic Books.

Luborsky, L ., Crits-Christoph, P., Mintz, J., & Auerbach, A. (1988). *Who will benefit from psychotherapy?: Predicting therapeutic outcomes*. New York: Basic Books.

Lumley, M. A., Gustavson, B. J., Partridge, R. T., & Labouvie-Vief, G. (2005). Assessing alexithymia and related emotional ability constructs using multiple methods: Interrelationships among measures. *Emotion, 5*, 329-342.

Lumley, M. A., Neely, L . C., & Burger, A. J. (2007). The assessment of alexithymia in medical settings: Implications for understanding and treating health problems. *Journal of Personality Assessment, 89*, 230-246.

Luyten, P., Fonagy, P., Lowyck, B., & Vermote, R. (2012). The assessment of mentalization. In A. Bateman & P. Fonagy (Eds.), *Handbook of mentalizing in mental health practice* (pp. 43–65). Washington, DC: American Psychiatric Association.

Main, M., & Goldwyn, R. (1998). *Adult attachment scoring and classification system*. Unpublished scoring manual, University of California, Berkeley.

Main, M., Goldwyn, R., & Hesse, E. (2003). *Adult attachment scoring and classification system* (Version 7.2). Unpublished scoring manual, University of California, Berkeley.

Main, M., Hesse, E., & Goldwyn, R. (2008). Studying differences in language usage in recounting attachment history: An introduction to the A AI. In H. Steele & M. Steele (Eds.), *Clinical applications of the Adult Attachment Interview* (pp. 31–68). New York: Guilford Press.

Main, M., Kaplan, N., & Cassidy, J. (1985). Security in infancy, childhood, and adulthood: A move to the level of representation. In I. Bretherton & E. Waters (Eds.), Growing points of attachment theory and research. *Monographs of the Society for Research in Child Development, 50*(1–2, Serial No. 209), 66–104.

Main, M., & Weston, D. R. (1981). The quality of the toddler's relationship to mother and to father: Related to conflict behavior and the readiness to establish new relationships. *Child Development, 52*, 932–940.

Mavranezouli, I., Brazier, J. E., Rowen, D., & Barkham, M. (2013). Estimating a preference-based index from the Clinical Outcomes in Routine Evaluation— Outcome Measure (COREOM): Valuation of CORE-6D. *Medical Decision Making, 33*(3), 321–333.

Mavranezouli, I., Brazier, J. E., Young, T. A., & Barkham, M. (2011). Using Rasch analysis to form plausible health states amenable to valuation: The development of CORE-6D from a measure of common mental health problems (COREOM). *Quality of Life Research, 20*(3), 321–333.

McCann, J. T. (1999). *Assessing adolescents with the M ACI: Using the Millon Adolescent Clinical Inventory.* New York: Wiley.

McCarthy, K. S., Connolly Gibbons, M. B., & Barber, J. P. (2008). The relation of consistency in interpersonal patterns to symptoms and functioning: An investigation using the Central Relationship Questionnaire. *Journal of Counseling Psychology, 55*, 346–358.

McClelland, D. C., Koestner, R., & Weinberger, J. (1989). How do selfattributed and implicit motives differ? *Psychological Review, 96*, 690–702.

McCullough, L., Kuhn, N., Andrews, S., Kaplan, A., Wolf, J., & Hurley, C. L. (2003). *Treating affect phobia: A manual of shortterm dynamic psychotherapy.* New York: Guilford Press.

McKinley, J. C., Hathaway, S. R., & Meehl, P. E. (1948). The Minnesota Multiphasic Personality Inventory: V I. The K scale. *Journal of Consulting Psychology, 12*, 20–31.

Meehl, P. E. (1996). Comparative efficiency of informal (subjective, impressionistic) and formal (mechanical, algorithmic) prediction procedures: The clinical–statistical controversy. *Psychology, Public Policy, and Law, 2*, 293–323.

Meyer, G. J. (2000). The incremental validity of the Rorschach Prognostic Rating Scale over the MMPI Ego Strength Scale and IQ. *Journal of Personality Assessment, 74*, 356–370.

Meyer, G. J. (2004). The reliability of the Rorschach and TAT compared to other psychological and medical procedures: An analysis of systematically gathered evidence. In M. Hersen (Series Ed.) & M. J. Hilsenroth & D. L. Segal (Vol. Eds.), *Comprehensive handbook of psychological assessment: Vol. 2. Personality assessment* (pp. 315–342). Hoboken, NJ: Wiley.

Meyer, G. J., & Handler, L. (1997). The ability of the Rorschach to predict subsequent outcome: A metaanalysis of the Rorschach Prognostic Rating Scale. *Journal of Personality Assessment, 69*, 1–38.

Meyer, G. J., Viglione, D. J., Mihura, J. L., Erard, R.E., & Erdberg, P. (2011). *Rorschach Performance Assessment System: Administration, coding, interpretation, and technical manual.* Toledo, OH: Rorschach Performance Assessment System.

Mihura, J. L., Meyer, G. J., Dumitrascu, N., & Bombel, G. (2013). The validity of individual Rorschach variables: Systematic reviews and metaanalyses of the Comprehensive System. *Psychological Bulletin, 139*, 548–605.

Millon, T. (2011). *Disorders of personality: Introducing a DSM / ICD spectrum from normal to abnormal* (3rd ed.). Hoboken, NJ: Wiley.

Millon, T., Grossman, S., & Millon, C. (2015). *Millon Clinical Multiaxial Inventory–IV (MCM I-IV).* Minneapolis, MN: Pearson Assessments.

Millon, T., Millon, C., Davis, R., & Grossman, S. (2006a). *MCM I-III manual* (rev. ed.). Minneapolis, MN: Pearson Assesments.

Millon, T., Millon, C., Davis, R., & Grossman, S. (2006b). The Millon Adolescent Clinical Inventory (MACI). Minneapolis, MN: Pearson Assessments.

Millon, T., Tringone, R., Millon, C., & Grossman, S. (2005). *Millon Pre-Adolescent Clinical Inventory manual*. Minneapolis, MN: Pearson Assessments.

Morey, L. C. (1991, 1996). *An interpretive guide to the Personality Assessment Inventory (PA I)*. Odessa, FL: Psychological Assessment Resources.

Morey, L. C. (2007). *The Personality Assessment Inventory professional manual*. Lutz, FL: Psychological Assessment Resources.

Morey, L. C., & Ambwani, S. (2008). The Personality Assessment Inventory. In G. Boyle, G. Matthews,& D. H. Saklofske (Eds.), *The Sage handbook of personality theory and assessment: Vol. 2. Personality measurement and testing* (pp. 626-645). Thousand Oaks, CA: SAGE.

Morey, L. C., & Hopwood, C. J. (2007). *Casebook for the Personality Assessment Inventory.* Lutz, FL: Psychological Assessment Resources.

Morgan, C. D., & Murray, H. A. (1935). A method of investigating fantasies: The Thematic Apperception Test. *Archives of Neurology and Psychiatry, 34*, 289-306.

Murray, H. A. (1943). *Thematic Apperception Test.* Cambridge, MA: Harvard University Press. Norcross, J. C. (2011). *Psychotherapy relationships that work: Evidencebased responsiveness* (2nd ed.). New York: Oxford University Press.

Okiishi, J., Lambert, M. J., Eggett, D., Nielsen, S.L., Dayton, D. D., & Vermeersch, D. A. (2006). An analysis of therapist treatment effects: Toward providing feedback to individual therapists on their clients' psychotherapy outcome. *Journal of Clinical Psychology, 62*, 1157-1172.

OPD Task Force. (Ed.). (2008). *Operationalized Psychodynamic Diagnosis (OPD -2): Manual of diagnostics and treatment planning*. Göttingen, Germany: Hogrefe & Huber.

Ortigo, K. M., Westen, D., DeFife, J. A., & Bradley, B. (2013). Attachment, social cognition, and posttraumatic stress symptoms in a traumatized, urban population: Evidence for the mediating role of object relations. *Journal of Traumatic Stress, 26*, 361-368.

Owen, J., & Imel, Z. (2010). Rating scales in psychotherapy practice. In L. Baer & M. Blais (Eds.), *Handbook of clinical rating scales and assessment in psychiatry and mental health* (pp. 257-270). New York: Humana Press.

Paul, L. K., Schieffer, B., & Brown, W. S. (2004). Social processing deficits in agenesis of the corpus callosum: Narratives from the Thematic Apperception Test. *Archives of Clinical Neuropsychology, 19*, 215-225.

Peebles, M. J. (2012). *Beginnings: The art and science of planning psychotherapy* (2nd ed.). New York: Routledge.

Perry, J. C. (1990). *Defense Mechanism Rating Scales (DM R S)* (5th ed.). Cambridge, MA: Author.

Perry, J. C. (1994). Assessing psychodynamic patterns using the Idiographic Conflict Formulation Method. *Psychotherapy Research, 4*, 239-252.

Perry, J. C. (1997). The idiographic conflict formulation method. In T. D. Eells (Ed.), *Handbook of psychotherapy case formulation* (pp. 137-165). New York: Guilford Press.

Perry, J. C. (2006). *The Psychodynamic Conflict Rating Scales (PCR S)* (3rd ed.). Available from the author.

Perry, J. C. (2014). Anomalies and specific functions in the clinical identification of defense mechanisms. *Journal of Clinical Psychology, 70*, 406-418.

Perry, J. C., & Bond, M. (2012). Change in defense mechanisms during longterm dynamic psychotherapy and fiveyear outcome. *American Journal of Psychiatry, 169*, 916-925.

Perry, J. C., Constantinides, P., & Simmonds, J. (2017). Psychoanalytic dynamic conflicts in recurrent major depression: Does combined shortterm psychotherapy and medications lead to healthy dynamic functioning? *Psychology, 34*(1), 3-12.

Perry, J. C., & Cooper, S. H. (1986). A preliminary report on defenses and conflicts associated with borderline personality disorder. *Journal of the American Psychoanalytic Association, 34*, 865-895.

Perry, J. C., & Høglend, P. (1998). Convergent and discriminant validity of overall defensive functioning. *Journal of Nervous and Mental Disease, 186*, 529-535.

Perry, J. C., Høglend, P., Shear, K., Vaillant, G. E., Horowitz, M., Kardos, M. E., & Kagen, D. (1998). Field trial of a diagnostic axis for defense mechanisms for DSMI V. *Journal of Personality Disorders, 12*, 56-68.

Perry, J. C., Metzger, J., & Sigal, J. J. (2015). Defensive functioning in women with breast cancer and community controls. *Psychiatry: Interpersonal and Biological Processes, 78*, 156-169.

Perry, J. D., & Perry, J. C. (2004). Conflicts, defenses and the stability of narcissistic personality features. *Psychiatry, 67,* 310–330.

Perry, W., Minassian, A., Cadenhead, K., & Braff, D. (2003). Use of the Ego Impairment Index across the schizophrenia spectrum. *Journal of Personality Disorders, 80,* 50–57.

Piper, W. E., & Duncan, S. C. (1999). Object relations theory and shortterm dynamic psychotherapy: Findings from the Quality of Object Relations scale. *Clinical Psychology Review, 19,* 669–685.

Piper, W. E., McCallum, M., & Joyce, A. S. (1993). *Manual for assessment of quality of object relations.* Unpublished manuscript.

Porcelli, P., & De Carne, M. (2001). Criterion-related validity of the Diagnostic Criteria for Psychosomatic Research for alexithymia in patients with functional gastrointestinal disorders. *Psychotherapy and Psychosomatics, 70,* 184–188.

Porcelli, P., & Mihura, J. L. (2010). Assessment of alexithymia with the Rorschach Comprehensive System: The Rorschach Alexithymia Scale (R AS). *Journal of Personality Assessment, 92,* 128–136.

Porcerelli, J. H., Cogan, R., Kamoo, R., & Miller, K. (2010). Convergent validity of the Defense Mechanisms Manual and the Defensive Functioning Scale. *Journal of Personality Assessment, 92*(5),432–438.

Porcerelli, J. H., Cogan, R., Markova, T., Miller, K.,& Mickens, L. (2011). The *Diagnostic and Statistical Manual of Mental Disorders,* fourth edition Defensive Functioning Scale: A validity study. *Comprehensive Psychiatry, 52,* 225–230.

Porcerelli, J. H., Huth-Bocks, A., Huprich, S. K., & Richardson, L. (2016). Defense mechanisms of pregnant mothers predict attachmentsecurity, social-emotional competence, and behavior problems in their toddlers. *American Journal of Psychiatry, 73*(2), 138–146.

Priel, B. (2005). Representations in childhood: A dialogical perspective. In J. S. Auerbach, K. N. Levy, & C. E. Schaffer (Eds.), *Relatedness, selfdefinition, and mental representation: Essays in honor of Sidney J. Blatt* (pp. 43–57). London: Routledge.

Quinlan, D. M., Blatt, S. J., Chevron, E. S., & Wein, S. J. (1992). The analysis of descriptions of parents: Identification of a more differentiated factor structure. *Journal of Personality Assessment, 59,* 340–351.

Rapaport, D., Gill, M. M., & Schafer, R. (1945–1946). *Diagnostic psychological testing.* Chicago: Year Book Medical.

Rapaport, D., Gill, M. M., & Schafer, R. (1968). *Diagnostic psychological testing* (2nd ed., R. R. Holt, Ed.). New York: International Universities Press.

Reid, M., & Osatuke, K. (2006) Acknowledging problematic voices: Processes occurring at early stages of conflict assimilation in patients with functional somatic disorder. *Psychology and Psychotherapy: Theory, Research and Practice, 79,* 539–555.

Rorschach, H. (1942). *Psychodiagnostics: A diagnostic test based on perception* (P. Lemkau & B. Kronenberg, Trans.). Bern: Huber. (Original work published 1921)

Rudolf, G., Grande, T., Dilg, R., Jakobsen, T., Keller, W., Oberbracht, C., . . . Wilke, S. (2002). Structural changes in psychoanalytic therapies: The Heidelberg–Berlin study on longterm psychoanalytic therapies (PAL). In M. Leuzinger-Bohleber & M. Target (Eds.), *Outcomes of psychoanalytic treatment: Perspectives for therapists and researchers* (pp. 201–222). London: Whurr.

Rudolf, G., Grande, T., & Oberbracht, C. (2000). The Heidelberg Restructuring Scale: A model of changes in psychoanalytic therapies and its operationalization on an estimating scale. *Psychotherapeut, 45,* 237–246.

Ruiz, M. A., Pincus, A. L., Borkovec, T. D., Echemendia, R. J., Castonguay, L. G., & Ragusea, S. A. (2004). Validity of the Inventory of Interpersonal Problems for predicting treatment outcome: An investigation with the Pennsylvania Practice Research Network. *Journal of Personality Assessment, 83*(3), 213–222.

Satir, D. A., Thompson-Brenner, H., Boisseau, C.L., & Crisafulli, M. A. (2009). Countertransference reactions to adolescents with eating disorders: Relationships to clinician and patient factors. *International Journal of Eating Disorders, 42*(6),511–521.

Schafer, R. (1958). How was this story told? *Journal of Projective Techniques, 22,* 181–210.

Scharf, R. D., Waldron, S., Firestein, S. K., Goldberger, M., & Burton, A. (2010). *The Analytic Process Scales (A PS) coding manual.* Unpublished manual. Available from *woodywald@earthlink. net.*

Seitz, P. (1966). The consensus problem in psychoanalytic research. In L. A. Gottschalk & A. H. Auerbach (Eds.), *Methods of research in psychotherapy* (pp. 209–225). New York: Appleton-Century-Crofts.

Shedler, J. (2000). A new language for psychoanalytic diagnosis. *Psychologist–Psychoanalyst, 20,* 30–37. Shedler, J. (2015). Integrating clinical and empirical perspectives on personality: The Shedler–Westen Assessment Procedure

(SWAP). In S. K. Huprich (Ed.), *Personality disorders: Toward theoretical and empirical integration in diagnosis and assessment* (pp. 225–252). Washington, DC: American Psychological Association.

Shedler, J., Mayman, M., & Manis, M. (1993). The illusion of mental health. *American Psychologist,48,* 1117–1131.

Shedler, J., & Westen, D. (2006). Personality diagnosis with the Shedler–Westen Assessment Procedure (SWAP): Bridging the gulf between science and practice. In *Psychodynamic diagnostic manual (PDM)* (pp. 573–613). Silver Spring, MD: Alliance of Psychoanalytic Organizations.

Shedler, J., & Westen, D. (2007). The Shedler-Westen Assessment Procedure (SWAP): Making personality diagnosis clinically meaningful. *Journal of Personality Assessment, 89*(1), 41–55.

Shedler, J., Westen, D., & Lingiardi, V. (2014). *La valutazione della personalità con la SWA P-20 0.* Milan, Italy: Raffaello Cortina.

Shimokawa, K., Lambert, M. J., & Smart, D. (2010). Enhancing treatment outcome of patients at risk of treatment failure: Metaanalytic and megaanalytic review of a psychotherapy quality assurance program. *Journal of Consulting and Clinical Psychology, 78,* 298–311.

Siefert, C. J., Stein, M., Sinclair, S. J., Antonius, D., Shiva, A., & Blais, M. A. (2012). Development and initial validation of a scale for detecting inconsistent responding on the Personality Assessment Inventory— Short Form. *Journal of Personality Assessment, 94*(6), 601–606.

Silberschatz, G. (2005). An overview of research on control–mastery theory. In G. Silberschatz (Ed.), *Transformative relationships* (pp. 189–218). New York: Routledge.

Silberschatz, G., & Curtis, J. T. (1993). Measuring the therapist's impact on the patient's therapeutic progress. *Journal of Consulting and Clinical Psychology, 61,* 403–411.

Silberschatz, G., Fretter, P. B., & Curtis, J. T. (1986). How do interpretations influence the process of psychotherapy? *Journal of Consulting and Clinical Psychology, 54,* 646–652.

Sinclair, S. J., Antonius, D., Shiva, A., Siefert, C. J., KehlFie, K., Lama, S., & Blais, M. A. (2010). The psychometric properties of the Personality Assessment Inventory— Short Form (PAISF) in inpatient forensic and civil samples. *Journal of Psychopathology and Behavioral Assessment, 32,*406–415.

Sinclair, S. J., Siefert, C. J., Shorey, H., Antonius, D., Shiva, A., KehlFie, K., & Blais, M. A. (2009). A psychometric evaluation of the Personality Assessment Inventory— Short Form (PAISF) clinical scales in an inpatient psychiatric sample. *Psychiatry Research, 170,* 262–266.

Slade, A. (2008). The implications of attachment theory and research for adult psychotherapy: Research and clinical perspectives. In J. Cassidy & P. R. Shaver (Eds.), *Handbook of attachment: Theory, research, and clinical applications* (2nd ed., pp. 762–783). New York: Guilford Press.

Slade, A., Aber, J. L., Bresgi, I., Berger, B., & Kaplan, C. A. (2004). *The Parent Development Interview — Revised.* Unpublished protocol, City University of New York.

Smith, J. D., & George, C. (2012). Therapeutic assessment case study: Treatment of a woman diagnosed with metastatic cancer and attachment trauma. *Journal of Personality Assessment, 94,* 1–14.

Spieker, S., Nelson, E . M., DeKlyen, M., Jolley, S.N., & Mennet, L . (2011). Continuity and change in unresolved classifications of Adult Attachment Interviews with lowincome mothers. In J. Solomon & C. George (Eds.), *Disorganized attachment and caregiving* (pp. 80–109). New York: Guilford Press. Spiro, A., III, Butcher, J. N., Levenson, R. M., Aldwin, C. M., & Bosse, R. (2000). Change and stability in personality: A five year study of the MMPI-2 in older men. In J. E . Butcher (Ed.), *Basic sources on the M M PI-2* (pp. 443–462). Minneapolis: University of Minnesota Press.

Steele, H., & Steele, M. (2008). Ten clinical uses of the Adult Attachment Interview. In H. Steele & M. Steele (Eds.), *Clinical applications of the Adult Attachment Interview* (pp. 3–30). New York: Guilford Press.

Stein, M. B., Hilsenroth, M., Slavin-Mulford, J., & Pinsker, J. (2011). *Social Cognition and Object Relations Scale: Global Rating Method* (4th ed.). Unpublished manuscript, Massachusetts General Hospital and Harvard Medical School.

Stein, M. B., Slavin-Mulford, J., Siefert, C. J., Sinclair, S. J., Renna, M., Malone, J., . . . Blais, M. A. (2014). SCORSG stimulus characteristics of select Thematic Apperception Test cards. *Journal of Personality Assessment, 96*(3), 339–349.

Stein, M. B., Slavin-Mulford, J., Siefert, C. J., Sinclair, S. J., Smith, M., Chung, W. J., . . . Blais, M. A. (2015). External validity of SCORSG ratings of Thematic Apperception Test narratives in a sample of outpatients and inpatients. *Rorschachiana, 36,*58–81.

Stein, M. B., Slavin-Mulford, J., Sinclair, S. J., Siefert, C. J., & Blais, M. A. (2012). Exploring the construct validity of the Social Cognition and Object Relations Scale in a clinical sample. *Journal of Personality Assessment, 94*(5), 533–540.

Stern, B. L ., Caligor, E ., Clarkin, J. F., Critchfield, K. L ., MacCornack, V., Lenzenweger, M. F., & Kernberg, O. F.

(2010). The Structured Interview of Personality Organization (STIPO): Preliminary psychometrics in a clinical sample. *Journal of Psychological Assessment, 91,* 35–44.

Stiles, W. B. (1999). *Signs, voices, meaning bridges, and shared experience: How talking helps* (Visiting Scholar Series No. 10). Palmerston North, New Zealand: School of Psychology, Massey University.

Stiles, W. B. (2002). Assimilation of problematic experiences. In J. C. Norcross (Ed.), *Psychotherapy relationships that work: Therapist contributions and responsiveness to patients* (pp. 357–365). New York: Oxford University Press.

Stiles, W. B. (2005). Extending the Assimilation of Problematic Experiences Scale: Commentary on the special issue. *Counselling Psychology Quarterly, 18,* 85–93.

Stiles, W. B. (2011). Coming to terms. *Psychotherapy Research, 21,* 367–384.

Stiles, W. B., Morrison, L. A., Haw, S. K., Harper, H., Shapiro, D. A., & Firth-Cozens, J. (1991). Longitudinal study of assimilation in exploratory psychotherapy. *Psychotherapy, 28,* 195–206.

Stiles, W. B., Osatuke, K., Glick, M. J., & Mackay, H.C. (2004). Encounters between internal voices generate emotion: An elaboration of the assimilation model. In H. H. Hermans & G. Dimaggio (Eds.), *The dialogical self in psychotherapy* (pp. 91–107). New York: Brunner-Routledge.

Stratton, P., Lask, J., Bland, J., & Janes, E. (2010). Developing an indicator of family function and a practicable outcome measure for systemic family and couple therapy: The SCORE. *Journal of Family Therapy, 32*(3), 232–258.

Stratton, P., Lask, J., Bland, J., Nowotny, E., Evans, C., Singh, R., . . . Peppiatt, A. (2014). Detecting therapeutic improvement early in therapy: Validation of the SCORE15 index of family functioning and change. *Journal of Family Therapy, 36*(1),3–19.

Strupp, H. H., Schacht, T. E., & Henry, W. P. (1988). Problem–treatment–outcome congruence: A principle whose time has come. In H. Dahl, H. Kächele, & H. Thomä (Eds.), *Psychoanalytic process research strategies* (pp. 1–14). New York: Springer. Symons, D., Peterson, C., Slaughter, V., Roche, J., & Doyle, E. (2005). Theory of mind and mental state discourse during book reading and storytelling tasks. *British Journal of Developmental Psychology, 23,* 81–102.

Tanzilli, A., Colli, A., Del Corno, F., & Lingiardi, V. (2016). Factor structure, reliability, and validity of the Therapist Response Questionnaire. *Personality Disorders: Theory, Research, and Treatment, 7*(2),147–158.

Tanzilli, A., Colli, A., Gualco, I., & Lingiardi, V. (in press). Patient personality and relational patterns in psychotherapy: Factor structure, reliability, and validity of the Psychotherapy Relationship Questionnaire. *Journal of Personality Assessment.*

Taubner, S., Horz, S., Fischer-Kern, M., Doering, S., Buchheim, A., & Zimmermann, J. (2013). Internal structure of the Reflective Functioning Scale. *Psychological Assessment, 25*(1), 127–135.

Taylor, G. J. (2010). Affects, trauma, and mechanisms of symptom formation: A tribute to John C. Nemiah, MD (1918–2009). *Psychotherapy and Psychosomatics, 79,* 339–349.

Taylor, G. J., & Bagby, R. M. (2012). The alexithymia personality dimension. In T. A. Widiger (Ed.), *The Oxford handbook of personality disorders* (pp. 648–676). New York: Oxford University Press.

Taylor, G. J., Bagby, R. M., & Parker, J. D. A. (1997). *Disorders of affect regulation*. Cambridge, UK: Cambridge University Press.

Tellegen, A., Ben-Porath, Y. S., McNulty, J. L., Arbisi, P. A., Graham, J. R., & Kaemmer, B. (2003). *The MMPI-2 restructured clinical scales: Development, validation, and interpretation*. Minneapolis: University of Minnesota Press.

Thompson-Brenner, H., Eddy, K. T., Satir, D. A., Boisseau, C. L., & Westen, D. A. (2008). Personality subtypes in adolescents with eating disorders: Validation of a classification approach. *Journal of Child Psychology and Psychiatry, 49,*170–180.

Thompson-Brenner, H., & Westen, D. A. (2005a). A naturalistic study of psychotherapy for bulimia nervosa. *Journal of Nervous and Mental Disease,193,* 573–595.

Thompson-Brenner, H., & Westen, D. A. (2005b). Personality subtypes in eating disorders: Validation of a classification in a naturalistic sample. *British Journal of Psychiatry, 186,* 516–524.

Tikkanen, S., Stiles, W. B., & Leiman, M. (2013). Achieving an empathic stance: Dialogical sequence analysis of a change episode. *Psychotherapy Research, 23,* 178–189.

Tracey, T. J., & Kokotovic, A. M. (1989). Factor structure of the Working Alliance Inventory. *Psychological Assessment: Journal of Consulting and Clinical Psychology, 1,* 207–210.

Turrina, C., Siani, R., Regini, C., Campana, A., Bologna, R., & Siciliani, O. (1996). Interobserver and test–retest reliability of the Italian version of the Karolinska Psychodynamic Profile (KAPP) in two groups of psychiatric patients. *Acta*

Psychiatrica Scandinavica, 93, 292–287.

Twigg, E., Barkham, M., Bewick, B. M., Mulhern, B., Connell, J., & Cooper, M. (2009). The Young Person's CORE: Development of a brief outcome measure for young people. *Counselling and Psychotherapy Research, 9,* 160–168.

Tyrrell, C. L., Dozier, M., Teague, G. B., & Fallot, R.D. (1999). Effective treatment relationships for persons with serious psychiatric disorders: The importance of attachment states of mind. *Journal of Consulting and Clinical Psychology, 67,* 725–733. van IJzendoorn, M. H. (1995). Adult attachment representations, parental responsiveness, and infant attachment: A metaanalysis on the predictive validity of the Adult Attachment Interview. *Psychological Bulletin, 117,* 387–403.

van IJzendoorn, M. H., & Bakersman-Kranenburg, M. J. (2008). The distribution of Adult Attachment representations in clinical groups: A metaanalytic search for patterns of attachment in 105 A AI studies. In H. Steele & M. Steele (Eds.), *Clinical applications of the Adult Attachment Interview* (pp. 399–426). New York: Guilford Press.

Varvin, S. (2003). *Mental survival strategies after extreme traumatisation*. Copenhagen: Multivers APS.

Verheul, R., Berghout, C. C., Busschbach, J. J. V., Bateman, A., Helene, A., Dolan, C., . . . Fonagy, P. (2008). Severity Indices of Personality Problems (SIPP-118): Development, factor structure, reliability, and validity. *Psychologic al Assessment, 20,* 23–34.

Vermeersch, D. A., Whipple, J. L., Lambert, M. J., Hawkins, E. J., Burchfield, C. M., & Okiishi, J. C. (2004). Outcome Questionnaire: Item sensitivity to changes in counseling center clients. *Journal of Counseling Psychology, 51,* 38–49.

Vermote, R., Lowyck, B., Luyten, P., Verhaest, Y., Vertommen, H., Vandeneede, B., . . . Peuskens, J. (2011). Patterns of inner change and their relation with patient characteristics and outcome in a psychoanalytic hospitalization-based treatment for personality disordered patients. *Clinical Psychology and Psychotherapy, 18,* 303–313.

Waldron, S. (1995). [Book review: *Understanding Transference: The CCRT Method* by Lester Luborsky and Paul Crits-Christoph. New York, Basic Books, 1990.] *Psychoanalytic Quarterly, 64,* 398–402.

Waldron, S., Gazzillo, F., Genova, F., & Lingiardi, V. (2013). Relational and classical elements in psychoanalyses: An empirical study with case illustrations. *Psychoanalytic Psychology, 30,* 567–600.

Waldron, S., & Helm, F. (2004). Psychodynamic features of two cognitive/behavioural and one psychodynamic treatment compared using the Analytic Process Scales. *Canadian Journal of Psychoanalysis, 12*, 346–368.

Waldron, S., Moscovitz, S., Lundin, J., Helm, F. L., Jemerin, J., & Gorman, B. (2011). Evaluating the outcome of psychotherapies: The Personality Health Index. *Psychoanalytic Psychology, 28,* 363–388.

Waldron, S., Scharf, R. D., Crouse, J., Firestein, S. K., Burton, A., & Hurst, D. (2004a). Saying the right thing at the right time: A view through the lens of the Analytic Process Scales (APS). *Psychoanalytic Quarterly, 73,* 1079–1125.

Waldron, S., Scharf, R. D., Hurst, D., Firestein, S. K.,& Burton, A. (2004b). What happens in a psychoanalysis: A view through the lens of the Analytic Process Scales (APS). *International Journal of Psychoanalysis, 85,* 443–466.

Wallerstein, R. S., DeWitt, K., Hartley, D., Rosenberg, S. E., & Zilberg, N. (1996). *The Scales of Psychological Capacities (Version 1).* Unpublished manuscript.

Waters, E., & Hamilton, C. E. (2000). The stability of attachment security from infancy to adolescence and early adulthood: General introduction. *Child Development, 71,* 678–683.

Waters, E., Treboux, D., Fyffe, C., & Crowell, J. (2001). *Secure versus insecure and dismissing versus preoccupied attachment representation scored as continuous variables from A A I state of mind scales.* Unpublished manuscript, Stony Brook University, State University of New York.

Watkins, R., Cheston, R., Jones, K., & Gilliard, J.(2006). "Coming out" with Alzheimer's disease: Changes in awareness during a psychotherapy group for people with dementia. *Aging and Mental Health, 10,* 166–176.

Webster, L., & Hackett, R. K. (2007). A comparison of unresolved and resolved status and its relationship to behavior in maltreated adolescents. *School Psychology International, 28,* 365–378.

Weiner, I. B. (2000). Making Rorschach interpretation as good as it can be. *Journal of Personality Assessment, 74,* 164–174.

Weiner, I. B. (2003). *Principles of Rorschach interpretation* (2nd ed.). Mahwah, NJ: Erlbaum.

Weinryb, R. M., Gustavsson, J. P., & Barber, J. P. (2003). Personality traits predicting longterm adjustment after surgery for ulcerative colitis. *Journal of Clinical Psychology, 59,* 1015–1029.

Weinryb, R. M., & Rössel, R. J. (1991). Karolinska Psychodynamic Profile— KAPP. *Acta Psychiatrica Scandinavica, 85,* 153–162.

Weinryb, R. M., Rössel, R. J., & Åsberg, M. (1991a).

The Karolinska Psychodynamic Profile: I. Validity and dimensionality. *Acta Psychiatrica Scandinavica, 83,* 64–72.

Weinryb, R. M., Rössel, R. J., & Åsberg, M. (1991b).
The Karolinska Psychodynamic Profile: II. Interdisciplinary and crosscultural reliability. *Acta Psychiatrica Scandinavica, 83,* 73-76.

Weinryb, R. M., Rössel, R. J., Gustavsson, J., Åsberg, M., & Barber, J. P. (1997). The Karolinska Psychodynamic Profile (KAPP): Studies of character and wellbeing. *Psychoanalytic Psychology, 14*(4),495-515.

Weiss, J., Sampson, H., & the Mount Zion Psychotherapy Research Group. (1986). *The psychoanalytic process*. New York: Guilford Press.

Westen, D. (1991a). Clinical assessment of object relations using the TAT. *Journal of Personality Assessment, 56*, 56-74.

Westen, D. (1991b). Social cognition and object relations. *Psychological Bulletin, 109,* 429-455.

Westen, D. (1995). *Social Cognition and Object Relations Scale: Q sort for Projective Stories (SCOR S -Q).* Unpublished manuscript, Cambridge Hospital and Harvard Medical School, Cambridge, MA.

Westen, D. (1999). The scientific status of unconscious processes: Is Freud really dead? *Journal of the American Psychoanalytic Association, 47,*1061-1106.

Westen, D., DeFife, J. A., Malone, J. C., & DiLallo, J. (2014). An empirically derived classification of adolescent personality disorders. *Journal of the American Academy of Child and Adolescent Psychiatry, 53,* 528-549.

Westen, D., Dutra, L., & Shedler, J. (2005). Assessing adolescent personality pathology. *British Journal of Psychiatry, 186*, 227-238.

Westen, D., Gabbard, G. O., & Blagov, P. (2006). Back to the future: Personality structure as a context for psychopathology. In R. F. Krueger & J. L. Tackett (Eds.), *Personality and psychopathology* (pp. 335-384). New York: Guilford Press.

Westen, D., & Harnden-Fischer, J. (2001). Personality profiles in eating disorders. In M. R. Leary & J. P. Tangney (Eds.), *Handbook of self and identity* (pp. 643-664). New York: Guilford Press.

Westen, D., & Muderrisoglu, S. (2006). Clinical assessment of pathological personality traits. *American Journal of Psychiatry, 163,* 1285-1287. Westen, D., & Shedler, J. (1999a). Revising and assessing Axis II: Part I. Developing a clinically and empirically valid assessment method. *American Journal of Psychiatry, 156*, 258-272.

Westen, D., & Shedler, J. (1999b). Revising and assessing Axis II: Part II. Toward an empirically based and clinically useful classification of personality disorders. *American Journal of Psychiatry, 156*,273-285.

Westen, D., Shedler, J., Bradley, B., & DeFife, J. A. (2012). An empirically derived taxonomy for personality diagnosis: Bridging science and practice in conceptualizing personality. *American Journal of Psychiatry, 169,* 273-284.

Westen, D., Shedler, J., Durrett, C., Glass, S., & Martens, A. (2003). Personality diagnosis in adolescence: DSM-I V Axis II diagnoses and an empirically derived alternative. *American Journal of Psychiatry, 160,* 952-966.

Westen, D., & Weinberger, J. (2004). When clinical description becomes statistical prediction. *American Psychologist, 59,* 595-613.

Wilczek, A., Barber, J. P., Gustavsson, J. P., Asberg, M., & Weinryb, R. M. (2004). Change after longterm psychoanalytic psychotherapy. *Journal of the American Psychoanalytic Association, 52*, 1163-1184.

Wilczek, A., Weinryb, R. M., Gustavsson, P. J., Barber, J. P., Schubert, J., & Asberg, M. (1998). Symptoms and character traits in patients selected for longterm psychodynamic psychotherapy. *Journal of Psychotherapy Practice and Research,7,* 23-34.

Wood, J. M., Nezworski, M. T., Lilienfeld, S. O., & Garb, H. N. (2003). *What's wrong with the Rorschach?* San Francisco: Jossey-Bass.

Young, J. L ., Waehler, C. A., Laux, J. M., McDaniel, P. S., & Hilsenroth, M. J. (2003). Four studies extending the utility of the Schwartz Outcome Scale (SOS-10). *Journal of Personality Assessment,80,* 130-138.

Zilberg, N. J., Wallerstein, R. S., DeWitt, K. N., Hartley, D. E ., & Rosenberg, S. E . (1991). A conceptual analysis and strategy for assessing structural change. *Psychoanalysis and Contemporary Thought, 14,* 317-342.

Zilcha-Mano, S., Chui, H., McCarthy, K., Dinger, D., & Barber, J. P. (2016). *Examining mechanisms underlying the dodo bird effect in depression: Changes in general attributions and relationship representations.* Manuscript in preparation.

Zilcha-Mano, S., McCarthy, K. S., Dinger, U., & Barber, J. P. (2014). To what extent is the alliance affected by transference?: Some empirical findings. *Psychotherapy, 51,* 424-433.

Zimmermann, J., Ehrenthal, J. C., Cierpka, M., Schauenburg, H., Doering, S., & Benecke, C. (2012). Assessing the level of structural integration using Operationalized Psychodynamic Diagnosis (OPD): Implications for DSM-5. *Journal of Personality Assessment, 94*(5), 522-532.

CHAPTER 9

PSYCHODYNAMIC DIAGNOSTIC MANUAL

임상 예시 및 PDM-2 프로파일

| 려원기 |

서론

본 챕터는 자연스러운 세팅 하에서 이루어진 진료로부터 가져온 임상 예시들로 구성되어 있다. PDM-2에서 다루고 있는 각 연령군들: 즉 성인, 청소년, 아동, 영아/초기 아동기, 그리고 노년기를 예시하기 위해 증례 한가지씩이 제공되었다. 몇몇은 이탈리아의 임상가들이 제공한 것이며, 또 다른 것들은 미국 임상가들의 것이다. 모든 임상 증례에 등장하는 개인의 세부 정보는 현대의 출판 증례 자료에 대한 기준을 준수하여 각색되었다. 추가적인 PDM-2 임상 사례들은 온라인에서 찾아볼 수 있다. (본문 표 말미의 박스를 보라.)

우리의 목적에는 PDM-2 분류 체계를 통해 환자의 전체적인 기능을 이해하는 능력을 증진시키고; 다양한 종류의 병리적 기능을 철저히 설명할 수 있게끔 좀 더 고취시키며; 여러 가지 종류의 수많은 정신적 고통 및 감정적 고통 양상에 대해 더 명확히 묘사하고, 이에 기반하여 궁극적으로는 좀 더 적절한 연구 설계 방식을 만들어내기를 촉진시키는 일이 포함된다. 각 임상 사례들은 다음과 같이 구성되어 있다. (약간의 변용이 있을 수는 있다.):

- 문제 제시
- 인구학적 자료 및 개인적 자료 (연령, 성별, 성적 지향성, 교육, 직업, 사회적 상태, 결혼 여부, 아울러 가족력 및 양육자나 형제와의 관계에 있어서 특수한 양상)
- 이전의 심리적 그리고/혹은 생물학적 치료와 더불어, 문제가 되는 점의 과거력에 관한 정보

- 기타 중요한 정보, 이를테면 문제와 관련될 가능성이 있는 생활 속 사건, 그리고 기타 중요한 요소들. 이를테면 문화적, 인종적, 종교적 배경.
- 정신 병리적 양상, 이를테면, 관련된 정동, 방어, 주된 염려 및 병리를 일으키는 믿음.
- 강점과 자원
- 환자에 대한 임상가의 주관적인 반응 (즉 역전이 반응)
- 치료적 가설 및 치료 적응

이와 같은 요소들의 총체야 말로 본 챕터에 실린 임상 사례들이 다른 챕터에 수록된 간략한 증례들과 구분되는 점이다. 다른 챕터들의 증례들은 특정 장애나 인격 양식의 특징 일부를 강조하기 위해 묘사된 것이기 때문이다. 증례들은 여러 다양한 임상가들로부터 기여를 받은 것이기에 어느 정도 서로 다른 스타일로 기술되어 있다.

PDM-2가 "질병의 분류"가 아니라 "사람의 분류"라고 천명한 것에 발맞추어, 본 증례들에서는 총체적인 묘사를 담고자 하였다. 보편적 이해와 사례 개별적인 이해가 잘 통합되게끔, 증례들은 DSM-5 및 ICD-10 진단 기준들과 합쳐졌다. 각 환자들은 자기 연령대에 맞는 정신역동 차트 Psychodynamic Chart (PDC)로 평가되었다. 새 PDC 서식이 본 매뉴얼 부록에 첨부되어 있으며, 확장판 형태는 역시 다운로드가 가능하다. (거듭 언급하건데, 본문 표 말미의 박스를 보라.)

청소년기

미셸(Michelle)

현재 문제

미셸이 부모님을 대동하지 않고 지역의 클리닉을 방문했을 때 그녀는 17세였다. 심리사가 상담을 요청한 이유가 무엇이었는지 묻자, 그녀는 섭식 장애로 고통받는 소녀에 관한 이야기를 TV에서 보았다고 말했으며, 그 이야기로 인해 자신에 대한 의구심이 생겼다고 말했다. 그녀는 무슨 일이 자신에게 벌어지고 있는지 확실히 알지 못한다고 느꼈고, 이해해 줄 수 있는 누군가에게 도움을 청해야겠다고 결심했다. 미셸은 "감정의 널뛰기가 저를 롤러코스터를 탄 것처럼 느끼게 만들어요. 한 순간에는 우울했다가 다음 순간에는 세계를 정복할 수도 있을 것처럼 느껴요."라고 묘사하며 고통에 대해 말했다. 그녀는 인터넷에서 도움을 받을 수 있는 곳을 검색한 후 약속을 잡았다.

미셸은 호리호리한 편이었으나, 과할 정도로 마르지는 않았다. 그녀는 속어를 사용하지 않았고, 말투는 침착하고 적절했다. 그녀는 잘 차려입었으며, 전반적으로 볼 때 나이에 걸맞은 태도를 보였다. 2년전 그녀는 어머니와 함께 어떤 체중 감량 프로그램을 시작했는데, 그녀는 그녀의 어머니를 "연쇄 다이어터"라고 불렀다. 그녀는 약 40일동안 15 파운드를 뺐다. 그녀는 체중을 감량하기 위해 전전긍긍했는데 이유인 즉 그녀의 몸은 항상 볼록한 굴곡이 있었기 때문이라고 말했다. 하지만 그녀는 자신의 신체를 혐오하는 수준에 도달했으며, 특히나 생리로 인해 변화가 생긴 후면 그러하였다. 그녀의 유방은 커졌고, 둔부가 부풀어 올랐으며, 자신이 추하며 사랑받을 가치가 없는 것처럼 느껴졌다. 그녀는 단 한명의 남자친구를 사귄 적이 있었는데, 당시 그는 그녀의 친구 중 한명과 교제를 하고 있었고, "그 친구가 나보다 더 예쁘기 때문에 그렇게 되었다"고 했다. 남자친구로부터 버림받은 일에 대해 슬퍼하고 우울해 하며, 그녀는 남자친구가 자신을 거절한 것이 부적절한 몸 탓이라고 했다.

문제의 과거력

체중을 감량한 후, 미셸은 이 체중을 유지하고자 분투했다. 심지어 좀 더 날씬해지고 싶어했으나, 더 이상 감량은 불가능해 보였다. 그녀는 매우 조금 먹는 기간 (때로는 하루 과일 한쪽만을 먹을 뿐이었다)에 대해 묘사하였고, 체중계 눈금이 내려가는 것을 보는 일이 대단히 동기부여가 되었다고 말했다. 그녀는 "전혀 배고픔을 느끼기 않았다"고 말했는데, 먹어야만 한다는 신체적 욕구를 급히 감지했을 때조차도 그러하였다고 했다. 그녀는 하루에 세 번 이상 저울 눈금을 확인하기 시작했고, 매일 생각들은 음식과 관련된 주제를 중심으로 해서 시작되었다. 그녀는 매일 아침 일어나자마자 오늘은 무얼 먹을 것인지에 대해 생각했다. 특히 무엇을 먹지 말아야 할지에 대해 생각했다. 낮 동안 그녀는 소량의 물을 마셨다. 자러갈 때면, 다음날 무엇을 먹고 무엇을 먹지 말아야 할 것인지에 대해 즉각적으로 떠올랐다. 이러한 생각들은 그칠 줄을 몰랐고, 그녀의 마음을 지배했다. 그녀는 식사 계획을 지키지 못할 경우 자신이 얼마나 무가치하고 무능력한 사람이라 느껴질지에 대해 이야기했다.

2 개월간의 다이어트 후 미셸을 체중은 고착되었다. 그리고 생리가 멈추었다. 그녀는 자신이 "실패"라고 부르는 일로 우울해지기 시작했다. 그녀는 체육관에 등록하여 매일 두 번 출석하여 에어로빅 운동을 했다. 체육관은 그녀의 체중과 음식 섭취 (혹은 섭취 않기)와 더불어 또 다른 강박이 되어버렸다. 어느 날 기진맥진한 채 체육관에서 집으로 돌아와 체중을 재어보기로 했는데, 그녀의 체중은 불어 있었다. 실망하고 화가나 그녀는 많은 양의 음식을 먹어치우기 시작했다. 심리사가 그녀에게 무슨 음식을 먹었냐고 물었으나, 미셸은 기억해 날 수 없었다. 그 다음 그녀는 폭식 시기가 시작되었음을 설명했다. 첫 번째 폭식이 있은 후 그녀는 똑같은 패턴을 따랐다: 매우 소량 먹도록 자신을 몰아붙인 다음, 완벽한 금식이라는 목표에 미치지 못했음을 자각하는 순간, 게걸스럽게 먹어치우기 시작한다는 것이었다. 폭식을 할 때면 그녀는 상황을 조절할 능력을 상실하는 듯 보였다; 무슨 음식을 얼마만큼 먹어왔는지 기억하지 못했다. 어떤 맛의 기준도 없이 그녀는 단 음식과 매콤한 음식을 번갈아가며 먹었다.

미셸은 자신이 일반적으로 행하는 식습관의 예를 말해주었다. 친구들과 어울리기 전날 밤, 하루 종일 아무 것도 먹지 않는데 "속이 비었을 때만 나가 놀 수 있기 때문"이라고 했다. 하지만 친구들과 어울릴 때면, 그녀는 집으로가 먹고 또 먹고 싶다는 생각에 사로잡혔다. 일단 귀가하면, 그녀는 낮 동안 건드릴 수 없었던 모든 것을 먹으며 저녁시간을 보냈다.

의뢰 당시에도, 미셸은 여전히 운동과 체중에 강박적으로 사로잡혀 있었다; 그녀는 쉼 없이 매일 체육관에 가고 있었고, 매일 음식물을 배설하기 위해 하제를 사용했다. 간헐적으로 구토를 유도하기도 했다.

개인적 자료, 가족력 및 가족 구성원들 관계에서의 특징적인 양상

미셸의 학교생활은 대단히 훌륭했고, 학업 성적은 평균이상이었으며, 단 한 번도 문제를 일으킨 적이 없었다. 심리사가 그녀에게 왜 혼자 상담 받으러 왔냐고 묻자 자해하고 있다는 것을 부모님이 아시게 되면 부모님은 "미쳐버리실 것"이라고 답했다. 부모님은 그녀의 장애에 대해 아무런 낌새도 느끼지 못하고 있었다. 미셸은 스스로를 부모님에게 심려를 끼치고 싶지 않은 완벽한 딸이라고 묘사했다; 부모님은 사업으로 멀리 나가있을 때가 많았고, 그녀는 온갖 방법으로 자신이 겪는 고통을 숨기고자 했다. 그녀는 항상 웃음 짓고 행복하며 재능있고 성실한 것처럼 보이려고 노력했다. "저는 모든 걸 가졌었죠. - 좋은 학교, 휴일 해외여행, 비싼 옷들 - 만약 제가 이렇게 망가졌음을 그분들이 알게 된다면, 실망하실 거에요. 저는 죄책감을 느끼겠죠."

미셸은 자신에 대해 이야기 할 때면 스스로를 폄훼하는 경향이 있었다; 스스로를 "나약한 바보, 너무도 멍청할 만치 물러요"라고 묘사했으나, "좀 더 기분이 좋아지도록 모든 노력을 했어요, 하지만 문제는 제 머릿속에 있나 봐요."라고도 말하며, 그런 이유로 도움이 필요함을 깨닫게 되었다고 했다. 그녀는 어머니와 사이가 좋았으나, 때로는 그 관계를 감당해 나가기가 힘들었다고 했다. 어머니는 미셸에게 "가장 좋은 친구, 믿을 수 있는 유일한 사람"이라 표현했으나, 대조적으로 미셸은 어머니가 불안해 할까봐 그리고 딸에게 어떤 것이든 약점이 있음을 내색하게 되면 어머니가 놀랄까봐 두려워 숨겨야 하는 이야기들이 있었다. 미셸은 기억을 떠올렸다. "제가 어렸을 때, 어머니가 우는 모습을 줄곧 보아왔어요. 저는 어머니를 달래려고 했었죠. 왜 어머니가 우시는지 영문을 알 수는 없었지만, 당신을 힘내게 해드리려고 한참을 노력했던 것이 기억나요."미셸은 어머니가 자신을 일컬어 "강하고 기대 이상의 소녀"라고 했던 것을 들었다. 아버지와의 관계는 "좋은 것도 나쁜 것도 아니라, 그저 없었을 뿐"이라고 했다. 아버지는 사업으로 자주 나가있었으며, 집에 있을 때면 오로지 그녀의 학업에 대해서만 물었다. - "그 이상도 그 이하도 아니었어요. 예를 들어, 저는 아버지가 제 친한 친구의 이름을 단 한명도 몰랐다고 확신해요."미셸은 엄격하고 권위주의적인 남자, 사소한 일에도 화를 내고 항상 심각한 남자에 대해 묘사했다. 심리사가 만약 지금 이야기를 부모님이 듣고 있다면 뭐라고 생각하실 것 같은지 묻자, 미셸은 "부모님이 제 이야기를 듣는다면, 저에 대해 의구심을 갖고, 제가 형편없다고 생각하시겠죠."라고 말했다. 그들은 패배감과 극도의 수치심을 느낄 것이라고 했다. 그녀는 보살핌과 애정에 굶주려있었고, 보호받고 소중히 여겨지기를 바라는 갈망을 표하는 듯 보였다.

미셸은 4살 연상의 오빠가 있었는데, 그녀와 사이가 좋지 않았다. 둘은 여러 방면에서 주

욱 경쟁적이었다: 둘은 같은 학교에 다녔고, 어울리는 친구 무리가 같았고, 부모님에게 "둘 중 누가 더 나은지"말해달라고 줄곧 졸라대었다.

미셸은 자신의 삶에 관해 아무것도 선택할 수가 없었다고 말했다: 그녀가 나온 (일류) 학교와 (부유한) 친구들은 언제나 부모님이 그녀를 위해 골라 준 것처럼 보였다. 미셸은 "제가 뭘 원하는지 혼란스러워요. 어느 대학을 택해야 할지 모르겠어요, 저를 위해 부모님이 이미 무엇인가를 골라놓으셨다는 것을 알고 있어서 너무 끔찍해요, 하지만 부모님이 제안할 대학에 제가 입학하기를 원하는지는 여전히 모르겠어요."그녀는 부적절하고, 무능하며, 사랑받지 못하게 될까 걱정했다. "그들이 제가 다닐 대학을 이미 골라 놓았다고 생각하면, 너무 화가 나서 소리 지르고만 싶어요, 하지만 절대 표현할 수는 없겠죠. 저는 부모님이 어떻게 반응할까 두려워요. 그리고 속수무책으로 제가 끌려 다닐 것만 같은 너무 강렬한 감정으로 두려워요."

가족력에서 정신 장애의 증거가 존재했다: 미셸의 이모, 즉 어머니의 여자 형제가 성인기 발병 편집성 조현병의 일종으로 투병했다.

부가적인 관찰

관련된 정동

미셸이 경험하는 주된 정동 및 이를 표현하는 방식의 예는 다음과 같았다:

- 슬픔 (우울한 기분): "아침에 살이 빠져 있지 않다는 것을 확인한다면, 저는 종일동안 이고 침대에 누워 있을 수도 있어요. 정말, 정말로 기분이 안 좋아요. 마치 아무런 에너지가 없는 것처럼 말이에요."
- 절망 (낮은 자존감): "저는 아무런 가치가 없고 삶에서 아무 것도 할 수 없어요; 심지어 1파운드 체중도 못 빼는 걸요."
- 유기에 대한 두려움: 심리사를 바라보며 미셸은 물었다. "만약 제가 여기 왔는데 이야기 거리가 아무것도 없다면, 그래도 계속 치료자가 되어 주실 건가요?"
- 수치심: "제 체형을 보잖아요? 그러면 정말, 정말로 제가 형편없어 보여요. 그렇게 생각하지 않으세요?"
- 나약함과 실패에 대한 두려움: "학교에서 낙제하는 것은 상상할 수도 없어요; 그 가능성에 대해 생각하는 것만으로 기분이 나빠요. 안 돼요. 못 해요, 못해, 못해."
- 분노와 공격성에 대한 통제력 상실의 공포: "오늘 아침 엄마가 제 방으로 와서 가족 문제에 대해 털어놓으셨어요, 하지만 저는 정말, 정말 지치고 기진맥진했거든요. 엄마의 문제를 듣고 싶지 않았어요. 하지만 들어야만 했죠. 정말, 정말 속에서는 화가 치밀어 올랐어요, 하지만 내색을 안 하려고 애를 썼어요. 크게 소리치고 싶을 정도로 화가 났지만 그럴 수 없었죠. 때때로 화가 날 때면, 분을 터뜨리면 어쩌지, 종잡을 수 없어져

미쳐버리면 어쩌지 하며 두려워해요."

- 무가치감, 쓸모없다는 느낌

방어

미셸은 (아직 발견되거나 살펴봐진 적은 없으나) 성장하고 싶다는 소망과 부모님이 기대하리라 느껴지는 것 사이에 갇힌 느낌을 받는 듯 보였다. 그녀에게는 종종 어울리는 친구들이 많이 있었다. 비록 그녀가 어울리는 무리들 사이에서 자신의 모습이 어떻게 보일지 끊임없이 불안해하긴 했으나 사회적 기능은 양호해 보였다; 그녀는 친구들을 대할 만큼 자신이 "충분히 멋진지" 머릿속으로 되물었다. 친구들과 함께 있을 때면, 그들을 실망시킬까 두려워, 그녀는 친구들의 비위를 기꺼이 열성적으로 맞추었다. 그녀는 남들을 실망시킨다면 남들은 사랑을 거둬드린 다음 자신을 거부할지도 모른다는 두려움으로, 항상 남을 도울 준비가 되어 있으려 애를 썼다. 그녀는 말했다 "어떤 사랑에도 공짜는 없어요. 모든 사랑은 반대 급부로 뭔가를 요구하지요."

미셸은 대단히 지적이었으며, 그녀가 좋아하지 않는 뭔가를 공부할 때 조차 자신의 일에 두각을 보이는 재능 있는 소녀였다. 그녀가 스스로의 고통에 의문을 품는 능력과 자신을 인식할 수 있는 정도는 강력한 자원이 되었다.

임상가와 접촉하기 전, 미셸은 다른 전문가에게 자문을 구한 적이 없었다. 그녀는 항상 "좋은 여자 아이"로 있었다고 말했다. 그녀는 어린 시절, 아침 일찍 생겨난 신체적 문제로 학교에 가기가 싫었던 적이 종종 있었다: 그녀는 천식과 심한 두통을 앓았다. 그녀가 기억하기로 유치원에 다닐 무렵, 어머니와 떨어지는 일로 여러 차례 씨름을 했는데, 어머니가 가버리고 나면 그녀는 슬픔을 가누지 못하고 울었다고 했다. 심리사가 엄마가 다시 나타났을 때 어떻게 반응했냐고 그녀에게 묻자 미셸은 기억이 나지 않는다고 말했다.

주된 염려와 병리적 믿음

미셸의 자기상은 다음과 같은 병리적 믿음에 의해 영향받는 듯 보였다: "나에게는 뭔가 깊이 나쁘거나 불완전한 것이 있어,""나는 다른 사람의 사랑을 받을 자격이 없어, 나는 불완전 하니까,""나 자신에 대해 죄책감과 수치심을 느껴,""나랑 정말 가까운 사람은 언젠가 내가 얼마나 무가치한지를 깨달을 테고 그러면 나를 거부하겠지."즐거운 감정이나 성취에 관한 갈등과 더불어 이 같은 믿음들은 그녀의 특별한 지적 능력에도 불구하고 자신이 가진 자원을 약화시키는 듯 보였으며, 인격과 정체성의 만개를 가치 있게 여기는 능력을 손상시킨 것처럼 보였다.

환자를 향한 치료자의 반응

미셸이 이야기하고 질문에 대답할 때면, 치료자는 마치 그녀가 자신의 "진짜 목소리"를 듣고 있지 않는 것처럼 느껴졌으며, 진실로 반응하기보다는 사교적으로 잘 받아 들여질만한 답변을 늘어놓는 것처럼 보였다. 그녀가 자신의 진짜 생각을 숨겨놓으려는 노력이 읽히자 심리사는 미셸과의 진짜 친교는 어려울지도 모르겠다는 절망감과 우려가 들었다. 그녀는 마치 미셸의 어느 한 버전을 제공받아 "먹고"있는 것처럼 느껴졌는데, 그 버전의 미셸은 그녀로 하여금 거절의 공포로 인해 미셸이 공유하기를 원치 않는 좀 더 진솔한 감정에서 멀어지게끔 하고 있었다.

치료적 적응

행동화하는 대신 자신의 느낌에 대해 생각해보고 그것을 이야기함으로써 불안감을 다룰 수 있는 역량을 개발함으로써 미셸에게 도움을 준다는 취지로 주 2회의 정신역동적 정신치료가 권고되었다. 좀 더 집중적인 정신역동적 작업은 미셸이 기존에 가진 사교적 관계나 기능에 해로운 영향을 끼칠 지도 모르며, 자신에게 결함이 있다는 그녀의 시각을 강화시켜 줄지도 모른다는 염려 때문에 보류되었다. 미셸이 타인을 대하는 새로운 방식을 실험하고, 스스로를 강박적이고 자기 파괴적인 행동으로 몰아넣고 소진시켰던 잘못된 전략에 대해 살펴보아도 충분히 안전하다 느낄 만큼의 치료적 관계 속에서 작업해 나가고자 했다. 신체 기능에 대해서는 의학적 모니터링 - 이상적으로 신체적, 심리적 안전정을 보장할 수 있는 다양한 분야의 협동적인 접근법이 권고되었다. (예를 들자면 영양사, 일차 진료의, 인지 행동 치료사를 포함하는 팀). 때로는 미셸로 하여금 그녀의 부모님을 치료에 모셔오도록 설득하고자 하였다; 하지만 이는 강한 치료적 관계라는 맥락 내에서 신뢰와 안전감을 개발하는 능력에 달려있었다.

DSM-5/ICD-10 진단

신경성 대식증 (ICD-10-CM 코드: F50.2)

PDM-2 진단

MA축

M04. 중등도의 정신기능 장애 (범위 = 33–39)

PA축

기능 수준: 경계선

드러나는 인격 양식: 우울

SA축

SA81. 섭식 장애

PDC-A 상의 PDM-2 프로파일

미셸의 PDM-2 프로파일 전체를 보여주는 완결된 PDC-A는 Figure 16.2에 제시되어 있다.

정신진단 차트-청소년 (PDC-A)

이름: 마셸　　나이: 17　　성별: 여성　　인종: 백인 북아메리카인

평가일: xx / xx / xx　평가자: 정신치료자

섹션 I: 정신 기능 (MA 축)

아래 12가지 정신 기능 각각에 대해 환자의 강점 또는 약점 수준을 1에서 5점 척도 (1=심각한 결손; 5=건강함) 상에 평가하시오. 그 다음 12가지 심각도 수준 평가 점수를 합하시오.

심각한 결손	주된 장애	중등도 장애	경한 장애	건강함
1	2	3	4	5

- **인지 및 정동 과정들**
  1. 조절, 주의 및 학습 역량　　4
  2. 정동 범위, 의사소통 및 이해에 관한 역량　　4
  3. 정신화 및 반영적 기능 역량　　3
- **정체성 및 관계**
  4. 분화 및 통합 (정체성)에 관한 역량　　3
  5. 관계 및 친밀도에 관한 역량　　3
  6. 자존감 조절 및 내적 경험의 질에 관한 역량　　2
- **방어 및 대처**
  7. 충동 조절 및 통제에 관한 역량　　2
  8. 방어 기능에 관한 역량　　3
  9. 적응, 회복력 및 강도에 관한 역량　　3
- **자기 인식 및 자기 방향성**
  10. 자기 관찰 능력 (심리학적 마음가짐)　　4
  11. 내적 규준 및 이상을 구성하고 사용하는 능력　　3
  12. 의미와 목적에 관한 역량　　3

인격 심각도의 총체적 수준 (12 정신 기능의 합):　　37

[건강한/최적의 정신 기능, 54 – 60; 몇몇 어려움을 겪는 영역이 있으나 양호하거나/적절한 정신 기능, 47 – 53; 정신 기능의 경한 장애, 40 – 46; 정신 기능의 중등도 장애, 33 – 39; 정신 기능의 주된 장애, 26 – 32; 기본적 정신 기능의 유의한 결손, 19 – 25; 기본적 정신 기능의 주된/심각한 결손, 12 – 18]

(계속)

표 9.2. 완성된 미셸의 PDC-A

섹션 II: 인격 구성의 수준

인격 구성의 수준을 결정할 때에는 환자의 정신 기능을 고려하라. 다음의 네 가지 정신기능을 이용하여 효율적으로 인격 구성의 수준을 정하라. 임상가는 환자에게서 보이는 청소년기의 단계를 유념해야 한다: 초기 청소년기 (대략 11-13세), 중기 청소년기 (대략 14-18세), 후기 청소년기 (19-21세). 각 정신 기능을 1점 (심각히 저하됨)에서 10점 (건강함)까지의 척도 상에서 평가하시오.

심각함 — 중등도 — 건강함

1 2 3 4 5 6 7 8 9 10

1. **정체성:** 자신을 복합적이고, 안정적이며, 정확한 방식으로 바라보는 능력 3
2. **대상관계:** 친밀하고 안정적이며 만족스러운 관계를 유지하는 능력 4
3. **방어 수준** (아래의 지침을 이용하여, 한 가지 숫자를 고르시오): 5
   1-2: 정신증적 수준 (망상적 투사, 정신증적 부정, 정신증적 왜곡)
   3-5: 경계성 수준 (분리, 투사적 동일시, 이상화/평가절하, 부정, 행동화)
   6-8: 신경증적 수준 (억압, 반동형성, 지식화, 전치, 취소)
   9-10: 건강한 수준 (예상, 자기 주장, 승화, 억제, 이타주의 및 유머)
4. **현실 검증력:** 무엇이 현실적인지 보편적인 개념을 인지하는 능력 7

총체적인 인격 구성

평가 결과 및 당신의 임상적 판단에 따라, 환자의 총체적 인격 구성을 나타내는 점수에 동그라미를 치시오.

정신병적 — 경계성 — 신경증적 — 건강함

1 2 3 4 (5) 6 7 8 9 10

"정상적으로"부각되는 인격 양식 (건강함): 대게 9-10점으로 나타남. 이 청소년들은 부각되는 인격 조직이 응집력을 보이는데, 그 속의 기질적 취약성을 포함한 생물학적 자질은 발달상 적절한 가족, 동료 및 타인과의 관계 속에서 적응적으로 처리된다. 청소년 발달 단계와 관련해서, 그들은 점점 더 조직화된 자기감을 가지게 되는데, 자기감에는 연령에 맞는 대처 기술과 자타에 관한 느낌을 다루는 공감적, 양심적 방식들이 포함된다.

경도의 역기능적으로 부각되는 인격 양식 (신경증적): 대게 6-8점으로 나타남. 이 청소년들은 부각되는 인격 조직이 덜 응집되어 있으며, 그 속의 기질적 취약성을 포함한 생물학적 자질은 덜 적

표 9.2.(계속)

응적으로 처리된다. 생애 초기 그들의 주양육자들은 그들이 이러한 체질적 성향을 처리하는 것을 돕는데 문제가 있었을 수 있다. 따라서 가족, 동료 및 타인과의 관계는 더욱 문제들로 가득하다. 이러한 청소년들은 덜 문제적인 자질을 가졌거나 더 잘 반응하는 양육자를 가진 청소년들만큼 다양한 발달 수준을 성공적으로 해쳐나가지 못한다. 그러나 그들의 자기감 및 현실감은 꽤나 탄탄하다. 발달이 진행됨에 따라, 그들의 적응적 기전들은 적당히 융통성이 부족한 방어 양식들로 나타날 수도 있으며, 역경에 대한 반응은 어느 정도 역기능적일 수 있다.

역기능적으로 부각되는 인격 양식 (경계선): 대게 3-5점으로 나타남. 이 청소년들은 현실 검증력 및 자기감에 있어 취약성을 드러낸다. 이러한 문제들은 자타에 관한 느낌을 다룰 때 부적응적인 방식으로 나타날 수 있다. 그들의 방어적 조작은 현실을 왜곡시킬 수도 있다. (예, 자신의 느낌을 자신의 것이 아닌 타인의 것으로 지각할 수도 있다; 타인이 가진 의도를 잘못 지각할 수도 있다.)

심각히 역기능적으로 부각되는 인격 양식 (정신증적): 대게 1-2점으로 나타남. 이 청소년들은 현실 검증력 및 자기감 형성에 있어 유의한 결손을 보이며, 이는 자타에 관한 느낌을 다룸에 있어 지속적으로 부적응적 방식을 사용하는 것으로 드러난다. 그들의 방어적 조작은 타인과 연관된 기본적인 역량을 방해하며, 자신의 느낌과 소망을 타인의 것과 분리하는 역량을 방해한다. (정신증과 경계성 수준 사이를 지나는 사람일 경우 3점을 줄 것)

(카테고리들 간 뚜렷한 절단선은 없음. 임상적 판단에 따를 것)

섹션 III: 부각되는 청소년 인격 양상/증후군 (PA 축)

구성 수준을 고려하는 것에 덧붙여서, 청소년 환자들은 부각되는 인격 양상을 드러내기 시작한다. 이 양상들을 카테고리적 진단으로 생각하기 보다는, 부각되는 양상에 대해 환자가 드러낼 수도 있는 상대적인 정도라고 생각하는 편이 임상가들에게 더 유용하다.

아래의 리스트로부터 적용할 수 있는 가능한 많은 인격 증후군을 체크하시오; 그리고 가장 주된 한 두 가지 인격 양상에 동그라미를 치시오. 없다면 비워두시오.
(연구 목적이라면, 모든 양상에 대해 1-5점 척도를 사용하여 심각성 수준을 체크할 수도 있다: 1= 심각한 수준; 3= 중등도 심각성; 5=고기능)

	심각도 수준
☑ 우울성	2
☐ 불안-회피성	___
☐ 분열성	___

(계속)

표 9.2. (계속)

심각도 수준

- ☐ 사이코패스-반사회성 ___
- ☐ 자기애성 ___
- ☐ 편집성 ___
- ☐ 충동적-연극적 ___
- ☐ 경계성 ___
- ☐ 의존적-희생양화된 ___
- ☐ 강박적 ___

섹션 IV: 증상 양식 (SA 축)

주된 PDM-2 증상 양식들 (정신증적 장애, 기분 장애, 일차적으로 불안과 연관된 장애, 사건 및 스트레스 요인과 연관된 장애 등)을 열거하시오.

(필요시 DSM이나 ICD 증상 및 코드를 여기에 사용할 수 있다.)

심각 ← 중등도 → 건강

1 2 3 4 5

증상/염려: 섭식 장애 수준: 1

증상/염려: ___ 수준: _

증상/염려: ___ 수준: _

섹션 V: 문화적, 맥락적 고려점 및 기타 관련된 고려점들

미셸은 자수성가한 아버지, 완전히 가족에 헌신하는 어머니를 둔 부유한 사회적 환경에서 자라났다. 가족적 배경은 구성원들의 내적 세계보다는 학업 성적과 업무 능력의 표현에 좀 더 경도된 듯 보이고, 그리하여 어떠한 감정적 표현도 받아들여지거나, 환영받거나, 깊이 이해받지 못 해왔던 것이다.

표 9.2. (계속)

아동기

앨리스(Alice)

앨리스는 2학년에 재학 중인 7세 여자 아이이다. 그녀는 오랜 결혼 생활을 한 부부의 맏딸이며 한 살과 두 살의 남동생 둘이 있다. 그녀의 부모는 특정 활동에 강박적으로 집중하는 일(예, 숫자 리스트를 쓰거나 수학적인 게임을 하는 일)과 같은 "별난 행동들"; 과도할 정도로 울음을 터뜨리거나 소리를 지르는 지나친 감수성; 사회적인 고립; 그리고 정동 조절에 있어서의 몇몇 어려움을 걱정하고 있었다.

진단적 과정의 일부로, 부모가 함께 참여하는 한 세션, 가족 전체가 참여하는 한 세션, 그리고 앨리스와의 개인 세션들의 일정이 잡혔다.

개인적 자료, 가족력 및 가족 구성원들 관계에서의 특징적인 양상

앨리스의 부모는 둘 다 전문직 종사자로 스스로를 스포츠 활동에 적극적이라고 묘사하였다. 그들은 모두 결혼 생활에 갈등이 많다고 말했다; 가족 분위기는 반복적인 다툼으로 특징지어지는데, 두 사람은 자주 소리지르고 서로에게 저주를 퍼부우며 때리거나 발로차는 지경에 이르렀다. 그들은 둘 다 지나칠 정도로 업무 생활에 몰두하며, 심리사에게 자신들의 직업과 개인적인 흥밋거리가 가족에 우선한다고 털어놓았다. 그들이 자녀 교육을 바라보는 시각은 완전히 반대되었다; 앨리스의 어머니는 학업 수행에 관심이 많았고 앨리스가 여가시간을 스포츠 활동에 매진하였으면 하고 바랐다; 그녀의 아버지는 자식들이 여러 규칙에 얽매이지 않은 채 "자유로운 영혼"으로 평온하게 자라나길 바랐다. 앨리스의 아버지는 특히나 그녀의 교우관계에 관심이 많았고 종종 파티와 이벤트를 만들어주었다. 그는 자녀들이 사회적으로 잘 융합되지 못하고 위태로운 모습을 볼 때 걱정을 했다.

부모는 자신이 지닌 배경; 즉 외가의 심각함과 규율성; 그리고 친가의 자유로움과 비규율성을 자식들에게 반복하고 있는 것처럼 보였다. 그들은 커플 치료를 받은 바 있었으며, 자식들에 관한 염려를 상담 시간에 토로하였다.

첫 번째 만남에서 앨리스의 부모는 그녀에 대해 원하는 아기였으며 아무런 어려움 없이 발달 과제들을 제때 혹은 앞질러서 수행했다고 말했다. 그녀는 어휘력이 뛰어났음에도 불구하고 이른 나이 때부터 특별히 말수가 적었다. 앨리스는 축구와 카드에 강한 흥미를 보였고, 여가 시간 대부분을 잡아먹었다; 그녀는 축구를 잘 하였으나 감독과 협력하려 들지 않았다. 게다가 그녀는 여자 게임보다는 "남자"게임에 좀 더 흥미를 가지는 듯 했다. 앨리스는 숙제하는 것을 좋아하지 않았다. 그녀는 부모님과 함께 있기를 필요로 했으나, 이는 흔히 두 사람의 갈등이 시작되는 시발점이 되었다.

부모는 1년 전부터 앨리스의 "별난 행동"들을 인지하기 시작했는데, 그때 그녀는 여섯 살이었다. 상담 도중, 그들은 앨리스가 친구가 없다고 말했다; 그녀는 또래들과 어울리고 싶었으나, 그녀가 또래 집단에서 무슨 게임을 할지 정하려고 들었기에 함께할 수가 없었다. 그녀는 자신이 게임을 정할 수 없으면 쉽게 화를 냈고, 또래들과 자주 싸움을 일으켰다. 그 결과 그녀는 학우들로부터 빈번히 따돌림을 당했고 생일파티에 초대받지 못했다.

부가적인 관찰

가족 관찰

가족들이 대기실에 있는 동안, 세 아이들과 부모 간에 시끄럽고 강렬한 대화가 오갔다.

세션 동안 부모는 기꺼이 자신들의 불안을 표출했다: 한편으로는 자식들의 능력을 보여주고 싶어했다; 또 다른 한편으로는 자식들의 과도한 생기발랄함과 규칙을 준수하지 못하는 점에 대해 불평했다. 부모가 자식들의 행동에 기대하는 바는 아이들의 연령에 비해 지나치게 높아 보였다.

관계는 유연했고, 대화는 자발적이고 생기 있었는데, 특히나 아이들이 부모에게 하는 발언이 그러하였다. 특별히 앨리스의 남동생들은 그들만의 "작은 모임"을 결성한 것처럼 보였는데, 때때로 다른 사람들을 방해하는 불청객인양 간주하여 배척하기도 했다.

앨리스의 남동생들은 밝고 외향적으로 보였다. 앨리스는 좀 더 사색적이며 내향적이었으나, 비슷하게 독립적인 진취성을 발휘할 수 있는 듯 보였다. 그렇지만 가족 세션의 대부분에서 그녀는 억제되고 위축된 채로 있었다.

때로 앨리스는 어른들의 질문에 대답하지 않음으로써 반대 입장을 표했다. 나아가, 그녀가 무엇인가를 하도록 지시받을 때면, 부모와 있을 때건 학교에서건 그녀는 종종 요청을 받아들이지만 그 다음에는 일을 실패해버렸다. 종종 그녀는 자신에게 이야기하고 있는 어른들을 무시하며 그 요청들을 듣지 않는 것처럼 행동하였다.

부모와 아이들 사이의 교류에서 서로 간 감성이 비교적 많이 실리는 것이 갑작스레 눈에 띄었다. 앨리스가 환영받고 이해받고 부모의 싸움에서 "안전"하다고 느낄 때면 그녀에게 접근하기가 좀 더 쉬워지는 듯 보였다. 그녀는 좀 더 말수가 많아졌고 눈 맞춤을 유지할 수 있었으며, 좀 더 진심으로 어울릴 수 있었으며, 어째서 어떤 일을 하고 싶지 않은지 이유를 말할 수 있었고 특정 활동이 진심으로 어렵다는 것을 표할 수 있었다.

앨리스와의 개별적인 진단 세션

앨리스는 호기심 많고 발랄한 소녀처럼 보였다. 그녀는 어머니와 함께 상담실로 들어왔다. 그녀는 가족 관찰로 이미 환경에 익숙해 했고, 방안에서 자유롭게 움직였다.

그녀는 심리사와 방안에 혼자 남아있을 수 있었다. 처음에는 어색한 미소를 보이며 불편감을 감추려 했다.

그녀가 충분히 편안함을 느끼게 되자 자신이 좋아하는 것이라면 무엇이든 마치 휘몰아치는 강처럼 이야기했다. 그녀는 자신이 좋아하는 게임, 쇼에 대해 쉴 새 없이 이야기했는데, 이를테면 그녀는 비디오 게임 상의 다양한 등장인물의 이름을 안다는 식이었다. 또한 자신이 좋아하는 과목의 특정 개념들을 매우 자세히 언급함으로써 자신의 학업 능력에 대해 내비추기도 했다. 앨리스는 심리사에게 좋은 인상을 남기고 싶어 하는 듯 보였다.

첫 세션 도중, 심리사의 제안으로 앨리스는 몇몇 그림을 그렸다: 감정 (분노, 슬픔, 공포, 행복)에 관한 네 가지 자유로운 그림과 코흐의 나무 검사로(나무 그림) 총 여섯 가지 그림이었다. 그녀는 그림에 대해 신중히 언급했다. 나무의 디자인이 심리사의 눈길을 끌었다; 그것은 자작나무라고 하기 보다는 잎이 없는 자작나무의 앙상한 뼈대에 가까웠다.

감정 그림들은 앨리스에게 힘든 과제였다. 그녀는 그려야만 하는 것이 무엇인지 모르겠다고 말하며 난처해졌음을 표현했다. 하지만 나중에는 몇 개의 "스마일리"이모티콘을 사용하며 만화가로서의 인상적인 능력을 보여주었다. 모든 그림들은 검은 색 마커로 대단히 간결하게 그려졌다. 분노에 대해 그린 후 앨리스는 하루에도 몇 번씩 분노가 일어난다고 말했다. 그리고는 "까닭을 모를 때 어째서 저는 화가 날까요? 뭘 어떻게 해야될 지 모를 때 어째서 저는 화가 나죠?"라고 물었다. 슬픔을 그린 그림은 "스마일리"의 기울어진 눈썹만 제외하면 이전의 그림과 비슷했다. 그녀는 "슬픈 것 보다는 좀 더 두려운 것 같아 보이네요. 화가 나기 전에 저는 하루 한번씩 슬퍼요."라고 했다. 앨리스의 감수성과 내적 세계의 풍부한 복잡성과 감정적 뉘앙스는 그녀가 공포에 대해 그린 그림에서 결정적으로 확인할 수 있었다: "이 얼굴은 자기가 느끼고 있는 공포를 두려워 하는 거에요. 거의 항상 일어나는 일이죠."마지막으로 행복을 그린 그림은 감정이 드러나지 않는 "스마일리"로 표현되었다: 심리사가 그림을 보았을 때 그녀는 유행하는 말을 개인적으로 연관지었다. "나쁜 게임에 좋은 얼굴을 지어요."

개인 세션 동안 심리사는 다음과 같은 특별한 문구를 남겼다:

- 앨리스는 종종 속옷 팬티 매무새를 고쳐 입고, 자주 자신의 밑을 만지는 경향이 있다.
- 앨리스의 말은 빠르고 세련되었으나 대화는 굉장한 수다의 순간과 완전한 침묵의 순간이 교차하는데, 침묵할 때는 타인을 어떠한 대화로 부터도 배재한다.
- 분노와 공포는 앨리스에게 가장 큰 관심사로 보이는데, 그녀의 대화 능력을 약화시키는 방어 기제에 의지하지 않고서는 그것들을 표현할 수 없는 것처럼 보인다. 앨리스의 어머니는 딸이 자신들의 다툼을 목격하고 보이는 반응에 대해 의아해한다. 어머니에 따르면 그런 경우, 앨리스는 자기 방으로 뛰어가 몇 시간이고 쥐죽은 듯 머문다고 한다.
- 앨리스는 때로 안절부절 못하는 상태와 깊은 우울과 피로 상태를 오간다.

관련된 정동

앨리스는 항상 경계하며 기진맥진하고 우울한 느낌으로 끝이 나는 두려움이 많은 아이였다. 그녀는 맥락에 적절하게 반응할 수 있었으나, 감정이나 스트레스가 존재하지 않을 때나 부모로부터 지지를 받을 때에만 그러하였다.

그녀는 자신이 느끼는 공포, 수치심 및 무가치감에 분노와 공격적인 모습으로 반응했다. 부모는 이러한 행동에 곤란을 겪고 있었고 그런 행동들을 잘 다루지 못했다 – 왜냐하면 부모는 어떻게 해야 할지도 몰랐을 뿐더러 자기 자신들의 수치심과 죄책감에 사로잡혀 있었기 때문이다. 그로 인해, 앨리스는 자신의 감정을 조절하는데 도움을 받을 수 없었으며, 흔히 혼자서 패배감과 좌절을 느끼며 그것들과 맞닥뜨려야 했다.

부모는 둘 다 매우 요구가 많고 그녀의 자유로운 표현을 제한했다. 그리고 앨리스는 자신에게서 자라나는 욕구와 부모가 바라는 요구 사이의 갈등에 사로잡혀 있는 듯 보였다. 그녀는 정신화 및 사교적-감정적 조절의 역량을 발전시켜 나가는데 아무런 도움도 받지 못했다.

방어

앨리스가 타인으로부터 고립되고 타인에게 공격적 행동을 보이는 것은 그녀의 주된 방어 전략이다. 앨리스는 철퇴된 상태와 흥분된 상태를 오간다. 예를 들어 그녀는 생각이라는 나라로 도피했다가도 그 다음에는 지나칠 정도로 강하게 폭발하거나 맥락에 맞지 않는 분노를 표출한다. 신체화 및 행동화 둘 다의 증거가 존재한다. 그녀의 부모가 말한 바와 같이 앨리스는 많은 시간을 - 반복적인 활동으로 스스로를 고립시키고, 침묵과 집중 속에 머무르며 - "종기 접기"와 수학 문제로 보낸다. 그녀가 스스로를 진정시키지 못할 때면, 그리고 주변에서 그녀가 자신의 감정을 감당하게끔 도와주지 않을 경우, 그녀는 한바탕 울음을 터뜨린다.

또한 앨리스가 뭔가를 지나칠 정도로 세세하게 묘사하고, 숫자와 기록 목록을 거듭해서 채워 넣고, 수학 공식으로 논리 게임들을 제안할 때 등에서 그녀는 강박적인 방어를 사용하는 듯 보인다.

주된 염려와 병리적 믿음

앨리스는 자신을 남들과 다르며 남들보다 우월하다고 느꼈다: "제 친구들과는 달리 저는 게임에 대해 뭐든지 알고 있어요,"혹은 "저는 진심으로 뭔가 배우는데 최고랍니다,"혹은 "저는 다른 애들이 좋아하는 일을 하는 게 싫어요." 이러한 믿음은 그녀의 고립 경향이나 가족 및 친구들에게 드러나는 자신의 욕망을 가장하는 경향을 강화시키기고 있는 듯 보였다. 앨리스는 자신이 특별하다는 느낌과 우월감으로 스스로의 합일감과 발전을 막는 불안감을 덮고 있는 듯 보였다.

다양한 기능 수준

앨리스는 조직적이고 집중하였으며, 지나친 자극이 있는 경우나 (이를테면 소란스럽고 혼란스러운 환경) 불안하거나 스트레스를 받는 경우가 아니라면 배울 수 있었다. 그녀는 두 가지 수준의 기능을 보여주었다: 한편에서는, 그녀는 사람들이 기대하는 바에 맞출 수 있었다. (앨리스는 타인이 원하는 사람이 되려고 애를 쓰고 어른처럼 행동하려고 노력하였다.); 다른 한편으로는, 그녀는 미성숙하고 감정적인 어려움을 겪는 듯 보였다. (예, 숙제하는 것에 지칠 때면 그녀는 주체할 수 없이 울었다; 또래와 어울려 노는 게 거절당할 때면, 그녀는 순식간에 화를 내고 소리를 지르고 울거나 바닥에 드러눕는 식으로 반응했다.) 이러한 기능 방식은 자라나고 있는 자기감 및 관계적 맥락에서의 주체자라는 측면에 심히 부정적인 영향을 끼쳤다.

강점들과 자원들

앨리스는 똑꼭하고 감수성이 풍부한 아이였다. 그녀는 훌륭한 언어적 표현이 가능했으며, 흥미를 가지는 활동에 집중하고 에너지를 쏟을 수 있었다. 그녀는 여러사람 사이에 있을 때보다는 두 사람 간 상호작용을 할 때에, 감정이 훨씬 더 조절되었다. 그녀는 자신의 부모를 사랑하고 자신의 문제점에 대해 그들과 이야기하기를 원했다.

스스로에 대한 환자의 견해

앨리스는 자신의 감정을 지나친 방식으로 경험하고 있었고, 좀 더 조절되는 행동이 나오게끔 도움받기를 원하였다. 이에 대해 아버지 어머니와 더 이야기하고 싶어 했다.

평가 후 한 세션에서 앨리스는 우주선을 그렸는데, 우주선에는 자신을 보호하고 필요시 공격할 수 있게 해주는 온갖 전자 조절 장치들이 탑재되어 있었다. 우주선은 "모든 것이 일시정지된"시공간 터널을 지나가며 시작되는 여정에 나설 준비가 되어 있었다. 앨리스는 안정적인 자기감으로 돌아올 수 없었다; 마치 자기가 하는 일이 타인의 눈에는 대수롭지 않게 보인다고 생각하고 사랑스럽지 않게 느껴진다고 생각하는 듯 했다. 안전한 치료적 공간이라는 환경에서, 그리고 치료적 동맹이 생겨난 이후 , 앨리스는 심리사의 도움을 받아들이는 것처럼 보였다.

환자를 향한 치료자의 반응

앨리스의 치료자는 몇 가지 점에서 혼란스럽다고 했다. 이는 아마도 앨리스가 정적과 흥분을 오가는 것에 기인할 것이며, 아울러 그녀의 강박 행동 몇 가지를 보면서 든 조금의 조바심에서 기인하는 것일지도 모른다.

다양한 분야 활동을 아우르는 앨리스의 창조성으로 인해 치료자는 호기심을 느꼈다. 앨리스는 그녀와 연결된 듯 보였고 그녀에게 강한 인상을 남기는 일에 열중하는 듯한 반면, 동시에 그녀가 씨름하고 있는 것에 대해 도움을 구하는 일에 주저하는 듯 보였다. 심리사는 이러한 점에서 흥미와 공감을 느꼈다.

치료 적응증

매주 단위의 아동-부모 정신치료가 권고되었다. 앨리스와의 개인 세션 및 앨리스와 부모가 함께하는 세션들이 필요했다. 주된 치료 목적은 다음과 같다:

1. 앨리스가 적당하고, 나이에 걸맞는 감정 조절 전략들을 찾게끔 도와주는 것. 이 전략들은 그녀가 다양하고 복잡한 자신의 느낌을 좀 더 적절한 방식으로 표현할 수 있게 할 것이다. 그 결과 그녀의 창조적 역량을 유지하고 대인관계를 유지하게 할 것이다.
2. 그녀의 부모가 자신들의 공격적인 행동이나 앨리스의 감정적 울음을 잘 처리해 나갈 수 있게 돕는 것. 그들이 높은 수준의 따스함과 반응성, 감수성 및 일관성을 유지할 수 있도록 지지하기 위해, 특히나 그들에게 반추하는 능력이 부족하다는 점, 실제적인 발달 수준에 맞추어 기대하지 못한다는 점, 자식이 경험하는 바에 호기심이 결여되어 있다는 점을 알려주기 위해 부모와의 만남이 필요하다.

DSM-5/ICD-10 진단

범불안장애(ICD-10-CM 코드: F41.1)

PDM-2 진단

MC축

앨리스는 몇몇 특정 영역에서 어려움이 있었고, 몇 가지 정신 기능 영역에서 중등도의 제한을 보였다. 이들은 그녀의 대인관계의 질과 안정성, 정체성 및 정동 인내 능력에 나쁜 영향을 끼쳤다.

M04. 중등도의 정신기능 장애 (범위 = 30–36)

PC축

부각되는 인격 양상 및 어려움을 나타내는 프로파일: 인격 구조가 신경증적 수준임.

SC축

SC31. 불안 장애

PDC-C 상의 PDM-2 프로파일

앨리스의 PDM-2 프로파일 전체를 보여주는 완결된 PDC-C는 Figure 16.3에 제시되어 있다.

정신진단 차트-아동 (PDC-C)

이름: 앨리스 나이: 7 성별: 여성 인종: 유럽인

평가일: xx / xx / xx 평가자: 정신치료자

섹션 I: 정신 기능 (MC 축)

아래 12가지 정신 기능 각각에 대해 환자의 강점 또는 약점 수준을 1에서 5점 척도 (1=심각한 결손; 5=건강함) 상에 평가하시오. 그 다음 12가지 심각도 수준 평가 점수를 합하시오.

심각한 결손	주된 장애	중등도 장애	경한 장애	건강함
1	2	3	4	5

- **인지 및 정동 과정들**
  1. 조절, 주의 및 학습 역량 — 4
  2. 정동 범위, 의사소통 및 이해에 관한 역량 — 3
  3. 정신화 및 반영적 기능 역량 — 3
- **정체성 및 관계**
  4. 분화 및 통합 (정체성)에 관한 역량 — 3
  5. 관계 및 친밀도에 관한 역량 — 2
  6. 자존감 조절 및 내적 경험의 질에 관한 역량 — 3
- **방어 및 대처**
  7. 충동 조절 및 통제에 관한 역량 — 2
  8. 방어 기능에 관한 역량 — 2
  9. 적응, 회복력 및 강도에 관한 역량 — 4
- **자기 인식 및 자기 방향성**
  10. 자기 관찰 능력 (심리학적 마음가짐) — 3
  11. 내적 규준 및 이상을 구성하고 사용하는 능력 — 3

인격 심각도의 총체적 수준 (12 정신 기능의 합): 32

[건강한/최적의 정신 기능, 50 – 55; 몇몇 어려움을 겪는 영역이 있으나 양호하거나/적절한 정신 기능, 43 – 49; 정신 기능의 경한 장애, 37 – 42; 정신 기능의 중등도 장애, 30 – 36; 정신 기능의 주된 장애, 24 – 29; 기본적 정신 기능의 유의한 결손, 17 – 23; 기본적 정신 기능의 주된/심각한 결손, 11 – 16]

(계속)

표 9.3. 완성된 앨리스의 PDC-C

섹션 II: 나타나는 인격 양식 및 어려움의 수준

인격 구성의 수준을 결정할 때에는 환자의 정신 기능을 고려하라. 다음의 네 가지 정신기능을 이용하여 나타나는 인격 구조 수준을 초래한 현재의 인격 양식과 어려움에 대해 효율적으로 정하라. 연령 고유의 특성과 더불어 이러한 발달 단계에서 보이는 증상의 높은 변동성이 반드시 고려되어야 한다. - 현재 임상 양상에 영향을 끼친 기타 특징적인 외부 요소 역시 마찬가지이다. 각 정신 기능을 1점 (심각히 저하됨)에서 10점 (건강함)까지의 척도 상에서 평가하시오.

심각함				중등도					건강함
1	2	3	4	5	6	7	8	9	10

1. **정체성:** 자신을 복합적이고, 나이에 적절하며, 정확한 방식으로 바라보는, 나타나는 능력 5
2. **대상관계:** 친밀하고 안정적이며 만족스러운 관계를 유지하는, 나타나는 능력 5
3. 나타나는 인격 양식 (아래의 지침을 이용하여, 한 가지 숫자를 고르시오): 7
   1-2: 정신증적 수준
   3-5: 경계성 수준
   6-8: 신경증적 수준
   9-10: 건강한 수준
4. **현실 검증력:** 무엇이 현실적인지 보편적인 개념을 인지하는 능력 7

총체적인 인격 구성

평가 결과 및 당신의 임상적 판단에 따라, 환자의 총체적으로 나타나는 인격 구성에 동그라미를 치시오.

정신병적			경계성			신경증적			건강함
1	2	3	4	5	6	(7)	8	9	10

"정상적으로"나타나는 인격 양식 (건강함): 대게 9-10점으로 나타남. 이 아동들은 나타나는 인격 조직이 응집력을 보이는데, 그 속의 기질적 취약성을 포함한 생물학적 자질은 가족, 동료 및 타인과 발달상 적절히 관계를 가지며 적응적으로 처리된다. 아동들의 발달 단계와 관련해서, 그들은 점점 더 조직화된 자기감을 가지게 되는데, 자기감에는 연령에 맞는 대처 기술과 자타에 관한 느낌을 다루는 공감적, 양심적 방식들이 포함된다.

표 9.3.(계속)

경도의 역기능적으로 나타나는 인격 양식 (신경증적): 대게 6-8점으로 나타남. 이 아동들은 나타나는 인격 조직이 덜 응집되어 있으며, 그 속의 기질적 취약성을 포함한 생물학적 자질은 덜 적응적으로 처리된다. 생애 초기 그들의 주양육자들은 그들이 이러한 체질적 성향을 처리하는 것을 돕는데 문제가 있었을 수 있다. 이러한 아동들은 덜 문제적인 자질을 가졌거나 더 잘 반응하는 양육자를 가진 아동들만큼 다양한 발달 수준을 성공적으로 해쳐나가지 못한다. 그러나 그들의 자기감 및 현실감은 연령에 걸맞는 방식으로 자라나고 있다. 발달이 진행됨에 따라, 그들의 적응적 기전들은 적당히 융통성이 부족한 방어 양식들로 나타날 수도 있으며, 역경에 대한 반응은 어느 정도 역기능적일 수 있다.

역기능적으로 나타나는 인격 양식 (경계선): 대게 3-5점으로 나타남. 이 아동들은 현실 검증력 및 자기감에 있어 취약성을 드러낸다. 이러한 문제들은 자타에 관한 느낌을 다룰 때 부적응적인 방식으로 나타날 수 있다. 그들의 방어적 조작은 현실을 왜곡시킬 수도 있다. (예, 자신의 느낌을 자신의 것이 아닌 타인의 것으로 지각할 수도 있다; 타인이 가진 의도를 잘못 지각할 수도 있다.)

심각히 역기능적으로 나타나는 인격 양식 (정신증적): 대게 1-2점으로 나타남. 이 아동들은 현실 검증력 및 자기감 형성에 있어 유의한 결손을 보이며, 이는 자타에 관한 느낌을 다룸에 있어 지속적으로 부적응적 방식을 사용하는 것으로 드러난다. 그들의 방어적 조작은 타인과 연관된 기본적인 역량을 방해하며, 자신의 느낌과 소망을 타인의 것과 분리하는 역량을 방해한다.

(카테고리들 간 뚜렷한 절단선은 없음. 임상적 판단에 따를 것)

섹션 III: 증상 양식 (SC 축)

주된 PDM-2 증상 양식들 (정신증적 장애, 기분 장애, 일차적으로 불안과 연관된 장애, 사건 및 스트레스 요인과 연관된 장애 등)을 열거하시오.

(필요시 DSM이나 ICD 증상 및 코드를 여기에 사용할 수 있다.)

심각		중등도		건강
1	2	3	4	5

증상/염려: 불안 장애 수준: 2

증상/염려: ______ 수준: _

증상/염려: ______ 수준: _

(계속)

표 9.3. (계속)

섹션 IV: 진단적 정보를 주는 영향력 있는 요인 및 관련된 임상적 관찰

1. 후성 유전학: 가족력은 세세한 부분까지 밝혀지지 않았다: 부모의 불안 가능성
2. 기질 : 발랄한 소녀: 좌절을 견디는 능력이 제한적
3. 신경심리학: 발달 과제는 정상적: 감각 문제는 없음: 불안도가 낮을 경우 표준적인 언어 능력
4. 애착 양식: 진단 과정 동안 분리 재결합 순간을 살펴보면 앨리스는 근접-회피 반응을 왔다갔다하는 것으로 특징지어지는 불안정-회피성 애착 양식을 가졌으리라 시사된다. 일부 기본적인 안전감은 존재한다.
5. 사회문화적 영향: 중상위층의 가정
6. 역전이-전이 양상: 치료자는 몇 가지 점에서 혼란스럽다고 했다. 이는 아마도 앨리스가 정적과 흥분을 오가는 것에 기인할 것이며, 아울러 그녀의 강박 행동 몇 가지를 보면서 든 조금의 조바심에서 기인하는 것일지도 모른다. 반면 다양한 분야 활동을 아우르는 앨리스의 창조성은 치료자의 호기심, 흥미, 및 맥락 상 공감을 유발했다.

표 9.3. (계속)

영아기 및 초기 아동기

폴 Paul

폴은 곧 4세가 된다. 그는 가족의 첫째 아이이며, 18개월의 남동생이 있다. 둘다 30대인 그의 부모는 지난 해 동안 폴이 화를 잘 내고 공격적인 행동을 보였다는 이유로 심리적 상담을 찾았다. 부모나 또래 아이들을 깨물고 꼬집고 찰싹 때리는 등의 폭력적인 행동의 폭발로 인해 그들은 꽤나 경각심을 느끼게 되었다. 또한 부모는 폴이 계속해서 권위적인 인물의 요청이나 규칙을 준수하기를 거부하여 걱정하고 있었다. 그는 점점 흉폭한 아이가 되고 있었고, 부모는 그러한 행동에 어떻게 대처해야 할지 알지 못했다.

평가 과정에는 두 번의 부모 면담, 폴과의 면담, 그리고 남동생을 포함하지 않은 두 번의 가족 관찰이 포함되었다. 평가 목적은 폴의 생활에서의 관계의 질 및 부모와의 관계 양식을 헤아려 보는데 있었다.

개인적 자료, 가족력 및 가족 구성원들 관계에서의 특징적인 양상

부모는 폴이 정상 임신 후 만삭으로 태어났다고 했다. 폴이 2세가 될 때까지는 발달 상 어떠한 특별한 문제도 없었다. 폴의 수면 리듬은 꽤나 규칙적이었다. 이는 어머니에게 숨을 돌릴 틈을 주었는데, 부모는 모두 일을 하여 휴식하고 잘 시간이 필요했기 때문이다. 그는 9개월간 모유 수유를 했으며, 쉽게 이유식으로 넘어갔다. 그는 여전히 자신을 위해 만든 모든 음식을 먹고 있으나, 그가 화가 나 있을 때면 먹는 시간은 점차로 까다로워졌다. (음식을 던지거나 의자 위에 올라서거나, 동생을 괴롭히고 대체로 규칙이나 지시를 따르지 않았다.)

그는 조금 어설프고 무모했지만 그의 부모는 모두 그를 매우 활동적이고 에너지가 넘친다고 묘사했다. 종종 그는 물건을 부수거나 다쳤다.

그의 어머니가 그의 동생을 가졌을 때, 폴은 야경증을 앓았고, 반항적이고 공격적인 행동을 하기 시작했다. 두 부모는 이 시기가 극도로 힘들었다고 말했다. 그들은 폴이 남동생이 태어나기 전부터 질투한다고 생각했다. 이 임신기간 동안 어머니는 세 차례에 걸쳐 4일에서 15일 사이 기간으로 입원을 했다. 아버지는 폴이 어머니의 부재에 대해 저항하고, 관심을 구하고, 끊임없이 어머니에 대해 물어보는 것으로 반응했다고 말했다. 어머니는 그녀가 폴과 가장 오랫동안 떨어져 지낸 이후 집에 도착했을 때 폴이 자신에게 관심을 보이지 않았고 물러나 있었다고 기억했다. 어머니가 없을 무렵 그는 아버지와 더 가까워졌고, 지금까지도 자신에게 뭔가 필요하다면 (이를테면 밤에 일어났을 때) 거의 대부분 아버지를 찾는다는데 두 부모는 모두 의견일치를 보였다. 이로 인해 어머니는 자신이 부재했던 과거에 대해 죄책감을 느끼고 있다.

어머니는 폴에 대해 말을 잘 하고 이해가 빠른 똑똑한 아이라고 이야기했다. 하지만 그녀는 그가 언제나 자신만의 방식으로 뭔가 하고 싶어 하며, 그녀의 이야기를 듣지 않는다는 사실에 좌절했다. 그가 자신이 원하는 것을 얻지 못할 경우, 그는 쉽게 불만을 느꼈고, 쉽게 달래지지 않는 울음이나 외향적인 반항으로 이를 표출했다. 그는 또한 허락을 받지 못하거나 뭔가를 마무리하지 못할 경우 화를 내고 공격적으로 변했다.

폴은 보육원에서 다른 아이들과 잘 지내지 못할 때가 많았다. 아침이면 울면서 보육원에 가지 않겠다고 고집을 부린다고 어머니는 말했다. 일단 보육원에서는 쉽게 짜증을 내고 계속해서 또래와 말다툼하거나 싸웠다. 그의 어머니는 아울러 그가 인내심이 적고 요구가 많다고 했다. 그는 밤을 무서워했다. 마지막으로 이따금씩 그가 뭔가를 잘 하지 못하거나 제지를 받을 경우 스스로를 때리고 욕하는 모습을 그녀는 보아왔다.

첫 만남동안, 부모는 지치고 낙담한 것처럼 보였다; 그들은 폴의 행동에 대해 여러 가지를 호소하였고, 그들의 불안 및 걱정 수준은 굉장히 높았다. 아버니는 문제를 최소화하고 심리학적 도움이 필요 없다고 생각하는 경향이 있는 반면, 어머니는 폴이 성인이 된 미래에 대해 상당한 공포를 느끼고 있었다.

기능적인 감정 발달 상의 역량

가족을 관찰하는 동안, 폴은 호기심 많고, 외향적이며 역동적으로 보였다. 그는 사무실을 재빨리 움직이며 근처의 환경을 자발적으로 탐색했다. 그는 여러 가지 형태의 놀이를 재빨리 바꾸며 놀았다.

폴은 연령상 예상할 수 있는 모든 감정 범위를 경험할 수 있었으나, 그의 느낌은 급속히 강렬해 질 수 있었다; 그는 특히나 뭔가를 제대로 못 했을 때, 특별히 빠른 속도로 분노했다. 그는 빈번히 부모나 치료자가 설정한 제한과 규칙을 따르려하지 않았다. 그는 자신 뜻대로 하고 싶어 했다. 만일 그렇게 하는 것이 허락되지 않을 때면, 그는 무질서해지고 과격한 행동을 보였다. (이를테면, 물건을 던지거나 제멋대로 행동했다.)

좀 더 구조화된 놀이 시나리오에 가족들이 참여하며 작은 테이블에 둘러 앉아 있을 때, 폴은 자신의 감정적 기능을 높은 수준으로 제어할 수 있다는 것을 보여주었다. 그는 유쾌하게 놀며 양친과 행복한 관계 속에 녹아들었다. 그는 적정 수준의 주의와 집중을 유지한 채 능동적으로 함께하는 게임을 시작하고 참여할 수 있었다. 또한 그는 상징적 대화를 사용하고 가상놀이를 했고, 자신과 타인의 정동 상태를 이해하는데 훌륭한 능력을 보였다. 자신의 행동에 대한 수치심과 죄책감의 증거 역시 놀이를 통한 상호작용 도중 나타났다.

폴은 부모에게 굉장히 요구가 많았다. 만약 그들이 집중을 하지 않는다면, 그는 짜증스럽게 되었고 울거나 소리 지르거나 때리는 경향을 보였다. 그가 몸짓을 바탕으로 자신의 욕구와 감정을 표현하고 전달하는 방법을 풍부히 가지고 있음에도 불구하고 말이다. 그의 표현 언어는 상당히 지연되어 있었다.

조절 – 감각 처리 역량

폴은 주의력, 관찰력, 호기심, 이해하고 배우는 능력을 보여주었다. 그의 조절-감각 처리 프로파일은 과도반응성으로 나타났는데, 특히나 그가 충동적이 되는 스트레스 상황에서 그러하였다. 전체적으로 그는 좌절 내성이 제한적이었고 높은 수준의 반응성 및 이자극성을 보였다.

그는 미세 운동 능력에 장애가 거의 없음을 보여주듯 활발하고 강하며 빠르게 실내를 돌아다녔다.

폴이 불안을 조절하는 능력은 여전히 제한적이었으며, 자기 조절 능력은 안정적인 지원이 필요한 상태였다. 그의 어려움과 공격적인 행동은 부모가 틀을 잘 잡아줄 때면 줄어들었다; 그러한 경우에는 좀 더 적절한 방식으로 자신의 분노를 표현하고, 좌절에 견디는 더 나은 방법을 찾을 수 있었다.

관계 양식 및 장애

관찰 동안 폴은 양친이나 심리사와 긍정적으로 교류하였다. 그가 심리사와 단 둘이 있게 되자, 처음에는 조심스러워 했으나 곧 편안해하며 쉽게 탐색하고 상호작용했다.

폴의 부모는 대개 긴장하고, 염려하였으며, 불안해 보였다. 둘은 자식에 대해 나쁜 인상을 가지고 있었고, 지나치게 그를 비난하였고 안 된다는 이야기를 자주 하였다.

어머니는 폴을 말로 꾸짖는 경우가 잦았고 규칙과 한계에 관해 지나치게 염려하는 모습을 보였다. 부모는 모두 아들의 반항적 행동에 지쳤고 이제는 과할 정도로 체벌하는 훈육 방식을 적용하고 있다고 말했다.

아버지는 폴과 좀 더 긍정적으로 받아주는 스타일을 가진 듯 보였다. 그는 폴의 부정적인 감정 상태와 행동에 꽤나 잘 대처해 나갈 수 있었다. 하지만 그가 언제나 가용하거나 능동적인 것은 아니었으며, 때로는 상호작용에서 물러나는 경향을 보이기도 했다.

어머니는 좀 더 예측하기 어려웠다. 그녀는 열정적이고 잘 어우러지며 긍정적으로 받아주는 순간과 감정적으로 메말라 버리는 시기 사이를 오갔다. 이러한 순간들은 급속히 예민해지고 짜증스러워지는 아들에게 깊은 영향을 끼쳤다. 어머니의 불안한 상태는 또한 그녀의 반추 능력을 저해했다. 그녀는 폴의 공격적인 행동과 부정적인 감정들, 특히나 분노와 저항을 다루는데 어려움을 겪었다. 특히나 반항적이거나 파괴적인 행동을 보일 때면 그녀는 폴에게 관심을 두기보다는 그가 어지럽힌 것들을 치우는데 더 관심을 쏟았다.

그녀는 아들의 공격적인 행동을 극도로 염려했는데, 그녀는 자신의 친가의 폭력적인 성향에 익숙했기 때문이었다. 그녀는 폴이 자신의 아버지나 남자 형제처럼 공격적이고 파괴적인 사람이 될까 전전긍긍했다.

치료적 적응

이러한 상황에서는 폴과 부모 사이의 교류 양식뿐만 아니라 폴의 감정 조절 능력에 초점을 맞춘 중재 프로그램을 고려하는 것이 중요하다. 폴의 감정 조절의 취약성이 부모와의 관계적 맥락 속에서 악화되거나 완화될 수 있음을 고려할 때, 개인간 및 개인내 상호 감정 조절의 향상을 목표로 한 부모-자녀 치료 과정이 권고된다.

내재된 감정 조절 과정을 발달학 상에서 성숙할 수 있게 지지하면서, 폴과 그의 부모 모두가 긍정적인 정동 상태를 공유할 수 있게 만드는 활동들을 찾게 도와주는데 치료 초점이 맞추어져야 한다. 폴은 자신의 감정 상태를 조절하고, 특히 스트레스 순간 양육자와의 상호 작용에서의 어려움을 조절하는데 도움이 필요하다.

치료자는 또한 부모가 폴의 파괴적인 행동에 좀 더 낳은 해결책과 대응 전략들을 찾을 수 있도록 도와야 한다. 이에는 지나치게 체벌적인 훈육 양식을 막고, 한계와 규칙을 수용하게 만들고 정동을 공유하는 기간을 늘리는 좀 더 효과적인 방법들 (이를테면 긍정적 강화)을 지지하는 것이 포함되어야만 한다. 그들은 또한 아들이 가진 생각, 느낌, 그리고 어머니가 발달상 결정적인 순간에 없었음에 대한 판타지를 부모로써 기꺼이 받아들이게끔, 그리하여 자신이 뭔가 잘못되었기에 어머니가 자신을 떠났고 더 나은 아이로 자신의 자리를 대체했다는 폴의 명백한 믿음이 재고될 수 있게끔 격려될 필요가 있다.

PDM-2 진단

주 진단

IEC12. 파괴적 행동 및 반항 장애 (3 단계)

IEC14.01.2. 과민성 혹은 과반응성: 부정적이고, 완고한 패턴 (4 단계)

PDC-IEC 상의 PDM-2 프로파일

폴의 PDM-2 프로파일 전체를 보여주는 완결된 PDC-IEC는 Figure 16.4에 제시되어 있다.

정신진단 차트-영아 및 초기 아동기 (PDC-IEC)

이름: 폴　　나이: 3년 10개월　　성별: 남성　　인종: 유럽인

평가일: xx / xx / xx　평가자: 정신치료자

섹션 I: 주된 진단

주된 IEC 진단들을 열거하고 각각에 대해 심각도 수준을 1-5점 척도를 사용하여 평가하라. 필요하다면 DC: 0-3R, DC:0-3R, 또는 DSM 진단을 사용할 수 있다.

심각함		중등도		경함
1	2	3	4	5

주 진단: 파괴적, 행동 및 반항 장애　　수준: 3

기타 진단: 과민성/과반응성; 부정적이고, 완고함 수준　　수준: 4

기티 진단: ______　　수준: _

섹션 II: 기능적 감정 발달 역량

다음 여섯가지 감정적 기능 각각에 대해 1-5점 척도 (1=심각한 결손; 5=건강함) 상에서 강도나 결손의 수준을 나타내는 점수에 동그라미 치시오.

수준	예상되는 감정적 기능	척도 점수				
1	함께하는 집중 및 조절	5	④	3	2	1
2	참여와 관계맺음	5	④	3	2	1
3	쌍방향의 의미가 담긴 감정 교류	⑤	4	3	2	1
4	함께하는 사교적 문제 해결	⑤	4	3	2	1
5	상징과 생각의 창조	5	④	3	2	1
6	사고들 간의 논리적 가교를 만듬: 논리적 사고	5	④	3	2	1

섹션 III: 조절-감각 처리 역량

III축은 아동의 조절-감각 처리 프로파일을 나타낸다. 영아나 어린 아동들이 감각 경험에 반응 하고 이해하며 그 다음으로 어떻게 행동할 것인지 계획하는 방식에는 수많은 선천적-성숙적 차이가 존재한다. 관찰된 갖가지 양상들은 상대적으로 정상적인 변이에서부터 장애에 이르기까지 일직선상에 존재한다.

(계속)

표 9.4. (계속)

아래의 각 카테고리에서 아동의 조절-감각 처리 역량들의 수준을 1-4점 척도 상에 동그라미치시오. (1=심각한 문제; 4=해당 없음).

카테고리	**아형 아형**	**본 영역에서의 문제**			
		해당 없음; 전혀 혹은 거의 문제가 되지 않음	경한 문제 혹은 단지 간헐적인 문제	중등도의 문제 혹은 잦은 문제	심각한 문제 혹 은 거의 언제나 문제가 됨
감각 조절	감각 저반응성	④	3	2	1
	감각 과반응성	4	③	2	1
	감각 추구	4	③	2	1
감각 구분	촉각	4	③	2	1
	청각	④	3	2	1
	시각	④	3	2	1
	미각/후각	4	③	2	1
	전정/고유감각	④	3	2	1
감각에 근거 한 운동 기능	체위 과제	④	3	2	1
	운동 장애 과제	4	③	2	1

종합적 조절-감각 프로파일

임상 판단 및 평가에 따라, 각 조절-감각 양상이 정상적 변이 대 장애를 나타내는 정도를 동그라미 치시오. 1-2점일 경우 조절-감각 처리 장애를 주 진단으로 고려하라; 3-4점일 경우 장애가 있는 조절-감각 처리 과정은 다른 주 진단들과 연관되어 있을 수 있음을 고려하라.

심각한 결손	주된 장애	중등도 장애	경한 장애	건강함
1	2	3	④	5

(계속)

표 9.4. (계속)

섹션 IV: 관계 양상 및 장애

아동과 주 양육자 (어머니 혹은 아버지, 하지만 적절할 경우 양육권이 있는 부모, 조부모 등) 와의 각 관계가 이 섹션에서 평가되어야 한다. 아래 여덟 가지 묘사 각각에 대해 양육자-아동 관계를 1에서 5점까지의 척도 (1=심각한 장애. 5=건강함) 상에서 평가하라. 그 다음 건강한/적응적인 관계 대 관계적 장애를 나타내는 양식의 정도에 관해 평가한 여덟 가지 점수를 합하라.

양육자1: **어머니** ______ (구체적으로 쓸 것)

영아/아동-양육자 관계	*평가 척도*				
양육자의 아동 표상에 대한 질과 유연성	5	4	③	2	1
양육자의 반추 가능의 질	5	4	③	2	1
양육자와 아동의 비언어적 교감의 질	5	④	3	2	1
상호작용 양식의 질 (호혜적, 동조적, 상호작용적 회복)	5	4	③	2	1
양육자-영아 관계의 정동적 색조	5	4	③	2	1
양육자의 행동의 질 (민감성 대 위협/겁을 주는 행동)	5	4	③	2	1
양육 양식의 질 (편안, 자극, 영아의 감정 신호에 대한 반응, 격려 대 철수, 과자극, 조종 행동, 불감성)	5	4	③	2	1
유의한 관계에 들어가고 관계를 형성하는 영아/아동의 능력 (대 이 능력을 저해하는 특정한 어려움들)	5	④	3	2	1

총점=26

종합적인 관계 양식 수준 (양육자 1)

[건강/적응적 관계 양식, 36-40; 몇몇 영역들에서 어려움이 있는 적응적 관계 양식, 29-35; 관계 양식들에서 중등도의 동요나 장애, 22-28; 관계 양식들의 유의한 장애, 15-21; 관계 양식들의 주된 저하 또는 관계 장애, 8-14]

애착 양식 (양육자 1)

애착양식과 관련하여 각 네 가지 원형에 대해 양육자-아동 관계를 1점 (관련 없음)에서 5점 (높은 관련성) 척도로 평가하시오.

안정	3
불안정-회피	2
불안정-양가적/저항적	1
외해/혼란형	1

(계속)

표 9.4. (계속)

양육자1: 아버지 ______________________________ (구체적으로 쓸 것)

영아/아동-양육자 관계	평가 척도				
양육자의 아동 표상에 대한 질과 유연성	5	④	3	2	1
양육자의 반추 가능의 질	5	④	3	2	1
양육자와 아동의 비언어적 교감의 질	5	④	3	2	1
상호작용 양식의 질 (호혜적, 동조적, 상호작용적 회복)	5	④	3	2	1
양육자-영아 관계의 정동적 색조	⑤	4	3	2	1
양육자의 행동의 질 (민감성 대 위협/겁을 주는 행동)	5	④	3	2	1
양육 양식의 질 (편안, 자극, 영아의 감정 신호에 대한 반응, 격려 대 철수, 과자극, 조종 행동, 불감성)	5	④	3	2	1
유의한 관계에 들어가고 관계를 형성하는 영아/아동의 능력 (대 이 능력을 저해하는 특정한 어려움들)	5	④	3	2	1

총점=33

종합적인 관계 양식 수준 (양육자 2)

[건강/적응적 관계 양식, 36-40; 몇몇 영역들에서 어려움이 있는 적응적 관계 양식, 29-35; 관계 양식들에서 중등도의 동요나 장애, 22-28; 관계 양식들의 유의한 장애, 15-21; 관계 양식들의 주된 저하 또는 관계 장애, 8-14]

애착 양식 (양육자 2)

애착양식과 관련하여 각 네 가지 원형에 대해 양육자-아동 관계를 1점 (관련 없음)에서 5점 (높은 관련성) 척도로 평가하시오.

안정 4

불안정-회피 2

불안정-양가적/저항적 1

외해/혼란형 1

섹션 V: 기타 의학적 및 신경학적 진단

표 9.4. (계속)

Index

국문 찾아보기

ㄱ

ㄴ

ㄷ

ㄹ

ㅁ

ㅂ

ㅅ

ㅇ

ㅈ

ㅊ

ㅌ

ㅍ

ㅎ

영문 찾아보기

A

B

C

D

E

S

T

V

W